NUEVA ENCICLOPEDIA CUMBRE

NUEVA ENCICLOPEDIA CUMBRE

VOLUMEN 12

REJA – SIONISMO

CARIBE GROLIER
PUERTO RICO

IMPRESO EN 2002

Caribe Grolier, Inc.
Calle del Parque 601
Santurce, Puerto Rico 00910

ISBN: 0-7172-5114-4 (Obra completa)

ISBN: 0-7172-5127-6 (Volumen 12)

Impreso en los Estados Unidos de América.

reja. Conjunto de barras metálicas, generalmente de hierro, cruzadas o entrelazadas artísticamente de las más diversas maneras y de tamaños variados, que se pone en ventanas, puertas, balcones, etcétera, para seguridad y defensa o como motivo ornamental. Las rejas más sencillas están formadas por barrotes cilíndricos o cuadrangulares verticales, que a veces están cruzados por otros horizontales formando mallas rectangulares. En otras rejas, los espacios comprendidos entre los barrotes verticales se llenaban con volutas, espirales o dibujos artísticos que, en general, respondían al estilo de los monumentos de que formaban parte. Su invención, lo mismo que su empleo, son muy antiguos.

En los templos griegos, el lugar donde se guardaba el tesoro estaba cerrado por una reja, de bronce o de hierro, para que los curiosos pudieran admirarlo. La reja romana debió generalizarse cuando se hizo necesaria la construcción de vastos recintos que ofreciesen seguridad.

En la arquitectura religiosa de los siglos medios, las rejas servían para cerrar el paso, pero no la vista, en las iglesias donde se veneraban ciertas imágenes. A artistas bizantinos establecidos en Lombardía se atribuyen las magníficas rejas de cobre fundido existentes en Nuestra Señora de Aquisgrán, que datan de la época de Carlomagno. Pero, como esas rejas de bronce resultaban caras y frágiles, no tardó en emplearse hierro para su fabricación. Así, el tipo de reja que predomina en Europa durante los siglos XI y XII consiste en una serie de hierros de sección cuadrada, con extremos en forma de volutas y partes medias entrelazadas unas con otras, presas por medio de abrazaderas. Estas rejas no son, por lo común, muy altas, y como el espacio que tenían que cerrar era grande se hacían de cuatro partes, dos de ellas fijas y adheridas a los machones, y otras dos que, girando sobre las primeras, servían de puerta. Las rejas romanas son sólidas, sencillas y bien acabadas.

En el siglo XV las rejas cobran un estilo marcadamente arquitectónico. En el tipo sencillo de reja de numerosos barrotes verticales, el forjador reprodujo en los pinchos flores de alta corola y delgados pétalos, que acababan en puntas defensivas. Tal es el tipo de las admirables rejas del claustro de la catedral de Barcelona. De la misma forma, pero más sencillas, eran las que se ponían en aquellos tiempos en las ventanas de los castillos. En las ventanas bajas de los palacios, el estilo ojival forjó rejas en las que se sobrepusieron a los barrotes verticales fajas horizontales de motivos florales estilizados, escudos heráldicos y gabletes de delicada factura. De este tipo son las dos rejas que se conservan aún en las ventanas inferiores de uno de los ángulos del famoso palacio de Salamanca llamado *Casa de las conchas* debido a la labor que tiene su fachada.

Cuando las rejas dejaron de ser un accesorio que sólo cumplía un fin, es decir, cuando cobraron importancia realmente artística, perdieron el anonimato de la artesanía y los maestros rejeros se sentían orgullosos de firmar sus obras, como cualquier artista. El arte de los rejeros alcanzó en España, entre los siglos XV y XVI, mayor importancia que en otras partes de Europa. Ceán Bermúdez, en su *Diccionario de los profesores de Bellas Artes*, nos da a conocer los nombres y los trabajos de los más famosos rejeros de aquella época. Así, sabemos que en Palma de Mallorca floreció, en las postrimerías del siglo XIV, el maestro Bartolomé Morey, y que en el siglo XV trabajó en Burgos el maestro Basil y en Toledo el maestro Pablo. El maestro Juan Francés, rejero y *maestro mayor de las armas de hierro de España*, trabajó, en el año 1494, en la reja del Sagrario antiguo de afuera (vestuario) de la catedral de Toledo y forjó también la de la capilla mayor de San Justo y Pastor de Alcalá de Henares. Todas ellas, de estilo ojival.

Ya en el Renacimiento, entre 1520 y 1530, se hizo la reja de estilo plateresco más típica y acabada, la de la capilla Real de Granada, en la cual aparecen en relieve las imágenes de los apóstoles y algunos santos y, sobre una faja ornamental y rica crestería, se alza el Crucifijo con la Virgen y San Juan a los lados. Las rejas del coro y de la capilla mayor de la catedral de Toledo, hechas por los maestros Domingo de Céspedes y Francisco de Villalpando, son magníficos ejemplares. Diez años tardó Villalpando en ejecutar la monumental reja, su obra maestra en la que lo ayudaron numerosos oficiales.

Corel Stock Photo Library

Reja de hierro en Francia.

El arte de los rejeros no sólo se empleó para ornato de las iglesias, sino que las fachadas de los palacios y casas de personas acomodadas se adornaron también con magníficas rejas. Pero, cuando con el transcurso del tiempo, el frío estilo clásico vino a sustituir el florido estilo plateresco, el arte de los rejeros entró en decadencia.

En el siglo XVII se hicieron algunas rejas de hierro cubiertas de plata, lujo del que se

Reja del parque de la Cabeza Dorada, Lyon, Francia.

Corel Stock Photo Library

Corel Stock Photo Library

Reja de una residencia en París, Francia.

encuentra ejemplo en la capilla de la Fuencisla, situada en las afueras de Segovia. En aquella época fue costumbre en iglesias pobres hacer rejas de hierro que cubren por entero las entradas de las capillas. Son de factura muy sencilla, pero conservan como recuerdo de la buena época una faja con alguna inscripción. Por aquel tiempo también se hicieron canceles de madera que imitaban los de hierro. Tanto de unas como de otros se hicieron muchos en el siglo XIX.

Puede afirmarse que el arte de los rejeros resucitó, en cierta manera, con el desarrollo que dieron a la arquitectura de los jardines los gustos y las costumbres cortesanas del siglo XVIII. El Barroco comunicó a las rejas un nuevo carácter: en vez de adornarlas con columnas y frisos de labores repujadas, lo hizo con cartelas, roleos, medallones y otras caprichosas combinaciones realizadas con hierros curvos, que dan al conjunto un sello de ligereza y fantasía muy de acuerdo con la decoración que se empleaba en los jardines, cuyo prototipo puede hallarse en los del famoso palacio de Versalles.

Réjane, seudónimo de Gabrielle Réju (1856-1920). Actriz francesa, hija de actores, decidió su vocación el trato con el famoso Frederick Lemaitre y Mélingue. Encarnó a las heroínas de los más famosos autores de su época y logró éxitos clamorosos. Por los valiosos servicios que prestó a su patria durante la Primera Guerra Mundial fue condecorada con la Legión de Honor. En 1874 ganó el segundo premio de comedia del Conservatorio de París. Contribuyó al éxito de obras como *Germinie Lacerteux* (1888), *Sapho* (1892) y *Madame Sans-Gêne* (1893).

Rejaule y Toledo, Pedro Juan de (1586?-1640?). Poeta y escritor español, conocido también por el seudónimo de *Ricardo de Turia.* Nació en Valencia. Algunos eruditos alemanes suponen que dicho seudónimo ocultaba a don Luis Ferrer y Cardona, caballero de Santiago y señor de la baronía de Sot, pero parece comprobado que Ricardo de Turia y Pedro Juan de Rejaule eran una misma persona. Siguió la carrera de leyes, fue jurisperito de mucha nombradía y gozó del favor de príncipes y señores. Tras su jubilación de juez, retirado en la soledad, se entregó a la literatura. Es autor de las cuatro comedias siguientes: *La burladora burlada, La belígera española, La fe pagada,* y *Vida, martirio y muerte de san Vicente mártir, patrón de Valencia,* publicado en 1616, en un mismo volumen de autores valencianos, junto con un Discurso apologético. Este discurso motivó, con toda seguridad que Cervantes, en su *Viaje al Parnaso,* citara a nuestro autor: "Pedro Juan de Rejaule le seguía en otro coche: insigne valenciano y grande defensor de la poesía".

Los rejoneadores expresan su arte en las plazas de toros.

Rafael Dutrús Llapisera (empresario)

rejilla (electrónica). Elemento de las válvulas electrónicas, situado entre el ánodo y el cátodo, que se emplea para controlar el campo eléctrico en el interior del tubo. Esta configuración elemental constituye un triodo. El voltaje aplicado a la rejilla establece un campo electrostático que controla la corriente de electrones del cátodo a la placa, haciendo del tubo un amplificador. Si se aplica un voltaje variable a la rejilla, la corriente resultante entre el cátodo y la placa es una versión amplificada del voltaje de la rejilla. Cuando se aplica a la rejilla un voltaje lo suficientemente negativo, la corriente del cátodo a la placa desaparece. Este efecto es la base de funcionamiento del tiratrón. También se llama rejilla a la red de conductores eléctricos como los que tienen los sistemas telefónicos o de distribución de energía.

rejoneador. Torero de a caballo que emplea un rejón con el cual debe herir al animal, quebrándolo en él. El rejón es una especie de lanza corta compuesta de un hierro en forma de hoja de rosal, alargada y filosa, y un asta de madera quebradiza que se rompe, cuando se ha clavado en el toro, por una muesca hecha a tal fin. Proceden los rejoneadores de los caballeros de las antiguas corridas reales. Sus lances se caracterizan por no esperar al toro, clavados y firmes sobre el caballo, sino en ir hacia el animal realizando la suerte, cuando embiste, por un cuarteo. El rejoneador se sirve de distintos rejones según vaya a castigar o dar muerte al toro, y muchas veces realiza la suerte de matar a pie y con estoque. *Véase* TAUROMAQUIA.

relaciones de producción. Conjunto de relaciones económicas que se establecen entre los agentes del proceso productivo y que caracterizan a un modo de producción determinado.

En general se pueden considerar dos tipos globales de relaciones de producción: las relaciones de explotación, en las que los propietarios de los medios de producción viven del trabajo de los productores directos, y las relaciones de colaboración, cuando no hay explotación. De las primeras, las principales son las esclavistas, en los que los propietarios son también propietarios de la fuerza de trabajo (esclavos); las relaciones de tipo feudal, en las que los siervos deben proporcionar una determinada cantidad a los individuos de la clase dominante poseedora de la tierra; y las relaciones de tipo capitalista, en las que no existe ninguna sujeción directa de los trabajadores a las condiciones de trabajo, pero los propietarios monopolizan los medios de producción y los trabajadores se ven obligados a vender su fuerza de trabajo para subsistir. Existe una estrecha relación entre las relaciones de producción y el nivel de desarrollo de las fuerzas productivas sociales; esta relación muestra que el desarrollo de las fuerzas productivas condiciona en gran medida la evolución de las relaciones de producción.

relaciones internacionales. Intercambio de informaciones y puntos de vista que mantienen los Estados entre sí por medio de sus representantes diplomáticos, encaminado a lograr buena vecindad y mutua inteligencia. En primer término es el jefe del Estado quien asume la responsabilidad de tales relaciones, secundado por los órganos específicos encargados de mantenerlas y fomentarlas (Ministerios del Exterior o Negocios Extranjeros, embajadas, legaciones etcétera). Los funcionarios del cuerpo diplomático son, en realidad, los que tienen la misión de desarrollar esas labores sirviendo de intermediarios entre sus representantes. Es una tarea de la que depende la tranquilidad y la paz de las naciones. Cuando ocurre el cese de esas relaciones se pone en manos de un representante diplomático de una tercera potencia ajena al conflicto la liquidación de los negocios pendientes y, a veces, la gestión oficiosa para tratar de que sean reanudadas las relaciones interrumpidas. Véase DIPLOMACIA.

relaciones públicas. Actividad profesional cuyo fin es informar sobre las personas, empresas o instituciones mediante gestiones personales o con el empleo de las técnicas de difusión y comunicación, tratando de prestigiarlas y de captar voluntades a su favor.

E. Dovifat, especialista alemán, las define como "la política de noticias de los interesados" y considera como profesionales de esas relaciones a los redactores de agencias de publicidad, jefes de prensa, artistas, políticos y agentes en busca de espacios libres en la publicidad de los medios informativos. Estados Unidos fue la primera nación en desarrollar con éxito esta actividad de manera sistemática al servicio de sus movimientos políticos, deportivos, artísticos y financieros. El primer técnico en relaciones públicas fue el señor Yvy Lee, quien trabajó como agente propagandístico del fundador de la dinastía Rockefeller. En 1923, la Universidad de New York estableció la primera cátedra de relaciones públicas. En 1947, 30 centros docentes impartían cursos estables de esta disciplina y para 1965 eran ya más de 500. Las actividades de los expertos en relaciones públicas, también llamados expertos en medios de comunicación, están en contra del libre acceso a la información o a las fuentes mismas de la noticia, ya que los gabinetes de prensa controlan y suministran una información tendenciosa en beneficio del personaje o empresa para el que trabajan. En el origen de muchas oficinas de relaciones públicas existe el propósito de contrarrestar una campaña de opinión llevada a cabo por los medios informativos.

relámpago. *Véase* RAYO.

relatividad. Teoría que se propone averiguar cómo se transforman las leyes físicas cuando se cambia de sistema de referencia. Durante mucho tiempo los físicos creyeron que ciertas nociones, como la longitud y el tiempo, eran universalmente válidas. Un metro era un metro en cualquier parte del universo y si un presunto habitante de Marte hubiese comunicado que la distancia de una estrella a tal otra era de tantos millones de metros, nadie hubiese pensado que esos metros no eran los mismos que se usaban en la Tierra. Albert Einstein trastornó completamente estas aparentes verdades con la demostración de que puede haber un metro más corto que otro. No solamente la longitud, sino también el tiempo y la masa de los cuerpos ofrecen esa particularidad. Hay una relatividad de

El concepto de espacio-tiempo describe al tiempo como una cuarta dimensión para especificar su ubicación ya que el movimiento relativo afecta tanto al tiempo como al espacio. El camino de un objeto en el tiempo espacial es llamado línea universal y su gráfica utiliza dos coordenadas para el espacio y una tercera para el tiempo. (A) En un vuelo de aeroplano de X *a* Y*, la inclinación de su línea universal se incrementa a medida que su velocidad disminuye volviéndose vertical cuando el aeroplano se detiene a repostar combustible (tiempos* T1 *a* T3*). Una señal de radio que sale de* X *llega a* Y *en tiempo* T2*. En la teoría de la relatividad la aceleración de un objeto mientras pasa cerca de un cuerpo masivo es vista como una distorción local en el espacio-tiempo. (B) Un cometa pasando por el sol es desviado* (dc) *en el espacio-tiempo como lo es un rayo de luz* (dl)*. (C) El espacio-tiempo alrededor del sol se distorciona en forma diferente por los objetos que se mueven a diversas velocidades, pero cada objeto, en su versión propia de espacio, aparenta viajar en un camino de velocidad constante.*

Del Ángel Diseño y Publicidad

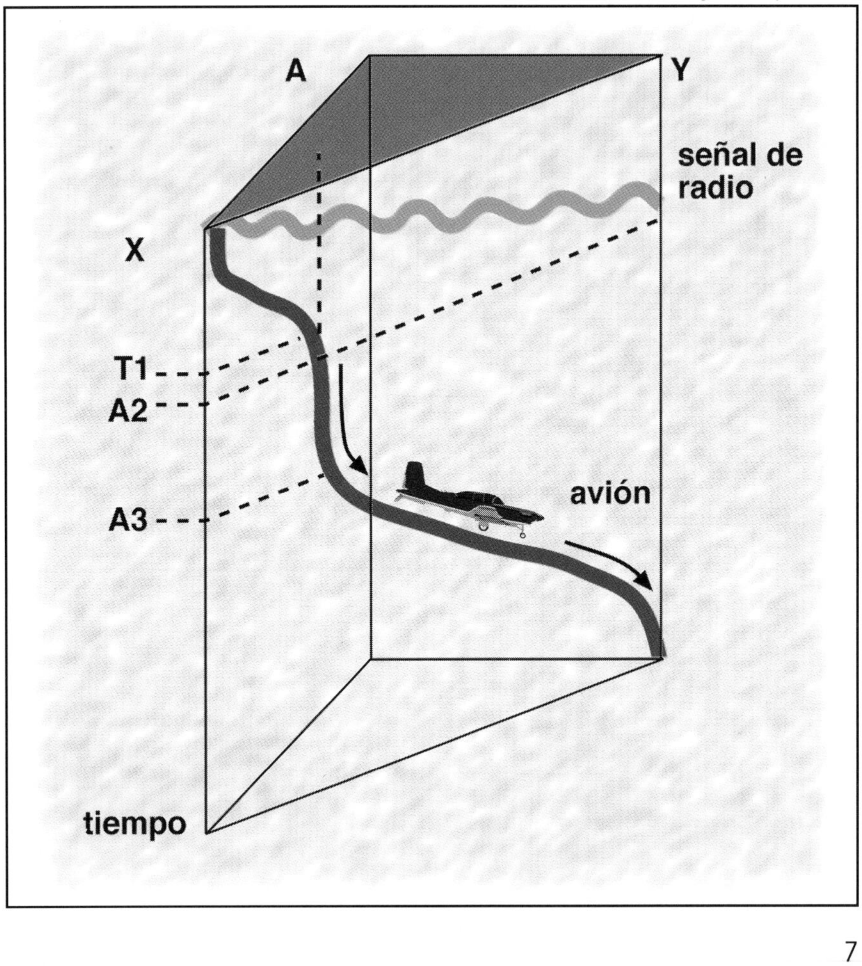

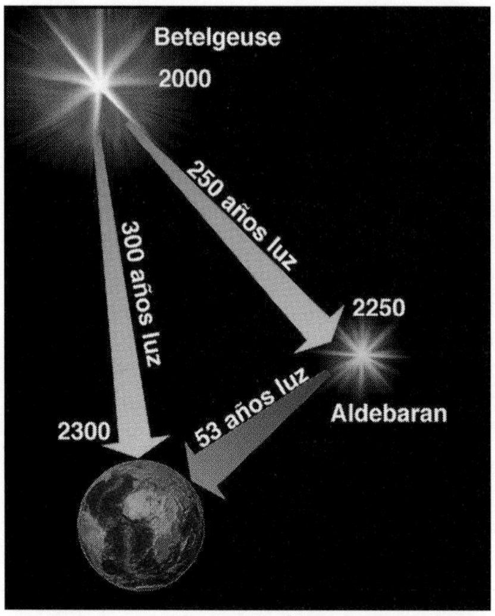

Del Ángel Diseño y Publicidad

Si la estrella Betelguese en la constelación de Orión explotase y la explosión se registrara en la Tierra en el año 2300, entonces, sabiendo que Betelguese se encuentra a 300 años luz de distancia el evento se podría postfechar como si huebiera ocurrido en el año 2000 del tiempo de la Tierra. Fechas similares podrían asignarse al registro de esa explosión en cualquier otro lugar como en la estrella Aldebarán. Estas fechas serían simplemente fechas terrestres aunque el registro del tiempo absoluto se debe de dejar a la relatividad ya que los objetos se mueven en marcos de inercia diferentes unos de otros.

la distancia (1 m parece más pequeño si se le mira desde lejos) y una relatividad del movimiento (a los habitantes de la Tierra les parece que el Sol gira alrededor del planeta); pero, no son estas relatividades de las que hablaba Einstein. Hasta nuestro tiempo la relatividad sólo cabía dentro de la observación común; la ciencia podía probar que la distancia no afectaba realmente a las medidas y que era en realidad la Tierra la que giraba alrededor del Sol. Pero Einstein afianzó la posición de la relatividad dentro de la ciencia y demostró que es imposible, para un observador situado en la Tierra, por ejemplo, medir la distancia que separa dos estrellas de un modo absoluto; es decir, con una medida que valga también para los observadores colocados en cualquiera de las dos estrellas o en otro punto del espacio. La medida obtenida por el observador terrestre será distinta de la obtenida por el observador situado en la estrella. Ambas serán válidas; pero solamente para ese determinado observador, no para otro.

En 1905, Einstein publicó su teoría de la relatividad espacial. Uno de sus principios se refería a la relatividad del espacio. Por ejemplo, un tren en reposo, cuya longitud podemos comparar con la distancia entre dos árboles situados a un lado de las vías, ya que los rayos de luz que salen de los dos extremos del tren coinciden perpendicularmente, para un observador inmóvil, con los troncos de los árboles. Imaginemos ahora ese tren en movimiento, a una velocidad cercana a la de la luz. Cuando el rayo de luz que sale del extremo anterior de la locomotora coincide perpendicularmente con su árbol, el rayo que sale del extremo posterior del tren se está alejando a gran velocidad de la perpendicular del otro árbol, y el tren, en relación con la distancia que separa a los árboles inmóviles, parece más pequeño. Para un pasajero del tren pareciera lo contrario, son los árboles los que pasan velozmente ante él y es la distancia que los separa lo que parece haberse reducido. De modo que se podría afirmar, desde su posición, que el tren ha aumentado de tamaño con relación a la distancia entre los árboles. Si en la vida cotidiana no advertimos estos cambios ello se debe a que las velocidades de los cuerpos son muy pequeñas en relación con la velocidad de la luz.

Imaginemos ahora que el tren sigue alejándose del observador inmóvil, pero que éste puede observarlo claramente y ver, por ejemplo, lo que ocurre en el tren en un momento dado y lo que ocurre en el mismo tren un minuto después, según los relojes del tren. Estas dos observaciones estarán separadas para el observador (según su propio reloj) por un intervalo mayor que un minuto; el segundo suceso, además de producirse un minuto después, tiene que recorrer cierta distancia ya que, mientras tanto, el tren se ha alejado velozmente. Todos los movimientos de los pasajeros del tren serían vistos por el observador como más lentos. Para los pasajeros del tren se produciría el fenómeno contrario. Ambos verían que sus relojes no coinciden, que andan a velocidades completamente distintas.

No sólo el espacio y el tiempo son relativos a la velocidad respecto a un observador inmóvil. Recordemos que la noción de masa fue introducida por el físico inglés Isaac Newton para medir la inercia. Si empujamos una bola de madera con cierto impulso y ésta avanza 1 m, y al repetir la

Las leyes de movimiento de Newton (A) predicen que una bala disparada con una velocidad v *desde un tanque en movimiento a una velocidad* V *debe tener una velocidad* v +V *relativa a un observdor externo. Einstein demostró que la velocidad relativa debía ser* $(v + V) \div (1 + vV/c^2)$, *donde* c *es la velocidad de la luz. Así (B), si una bala es disparada a* $^1/_2$c *en un planeta orbitando a* $^1/_2$c, *un observador externo verá la bala moverse a 0.8c.*

Ediciones Calíope

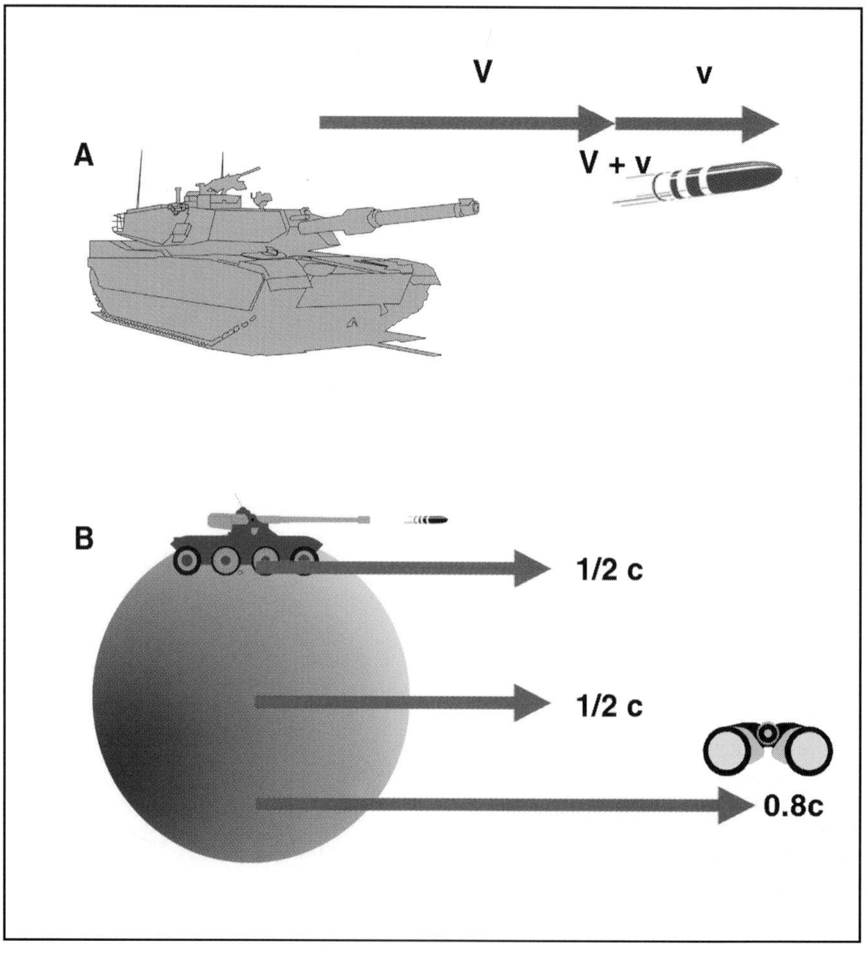

operación con una de plomo ésta avanza también 1 m, diremos que ambas tienen la misma masa. Si aumentáramos la velocidad de cualquiera de esas bolas, aumentaría su densidad y aumentaría también su masa. Pues bien, sabemos, por el ejemplo del tren, que el tamaño disminuye con la velocidad. ¿Qué transformación sufriría la masa de un objeto que se desplazase a una velocidad cercana a la de la luz? Aumentaría notablemente. Se ha calculado que a 260,000 km/h un cuerpo tendrá una masa dos veces mayor que la que tenía en estado de reposo. En cambio, su tamaño se habrá reducido a la mitad.

La relatividad del espacio, el tiempo y la masa llevaron a Einstein a estudiar las leyes de la gravitación de Newton a la luz de estas nuevas teorías. Con este propósito publicó en 1915 lo que él llamó teoría de la relatividad general. Newton había considerado la gravitación como una fuerza que impedía que los planetas se trasladasen en línea recta. Según sus principios, la atracción varía con la masa y la distancia que separa a los cuerpos.

Pero, la teoría de la relatividad espacial afirma que no puede hablarse de una masa absoluta ni de una distancia absoluta. Ambas varían con la velocidad. ¿Cómo debería calcularse la ley de gravitación entre la Tierra y el Sol, por ejemplo? ¿Según la posición de un hombre que está en el Sol, en la Tierra o en alguna estrella lejana? En cada una de esas tres posiciones la misma ley de gravitación parecería distinta. Aun desde un sólo punto de vista debe recordarse que la Tierra se desplaza más rápidamente en ciertas épocas del año, ya que su órbita de traslación es una elipse y no un círculo. En esas épocas su masa es mayor.

Newton afirma que la gravitación se relaciona con la masa. Sin embargo, si se dejan caer en el vacío dos objetos de distinta masa, como una bola de plomo y una pluma, ambos se desplazan a la misma velocidad. Si la gravitación que los atrae hacia el suelo estuviera realmente en relación con la masa deberían caer a velocidades distintas; el plomo tocaría el suelo con bastante anterioridad, ya que su masa es mayor. Es natural que Einstein pensara entonces que lo que Newton llamó gravitación no se debiera a una propiedad de los cuerpos (la masa) y a su posición relativa (la distancia), sino a una propiedad del espacio. Si los cuerpos celestes giran unos alrededor de otros siguiendo trayectorias curvas, es que el espacio debe ser curvo. Es difícil imaginar un espacio curvo porque comúnmente identificamos el espacio con el vacío. Pero, no hay tal vacío en el universo; todo el espacio está cubierto por fuerzas, llamadas electromagnéticas. El espacio curvo podría ser comparado al de la superficie de una esfera. Los cuerpos que se desplazan sobre ella no pueden hacerlo en líneas rectas ya que saldrían fuera de la esfera.

Si la hipótesis de Einstein era cierta, también la luz debía desplazarse en líneas curvas. La observación de un eclipse de Sol, en 1919, comprobó la veracidad de la teoría. Durante ese eclipse se estudió el trayecto de luz de las estrellas que en ese momento estaban detrás del astro y se comprobó que el rayo luminoso se curvaba cuando pasaba cerca del Sol. Se demostraba así, además, otra hipótesis de Einstein: que la curvatura del espacio se debía a la presencia de grandes masas, en este caso el Sol. En el universo de Einstein la geometría de Euclides no es válida. La línea más corta entre dos puntos no es una recta; sino una curva, del mismo modo que la distancia más corta entre Londres y New York es una curva que corresponde a la curvatura terrestre. Se han preguntado muchas veces los físicos y astrónomos si el universo sería infinito. Einstein responde que es finito, pero ilimitado. En efecto, un universo curvo no puede ser infinito, ya que el que recorre, por ejemplo, una superficie curva como la terrestre volverá algún día al punto de partida. Pero, es ilimitado porque ese mismo viajero no encontrará nunca un límite que le impida seguir adelante, ese límite que imaginaban los hombres de la antigüedad cuando se creía que la Tierra era plana. *Véanse* CUARTA DIMENSIÓN; EINSTEIN, ALBERT; ELECTROMAGNETISMO; GRAVITACIÓN.

relicario. Lugar u objeto donde se guardan o custodian las reliquias. Los primitivos relicarios eran de pequeñas dimensiones, pero después del siglo VIII sus proporciones crecieron notoriamente. Ello fue así porque, al principio, los relicarios estaban destinados a conservar partículas de huesos de santos o de objetos que les habían pertenecido para llevarlos dentro de cruces huecas o de medallones pendientes del cuello. Después se extendió la costumbre de conservar todas o la mayor parte de las reliquias del santo en arcas, urnas o cofrecillos. Durante la Edad Media, con la exaltación de la piedad y el descubrimiento de innumerables cuerpos santos, creció la práctica de construir relicarios de metales preciosos, oro y plata, con incrustaciones de pedrería, que se conservaban en los tesoros de las iglesias, donde todavía permanecen. Tenían formas muy variadas, como cajas, arcones, capillitas y, en muchísimas ocasiones, la del miembro conservado, como el de la cabeza de san Eustaquio que se conserva en el museo Británico de Londres, el de las cabezas de san Pedro y san Pablo de Letrán y el de las manos de plata que puede admirarse en la iglesia de La Seo de Zaragoza (España). Los diversos estilos artísticos han dejado sus huellas en los relicarios. Se conservan hermosos ejemplares de estilo románico, bizantino, gótico, con arabescos, renacentistas, etcétera; pero, los que resaltan con mayor vigor, tal vez por ser el estilo que más se presta para la ornamentación de piezas de orfebrería, son los platerescos. *Véase* RELIQUIA.

relieve. Labor o figura escultórica unida al plano del que sobresale. Los relieves pueden ser de tres clases: alto, bajo y medio relieve. Tienen la característica común de que las figuras sólo se hallan modeladas en parte, quedando la otra cara pegada al plano. Esto le reporta ciertas ventajas respec-

Algunas culturas antiguas utilizaron el relieve en piedra para sus expresiones simbólicas.

Corel Stock Photo Library

Corel Stock Photo Library

Relieve en piedra de las ruinas de Uxmal, México.

to a la estatuaria. Los relieves tienen el soporte natural del fondo y son particularmente aptos para la representación de escenas en que intervienen grandes grupos en movimiento, como acciones guerreras, festividades religiosas o profanas, torneos, danzas, etcétera. Los relieves se aplican generalmente para ornar los muros de los templos, los frisos, frontispicios, altares y vasos sagrados, etcétera. También se emplean para grabar en las monedas las efigies de los soberanos y para adornar joyas de todo tipo: medallas, medallones, camafeos.

Altorrelieve. En el altorrelieve las figuras sobresalen del plano más de la mitad de su grosor. Son famosos los altorrelieves de las metopas del Partenón, que representan la lucha de los centauros con los hoplitas, soldados griegos de infantería. Son tan altos, que casi parecen estatuas apoyadas contra el plano de mármol.

Mediorrelieve. Es aquel en que las figuras no sobresalen ni más ni menos de la mitad. Son, naturalmente, más altas que las del bajorrelieve y más bajas que las del altorrelieve.

Sacerdote hindú haciendo ofrendas en Varanasi, India.

Corel Stock Photo Library

Bajorrelieve. Las figuras que sobresalen menos de la mitad de su grueso constituyen los bajorrelieves. El friso del Partenón es el ejemplo más famoso de escultura de esta clase. Puede llegar a ser tan plano –como en las figuras de las monedas– que linda casi con el dibujo.

religión. Conjunto de creencias y prácticas relativas a lo que el individuo o grupo considera como sagrado, en particular la divinidad. Para san Agustín la palabra religión, como derivada del latín *religare*, expresa la religación o relación indestructible entre criatura y creador, y es la tendencia del alma hacia las cosas del cielo. En opinión de Immanuel Kant la experiencia religiosa se encuentra relacionada íntimamente con la experiencia moral y es en ésta en la que debe fundamentarse su esencia. Según Shleiermacher la religión no pertenece ni al dominio de la acción ni al del pensamiento y es un sentimiento de dependencia incondicional del todo, de una unidad que es Dios. Friedrich Hegel sitúa la religión, junto con el arte y la filosofía, en la esfera suprema del espíritu absoluto, y la define como "conocimiento que el espíritu finito adquiere de su naturaleza como espíritu infinito". Para Herbert Spencer la religión es la creencia en lo incognoscible y todopoderoso, que se revela en todo lo cognoscible. Según Ritschl es la creencia en un poder espiritual que domina el mundo y que garantiza nuestra independencia espiritual frente a las limitaciones de la naturaleza y de la sociedad.

Todas estas opiniones, que podrían multiplicarse indefinidamente, no son sino algunos ejemplos de las diferentes actitudes adoptadas frente al hecho religioso. Ahora bien, si, prescindiendo de todo planteamiento teórico unilateral atendemos a las notas distintivas comunes a toda religión, ésta podrá ser definida: conjunto de creencias o dogmas acerca de la divinidad, de sentimientos de veneración y temor hacia ella, de normas morales para la conducta individual y social, y de prácticas espirituales para darle culto. En efecto, la religión, como señala Windelband, al propio tiempo que un proceso que se desarrolla interiormente en el hombre, abarcando la totalidad de las funciones psíquicas, es una conciencia de valor, un estado de emoción y de entrega y, por tanto, una voluntad y una ejecución; de donde se sigue que es, a la par, una vida exterior; no sólo una actuación con arreglo a los diversos valores del sentimiento y de la voluntad, sino la manifestación total externa de aquella interioridad en forma de actos de culto y de prácticas religiosas. De este modo, la religión rebasa, además, la órbita de la vida del individuo para aparecer como la acción de una colectividad, de un conjunto de fieles, como un fenómeno social que, por hallarse históricamente condicionado, presenta formas y matices diversos. La palabra tiene, además en nuestro idioma las acepciones siguientes: virtud que nos mueve a dar a Dios el culto debido; profesión y observancia de la doctrina religiosa; y orden o instituto religioso, por lo que el ingreso en uno de ellos se designa como *entrar en religión*.

En las culturas primitivas las fuerzas de la naturaleza ocuparon lugar preferente en la veneración de los hombres. Algunas de esas fuerzas se consideraban propicias, y otras, hostiles. El agua, el fuego, elementos indispensables al hombre, se tenían por sagrados, eran tratados con supersticioso respeto y honrados con prácticas culturales. Sobre todas las cosas está la bóveda celeste, con los astros, a cuya regular aparición se atribuía gran influencia en los acontecimientos humanos; los imponentes fenómenos atmosféricos infundían la idea de una potencia sobrehumana. Compañera del cielo era la tierra que, fecundada cada año, daba los alimentos. Pronto aprendieron los hombres a hablar del Padre Cielo y de la Madre Tierra, progenitores de diversas deidades. En conexión con estas creencias se encuentra el animismo, para el que todos los fenómenos que se observan en las cosas materiales provenían de un principio informante animado *-psique, anima, mana-*, y la magia, mediante cuyos conjuros, invocaciones y ritos especiales podían ponerse a contribución las fuerzas energéticas de las cosas para producir efectos físicos maravillosos. Sin embargo se ha negado auténtico contenido religioso a estas manifestaciones, ya que en el primero más que de una forma religiosa se trata de un boceto de filosofía rudimentaria, que tiende a la explicación de los fenómenos de orden físico, y en la segunda se encuentran ausentes las relaciones de subordinación del hombre a la divinidad, base de toda religión. Del mismo modo James George Frazer negó rotundamente, lo afirmado por algunos; que *el totemismo* fuera una forma de religión, toda vez que el *tótem* -animal representativo de una tribu que se sentía vinculada a él por lazos de parentesco- no recibe culto, no se aplaca con plegarias ni le son ofrecidos sacrificios.

Corel Stock Photo Library

Celebración de Pascua de la Iglesia Ortodoxa rusa en Moscú.

La creencia religiosa propiamente dicha surge cuando los hombres empiezan a creer en un dios supremo creador y legislador del mundo. En los panteones asiriobabilónico, egipcio, griego y romano, un dios supremo –Anu, Ra, Zeus, Júpiter– asume la jefatura de la asamblea de los dioses. En Persia, Zaratustra –el Zoroastro de los griegos–, propagador de la religión mazdea, combatió el politeísmo indoeuropeo, pero formuló un principio dualista, admitiendo junto a Ahura Mazdah (literalmente, Señor Sabio) la existencia de Angramanius (Espíritu Malo). En la India, los grandes pensadores creyeron que existía un único ser espiritual, Brahma, incognoscible para los hombres del cual los otros dioses no son sino pálido y limitado reflejo. La idea budista de Dios guarda semejanza con la brahmánica: existe un solo ser superior, Buda, y millares de otros dioses, reflejo suyo. En China, Confucio simplificó e idealizó la religión primitiva, admitiendo un dios supremo, Tien, Ti o Shangti, que era la fuerza animadora del mundo, con numerosos espíritus mediadores de la naturaleza. Al sintoísmo, la religión nacional japonesa, se le atribuyen no menos de 8 millones de dioses, presididos por la gran diosa solar Amaterasu, que funda y perpetúa la dinastía imperial; el emperador, según la teoría ortodoxa, era hasta hace poco la *divinidad que actualmente es hombre*. En la América precolombina, la deidad principal de la religión incaica (Perú) era Viracocha, dios supremo, creador del universo. En la religión mexica o azteca (México) existían diversas deidades y entre las principales se destacaban Huitzilopochtli, Tezcatlipoca y Quetzalcóatl, aunque poco antes de la conquista de México por los españoles, la religión azteca cambiaba hacia el concepto de un dios único y supremo, al que se le daba el nombre de Tloque Nahuaque.

Históricamente la primera gran religión monoteísta es la de Israel, y esta precedencia cronológica se traduciría en influencias genéricas y específicas ejercidas por ella sobre las otras grandes religiones monoteístas que surgieron después: el cristianis-

Religión	Norteamérica	Europa	América Latina	Asia	África	Oceanía	Total
Católicos	100.386,000	267.972,000	411.514,000	132.053,000	132.102,000	8.427,000	1,052.454,000
Ortodoxos	6.217,000	36.869,000	1.789,000	3.904,000	30.685,000	591,000	80.055,000
Protestantes	99.652,000	75.441,000	17.513,000	87.051,000	93.865,000	7.718,000	381.240,000
Judíos	5.907,000	1.761,000	458,000	4.289,000	128,000	95,000	12.638,000
Musulmanes	5.500,000	13.194,000	1.395,000	675.297,000	293.993,000	107,000	989.486,000
Sintoístas	1,000	1,000	1,000	3.383,000	0	1,000	3.387,000
Taoístas	49,290	19,840	20,460	30.900,800	1,209	4,340	30.995,939
Confucionistas	26,000	2,000	2,000	6.300,000	1,000	1,000	6.332,000
Budistas	578,000	279,000	559,000	336.755,000	23,000	26,000	338.220,000
Hinduístas	1.315,000	725,000	912,000	759.059,000	1.608,000	379,000	763.998,000

mo y el islam. La religión mosaica es el conjunto de dogmas y preceptos revelados al pueblo hebreo por medio de Moisés y los demás profetas. La religión cristiana es la fundada por Jesucristo hace 20 siglos y propagada por los apóstoles. En esencia no difiere de la religión primitiva del pueblo de Israel ni de la religión mosaica: las tres tienen el mismo autor, el mismo fin sobrenatural e idénticos medios. La filosofía cristiana enseña que las tres religiones son diversos estados de una sola y única religión desarrollada a través de los siglos.

Según las direcciones en que se manifiesta la relación entre el hombre y la divinidad, distínguese la religión revelada de la religión natural. La primera es aquella que va del creador a la criatura, como acto inicial del ser superior al hombre, y se admite la intervención verdadera o presunta de la divinidad como reguladora de las creencias, de la ética y del culto. La segunda es la que va de la criatura al creador, y se funda en las disposiciones naturales del hombre, con reconocimiento por parte de éste de su dependencia de un ser superior. También se ha dado modernamente el nombre de religión natural a una especie de residuo racional de las religiones positivas.

En el caso de las religiones reveladas, que son al mismo tiempo religiones de salvación, el problema de la definición parece simple, ya que lo da la propia revelación, al menos implícitamente. La revelación indica especialmente en qué condiciones el hombre puede realizar su destino y salvarse. La teología de la salvación de los no creyentes indica precisamente en qué condiciones los individuos que no conocen la revelación pueden participar en la salvación. Los intérpretes de la revelación, sin embargo, no dicen si hay alguna religión no revelada que merezca el nombre de religión. El carácter polémico especial de los escritos inspirados que critican las religiones paganas no permite, sobre la base de los argumentos de éstas, pronunciar un juicio definitivo sobre las religiones en cuestión.

No obstante, las religiones reveladas no hacen de la salvación el fin fundamental y el objeto inmediato de la religión. Desde un punto de vista subjetivo, la religión es una virtud que lleva al hombre a rendir a Dios el homenaje que se le debe. Como forma de comportamiento objetiva y manifestación concreta de virtud, comprende la creencia en un solo Dios, personal e infinito en sus atributos; una actitud de absoluto respeto y sumisión; actos externos que expresen esta creencia y esta actitud en el culto y, como lo requieren todas las actividades externas humanas, instituciones para regular esa actividad.

Otra clasificación es la que sitúa en dos grupos aparte las religiones politeístas y las religiones monoteístas, según que los poderes y atributos divinos se asignen a una pluralidad ilimitada de potencias (politeísmo), o a una divinidad única, exclusiva, individual, de esencia absoluta y de poder infinito (monoteísmo). Por último se habla también de una religión trascendente y de una religión inmanente, atendiendo a la situación del objeto al cual se siente vinculada la criatura. En el primer caso, la divinidad que ata o liga la existencia humana está fuera del mundo y se revela por medio de la gracia, sin la cual no se considera posible la relación del hombre con Dios; en el segundo caso, se intuye la divinidad como algo que está en el mundo y la comunicación se logra mediante la contemplación de aquello que de Dios se manifiesta en la naturaleza. Lo que se denomina panteísmo no es propiamente religión, sino doctrina que identifica a Dios y el mundo, pudiendo ser acosmista o ateísta, según se conciba la nauraleza como realidad subordinada a la divinidad, o a ésta simplemente como principio orgánico o autoconciencia final de lo existente. *Véanse* BIBLIA; BRAHMA Y BRAHAMANISMO; BUDISMO; CATOLICISMO; CRISTIANISMO; DIOS; HEBREOS; ÍDOLO; IGLESIA ORTODOXA; ISLAM; JUDAÍSMO; PROTESTANTISMO; REFORMA; SINTOÍSMO; TAOÍSMO; ZOROASTRO.

Corel Stock Photo Library

Reloj en el Museo Quai d'Orgay en París, Francia.

Corel Stock Photo Library

Mecanismo de reloj.

reloj. Instrumento, máquina o aparato que sirve para medir el tiempo, o sea, dividir el día en horas, minutos y segundos.

Historia. Los relojes primitivos fueron de sol y consistían en un estilo que arrojaba su sombra sobre una superficie marcada. Este estilo, llamado también *gnomon*, es una varilla recta, colocada siempre paralelamente al eje de la Tierra. Los relojes de sol suelen todavía utilizarse en parques y jardines como elemento decorativo. Podían también consistir en un cuerpo cuyas diversas caras iba iluminando el astro en su carrera, o en un simple rayo de luz que pasaba a través de un orificio. Artificios también muy usados fueron el reloj de arena, el de agua o *clepsidra*, la cuerda ardiente con nudos y ciertas clases de velas. Los dos primeros dejaban escapar lentamente su contenido de un recipiente a otro, y los segundos se basaban en el tiempo que tardaba el fuego en consumirlos.

Los relojes mecánicos parecen haberse inventado en el siglo XIV. A partir de entonces, enormes relojes de complicada construcción decoraron las torres de las iglesias. Uno de los más curiosos es el de Estrasburgo, en Francia que, además de la hora, indica el día, el mes y la posición de ciertos cuerpos celestes. A las 12, aparecen los apóstoles en procesión.

Algunos de los relojes primitivos carecían de cuadrante e indicaban por medio de golpes el paso de las horas. Luego se combinaron ambos métodos, y las sonoras campanadas fueron precedidas por armoniosos carillones. La manecilla que señala las horas fue acompañada por el minutero y, más tarde, por el segundero. Pero, no obstante esos perfeccionamientos, la precisión dejó mucho que desear hasta que, en 1647, Christiaan Huygens agregó el péndulo, cuyo efecto regulador fue decisivo. Un alemán, Henlein, a principios del siglo XVI, construyó en Nuremberg los primeros relojes de bolsillo, mejorados en 1665 por el mismo Huyghens con la aplicación del muelle espiral, y en 1676 por Robert Hooke, inventor del escape de áncora. Con todos estos elementos, pudo la industria relojera desarrollarse rápidamente, en especial en Alemania y Suiza, país este último que conserva hasta hoy la supremacía en calidad y perfección. En el siglo XX se ha creado el reloj eléctrico, y ha adquirido gran auge el de pulsera, mientras los cronómetros, defendidos contra las influencias térmicas y magnéticas, han alcanzado increíble precisión.

Mecanismo de un reloj. No obstante la variedad de tamaño y forma, la mayoría de los relojes marchan de acuerdo con el mismo principio y tienen piezas semejantes. Varias ruedas dentadas, accionadas por una pesa o un resorte, hacen girar sobre el cuadrante, a diferentes velocidades, las manecillas que señalan horas, minutos y segundos. Como la fuerza propulsora no es uniforme, es necesario intercalar un regulador para impedir que el aparato atrase o adelante y ello se consigue mediante un dispositivo de movimiento isócromo que puede ser un péndulo o un volante. Éstos actúan sobre la rueda catalina, de dientes curvos, en los cuales se insertan las uñas del escape, que es una pieza diseñada en tal forma que cuando uno de sus brazos deja escapar un diente, el otro retiene el que sigue, logrando así que el engranaje marche a pequeños saltos iguales y transmita al péndulo o volante la fuerza necesaria para que continúe oscilando. La regulación se obtiene alargando o acortando la varilla del péndulo o haciendo girar una aguja de registro en los sistemas de volante. La regulación puede ser también automática, y en este caso, sistemas delicados compensan los cambios de humedad, presión o temperatura.

En los relojes de pesas éstas van unidas a una cadena enrollada a un tambor, y cuando, por efecto de la gravedad, van bajando, lo hacen girar, transmitiendo su fuerza a los engranajes. Para darles cuerda, basta con hacer girar las pesas. En los relojes de resorte, cuando éste se distiende, se vuelve a enrollar mediante una llave, botón o corona fresada.

Los relojes de pared suelen estar provistos de campanas que señalan las horas, las medias y los cuartos. Una fantasía muy en boga en otro tiempo fue el llamado *reloj de cucú.* Al llegar el minutero a determinados puntos del cuadrante, en lugar de sonar una campana se abre una puertecita en la caja del reloj y un pájaro asoma, gritando tantas veces como horas indiquen las agujas. De gran utilidad son los despertadores, al igual que otros relojes especiales, adaptados a los más diversos usos. Combinados con un marcador automático, unos indican sobre una tarjeta la hora de entrada y salida del personal de oficinas y fábricas; otros, ponen en movimiento o detienen toda clase de máquinas.

El reloj de bolsillo fue sustituido por el de pulsera, más cómodo y liviano. En éste, como en todos los de reducido tamaño y cuidada elaboración, los ejes principales giran sobre rubíes para reducir al mínimo la fricción y el desgaste. Algunos modelos son joyas de gran valor, pues la diminuta maquinaria está cerrada en cajas de oro o platino, consteladas de piedras preciosas. Y el movimiento casi continuo del brazo es aprovechado por ciertos fabricantes para poner en marcha un mecanismo que hace las veces de resorte.

Entre los relojes fijos, los eléctricos están muy difundidos. Pueden ser accionados por un motor, o bien aprovechar la propiedad de la corriente alterna, que al vibrar 60 veces por segundo, permite mantener una gran precisión. En los grandes edificios suele instalarse un reloj central, cuyo mecanismo está en combinación con los de cada oficina.

Se llaman cronómetros a los relojes de fabricación especial, muy esmerada, con el propósito de conseguir la mayor regularidad y precisión en el funcionamiento de su máquina para que puedan medir el tiempo con la mayor exactitud posible. Los cronómetros marinos son de gran utilidad en la navegación para determinar la longitud por la diferencia de hora entre el primer meridiano (Greenwich) y la del meridiano en que se encuentre el buque. Los cronómetros de pared se utilizan principalmente en observatorios astronómicos, meteorológicos y náuticos. Los cronómetros de bolsillo tienen gran aplicación en los deportes.

Pero, la exactitud que se obtiene de los relojes de funcionamiento mecánico, aun la de los cronómetros de mayor precisión, no es suficiente para satisfacer las exigencias de la ciencia y la tecnología de nuestra época, que necesitan contar con relojes de precisión tan increíble que se mide en millonésimas de segundo y en variaciones menores de un segundo por años o por siglos. El funcionamiento de estos relojes obedece a principios distintos a los de los relojes mecánicos, y entre ellos se cuentan los relojes de cuarzo y los atómicos.

Corel Stock Photo Library

Reloj francés hexagonal, British Museum, Londres.

reloj de arena. Antiguo instrumento para medir el tiempo, inventado en Alejandría en el siglo III. Aunque dejó de usarse en las postrimerías del siglo XVII, sustituido por el reloj mecánico, fue muy apreciado y reemplazó al reloj de agua. Se componía de dos recipientes de vidrio de forma más o menos cónica, colocados uno sobre otro, con un estrecho cuello intermedio que los comunicaba. El superior contenía arena muy fina y seca que, siguiendo el paso regular de los minutos, caía lentamente por el cuello intermedio al inferior.

reloj de sol. Instrumento antiquísimo para medir el tiempo. Las civilizaciones del Cercano Oriente (caldeos, egipcios y hebreos) comenzaron a utilizarlo probablemente alrededor del año 1,000 a. C. Los griegos lo conocieron mucho más tarde y, al término de las guerras Púnicas, los romanos ya lo habían adoptado. La instala-

Reloj de sol.

Corel Stock Photo Library

Corel Stock Photo Library

Reloj de sol con los puntos cardinales impresos.

ción de este reloj se basa en proyectar sobre una superficie plana o curvada, provista de un cuadrante dividido en 12 partes iguales, la sombra de una varilla, estilete o plancha metálica llamada *gnomon.* Este gnomon debe colocarse en dirección paralela al eje de la Tierra, y su sombra, que avanza sobre el cuadrante siguiendo la posición de la Tierra respecto al Sol marca, aunque sin extrema precisión, las horas del día.

Reloj en un palacio de Venecia.

Corel Stock Photo Library

reloj electrónico. Se basa en la gran estabilidad de la frecuencia de oscilación que presentan los resonadores de diapasón y de cristal de cuarzo. El empleo del diapasón en los relojes fue sugerido por Louis Charles Breguet en 1886, pero no fue llevado a la práctica hasta 1954. En tales relojes, el diapasón es mantenido en su frecuencia propia (360 Hz) por medio de una bobina de medición de fase conectada a un circuito eléctrico que actúa a través de dos bobinas de impulsos sobre los imanes permanentes situados en ambos extremos de los brazos del diapasón. La fuerza motriz es suministrada por una pequeña pila de mercurio que asegura una duración de marcha no inferior a un año. Las vibraciones del diapasón son transmitidas al mecanismo encargado de hacer girar las agujas. La presición es el orden de un segundo por día.

El resonador de cristal de cuarzo tiene su origen en los trabajos realizados por Paul Jacques y Pierre Curie en 1880; sin embargo, no fue empleado en los relojes hasta 1920. En tales relojes, el cuarzo es mantenido en su frecuencia propia (8,192 Hz o un múltiplo de esta frecuencia) mediante un circuito oscilador que debe compensar las pérdidas y suministrar la energía eléctrica (pila o acumulador), sin introducir ninguna perturbación. La frecuencia de vibración del cuarzo, previamente reducida por medio de procedimientos (sistema binario), alimenta al motor sincrónico encargado de hacer girar las agujas. Los actuales relojes de cuarzo carecen de partes móviles. Están provistos de una memoria que codifica en lenguaje binario la información del tiempo y efectúa su cómputo además de un circuito decodificador que transforma dicha información al lenguaje numérico. Emplea, para la fijación horaria, bien electrodos electroluminiscentes o bien cristales líquidos que reflejan la luz ambiente cuando son estimulados por impulsos electrónicos.

Remarque, Erich Maria (1898-1970). Seudónimo de Erich Paul Remark. Novelista alemán, nacido en Osnabrück. En 1928, utilizó sus impresiones y recuerdos de soldado en la Primera Guerra Mundial para escribir una novela basada en su vida en las trincheras. Dicha obra, publicada al año siguiente con el título de *Sin novedad en el frente*, se tradujo inmediatamente a varios idiomas e hizo universalmente famoso a Remarque. *Sin novedad en el frente* es un gran alegato contra la barbarie y crueldad de la guerra y una de las mejores novelas pacifistas que se han escrito. También escribió *Arc de Triomphe* (1946) y *Sombras en el paraíso* (1971).

En 1933, sus libros fueron quemados en el autocafé Plaza de la Ópera, en Berlín. En 1938, un tribunal lo despojó de la nacionalidaad alemana. El motivo era que había *arrastrado por el lodo* a los soldados de la Primera Guerra y presentando una visión antigermánica.

Rembrandt (1606-1669). Pintor y grabador holandés, uno de los más grandes de todos los tiempos, nacido en Leiden, hijo de un acomodado molinero. Su nombre completo era Rembrandt Harmenszoon van Rijn o Rhijn, pero es conocido sólo por el primero. Ingresó en la universidad de su ciudad natal (1620), pero aban-

Reloj de bolsillo.

Corel Stock Photo Library

donó sus estudios para seguir la carrera del arte, a la que se sentía irresistiblemente llamado. Durante tres años estudió pintura y grabado en los talleres de los maestros Jacob Isacsz, Jan Pynas y Pieter Lastman, de Amsterdam. Tenía 15 años cuando pintó su primer cuadro importante. Entre 1626 y 1631 vivió en Leiden, dedicado a pintar y a dibujar la gente que lo rodeaba. Con frecuencia utilizó como modelos a su madre y a sus hermanas. En 1634, Rembrandt se casó con Saskia van Uylenburgh, hermosa muchacha de rica familia que trajo al matrimonio una dote de 40,000 guilders y dio al pintor cuatro hijos de los cuales tres murieron en edad temprana. Saskia murió en 1642, dejándole un hijo. Titus, que sólo contaba un año de edad y a quien debería pasar la fortuna materna en el caso de que el padre contrajera segundas nupcias. Durante el tiempo de su viudez, los asuntos de Rembrandt se fueron embrollando cada vez más, no porque su fuerza creadora hubiese disminuido, sino porque gastó desmedidamente comprando objetos artísticos de toda clase, cuadros italianos, armas antiguas y trajes extravagantes.

Cuando en 1645 se casó con su ama de llaves, Hendrickje Stoffels, de quien había tenido una hija dos años antes, Rembrandt se vio obligado a presentar un balance de sus bienes en el tribunal de los insolventes de Amsterdam y, para satisfacer a sus acreedores, tuvo que vender a bajo precio todo lo que poseía. Aunque el artista se vio reducido a la miseria, sus facultades y capacidad de trabajo parecían acrecentadas. El último periodo de su vida transcurre en el desván de una casa de un arrabal de Amsterdam. Rembrandt sobrevivió a su popularidad; su manera de pintar no gozaba ya del favor de una clientela que prefería las relamidas trivialidades de Van der Werff y de Mieris *el Joven*. Rembrandt murió en la más completa miseria, y su entierro costó 15 florines.

La obra de Rembrandt abarca los más variados temas: bíblicos, históricos o de costumbres, retratos y paisajes, y cultivó con gran maestría el grabado al aguafuerte. Su estilo se caracteriza por la incomparable riqueza de su colorido, la perfección del trazo y el uso genial del claroscuro, con el cual obtiene efectos impresionantes. Jefe de la reacción contra la escuela italiana, opuso contra la pompa clásica de la composición el realismo trascendente de la vida y la verdad de la naturaleza. Entre sus cuadros más importantes figuran los siguientes: *Susana en el baño, Pilatos lavándose las manos, La presentación en el templo, Betsabé, Cristo en Emaús, La mujer adúltera, Ecce Homo, La lección de anatomía, La ronda nocturna, Rafael dejando a Tobías, La Resurrección, El descanso de la Sagrada Familia, Paisaje de invierno, El molino* y *Síndicos de la corporación de pañeros de Amsterdam,* considerado como su obra maestra.

Remigio, san (437-533). Arzobispo de Reims y apóstol de los francos. Tenía solamente 22 años cuando fue nombrado arzobispo por el pueblo, elección que fue confirmada por los obispos de la provincia. Gozó del favor de Clodoveo mucho tiempo antes de que este rey de los francos se hiciera cristiano. El bautismo de Clodoveo se efectuó la víspera de Navidad del año 496, en presencia de varios obispos de las Galias y de Germania. Remigio, en los momentos de derramar el agua sobre la cabeza del rey, dijo: "Baja la cabeza, fiero sicambro, adora lo que hay destruido y destruye lo que has adorado". Gracias a la ayuda de Clodoveo, san Remigio pudo fundar nuevas iglesias.

Remington, Eliphalet (1793-1861). Inventor e industrial estadounidense. En 1828 fundó la Remington Arms Company, en Ilion, donde con su hijo Philo Remington (1816-1889) introdujo numerosas mejoras en la manufactura de armas, incluyendo el método de reflexión para el enderezado de cañones de fusil, un torno para el corte de cajas de fusil y el primer fusil de acero fundido fabricado en Estados Unidos. En 1847

Corel Stock Photo Library

El artista como hombre joven *de Rembrandt.*

Retrato del padre del artista *de Rembrandt.*

Corel Stock Photo Library

Corel Stock Photo Library

El remo es el compañero inseparable del practicante del kayak.

aprovisionó a la Armada con su primer fusil de retrocarga (Jenks carabine). La Remington extendió sus dominios a la fabricación de aperos de labranza (desde 1856), máquinas de coser (desde 1870) y máquinas de escribir (desde 1873).

reminiscencia. Facultad anímica de completar un recuerdo, estimulado por vivencias más o menos conscientes o fragmentarias. Una palabra oída al azar, un sonido, un color, un rostro entrevisto, etcétera, puede colocarnos en un estado propio de la reminiscencia, el cual mengua o desaparece cuando se presenta el recuerdo. Podría definirse como un recuerdo con vacíos que tienden a completarse. La reminiscencia se explica por los caudales de la memoria y por las leyes que rigen la asociación de ideas. Siendo la memoria la expresión de nuestra continuidad como seres temporales y racionales, nuestra identidad se disgrega al perderse aquélla. La unidad del ser resultaría imposible si únicamente las reminiscencias gobernasen nuestro pensamiento.

Competencia en canoas de remos en California.

Corel Stock Photo Library

remo. Instrumento de madera, largo, con un extremo redondeado en forma de puño y el otro en forma de pala, que sirve para impulsar las embarcaciones haciendo fuerza en el agua. La pala es una superficie ancha y delgada, y puede ser plana o ligeramente curvada para ofrecer mayor resistencia al agua. La caña es la parte redonda del remo comprendida entre la pala y el punto de resistencia en el tolete. El guión es la porción del remo que entra en la embarcación cuando se boga y descansa en el tolete, que es el punto de apoyo del remo en el borde de la embarcación o regala. El puño es la parte extrema del remo, por la que se coge cuando se boga. Los remos van unidos al tolete por medio de una anilla de cuerda, llamada *estrobo*, que impide que se caigan al soltarlos. Hay remos de dos palas, como los usados en las canoas, que van completamente libres y con los cuales se rema alternativamente por ambas bandas, por lo general de rodillas, mirando a proa y echando el peso del cuerpo hacia adelante. Con los remos comunes, por el contrario, se rema de espaldas a proa y haciendo fuerza hacia atrás, cuando la pala está más profundamente hundida. Puede remarse con dos remos a la vez o con uno solo. En cada bogada o golpe de los remos éstos describen en el espacio un cono con vértice en el tolete.

Historia. Actualmente sólo se usan en los botes pequeños o en las regatas deportivas, pero en la antigüedad eran el medio propulsor más importante de las embarcaciones. A medida que éstas aumentaron de tamaño, las velas fueron desplazando gradualmente a los remos, tanto en los buques de guerra como en los mercantes aunque todavía en el siglo XVIII se veían en el Mediterráneo grandes galeras impulsadas con remos. Los remeros, por lo general prisioneros de guerra o criminales, eran encadenados a los bancos y azotados si flaqueaban sus fuerzas. Las antiguas galeras se clasificaban según el número de hileras de remos que tuviesen. En las flotas romanas había buques birremes y trirremes, o sea, galeras que estaban dotadas con dos y tres hileras de remos.

Entre los primeros que practicaron el remo como deporte figuran, según testimonio de Homero, los isleños que agasajaron a Ulises a su regreso a Itaca. En la *Odisea* los llama: "Feacios amantes del remo".

remojadas. Denominación de un estilo artístico precolombino, propio de la región de Remojadas, en el centro del estado mexicano de Veracruz. Cronológicamente, corresponde el periodo clásico mesoamericano (300-800). La cerámica es monocroma, sobre todo de color negro pulido, a veces con decoración incisa de triángulos estriados por líneas paralelas. Hay recipientes zoomorfos con vertedera tubular, así como cerámica roja pulida, con la que se fabricaron vasijas de silueta compuesta y antropomorfas con vertedera. Otros colores son menos frecuentes. Las piezas antropomorfas tienen los cuerpos aplanados, con los miembros rudimentarios, y en muchas de ellas la figura se representa en posición sedente.

remolacha. Planta quenopodiácea que se cultiva para la provisión de alimento, de forraje y obtención de azúcar. Tiene hojas verdes y grandes y una raíz carnosa, grande y fusiforme, cuyo color varía del blanco al rojo oscuro. Crece en climas no muy fríos, pero resiste bien el calor del verano. Se utiliza la raíz como vegetal de mesa y como alimento para el ganado. En la industria se explota para obtener de ella el azúcar, de gran importancia en la economía de muchos países. Los principales países productores de remolacha para la industria azucarera son: Ucrania, Rusia, Turquía, China, Italia, España, Gran Bretaña, Alemania, Estados Unidos, Francia y Polonia. *Véase* AZÚCAR.

remolcador. Embarcación destinada a conducir y trasladar a otros buques, especialmente cuando éstos deben efectuar la entrada o salida de algún puerto o atracar y desatracar en los muelles. Se caracteriza por sus dimensiones reducidas y gran potencia de máquina. Se construyen diversas clases de remolcadores según el trabajo al que se destinan. Hay, por lo tanto, tipos de remolcadores marinos y para lagos, canales y ríos.

remolino. Movimiento giratorio y rápido del aire, el agua, el polvo, el humo, etcétera. El remolino de agua está formado por vueltas y revueltas continuas del agua de un mar o de un río, sobre un mismo punto. A veces se debe a un banco de arena; otras, al choque de corrientes opuestas, acentuado por el viento; otras, al choque de la corriente con escollos y mareas. Algunos de estos remolinos, permanentes y muy intensos, son señalados por los geógrafos y conocidos de los navegantes. Entre otros dignos de mención, cabe citar el que se forma en la garganta inferior del Niágara; el Maelstrom, frente a las costas de Noruega, y el de Caribdis, entre Sicilia e Italia.

remolque. Vivienda móvil arrastrada por un vehículo motorizado, construida comercialmente por primera vez en 1929. Destinado al principio para deportistas y matrimonios amantes de los viajes, pronto se popularizó entre los artistas de circo.

Un remolque habitación mide de 5.5 a 8 m de largo por 2.5 m de ancho y está dividido en tres secciones. La parte anterior es una combinación de sala y comedor, amueblada con un diván que se puede transformar fácilmente en cama. La cocina, provista de estufa de gas y refrigerador eléctrico ocupa el centro del remolque. El dormitorio ocupa la parte posterior del remolque y está provisto con baño.

El auge constante de la industria automovilística y el incremento del turismo internacional ha popularizado en los últimos años el uso del remolque.

Corel Stock Photo Library

Remolachas.

rémora. Pez escómbrido del género *Echereis.* Mide de 30 a 90 cm de largo y tiene sobre la cabeza y la nuca un disco adherente, a modo de ventosa, que le permite adherirse con gran fuerza a cualquier superficie, fijarse al cuerpo de tiburones, delfines, tortugas y otras criaturas acuáticas, y también al casco de los buques. Muestra generalmente una banda oscura al costado y el resto es de color amarillento.

remordimiento. Estado de inquietud, zozobra y desasosiego que queda después de haber realizado una mala acción. El remordimiento es la voz de la conciencia que juzga un acto desde el punto de vista moral. El remordimiento delata un estado de

Pez napoleón con una rémora.

Corel Stock Photo Library

Corel Stock Photo Library

Vista general de la Capilla Sixtina, decorada durante el Renacimiento.

ánimo que implica un desequilibrio entre la acción realizada y el derecho, entre lo que es y lo que debiera ser, y no se puede confundir con los resultados de un éxito o de una derrota. La inquietud que acompaña al remordimiento cobra a veces formas activas que pueden llegar a extremos dolorosos de reparación y autocastigo, en el afán de anular lo hecho para restituir a su lugar el derecho violado.

Remusat, François Marie Charles, conde de (1797-1875). Escritor y político francés. Fue amigo de Louis Adolphe Thiers, cuyos principios políticos compartió. Triunfante la revolución de 1830, Remusat fue elegido diputado por la ciudad de Muret. En 1836 fue subsecretario de Estado y en 1840 Thiers lo nombró ministro del Interior. Muchos años más tarde, a instancias también de Thiers, aceptó la cartera de Relaciones Exteriores. En el último año de su vida apoyó decididamente las leyes constitucionales que organizaron el gobierno de la república. Entre sus numerosas obras, cabe mencionar: *Ensayos de filosofía*; *Abelardo*; *Bacon, su vida, su tiempo, su filosofía; Lord Herbert de Cherburgo* y *Juan Wesley* y *el metodismo.*

La creación del hombre *en la Capilla Sixtina pintada por Miguel Ángel durante el Renacimiento.*

Corel Stock Photo Library

Remusat, Jean Pierre Abel (1788-1832). Médico y sabio orientalista francés. Llegó a dominar el chino, el tártaro y el tibetano. En 1814 ocupó la cátedra de chino recientemente creada en el Colegio de Francia. A la muerte de Langlés (1824) fue nombrado conservador de los manuscritos orientales de la Biblioteca Real. Remusat abrió en Francia el camino para los estudios sinológicos. Sus obras revelan un extraordinario talento filosófico y fueron la base para todos los trabajos posteriores de los orientalistas. Obras principales: *Ensayo sobre la lengua y la literatura chinas*; *Plan de un diccionario chino*; *Investigaciones sobre las lenguas tártaras; Historia del budismo* y *Miscelánea de historia* y *literatura orientales.*

Renacimiento. Periodo comprendido entre los siglos XIV y XVI, y así denominado desde el siglo XIX, cuando algunos escritores franceses lo identificaron con el humanismo, movimiento iniciado en Italia por Francesco Petrarca, que preconizaba una vuelta a la sabiduría y a las ciencias griegas y latinas. Ello no implicaba, sin embargo, el abandono de la fe cristiana. El mismo Petrarca, como Luis Vives en España y Erasmo en los Países Bajos, tratan de fundir la cultura antigua con el cristianismo. Pero, la historia del Renacimiento tiene un sentido más amplio. Políticamente significó la desaparición del feudalismo y la formación de las modernas naciones europeas. Los pueblos medievales estaban organizados en pequeños estados gobernados por príncipes y formados en su mayor parte por artesanos y labradores. El comercio era sencillo y se reducía al intercambio de productos. Pero la unidad de Europa, pese a los esfuerzos de la Iglesia, no se había logrado. La complicación creciente del comercio favoreció, además la aparición de una clase social mercantilista, la burguesía, que iba a influir sobremanera en el desarrollo del Renacimiento. El poder, basado hasta entonces en la autoridad de una aristocracia hereditaria de guerreros y terratenientes, pasó a ser compartido con los burgueses, depositarios del dinero. A estas transformaciones políticas acompañaron otras, científicas, literarias, religiosas y económicas, que afectaron todas las formas de vida. Las ciencias comienzan a independizarse de la autoridad de Aristóteles, considerado hasta entonces como irrefutable, y recurren a la razón y al estudio de la naturaleza. Leonardo da Vinci, hombre típico de esta época, expone en un tratado la ciencia de la pintura, estudia asiduamente la anatomía y la botánica, pretende hallar leyes generales para todos los fenómenos, vislumbra varios de los inventos que sólo podrían realizarse en siglos posteriores y traza, entre otros, los planos para la construcción de máquinas voladoras. La invención de la imprenta difunde toda clase de escritos y contribuye a que también la cultura pase de manos del clero a la burguesía. Florencia, ciudad eminentemente burguesa, famosa por la riqueza e iniciativa de sus banqueros, sus industrias de seda y papel, es sede del humanismo. Otros inventos, como la brújula y el astrolabio, favorecen la navegación, alteran la fisonomía geográfica del mundo y culminan en la gran empresa del descubrimiento y colonización de América. Martín Lutero inicia en Alemania la Reforma religiosa, que debilita aún más el poder de la Iglesia. Aunque los eruditos renacentistas solían escribir en latín, es entonces cuando toman gran vuelo las literaturas en lenguas nacionales, en las que aparecen obras maestras. Petrarca, y antes que él Dante Alighieri , escriben en italiano. Geoffrey Chaucer, en inglés; Lutero traduce la Biblia al alemán; en lengua castellana, que ya en el siglo XIII había adquirido cualidades excelentes con la prosa de Alfonso el Sabio, aparecen *La Celestina* y los versos de Garcilaso. La pintura y la escultura comienzan a interesarse en la realidad de la figura humana; las ciencias matemáticas influyen en la composición del cuadro y se descubre la perspectiva. La arquitectura abandona el estilo Gótico y, principalmente en Italia, donde aún se ven las ruinas romanas, se imitan los edificios antiguos.

Hay una tendencia general hacia el individualismo político, religioso y cultural, características esenciales de la Edad Moderna. *Véanse* ARQUITECTURA; EDAD MEDIA; EDAD MODERNA; ESCULTURA; HUMANISMO; LITERATURA; MÚSICA; REFORMA.

renacuajo. Forma larval acuática de algunos anfibios anuros, como la rana. Al principio del verano es frecuente encontrar en las aguas estancadas grandes cantidades de pequeñitos huevos envueltos en una masa gelatinosa. Cuando estos huevos hacen eclosión dan origen a una especie de pececillos, con cabeza voluminosa, que nadan con movimientos de su larga cola comprimida y que se conocen con el nombre de renacuajos. A los lados de la cabeza presentan branquias externas, que les permiten respirar bajo el agua, y la boca está provista de mandíbulas córneas con numerosos dientecillos, con los que pueden morder los alimentos. Transcurridas algunas semanas, empiezan a formarse las extremidades posteriores; más tarde las anteriores y la cola comienza a reducirse hasta desaparecer. Se les desprende el pico córneo y aparece la lengua; se reabsorben las branquias para formarse los pulmones y el renacuajo se transforma en rana. *Véanse* ANFIBIOS; RANA; SAPO.

Corel Stock Photo Library

Mona Lisa, *cuadro renacentista de Leonardo da Vinci.*

Renan, Ernest (1823-1892). Escritor, filólogo e historiador francés, nacido en Tréguier. Comenzó a estudiar teología en el colegio de San Sulpicio, en París, mas no llegó a ordenarse. Aprendió el hebreo, lengua de la que fue más tarde profesor en el Colegio de Francia. En 1863 publicó su obra más famosa, *Vida de Jesús*, en la cual, describe a Cristo como un ser extraordinario pero humano, lo que suscitó protestas del episcopado francés por negarse en él la divinidad de Cristo. De su vasta obra cabe citar *Averroès et l'averroïsme* (1852), *Dialogues et fragments philosophiques* (1876), *Souvenirs d'enfance et de jeunese* (1883) e *Histoire du peuple d' Israël* (1887-1893).

Renard, Jules (1864-19lO). Escritor y dramaturgo francés, uno de los fundadores de la revista *Mercare de France*, en 1890, donde colaboró asiduamente. Perteneció a la Academia Goncourt desde 1907. Entre sus novelas se destacan: *La linterna sorda; Historias naturales; La profesora* y *Bucólicas*, algunas llevadas por el mismo autor al teatro. Sus comedias principales son: *El placer de despertar; El pan casero* y *Monsieur Vernet* que figura aún en el repertorio francés. Muchas de sus obras han sido traducidas a varios idiomas; entre ellas sobresale por sus repetidas ediciones *Poil de Carotte*, que en español se titula *Pelo de zanahoria.* Este libro, que narra algunos episodios de la vida de un niño pelirrojo, es uno de los más encantadores y humanos de la literatura contemporánea francesa.

Renard, Rosita (1894-1949). Concertista y profesora de piano chilena. Estudió en su país y en Alemania. Durante años fue profesora de piano del Conservatorio Nacional de Música. Recorrió diversos países de América y Europa en giras de concierto. Alcanzó fama mundial como intérprete de Mozart.

Renault, Louis (1877-1944). Ingeniero e industrial francés. En 1898 diseñó un modelo de automóvil que más tarde fabricó en serie, creando así en Billancourt la industria de automóviles, aeroplanos y armas de guerra que lleva su nombre. En 1918 puso a punto un modelo de carro de combate ligero que se hizo famoso en los frentes. Durante la Segunda Guerra Mundial, Renault trabajó para los alemanes. Después de la liberación en 1944, fue detenido y acusado de colaboracionismo. Falleció poco después en un hospital de París. Todos sus negocios fueron nacionalizados.

Rendón, Francisco de Paula (1855-1917). Escritor colombiano. Colaboró con Carlos Restrepo en la reforma de la Constitución de su país. Redactor de los diarios *Lectura y arte, Alpha y Colombia;* sus novelas están ambientadas en su provincia natal: *Inocencia* (1904), *Lenguas y corazones* (1907, pero publicada en 1935), *Sol* (1909, publicada en 1949) y *Palacio.*

Rendón, Ricardo (1894-1931). Dibujante y caricaturista colómbiano formado en la Escuela de Bellas Artes de Medellín. Sus primeros trabajos se publicaron en diversas revistas de Antioquía, y ya instalado en Bogotá colaboró en las más destacadas publicaciones de la capital. De línea precisa, su trabajo se distinguió por un agudo sentido de la sátira. Fue profesor de la Escuela de Bellas Artes de Bogotá a partir de 1923.

René-Moreno, Gabriel (1836-1909). Literato e historiador boliviano, de sólida cultura y limpio estilo. Aportó documentación en las cuestiones de límites entre su país, Argentina y Perú. Dio a la estampa numerosas obras históricas y otras de carácter bibliográfico. Publicó *Las matanzas de Yáñez, Los últimos días coloniales en el Alto Perú* y una biografía de Sebastián Segurola.

Reni, Guido (1575-1642). Pintor italiano. Después de algunos estudios de música comenzó a aprender dibujo y pintura con los famosos maestros Denij Calvaert y Giovanni Battista Caracciolo. Vivió generalmente en Bolonia, pero en dos oportunidades estuvo en Roma, donde el Papa Paulo V le encargó algunos trabajos.

Es notable en sus cuadros la influencia del pintor Michelangelo Caravaggio, aunque sus contrastes de luces y sombras son menos violentos.

renio. Elemento químico, tercero del grupo VII-B de metales de transición de la tabla periódica de los elementos, su símbolo es Re, su número atómico es 75 y su masa atómica es 186,207.

El renio fue descubierto en 1625 por Noddak, Tacke y Berg, depués de una larga y sistemática investigación en varios minerales de platino y de columbita. No se encuentra libre en la naturaleza; es poco abundante, pero está ampliamente difundido.

El metal suele obtenerse a partir de las cenizas o humos recogidos de los hornos donde se efectúa la tostación de la molibdenita y de ciertos sulfuros de cobre.

Se emplea en la fabricación de filamentos de lámparas para flashes fotográficos y en aparatos como espectrógrafos de masas y detectores de iones. También se usa en termopares, útiles para altas temperaturas. En química orgánica es útil el empleo de renio como catalizador resistente al envenenamiento. Se emplea en reacciones de craqueo e hidrogenación en general.

reno. Mamífero cérvido del género rangífero de astas muy ramificadas. Domesticado, es de importancia vital en las regiones frías de Laponia y Siberia, sus tierras de origen. Los lapones perecerían sin este animal que les sirve como bestia de carga y de arrastre de sus trineos, se alimentan con su leche y su carne y se cubren con su piel. Es dócil y sociable. No pasa de 1.20 m de altura. Tiene el cuerpo pesado, piernas proporcionalmente cortas, pezuñas anchas y partidas. Tiene el cuello musculoso, ojos grandes, orejas cortas y hocico peludo. Pelambre tupida, que en invierno es de un rubio blanquecino y se vuelve rojo pardusco en verano. El reno se diferencia del ciervo en que tanto el macho como la hembra tienen astas. También es diferente del caribú de América del Norte, aunque su origen es común. Desde fines del siglo XIX se han llevado renos a Alaska y al norte del Canadá, con excelentes resultados para los habitantes.

El reno salvaje es uno de los animales más difíciles de cazar, ya que a 100 m de distancia descubre por el olfato la presencia del hombre y su vista es muy penetrante. Pero, es voraz y se le atrae poniendo plantas apetitosas en su camino. La inteligencia del reno salvaje para burlar a su cazador ha creado numerosas leyendas. Lo notable es el cambio que sufre al domesticarse: se vuelve sumiso, tranquilo y paciente, y entonces se conforma para su alimentación con algunas cortezas de árboles y el liquen que desentierra de la nieve. En los fríos países del norte de Europa y América el reno es un amigo al que se prefiere y la tradición lo ha señalado con una distinción que luego se ha hecho universal: es el animal que tira del trineo de Santa Claus, cuando éste debe cruzar, en Navidad, sobre aquellas tierras cubiertas de nieve. *Véase* ALCE.

Reno pastando en la pradera.

Corel Stock Photo Library

Renoir, Jean (1894-1979). Director de cine francés. Hijo de Pierre Auguste Renoir, su abundante producción cinematográfica es una de las más importantes de todo el cine francés y a la vez una amalgama de realismo, poesía y sátira, en la que resuenan múltiples influencias pictóricas y literarias. Entre sus numerosos títulos caben destacar *La hija del agua* (1924), interpretada por su esposa Catherina Hessling; *Naná* (1926), su primera obra importante; *La Cerillerita* (1928); *La golfa* (1931); *Toni* (1935); *El crimen de Monsieur Lange* (1935); *Los bajos fondos* (1936), basada en la obra de Maksim Gorki; *Un día de campo* (1936); *La gran ilusión* (1937), obra de exaltación pacifista; *La Marsellesa* (1937); *La bestia humana* (1938), basada en la novela de Émile Zola, y *La regla del juego* (1939), cinta ambiciosa y compleja que adoptaba, para superarlo, el esquema de un vodevil o comedia burguesa y mostraba un sentido poco usual de la observación, una excelente dirección de actores, entre ellos el propio Renoir, y un gran dominio del espacio cinematográfico. Exiliado a Estados Unidos, Renoir rodó allí uno de sus filmes más notables: *El sureño* (1945), drama social en torno a la vida de un campesino, en la línea de la primera etapa novelesca de John Steinbeck, y la adaptación de la célebre obra de Octave Mirbeau *Memorias de una doncella* (1946). La última etapa de Renoir, muy controvertida por cierta crítica de izquierdas debido a su alejamiento del compromiso político inmediato, mostró madurez y serenidad y un dominio completo de los recursos fílmicos. A este periodo pertenecen *El río* (1950), rodada en la India, muestra de cine contemplativo de gran belleza plástica, las comedias *Carroza de oro* (1952), *Can Can* (1954), *Elena y los hombres* (1956), posteriormente la personalísima adaptación de Stevenson *El testamento del doctor Cordelier* (1959). En 1970 realizó para la televisión *El pequeño teatro de Jean Renoir*, y a sus 80 años de edad publicó un libro de memorias *Mi vida y mis filmes* (1926-1971).

Renoir, Pierre Auguste (1841-1919). Famoso pintor francés, uno de los creadores de la escuela impresionista, que se destacó entre los grandes artistas de fines del siglo XIX por su técnica personal. Nació en Limoges, de familia muy pobre, y dio los primeros pasos por el sendero del arte guiado por su madre, mujer de fina sensibilidad. A los 13 años pintaba con un decorador de porcelanas, pero muy pronto ingresó en los talleres de Charles Gleyre, donde conoció y trató a Claude Monet y Alfred Sisley. Sus pinturas se distinguen por la riqueza, vivacidad y alegría de los tonos, que presta a las figuras, mujeres por lo general, solas y en grupos, por calles y suburbios de París, en salones jardines y playas; por el movedizo juego de las luces y el brillo multicolor de los ropajes. Entre sus obras más importantes cabe mencionar: *La mujer del abanico, El molino de la Galette, Bañistas, Ninfas acostadas, En el palco* y el retrato de la señora Charpentier.

Renovales, Mariano (1774-1819). Militar español. Durante la guerra de Independencia actuó como guerrillero en Aragón y Navarra. En 1816 se vio implicado en una conspiración antiabsolutista, por lo que tuvo que emigrar a Francia.

Amnistiado por delatar una expedición a América destinada a promover la independencia de las colonias, sin embargo fue encarcelado al desembarcar en La Habana (1819).

Rensch, Bernhard (1900-1982). Biólogo alemán. Fue director del departamento para el estudio de los moluscos en el museo de Zoología de Berlín (1925-1937), y dirigió también el museo de Historia Natural de Münster (1937-1954); enseñó zoología en la universidad de dicha ciudad desde 1937 y fue nombrado profesor en la universidad y director del Instituto de Zoología en 1947, cargo que conservó hasta su jubilación en 1968.

En 1929, demostró la posibilidad de generalizar a la mayor parte de las clases animales el principio geográfico taxonómico de que determinadas especies pueden considerarse representantes geográficas unas de otras, introduciendo el concepto de especies politípicas. Es uno de los principales artífices de la teoría sintética de la evolución. Se le debe el establecimiento de diversas formas filogenéticas sobre los caracteres morfológicos y fisiológicos de los animales, en especial normas relativas al sistema nervioso y la actividad cerebral, a partir de las cuales ha abordado el estudio del comportamiento de los animales.

renta. Utilidad o beneficio que rinde anualmente una cosa o lo que de ella se cobra. Lo que paga en dinero o en frutos un arrendatario. En sentido económico amplio se entiende por el resultado, medido en valor, de una actividad económica correspondiente a un individuo o colectividad; el conjunto de todos los productos particulares que ese individuo o colectividad percibe, como consecuencia de sus actividades económicas, constituyen la ganancia bruta; deducidos de ella los gastos requeridos como coste de producción, se obtiene la renta de aquélla. Así, pues, debe entenderse por renta, con referencia a la economía general de un país, el conjunto de ganancias netas percibidas en un periodo determinado por las personas físicas y jurídicas que constituyen dicho pueblo.

Rentas del capital son las obtenidas a consecuencia de haber prestado a otro un capital o de una participación como simple accionista en los beneficios de una determinada empresa. Existen otros diversos tipos de renta, a saber: renta pública, la que percibe el erario o tesoro de un país con destino a cubrir las obligaciones del Estado. Renta nacional es el producto total de un economía nacional en un periodo dado, un año generalmente, y comprende el rendimiento de la producción de materias primas, de la industria, del comercio y del tráfico. Renta perpetua es la deuda pública que no tiene fijado un plazo para su amortización, viniendo únicamente obligado el Estado a satisfacer los intereses mas no el capital nominal que representa: se divide en interior y exterior.

Corel Stock Photo Library

Niña con sombrero azul *de Auguste Renoir.*

reóstato. Aparato utilizado en motores eléctricos, transmisores de radiotelefonía, generadores de electricidad y otros equipos similares, para variar y regular la intensidad de las corrientes eléctricas. El más común consiste en una pieza metálica móvil que puede apoyarse en cualquiera de las vueltas de un alambre enrollado. La corriente eléctrica que entra por uno de los extremos del enrollado circula por él hasta encontrarse con la pieza metálica, de modo que la longitud del camino recorrido por la corriente depende de la posición de la pieza de metal. Si ésta se encuentra en el extremo del enrollado opuesto a aquél por el que entra la corriente, la resistencia ofrecida por el alambre será mayor, porque mayor será también el número de vueltas de alambre recorridas por la corriente eléctrica. De ese modo, al aumentar la resistencia al paso de la corriente, se disminuye la intensidad de la misma. Otros reóstatos utilizan como resistencia variable una solución líquida en la que se introducen dos electrodos móviles. En ese caso la intensidad de la corriente varía en relación con la distancia que separa los electrodos. Si en un circuito eléctrico se introducen una o más lámparas de incandescencia, la intensidad de la corriente es menor al salir del circuito que al entrar en él. El reóstato llamado de lámparas utiliza este sencillo procedimiento. En otro tipo de reóstato se emplean unas láminas de carbón que pueden unirse o separarse mediante un tornillo. La intensidad de la corriente eléctrica es mayor o menor según sea mayor o menor la distancia que separa las láminas.

reparaciones de guerra. Conjunto de obligaciones económicas (en activos líquidos, bienes de capital o en especie) que los países vencidos deben pagar a los vencedores en concepto de reparación por los daños causados.

Las reparaciones alemanas de la Primera Guerra Mundial fueron fijadas en 226 mi-

Esquema de un reóstato de resistencia metálica.

Salvat Universal

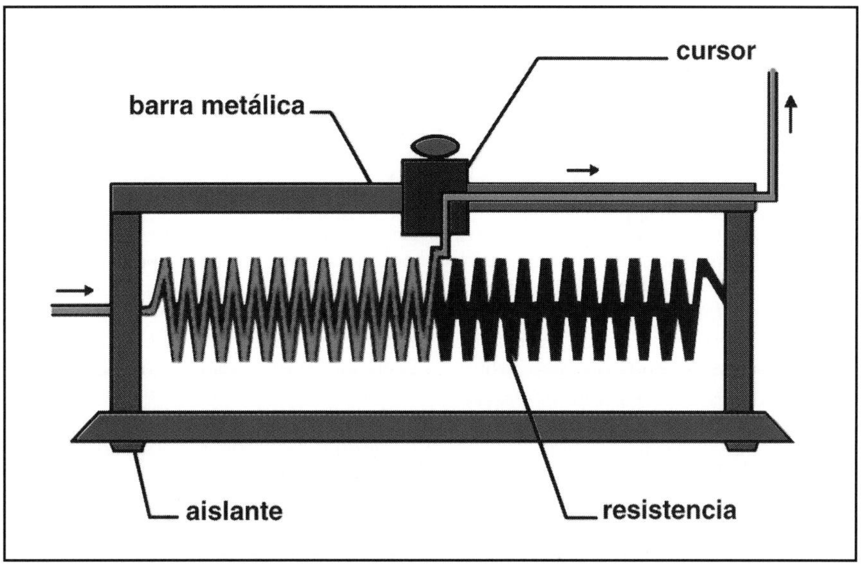

llones de marcos-oro, pero el gobierno alemán suspendió el pago en 1922 pretextando la lucha contra la inflación, por lo que las tropas franco-belgas ocuparon la cuenca del Ruhr (1923). Posteriormente, para su regulación se establecieron los planes Dawes (1924) y Young (1929). La crisis de 1929 dio al traste con la política de reparaciones. Mientras, Austria, Hungría y Bulgaria también recibieron créditos para efectuar los pagos. La imposición de estos pagos fue criticada por destacados economistas y contribuyó decisivamente al clima creado en Alemania contra el Tratado de Versalles, tan hábilmente explotado por el nazismo. El problema terminó con la llegada de Hitler al poder y la denuncia unilateral de las reparaciones. Tras la Segunda Guerra Mundial las reparaciones fueron fijadas en la Conferencia de París (1945). La República Federal Alemana también pagó reparaciones a las víctimas del nacional socialismo y principalmente a Israel.

Reparaz, Gonzalo de (1860-1939). Escritor, publicista y geógrafo español, nacido en Portugal y muerto en México. Como periodista, se destacó en asuntos de política colonial africana e internacional. Es autor de *Origen de las civilizaciones ibéricas, Nuestra casa solariega, La guerra de Cuba* y *Aventuras de un geógrafo errante.* Se caracterizó por sus ideas liberales y su pasión polémica, y figuró entre los que propugnaban en España un mayor acercamiento con el mundo árabe.

repartimiento de indios. Sistema seguido en la colonización de América desde principios del siglo XVI con la finalidad de dotar de mano de obra a las explotaciones agrícolas y mineras. Se repartía un número determinado de indios entre los colonizadores españoles y la asignación se hacia en encomienda, o sea una relación de patrocinio, por lo cual los indios quedaban debiéndole obediencia al encomendero.

Hubo también repartimiento de mercancías, consistentes en la distribución de mercadería de procedencia europea entre los indios de las colonias españolas de América hecha por el corregidor en forma de venta con precio arbitrario y pago forzado. El corregidor señalaba a los indios lotes de mercancías mayores que sus necesidades y les imponía precios abusivos. Introducido desde el siglo XVII, llegó a tomar visos de legalidad en el siglo XVIII, y fue una de las causas de importantes sublevaciones indígenas, como las de Santos Atahualpa (1742-1756), y la rebelión de los Túpac en Perú (1780-1781).

Répide, Pedro de (1882-1947). Escritor español, nacido y muerto en Madrid. Fue cronista oficial de esta ciudad. Costumbrista brillante, sus obras más notables son: *Los cohetes de la verbena, El maleficio de la U, Los pícaros de Amaniel, Los espejos de Clío, Costumbres y devociones madrileñas* y *El Madrid de los abuelos.* Sus novelas y libros de costumbres sobresalen por su sentido lírico del idioma. Se destacó asimismo como poeta. En su juventud, mientras completaba sus estudios en la Sorbona, de París, la ex reina de España, Isabel II, le encomendó la dirección de su biblioteca. Posteriormente, publicó una excelente biografía de Isabel II.

repisa. Especie de ménsula, de más longitud que vuelo, que, fija o empotrada en los muros, se emplea para sostener un busto, jarro u otro adorno. Según su importancia y finalidad a que se destinan, las repisas son de fábrica, madera o metal. Las repisas adquirieron verdadera importancia en el tercer periodo gótico llamado florido, en el que aparecen con gran profusión. Se construían acompañadas de un doselete para cubrir las esculturas que se apoyaban sobre ellas. Las repisas góticas de los templos católicos se adosaban a las conopias de los arcos de las puertas y servían también de apoyo a arcos interiores. Hoy son poco usadas en la construcción. Pequeñas repisas portátiles se utilizan como muebles de poca importancia dentro de las habitaciones. Por lo general son de madera y sirven para sostener una lámpara, una figura etcétera, y pueden ser fijas o plegadizas, de pared o de rinconera.

réplica, derecho de. Norma establecida por algunas legislaciones sobre información, según la cual las personas o instituciones atacadas a través de los medios informativos tienen derecho a ver publicada una réplica (derecho a responder a cualquier argumento que pueda afectar a una persona o institución) en determinadas condiciones, que varían según las distintas legislaciones. Durante el siglo XIX se cristalizó el concepto de derecho de réplica, recogido por primera vez con carácter específico por la ley de Prensa francesa de julio de 1881, cuerpo jurídico muy imitado por los restantes Estados democráticos de Europa. Esta misma ley instituía el principio de derecho de rectificación, que podía ser utilizado por personas e instituciones implicadas en informaciones públicas erróneamente o con acepciones deformadas. Ambos derechos fueron reconocidos por casi todas las legislaciones del mundo, aunque no fue así en naciones como Gran Bretaña, Estados Unidos, Argentina y Suecia, donde el único recurso ante las situaciones aludidas es el procesamiento del medio informativo en búsqueda de responsabilidades civiles. El derecho de réplica y rectificación es una medida que protege por igual al medio informativo y al objeto del error o la deformación, evitando así el enfrentamiento legal conflictivo. En 1937, la Federación Internacional de Directores y Editores de Periódicos estableció un acuerdo sobre el derecho de rectificación a escala internacional, pero éste fue firmado por escasas naciones europeas. En 1949, este compromiso fue adquirido por todos los miembros de la Organización de las Naciones Unidas. El compromiso obliga a la publicación de la rectificación en un plazo de cinco días. Cada Estado que infrinja con respecto al otro este principio, libera al Estado defraudado de cumplir para con él el mismo requisito en lo futuro.

repoblación forestal. Sistema que permite la recuperación futura de una masa vegetal destruida o en explotación.

Un programa lógico de repoblación forestal debe tener en cuenta muchos factores. Algunos adquieren mayor o menor importancia según el interés de esa repoblación, ya sea de tipo económico o de recuperación de un paraje natural. En todos los casos se precisa un estudio edafológico, el conocimiento de la ecología del lugar a repoblar, el conocimiento de la flora de la región y su dinámica frente a los factores del ambiente, etcétera. Estos análisis conducirán al silvicultor responsable a la elección de las especies que correspondan al ambiente en cuestión y las más adelantadas para un rendimiento óptimo a largo plazo. De esta forma, el paisaje natural y, lo que cada vez es más importante, el equilibrio biológico, serán salvaguardados. En una explotación comercial deberán tenerse en cuenta el costo de los trabajos

Repoblación forestal en el Valle de las Ovejas en Alberta, Canadá.

Corel Stock Photo Library

previos, la rotación de las podas y los abonos. A veces es, o parece necesaria, la introducción de especies extranjeras para la repoblación de una región intensamente desforestada; así ocurre en la actualidad con los eucaliptos en muchas zonas áridas de toda la Tierra. Pero, desde el punto de vista ecológico, resulta inadmisible la tala de especies propias de la región para sustituirlas por otras ajenas a él. Para evitar la pérdida inútil de pies, deberá corregirse previamente la erosión de un lugar deforestado; esto se consigue con el hierbamiento, que es innecesario si el monte sostiene ya un matorral o un prado. La corrección de torrentes también suele ser necesaria. Esencial para todo monte repoblado es el mantenimiento de una red adecuada de caminos, senderos y torres de vigilancia contra incendios.

Las coníferas han sido utilizadas desde la antigüedad en la repoblación forestal. En los países subtropicales suelen plantarse *Pinus palustris* y *P. patula*. La repoblación mediante caducifolios, castaños y robles se hace difícil debido al lento crecimiento de estos árboles y su susceptibilidad a las enfermedades criptogámicas. En las zonas arenosas con dunas, y después de la fijación por el entablamiento, se usa el *P. pinús* en la zona mediterránea, el pino piñonero de Monterrey y diversas especies de acacia y eucaliptos. En ciertas zonas del desierto del Neguev se utilizan varias de estas especies juntas como primera etapa de colonización. Las riberas de ríos y lagos, e igualmente otros lugares de nivel freático elevado, son repoblados en los países templados con álamos, chopos y olmos.

Corel Stock Photo Library

La repoblación forestal es necesaria para recuperar el equilibrio ecológico.

repollo. *Véase* COL.

reportaje y reportero. El reportaje es una expresión del periodismo moderno, que denomina las informaciones que proceden de la averiguación personal, logradas por medios propios y distintas de las que tienen por origen una fuente común. Para ser genuinamente periodístico, el reportaje debe referirse a un hecho que acabe de suceder o que esté ocurriendo en el momento de ser publicado o bien exponer una noticia, impresión o comentario absolutamente nuevos sobre un asunto ya viejo. Cabe señalar, además, que aun cuando el reportaje clásico corresponda a la entrevista, hoy se da ese nombre a muchas noticias ofrecidas en forma distinta. La asimilación de la palabra reportaje a la actividad informativa arriba descrita provino del título de reportero que se dio al buscador de noticias. Los primeros reporteros surgieron llevando gacetillas a las publicaciones francesas (de allí su denominacion, que deriva del verbo francés *reporter*: informar, dar cuenta) y reseñando las discusiones parlamentarias en Inglaterra. Uno de los reportajes más sensacionales fue el llevado a cabo por Stanley, al atravesar regiones difíciles de África en busca de Livingstone. *Véase* PERIODISMO.

reposo. El reposo absoluto sólo existe en teoría en el universo, ya que la Tierra no cesa nunca de moverse recorriendo su órbita y lo mismo acontece con todos los demás cuerpos que existen en el espacio. Todo lo que se encuentra en el mundo material está sujeto al movimiento molecular, sufre constantes choques producidos por las acciones exteriores, vibraciones suscitadas por la luz, contracciones debidas a los cambios de temperatura, etcétera. En mecánica, sin embargo, se considera que un objeto cualquiera o un punto está en reposo cuando conserva constantemente las mismas distancias con relación a otros que se creen fijos. Las nociones de reposo y movimiento son completamente opuestas, aunque no se concibe una de ellas sin la existencia de la otra.

En relación con la salud del hombre, el reposo significa descansar, dar intermisión

Reporteros de deportes en un estadio.

Corel Stock Photo Library

a la fatiga o al trabajo. El reposo se utiliza como régimen terapéutico y se denomina *cura de reposo* que debe ser lo mismo en lo físico que en lo moral. La forma más adecuada del reposo es el sueño; pero, no debe confundirse el reposo con la inmovilidad, pues ésta no basta por sí sola: al reposo debe acompañar la quietud, la despreocupación y un ambiente sin ruido, conversaciones o emociones. Un adecuado complemento del reposo es la acción del aire puro y una alimentación conveniente. Como procedimiento terapéutico produce buenos efectos en la tuberculosis pulmonar en su periodo febril, en las afecciones orgánicas del corazón, en las flebitis, en la arterioesclerosis generalizada, en las nefritis agudas, en la úlcera gástrica y duodenal, clorosis y anemia graves y, principalmente, en las afecciones del sistema nervioso. El reposo disminuye, hasta hacerlos desaparecer, los fenómenos de fatiga, depresión e irritabilidad; corrige el insomnio y la cefalea; suprime la ansiedad y las ideas obsesionantes; modera el pulso y corrige la taquicardia; contribuye a la eliminación de las toxinas; permite recuperar las fuerzas orgánicas.

Corel Stock Photo Library

Alimentos elaborados por la repostería.

repostería. Arte que puede considerarse como una extensión o complemento de la culinaria y cuyo objeto se concreta a la confección de pasteles, helados, bombones, caramelos y otros productos elaborados a base de azúcar, manteca, huevos, almendras, piñones y avellanas. La repostería fue muy estimada entre los turcos y los árabes. Los primeros empleaban la miel, pues no conocían los azúcares de caña ni remolacha, y los otros introdujeron, como elemento nutritivo, el uso de la harina. Los italianos dieron gran desarrollo a este arte, enriqueciéndolo con la preparación de helados y jugos de frutas, tan exquisitos como apreciados. España y Francia cultivaron asimismo la repostería, siendo de notar que en el primero de estos países se publicó en 1748 uno de los primeros tratados sobre la materia, escrito por Juan de la Mata. La introducción de las máquinas ha permitido elaborar, en gran escala, productos de los más variados estilos (galletas, pastas secas o de té, caramelos, frutas abrillantadas). Sin embargo, diremos que las pastas usadas con mayor frecuencia son el mazapán, bizcocho y hojaldre. Los perfumes y los aromas (canela, limón, café, vainilla) forman parte integrante de sus componentes, así como los colorantes, que deben ser inofensivos para la salud, y los cuales la industria química fabrica en la actualidad perfectamente.

El aparato reproductor masculino está diseñado para producir los espermatozoides y transmitirlos al aparato reproductor femenino. Los espermatozoides son producidos en los testículos (1) y los que se encuentran en estado maduro, son almacenados en el epidídimo (2). Un corte cruzado de un testículo, muestra un sistema de lóbulos cónicos los cuales contienen uno o más túbulos espirales en los cuales el esperma es producido. Los canales van de los lóbulos a la epidídimo y de ahí a los conductos deferentes (3). Durante la estimulación sexual el esperma se traslada a la uretra (4) en donde se mezcla con los fluidos de las vesículas seminales (5), la glándula próstata (6) y la glándula de Cowper (7) para así formar el semen. Simultáneamente las estructuras esponjosas del pene (8) se llenan con sangre para lograr la erección. El pene y la uretra también funcionan como parte del sistema urinario, eliminando la orina de la vejiga (9).

Del Ángel Diseño y Publicidad

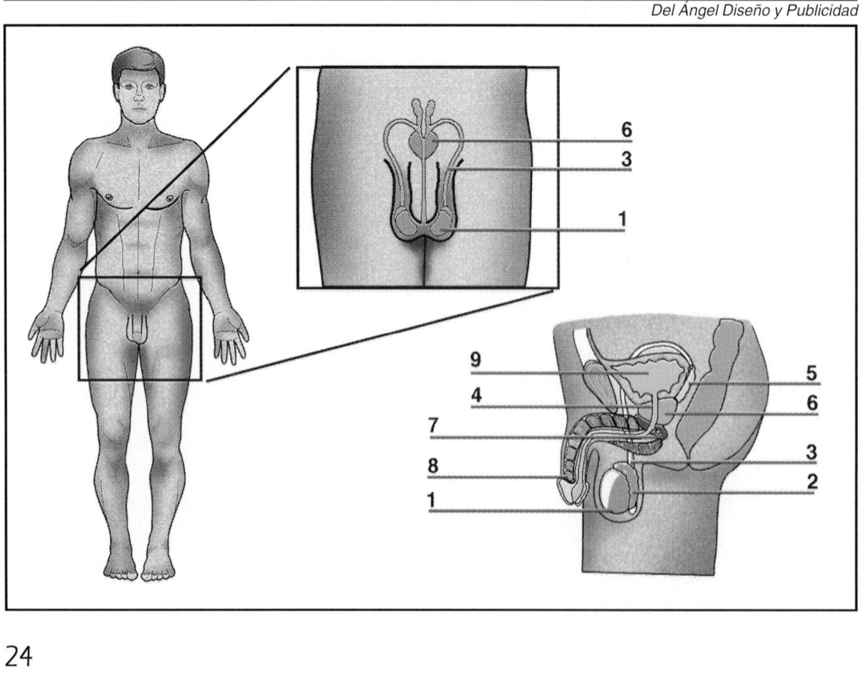

represalia. Derecho que se arrogan los enemigos para causarse recíprocamente igual o mayor daño que el que han recibido. Es un medio coercitivo más próximo al estado de guerra que al de paz por sus procedimientos agresivos, de los cuales se sirve un Estado para hacer comprender a otro la malignidad de su conducta, causándole un perjuicio.

representación. Figura, imagen o idea que sustituye a la realidad. Considerada como forma primitiva de todo fenómeno intelectual, la representación significa el inicio de la vida de relación, con la advertencia que recibimos del objeto que nos impresiona. La representación se considera como una de las etapas del acto reflejo, base de toda actividad psíquica. De lo emocional surge y brota la representación, que a su vez suscita emociones. Si la emoción condiciona la colaboración o adhesión a lo que nos impresiona, la representación, por su parte, nos advierte lo que es la naturaleza del objeto y nos enseña la manera de conducirnos según sus exigencias.

reproducción. Proceso para conservar y propagar la vida. Aunque el fin es siempre originar un nuevo ser que continúe la especie, la forma de lograrlo varía mucho, tanto en el reino vegetal como en el animal. En realidad, los seres inferiores de ambos reinos se reproducen de manera mucho más semejante que sus congéneres superiores, y ello se debe a que los organismos formados por una sola célula participan de lleno en este proceso, mientras en los multicelulares las funciones reproductoras están a cargo de células altamente especializadas, llamadas gérmenes.

Formas de reproducción. Descartada la teoría de que la vida pueda surgir espontáneamente de la materia inerte, se comenzó a estudiar el mecanismo de la reproducción, y se le dividió en asexual o vegetativa y sexual o generativa. Algunas especies utilizan ambas modalidades en determinados ciclos, y en ese caso se dice que su reproducción es alternante. La asexual se manifiesta de tres modos: por escisión, o sea, que el organismo se divide espontáneamente por el medio, dando origen a dos completamente separados, sin pérdida de protoplasma; por gemación, la cual consiste en una división también, pero desigual, que aparece como una protuberancia, y termina por liberarse y actuar independientemente; y por esporulación, método que aparece en muchos parásitos con carácter defensivo ya que permite una enorme multiplicación en poco tiempo. Para ello, el organismo refuerza su envoltura y, protegido por ella, las células de su protoplasma comienzan a subdividirse rápidamente. En un momento dado, la costra se rompe y deja en libertad a las células, cada una de las cuales forma un nuevo individuo.

En el reino animal, la reproducción asexual o vegetativa se limita a los seres inferiores, y lo mismo ocurre en el vegetal, con la particularidad de que la gran mayoría de las plantas conserva esta facultad, aun cuando puedan reproducirse también sexualmente, o sea, por la conjunción de dos células diferentes, llamadas gametos. Muchas plantas se multiplican vegetativamente por medio de bulbos o tubérculos; otras, por estolones y rizomas. El hombre ha utilizado diversos artificios para fomentar el proceso, entre los que se cuentan injertos, estacas, acodos, etcétera. La esporulación consiste en el desprendimiento de células que se forman por gemación en ciertas partes del vegetal o dentro de ciertos órganos especiales. Las esporas destinadas a ser diseminadas en tierra poseen recias membranas; pero, más curiosas son algunas acuáticas, desnudas y provistas de flagelos vibrátiles con los que se desplazan como diminutos animales.

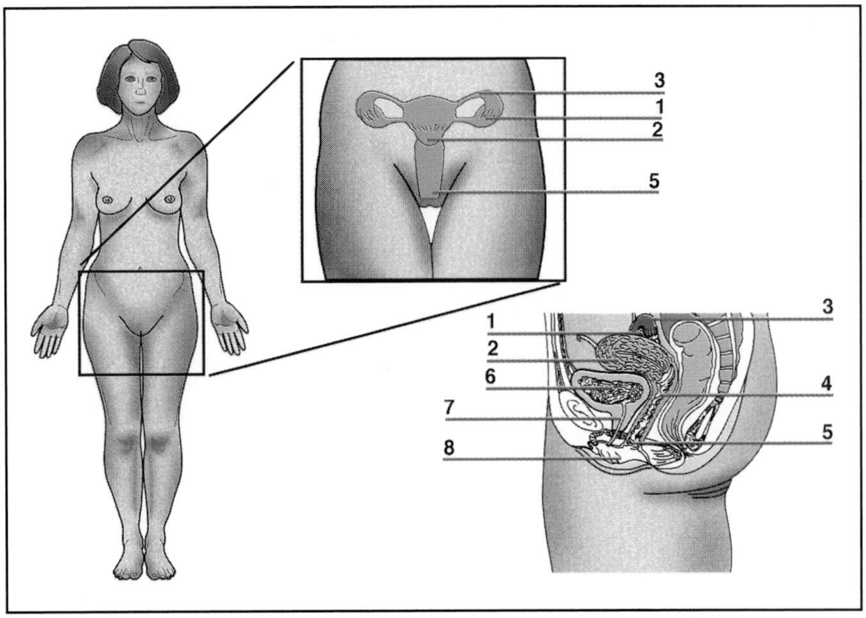

Del Ángel Diseño y Publicidad

El aparato reproductor femenino funciona en un ciclo continuo de preparación para el nacimiento. Cada mes, un óvulo maduro es soltado a través de un ovario (1). Un corte cruzado de un ovario muestra los cambios en un folículo mientras se desarrolla y llega a la superficie hasta que es soltado creando un productor de estrógenos llamado cuerpo amarillo. El óvulo es transmitido al útero (2) a través de las trompas de Falopio (3). La parte baja del útero se llama cuello y llega a la vagina (5) la cual recibe al pene durante el coito. Durante la primera mitad del ciclo ovulatorio la parte interior del útero se enriquece de sangre y de fluídos glandulares. Si el huevo no es fertilizado estos fluidos son desechados en un proceso llamado menstruación. Si el huevo es fertilizado, comienza el proceso de gestación que durará 9 meses. La vejiga (6) y la uretra (7) en las mujeres se encuentran separadas del sistema reproductivo. Frente a la apertura de la uretra se encuentra un órgano sensitivo llamado clítoris (8), el cual se llena con sangre y se contrae rítmicamente durante la estimulación sexual.

La reproducción sexual implica siempre la fusión de dos células o gametos, uno de los cuales es masculino y el otro femenino. La unión de ambos se llama fecundación, capaz de originar el cigoto. Dentro de éste se forma el nuevo ser, que en algunos casos se alimenta de las sustancias previamente almacenadas para su uso.

En el caso de las plantas, la mayor o menor complicación de sus órganos reproductores origina dos grandes grupos: fanerógamas y criptógamas. Las primeras tiene flores; las segundas carecen de ellas. Los órganos masculinos de la flor se llaman estambres y los femeninos pistilos. Los primeros producen el polen que fecunda a los segundos; cuando esto ocurre dentro de la misma flor, se dice que es hermafrodita, pero muchas plantas disponen sus órganos en forma tal que ello es imposible. Dependen entonces de agentes exteriores para acarrear el polen, y por lo común se encargan de ese trabajo los insectos, atraídos por un líquido azucarado, el néctar, que la flor produce con ese objeto. En sus cuerpos velludos abejas, y otros polinizadores, almacenan el polen que los estambres descargan sobre ellos y lo vierten sobre los pistilos de la próxima flor que visitan. Otros vehículos de fecundación son el viento y los pájaros. La semilla es el óvulo fecundado; suele estar encerrada en el fruto, de cuya carnosa pulpa se nutre, y cuando, ya madura, cae a tierra, origina una nueva planta. La reproducción sexual se alterna muchas veces con la vegetativa.

La reproducción en los animales. En las especies unicelulares e inferiores, la reproducción es muchas veces análoga a la asexual de las plantas. Ciertos gusanos, como la hidra, también se multiplican por división. Mas apenas nos elevamos en la escala, hallamos la división de los sexos. Sin embargo, entre los insectos y los crustáceos los huevos pueden, en determinadas circunstancias, desarrollarse sin fecundación, y tal fenómeno se llama partenogénesis. Ésta suele ser provocada artificialmente, mediante estímulos físicos o químicos. Como en el caso de los vegetales, la partenogénesis puede alternarse con la reproducción sexual. Existen, asimismo, animales hermafroditas, algunos de los cuales fertilizan sus propios huevos, y otros los de los demás. En cuanto a los animales superiores, todos poseen marcada diferenciación sexual que, al abarcar también caracteres secundarios, toma el nombre de dimorfismo. Las glándulas masculinas producen espermatozoides, y las femeninas, óvulos. El huevo fecundado puede desarrollarse fuera o dentro del cuerpo de la hembra. Lo primero ocurre en las aves, en los reptiles y en la mayoría de los peces; lo segundo, en los mamíferos. Un tipo intermedio forman los animales llamados marsupiales, como el canguro, en los cuales el recién nacido termina de desarrollarse en el interior de una bolsa que la madre lleva en la parte anterior del vientre. *Véase* BIOLOGÍA.

reptación. Manera de locomoción en la que la superficie o cara ventral del cuerpo roza en el suelo al trasladarse de un punto a otro. La reptación es propia de los animales que tienen las patas muy cortas o que carecen de ellas, como los reptiles, los gusanos y ciertos moluscos.

reptil. Animal de respiración pulmonar, de la rama de los vertebrados, cuyo cora-

Corel Stock Photo Library

Gavial.

zón tiene dos aurículas y un solo ventrículo incompletamente dividido y cuya piel está recubierta de escamas. Su nombre proviene de la posición que los caracteriza, por cuanto al caminar arrastran el vientre por el suelo debido a la poca extensión de sus extremidades, cuando las poseen. En su gran mayoría son ovíparos, pero algunos, como las víboras, son ovovivíparos. Los huevos generalmente tienen una cascara gruesa y más o menos caliza. Las serpientes y otros reptiles carecen de párpados, que están sustituidos por una cápsula transparente. En los que tienen párpados, la forma de cerrarlos es curiosa, por cuanto ocurre al revés que en la mayoría de los animales: es el párpado inferior el que se levanta para cerrar el ojo. En muchas serpientes y lagartos, la lengua sirve de órgano del tacto; en otros, como el camaleón, de órgano de prensión. La mayoría de los reptiles son terrestres y prefieren los sitios húmedos, aunque existen algunos que viven en sitios secos y aun en el desierto. Los huevos son puestos por la hembra en tierra húmeda de sitios cálidos, no preocupándose después por el desarrollo de la prole; los que son acuáticos salen a tierra para poner sus huevos, que evolucionan en medio aéreo.

El crecimiento es muy lento y llegan muy tarde a la edad adulta. Viven mucho tiempo y son muy resistentes contra el hambre; pueden mantenerse durante largo tiempo sin comer. Se conocen más de 3 mil especies, de las que 500 son fósiles. Entre los fósiles se encuentran algunos de dimensiones gigantescas, como los dinosaurios, plesiosauros y brontosauros, que llegan a medir hasta 25 m de largo. Otros reptiles fósiles pertenecen a especies voladoras, como los pterodáctilos; algunos eran tan grandes que tenían 7 m con las alas desplegadas.

república. Forma de gobierno en la que el poder ejecutivo no corresponde a un monarca, sino a un presidente elegido por el voto popular, mediante sufragio directo o indirecto. Con el paso del tiempo, la palabra república ha tenido varios sentidos dispares y se ha asociado a significados ideales que a menudo no correspondían a la realidad. Los romanos llamaban *res publica* (cosa pública) al conjunto de intereses que el Estado debía promover y tutelar. Durante el siglo XVIII, cuando las monarquías absolutas empezaban a declinar, se difundió en Francia la idea de la *République*, una forma de gobierno en que la autoridad estuviera dividida entre varios poderes, en que hubiese una constitución escrita y en que se respetaran las libertades personales. Esta *République* venía a ser comparable a la idea moderna de democracia.

La costumbre identificó la república con formas de gobierno que no tenían un rey hereditario sino gobernantes electivos. Bajo este rótulo genérico quedaron ocultas algunas realidades tan distintas como la democracia suiza, la oligarquía veneciana y ciertas dictaduras hispanoamericanas, que sólo tenían en común el nombre de repúblicas. Por un proceso inverso, la monarquía llegó a ser identificada con el absolutismo y la tiranía. Sin embargo, es indudable que las monarquías de Bélgica, Suecia, Gran Bretaña, Noruega y Holanda

Diversos tipos de reptiles: (de arriba a abajo y de der. a izq.): tortuga concha de pascua, lagartija de espina cervical, lagartija mojave con franjas, lagartija anola verde, camaleón y lagarto cornudo.

Corel Stock Photo Library

son mucho más democráticas que ciertas dictaduras vestidas con ropajes republicanos. A mediados del siglo XVIII sólo había tres estados republicanos: Suiza, los Países Bajos y Venecia. A partir de la revolución estadounidense las repúblicas se multiplicaron: Francia, los 20 estados hispanoamericanos, Portugal y China se convirtieron en repúblicas antes de la Primera Guerra Mundial. Después de 1918 surgieron repúblicas en Alemania, la Unión Soviética, Austria, Turquía y España, además de las organizadas en estados de nueva creación. Concluida la Segunda Guerra Mundial cayeron las monarquías de Italia y de cuatro países balcánicos. De los vastos imperios coloniales de Francia, Gran Bretaña, Holanda y Bélgica, en África y en Asia, empezaron a disgregarse grandes territorios se constituyeron en república. Sólo en África, de 1950 a 1960, surgieron unos 25 estados nuevos que adoptaron la forma republicana de gobierno. El término *república* ha evolucionado en relación con su importancia histórica, y la tendencia contraria a la monarquía ha prevalecido en gran parte del mundo.

República Árabe Unida. Unión de los estados de Egipto y Siria, proclamada en El Cairo el 1 de febrero de 1958 por los presidentes Gamal Abdel Nasser, de Egipto, y Kuwatli, de Siria. Se estableció un poder legislativo común y un ejército con mando unificado. Nasser fue designado jefe de Estado. En 1961, disgustada Siria por la creciente hegemonía egipcia en su territorio, se levantó en armas y rechazó las fuerzas egipcias que envió Nasser a combatirla. Siria se separó de Egipto y recuperó su independencia el 29 de septiembre de 1961. A partir de ese momento, Egipto se llamó oficialmente República Árabe de Egipto. *Véase* EGIPTO.

Republiquetas, Las. Designación que durante la guerra de independencia sudamericana recibió cada uno de los distritos del Alto Perú sometido a un caudillo patriota. La autoridad de éste era política y militar y emanaba de la voluntad de los habitantes rebelados. La guerra de las Republiquetas comenzó con la entrada del primer ejército revolucionario en el Alto Perú (1810), y los años 1815-1816 fueron los de su mayor apogeo. Las Republiquetas principales fueron las que acaudillaba el cura Muñecas a orillas del Titicaca, las de José Miguel Lanza y José Padilla alrededor de Cochabamba, las de José Vicente Camargo en Tarija y Chuquisaca y las de Wernes en Santa Cruz de la Sierra. Después del desastre patriota en Sipe-Sipe (1815), las Republiquetas cayeron una a una y sucumbieron muchos de sus caudillos. Sólo Lanza, en Apopaya, pudo sostener en pie la insurrección hasta la derrota final de los realistas en Ayacucho.

repujado. Procedimiento de ornamentación consistente en labrar imágenes de relieve sobre planchas de metal. Se conoce desde la más remota antigüedad y existen diversas muestras procedentes de los egipcios. Las planchas utilizadas pueden ser de oro, plata, cobre, hierro, etcétera. Primeramente se diseñan en ellas las siluetas de las figuras, trabajándolas después con martillos y punzones. Benvenuto Cellini, se distinguió en este arte cuya técnica expone en un libro famoso. El repujado puede hacerse también a troquel, mas en este caso las producciones carecen de valor artístico. Este arte se practica asimismo sobre cuero.

Requesens i de Zúñiga, Lluís de (1528-1576). Patriota y militar español de descollante actuación en la batalla de Lepanto (1571), donde, después de don Juan de Austria, fue la figura más preeminente. Empezó a mostrar su altivez cuando se retiró de Roma con toda su embajada al ver que ésta era menospreciada por el Papa Pío IV. Como lugarteniente de Juan de Austria intervino en la guerra contra los turcos. Después fue nombrado gobernador del ducado de Milán, el cual puso en orden e impidió que la Iglesia se entrometiera en asuntos temporales.

réquiem. Preces que se entonan en la misa de difuntos de la Iglesia católica. El réquiem es también una composición musical cuya letra comienza con esta frase: *Requiem aeternam dona eis, Domine* (*Dales, Señor, el descanso eterno*), tomada del introito de la misa de difuntos. Esta frase se repite a lo largo del texto litúrgico que se entona como un himno por el alma de los muertos. Esta ceremonia ha inspirado a grandes compositores, que han escrito partituras de gran belleza artística y mística solemnidad. Entre otros, han compuesto réquiems Giovanni Pierlugi, llamado de Palestrina, Wolfang Anadeus Mozart, Luigi Cherubini, Giuseppe Verdi y Johannes Brahms.

rerum novarum. Palabras iniciales que son el título de la encíclica *De conditione opificum,* emitida el 15 de mayo de 1891 por el papa León XIII y fue considerada la carta magna del catolicismo para la solución del problema social. Hasta la creación del concilio Vaticano II. Se basaba en la aplicación concreta de las doctrinas de Cristo, condena la teoría de la abolición de la propiedad privada y la formación exclusiva de la propiedad colectiva. Señalaba la necesidad de encontrar una sola solución a las cuestiones suscitadas por el trabajo, según las enseñanzas del Evangelio, mediante la aplicación de la caridad cristiana, la intervención del Estado favorable a los obreros, el establecimiento de la reglamentación del trabajo y de la fundación de asociaciones obreras. Propugna la solidaridad entre el capital y el trabajo sobre la base de una fijación clara de derechos y obligaciones recíprocos; la fundación de patronatos para la infancia, los jóvenes y los adultos (lo que hoy se llama servicios sociales); y el establecimiento de jurados mixtos especiales (tribunales del trabajo) fomentados y protegidos por el Estado, para resolver equitativamente las dificultades entre obreros y empresarios. La publicación de esta encíclica motivó que León XIII fuera llamado, *el Papa de los obreros.*

resaca. Movimiento o agitación observado en las aguas del mar y producido por el retorno de las olas después de haber alcanzado su máxima expansión sobre los bordes de la playa (olas de retroceso) o por el reflejo indirecto de sus ondulaciones al chocar contra algún obstáculo (acantilado, murallón u obra de puerto). Las corrientes de resaca pueden ocasionarse por reflexión, transmisión lateral o desviación gradual. Los boquetes abiertos en un muro de contención, o la situación de ciertas rocas en las playas, pueden dar lugar a resacas muy intensas cuando el agua se precipita bruscamente por los intersticios. La ola de resaca es muy peligrosa y ha ocasionado numerosos accidentes, pues su fuerza de arrastre es enorme. Los expertos aconsejan no sumergirse que en ciertos lugares u horas determinadas (mareas) pues la resaca impediría regresar a la playa.

rescisión. Acto de deshacer, anular o dejar sin efecto un contrato, obligación contraída, voto, testamento, etcétera. Según la mayoría de códigos civiles y comerciales, los contratos bilaterales pueden ser rescindidos por haber faltado uno de los contrayentes a lo convenido, y la parte perjudicada puede exigir el cumplimiento de la obligación o, en su defecto, resarcimiento de perjuicios. La rescisión invalida un contrato formado, y lo hace en virtud de una justa causa descubierta con posterioridad a su celebración.

rescripto. Decisión del sumo pontífice, dada por escrito, para resolver una consulta o petición de gracia. Todo rescripto consta de tres partes: narración, súplica y conclusión. En la primera se reproduce lo expuesto por el suplicante; en la segunda se exponen las razones en que se funda la petición, y en la tercera, que es la parte más importante, el sumo pontífice niega o concede lo que se pide. Concerniente a los rescriptos, el derecho canónico establece las cuatro reglas siguientes: 1) Que el último rescripto que no hace mención del precedente, no hace perder en nada en valor de éste. 2) El que obtiene dos rescriptos para el mismo asunto, sin que en el segundo se haga mención del primero, queda privado del efecto de ambos. Si efectivamente habla el segundo del primero, debe exhibirse éste, sin lo cual es nulo el otro. Pero si es diverso el asunto, no se necesita hacer mención del primer rescripto. 3) El segundo rescripto, al revocar el primero, no destruye nada de lo que se hizo legítimamente para su ejecución. 4) Es una gran regla en materia de rescriptos que se debe hacer referir todo lo que contienen a lo que forma su principal objeto.

resección. Operación que consiste en separar el todo o parte de uno o más órganos. Designa, principalmente, la resección ósea, que se refiere a la separación de una parte considerable de hueso, ya en su continuidad, ya en su extremo articular. También se considera como resección la ablación total de un hueso. En la resección ósea las formas del miembro no sufren alteración; las inserciones musculares son respetadas; el periostio queda intacto y la reproducción ósea se verifica por debajo de esta membrana y en el interior del hueso excavado. La diferencia fundamental entre amputación y resección ósea consiste en que esta última dirige su objetivo operatorio únicamente al sistema óseo, procurando causar el menor traumatismo posible a las partes blandas mientras verifica las incisiones que abren el camino hasta llegar a lo lesionado. Debido a ello esta clase de operaciones requiere mayor habilidad que las amputaciones y un instrumental específico.

reservaciones indias. Después del exterminio de etnias locales llevado a cabo por los colonos de Norteamérica (en lo que ahora es Estados Unidos) durante los siglos XVIII y XIX, se despojó de su tierra a las tribus sobrevivientes y se les segregó en reservaciones en lo que constituyó el Territorio Indio (1834), en el actual estado de Oklahoma. Por medio del Acta de posesión exclusiva de la tierra (*Dawes Severalty Act*) de 1887, y por la Comisión Dawes de 1893, fueron creadas grandes reservaciones tribales en los diferentes estados de la Unión, pese a la resistencia de los indios. A partir del Acta de reorganización de los indios, de 1934 se mejoraron las condiciones de vida en las reservaciones, pero persistió un trato discriminatorio que originó incidentes como el de Wounded Knee. Aproximadamente 220 indios siux se apoderaron de dicha ciudad entre el 28 de febrero y el 8 de marzo de 1973, en un intento por reivindicar los derechos de los indios. Ésa no fue, sin embargo, la primera ocasión en la que se suscitaba un problema en la localidad, ya que en 1890 una tribu de siux fue masacrada allí por el Séptimo Regimiento de Caballería, cuyas fuerzas eran mucho mayores en número, después de que un siux hirió a un soldado en el momento en que la tribu completa se rendía.

reservas bancarias. Las constituidas por los bancos, por imperativo legal o acuerdo estatuario, como garantía de la solvencia frente a terceros, especialmente de sus depósitos, o bien frente a las exigencias de la política monetaria estatal. La constitución de dichas reservas es necesaria, ya que la banca, además de recibir los depósitos de los particulares, actúa como prestataria. Hay reservas bancarias de dos tipos: reservas en el banco central, de carácter obligatorio y cuyo porcentaje respecto a los depósitos se determina en cada caso según la coyuntura; y las reservas de caja, cantidades de activo de disponibilidad inmediata. Se debe considerar como reservas de caja el dinero en efectivo que se mantiene en las cajas de los bancos comerciales, sus depósitos de reserva en el banco central y los créditos que pueda concederles este banco. El coeficiente de reserva bancario es de primordial importancia para la determinación de la cantidad de dinero que se puede crear por parte de la banca privada, ya que de éste depende también la capacidad prestataria.

El control que ejerce el banco central sobre la creación de dinero se basa en la utilización de los coeficientes de reserva, reduciéndolos cuando es necesario incrementar la masa monetaria o aumentándolos en caso contrario. El establecimiento de porcentajes obligatorios de caja es una medida de política monetaria que permite producir una contracción del crédito o facilitar una expansión del mismo, disminuyendo esos porcentajes si la demanda es escasa. En algunos países en donde las reservas de caja tienen un porcentaje mínimo obligatorio, se establece un coeficiente para los depósitos a la vista y otro distinto para los depósitos a plazo; así, los bancos comerciales tienen mayor libertad y los particulares influyen directamente sobre la creación de crédito, incrementándolo al pasar su dinero de los depósitos a la vista a los depósitos a plazo y reduciéndolo en caso contrario. Puede suceder que los bancos posean un volumen de reservas que exceda a las obligatorias; esto supone un incremento de la liquidez y cierta independencia del banco central.

reservas monetarias. Conjunto de medios de pago de que dispone un país para hacer frente a sus relaciones con el exterior. Estas reservas están conformadas por el oro, las divisas convertibles y los derechos especiales de giro del Fondo Monetario Internacional. Las reservas monetarias son de suma importancia para las relaciones comerciales de un país con el exterior. Entre más reservas tenga, menor será la necesidad de ajustar las importaciones a las exportaciones. Los países que cuentan con un muy reducido volumen de reservas se enfrentan a un grave problema, ya que tienen la perentoria necesidad de importar equipo y material de alta cualificación para impulsar su desarrollo. Las reservas monetarias más importantes son aquellas formadas con divisas convertibles, que pueden ser obtenidas a través del comercio exterior, o de entradas netas de capital o de servicios, tales como el turismo, los fletes, los seguros, etcétera.

resiliencia. Resistencia que oponen los cuerpos, en especial los metales, a la ruptura por choque o percusión. Ésta se expresa en kgm/cm^2 (kilográmetros por centímetro cuadrado) necesarios para conseguir la rotura de una probeta de forma y entalladura determinadas. La máquina más utilizada para medir la resiliencia es el péndulo de Charpy, constituido esencialmente por una masa pesada que puede oscilar alrededor de un punto fijo. La probeta se coloca de forma horizontal y se apoya en sus extremos en soportes dispuestos en la parte baja del aparato. Al caer el péndulo desde una altura determinada golpea y rompe la probeta en su sección entallada y prosigue su movimiento pendular hasta cierto nivel. De la altura inicial de la maza y del nivel que alcanza, una vez sobrepasado su punto más bajo, se deducen las energías inicial y remanente tras la rotura.

resinas. Sustancias vegetales amorfas que proceden de varias especies de plantas que las segregan de una manera natural, o que son producidas por incisiones realizadas en la corteza o el fruto de algunos árboles. Las resinas vegetales son inflamables, insolubles en agua pero fácilmente solubles en esencias, alcohol, éter y otros solventes. También se obtiene resina vegetal por destilación de la madera de árboles resinosos. Otra clase de resina es la procedente de residuos de plantas y animales que la naturaleza, en el transcurso de los siglos, ha transformado en resina fósil, por ejemplo, el ámbar. En la industria se explotan varias especies de árboles resinosos, especialmente los pinos, de los que se extrae la resina natural por repetidas incisiones hechas en el tallo. Sometida la resina a proceso de destilación, se prepara primero la trementina para obtener después la esencia de trementina o aguarrás y la colofonia. Estos productos tienen gran importancia industrial y se usan en pinturas, barnices, jabones, linóleos, lubricantes, tintas, etcétera, y también en preparaciones medicinales. Otras clases de resinas vegetales son el bálsamo del Canadá, el de copaiba, el áloe, mirra, incienso, asafétida, etcétera, que tiene diversas aplicaciones industriales. Algunos animales también segregan sustancias resinoides, como el ámbar gris el almizcle, el castóreo, etcétera, que se utilizan en la industria de la perfumería. Modernamente se ha difundido mucho el uso de las llamadas resinas sintéticas, que son combinaciones de varias sustancias químicas, por ejemplo, el fenol, el formaldehído, la caseína, etcétera, que mediante un proceso de moldeo, utilizando el calor, se transforman en unas sustancias plásticas, de las que la baquelita, el nailon, etcétera, son ejemplos. Los plásticos constituyen hoy una importante industria y sus aplicaciones y utilidad son tan conocidas que huelga decir que sustituyen muchas veces a la madera y al metal. *Véase* ÁMBAR.

Resistencia. Ciudad de Argentina, capital de la provincia del Chaco. En sus orígenes fue una humilde reducción de indios guaraníes llamada San Fernando. A comienzos del siglo XX sólo tenía unos 10,000 habitantes. El auge de la industria algodonera y de la explotación forestal, unido a las óptimas condiciones del vecino puerto de Barranqueras, son los factores que han convertido a Resistencia en la más próspera de las ciudades del noreste argentino. Un servicio de balsas automóviles la comunica con la ciudad de Corrientes, y numerosos vapores y barcazas transportan por el Paraná las riquezas de las regiones vecinas: algodón, maderas, ganado, yerba mate, aceites, tanino y azúcar. Población: 172,847 habitantes, (218,438 la aglomeración urbana).

resistencia. En magnetismo y electricidad es la dificultad que ofrece un cuerpo al flujo magnético o corriente eléctrica que lo atraviesa. Esta resistencia hace disminuir la intensidad de la corriente y se calcula mediante la ley de Ohm. Se llama resistencia específica la que ofrece a 0 °C un conductor de 1 cm de longitud y 1 cm^2 de sección; es variable de acuerdo con los factores que puedan influir sobre el conductor, como la naturaleza misma de él, la temperatura, etcétera. La resistencia específica se llama también resistividad, y la resistencia magnética recibe también el nombre de reluctancia. Según su constitución, las resistencias se pueden clasificar como:

Resistencias bobinadas, constituidas por un hilo metálico arrollado en espiral sobre un soporte cilíndrico de cerámica y cubierto completamente con un material vítreo. El hilo conductor utilizado suele ser cobre, níquel, constantán o aleaciones cobre-níquel-cinc. Existen resistencias bobinadas desde una fracción de ohm hasta varios cientos de miles, con potencia que varían desde 1 W hasta varios miles.

Resistencias aglomeradas, compuestas por una mezcla de materiales resistivos, generalmente carbón, y un aglutinante adecuado, moldeado todo ello en forma de cilindro. En las dos bases del cilindro se fijan sendos conductores de cobre y el conjunto se envuelve con una cubierta de material plástico o cerámica. Después, las resistencias se clasifican de acuerdo con su valor óhmico, el cual se indica en la cubierta por medio del código de colores. Las resistencias aglomeradas se fabrican con valores entre 0.1 ohms y varios megaohms y potencias desde 1/16 hasta 2 watts.

Resistencias de película depositada, consistentes en una película de carbón, metal u óxido metálico depositada sobre un núcleo cilíndrico de material cerámico. El espesor y longitud de esa película determinan el valor de la resistencia, el cual se controla practicando un surco en espiral alrededor de la resistencia y atravesando la película hasta alcanzar la superficie aislante.

resistencia. Nombre que se dio a cada uno de los movimientos contra la ocupación militar de las potencias del Eje durante la Segunda Guerra Mundial. Tuvieron un carácter a la vez militar y político: lucha de liberación nacional y rechazo del *Nuevo orden.* Aunque coexistieron diversas tendencias, la mayoría aspiraba a una transformación radical del régimen imperante. Este propósito se acentuó con la integración en la lucha de los partidos comunistas (1941), con frecuencia los más activos y mejor organizados. No obstante, la propaganda anticomunista de los nazis originó una división en la clandestinidad, pues la burguesía partidaria de los gobiernos exiliados del antiguo régimen llegó a considerar a los comunistas como adversarios, y a medida que se aproximaba la victoria aliada, la guerra civil se sobrepuso al combate contra el ocupante (Grecia, Yugoslavia, Polonia).

Al principio, los resistentes activos fueron minoría, pero la oposición al vencedor provisional adoptó las más diversas formas de resistencia pasiva: lentitud en el trabajo, sabotaje industrial, sustracción de armas, municiones, difusión de noticias, prensa clandestina, ayuda a los prisioneros, evadidos y judíos, etcétera.

El papel de Gran Bretaña fue preponderante, en especial de 1940 a 1942, pues no sólo ayudó a Charles de Gaulle y los gobiernos exiliados, sino que reconstruyó sus redes de información en el continente, envió agentes y creó un servicio encargado de la resistencia.

Estadounidenses y rusos tomaron el relevo en 1942, lo que acentuó las divergencias ideológicas.

resistencia de materiales. Rama de la tecnología que estudia la capacidad de los cuerpos sólidos para soportar la acción de las fuerzas exteriores. La máxima tensión o compresión que un material de construcción puede resistir sin romperse o doblarse, es un dato de gran importancia para ingenieros y arquitectos. Las cuatro fuerzas que pueden actuar sobre el material son: tensión, flexión, torsión y compresión. Estas fuerzas pueden combinarse en formas muy diversas, pero la resistencia del material será de una de las tres clases siguientes: 1) tenacidad o resistencia a la tensión; 2) elasticidad, o resistencia a la ruptura; 3) resistencia a la compresión. En algunas sustancias, como el hierro forjado, la resistencia a la compresión es mucho mayor que la tenacidad.

resolución. Estado final del proceso volitivo en el que aceptamos uno solo de los varios motivos sometidos a juicio y deliberación y se toma una determinación fija y decisiva. La resolución requiere la unidad del pensamiento y de la acción, que lo pensado como bueno se convierta en hecho. Es evidente que una resolución firme tiende a la ejecución, pero hay que reconocer que una y otra se influyen y condicionan. Vida y pensamiento, acto e idea, sueño y realidad, se entrelazan continuamente, y el querer es transformado por el poder, sin más límites que lo posible dentro de los ámbitos de lo ideal. En la influencia bienhechora de éste para la vida se impone la condicionalidad de la resolución y de la ejecución, tan certeramente expresada por la frase: "Lo mejor es enemigo de lo bueno". La voluntad es un molde que hay que llenar si no queremos ser víctimas del capricho y que nuestros actos lleguen a tener una eficacia individual y social, síntesis de lo verdaderamente humano.

resonancia. Fenómeno acústico que consiste en la prolongación de un sonido, causada por su reflexión o por su repercusión en otros cuerpos que entran en vibración. Utilizando recipientes huecos capaces de responder ante el sonido de notas musicales de determinada frecuencia, el físico alemán Hermann Ludwing Ferdinand von Helmholtz aplicó los principios de la resonancia al análisis de los sonidos complejos, creando el resonador que lleva su nombre. La resonancia mecánica plantea numerosos problemas tecnológicos: los puentes, por ejemplo, pueden hallarse en peligro si son sometidos a la acción de fuerzas periódicas de frecuencia próxima a la frecuencia natural de las partes de su estructura; tales fuerzas pueden provenir de las vibraciones debidas al tránsito, de la acción del viento, etcétera. Para impedir sus efectos, los ingenieros deben diseñarlos de modo que sus frecuencias naturales sean muy diferentes de las que pueden ejercer su acción sobre ellos, eliminando así el riesgo de que las vibraciones engendren una resonancia peligrosa. *Véanse* ACÚSTICA; SONIDO.

resonador. *Véase* RADIOTELEFONÍA Y RADIOTELEGRAFÍA.

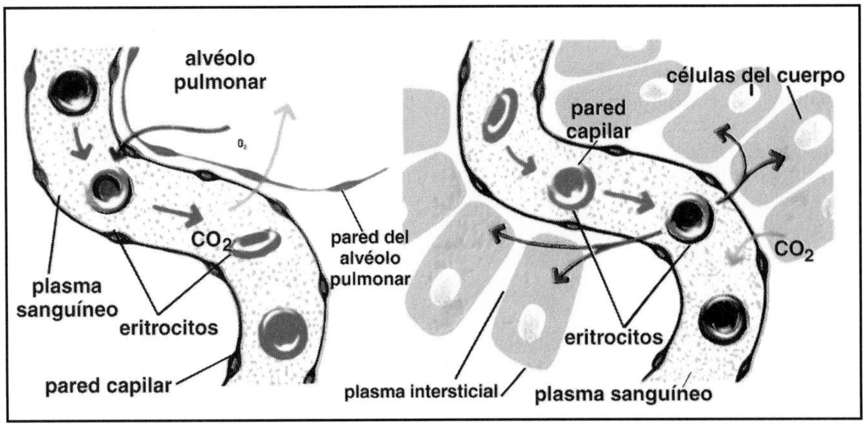

Salvat Universal

Respiración. Esquema de intercambio de gases respiratorios entre los pulmones y los capilares sanguíneos (izquierda) y entre éstos y las células del cuerpo (derecha).

resorcina. Sustancia que cristaliza en prismas incoloros, con olor desagradable y sabor ligeramente dulce. Se obtiene por la fusión de álcalis cáusticos con resinas naturales como el gálbano, la asafotida y otras. Se utiliza en medicina por sus propiedades antisépticas, y principalmente para la preparación de materias colorantes. Debido a que la accion del aire y de la luz la altera, ha de mantenerse en frascos bien tapados y en lugar oscuro.

resorte. *Véase* MUELLE.

Respighi, Ottorino (1879-1936). Compositor italiano. Alumno de Nicolai Andrei Rimsky-Korsakov y de Max Bruch, se distinguió en su juventud como violinista, pero después se dedicó a la enseñanza en el Real Conservatorio de Roma. Aunque abordó todos los géneros musicales, sus obras más famosas son tres poemas sinfónicos titulados *Los pinos de Roma* (1924), *Fiestas romanas* (1928) y *Las fuentes de Roma* (1916). Esta última describe, en bello estilo impresionista, las sensaciones del autor ante las históricas fuentes de Roma en diversas horas del día. Contribuyó al ballet con *Danzas antiguas*.

Una serie de canciones, varias composiciones para conjuntos de cámara, la suite *Las aves* y la ópera *Belfegor* completan su producción musical.

respiración. Función fundamental del ser vivo, mediante la cual éste toma oxígeno del aire y elimina anhídrido carbónico. Tanto animales como vegetales respiran: el oxígeno es imprescindible para que puedan vivir, por ser el elemento básico de una serie de procesos que se efectúan en ese extraordinario laboratorio que es el ser vivo. Pero, la forma en que se realiza la respiración no es la misma en plantas y animales.

La respiración en el reino animal. En los animales más simples de la escala zoológica, la respiración se realiza únicamente por la piel, pues carecen de órganos especializados para esta función. Este primer tipo de respiración ha existido en la tierra hace millones de años y persiste todavía como complemento en los animales superiores, aunque es incapaz por sí solo de satisfacer las necesidades vitales. En animales un poco más organizados, el aparato respiratorio se encuentra difundido por todo el organismo y se llama traqueal Es un tubo que se divide y ramifica considerablemente en el interior del cuerpo. Por último se encuentran los animales que respiran mediante un órgano concreto y localizado, branquias, para la respiración en el agua, y pulmones para la respiración en la atmósfera. En el hombre, como en todos los mamíferos, la respiración es pulmonar. Para que todas las células del organismo puedan recibir oxígeno, se cuenta con el sistema circulatorio, formado por arterias, venas y vasos capilares, a través de los cuales circula la sangre.

El acto respiratorio consta de cuatro fases, dos mecánicas y dos químicas; las mecánicas son la inspiración, causada por el ensanchamiento del tórax en sus tres dimensiones, la elevación de las costillas y la depresión del diafragma, movimientos que producen la entrada del aire en los pulmones; y la espiración, en la que el estrechamiento del tórax provoca la expulsión del aire inspirado. Es un mecanismo comparable al de un fuelle: las manijas están sustituidas por la masa muscular que ensancha y oprime el tórax.

Una de las fases químicas se realiza en el interior de los tejidos y la otra en los alvéolos pulmonares, en la siguiente forma: al circular por el sistema arterial, la sangre deposita oxígeno en las células y tejidos y toma de éstos ácido carbónico. Regresa luego al corazón por el sistema venoso, de donde es impulsada de nuevo a los pulmones, realizando en los alvéolos de éstos la segunda fase, que consiste en descargar el ácido carbónico y volver a tomar oxígeno del aire que circula por ellos.

Este doble juego del sistema circulatorio motiva la diferencia entre la sangre arterial, pura, cargada de oxígeno, y la sangre venosa, impura saturada de ácido carbónico, que regresa de los tejidos al corazón. En el hombre en estado normal, la respiración es rítmica y automática, pero puede ser alterada por la voluntad. El ritmo varía según la edad, desde 44 respiraciones por minuto en el recién nacido, hasta una media aproximada de 18 en el adulto. Diversas causas pueden alterar este ritmo, haciéndolo más lento o más rápido, más profundo o entrecortado; en primer lugar los procesos enfermizos, luego los estados de ánimo (alegría, dolor, risa, llanto), por último la fatiga y algunos actos reflejos como el estornudo, la tos o el suspiro.

La respiración en el reino vegetal. Las plantas, lo mismo que los animales, necesitan oxígeno para vivir. Algunas, llamadas aerobias, lo toman del aire; y otras, denominadas anaerobias, descomponen diversas sustancias ricas en oxígeno, quitándoles este elemento. La respiración de las plantas es más acentuada durante la noche o en la oscuridad, pues expuestas a la luz predomina la función clorofílica, en la cual, por la síntesis del carbono, hay desprendimiento de oxígeno. Importa conocer este

Respiración. Esquema de la respiración branquial, pulmonar y traqueal.

Salvat Universal

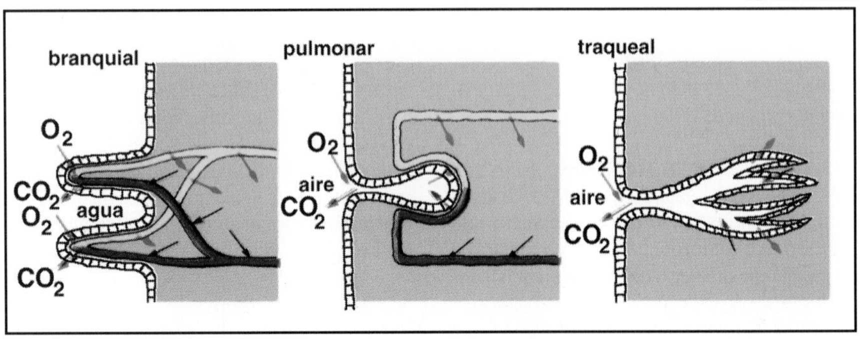

hecho, por cuanto, en la noche, los vegetales vician la atmósfera al tomar oxígeno y emitir ácido carbónico, mientras que durante el día la purifican; de ahí que sea importante la plantación de árboles en plazas, jardines y calles de las ciudades, no sólo por la sombra que proporcionan sino por la cantidad de oxígeno que pueden devolver a la atmósfera. Las plantas son mucho más resistentes que los animales en una atmósfera viciada. Éstos mueren mucho antes de absorber la totalidad del oxígeno de un ambiente, mientras que las plantas no sólo lo absorben todo, sino que aún pueden sobrevivir cierto tiempo por medio de la respiración intracelular. Si la falta de aire no se ha prolongado demasiado, las plantas reviven al restablecerse las condiciones normales y reanudan el curso regular de su vida vegetativa. *Véanse* ANIMAL; CLOROFILA; CUERPO HUMANO; PLANTA; PULMÓN; PULMÓN ARTIFICIAL.

responsabilidad. Capacidad existente en todo sujeto activo de derecho de conocer y aceptar las consecuencias de un acto suyo inteligente y libre, y también la relación de causalidad que une al autor con el acto que realiza, vinculando en aquél las relaciones nacidas de los efectos de éste. De ahí que se afirme que el hombre es responsable, siempre que su discernimiento y libertad de acción no estén afectados por incapacidad mental o perturbaciones patológicas. En su aspecto moral, es la obligación que tiene el agente responsable de reparar los daños producidos.

resta. *Véase* SUSTRACCIÓN.

restauración. En política, restablecimiento de una dinastía destronada o de un sistema político abolido. Las restauraciones más caracterizadas de la historia han sido, entre otras, la de los Estuardo en Inglaterra, con Carlos II, a la caída del protectorado de Oliver Cromwell en 1660; y después de la derrota definitiva de Napoleón, en 1815, la reintegración de los Borbones al trono de Francia con Luis XVIII. Este hecho inicia en casi toda Europa la época de la restauración, en la que se pretendió restablecer el orden de cosas imperantes antes de la Revolución Francesa, invocando razones de legitimidad y de equilibrio político, y reaccionando enérgicamente contra todos los principios liberales. Este periodo se extiende hasta 1848.

Se denomina también restauración la reparación de pinturas, esculturas, edificios y monumentos deteriorados o que han sufrido desperfectos. En los cuadros es arte que requiere extraordinaria habilidad y prudencia, para que los tonos no contrasten con los originales de la obra antigua. No menor es la dificultad que presenta la restauración de estatuas, que suele limitarse a los trabajos necesarios para dar consistencia a la obra. El restaurador ha de procurar que su labor coincida con la época y la técnica del autor de la obra original.

Corel Stock Photo Library

Restaurante Praca *en Val do Lobo, Portugal.*

Restauración. Municipio de la parte noroccidental de República Dominicana, en la provincia de Dajabón, con una población de 9,506 habitantes. Se encuentra situado al sur de la capital de la provincia, en las estribaciones noroccidentales de la Cordillera Central. La producción agropecuaria es su fuente de ingresos.

restaurante. Establecimiento en el cual se sirven al público comidas, ya sea almuerzos o cenas. Los precios están de acuerdo con la categoría del restaurante, que varía según el lugar donde se halle situado, la comodidad de sus instalaciones y la calidad de su servicio. Así, existen una serie de categorías intermedias entre la modesta fonda que expende un menú, o sea, una lista de platos, único, a precio fijo y en mesas comunes, y el lujoso restaurante a la carta, donde el parroquiano elige su menú y paga de acuerdo con los pla-

Restaurante familiar en España.

Corel Stock Photo Library

tos seleccionados y aquellos que le hubieran servido.

El vocablo, de origen francés, se utilizó por primera vez en París para designar con la palabra *restaurant* a un establecimiento fundado hacia 1795, en la calle de Poulies, en el que se servía comida y bebida. Su éxito fue inmediato y casi en seguida se abrieron numerosos restaurantes atendidos por camareros y mayordomos que se habían quedado sin empleo debido a que la aristocracia arruinada por la Revolución Francesa había tenido que despedir a su numerosa servidumbre. En otros países, el restaurante, como lo conocemos, data de las últimas décadas del siglo XIX, cuando pequeños establecimientos que llevaban este nombre comenzaron a competir con todos los hoteles ofreciendo comida abundante, elegantemente servida y a precios razonables.

En la ciudad de Londres, el primer restaurante digno de llevar este nombre, abrió sus puertas al público en 1873. En España y en otros países de influencia española, antiguamente eran las posadas, las fondas y las casas de comida las que, además de cama y habitación, ofrecían cenas y almuerzos a sus huéspedes, así como a toda aquella persona que lo solicitara.

El nombre de restaurante se propagó posteriormente cuando hicieron su aparición, al igual que había tenido lugar en el resto del continente europeo, establecimientos que se dedicaban a servir comidas. Hoy, la palabra fonda designa una clase de restaurante en general muy modesto.

El clásico restaurante está atendido por un equipo de mozos, a las órdenes de un *maître*, que es el oficial o doméstico jefe, que está atento a todo lo que pasa en las mesas, dirige el servicio y sirve a veces él mismo.

Restrepo, Antonio José (1855-1933). Escritor colombiano. Fue representante de Colombia en la Sociedad de Naciones (1927-1932).

Prosista político de formación liberal, es autor de *Discursos apologéticos* (1892), *Contra el cáncer de la usura* (1923), *Prosas medulares* (1929), *Ají pique* (1955). De 1929 datan *Poesías originales* y *Traducciones poéticas* y la recopilación de copias populares en *Cancionero de Antioquia.*

Restrepo, Carlos Emilio (1867-1937). Político colombiano. Adherido al partido conservador, participó en su defensa durante la guerra civil de 1899-1902. Elegido presidente de la República, durante su gobierno (1910-1914) desarrolló una política moderada y restableció la paz pública con un gobierno de convivencia política. Fue posteriormente ministro con Enrique Olaya Herrera (1930).

Restrepo, José Manuel (1781-1863). Político e historiador colombiano. Diputado al Congreso que constituyó las Provincias Unidas de Nueva Granada (noviembre 1811) y diputado en 1814, ante el avance de los realistas de Pablo Morillo (1816) se exilió. Regresó en 1819, y fue diputado en Cúcuta (1821) y ministro del Interior de la Gran Colombia (1822-1827). Desde 1833 fue presidente de la Academia Nacional de Artes, y es autor de *Historia de la revolución de la República de Colombia* (1827).

Restrepo, José Félix de (1760-1832). Patricio colombiano que luchó por la abolición de la esclavitud. Fue presidente del Congreso Constituyente de Colombia. Hombre de ciencia, fue educador de las primeras generaciones republicanas y dejó escritos notables, no sólo por su bello estilo, sino también por los profundos conocimientos que demuestra. Fue consejero de Simón Bolívar y de Francisco de Paula Santander.

resurrección. Retorno de los muertos a la vida bajo forma corporal. Aunque en muchas religiones es posible hallar vestigios de esta creencia, sólo en el cristianismo adquiere valor fundamental bajo dos formas: la resurrección de Jesucristo y la resurrección de la carne (reunión del alma con el cuerpo, de que antes se había separado), que son dogmas básicos del catolicismo, compartidos, también, por la mayoría de las confesiones protestantes.

"Si Cristo no ha resucitado –nos dice san Pablo– vana es nuestra fe". Los Evangelios narran este hecho trascendental en la siguiente forma: producida la crucifixión de Jesucristo, las mujeres que lo habían acompañado hasta el Calvario volvieron a Jerusalén para preparar los elementos necesarios para embalsamar el cuerpo. En esta tarea pasaron el día sábado y en la mañana del domingo se dirigieron hacia el Calvario preguntándose quién habría de remover la gran piedra que cubría la entrada del sepulcro. Al llegar vieron que la piedra ya no estaba en su lugar y que dos ángeles guardaban la entrada. Uno de ellos pronunció entonces las palabras que el texto latino reproduce así *Resurrexit, non est hic* (*Resucitó, no está aquí*). En el interior del sepulcro vacío se hallaron la sábana y el sudario que usó el Mesías en sus últimos momentos. Jesús fue visto en la tarde de ese mismo día (domingo, el primero de la semana hebrea) por María Magdalena, las mujeres que lo acompañaron en el Calvario, Pedro y los discípulos de Emaús. Comió luego con los diez apóstoles en el Cenáculo, estando ausente Tomás, quien pudo ver al Señor varios días más tarde. Luego apareció junto al Mar de Tiberíades, donde realizó el prodigio de la pesca milagrosa y pidió a Pedro su triple promesa de amor en reparación por la triple negación de la Pasión. Después de ser visto por 500 discípulos, confirmó a los apóstoles en su misión y abandonó la Tierra desde la cumbre del monte Olivete.

El dogma de la resurrección de la carne afirma que todos los hombres de todos los tiempos habrán de resucitar con su mismo cuerpo, para ser juzgados en el valle de Josafat y recibir el premio o el castigo eternos. Los teólogos agregan que los cuerpos resucitados tendrán las cuatro dotes del cuerpo de Jesús redivivo: agilidad, sutileza, claridad e inmortalidad.

retablo. Conjunto de figuras pintadas o talladas que representan los diversos episodios de una historia o suceso. Los retablos religiosos son obras de arquitectura

Descenso de la Cruz, *retablo de Roger van der Weyden, Museo del Prado.*

Corel Stock Photo Library

hechas de mármol, piedra, madera, etcétera, colocadas generalmente detrás de los altares en las iglesias católicas. Hasta el siglo XIII los altares consistían en una mesa puesta en el centro del ábside, delante del trono del obispo, que ocupaba el fondo de la estancia. En las postrimerías del siglo XI se elevaron sobre los altares, que no estaban adosados al muro, unos pequeños retablos, cubiertos con un paño detrás de los cuales se hallaba una arqueta con alguna reliquia. Dicha arqueta estaba colocada sobre ménsulas voladas a fin de que quedase hueco debajo para que los fieles pudieran arrodillarse. Más tarde las reliquias se colocaron en el propio retablo.

Los orfebres fueron los principales constructores de los primeros retablos, que consistían en una serie de placas con ornamentación de relieve y de figuras esmaltadas. Uno de estos primitivos retablos, la célebre *palla de oro*, se conserva en la iglesia de San Marcos de Venecia. Los retablos esculpidos empezaron a construirse en Francia durante el siglo XIII, y consistían en pequeños y delicados bajorrelieves. Los retablos pintados y los trípticos se emplearon hasta el siglo XV. El tríptico fue una modalidad de retablo muy usada en la Edad Media; respondía a la necesidad de agrandar los retablos sin que ocuparan mayor espacio ni dejasen de ser manuables. La escultura comenzó a enriquecer los retablos en el mismo siglo XV, comunicando relieve a los asuntos sagrados y dando a la construcción tal desarrollo que ocupaba todo el fondo del ábside y subía hasta la bóveda.

La gran riqueza ornamental del estilo ojival y luego del plateresco dio campo a las creaciones de los mejores artistas de la época. Los estilos bizantino, gótico, renacentista, barroco y neoclásico dejaron su sello en retablos que son verdaderas obras de arte. Los retablos hechos en los tiempos modernos no son otra cosa que imitaciones más o menos logradas de los del siglo XV o del estilo grecorromano del Renacimiento. Como ejemplos notables de retablos citaremos, entre muchos, los que existen en la iglesia del Pilar y en La Seo, de Zaragoza, los de las capillas mayores de las catedrales de Burgos y de Toledo, el de loza que se conserva en el oratorio de los Reyes Católicos en el Alcázar de Sevilla y los de las catedrales de la ciudad de México y de la de Puebla, en la República Mexicana.

Retalhuleu. Departamento del suroeste de Guatemala que limita con los de Quezaltenango, San Marcos, Suchitepéquez y con el océano Pacífico. Ocupa un área de 1,856 km^2, con 253,494 habitantes. Es tierra fértil regada por varios ríos de los cuales el más importante es el Samalá. La economía se basa en los cultivos de café, maíz, frijoles, arroz, cacao, caña de azúcar y algodón, y, sobre todo, en la producción ganadera (vacunos) y en los bosques de ricas maderas, aún poco explotados. Su puerto principal es Champerico y la capital Retalhuleu, con 38,207 habitantes.

retama. Planta leguminosa, de ramas avaretadas con pocas hojas, flores amarillas y legumbres globosas o arriñonadas, con una o dos semillas. Se conocen varias especies, de las cuales las más populares reciben los nombres de retama negra o de escobas y retama común. La primera es un arbusto de hasta 2 m de alto, erguido, muy ramificado; la segunda, que crece hasta 4 m, es de un verde claro y tiene flores olorosas. La sustancia amarilla que contiene en la raíz se emplea en tintorería. Las ramas secas son muy apreciadas como combustible de los hornos de pan.

rético o retorromano. Términos empleados en filología para designar tres grupos de idiomas y dialectos romances. Esos grupos son los siguientes: Grupo occidental, que comprende el *romanche*, dividido en varios dialectos, que se hablan por 43,000 personas, principalmente en el cantón de los Grisones, en Suiza. En 1936, fue declarado el romanche uno de los idiomas nacionales de Suiza aunque sin carácter oficial. Grupo central con unos diez dialectos hablados por 12,000 personas, principalmente en los valles dolomíticos de la provincia de Bolzano en el norte de Italia. Grupo oriental, que comprende el *friuliano* y varios de sus dialectos, hablados por 450,000 personas, en su mayor parte en la provincia de Udine, en el extremo noreste de Italia. *Véase* ROMANCE.

retículo-endotelial, sistema. Conjunto de tejidos de unión o conjuntivos diseminados por diversos órganos, principalmente en los productores de glóbulos rojos (hematopoyéticos), en los ganglios linfáticos del hígado, en la médula ósea, etcétera. Su misión es la producción de monocitos (grandes glóbulos blancos o leucocitos de la sangre). Algunas enfermedades infecciosas, como la tuberculosis y la viruela dan lugar a su inflamación.

retina. *Véase* OJO.

retirada. Movimiento de retroceso de un ejército en campaña. Es una de las operaciones tácticas más difíciles. A las órdenes de un jefe que no debe equivocar uno solo de sus cálculos, han de unirse la disciplina, el valor y la abnegación más completos de sus soldados para impedir el desorden que convertiría tal movimiento en un desastre total. La trascendencia de una retirada la indica el hecho de constituir dos operaciones diferentes dirigidas a un mismo fin: la acción del retroceso en sí misma y la batalla que ha de librarse en su resguardo. Luego procede el retiro de la vanguardia que ha cubierto el movimiento, poniéndola también a salvo en todo lo posible. Es preciso advertir que una retirada bien ejecutada no es una victoria para el adversario, aunque se le abandonen posiciones y terreno. El triunfo consiste en la total destrucción de la fuerza contraria, y esto es lo que impide precisamente la retirada. Las academias militares dan al estudio de dicha operación una importancia excepcional, pues la historia enseña que en el curso de una guerra, ejércitos que se veían obligados a retirarse, obtuvieron después victorias importantes.

Retirada de los Diez Mil. Es la primera de que habla la historia para señalar una ocurrencia desconocida hasta ese instante en la técnica militar. Ciro el Joven, dispuesto a disputar por las armas a su hermano Artajerjes II el trono de Persia, que heredó de su padre Darío II, organizó una fuerza formada en gran parte por mercenarios griegos y marchó sobre Babilonia. Ambos ejércitos se enfrentaron en la batalla de Cunaxa (401 a. C.), y derrotado y muerto Ciro, 10,000 griegos emprendieron el regreso a su patria, siguiendo la orilla del Tigris. Libraron serios combates en el curso de su marcha y perdieron a sus jefes, por lo que eligieron a Jenofonte para que los mandara y que después sería el historiador de la hazaña. En febrero del año 400 a. C. llegaron finalmente a su tierra, rebajado en unos 4,000 su número total, legando una experiencia militar y geográfica que sería la base de una nueva estrategia.

Retirada de Moscú. Otro hecho memorable de la misma índole se registró a principios del siglo XIX. Napoleón había cruzado victorioso toda Europa y se instalaba en el Kremlin de Moscú el 15 de septiembre de 1812, cuando en el mismo día comenzó a arder la ciudad por sus cuatro costados. El 19 de septiembre las llamas habían consumido 38,000 residencias, iglesias y palacios. Estaba próximo uno de los crudos inviernos del país. El emperador comprendió que su enorme ejército de 600,000 hombres perecería de frío y hambre, y ante los nuevos ataques de un enemigo que defendía tenazmente el suelo de su patria, después de aquel siniestro que había consumido, tal como previeron los rusos al provocarlo, las reservas con que contaban los franceses para su mantenimiento, Napoleón emprendió la histórica retirada que primeramente se llamó de Rusia y luego se ha denominado de Moscú, para recordar el patriotismo de la ciudad. Los franceses salieron de ella el 19 de octubre y la tragedia de su vuelta al occidente de Europa ha llenado páginas históricas. Millares de ellos murieron entre la nieve por causa del frío, la mala alimentación, las enfermedades y el agotamiento; otros tantos en batallas que, como la del paso del Beresina, fueron heroicas pruebas de valor, resistencia y disciplina. Pero el resultado histórico, discutido como lo es siempre todo lo relacionado con Napoleón, fue que a Francia regresó sólo una octava parte del número de hombres que salieron a la conquista de Rusia. Y éstos fueron la base del ejército que brilló en sus victorias inmediatas a partir de la batalla de Lützen (mayo de 1813), que culminan con la batalla de Dresde (27-28 de agosto), en que Napoleón vence a rusos, austriacos y prusianos unidos; pero luego es derrotado en la gran batalla de Leipzig (16-19 de octubre) y esta derrota de Napoleón abre a la coalición enemiga los caminos para la invasión de Francia.

Retirada de Dunkerque. Pertenece a la historia de nuestros días, pues corresponde a la Segunda Guerra Mundial (1939-1945). Las tropas inglesas que se enviaron a Bélgica para resistir el avance alemán se encontraban batidas aun antes de entrar en la lucha. Se replegaron entonces al puerto de Dunkerque para regresar desde allí a su país, mientras la aviación enemiga las castigaba sin conceder tregua. Entre el 29 de mayo y el 4 de junio de 1940, alrededor de 300,000 hombres fueron transportados a Inglaterra, usando 900 embarcaciones, entre las que había desde las mayores a las más pequeñas, incluso lanchas de motor. Los ingleses dejaron abandonados en Dunkerque todos sus armamentos y equipos militares, pero salvaron un importante material humano que luego les serviría de base para la recuperación de su potencial bélico.

Retógenes. (s. II a. C.). Guerrero español. En 134 a.C., cuando su ciudad, Numancia, se hallaba estrechamente cercada por 60,000 romanos mandados por Escipión, Retógenes guerrero numantino de gran osadía y arrojo, escaló junto con cuatro de sus conciudadanos las fortificaciones enemigas y, degollando a cuantos pretendieron estorbarles el paso, franquearon la línea de circunvalación y se dirigieron a pedir auxilio a sus vecinos los arévacos. Como algunos de éstos, impresionados por el discurso de Retógenes se echasen a llorar, el numantino les dijo: "No lágrimas, brazos es lo que necesitamos y os venimos a pedir".

retórica. Aunque el término se emplea a menudo para referirse al arte de bien hablar, la retórica es propiamente la teoría general de la elocuencia, tanto en función de palabra hablada como escrita. Los griegos empleaban el término principalmente en el sentido de arte de persuadir, que es como generalmente se entiende hoy. La retórica incluye el empleo artístico del lenguaje, habilidad en el discurso y fuerza convincente, cualidades que son indispensables para el ejercicio de la oratoria.

Corel Stock Photo Library

Cuadro de Rembrandt que representa a Aristóteles con un busto de Homero.

Según una tradición griega, el creador de la retórica fue Empédocles. Éste seguramente fue uno de los primitivos y numerosos maestros griegos que contribuyeron al paulatino desarrollo de la ciencia de la palabra hablada; pero, el creador del arte de la retórica parece haber sido Corax de Siracusa, quien dio forma a su método hacia el año 446 a. C. Sin embargo, no fue sino hasta al cabo de 30 años que el nuevo método de Corax, perfeccionado por sus discípulos, se conoció en Atenas, donde cobró gran popularidad entre los oradores. Isócrates fue uno de los más grandes oradores de aquella época. Fundó una notable escuela de retórica cuya influencia se prolongó durante toda su vida y después fue mantenida con gran brillantez por sus discípulos.

Aristóteles, que publicó su libro sobre retórica en el año 322 a. C., seguramente es el hombre que más contribuyó a dar una idea clara de los límites, finalidad y reglas que rigen la retórica.

Corax, que creó su sistema para los abogados democráticos y defensores profesionales que surgieron después de la caída del tirano Trasideo (472 a. C.), dividió su tema en cinco partes, cada una de las cuales correspondía al desarrollo de un discurso, a saber: invención, narración, argumentos, observaciones adicionales y peroración. Su sistema se convirtió en la base de procedimiento de todos los grandes oradores griegos posteriores. La obra de Aristóteles, dividida en tres libros, trata con extraordinaria fuerza analítica la naturaleza y finalidad de la retórica, los medios de persuasión y la manera de emplear tales medios a fin de conseguir los mejores resultados. Divide la retórica en tres partes: deliberativa, forense y demostrativa.

En la última parte de su obra se refiere detalladamente a la expresión. En todo su tratado, Aristóteles postula que la retórica es un arte y que la tarea del maestro consiste en enseñar a sus discípulos los verdaderos principios de dicho arte, cuyo principal objetivo estriba en demostrar lo que importa del caso o dar la impresión de ello.

Aristóteles trató tan a fondo su tema, que no solamente sustituyó a Corax, sino que durante más de 300 años su método científico fue la base de los estudios de retórica y procedimiento para los oradores y escuelas que seguían las más puras tradiciones griegas, hasta que halló la oposición de muchos oradores y maestros de retórica que se inclinaban por el estilo florido de la oratoria asiática, la cual afirmaba que la perfección en el discurso dependía, más que las reglas científicas, la práctica. Hermágoras de Temnos trató de conciliar los sistemas de ambas escuelas aprovechando la práctica de una de ellas y la experiencia científica de la otra. Este nuevo sistema de síntesis fue adoptado por los romanos y sirvió mucho para la formación de Cicerón, Quintiliano y Longino.

En nuestra época, los estudios de retórica, incluyendo arte dramático, investigan la relación entre el orador y su público, y se adentran en el campo de los problemas sociológicos con experimentos dirigidos a demostrar hasta qué punto el lenguaje es un lazo social, una ciencia y un arte.

retorsión. En derecho internacional, se considera retorsión el acto de aplicar la ley del Talión a las relaciones entre los Estados. Al violar un Estado los derechos de otro, especialmente los económicos, el perjudicado recurre a la retorsión empleando medidas hostiles o vejatorias semejantes a las usadas por el primero. Al igual que las represalias, las retorsiones sólo pueden declararlas las autoridades supremas del Estado, no los particulares, y ni siquiera los tribunales. Como sea que el objeto de las retorsiones no es castigar y vengarse de una injusticia o atropello, sino oponer a una medida vejatoria otra de igual índole, deben cesar tan pronto como la primera deje de tener su efecto.

retorta. Vasija con cuello largo y vuelto hacia abajo que se emplea comúnmente en los laboratorios para someter a la acción del fuego sustancias que se han de condensar luego en un recipiente. La forma de las retortas es piriforme; por su extremo más angosto termina en un cuello cuya extremidad se adapta a la vasija que ha de servir de recipiente. Es necesario que las retortas de vidrio tengan el fondo en forma de casquete esférico, a fin de que la distribución del calor sea más regular.

retracto. Derecho que ciertas personas tienen, en determinados casos, para quedarse, por el tanto de su tasación, con la cosa vendida a otro. Los retractos se dividen en cuatro clases: 1) el gentilicio o de abolengo que compete a los parientes del vendedor; 2) el de comuneros o condueños; 3) el de eufiteusis; 4) el convencional. Además de los citados, existían otros retractos en la antigüedad. El propósito de todos ellos era poner límite a la adquisición excesiva de bienes y alentar al pobre con la esperanza de recobrar lo que vendía estrechado por la necesidad. El origen del retracto en España son los fueros municipales. Lo más probable es que tuviesen una relación directa con el estado de la propiedad y que fuesen introducidos para que permaneciesen en cada familia los bienes patrimoniales y se evitase de esta manera la acumulación de la riqueza en pocas manos. El retracto pues, en la sociedad feudal, aspiraba a asegurar la propiedad fijándola en las familias.

retraso escolar. Atraso que padecen en la enseñanza los escolares, a causa de estados patológicos o deficiencias mentales. Constituye un arduo problema de adaptación, que la moderna pedagogía resuelve con la creación de cursos para personas con problemas de aprendizaje, en que el método de enseñanza y las condiciones en que se desarrolla difieren de las comunes. Por lo general, los maestros de estos cursos son especializados y en muchos casos interviene un psiquiatra. El retraso se produce por anomalías psíquicas o incapacidad intelectual. En el primer caso, se incluyen los niños que sufren taras anímicas, inadaptados, rebeldes contumaces, con problemas de atención, víctimas de inquietud patológica y otras perturbaciones. En el segundo, aquellos cuya inteligencia es inferior a la normal; débiles mentales -insuficiencia poco acentuada- e imbéciles, deficientes en grado más intenso. La enseñanza de estos retrasados es también de diversos tipos: algunos son instruidos individualmente, otros en escuelas al aire libre, que tienen la apariencia de un campo de juego y donde los conocimientos son proporcionados como si se tratase de algo secundario, aunque constituyen, por supuesto, el móvil principal del maestro. Por último, hay instituciones especiales para aquellos niños que acusan un retraso mental muy pronunciado. De mucha eficacia es también la llamada *enseñanza globalizada.* No se sujeta a programas ni se circunscribe a asignaturas ni grados, sino que responde a intereses espontáneos del escolar. Es como una serie de respuestas casuales a sus más ingenuas preguntas. Cuando el retraso escolar no se debe a anomalías ni deficiencias sino a las mismas causas sociales del analfabetismo, se encauza al niño o al adulto en cursos individuales abreviados, según el grado de madurez mental. *Véanse* ANORMALES; IMBECILIDAD.

retrato. Imagen de una persona reproducida por la pintura, la escultura, el dibujo o

Corel Stock Photo Library

La dama con abanico, *de Rembrandt.*

la fotografía. También se llama retrato, por extensión, la descripción de los trazos más sobresalientes de un personaje creado por un dramaturgo o novelista. La biografía moderna ha abordado el arte de modelar una vida en palabras y ha empleado para ello el término retrato con propiedad. El dibujo fue y es utilizado por los grandes pintores, y en él existen retratos muy nota-

Retrato del Príncipe Baltasar Carlos *de Diego Velázquez.*

Corel Stock Photo Library

bles. La fotografía, asimismo, es la expresión artística más moderna del retrato.

El retrato, en sus formas primitivas, nació con los egipcios y caldeos, cuyos escultores inmortalizaron a algunas de sus figuras más preeminentes. Los griegos lo supieron utilizar para expresar su sentido heroico de la grandeza. En las estatuas conmemorativas de los Juegos Olímpicos y en un famoso busto de Pericles aparecen idealizados los rasgos de la humana apariencia. Pero, en el siglo V a. C., el retrato va tomando en Grecia un carácter más realista, es decir, se acerca más a los rasgos esenciales del personaje que quiere representar.

Como en muchas otras manifestaciones de su brillante cultura, Roma recoge en el retrato la herencia griega, pero los pintores y escultores de la república y el imperio son más realistas aún que los últimos artistas griegos. El arte bizantino, aunque con un sentido puramente decorativo, también dejó algunos retratos muy notables.

Pero, fue el Renacimiento, en realidad, la corriente artística que mejor supo recoger la herencia grecorromana y dio un vigoroso y decisivo impulso renovador al arte del retrato. En esta época, el retrato llega a ser en todos los países de Occidente una expresión de arte realista, con brillante ejecución técnica y acertada combinación en el juego de los colores.

Frans Hals, el gran maestro flamenco del siglo XVII, es uno de los primeros pintores que hacen retratos con un sentido popular del arte. A partir de entonces, los nombres de grandes retratistas en la pintura y en la escultura se suceden hasta nuestros días. Rembrandt, Rafael, Vecellio Tiziano, Diego Rodríguez de Silva Velázquez –en Felipe IV de España–, sir Joshua Reynolds, Hans Holbein *el Joven* –es famoso su retrato de Erasmo–, Piero della Francesca, Andrea del Castagno, Jean Fouquet, el gran Jacques-Louis David, que inmortalizó el arte del retrato en los que hizo de Napoleón y el genial y múltiple Francisco de Goya, son algunos de los eximios pintores que se destacan también como retratistas.

retreta. Vocablo derivado del francés *retraite* (retirada), que en español se emplea principalmente para designar el toque militar usado para marchar en retirada y también se refiere a la música de tambores y cornetas que se ejecuta para que la tropa se recoja por la noche al cuartel. La palabra empezó a usarse en España a principios del siglo XVIII y fue ya sancionada oficialmente por las ordenanzas del 30 de abril de 1718, como tecnicismo militar.

retroactividad. En psicología se llama así la característica de los procesos de inhibición o de facilitación cuando se distinguen por el hecho de que los estímulos u otros fenómenos nerviosos ejercen una influencia modificadora sobre acontecimientos mentales anteriores, de modo que por ejemplo una adquisición mnemónica disminuye el efecto de una adquisición precedente.

retrogradación. En astronomía, cuando un observador desea precisar el sentido de un movimiento de rotación alrededor de un eje, ha de situarse con el pensamiento a lo largo del eje de rotación, teniendo la cabeza dirigida hacia el cuerpo celeste aparentemente inmóvil. Una vez en tal posición, el observador puede ver pasar el móvil por delante de él, yendo de su derecha hacia su izquierda o viceversa. En el primer caso, el movimiento se considera directo; en el segundo retrógrado, o sencillamente retrogradación. Dicho movimiento se presenta en muchos fenómenos interesantes de la mecánica celeste relacionados con los puntos equinocciales y retrogradación de los nodos de la Luna. El movimiento retrógrado anual de los puntos equinocciales es de 50 segundos de arco, de modo que se necesitan cerca de 26,000 años para dar la vuelta entera a la eclíptica. La retrogradación da lugar a la precesión de los equinoccios y a la variación de la duración de las estaciones. La de los nodos de la Luna se debe a la acción del Sol sobre este satélite en su movimiento de revolución alrededor de la Tierra.

retropropulsión. *Véase* PROPULSIÓN A CHORRO.

retruécano. Figura de repetición invertida. Se produce al repetirse en el segundo término de una proposición dos vocablos del término anterior, invirtiendo su colocación y creando así un contraste con el sentido del primer término. Esta figura se presta a juegos de palabras como las siguientes:

La fuerza de la razón
no es la razón de la fuerza.

¿Siempre se ha de sentir lo que se dice?
¿Nunca se ha de decir lo que se siente?

¡Tantos hombres sin empleo
tantos empleos sin hombre!

Retz, Gil de. *Véase* BARBA AZUL.

Retzius, Anders Adolf (1796-1860). Antropólogo y naturalista sueco. A él se debe la división de los tipos de cráneo, según su forma, en dolicocéfalos y braquicéfalos, universalmente aceptada. Fue profesor de anatomía y fisiología en el Instituto Carolino y en la Escuela de Bellas Artes, y representante de la Academia de Ciencias de Suecia en las dietas de 1840 y 1851. Entre sus obras principales se destaca *Estudio comparativo de los cráneos de las diferentes razas humanas.*

Retzius, Anders Jean (1742-1821). Naturalista sueco, discípulo y continuador de la obra de Carl von Linneo. En 1766 se doctoró en medicina. Llamado a Estocolmo en 1768 como profesor del Colegio de Minas, enseñó allí farmacología e historia natural. En 1771 fijó su residencia en Lund, donde fue profesor de Historia Natural e intendente del Jardín Botánico hasta 1816. Entre sus numerosas obras figuran: *Compendio de los principios de farmacia, Nomenclador botánico, Introducción al reino animal, según el sistema de Linneo; Ensayo de una flora económica de Suecia* y *Flora virgiliana.*

Radiografía de mano con reumatismo (izq.), en comparación con una mano sana (der.).

Corel Stock Photo Library

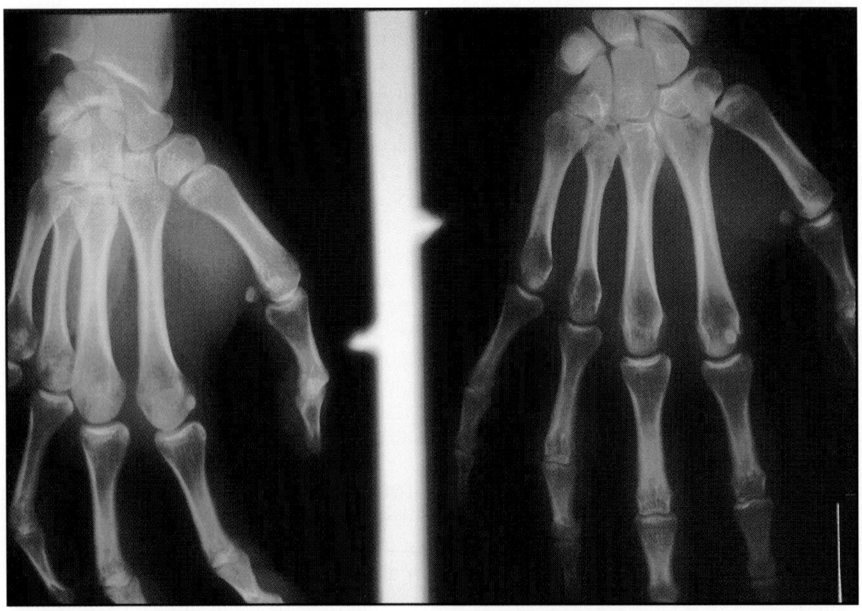

Reuchlin, John von (1455-1522). Célebre humanista alemán. Bien dotado para la música y con una voz agradable, fue agregado como niño de coro a la capilla del margrave de Baden. Este príncipe le cobró especial cariño y lo convirtió en el compañero de viaje de su hijo. Llegados a París los dos jóvenes, en 1473, frecuentaron las escuelas más famosas durante su permanencia de dos años en la capital de Francia. A la sazón Reuchlin comenzó a estudiar hebreo y griego y llegó a ser un hábil copista en esta última lengua. Tras realizar estudios de filosofía en Basilea y de derecho en Orléans, regresó a su patria en 1481. Un año más tarde visitó Italia. En 1492 el emperador Federico II le confirió el título de conde palatino y le regaló un precioso manuscrito de la Biblia en hebreo, idioma que Reuchlin llegó a dominar a fondo. En 1510 se vio envuelto en una polémica con ocasión de los libros que un judío converso, Pfefferkorn, había presentado al emperador Maximiliano como perniciosos, a excepción del Antiguo Testamento. Consultado acerca de la necesidad de destruir dichos libros, Reuchlin aconsejó que fuesen respetados. El judío renegado publicó *Speculum manuale*, un folleto dirigido contra Reuchlin, quien contestó con otro titulado *Speculum oculare*. Llevado el caso antes las autoridades eclesiásticas, la comisión de obispos se puso de parte de Reuchlin. En 1518 el elector de Sajonia le ofreció una cátedra de hebreo y griego en Wittemberg, pero la rehusó en favor de Philipp Melanchton, de quien fue el verdadero maestro. Entre sus obras, de gran influencia doctrinal y erudita, figuran: *Vocabularius breviloquus, Rudimenta hebraica, De arte cabalística*, y *De verbo mirífico.*

reumatismo. Enfermedad muy extendida que se caracteriza por fiebre y dolores articulares. Se atribuye a la presencia de estreptococos o de ciertos virus en el organismo. Se ha comprobado que determinadas personas poseen una predisposición especial para padecerlo. Niños y jóvenes son los más predispuestos a ciertas formas de reumatismo articular agudo, y la mayoría de los pacientes pertenece a las clases pobres. Una alimentación deficiente y una casa húmeda predisponen el organismo a contraer la enfermedad. Asimismo un ambiente frío y lluvioso, aunque los pacientes lo sufren también en verano y en países de clima cálido. Existe un reumatismo agudo con fiebre, angina y dolores articulares, de pronóstico grave, que produce lesión irreparable en el corazón y que por ello mismo convendrá tratar muy pronto. A veces, se complica con la corea o mal de san Vito. En el reumatismo crónico los huesos se deforman y se presentan inmovilizaciones permanentes en las articulaciones, con la consecuente invalidez. Hay otra forma de reumatismo muscular y cerebral, con dolores a todo lo largo del esqueleto, así como también falsos dolores del reumatismo.

Como tratamiento fundamental convendrá extirpar las amígdalas enfermas y los dientes cariados, las ropas mojadas se cambiarán en seguida. Alimentos y medicación serán prescritos por el médico reumatólogo. La moderna terapéutica consigue mejoría y curaciones gracias a las hormonas A C T H, la cortisona y electroterapia, además de los medicamentos habituales como los salicilatos. Debido al prolongado descanso que necesitan los convalecientes de esta enfermedad, será conveniente la residencia en un ambiente sano y seco.

Reunión, isla de la. Isla montañosa de origen volcánico en el océano Índico, a 780 km al este de Madagascar. Es muy poblada: 597,823 habitantes para una superficie de 2,510 km^2. La capital es Saint-Denis (121,999 h.), en el extremo norte. Esta isla fue descubierta por el portugués Mascarenhas a principios del siglo XVI, pero en 1649 el gobernador francés de Pedro Madagascar, Flacourt, tomó posesión de ella, a la que dieron los franceses el nombre de Borbón, y comenzó su colonización. La intensa actividad industrial se basa principalmente en la caña de azúcar y sus derivados: azúcar, alcohol, licores, etcétera. Desde 1946 figura como departamento de ultramar de la Unión Francesa. Puerto principal: Pointe des Galets enlazado por ferrocarril con el interior de la isla.

Reus. Ciudad de España, en la provincia de Tarragona, que se halla a 10 km del Mediterráneo en el cual tiene el pequeño puerto de Salou y con el que se comunica por carretera y ferrocarril. Población: 83,940 habitantes. Su fundación data de tiempo inmemoral y ya figuró en los planes estratégicos del general cartaginés Asdrúbal. Hace varios siglos fue uno de los mercados de lana más importantes de Europa; se erigió en gran centro fabril en el siglo XV y hoy desempeña un papel muy importante en la economía textil de Cataluña. Produce vino, aceite, avellana, almendra, cereales, legumbres y naranjas. Tiene importantes fábricas de hilados y tejidos, vinos, curtidos, loza, jabón y calzado. Entre sus edificios más notables sobresalen la iglesia mayor de San Pedro, de estilo ojival, construida en el siglo XVI; la Casa Consistorial, de estilo grecorromano (1601); la ermita o santuario de la Virgen de la Misericordia, obra del siglo XVII; la Casa de Caridad; el museo Fortuny y el Olimpo. Es cuna de hombres ilustres, entre los que figura el general Juan Prim, quien por sus hechos militares en África mereció los títulos de conde de Reus y marqués de los Castillejos; del pintor Mariano Fortuny y del arquitecto Antonio Gaudí, creador del inconcluso templo de La Sagrada Familia en Barcelona.

Reuter, agencia. Importante agencia mundial de informaciones. Fue fundada en París en 1849 por el barón Israel beer Josaphat, llamado Paul Julius Reuter (1821-1899). Meses después estableció en Aquisgrán otra agencia que suministraba informaciones financieras a clientes amigos, banqueros y comerciantes. Extendió sus actividades a Colonia. Recibía las noticias desde Amberes, Bruselas y otras ciudades. En 1850 estableció un servicio de palomas mensajeras desde Bruselas a Aquisgrán, con el que se adelantaba en seis o siete horas al tren. Reuter pasó a Inglaterra, donde se hizo ciudadano inglés y abrió otra agencia en 1851 bajo el nombre Reuter's Telegram Company. Después de vencer grandes dificultades comenzó a suministrar noticias políticas al continente. En 1858 obtuvo su primer contrato importante con un diario inglés, el *Morning Advertiser*. Amplió su radio de acción abriendo sucursales en varias capitales europeas. Fue la primera agencia que tuvo corresponsales de guerra, durante el conflicto entre Francia y Austria en 1859. Con el progreso de las comunicaciones telegráficas, cablegráficas y por radio la agencia Reuter amplió sus servicios a todo el mundo. Después de la Primera Guerra Mundial, en 1925 pasó a depender de la British Press Association, importante grupo de diarios, adquirió la mayor parte de la agencia. En 1841 esa misma agencia obtuvo el control total de la agencia británica y después vendió la mitad a la Asociación de Propietarios de Diarios británica, en donde entrarían en 1947 algunos representantes de la prensa australiana y neozelandesa. Al mismo tiempo, ya muerto su fundador, la agencia se encontró cada vez más mediatizada por el gobierno británico. Tras la Segunda Guerra Mundial dependió del gobierno y el Parlamento, regido por una asociación de prensa de Gran Bretaña, Australia y Nueva Zelanda. La agencia Reuter creó la empresa filial Comtelburo, destinada a la transmisión rápida de información bolsística. En 1984 creó un consejo de control para preservar la rectitud y la independencia de la agencia, se reservó 58.4% de las acciones y lanzó el resto al mercado; 12.5% fue adquirido por dirigentes del emirato árabe de Abu Dhabi. Distribuye noticias en 158 países y tiene un servicio de información económica.

Reuter, Ludwig von (1869-1943). Almirante alemán. Al mando de los cruceros York y *Der fflinger*, durante la Primera Guerra Mundial tomó parte en varias acciones de guerra. En 1918, era comandante de la flota alemana que, concentrada en Wilhemshaven, debía internarse en Scapa Flow, en cumplimiento de una cláusula del armisticio. En junio de 1919, al tener Reuter confirmación de que la flota alemana debía pasar a ser propiedad de los aliados, ordenó el hundimiento de sus buques en la bahía de Scapa Flow, y pocas horas después 83 unidades de la armada alemana se encontraban bajo las aguas.

reválida. Prueba final incorporada a ciertos planes de estudios, generalmente superiores, y necesaria para obtener el título, diploma o grado respectivo. Hay opiniones que estiman como innecesario que el alumno que ha pasado con éxito el proceso del examen individual de cada materia o asignatura deba acreditar luego, por medio de otro examen general o de conjunto, el conocimiento de aquellas disciplinas que ya aprobó. Además resultaría injusto que un solo examen de ese tipo pudiese anular lo que ha representado el esfuerzo de una serie de años. Por todas esas circunstancias, el examen de reválida se ha convertido en una mera fórmula cuyo objeto no es otro que provocar en el alumno un estímulo para superarse y un ansia de ampliar sus conocimientos en el futuro, demostrándole que para que los mismos puedan rendir fruto deben ser constantemente perfeccionados. La prueba de la reválida suele comprender dos partes: una oral y otra escrita. La primera se efectúa contestando un programa o temario preestablecido, y la otra redactando, en condiciones que permitan garantizar la originalidad, las respuestas a ciertas cuestiones que se plantean de antemano y en el momento preciso de efectuar la prueba. Muchas reválidas tienen un carácter eminentemente práctico, ya que uno de sus fines docentes consiste en probar la aptitud del examinado para valerse y manejar, con la debida eficacia, todo aquello que aprendió. Los médicos, abogados o ingenieros que deseen hacer valer su título en un país extranjero pueden, si la legislación de este país lo permite, utilizar la reválida. En tal caso, las ventajas que ofrece este procedimiento se ponen de manifiesto: el profesional puede demostrar su suficiencia con un solo examen, sin necesidad de perder el tiempo rehaciendo su carrera año por año y asignatura por asignatura. En algunos países la reválida se produce con sólo presentar los diplomas del país de origen, sin necesidad de examen alguno. El título revalidado tiene la misma validez que el obtenido por los medios ordinarios y habilita para el libre ejercicio de la profesión sin trabas ni impedimentos.

revelación. Manifestación de una verdad secreta u oculta o de algún hecho de que

Museo del Prado

Revelación. El sueño de Salomón *de Luca Giordano.*

no se tenía conocimiento. Según la tradición judeocristiana, la revelación divina comprende tres fases: la primitiva, en que Dios se comunica con Adán y Eva y con sus descendientes; la mosaica, en que Dios se comunica con Moisés y le da en el Sinaí las bases de una religión, y la cristiana, traída al mundo por Jesucristo. Según la Iglesia católica, la verdad de la revelación es un dogma de fe. El Apocalipsis, obra atribuida al apóstol San Juan, recibe también comúnmente el nombre de *Libro de la Revelación*, pues su segunda parte es el relato de una serie de visiones y sueños que revelan el futuro del hombre.

reverberación. Acción de reflejarse la luz de un cuerpo luminoso en otro bruñido. En iluminación, cuando se desea aprovechar la luz de un foco luminoso o darle otra dirección, se utilizan reflectores o pantallas, cuyo objeto es reunir la mayor cantidad posible de luz en un punto o zona determinada, para lo cual se usa generalmente un espejo que puede ser plano o cóncavo.

Reverón, Armando (1889-1954). Pintor venezolano que exhibió sus obras en París, New York, Madrid, Caracas, Bogotá, Barcelona y Santiago de Chile. Obtuvo premios nacionales e internacionales. Cultivó el impresionismo con estilo muy personal. Se le llamó el *pintor de la luz* por las maravillosas tonalidades de sus cuadros. Algunas de sus obras son *Oleaje, Playa de Macuto, Playa y uvero, El playón, Macuto en oro* y *Marina.*

revestimiento. Capa o cubierta que protege o adorna exteriormente una superficie, tanto por exigirlo así las condiciones que ha de tener una obra cualquiera, o bien por exigencias del lujo o de la ornamentación. Los revoques, el empapelado y el tapizado de habitaciones son verdaderos revestimientos. Las obras que arquitectos e ingenieros han de construir pueden ser de tierra, fábrica, madera, hierro y otros materiales y en cada una han de emplear revestimientos adecuados En las obras de tierra, conocidas por el nombre de desmontes o terraplenes, los revestimientos acostumbran ser de defensa, para evitar los desprendimientos y la acción destructora de las influencias atmosféricas. Los revestimientos de las obras de fábrica pueden ser interiores o exteriores y para ello se emplean piedra, metales, arena, cal, cemento, azulejos, etcétera. Para los revestimientos de obras de madera se emplean los chapeados de maderas finas, la pintura, los barnices y el dorado; en los de obras metálicas suele usarse la pintura.

Revesz, Andrés (1896-1979). Escritor húngaro residente en España, que además de su producción literaria se dedicó a la traducción de obras de autores españoles a su lengua, así como a la versión de libros de literatos húngaros al castellano. De sus numerosas obras cabe citar: *Historia del pueblo húngaro, La idea de la muerte en la poesía de Villon, La guerra grecoturca, Bela Kun y el comunismo húngaro, Los Balcanes, avispero de Europa* y *Mis profecías.*

Revillagigedo. Archipiélago volcánico de México, en el Pacífico, frente al estado de Colima. Formado por seis islas; la mayor es Socorro (17 km de diámetro). Hernando de Grijalva, al frente de la expedición marítima que por orden de Hernán Cortés debía recorrer las costas desde Acapulco hacia el Norte (1534), descubrió la isla del Socorro, a la que llamó Santo Tomás, y la de San Benedicta, que llamó de los Inocentes (1535). Las restantes fueron descubiertas en 1779.

revisionismo. Tendencia a someter a revisión metódica las doctrinas, interpretaciones o prácticas establecidas con la intención de actualizarlas. Es, más precisamente, un término utilizado para designar una interpretación del pensamiento de Carlos Marx en una dirección ajena a las implicaciones revolucionarias de su doctrina. También se utiliza para hacer referencia a posiciones que, partiendo del marxismo, expresan una revisión del mismo.

En economía, el término fue utilizado por primera vez por los socialdemócratas alemanes, debido a la aparición en 1896 en el periódico del partido, el *Neue Zeit*, de una serie de artículos de Eduard Bernstein, que eran una seria revisión de la doctrina marxista. A la obra de Bernstein siguió, tanto en el partido socialdemócrata alemán (SPD) como en el resto de los partidos socialistas del mundo, una amplia polémica que incluyó desde los aspectos estrictamente políticos hasta los económicos y filosóficos del Marxismo. Gracias al considerable crecimiento que tuvo la economía mundial después de la depresión de la década de 1870, la actividad sindical de la clase obrera permitió la obtención de mejores salarios y condiciones laborales. Sobre esta base material Bernstein y los revisionistas reelaboraron la doctrina económica de Marx, desmentida, según ellos, por la expansión mundial del capitalismo.

Los revisionistas afirmaron que el desarrollo del crédito y la producción a gran escala, asociados al durable crecimiento económico de Alemania a partir de 1890, suprimían la posibilidad de volver a tener crisis económicas de la dimensión que se habían dado en el pasado. En lo filosófico, abandonaron las ideas esenciales del Materialismo Dialéctico, para buscar un retorno a la filosofía de Immanuel Kant. En lo político, en lugar de la perspectiva de la lucha de la clase obrera por obtener el poder político, propuesta por el marxismo, el revisionismo proponía ir consiguiendo mejoras económicas, sociales y políticas gradualmente, a través de los sindicatos y del partido en el Parlamento.

revista. Publicación periódica, frecuentemente semanal, que recoge en sus páginas las actualidades y algo de la visión panorámica del mundo de su época. Exceptuando las revistas especializadas –como las de arte, de pintura, de modas, de agricultura, de cine, de algún deporte–, esta clase de publicaciones puede decirse que, haciendo honor a su nombre, pasan revista a la fisonomía heterogénea de su tiempo.

Las publicaciones que se pudieran considerar como precursoras de la revista, se remontan a la primera mitad del siglo XVII, en que se imprimían breves reseñas de libros y autores. En 1665 apareció en París el *Journal des Savants*, publicación que ejerció notable influencia en Europa y fue seguida, el mismo año, por la aparición de las *Acta Philosophica* y *Philosophical Transactions* en Inglaterra (1665); del *Giornalie de Litterati* (1668) en Italia, y las *Acta Eruditorum* (1682) en Alemania. Puede decirse que estas publicaciones fueron los antecesores principales de las revistas modernas.

En el siglo XVIII, entre las revistas de mayor importancia en Gran Bretaña, se cuentan *Tatler* (1709), *Examiner* (1710-1711), *Spectator* (1711), *Guardian, North Briton* y *Gentleman's Magazine*, esta última fundada en 1731 se publicó hasta 1907.

En Alemania fue notable la *Allgemeine Literatur Zeitung* en la que colaboraron Johann Wolfang Goethe y los intelectuales del Círculo de Weimar; se fundó en 1785 y perduró hasta 1848; en 1874, se fundó la *Dentsche Rundschau*, una de las revistas alemanas más importantes del siglo XIX.

En Francia merecen especial mención la *Revue Française,* fundada por François Guizot en 1828, la *Revue de Paris* y la *Revue des Deux Mondes* (ambas aparecidas en 1829) en las que colaboraron los más célebres escritores franceses: Honoré de Balzac, Alexandre Dumas, Victor Hugo, Alphonse de Lamartine, Charles Augustin Saint Beuve, Alfred de Musset, Alfred de Vigny, etcétera. *L'Illustration*, la gran revista francesa fue fundada en 1843.

La belleza en la presentación, la excelencia tipográfica y la profusión y calidad de las ilustraciones fueron perfeccionándose de acuerdo con el admirable progreso de las artes gráficas. A los lentos procedimientos de los grabados en cobre, en madera y en litografía, sucedieron el fotograbado, la fotolitografía y el rotograbado. En el siglo XX, las revistas ilustradas se han multiplicado y constituyen importantes elementos de información y difusión cultural.

Entre las principales revistas de Gran Bretaña, figuran *The Illustrated London News*, de esmerada presentación, *The Sphere, Country Life* y *Punch*. En Estados Unidos se editan cientos de revistas, varias de las cuales tienen una circulación de millones de ejemplares; entre las principales se cuentan *Life, Reader's Digest, Saturday Evening Post, Look, Time, Newsweek, Fortune, Coronet* y *Esquire*. Entre las revistas francesas de mayor circulación figuran *Paris Match, Réalité* (sucesora de *L'Illustration*), *Jours de France, Point de Vue, Esprit* y *Plaisir de France*.

Corel Stock Photo Library

Existen muchos tipos de revistas para todos los gustos.

En España, los antecedentes de la revista se remontan al *Diario de los Literatos* (1737), y en la segunda mitad del siglo XVIII, se publicaron el *Semanario Erudito, El pensador* y *Memorial Literario*. En el siglo XIX, entre las principales revistas de España, fueron notables la *Revista Española*, en la que colaboró Mariano José de Larra, el *Semanario Pintoresco Español, la Ilustración Artística* y la *Ilustración Española y Americana*. En 1891, se fundó *Blanco y Negro*, que tuvo gran difusión y representó un paso de avance en la prensa ilustrada española; dos años después apareció *Nuevo Mundo* y, posteriormente, *Mundo Gráfico* (1911) y *La Esfera* (1914), revistas todas ellas con profusión de ilustraciones, en negro y en color, excelente tipografía, y en las que colaboraron los principales escritores españoles. En 1923, José Ortega y Gasset fundó la *Revista de Occidente*, que desde sus inicios adquirió merecido prestigio por su elevado carácter cultural. Revista muy leída en los países de habla española es *Mundo Hispánico*.

En Argentina la revista *Caras y Caretas*, que apareció en 1898, llegó a alcanzar gran difusión y merecido renombre. Entre las principales revistas argentinas se destacan *Mundo Argentino, Atlántida, Para Ti, El Hogar y Leoplán*; la revista *Sur* difunde el conocimiento de los valores intelectuales del continente americano.

En México se editan diversas revistas entre las que se cuentan *Hoy, Impacto, Mañana, Todo, Siempre, Sucesos para Todos* y *Tiempo*. La revista *Cuadernos Americanos* trata con elevación de miras las más trascendentales cuestiones que afectan a la América Latina.

En Cuba, *Carteles* y *Bohemia* son sus más difundidos semanarios ilustrados, mientras que la *Revista Bimestre Cubana* esclarece y divulga los problemas de interés general americano. Entre las principales revistas de Brasil se destacan *O Cruzeiro, Para Todos, Revista da Semana* y *Revista do Globo*.

Una gran revista debe tener ingredientes fundamentales: ilustraciones de máxima actualidad y máxima atracción. No importa sobre qué clase de sucesos nacionales o internacionales: desde el lanzamiento de un satélite artificial hasta el atentado político o el accidente de aviación en los momentos de producirse, en aquellos casos en que la casualidad propicia la obtención de material gráfico de ese tipo. La telefotografía puede suministrar una nota gráfica pocas horas después del suceso más lejano. La revista debe tener también reportajes sobre temas de gran interés. El reportaje participa de las calidades del artículo, la crónica, el relato, la información; es una manera periodística y hábil de presentar con todo su colorido trozos de vida y de ambiente. Se hace indispensable el aditamento gráfico más completo. Si ha sido escrito por un enviado especial que tomó sus apuntes y las fotografías sobre el terreno, el reportaje cobra más valor.

Otra modalidad del periodismo en esta clase de divulgación es la entrevista personal. El periodista se entrevista con el personaje de relieve o con la persona que tiene interés para la curiosidad pública, por cualquier circunstancia: un presidente de república, un sabio, un campeón deportivo, un gran músico, un artista laureado, un explorador.

Casi siempre, cuando la personalidad del entrevistado no hace imprescindible la transcripción textual de las respuestas, el periodista las arregla en cuanto a la expresión y les da forma. Muchas veces, ciertas personas deben al periodista sus declaraciones más brillantes y difundidas. Las entrevistas reseñadas por escritores-periodistas, como Emil Ludwig, presentan todos los caracteres de este modo. En ellas, y en otras de autores de igual categoría, el nombre del que entrevista atrae la atención del público casi en la misma proporción que el entrevistado.

No puede faltar la actualidad política del país y la internacional, referida a los acontecimientos más destacados: convenios, fases de guerras, golpes de estado, cambios de régimen, elecciones sensacionales, etcétera. Algunas revistas han pagado sumas muy cuantiosas por la primicia fotográfica de un acontecimiento. Aunque las principales manifestaciones modernas cuentan cada una con su publicación especializada, en la revista general deben figurar páginas o espacios para el teatro, el cinematógrafo, la radio, la televisión, la bibliografía, las artes plásticas, etcétera. En lo cinematográfico y teatral suele abundarse más por la popularidad de las figuras y la vistosidad de las fotografías.

También reclaman gran espacio los deportes de todo género. En gran parte de las revistas se incluyen cuentos, novelas cortas y narraciones literarias, ilustradas por dibujantes. También se tratan temas históricos retrospectivos, casi siempre evocados y traídos a cuento por un suceso o una fecha. La sección humorística y la caricatura no pueden faltar. Las llamadas historietas o sucesión de dibujos con textos o explicaciones complementarias sobre un mismo tema narrativo, a veces, se prolongan a través de muchos números. Tampoco deben faltar pasatiempos y amenidades de diferentes géneros.

Las revistas de divulgación científica han contribuido en gran manera a la cultura media. Y el conjunto de la diversidad de esta clase de publicaciones periódicas nos pone ante los ojos la expresión gráfica y sintética del mundo vario en que vivimos. *Véase* PERIODISMO.

revolución. En sentido genérico se da este nombre a todo cambio o transición, especialmente si se realiza en forma brusca. La ciencia política lo utiliza de modo específico para designar la sustitución de un gobernante o de una forma de gobierno por otros; este cambio suele producirse en forma violenta, pero no es necesario que así ocurra para que haya revolución. La economía política y la sociología también se han adueñado de la palabra, y hablan de revolución comercial o de la Revolución Industrial; con estos términos designan dos cambios decisivos en la estructura de las sociedades modernas.

Se suele hacer una distinción entre revolución política y revolución social. Según esa distinción la Revolución Francesa de 1789 habría sido fundamentalmente política; la rusa de 1917 habría sido ante todo social. Pero la distinción es bastante arbitraria: ambas tuvieron causas económicas y sociales, y produjeron consecuencias políticas. Las dos fueron precedidas por descontentos y agitaciones, y a ambas sucedieron periodos de desorden, violencia, represión sangrienta y cambios políticos. El siglo XIX ha sido llamado *el siglo de las revoluciones*, aunque corresponden al siglo XVIII los dos grandes movimientos iniciales de la revolución de Estados Unidos y de la Revolución Francesa. Pero, es en el curso del siglo XIX cuando los sacudimientos se transmitieron a todos los países europeos y americanos, ninguno de los cuales se vio libre de sus efectos. En el siglo XX ha habido revoluciones *de izquierda*, que trataban de crear nuevas estructuras sociales derribando las anteriores, y de derecha, que buscaban reforzar las instituciones existentes por medio de una férrea organización autoritaria.

Se discute si la violencia es elemento esencial de las revoluciones; muchos autores opinan que no lo es, recordando ejemplos como la rebelión inglesa de 1688 y la Argentina de 1810, en las que no se derramó sangre. Ciertas revoluciones se inician por grupos que trabajan en la clandestinidad, librados a su propia intuición; otras tienen conexiones internacionales y están sujetas a una dirección central encargada de la estrategia general, organización de la táctica de cada momento y empleo de los medios de propaganda.

El obrero y la campesina, *estatua que conmemora la Revolución Bolchevique.*

Corel Stock Photo Library

En la historia se registran movimientos de independencia y guerras de separación mediante los cuales países que dependían de otros se liberaron de sus metrópolis. Esas guerras de separación entrañan, al mismo tiempo, una revolución, puesto que el impulso hacia la independencia va unido, en la mayoría de los casos, a la instauración de normas distintas de gobierno que introducen nuevas formas políticas y cambios profundos en las instituciones. Tal es el caso de las guerras de separación de los países americanos, que no sólo culminaron en su independencia, sino que sirvieron para adoptar formas republicanas de gobierno en sustitución de las monarquías de sus antiguas metrópolis.

Ése es el carácter que distingue a los movimientos que, a principios del siglo XIX, dieron la independencia a los países hispanoamericanos, que tuvieron como precursor al venezolano Francisco de Miranda y partieron de focos distintos: de Argentina, con Mariano Moreno, José de Belgrano y luego José de San Martín; de Venezuela, con Simón Bolívar; de México, con el sacerdote Miguel Hidalgo. La emancipación brasileña, por su parte, marcó dos etapas: la primera, cuando Pedro I declaró (1822) desligado su reino de la corona de Portugal; la segunda (1889), al ser derrocada la monarquía y proclamada la república. Después de prolongadas luchas, durante la segunda mitad del siglo XIX, para alcanzar su independencia, Cuba se constituyó en república, en 1902. Panamá se separó de Colombia y se erigió en república en 1903.

En 1910 cayó la monarquía de Portugal y se instaló la república, suprimiendo la dinastía de los Braganza, que gobernaba desde 1640. En 1911 fue derrocado en México por una revolución el general Porfirio Díaz, que gobernaba prácticamente desde 1877. En 1912 se inició la desaparición de la legendaria monarquía manchú de los Tsing en China, que gobernaba desde 1644, y se proclamó la que se conoce como la *república de Sun Yat-Sen*, para distinguirla de otros movimientos que carecieron de su arraigo y base democrática. El sultán de Turquía fue también derrocado en 1922, y al año siguiente se proclamó la república presidida por Kemal Atatürk.

La guerra de independencia contra la invasión francesa de 1808-1813 generó también una revolución interior, que encontró expresión en las Cortes de Cádiz y la Constitución de 1812. Abolida ésta por Fernando VII tan pronto como volvió a España al salir de su prisión en Francia, el monarca se vio forzado a restablecerla en virtud de la revolución de 1820, encabezada por Rafael de Riego, quien arrastró al ejército que estaba preparado para trasladarse a América, por lo cual el movimiento repercutió favorablemente en la independencia de los países hispanoamericanos. La revolución de septiembre de 1868 derrocó a Isabel II y entonces se formó un gobierno provisional, al que siguió la elección de un rey de estirpe italiana, Amadeo I, cuya abdicación el 12 de febrero de 1873 originó la proclamación de la república por voto de las cortes. Esta primera República Española cayó a los 11 meses por un golpe militar, y tras un breve gobierno provisional, el pronunciamiento del general Arsenio Martínez Campos en Sagunto (1874) restauró a los Borbón en la persona de Alfonso XII. El voto popular en las elecciones que hubo en España después de la dictadura del general José Antonio Primo de Rivera (1923-1930) derrocó a la monarquía y proclamó la Segunda República Española el 14 de abril de 1931. En 1936 surgió el movimiento nacionalista, que, después de casi tres años de guerra, puso fin a la segunda república, en 1939. La derrota de Alemania en la Primera Guerra Mundial (1914-1918) produjo la caída de la dinastía de los Hohenzollern y dio vida a la llamada *república de Weimar*, que fue reemplazada en 1932 por el gobierno dictatorial de Hitler, sustentador del nazismo, desaparecido junto con la nueva derrota alemana en la Segunda Guerra Mundial (1945). Finalmente, Irlanda, en lucha casi constante con Inglaterra desde 1170, por aspirar a la independencia y por oponerse su acendrado catolicismo al protestantismo de Gran Bretaña, obtuvo, a partir de 1920, concesiones graduales que culminaron, en 1948, con la separación total de Gran Bretaña y en la creación de la República de Irlanda.

Revolución Bolchevique. La guerra europea de 1914 originó en Rusia la crisis del imperio de los Romanov, contra el cual se dirigía una larga y tenaz campaña, dentro y fuera del país, por elementos que proclamaban las más avanzadas ideas sociales y económicas. La característica anárquica de este movimiento en su primera etapa dio origen al nihilismo. Reprimido éste un tanto, tomaron fuerza las doctrinas de Carlos Marx, cuyos partidarios rusos se dividieron en dos bandos, los moderados y los radicales, respectivamente llamados mencheviques y bolcheviques, o sea, minoritarios y mayoritarios en ruso, denominaciones nacidas de que en un congreso celebrado en Londres en 1903 resultaron los radicales en mayoría. La autocracia zarista sufrió grave quebranto con las derrotas de sus ejércitos en la Primera Guerra Mundial y a esto se sumaban la incapacidad personal de Nicolás II y el escándalo que levantó la influencia que ejercía en la corte el monje Grigorij Rasputín, dueño de la voluntad de la zarina. El zar Nicolás II fue obligado a abdicar (15 de marzo de 1817) y se encargó del poder un gobierno provisional encabezado por Grigorij Evgen' eric, príncipe Lvov, conocido por sus ideas liberales. Entonces se instauró el régimen republicano, pero el príncipe Lvov hubo pronto de dimitir y se designó primer ministro del gobierno provisional al socialista Aleksandr Kerensky, quien se encontró combatido por la reacción, de una parte, y de la otra por los bolcheviques, animados por la llegada de los agitadores Lenin (seudónimo de Vladimir Ilich Uliánov) y Trotsky (seudónimo de Lev Davidovich Bronstein) desde la emigración.

Después de fracasar en un primer golpe en julio de 1917, el soviet de Petrogrado, que contaba con buena parte de la guarnición, los marinos de Cronstadt y obreros armados como guardias rojos, se lanzó a la revolución el 6 de noviembre del mismo año (24 de octubre del antiguo calendario ruso). Kerensky tuvo que huir y solicitó en vano el apoyo del ejército que seguía en el frente la guerra. Un congreso de los soviets de toda Rusia, del que se excluyó a los

Art Today

Lenin arengando a las multitudes.

Acorazado Potiemkin *que disparó para iniciar la Revolución Bolchevique.*

Corel Stock Photo Library

Editorial Progreso

Fidel Castro y Ernesto el Che *Guevara.*

mencheviques, dio el poder al partido bolchevique (7 de noviembre), encabezado por Lenin. Al afianzarse en Rusia el régimen bolchevique y cambiar totalmente el sistema de gobierno, no se limitó a sus propias fronteras, sino que, por medio de organismos y métodos de infiltración ideológica, desarrolló una política de penetración internacional para propagar las doctrinas comunistas a otras naciones.

Revolución Cubana. Periodo de la historia de Cuba, iniciado en 1953, y dividido en dos grandes etapas: lucha armada y derrocamiento del estado burgués (hasta enero de 1959), y comienzo de la construcción de un estado socialista.

En el desarrollo de la lucha armada del pueblo cubano hacia el socialismo se distinguen varias fases. La primera se caracterizó por una excesiva confianza en el levantamiento popular contra Fulgencio Batista Zaldívar. Los hechos más notables fueron el asalto al cuartel de Moncada por Fidel Castro (26 de julio de 1953), el desembarco del *Granma* en Belice (2 de diciembre de 1956), el fracaso del asalto, la autodefensa de Castro y la preparación militar en México, con la colaboración de Alberto Bayo. La segunda fase evidenció la capacidad represiva de Batista y estimuló la necesidad de los campesinos a integrarse en la lucha; esta etapa estuvo determinada por el descalabro de las fuerzas guerrilleras en el primer combate, su reagrupación en sierra Maestra y la primera victoria en La Plata (17 de enero de 1957).

La tercera fase se caracterizó por la masiva adhesión a la guerrilla de campesinos y contingentes urbanos. La huelga general revolucionaria iniciada el 9 de abril de 1958 permitió comprobar que sólo un incremento de las fuerzas guerrilleras podría derrocar al ejército de Batista. La última fase estuvo determinada por la ofensiva revolucionaria de las columnas de Camilo Cienfuegos y de Ernesto Guevara conocido como el *Che Guevara,* que cruzaron la provincia de Camagüey con los objetivos de impedir las elecciones del 3 de noviembre, ocupar la provincia de Las Villas y dividir la isla en dos partes. La llegada a la última de las provincias implicó la orientación de la lucha urbana hacia el sabotaje y un intenso trabajo político para conseguir la unidad de los grupos revolucionarios. Conseguido un frente relativamente unido, la columna del Che Guevara, apoyada por el Directorio Revolucionario, ocupó Santa Clara, centro de comunicaciones.

Batista huyó el 31 de diciembre, y el 1 de enero de 1959 el ejército rebelde entró en La Habana. Finalizada la lucha se inició la segunda etapa de revolución: la reforma agraria, la nacionalización de las empresas privadas nacionales y extranjeras, la reforma de la propiedad urbana y otras medidas de política económica, puestas en vigor durante los dos primeros años del nuevo régimen que fueron acompañadas de una amplia transformación cultural (erradicación casi total del analfabetismo a través de una activa campaña de alfabetización) y de una activa campaña de formación política de las masas. El 16 de abril de 1961 se proclamó la república.

Estatua de Mao Zedong, líder de la Revolución Cultural Proletaria en China.

Corel Stock Photo Library

Revolución Cultural Proletaria. Campaña de lucha política iniciada en verano de 1966 en China por una parte del Partido Comunista, dirigida por Mao Tse-Tung. Básicamente iba destinada a combatir la persistencia de residuos del capitalismo o incluso de su restauración en una forma desarrollada (capitalismo monopolista de Estado), al modo soviético. Las diferencias entre la línea de Mao y las jerarquías del partido condujeron a la formación de dos facciones. La reorganización de los maoístas con el apoyo del ejército (Lin Piao), culminó con la victoria de Mao en el Comité Central y la destitución de Peng Chen. Los principales líderes revolucionarios estimularon las campañas contra los elementos revisionistas. En 1967 el enfrentamiento entre ambas facciones llegó al borde de la guerra civil. En 1968 fue destituido Sien Shao, en 1969 se celebró el Congreso Nacional Popular, lo que significó el triunfo de la Revolución Cultural, la victoria de Mao sobre los economistas. Pero tras la muerte de Chu-En-Lai y de Mao, en 1976, fueron liquidados los últimos epígonos de la revolución cultural (*Banda de los cuatro*). La vuelta de Teng Hsiao-Ping a las altas esferas del Partido (1977) y el XI Congreso marcaron el final de la Revolución Cultural.

Revolución China. Transformación socialista de la sociedad china, semicolonial y semifeudal, operada entre 1924 y 1949. Este proceso se inició con la llamada guerra Civil Revolucionaria (1924-1927), en el curso de la cual Chiang Kai-Shek, jefe militar supremo, inició la expedición al norte para unificar el país. En 1927, después de que Chiang Kai-Shek reprimiera violentamente el movimiento popular de Shangai, se sublevó la guarnición de Nanchang, base del futuro ejército rojo de obreros y campesinos.

Consumada la ruptura de los comunistas con el Kuomintang (1927-1937), Mao Tse-Tung y Chu-Yeh crearon las primeras bases revolucionarias (república soviética china en Kiang-si), pero la ofensiva del Kuomintang obligó al ejército rojo a iniciar la larga marcha.

La invasión japonesa abrió una nueva etapa en la revolución china: la de la guerra de resistencia contra Japón (1937-1945), que obligó el Partido Comunista a un cambio táctico (frente único por medio de dos alianzas, entre campesinos y obreros y entre el pueblo trabajador y burguesía). Finalmente, a partir de 1945 la Revolución China entró en su última etapa, la de la guerra popular contra el Kuomintang, que culminó con la proclamación de la República Popular China en octubre de 1949.

Revolución Estadounidense. De 1774 a 1783 se ofreció al mundo la primera lucha por la emancipación de colonias americanas, que aspiraban a su soberanía. Los puritanos ingleses, que desde más de un siglo antes habían poblado parte de las tierras de América del Norte, en lo que se llamó New England, ocupaban ya ciudades prósperas y florecientes, debido a su esfuerzo. Su colonia más importante era Massachusetts, cuyo territorio se entregó a compañías comerciales que fundaron varios establecimientos, siendo los principales el organizado por los *Hermanos Peregrinos* que en 1620 arribaron a Cabo Cod, y el formado por otro grupo puritano que desembarcó en Salem ocho años después. En 1691, se unieron estos grupos para formar la colonia de Massachusetts, con su centro en Boston, que se distinguía por su tono democrático, dentro de la exaltación del fervor religioso y de la activa moral puritana. La influencia del foco de Boston, realzada por el prestigio de la Universidad de Harvard, que data de 1636, se hacía sentir en el resto de New England, o sea, las colonias de New Hampshire, Connecticut y Rhode Island, si bien en las dos últimas subsistió hasta el final de la dominación inglesa el régimen de carta con privilegio real. La colonia de New York se fundó por holandeses, que bajo el régimen republicano de su país gozaban de libertades que les acompañaban donde iban, libertades que hubieron de ser confirmadas cuando los ingleses conquistaron aquella colonia, entonces denominada New Holland; el propio duque de York, a quien su hermano Carlos II hizo merced de la colonia, que por eso tomó el nombre de New York, como se bautizó al puerto antes llamado New Amsterdam, reconoció a sus colonos el derecho de asamblea. Este régimen de representación se hizo extensivo a la vecina New Jersey, donde igual que en New York favorecían a las ideas democráticas el desarrollo del comercio y una incipiente vida industrial. El cuáquero William Penn, gracias a la amplia concesión territorial que le había sido otorgada por el rey en 1681, instauró en la colonia por él fundada, y que justamente se llamó Pennsylvania, un gobierno regido por las leyes más progresivas de su tiempo. También Maryland y Delaware eran colonias de dominio particular, con la circunstancia de que en Maryland estableció su propietario, lord Baltimore, a familias de caballeros católicos que conser-

Corel Stock Photo Library

Actor caracterizado como un almirante de la Revolución Estadounidense en Connecticut, EE.UU.

varon su adhesión al partido realista jacobita. La aristocracia, si no de linaje, al menos de grandes terratenientes, dirigía los destinos de Virginia, la colonia inglesa más antigua en el continente americano, fundada en primer intento hacia 1584 y con carta fechada en 1606, mas convertida luego en dominio de la corona. Una minoría formada por los propietarios de grandes plantaciones constituía igualmente la clase dominante en las dos Carolinas, fundadas en la segunda mitad del siglo XVII y reorgani-

Representación de soldados de la Revolución Estadounidense.

Corel Stock Photo Library

Corel Stock Photo Library

Representación de los soldados del Rey de 1776.

zadas como territorios de la corona en 1729, y en Georgia, la última de las 13 colonias originarias, que se creo en 1733. A pesar de la diversidad de tipos de gobierno, a tenor de los antecedentes de fundación y formas evolutivas de estas 13 colonias, las instituciones tendían a uniformarse con aspiración a la completa autonomía. Los gobernadores y sus consejos de gobierno, ya fueran designados por el rey o aparecieran como representantes del propietario de la colonia, tuvieron que ir cediendo facultades a las asambleas representativas, independientemente de su forma de elección más o menos restringida, y con ello se aflojaban los vínculos de supeditación a la metrópoli; por otra parte, los intereses económicos, a medida que crecían, ahondaban el divorcio. La población colonial había aumentado de unos 225,000 habitantes en 1700 a 1.300,000 en 1760, además de 300,000 esclavos negros, concentrados en las colonias del Sur. En plena guerra de los Siete Años, los comerciantes de Boston reivindicaban su derecho a sostener relaciones de negocios con los enemigos de Inglaterra, y cuantas medidas coercitivas dictaba el gobierno de Londres sólo servían para irritar a los pueblos coloniales.

Al término de la contienda con la rotunda victoria de la potencia británica, que aumentó sus dominios coloniales en América del Norte con las tierras francesas de Canadá, el gobierno consideró oportuno el momento para reorganizar la administración colonial, con un programa que incluía poner en absoluto vigor las leyes proteccionistas a la navegación y comercio británicos, enviar un ejército a las colonias estadounidenses e imponerles tributos directos para el sostenimiento de esas fuerzas. A invitación de la corte general de Massachusetts, se reunió en New York una asamblea a la que asistieron delegados de nueve de las trece colonias, y allí se acordó dirigir memoriales al rey y al Parlamento, a la vez que se adoptaba una *Declaración de Derechos y Libertades* (19 de octubre de 1765). En tanto, habían ya ocurrido desórdenes en varias ciudades y la situación se agravó cuando empezaron a llegar tropas de la metrópoli, mal recibidas en todas partes, sobre todo en Boston, donde hubo choques entre el pueblo y los soldados, resultando muertos y heridos, lo que provocó una indignación general en las colonias (1770). A ejemplo de Massachusetts, que instituyó una *junta de correspondencia* presidida por Samuel Adams, con el fin de establecer una inteligencia entre los colonos, hacia comienzos de 1774 funcionaban organismos semejantes en todas las colonias, menos Pennsylvania.

Lejos de buscar una conciliación, el gobierno británico persistió en su política de menosprecio a los pueblos coloniales; el acuerdo de rebajar en la metrópoli los derechos de entrada del té, pero no en las colonias, provocó tumultos en Charleston, Philadelphia, New York y graves desórdenes en Boston, donde ciudadanos disfrazados de indios asaltaron los barcos amarrados al muelle y arrojaron al agua los cargamentos de té (16 de diciembre de 1773). Entonces expidió el gobierno de Londres una serie de decretos punitivos, entre los que figuraba el cierre del puerto de Boston, privación de casi todos sus derechos al pueblo de Massachusetts, cuyo gobernador quedó investido de facultades extraordinarias, y una modificación al estatuto territorial de la provincia canadiense de Quebec, que extendía su jurisdicción hasta el río Ohio e incorporaba a ella territorios reclamados por Massachusetts, Connecticut, New York y Virginia. La protesta fue unánime; la convención de Suffolk, acordó recusar los decretos anteriores como *intentos de una administración inicua para esclavizar América* y la cámara de representantes de Virginia resolvió invitar a las demás colonias a un congreso general que, en efecto, se inauguró en Philadelphia el 5

Representación de una batalla de la Revolución Estadounidense.

Corel Stock Photo Library

de septiembre de 1774 con asistencia de representantes de las 13 colonias, menos Georgia. En este primer congreso general se manifestaron dos tendencias: una radical, que encabezaba Samuel Adams y otra moderada que patrocinaba Joseph Galloway, delegado de Pennsylvania. Triunfó la primera y se acordó romper las relaciones comerciales con la metrópoli. A su vez en ésta venció también el partido de la intransigencia y el Parlamento británico rechazó una propuesta de lord Chatham que contenía un plan de conciliación.

De esta suerte la guerra se hizo inevitable y ya en abril de 1775 se libraron las primeras batallas (Lexington y Concord) entre las tropas reales y las fuerzas levantadas por las colonias. Habían pasado más de dos años de guerra, cuando un segundo congreso general, reunido también en Philadelphia, proclamó el 4 de julio de 1776 la independencia de la que luego sería la república de Estados Unidos de América, suscribiéndose el histórico documento del que ha nacido la más perfecta democracia de nuestro tiempo, según lo exponen el alto nivel de vida de su pueblo, la estabilidad de su gobierno y el regular juego de todas sus instituciones. Éstas quedaron establecidas en virtud de la Constitución de 1787 esto es, cuatro años después de la firma del tratado de París, que puso fin a la guerra con el reconocimiento de independencia de Estados Unidos, denominación ya empleada en el pacto confederal de 1777. Fue su primer presidente, quien también se distinguió como uno de los primeros generales de la campaña revolucionaria, George Washington. La independencia de Estados Unidos señaló una innovación en el gobierno político de un país: la adopción del sistema federal, con autonomía total de las regiones para el manejo de los intereses locales. Sin embargo, la tendencia federalista no dejó de encontrar impugnadores en la propia convención de Philadelphia que aprobó la Constitución, la cual tardó luego en ser ratificada por varios estados y a veces lo fue con escasa diferencia de votos sobre los que se expresaron en contra. El criterio de Thomas Jefferson, partidario de un gobierno fuerte, tenía acaso tantos adeptos como el federalismo, y el triunfo de éste se debió en buena parte a la mejor organización del partido que lo defendía y a la habilidad de sus jefes, John Adams y Alexander Hamilton. Es también oportuno señalar que la Constitución de 1787 ha sufrido numerosas modificaciones por medio de acuerdos constitucionales denominados enmiendas, pero siempre en relación con hechos circunstanciales acarreados por el transcurso de los años y sin alterar en ningún momento sus principios básicos.

Art Today

Propaganda fascista en Roma que dice: Mussolini tiene siempre la razón.

Revolución Fascista en Italia. Al finalizar la Primera Guerra Mundial, la economía de Italia sufría graves perturbaciones y sobrevinieron grandes conflictos industriales y políticos. La penetración comunista en las masas obreras intensificó la desorganización de todos los sectores económicos. A finales de la decada de 1920, el gobierno se consideró impotente para reprimir las oleadas de conflictos y huelgas de carácter revolucionario que paralizaban la industria, la agricultura y los transportes. Numerosas fábricas fueron incautadas por los obreros comunistas, que crearon tribunales revolucionarios, formaron milicias de guardias rojas y cometieron asaltos, detenciones y homicidios.

Contra las violencias de los partidos de extrema izquierda, denominados socialistas y populares, que exigían una revolución, la abolición del capital y la proclamación de una república soviética, se alzaron los fascistas bajo la dirección de Benito Mussolini. En agosto de 1922, las fuerzas comunistas decretaron una huelga general, a la que se opusieron los fascistas, y se inició la lucha armada entre los partidarios de esas tendencias rivales. A fines de octubre de 1922, los fascistas iniciaron la llamada *marcha sobre Roma*, a la que llegaron el 30 de octubre. El rey Víctor Manuel III designó primer ministro a Mussolini que asumió el poder sin amenazar ni debilitar la monarquía, lo que le atrajo la adhesión de las clases que hubieran sufrido las consecuencias de una actitud distinta. El fascismo cambió el gobierno e implantó el estado corporativo. Mussolini ejerció el poder hasta julio de 1943, cuando Italia se encontraba al borde de la derrota, durante la Segunda Guerra Mundial. En esa fecha Mussolini fue destituido y encarcelado, y se inició la desintegración del partido fascista. En abril de 1945, Mussolini perdió la vida, mientras huía en dirección a Suiza.

Revolución Francesa. Conjunto de transformaciones y sacudimientos de carácter político y social que agitaron a Francia entre 1789 y 1799. Esta década ha sido una de las más importantes de la historia moderna: en ella nacieron y murieron instituciones, modos de vida y estructuras sociales.

Antecedentes. La sociedad europea del siglo XVIII vivía en medio de opulenta decadencia. Existía una desigualdad evidente entre las clases privilegiadas y la masa del pueblo, y las monarquías habían derivado hacia el absolutismo. Estos rasgos habían alcanzado singular intensidad en Francia. La sociedad francesa se dividía en tres estamentos (clases, diríamos hoy) bien diferenciados: 1) el clero tenía a su cargo la enseñanza, el registro civil de las personas y la caridad organizada. En virtud del llamado *regalismo*, el monarca proponía al papa los candidatos a obispos, canónigos, etcétera, y lo hacía favoreciendo a los aristócra-

Francisco de Goya, Museo del Prado

Las diferencias sociales fueron uno de los detonantes de la Revolución Francesa.

tas, aunque no tuvieran vocación. El alto clero percibía impuestos cuantiosos y tenía enormes riquezas. El bajo clero, por el contrario, vivía prácticamente en la miseria y participaba de las angustias del pueblo; 2) la nobleza, que formaba otro estado o estamento de esta sociedad altamente jerarquizada, comprendía una nobleza de la corte, que vivía en medio del boato y el esplendor de Versalles, y una nobleza de provincias, formada por terratenientes. Los nobles, como el clero, no pagaban impuestos y, además, eran los únicos que podían llegar a oficiales del ejército y a embajadores. 3) el tercer estado o estado llano comprendía 23 millones de personas (frente a 300 mil de los dos primeros estamentos) vale decir prácticamente todo el pueblo francés. El pueblo vivía en un sometimiento económico y social inaudito: entregaba al rey, al clero y a la nobleza 80% de sus ingresos y debía acatamiento a estos tres poderes omnímodos. El tercer estado no era un bloque homogéneo. en su seno mediaba un abismo entre la burguesía de las ciudades, formada por profesionales y comerciantes, y las clases obreras y campesinas, iletradas y paupérrimas. Millares de vagabundos y desocupados se mezclaban con la población trabajadora, viviendo de la limosna y del delito.

Ante esta situación, la reacción comenzó siendo intelectual. Un grupo de hombres llamados *philosophes* (en rigor se trataba de teóricos de la política, sociólogos y reformadores sociales) comenzó a estudiar problemas políticos y económicos con un enfoque nuevo. Los precursores de sus ideas fueron dos ingleses: John Locke, que en su *Tratado del gobierno civil* (1690) expuso la doctrina de los derechos del hombre y de la soberanía del pueblo, y Adam Smith, que en su *Investigación sobre la naturaleza y las causas de la riqueza de las naciones* (1676) desarrolló el principio de que la riqueza tiene su fuente en el trabajo, no en la tierra ni en el oro como se sostenía a la sazón.

Escultura de Luis XIV en el Chateau Chambord *en Francia.*

Corel Stock Photo Library

Charles de Secondat, barón de Montesquieu, escribió las *Cartas persas* (1721), aguda sátira sobre las costumbres del antiguo régimen, y dejó en *El espíritu de las leyes* (1748) la base de la doctrina política de la separación de poderes. François Marie Arouet, llamado *Voltaire*, abordó todos los géneros en una producción multiforme que se caracterizó por su lucha contra la intolerancia religiosa. El autor más influyente de estos tiempos agitados fue Jean Jacques Rousseau, autor de la novela pedagógica *Emilio* (1762), y del celebérrimo Contrato *social* (1754), que habría de convertirse en ariete revolucionario. La tarea más ambiciosa fue emprendida por Denis Diderot, bajo la forma de un "cuadro general de los progresos del espíritu humano en todos los géneros y en todos los siglos": se trata de la *Enciclopedia* (primer tomo, 1751; segundo, 1752), que exigió 21 años de agotador esfuerzo en medio de las persecuciones de la censura. En sus 28 volúmenes colaboraron los pensadores más brillantes de la época, que utilizaron la obra como tribuna de propaganda revolucionaria.

El comienzo. Luis XVI, monarca simple, bondadoso y de carácter débil, trató de rodearse de gente capaz. Robert Turgot, uno de sus ministros, inició una política de liberalización económica que habría mejorado la situación del país y del pueblo. Pero el Parlamento de París –institución del antiguo régimen que no tenía parecido con los parlamentos modernos– se opuso a la mayoría de sus reformas, y en tal actitud fue secundado por la reina María Antonieta –mujer frívola, caprichosa y obstinada– y por la nobleza. Turgot no pudo resistir tanta presión y debió renunciar. Su sucesor, el banquero Jacques Necker, tampoco pudo dominar la situación financiera del país. En 1788, convocó a los Estados Generales, asamblea compuesta por representantes de la nobleza, el clero y la burguesía (que no se reunía desde hacía más de 150 años). El decreto de convocatoria estableció que el clero tendría 300 votos, la nobleza 300 y el tercer estado 600, los miembros de este último eran únicamente burgueses y no había representantes de los campesinos ni de los obreros. Los representantes llevaban cuadernos que contenían los principales anhelos de sus electores, casi todos moderados pero deseosos de un cambio. El 5 de mayo de 1789, Luis XVI pronunció el discurso inaugural de la asamblea; los Estados Generales, según él, debían limitarse a las cuestiones económicas sin tocar los problemas políticos. Los representantes, atónitos, hallaron que sus cuadernos de peticiones resultarían inútiles. Poco después se supo que María Antonieta había logrado que el monarca adoptara esta peligrosa actitud. Iniciadas las deliberaciones, los miembros del tercer estado propusieron que los debates se hicieran en una sala única y las mociones se aprobaran por simple mayoría de votos; pero el rey, temeroso del predominio de la burguesía, ordenó que los estados se reunieran en salas separadas. Más de un mes de inútiles debates transcurrieron antes que el estado llano adoptara la actitud decisiva: erigirse en Asamblea Nacional, *en nombre de 97% de los franceses*, y tratar todos los temas incluidos en los cuadernos.

Mal aconsejado, Luis XVI hizo cerrar la sala de sesiones. Pero los miembros se reunieron en un local destinado al juego de pelota (20 de junio) y pronunciaron un juramento histórico: no separarse hasta establecer la Constitución. Tres días después, el rey se presentó ante una reunión conjunta de los tres estados y negó validez a la decisión de crear la Asamblea Nacional. Retirado el monarca, se irguió un noble, pasado a las filas del tercer estado. Honoré Gabriel Riqueti era su nombre, pero la historia lo recuerda como el conde de Mirabeau. Con toda la vehemencia de su palabra arrolladora pronunció un famoso apóstrofe ante el chambelán del rey: "Id a decir a vuestro amo que estamos aquí por la voluntad del pueblo, y que sólo se nos arrancará por la fuerza de las bayonetas". Luis XVI no era hombre de decidir situaciones por la fuerza de las bayonetas. "Si no quieren irse, que se queden", fue su tímido comentario. El 9 de julio, al cabo de dos semanas de deliberaciones, el tercer estado logró que se aprobara la formación de una Asamblea Constituyente que redactaría una Carta Magna.

Pero el antiguo régimen no estaba vencido: en París se fueron concentrando regimientos de mercenarios extranjeros, y Luis XVI despidió a Necker y otros ministros, juzgados partidarios de la nueva situación. Un grupo de agitadores, encabezado por Camille Desmoulins, logró que el pueblo de París se adelantara al golpe y tomase las armas. El 14 de julio de 1789, nutridas columnas asaltaron y ocuparon la Bastilla, la odiada prisión política de París. En este hecho se ha querido ver la culminación del proceso revolucionario; pero en rigor su importancia no es más que simbólica, porque la Bastilla estaba mal defendida y sólo encerraba siete prisioneros. Bajo las órdenes de Marie Joseph Motier, marqués de Lafayette, las milicias revolucionarias formaron la Guardia Nacional. Como siempre, el rey aceptó los hechos. La revolución de París se extendió a las provincias, donde muchedumbres de campesinos asaltaron castillos y residencias de la nobleza.

Los derechos del hombre. Entretanto, contagiados por el clima revolucionario del momento, varios sacerdotes y nobles renunciaron públicamente, en medio de la Asamblea, a todos sus derechos. El 26 de julio de 1789 se aprobó el documento que serviría de preámbulo a la futura Constitución; se trataba de la famosa *Declaración de los derechos del hombre y del ciudadano*. Optimista e individualista, establecía en sus 17 artículos que todos los hombres nacen libres e iguales en derechos; que la propiedad, la libertad, la seguridad y la resistencia a la opresión son derechos inalienables y naturales; que la soberanía reside en la nación; que todos los hombres son iguales ante la ley; que "nadie está obligado a hacer lo que la ley no ordena, ni puede ser privado de lo que la ley no prohíbe"; que los impuestos deben ser distribuidos en proporción a las riquezas, y que debe existir libertad de opinión, de re-

Corel Stock Photo Library

El castillo de Fontainbleu fue uno de los escenarios de la Revolución Francesa.

La libertad guiando al pueblo *de Eugene Delacroix.*

Museo del Louvre

Salvat Universal

Declaración Universal de los Derechos del Hombre y del Ciudadano.

ligión y de prensa. Treinta años de prédica revolucionaria habían dado sus frutos.

El rey no promulgó la Declaración. Los agitadores hicieron que varios millares de mujeres, acompañadas por miembros de la Guardia Nacional, marcharan sobre el palacio de Versalles. Era el 5 de octubre. La familia real huyó a París. En la ciudad proseguía la agitación: dos clubes o partidos revolucionarios trataban de granjearse la simpatía popular, y el periódico *El amigo del pueblo*, redactado por el oscuro médico Jean Paul Marat, sembraba la peligrosa semilla de la demagogia más burda.

La Constitución de 1791. Durante los 18 meses siguientes, la Asamblea prosiguió elaborando su Constitución. Una vez aprobada, ésta creó una monarquía constitucional limitada, en la que el rey perdía sus poderes legislativos, pero conservaba la facultad de vetar las leyes y de manejar las relaciones exteriores. El país quedaba distribuido en 83 departamentos autónomos de tamaño uniforme, en reemplazo de las provincias del antiguo régimen. El poder Legislativo quedaba en manos de una Cámara de 745 diputados, elegidos por el voto de todas las personas que pagaban impuestos. Se suprimieron las aduanas interiores y numerosos impuestos antiguos y se emitió un papel moneda de curso forzoso, los asignados, cuyo monto sería equivalente al valor total de los bienes del clero, que quedaban nacionalizados. La Asamblea votó también la Constitución Civil del Clero, que redujo de 134 a 83 el número de obispos (a razón de uno por departamento), y determinó que serían elegidos directamente, sin intervención del papa. Éste condenó la medida y excomulgó a sus autores. La Asamblea exigió al clero un juramento de obediencia: 130 obispos y 40,000 sacerdotes se negaron a prestarlo. La Iglesia francesa quedó dividida en dos fracciones opuestas: los refractarios, enemigos de la Constitución Civil, y los juramentados, que la aceptaban. La burguesía se había creado, por un error táctico, un temible enemigo: el bajo clero.

La monarquía constitucional habría de durar menos de un año. Resistida por la nobleza, por el rey y por la Iglesia, tropezó también con la oposición de las masas urbanas, víctimas de una inflación que no se detenía. El rey intentó, infructuosamente, huir del país. *El club de los jacobinos* (así llamado por reunirse en un antiguo convento de la orden de ese nombre) y el de los cordeleros (que se reunía en el local de la orden homónima) no tardaron en disponer de jefes revolucionarios: Maximilien de Robespierre, George Danton, Marat, Desmoulins y otros. El 10 de octubre de 1791 inició sus deliberaciones la nueva Asamblea Legislativa creada por la Constitución. Los jacobinos formaban el ala izquierda del grupo revolucionario; el ala derecha, *los girondinos*, así llamados porque las personalidades más destacadas del partido (Vergniaud, Jacques Brissot, Suadet) eran diputados del departamento de la Gironda. Los partidarios del antiguo régimen formaban el club Feuillant (fuldenses). De su seno nombró Luis XVI a los ministros. El primer rozamiento entre el rey y la nueva Asamblea se produjo cuando Luis XVI vetó ciertas leyes contrarias a los nobles emigrados y a otros supuestos enemigos del Estado. Los girondinos formaron gabinete en marzo del año siguiente y de inmediato rompieron relaciones con Austria, país que había condenado la revolución y albergado a muchos nobles.

La guerra contra Austria –a la que se unió Prusia– aceleró la ruina de la monarquía. Las catástrofes sucesivas insitaron al pueblo de París, que el 20 de junio forzó la entrada de las Tullerías y obligó al rey a ponerse un gorro frigio y beber un vaso de vino "a la salud de la nación". Durante el mes siguiente se agravó la tensión: circularon rumores de que los prusianos se abrían camino sobre la capital, y los clubes comenzaron a sesionar en forma permanente, al tiempo que llegaban refuerzos de las provincias. Los voluntarios de Marsella penetraron en París entonando un himno compuesto por el militar Claude Joseph Rouget de Lisle, con el nombre de *La Marsellesa*; esta canción impetuosa no tardó en convertirse en el símbolo coral de la revolución y desde 1975, en el himno nacional de de Francia.

La Comuna. Las secciones electorales de París, dominadas por los elementos extremistas, presentaron un ultimátum a la Asamblea exigiendo la destitución del rey. Como la Asamblea vaciló, la muchedumbre asaltó las Tullerías, arrolló a la guardia suiza y forzó la huida del monarca, que buscó protección en el recinto de la Asamblea. Obligada por las circunstancias, ésta votó la suspensión de Luis XVI y convocó

Art Today

La toma de la Bastilla, que marcó el inicio de la Revolución Francesa.

una convención especial para juzgarlo y aprobar una nueva constitución. Así concluyó el agitado día del 10 de agosto.

Desde el 2 hasta el 7 de septiembre, bandas de forajidos armados recorrieron las prisiones y ejecutaron a sablazos a cerca de 1,200 personas. El día 22 se proclamó la República, y poco después llegó la noticia de que Charles François du Périer Dumouriez había contenido el peligro de una invasión, al triunfar en Valmy. Al reunirse, la nueva Convención Nacional quedó desgarrada por la lucha de facciones. Los girondinos, que habían sido los revolucionarios de la primera hora, parecían tímidos conservadores en comparación con los jacobinos y los cordeleros, que formaban *la Montaña* (por alusión a los elevados asientos que ocupaban en la Convención). La Montaña, conectada con la Comuna de París, contaba con el apoyo de los sectores bajos de la clase media y confiaba en la violencia. Logró que el rey fuese declarado culpable y ajusticiado, y prolongó la guerra contra Prusia y Austria, a quienes no tardaron en unirse Gran Bretaña, España, Holanda y Cerdeña. Las tropas de la Comuna rodearon la sala de la Convención y arrestaron a 32 girondinos preeminentes, alterando así el curso de la revolución. Entretanto, las tropas de Dumouriez habían ocupado Bélgica y llegado hasta el Rin; pero, su comandante, enemigo de la Montaña, abandonó su puesto y buscó refugio en Austria. Una rebelión católica y realista estalló en la zona de la Vendée y no tardó en extenderse; la ciudad de Lyon derribó a las autoridades municipales y se alzó contra el gobierno de París.

El terror. En medio de esta crítica situación la Convención creó el Comité de Salud Pública (o de Salvación Pública). Este comité se convirtió en una especie de monstruosa dictadura colectiva, en la que predominaban los extremistas Jacques Roux, Varlet y Jacques Hébert. Emitió decretos contra los especuladores y agiotistas, decretó la movilización en masa, extrajo préstamos forzosos a los ciudadanos y envió representantes a todos los rincones de Francia. Al mismo tiempo nació la política de rigor extremo contra los enemigos de la revolución, que la historia recuerda con el nombre de reinado del terror. El Comité juzgaba a los sospechosos en juicio sumario y los enviaba a la guillotina. El célebre químico Antoine Laurent Lavoisier pidió la postergación de su muerte durante una semana para poder terminar una serie de experimentos, pero se le contestó: "la República no necesita sabios". María Roland, cuya casa era lugar de reunión de los girondinos más eminentes, pronunció ante el cadalso la frase que ha recogido la historia: "Libertad, libertad, ¡cuántos crímenes se cometen en tu nombre!" Joseph Fouché, establecido en Lyon asesinó a millares de prisioneros. El régimen logró estabilizarse, pero la calma era sólo aparente: los hebertistas, los cordeleros y la Comuna acusaban al Comité de ser demasiado tolerante; Danton y sus amigos lo criticaban por sus excesos. En las primeras semanas de 1794 el Comité reaccionó contra sus enemigos; Robespierre, su jefe visible, denunció a los hebertistas en plena Convención, y casi todos fueron ajusticiados. Volviéndose sobre los moderados, el Comité hizo guillotinar a Danton. Al devorar a sus hijos, la revolución parecía triunfar. Pero germinaba una nueva crisis.

El 9 de Termidor del calendario revolucionario (27 de julio de 1794), Robespierre fue derrocado por una conspiración de terroristas y moderados, encabezada por Fouché y Tallien. El movimiento perdía así a su figura más notable. La maquinaria del terror fue desmontada poco después y la revolución viró hacia la derecha: hubo asesinatos en masa de jacobinos y terroristas, y los sectores moderados de la clase media establecieron el Directorio. El poder Legislativo quedaba en manos del Consejo de los Ancianos y el Consejo de los Quinientos; el poder Ejecutivo correspondía a cinco directores, elegidos a razón de uno por año y dotados de poderes limitados. El Directorio sobrevivió durante cuatro años; pero sus únicos triunfos fueron militares y preparó el camino para el advenimiento de Napoleón Bonaparte. *Véanse* BASTILLA; DERECHOS HUMANOS; ESTADOS GENERALES; GIRONDINOS; JACOBINOS.

Revolución de los Gracos. Periodo de disturbios sociales en la antigua Roma, que abarca desde el año 133 al 121 a. C. Durante ese periodo los hermanos Tiberio y Cayo Sempronio Graco, promovieron un levantamiento de masas para respaldar una demanda de justicia social. Tiberio, elegido por el voto popular de los romanos para tribuno de la plebe, propuso el reparto de las tierras a la gente humilde y sin recursos para que obtuvieran de ellas su sustento, dejando a los grandes propietarios una cantidad limitada de las que poseyeran. El Senado de Roma se opuso categóricamente a tal medida, al igual que las clases ricas y poderosas, entablándose una pugna que se prolongó durante varios años; no tardó en producirse la subversión armada, y Tiberio fue asesinado (133 a. C.) y arrojado su cadáver a las aguas del Tíber. Diez años después su hermano Cayo también fue elegido tribuno del pueblo, y no sólo renovó la demanda de implantar la reforma agraria que había iniciado Tiberio, sino que también se limitara el poder del Senado y de los magistrados y se universalizara el sufragio. Se produjo la revuelta en forma aún más intensa que la vez anterior, y fue perseguido después de la derrota. Antes de entregarse vivo, hizo que le diera muerte su esclavo Filócrates.

Revolución Industrial. Se da este nombre a la evolución producida en la fabricación de los artículos necesarios a nuestra existencia, y en que la máquina ha reemplazado al trabajo manual. El propio desarrollo mecánico, con el crecimiento de las operaciones tanto industriales como comerciales; la competencia con otras naciones para la obtención de nuevos mercados; los conflictos de clases; la injerencia del Estado en las cuestiones obreras; las huelgas, y, en general, un nivel de vida más elevado, son algunos de los rasgos que caracterizan a las sociedades industrializadas.

Algunas de las transformaciones han obedecido a un desarrollo gradual y, en efecto, ciertos aspectos de nuestra vida económica eran ya conocidos mucho antes de la *Revolución Industrial.* Antes del siglo XVIII ya se invertían grandes capitales en la industria y en el comercio, y los fenómenos tan modernos de la producción en masa tampoco eran desconocidos. Por esta razón, el término *Revolución Industrial* no se considera correcto, pues más que de revolución se trata de una evolución, acelerada especialmente a partir del siglo XVIII. Sin embargo, y atendiendo al papel decisivo que desempeñaron los grandes inventos de los siglos XVIII y XIX, la denominación *Revolución Industrial*, introducida por el economista francés Louis Auguste Blanqui, ha sido admitida.

Causas. Se entiende por dicho fenómeno el conjunto de cambios que convierten a un pueblo de actividades principalmente campesinas y con mercados locales, en una sociedad industrial, con vinculaciones comerciales en todo el mundo. La evolución se inicia hacia 1750, cuando la agricultura era la principal fuente de riquezas y en torno a ella se desarrollaban las actividades de la mayoría. En Inglaterra, de cada cinco hombres cuatro eran campesinos entonces. Los labriegos obtenían de la tierra lo indispensable para satisfacer sus necesidades, fabricándose las ropas, muebles y gran parte de los utensilios, con la lana, la madera y el cuero que las actividades agropecuarias producían. Sus compras en la ciudad se reducían a la adquisición de algunas herramientas, rejas de arado, ciertos utensilios y otros pocos artículos. Las ciudades eran de extensión reducida y su actividad manufacturera estaba limitada a cargo de artesanos con taller y herramientas propios.

Un sistema más evolucionado de trabajo a domicilio lo constituía lo que se llama *la industria doméstica.* Un empresario distribuía la materia prima entre varias personas, que trabajaban en su casa, y luego recogía los productos manufacturados, pagándoles el trabajo. La colocación de los productos en el mercado y las compras de las materias primas corrían por cuenta del empresario. Los artículos de la ciudad se canjeaban por alimentos de los distritos agrícolas o se exportaban en pago de las mercaderías exóticas importadas del exterior. Los beneficios de estas operaciones eran grandes y, como estaban en pocas manos, hubo grupos de comerciantes y compañías mercantiles que se enriquecieron rápidamente. El cuadro europeo a mediados del siglo XVIII puede sintetizarse en población escasa y dispersa, con frecuencia víctima del hambre y de las plagas, con un nivel de vida bajo e inalterable (la población total de Inglaterra, en 1740, era menor que la que en la actualidad tiene Londres solamente), y, por otra parte, la existencia de grandes capitales en efectivo en pocas manos. Esto en cuanto al aspecto puramente económico. Por otro lado, una nueva fuerza de la civilización crecía rápidamente. A partir de Galileo Galilei, es decir, desde el siglo XVII, sobre la firme base del método experimental, la ciencia inició su desarrollo intenso e ininterrumpido.

El primer resultado de la investigación científica fue un creciente y notable progreso tecnológico. Pero los conocimientos adquiridos tardaron en ponerse al servicio inmediato de los intereses del hombre. Los inventores aplicaban su ingenio, por lo general, a la creación de máquinas y aparatos cuya aplicación se limitaba a experimentos y demostraciones de laboratorio. Sólo cuando la ciencia y el capital se unieron fue posible la evolución decisiva. Entre los factores que influyeron para que así ocurriera tuvo principal importancia el deseo de mejorar los niveles de vida. Se codiciaban los productos importados, que no siempre podían conseguirse. Hacia 1690, las telas de algodón de la India habían deslumbrado al mundo elegante. Su ligereza, su brillo y su perfección cautivaban, pero no todos los que querían podían adquirirlas. Y lo mismo acontecía con las demás cosas. La atención de los inventores se dedicó, preferentemente, a construir máquinas capaces de producir todos esos nuevos y codiciados artículos, máquinas que debieron ser emplazadas en lugares donde pudiera disponerse de fuerza mecánica y surgieron los grandes talleres y establecimientos fabriles y aparecieron masas de obreros. Las fábricas tendían a multiplicarse en aquellas zonas cercanas a la ciudad donde el combustible y la mano de obra eran más baratas.

Inglaterra tomo la delantera. Esta transformación económica no tuvo lugar en todos los países al mismo tiempo, sino que unos siguieron a los otros, según un orden establecido por factores económicos y políticos. Algunos países, como China, no experimentaron la evolución industrial hasta el siglo XX; en cambio, en Inglaterra había comenzado en la segunda mitad del siglo XVIII, debido a que tenía instituciones políticas favorables para un rápido desarrollo económico: el comercio interno era libre; su posición geográfica y su clima, apropiados; tenía gran experiencia en el comercio exterior, estrechas relaciones con América y carbón en abundancia. Este último factor no pesó en las primeras etapas, pues los grandes inventos mecánicos que habían dado impulso a las industrias textiles trabajaban con fuerza hidráulica. Por esta misma razón Francia pudo alcanzar un desarrollo industrial tan grande antes de la revolución de 1789, ayudada por su comercio exterior, superior entonces al de Inglaterra. Pero cuando una serie de inventos hicieron del carbón la principal fuente

La industralización de la producción obligó a las migraciones masivas hacia las ciudades.

Corel Stock Photo Library

de fuerza mecánica, Francia quedó rezagada. A mediados del siglo XIX, Inglaterra producía siete veces más carbón que Francia y más que todo el resto del mundo.

Las industrias textiles. Tanto había crecido la popularidad de la ropa de algodón y su demanda era tan grande, que bastó que el Parlamento prohibiera la importación de telas de algodón de la India para que naciera inmediatamente la industria algodonera inglesa. Su prodigioso incremento se señala por el hecho de que Inglaterra producía, hacia el año 1835, 60% de las mercaderías de algodón consumidas en el mundo. Desde 1793, Estados Unidos se convirtieron en el principal abastecedor de la materia prima, pues la invención de la desmotadora permitió preparar el algodón para la exportación convenientemente y a bajo costo, lo que antes no era posible, pues la fibra se adhería fuertemente a la semilla y no se conocía ningún procedimiento simple y barato para separarla. Esto contribuyó indirectamente al desarrollo de la esclavitud, pues los negros resultaban particularmente aptos para el trabajo en las plantaciones del sur de Estados Unidos.

En un principio se propició el desarrollo de la industria algodonera mediante el sistema de trabajo doméstico, pero pronto se careció de gente suficiente, pues si bien los empresarios no hubieran tenido inconveniente en contratar a gente del interior del país, esto no era posible; el hilado y el tejido del algodón requieren ciertas condiciones de clima y sólo dos condados, el de Lancashire y el de Cheshire, escasamente poblados, tenían condiciones apropiadas. Cuando ya no hubo más gente disponible en estos condados, se trató de solucionar la dificultad con alguna máquina que pudiera hilar la fibra de algodón. Primero se inventó, en 1733, la lanzadera. A ésta le siguió la primera hiladora o máquina de hilar, inventada en 1769, y luego la hiladora continua de anillo, que funcionaba con fuerza hidráulica. En 1778, Samuel Crompton combinó algunas cualidades de la hiladora y de la hiladora continua en una máquina conocida con el nombre de *hiladora mecánica intermitente.* Ésta hizo posible el hilado a máquina de fibras muy finas, y así los productos de las fábricas inglesas pudieron rivalizar con las delicadas muselinas de la India, hechas a mano.

Las máquinas de tejer llegaron bastante más tarde –de 1830 a 1840– que las de hilar, pues durante mucho tiempo el tejido de las telas fue realizado, principalmente, por tejedoras que trabajaban en sus casas.

El hierro. En algunos aspectos de esta evolución fue mayor el descubrimiento de nuevos procedimientos técnicos que el invento de nuevas máquinas, lo que posibilitó la producción en gran escala. Así sucedió con el hierro. Hasta los albores del siglo XVIII, su industria dependió del carbón

Corel Stock Photo Library

La máquina de vapor se adaptó para realizar múltiples tareas durante la Revolución Industrial.

de leña. Cuando éste empezó a escasear hubo que buscar otro combustible para las fundiciones. En 1709, Abraham Darby logró fundir el mineral con coque en vez de carbón de leña y obtuvo una nueva clase denominada hierro colado, magnífico para hacer piezas de hierro fundido. Se instalaron nuevos hornos, las fundiciones se multiplicaron, aumentaron los capitales y en 1783 se logró fabricar el hierro dulce, refinándolo en un pudelador, que resultó tan fuerte y fácil de trabajar como el hierro forjado. Después de 1850 se hicieron necesarios metales con mayor resistencia de tensión, y en 1855, Henry Bessemer logró fabricar acero a partir del hierro colado, en el convertidor que lleva su nombre. Por entonces la producción de acero era muy escasa. En 1867, un francés, Emile Martin, patentó un nuevo método consistente en fundir chatarra en un baño de hierro colado, calentado en el horno regenerador de Friedrich Siemens. Este método es el usado con más frecuencia en la actualidad, y se denomina procedimiento de Siemens-Martin. Investigaciones científicas posterio-

La producción en serie fue uno de los resultados de la Revolución Industrial.

Corel Stock Photo Library

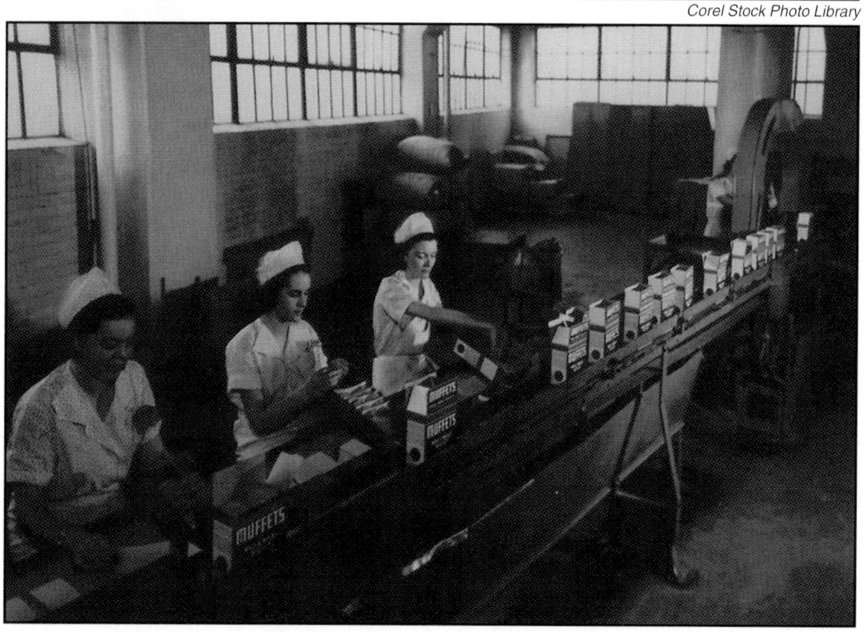

res permitieron obtener un acero muy superior, con mayor grado de dureza y con mayor resistencia a la tensión, agregándole cromo, vanadio, tungsteno etcétera.

La máquina de vapor. Uno de los impulsos más grandes que recibieron las industrias en sus primeros pasos, se debió a la máquina de vapor. En un comienzo, y desde los tiempos medievales, se había utilizado la fuerza mecánica proporcionada por los molinos de viento y los de agua. Pero, en 1769, James Watt logró convertir el vapor de agua en un servidor más de los intereses humanos. Se valió para ello de su invención del condensador separado, con el cual ideó un nuevo tipo de máquina. En las primeras máquinas de vapor, éste movía un émbolo de un lado a otro, utilizándose principalmente para bombear agua en las minas, pero Watt concibió un método con el cual la fuerza del vapor podía aplicarse también a los movimientos de rotación, y éste fue, en muchos aspectos, el más importante de sus hallazgos. A partir de este punto, ya casi no hubo límites para el avance de esta invención, que fue revolucionando industria tras industria. Primero se aplicó al hilado en las industrias textiles, y más tarde, al tejido de las telas. El resultado inmediato fue que las industrias dejaron de depender de la fuerza hidráulica para desarrollarse así como la industria del hierro había dejado de depender de los bosques.

El uso de la máquina de vapor sólo se generalizó, en realidad, después de 1850, y antes en Inglaterra que en Francia y el resto del continente.

El carbón. Como consecuencia inmediata del empleo de carbón en los altos hornos y para calentar las calderas en las máquinas de vapor, la explotación de los yacimientos carboníferos experimentó un enorme incremento. A partir de 1800, la producción inglesa aumentó en 20 veces. En Estados Unidos, la producción fue: 1820, de 15,000 ton; en 1850, de 7.000,000; en 1870, de 33.000,000 y en 1926, de 600.000,000.

Las vías de comunicación y el transporte. Dada la marcha progresiva de las industrias, el transporte debió facilitarse a fin de que los fabricantes no se vieran obligados a limitarse a los mercados locales. Además, el vapor, una vez puesto al servicio del hombre, no tardó en aplicarse al transporte. Corrían los primeros años del siglo XIX cuando fue probada la primera locomotora de vapor. En Alemania y Estados Unidos, que fueron los países que más se desarrollaron durante la segunda mitad del siglo XIX, la Revolución Industrial coincidió con la introducción del ferrocarril. El transporte marítimo también evolucionó. En 1818, un barco dotado con máquina auxiliar de vapor cruzó el Atlántico utilizando por primera vez la fuerza del vapor en parte de la travesía. En 1847, unos 60 o 70 barcos efectuaban el cruce anualmente. Pero en 1860, ya se construían más barcos de vapor que de vela.

La electricidad. Antes de cerrarse el siglo XIX que fue el siglo del vapor, el hombre ya contaba con otro auxiliar: la energía eléctrica. Se inauguraba así una segunda etapa en la evolución del progreso mecánico, y cuando aún no podían preverse los últimos alcances que el uso generalizado de este precioso servidor del hombre podría llegar a tener en el futuro, se inicia la era atómica, en toda su incalculable y asombrosa perspectiva. A los motores eléctricos, que para muchos usos reemplazaron con ventaja a las máquinas de vapor, se agregaron luego el motor de explosión, que es el usado en los automóviles y aviones, y los grandes motores Diesel, de extensa aplicación en los vehículos pesados como camiones y tractores, y en las fábricas.

Completan el cuadro de este progreso técnico, las máquinas que fabrican otras máquinas en serie, por medio de matrices y con una precisión que jamás hubiera podido alcanzar la mano del hombre.

La masificación de la clase obrera fue un resultado de la Revolución Industrial.

Corel Stock Photo Library

Efectos sociales de la Revolución Industrial. En general el aumento de la capacidad económica en los países, permitió llevar una vida mejor a mayor número de personas. Entre los años 1700 y 1815, hubo algún país que triplicó su renta nacional, y entre 1815 y 1939 aumentó 30 veces más. La vida se hizo más fácil y más cómoda. Había oportunidades para todo el mundo. Los nuevos industriales capitalistas no eran los ricos mercaderes de antaño, sino gente nueva que se había abierto camino por sus propios medios. Se explicaba, de este modo, el optimismo de los primeros tiempos, cuando sólo contaba el propio mérito y el trabajo para ganarse un lugar en la sociedad. Las mentes más lúcidas –Adam Smith, Thomas Rober Malthus, David Ricardo, John Stuart Mill– sostenían la política de *laissez faire*, dar a cada uno su oportunidad, sin trabas, sin control del Estado; dejar a la libre competencia el papel de regulador económico universal, así como a las leyes de la oferta y la demanda; abrir los puertos y suprimir los gravámenes a las importaciones y exportaciones. En la euforia inicial se pasaban por alto dificultades insalvables, y los serios peligros entonces descuidados no tardaron en hacer sentir su efecto opresivo sobre grandes sectores de la sociedad.

Control del Estado. La emigración de la gente hacia las ciudades determinó un aumento en la oferta de brazos y, en consecuencia, una baja de los jornales. La concurrencia de mujeres y niños en las fábricas, que eran pagados con salarios aún más bajos, tornó más grave la situación general de los obreros, carentes de organización. Hacia 1790, se iniciaron los gremios obreros, con el propósito de eliminar la mutua competencia que los colocaba a merced de los patronos. Estos gremios, ilegales al principio, fueron reconocidos más tarde y el Estado ya no dejó de supervisar las relaciones entre obreros y patronos, a fin de evitar los frecuentes y graves conflictos entre ambos. Las primeras leyes obreras prohibían el trabajo de los niños en las fábricas y disminuían el número de horas de trabajo. Más adelante se legisló sobre derechos, seguros en caso de accidente o desocupación, salarios mínimos, pensiones familiares, vacaciones pagadas, asistencia social, etcétera.

Crisis y desocupación. Los economistas hablan de ciclos económicos, en los cuales, a una época de abundancia y superproducción, sigue sistemáticamente otra de depresión y crisis. Durante estas últimas la demanda decrece; los mercados están abarrotados de productos, para los cuales escasean los compradores; las fábricas se ven forzadas a cerrar y los obreros quedan en la calle. Los periódicos despidos en masa son el resultado de la producción en masa. La Revolución Industrial, al hacer interdepender las industrias unas de otras, vinculando al mundo entero con estrechas relaciones económicas, hizo que las industrias de un país dependiesen de las condiciones reinantes en los lugares más remotos. Desde 1875 a 1914, las principales potencias industriales rivalizaron en la adquisición de nuevas colonias, que representaban otros tantos mercados para las industrias florecientes. La pérdida de estas colonias, una guerra o cualquier otro conflicto podía determinar inmediatamente el cierre de infinidad de fábricas. Esta inestable situación de las masas obreras requirió la atención del Estado, y se crearon así los seguros por desocupación que garantizan cierta ayuda en los periodos de crisis.

Problemas de la civilización industrial. La influencia de esta transformación no ha sido la misma en todos los países. Sin embargo, hay ciertos aspectos que le son inherentes y cuyos efectos se han sentido en todas partes por igual. Así todos los países industrializados han tenido que legislar sobre el trabajo y ejercer, en mayor o menor grado, por medio de organismos oficiales creados al efecto, una acción reguladora sobre todas las fases de las actividades productoras de la nación. *Véanse* COMUNICACIONES; FÁBRICA; INDUSTRIA; INVENCIONES Y DESCUBRIMIENTOS; MAQUINA; PRODUCCIÓN EN SERIE; TECNOLOGÍA; TRABAJO.

Revolución Inglesa.

Se inició con la oposición nacional a la política absolutista seguida por Carlos I, quien hubo de apelar a disolver por tres veces el Parlamento durante el periodo de gobierno del duque de Buckingham asesinado por un puritano en 1628. A partir de entonces pasaron varios años sin que se reuniera el Parlamento inglés, que al fin tuvo que ser convocado, para que votara subsidios, en el año 1640. Pero como la oposición parlamentaria se manifestara con violencia, fue también disuelto. La necesidad obligó a que Carlos I convocara por quinta vez el Parlamento, que no tardó en romper con el monarca. Enemigo de la monarquía y del papa, por la influencia política que éste ejercía en su época, aunque en Inglaterra era religión oficial el anglicanismo, el diputado Oliver Cromwell (1599-1658), puritano y liberal, fue el héroe de la guerra que el Parlamento promovió contra el rey Carlos I, que además de su impopularidad por la política absolutista, había disgustado a la opinión de religión protestante, que era la mayoría, por el matrimonio con la católica Enriqueta María, hermana de Luis XIII de Francia. La guerra culminó con las batallas de Marston Moore (1644) y de Naseby (1645), en que fue prácticamente vencida la monarquía. Sin embargo, no se detuvo la revolución hasta lograr la ejecución del soberano (30 de enero de 1649), y entonces Cromwell, bajo cuya inspiración actuaba el Parlamento, proclamó la república y en 1653 fue elegido lord protector. Durante su gobierno, que se prolongó hasta su muerte, tuvo aciertos políticos interesantes y victorias trascendentales en el exterior: venció sobre las insurrecciones en Irlanda y Escocia, se apoderó de Jamaica y Dunkerque, que se hallaban en poder de España, y derrotó a la marina de Holanda. Reorganizó la enseñanza, impulsó el comercio marítimo en beneficio de armadores ingleses (Acta de navegación) y rectificó el desorden fiscal. Pero el mayor elogio que le corresponde es que fue el indudable inspirador de la organización constitucional que luego hizo de su patria una monarquía modelo. Los reyes de Inglaterra supieron, para el futuro, que, al abusar de su poder y prerrogativas, en cualquier momento podía aparecer el discípulo de Cromwell. Su hijo Richard (1626-1712), le sucedió en su cargo de lord protector, pero apenas si duró unos meses en el poder, pues tuvo que renunciar. Los realistas ganaron para su causa al general George Monck, que al frente de su ejército de Escocia se había trasladado a Londres y asumido el poder, y entonces fue restaurada la monarquía en el hijo del último rey, o sea, Carlos II, quien previamente había publicado la *Declaración de Breda*, en la que prometía amnistía, libertad de conciencia y respeto a las confiscaciones de tierras señoriales hechas por los gobiernos revolucionarios. Pero, la monarquía no se vio asegurada sino cuando, a raíz de la segunda Revolución Inglesa (1688), ocupó el trono Guillermo III de Orange, quien promulgó la *Declaración de Derechos* en 1689, que contenía muchas de las ideas de la república de Cromwell y que determinó la fórmula del gobierno monárquico y parlamentario, que definitivamente puso término al absolutismo regio.

Revolución Mexicana.

Véase MÉXICO.

Revoluciones de 1830.

Comenzaron con la Revolución de julio en París. Carlos X, que había sucedido a su hermano Luis XVIII en la monarquía francesa restaurada a la caída de Napoleón, no tuvo la prudencia de su antecesor y abandonó la política de conciliación para entregarse a los más fervorosos absolutistas, los *ultras*. Por dimisión del gabinete moderado de Martignac (1829) se encargó del gobierno Jules Auguste, príncipe de Polignac, llamado el *ultra de los ultras*. Ante el resultado de unas elecciones que, no obstante ser el sufragio sumamente restringido, dieron mayoría a los liberales, Polignac disolvió la Cámara, convocó a nuevas elecciones, cambiando el sistema electoral, y estableció rígida censura sobre la prensa. Ésta protestó por boca de Louis

Sentencia de muerte de Carlos I, firmada por los jefes de la rebelión puritana.

Museo de Londres

Adolphe Thiers, la mayoría parlamentaria hizo lo propio y el pueblo de París se apoderó del Hôtel de Ville y se adueñó de la capital. El patriarca republicano Lafayette, héroe de la intervención en la guerra de independencia de Estados Unidos y personaje de la revolución de 1789, encabezaba las masas populares. Pero los diputados liberales consiguieron el reconocimiento de una monarquía constitucional, en la persona de Louis Philip, representante de la casa de Orléans, afecto a la causa del liberalismo y rival de la rama borbónica mayor que quedó destronada.

La *Revolución de Bélgica* estalló a estímulo de la francesa de julio. En septiembre de 1830, el pueblo de Bruselas se alzó contra el gobierno de la monarquía común a Holanda, hizo frente y expulsó a las tropas de la guarnición. Un gobierno provisional, cuyo presidente era Charles Rogier, proclamó la independencia de Bélgica (4 de octubre). Un ejército holandés bombardeó Amberes, hecho que promovió la intervención de las potencias. Un congreso nacional aprobó la constitución del nuevo Estado y el 4 de junio de 1831 fue elegido rey Leopoldo I, de la casa alemana de Sajonia-Coburgo.

También llegó a Italia el eco de la revolución de julio. A comienzos de 1831 hubo motines en varias ciudades; en Módena y Parma, las masas populares levantaron barricadas y lucharon contra los soldados. La revuelta se extendió a los estados pontificios, en términos de gran violencia. Pero, la intervención militar de Austria acabó con estas insurrecciones y la represión fue muy dura.

Tampoco escapó Alemania al movimiento revolucionario de 1830. Organizaciones estudiantiles y sociedades secretas se dispusieron, a poco de recibirse las noticias del triunfo de la revolución de julio en París, a derribar los gobiernos de varios estados alemanes. Los soberanos de Brunswick, Sajonia y Hesse-Cassel tuvieron que abdicar y tanto en ellos como en Hannover se promulgaron constituciones con características bastante liberales.

En Polonia tuvieron lugar acontecimientos mucho más sangrientos. Aunque gozaba de una constitución privativa y gobierno autónomo, bajo la soberanía del zar de Rusia, el nacionalismo polaco aspiraba a la independencia. El firme autócrata Nicolás I recibió con disgusto las nuevas de la revolución de París y propuso a las potencias una intervención militar en Francia en tanto que el pueblo polaco acogió con entusiasmo la caída de Carlos X, a la vez que escuchaba las apelaciones para expulsar a los rusos. Constituido un gobierno nacional revolucionario, al que reconocieron casi todas las tropas polacas organizadas con arreglo a la autonomía del país, la reacción de los rusos fue tremenda. Victoriosos de los polacos en Ostrolenka (26 de mayo de 1831) y recuperada Varsovia (8 de septiembre), la Constitución de Polonia fue abolida y reemplazada por un estatuto que imponía la rusificación, con severas medidas de policía. Millares de polacos huyeron a Francia.

Revoluciones de 1848. Nombre que se aplica a una serie de sublevaciones producidas en Francia, Italia, Austria y Alemania durante 1848. El régimen político defendido por la Santa Alianza, autoritario y tradicionalista, se hallaba en crisis al acercarse la mitad del siglo XIX. Las razones eran de tres clases: políticas, porque las clases medias deseaban imponer la democracia liberal y representativa; sociales, porque el proletariado creado por la Revolución Industrial aspiraba, todavía vagamente, a mejorar su terrible situación; y nacionales, porque todos los pueblos deseaban desarrollar su genio propio y liberarse del yugo de los grandes imperios. Estas causas actuaron en medida variable en cada país.

En Francia, donde se inició el movimiento revolucionario, igual que en 1830, las luchas tuvieron gran contenido social. El rey Luis Felipe había gobernado con el apoyo de la burguesía, dando la espalda a las aspiraciones populares. Aunque sus ministros Louis Adolphe Thiers y François Guizot habían realizado obras de mérito, su régimen era acusado de estático, débil y corrupto. La oposición se componía de tres sectores heterogéneos: los republicanos o radicales, que querían el sufragio universal; los socialistas, portavoces de la clase obrera; y los católicos, que defendían su derecho a tener escuelas libres. La revolución estalló el 24 de febrero de 1848 y por eso es llamada *la Revolución de Febrero*. En las barricadas se mezclaban socialistas románticos con personajes como monseñor Affre, arzobispo de París. Luis Felipe, anciano de 75 años, huyó al exterior. Pero la revolución fracasó a pesar de que se proclamara la segunda República. Después de nuevos motines sangrientos, Louis Napoleón fue elegido presidente: el poder autoritario se cernía de nuevo sobre Francia.

En Italia, la agitación patriótica, encabezada por Giuseppe Mazzini, se había visto reforzada por la ascensión de Pío IX al trono pontificio. Este papa introdujo algunas reformas liberales en sus estados, que le granjearon la simpatía popular; pero Fernando II, rey de las Dos Sicilias, se negó a hacer reformas, mientras Carlos Alberto, rey de Cerdeña, las concedía espontáneamente. En la Lombardía y Venecia, dominadas por los odiados austriacos, el pueblo se sublevó y logró ocupar varias ciudades; el rey Carlos Alberto trató de terciar en la disputa, enarbolando la bandera tricolor de la unidad italiana, pero fue derrotado y surgieron varias repúblicas efímeras en algunas ciudades. Roma, defendida por Mazzini y Giuseppe Garibaldi, fue conquistada por un cuerpo expedicionario francés. En 1849, el sistema político de Austria y sus aliados dominaba de nuevo en la península.

En Austria estallaron motines en las calles de Viena, la capital simbólica del *antiguo régimen*. El principe de Metternich, hasta entonces omnipotente, consiguió huir a duras penas, y el emperador Fernando debió abdicar en favor de su sobrino, Francisco José, que adoptó una política más liberal. Los checos y los húngaros, por su parte, se rebelaron en Praga y en Budapest, respectivamente; pero el ejército imperial austriaco logró dominar la situación. Hungría resistió más de un año; el patriota Lajos Kossuth sólo pudo ser derrotado con ayuda de los ejércitos rusos.

En Alemania se produjeron dos movimientos. El primero estalló en Prusia, cuyos habitantes trataban de obtener una constitución; al cabo de sangrientas refriegas producidas en Berlín, el rey Federico Guillermo IV accedió a las demandas populares. El segundo movimiento buscaba la unidad nacional de todos los estados germánicos; pero una serie de diferencias producidas entre los príncipes alemanes impidió que la iniciativa cristalizara. Una asamblea constituyente reunida en Francfort fue disuelta por las tropas, y en virtud de la convención de Olmutz (1850), la confederación alemana siguió sujeta al yugo austriaco.

Casi todas las revoluciones de 1848 desembocaron en el fracaso, a pesar de sus éxitos iniciales. Pero tuvieron el enorme mérito histórico de lanzar sobre Europa dos ideas-fuerza: la necesidad de la democracia constitucional y los derechos de la clase obrera.

revólver. Arma portátil de fuego. La palabra proviene del verbo inglés *to revolve*, que significa girar. En esencia, todo revólver está compuesto por un cañón fijo y un cilindro giratorio, con cinco o seis recámaras para las balas. En el modelo llamado de acción simple se hace girar el cilindro a mano, mientras que en el de acción doble el movimiento es automático y sincronizado con el del gatillo. La idea de fabricar una pistola automática, capaz de disparar varios tiros sin que fuese necesario introducir y extraer proyectiles uno a uno, tuvo origen en el siglo XVI. Pero el primer revólver eficaz fue construido en 1835 por el inventor estadounidense Samuel Colt, quien lo patentó al año siguiente y continuó produciendo nuevos modelos durante dos décadas. Auxiliado por Anson Chase, un hábil armero de la ciudad de Hartford, construyó gran número de armas que fueron utilizadas con singular éxito en la guerra de Crimea. Los inventores Smith y Wesson, que anteriormente habían perdido varios litigios judiciales frente a Colt, patentaron en 1870 un revólver con balas metálicas provistas de detonadores perfeccionados. Esta arma pequeña y mortífera tuvo su época de apogeo en la segunda mitad del siglo XIX. La aparición de las pistolas automáticas, que utilizan algunos de los perfeccionamientos técnicos de la ametralladora, le ha hecho perder parte de su prestigio y utilidad.

Revueltas, José.(1914-1976). Escritor mexicano perteneciente a una destacada familia de artistas. Militó en el Partido Comunista Mexicano hasta 1961. Fundó también la Liga Leninista Espartaco aunque se separó de ella al poco tiempo. Recibió el Premio Nacional de Literatura en 1943. En su vida sufrió más de una vez el encarcelamiento (en 1968 por ejemplo luego del movimiento estudiantil). Escribió asimismo guiones cinematográficos. Sobresalen notablemente sus obras *Los muros de agua* (1941), *El luto humano* (1943), *Los días terrenales* (1959), *En un valle de lágrimas* (1956), *Los motivos de Caín* (1957), *Los errores* (1964), *El apando* (1969). Sus cuentos *Dios en la tierra* (1944) y *Dormir en tierra* (1960) se suman a su obra de teatro *Israel* (1947). Como ensayista escribió *México, una democracia bárbara* (1958), *Ensayo sobre un proletariado sin cabeza* (1962) y *Apuntes para una semblanza de Silvestre Revueltas* (1966).

Revueltas, Silvestre (1899-1940). Compositor, violinista y director de orquesta mexicano. Estudió en México y Estados Unidos. En 1920 dio en México sus primeros recitales de violín. Fue nombrado subdirector de la Orquesta Sinfónica de México (1929-1935) y de esta época datan los poemas sinfónicos *Cuauhnáhuac* (1930), *Esquinas* (1930) y *Ventanas* (1931), el *Dúo para pato y canario* (1931). Es autor de *Colorines, Alcancías, Janitzio*, compuestas en 1932, *Toccata* (1933), *Planos* (1934), *Caminos* (1934), *Sensemayá* (1938). Compuso los ballets El renacuajo paseador (1935), *La coronela* (1939) y *Caminando*. También compuso *Homenaje a García Lorca* (1935), *Siete canciones de García Lorca* (1938) y *Cinco canciones de niños* (1938). En 1937 viajó a España y actúo como violinista y director en Madrid, Valencia y Barcelona. Escribió música para varias películas: *Redes* (1935), *Vámonos con Pancho Villa* (1936), *El indio* (1938), *Ferrocarriles de Baja California* o *Musica para charlar* (1938) y *La noche de los mayas* (1939).

Rey, Abel (1873-1945). Filósofo francés. En 1919 fue nombrado profesor de la Sorbona. Es autor de una serie de obras cuyo objetivo fundamental consiste en integrar una historia de las ciencias y del pensamiento científico, así como una teoría del conocimiento. Entre sus obras principales cabe mencionar: *Lecciones de psicología y filosofía, La energética y el mecanismo desde el punto de vista de la teoría del conocimiento, El eterno retorno y La filosofía de la física* y *La ciencia oriental antes de los griegos.*

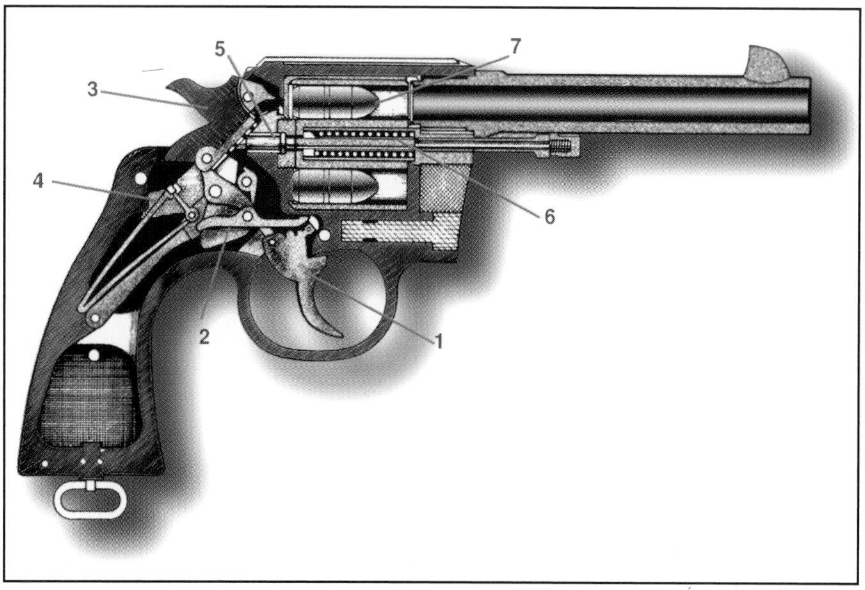

Del Ángel Diseño y Publicidad

El mecanismo de disparo de un revólver se ilustra en esta vista de un corte a un Smith and Wesson *calibre .38 de doble acción. Un jalón parcial al gatillo (1) mueve el resorte principal (2) el cual en turnos, mueve el mecanismo de palancas del martillo (3 y A). El movimiento del gatillo también comprime los resortes del gatillo (4) y mueve una palanca (5) que hace rodar al cilindro (6 y B) trayendo los cartuchos a la posición de disparo. Al jalar el gatillo hasta atrás, hace que el martillo caiga sobre el cartucho disparando la bala a través del cañón (7 y C).*

Rey Pastor, Julio (1888-1962). Matemático español nacido en Logroño. Se doctoró en ciencias exactas por la Universidad de Madrid y amplió sus estudios en Alemania. A su regreso obtuvo la cátedra de análisis matemático de la Universidad Central española. En 1917 se trasladó a Argentina, donde fue profesor de matemática superior en la Facultad de ciencias exactas, física y naturales de la Universidad de Buenos Aires, y fundó en dicha Facultad el Instituto de Matemática, que dirigió durante 35 años. Asimismo fue profesor de epistemología e historia de la ciencia en la Facultad de filosofía y letras de la misma universidad y dirigió el Instituto Matemático Hispanoargentino. En 1953 regresó a España, donde se le encomendó la dirección del Instituto Nacional de Cálculo. Entre sus obras principales figuran: *Fundamentos de la geometría proyectiva superior, Teoría general de funciones, etcétera.*

Retrato del rey Enrique VIII.

Corel Stock Photo Library

rey y reina. Monarcas o soberanos de un reino. La supremacía del padre en la organización familiar y la del jefe en el gobierno del pueblo, dieron nacimiento al rey. Durante mucho tiempo las dinastías fueron el fundamento de la memoria colectiva de los pueblos, y los cronistas se limitaron a narrar los actos de los sucesivos monarcas.

La monarquía es la forma más antigua de gobierno que ha conocido el mundo, excluyendo el gobierno patriarcal, que no puede denominarse político porque no rige un Estado sino un conjunto de tribus. Aristóteles definió la monarquía como el gobierno de uno solo, pero en el transcurso de la historia ha sufrido múltiples modificaciones. Sin embargo, se llama rey, zar, monarca, emperador, implica siempre el ejercicio del poder supremo por una sola persona, aunque en los tiempos modernos se halla apoyada en el concepto del poder moderador y el rey reparte su soberanía con ciertas clases o cuerpos sociales.

En el antiguo Oriente, el origen de los reyes estaba rodeado de una aureola mística. Los reyes de Homero participan de la naturaleza de los dioses y reciben por parte de sus súbditos una especie de veneración religiosa. La idea de que los reyes eran de origen divino se prolongó hasta los tiempos modernos. En la antigua Germania, la monarquía se basaba en la fuerza de las armas; el rey era el caudillo, y el cetro era recogido por el guerrero más valiente en el campo de batalla. En los primeros tiempos, la monarquía era electiva, pero más adelante se hizo hereditaria. En la Edad Media el desarrollo de las ideas individualistas y el feudalismo dan lugar a los reinos patrimoniales, en que el rey era considerado como el primero de los señores de la nobleza. *Las Partidas* de Alfonso *el Sabio* establecen que son reyes las personas más nobles en la honra o en poder.

El crecimiento del poder real se efectuaba por agregaciones de señorías, por conquista y por enlaces matrimoniales. Restablecida la majestad del imperio mediante el apoyo dado por los restauradores del derecho romano, en el siglo XVI se establece la monarquía absoluta, que es fortalecida por el hecho de que los reinos patrimoniales adquieren gran extensión y anulan los organismos sociales contra los que estuvieron en lucha durante siglos. En el transcurso de la historia, la monarquía ha recorrido cuatro grandes ciclos, que son: 1), esencialmente familiar y patriarcal; 2), guerrera o militar; 3), religiosa o teocrática; 4), civil o constitucional, que es la que todavía existe en algunos estados europeos.

El título de reina es propio de la esposa del rey, que en este caso puede llamarse *reina consorte*. Si gobierna ella, los súbditos le deben el mismo respeto y obediencia que al soberano. Cuando por el fallecimiento del rey son sus descendientes quienes ocupan el trono, la reina se convierte en reina madre o reina viuda, pero sigue disfrutando de algunos privilegios de su investidura.

Corel Stock Photo Library

La reina Victoria de Inglaterra.

Cuadro que representa a los reyes magos adorando a Cristo.

Corel Stock Photo Library

Reyes, Alfonso (1889-1959). Escritor y diplomático mexicano. Nació en Monterrey (Nuevo León). Ejerció importantes cargos en el gobierno y la diplomacia; viajó por Francia e Hispanoamérica (1925-938) y en 1939 dirigió el Colegio de México. Su profundo dominio de la cultura literaria y su vasta y fecunda labor en los campos del humanismo, la crítica, el ensayo, la poesía, el periodismo, la novela y la investigación literaria le dieron merecido renombre mundial. Estilista admirable, su prosa es elegante, rica y flexible. De su extensa producción en prosa, cabe citar *Cuestiones estéticas* (1911), *Visión de Anáhuac* (1917), *El paisaje en la poesía mexicana del siglo XIX, Cuestiones gongorinas* (1927), *Retratos reales e imaginarios, Idea política de Goethe* (1954), *Los trabajos y los días y Capítulos de literatura española* (1939-1945); de su obra poética, *Huellas, Pausa, Golfo de México, Romance del río de enero, Infancia, Otra vez* y *Romances afines.* Alfonso Reyes fue una de las mentalidades rectoras de la intelectualidad mexicana.

Reyes, José Trinidad (1797-1855). Eclesiástico literato, educador y orador sagrado hondureño. En 1840, el Papa Gregorio XVI lo designó obispo de Honduras; pero el presidente Ferrera, enemistado con Reyes, hizo llegar al Vaticano la falsa noticia de su muerte, y el papa, creyéndola cierta, nombró a otro eclesiástico. Fundó, en 1845, la Sociedad del Genio Emprendedor y del Buen Gusto, centro cultural que el presidente Juan Lindo elevó a la categoría de instituto público y se convirtió en el germen de la universidad de Honduras.

Reyes Prieto, Rafael (1850-1921). General y presidente de Colombia. Fue defensor del gobierno constitucional en las contiendas civiles y venció a la revolución en la batalla de Enciso. En 1904 ocupó la presidencia para el periodo constitucional de 1904 a 1909. Dictó la ley de minorías que aseguró la representación en el Congreso del partido opuesto al gobierno y realizó importantes obras de mejoramiento nacional. La Asamblea Constituyente le prorrogó el periodo hasta 1914, pero como consecuencia del tratado con Estados Unidos de 1909 y a causa de haber adoptado medidas dictatoriales de gobierno hubo de dejar el poder en este último año.

Reyes, Salvador (1899-1970). Escritor chileno. Inicialmente, sus novelas y libros de cuentos revelan una vigorosa imaginación poética. De su obra descuellan *Tres novelas de la costa* (1934), *Mónica Sanders* (1951) y *Los amantes desunidos* (1959). También publicó libros de viajes, ensayos y dos volúmenes de memorias. Fue periodista y trabajó en la editorial ZigZag. Premio Nacional de Literatura en 1967.

reyes magos. Nombre que se aplica a los tres magos (cuya significación parece indicar a personas doctas y versadas en las ciencias astronómicas) que procedentes de Oriente y guiados por una estrella llegaron a Belén para adorar al Niño Jesús, ofrendándole ricos presentes de oro, incienso y mirra. Se conoce este suceso por la referencia de san Mateo en su Evangelio. La tradición cristiana los designó más tarde por los nombres de Melchor, Gaspar y Baltasar, atribuyéndoles también la dignidad real. Lo cierto es que hasta bien entrado el siglo VI (san Cesáreo de Arlés) no se concede a los Magos el título de Reyes, y en cuanto a sus nombres no constan así hasta el siglo IX (códice de la Biblioteca Nacional de París). Es también difícil precisar con exactitud el lugar de su procedencia, así como la fecha verídica de su llegada a Belén. La Iglesia católica conmemora su festividad el 6 de enero, día que en muchas naciones, entre ellas España, se celebra una gran fiesta infantil, consistente en reparto de juguetes que, según se les dice a los pequeños favorecidos, son donaciones de los propios Reyes Magos, como justa y graciosa recompensa a su buen comportamiento. *Véase* NACIMIENTO DE JESÚS.

reyezuelo. Pájaro de la familia de los páridos, de unos 10 cm de longitud. Es de bello plumaje verde bronceado, con una mancha de vivo color anaranjado en la cabeza, que parece una corona, debido a lo cual se le da el nombre de reyezuelo. Hace su nido con musgo en las ramas de los árboles, y en él pone de 6 a 10 huevos de cáscara rosada con pintas oscuras. Se alimenta de insectos y arácnidos.

Reykiavik. Ciudad capital de Islandia, en la costa suroeste de la isla y único centro de importancia del país, situada en la bahía de Faxa. Población: 97,569 habitantes. Clima frío y actividades comerciales muy limitadas. Buenas instalaciones portuarias y excelente aeródromo. Importante base estratégica en el norte del océano Atlántico. Posee universidad, museo, biblioteca y obispado católico y protestante. Fue fundada por los vikingos en el siglo IX y se desarrolló a partir del siglo XVIII, cuando se convirtió en sede del obispado de Islandia. Fue base aliada durante la Segunda Guerra Mundial.

Reyles, Carlos (1868-1938). Novelista uruguayo, uno de los mas destacados de su tiempo en América Latina. Su primera novela, *Por la vida* (1888), tuvo la novedad de un naturalismo casi desconocido en el continente. Después de largos años de viaje, en su segunda obra, *Beba* (1894), aparece acentuada esa tendencia y fuertemente influida por la escuela francesa. Siguieron apareciendo nuevas novelas suyas: *El extraño, El sueño de rapiña, La muerte del cisne, La raza de Caín, El terruño*, etcétera, hasta que en 1921 publica *El embrujo de Sevilla*, que significó su consagración. Distinta a su producción anterior, llegó a merecer el caluroso elogio de Unamuno. Se ha dicho que, a través de sus páginas *profundas y luminosas*, es el escritor americano que mejor captó el alma de Andalucía. Esta obra le valió ser nombrado hijo adoptivo de la capital andaluza.

Salvat Universal

Reyezuelo listado.

Reymont, Wladyslaw Stanislaw (1867-1925). Novelista polaco. Antes de dedicarse a la literatura, desempeñó numerosos oficios, y en 1894 publicó su primera obra. Pintor extraordinario de la naturaleza, colorista brillante y gran observador, sus obras fueron traducidas a los principales idiomas. En 1924, recibió el Premio Nobel de Literatura, por el conjunto de su labor. Su libro más difundido es *Los campesinos* (1904-1909), vasta novela dividida en cuatro partes, correspondientes cada una de ellas a las cuatro estaciones del año. *La Tierra prometida, La actriz comica* (1896) *y El vampiro* (1911) también gozan de merecida fama.

Reynaud, Jean (1806-1863). Filósofo y político francés, nacido en Lyon. En 1830, tras haber sido nombrado inspector de minas del Estado, efectuó una exploración geológica por las islas de Córcega y Cerdeña. Preso en 1833 a causa de la defensa que hizo ante la Cámara de los Pares de Guinard y otros compañeros de la Sociedad de Derechos del Hombre, sometidos a proceso, empleó el tiempo que duró su encarcelamiento en escribir su *Mineralogía al alcance de todos*. En 1848 fue elegido diputado y en abril del mismo año fue nombrado subsecretario de Estado en el ministerio de Instrucción Pública. En 1849 formó parte del Consejo de Estado. Entre sus obras tuvo gran resonancia *Cielo y tierra*, obra filosófica y científica en la que se admite la preexistencia del hombre, supervivencia en otros astros y un progreso constante de la humanidad.

Reynaud, Paul (1878-1966). Político francés, nacido en Barcelonette. Desde su participación en la Primera Guerra Mundial, demostró gran interés en la política militar de Francia. Diputado en 1919, ministro en 1930 y presidente del Consejo en 1940, abogó siempre en favor del rearme de su patria y la necesidad de dotar al ejército de unidades blindadas. Fue el último jefe de gobierno de la tercera República. Encartado en el

Calle comercial en Reykiavik, Islandia.

Corel Stock Photo Library

proceso de Riom, durante la ocupación alemana, pasó más tarde a un campo de concentración de Alemania, de donde fue liberado por las tropas aliadas en 1945. Tras el advenimiento de la cuarta República, Reynaud desapareció temporalmente del escenario político, hasta que más adelante ocupó el cargo de presidente de la Comisión de Defensa Nacional de la Asamblea. Es autor de la obra *Unirse o perecer* (1951).

Reynolds, sir Joshua (1723-1792). Pintor inglés, célebre por sus retratos. Nacido en Plympton (Devonshire), su padre quería que se dedicara a la medicina, pero su vocación artística lo llevó a Londres, donde entró en el estudio de Hudson, popular retratista. Establecido luego en Plymouth, comenzó a destacarse, pero consciente de sus deficiencias aprovechó la primera oportunidad que se le presentó para marchar a Italia; allí estudió las obras de los principales maestros, en especial las de Rafaello Santi, Tiziano, Rembrandt y Rubens. De regreso a Londres, se convirtió en uno de los retratistas preferidos por la sociedad. En ese tiempo fundó el Club Literario y, más tarde, fue presidente de la Real Academia. Hábil en el manejo del color y de la línea, supo también destacar la personalidad del modelo. Fue también teórico distinguido; sus discursos en la Academia sobre temas pictóricos añadieron no poco a su renombre.

Corel Stock Photo Library

La dama Betty Hamilton *de Sir Joshua Reynolds.*

Rhee, Syngman (1875-1965). Político coreano líder de la lucha anticomunista en la guerra internacional de Corea del Sur contra Corea del Norte (1950-1954). Desde muy joven luchó por la independencia de su pueblo y por la implantación de un régimen de gobierno democrático. Fue convertido en su niñez al cristianismo. En prisión escribió su libro *El espíritu de la independencia* y, en 1919, durante la guerra contra el Japón, la *Declaración de independencia.* Fue el primer presidente de su país, en 1948 cargo que ejerció por sucesivas reelecciones hasta abril de 1960. Su obstinación en continuar en el poder provocó un levantamiento que lo obligó a renunciar y abandonar la nación.

Precipicios erosionados en Rhode Island.

Corel Stock Photo Library

Rhode Island. Es una de las 13 colonias originales y el menor de los 50 estados actuales de Estados Unidos. Limita al norte y al este con Massachusetts, al sur con la cuenca de Rhode Island, y al oeste con Connecticut. La bahía Narragansett, alcanza 45 km. y divide el estado prácticamente en dos. Tiene 997,000 habitantes (1994) y una extensión territorial de 3,188 km2. La capital es Providence, con 155,000 habitantes (1992). Su importancia histórica radica en que fue la primera colonia en declarar su independencia de Gran Bretaña.

Tierras y recursos. Las dos regiones principales son las tierras bajas del este, suavemente ondeadas, que incluyen las costas e islas dentro de la bahía Narragansett, donde sobresalen en tamaño las islas Conanicut, Dutch, Prudence y Rhode Island, y las tierras altas del oeste, que ocupan la mitad occidental del territorio continental. La segunda región presenta laderas escarpadas y zonas rocosas, y cerca de 20 colinas que rebasan 180 m de elevación. Efectos de glaciación se advierten en las amplias áreas de desgaste glaciar, las cuencas alteradas, los pantanos y las lagunas. En la mitad norte del estado se encuentran los ríos Blackstone, Pawtuxet, Seekonk y Woonasquatucket, que fluyen hacia la Bahía Narragansett.

Clima. Aunque básicamente húmedo y continental, es modificado frecuentemente por el océano. La temperatura promedio anual es de 10 °C. Los meses más fríos son enero y febrero, cuya temperatura media es de –2 °C. En julio, el mes más caliente, la temperatura alcanza los 23 °C. La precipitación anual promedia 1,016 mm.

Recursos. Casi 60% del territorio está cubierto de bosques, destacando pinos blancos, abedules, arce y robles. Pequeños animales y diferentes aves subsisten en áreas limitadas. Una gran variedad de peces de agua dulce y anfibios habitan las aguas interiores; frente a las costas hay infinidad de peces y crustáceos.

El agua es el principal recurso de Rhode Island. Los ríos proporcionaron la fuerza para los antiguos molinos; hoy, las reservas proveen agua a los hogares y las fábricas. Se estima que las fuentes potenciales de agua, tanto superficiales como subterráneas, triplican el consumo actual. Los depósitos minerales más grandes son los de arena y grava.

Grupos públicos y privados trabajan para solucionar los problemas ambientales provocados por la densa demografía y antigua industrialización. La contaminación del agua es la principal preocupación. Los frágiles terrenos de ciénagas y tierras húmedas están protegidos por ley.

Población. El más pequeño de los 50 estados de Estados Unidos ocupa el segundo lugar del país en cuanto a densidad de población: en 1990 las ciudades de Central

Falls, Providence, Newport, Pawtucket, Warwick y Woonsocket albergaban más de la mitad de la población estatal, de la cual 86% constituye uno de los porcentajes de población urbana más altos del país, y su índice de crecimiento fue casi 6% entre 1980 y 1990. Los habitantes de raza negra representan 3.9% de la población. Los inmigrantes más recientes son los hispanos, que alcanzan 4.6% de la población total, y forman la minoría más amplia y de más rápido crecimiento. Aunque los primeros pobladores eran eminentemente protestantes, ahora el mayor grupo religioso son los católicos.

Educación y actividades culturales. La educación pública se estableció en la Ley de Escuelas Públicas de Henry Barnard, de 1845. Hoy en día la Junta Estatal de Regentes de la Educación y sus subjuntas tienen facultades legislativas respecto a las escuelas públicas.

Entre las instituciones de educación superior del estado hay dos instituciones estatales y ocho privadas con estudios que duran 4 años.

Posee más de la quinta parte de los sitios de interés cultural o histórico del país, y ha conservado su pasado en museos y lugares históricos. En Newport muchas construcciones datan de los periodos colonial y victoriano, destacando la sinagoga Touro –la más antigua de Estados Unidos–, y el edificio Colony House (1739), el segundo excapitolio más antiguo del país. Entre las construcciones coloniales de Providence destacan la Primera Iglesia Bautista de América (1775) y la Casa John Brown (1786), que muestra sus tesoros de vidrio y porcelana del siglo XVIII. El museo de la Escuela de Diseño de Rhode Island posee un gran número de colecciones que incluyen muebles y plata antiguos. El sitio histórico Slater Mill de Pawtucket (1739) muestra en funcionamiento el primer taller textil de Estados Unidos. En Bristol se encuentran el museo marino Herreshoff, que muestra objetos de la Copa América (llevada a cabo en Newport de 1930 a 1983) y la granja Coggeshall (en el Parque Estatal de Colt), en funcionamiento desde el siglo xviii. Forman parte de las compañías artísticas estatales la Trinity Repertory Company, compañía de teatro aclamada en todo el país, y la orquesta Filarmónica de Rhode Island, ambas de Providence.

Actividad económica. Ha crecido con base en su hábil mano de obra: quienes no trabajan en actividades de granja lo hacen en manufactura, mientras que la mayoría de la gente está empleada en seguros, edición y publicidad, comercio al mayoreo y menudeo, educación y gobierno. El turismo también ofrece posibilidades de empleo en el sector de servicios. La importancia de la agricultura ha disminuido de tal manera que ahora ésta emplea a menos de 1% de la fuerza laboral. Los productos de consumo diario, el ganado y la avicultura ocupan casi todo el mercado granjero. Cultivos importantes son patatas, plantas de vivero, céspedes y semillas. Alrededor de 90% de los bosques son propiedad de particulares. Aunque gran parte de esa vegetación no tiene valor, el roble y el pino blanco se cotizan comercialmente. La industria pesquera del estado es próspera, debido al alto grado de industrialización. Otros renglones industriales importantes son la joyería y platería, textiles, maquinaria eléctrica, metales, hule y plásticos. El turismo es una importante fuente de ingresos. Grandes inversiones han aumentado la capacidad de alojamiento y las instalaciones para la navegación; también se han construido nuevas áreas de campamento y recreación. Las mansiones de Newport (construidas entre 1839 y 1901), son una de las principales atracciones turísticas.

La carretera Interestatal 95, que cruza el estado en su trayectoria de Nueva York a Boston, es una ruta esencial para la industria y los residentes. El puente de Newport (1969) remplazó a la última gran línea de trasbordadores que unían la parte baja de la

Corel Stock Photo Library

Puesta de sol en Newport, Rhode Island.

Fin de semana en la playa de Rhode Island.

Corel Stock Photo Library

bahía. La línea principal del sistema de trenes Amtrack es alimentada por línes independientes. El puerto de Providence, para buques de gran calado, aloja tanques inmensos. El aeropuerto más grande es el Theodore Francis Green, que está en Warwick. Rhode Island produce una mínima parte de la energía que consume: la energía eléctrica la obtiene por su participación en la red de energía eléctrica de Nueva Inglaterra. El estado depende de los combustibles que importa.

Si bien durante la década de 1980 la economía se orientó al sector de servicios, el estado se enfrentó a dificultades económicas durante la década de 1990: los empleos en el área de manufactura disminuyeron y el decremento constante en el número de empleos relacionados con la defensa militar continuó. Mientras el crecimiento del empleo en el sector de servicios fue constante, éste se hallaba sujeto a una economía en lo general estable.

Rhodes, Cecil John (1853-1902). Hombre de negocios y estadista inglés, uno de los grandes constructores del imperio británico. Adolescente aún, logró amasar una cuantiosa fortuna en Kimberley (África del Sur), en la explotación de las minas de diamantes recién descubiertas. Regresó a Gran Bretaña y, al tiempo que cursaba estudios en la Universidad de Oxford, logró formar una gigantesca compañía que concentró en sus manos toda la producción mundial de diamantes. Organizó luego la Compañía Británica del África del Sur, que se adueñó de los vastos territorios que integran la región de Rhodesia, llamada así en su honor. Como primer ministro de la Colonia del Cabo, planeó el ferrocarril de El Cairo a El Cabo, que atravesaría todo el territorio africano. Después de realizar varias agresiones contra los colonos holandeses del Transvaal, intervino en la guerra, anglobóer, pero la muerte lo sorprendió antes de la suspensión de las hostilidades. Este imperialista nato, hombre de vasta cultura, legó su enorme fortuna a universidades y organismos culturales.

Rhodesia. Nombre con que se conoció una extensa región en África Central del Sur, que limitaba al norte con Zaire y Tanzania; al este con Malawi (Nyasalandia) y Mozambique; al sur con la República Sudafricana, y al oeste con Botswana y Angola. Políticamente formaba parte de la Comunidad Británica de Naciones. Se dividía en Rhodesia del Norte y en Rhodesia del Sur.

En 1953 se constituyó la Federación de Rhodesia y Nyasalandia, con Rhodesia del Sur, Rhodesia del Norte y Nyasalandia. El gobierno de la federación comprendía un gobernador general que representaba a la soberana de Gran Bretaña, una Asamblea Federal y un Consejo de Ministros. La federación se disolvió en 1963. Las dos Rhodesias (la antigua Rhodesia del Norte, actualmente Zambia, y Rhodesia del Sur, ahora Zimbabwe) tienen un sistema ferroviario conjunto de 5,651 km de extensión que por el norte comunica y enlaza con el Congo y por el sur con la República de Sudáfrica y Mozambique, con acceso a puertos del océano Índico. Las comunicaciones aéreas cuentan con servicios interiores e internacionales. *Véanse* ZAMBIA; ZIMBABWE.

Rianos de Creta. Poeta griego de la segunda mitad del siglo III a. C. Nació en Creta. Compuso varios poemas épicos de los cuales sólo han llegado hasta nosotros los títulos y algunos fragmentos, la *Heracleida*, las *Tesálicas* y las *Meseniacas*. Pausanias utilizó como fuentes las *Meseniacas* para sus narraciones de las guerras de Mesenia. Además de los fragmentos, en que se aprecian reminiscencias de Homero y de Esquilo, se conservan 10 epigramas.

Riaño, Diego de (? -1534). Escultor y arquitecto español del siglo XVI. Fue maestro mayor de la Catedral de Sevilla. En su trazado de la sala capitular y las sacristías de la catedral de Sevilla, que el artista no tuvo la satisfacción de ver realizado a causa de su fallecimiento, se acusa toda la riqueza de adornos del estilo plateresco. Su obra fue continuada por Arnao y Juan Sánchez, sus aparejadores.

Ribagorza o Ribagosa. Comarca montañosa de la provincia de Huesca (España), en los confines de la de Lérida, de la que la separa el río Noguera. Sus principales localidades son: Benabarre, Graus, Fonz, Estadilla, Peralta de la Sal, Calasanz, Estopiñán, Tolva, Arén y Roda. Fue un antiguo condado que ya existía en los tiempos de los godos. Durante la primera época de la Reconquista fue un estado independiente, pero para defenderse de los musulmanes, que atacaban el territorio por todas partes, el conde pidió ayuda al rey de Francia, el cual se la concedió a condición de que el condado se hiciese feudatario de Francia. En los siglos IX y X se distinguieron cuatro condes de Ribagorza, dos con el nombre de Bernardo y los otros con el de Ramón. Gracias a sus cuantiosos donativos se fundaron en sus territorios los monasterios de Alahón y de Obarra. En las postrimerías del siglo X, la heredera y poseedora del condado era doña Theuda, quien en vez de transmitirlo a su hijo, llamó a Isarno, hijo bastardo del conde anterior. Isarno se propuso ensanchar sus territorios, y para realizar sus propósitos invadió el valle de Arán, cuyos habitantes lo rechazaron y le hicieron pagar con la vida su temeraria ambición. La independencia del condado de Ribagorza terminó en el año 1015, cuando Sancho *el Mayor* lo incorporó a la monarquía de Navarra.

Ribalta, Francisco (1565-1628). Pintor nacido en Solsona (Lérida). Parece que estudió, hasta 1582, en Madrid al lado de los pintores que decoraban el monasterio del Escorial. A este periodo se atribuye *Crucifixión* (1582). Establecido más tarde en Valencia (1593), fue uno de los creadores de la famosa escuela de dicha ciudad. Su arte sufrió el influjo de algunos maestros italianos, principalmente de Antonio Allegri, llamado *Il Correggio*, cuya obra conoció por algunas colecciones españolas, y del tenebrismo. Más tarde se acusa en él la influencia de Juan de Juanes, a quien copió repetidamente, y de José de Ribera. Se mostró siempre como un potente colorista, buen pintor y perfecto conocedor de las reglas de la composición. Acérrimo defensor del claroscuro, ha dejado en este aspecto profunda huella en la pintura española. Entre sus obras más características figuran *La visión de San Francisco* y *Cristo en la cruz abrazando a San Francisco*. Merecen también ser citadas: *San Pedro, Santo Tomás de Villanueva, Cristo abrazando a San Bernardo, Raimundo Lulio, San Brano* y *Los Evangelistas*. Excelente retratista, pintó, entre otros, a Lope de Vega.

Ribalta, Juan (1596-1628). Pintor español, hijo y discípulo de Francisco Ribalta; se consagró a la pintura religiosa dentro de las normas de la moda italiana, entonces en vigor. Sus obras se distinguen difícilmente de las de su padre, a quien ayudó. Sin embargo, la *Crucifixión de Jesús*, muy digna de atención, es original y de composición atrevidísima. Pintó de manera más pastosa que su progenitor. Los 12 retratos de valencianos famosos que se conservan en el museo de Valencia justifican el aprecio en que se le tiene como retratista.

Ribas, José Félix (1775-1814). Prócer de la independencia Venezolana, tío político de Simón Bolívar. Después de rechazar las proposiciones de los comisionados franceses (1808) fue uno de los miembros organizadores de la Junta Suprema de Caracas (marzo de 1810) que destituyó a Vicente Emparán (abril de 1810) y que proclamó la independencia de Venezuela (julio de 1811). La capitulación de Francisco de Miranda ante Domingo Monteverde le obligó a huir a Curazao (1812) y a Cartagena de Indias, donde gestionó cerca de Nariño y Camilo Torres ayuda para la lucha independentista.

Emprendió la *campaña admirable* (1813-1814) y logró las victorias de Niquitao y Los Horcones (julio de 1813), que le valieron el nombramiento por Bolívar de mariscal de campo y de comandante general del ejército; reconquistó Caracas, defendió la Victoria de los asaltos de Boves (febrero de 1814) e intervino en la primera batalla de Carabobo (marzo de 1814). Después de la derrota sufrida por Bolívar en Aragua, Carlos Ribas, junto con Manuel Piar, destituyó en Carúpano al Libertador y a Santiago Mariño (2 de septiembre de 1814), si bien evitó que fueran fusilados por Piar, embarcándolos hacia Nueva Granada. Proseguida la reconquista del país, José Tomas Boves le derrotó en Urica (5 de diciembre de 1814) y Ribas se refugió en Tamanaco, donde fue hecho prisionero y asesinado.

Ribbentrop, Joachin von (1893-1946). Político y diplomático alemán. Activo colaborador de Adolfo Hitler, en cuyo gobierno fue ministro de Relaciones Exteriores (1938-1945), intervino en la redacción del pacto naval de Londres y de los acuerdos de Munich. Fue el creador de varias crisis ficticias que sirvieron como excusas para la ocupación de Austria y las invasiones de Checoslovaquia, Polonia y Finlandia. Suscribió con Mihail Skrjabin, llamado *Molotov*, el pacto germanosoviético de no agresión, preludio de la invasión de Rusia. Apresado al concluir la Segunda Guerra Mundial, fue hallado culpable de crímenes de guerra por el Tribunal de Nuremberg, fue condenado a muerte y ahorcado. En prisión escribió sus memorias tituladas *Entre Londres y Moscú* (1953).

Ribera, José de (1591-1652). Pintor español nacido en Játiva (Valencia) y muerto en Nápoles, ciudad en donde residió la mayor parte de su vida y que entonces pertenecía a la corona española. Hijo de un modesto sastre, pasó muy joven a Italia, probablemente en compañía de sus padres.

Se dice que anduvo por el norte de Italia y que vivió algún tiempo en Roma; según testimonios italianos de la época, antes de 1615 fijó su residencia en Nápoles, donde en 1616 contrajo matrimonio con la hija de un pintor italiano, Catalina Azzolino, de la que tuvo varios hijos. En dicha ciudad, donde era conocido por el sobrenombre de *el Españoleto*, alusivo a su nacionalidad y a su corta estatura, prosperó rápidamente, merced a la munificencia de su arte y a la protección que le dispensaron todos los virreyes españoles, en especial el duque de Osuna.

Fue gran amigo de Velázquez, con quien departió largamente en las dos visitas de éste a Nápoles, una en 1630 y otra en 1649. Los últimos años de su vida se vieron ensombrecidos por las revueltas napolitanas que capitaneó Tommaso Aniello, llamado Masaniello y por la tragedia familiar que, derivada de las mismas, tuvo que sufrir. El príncipe Juan José de Austria, hijo natural de Felipe IV, tomó parte activa en la represión de aquellas revueltas y, según una tradición, apoyada en textos contemporáneos, sedujo a la hija del pintor, abandonándola después. Este penoso suceso impresionó dolorosamente a Ribera y aceleró su muerte. En 1626 fue elegido miembro de la Academia de San Lucas y en 1648 fue admitido por el papa en la Orden Militar de Cristo. Firmó sus obras como Hispanos, Valentinus e, incluso, Setabensis y Academius Romanus.

De sus obras caben citarse *San Bartolomé* (1624), *Don Juan de Austria* (1648), *Jacob con el ganado de Jabán* (1634), *Isaac bendiciendo a Jacob* (1637), *El sueño de Jacob* (1639), *La adoración de los pastores* (1650), *Comunión de los Apóstoles* (1638) y *Martirio de San Sebastián* (1628).

Ribera Chevremont, Evaristo (1896-1976). Poeta puertoriqueño. Frecuentó los círculos ultraístas en España (1919-1924), allí conoció al poeta Antonio Machado y al filósofo José Ortega y Gasset y frecuentó las clases de este último en la Universidad de Madrid. Adscrito inicialmente al experimentalismo (*La copa de Hebe*, 1922; o en los artículos publicados en el periódico *La Democracia*), se vio atraído a partir de *Color* (1938) por formas y maneras clásicas, que es premiada por el Instituto de Literatura Puertorriqueña, que también premió *Tonos y formas* (1943), *Anclas de oro* (1945), *Punto final* (1963) y *El semblante* (1964). Fue miembro fundador de la Academia Puertorriqueña de la Lengua (1955). En 1967 la Academia de Artes y Ciencias de Puerto Rico le otorgó el Gran Premio Puertorriqeño de Poesía.

Ribeyro, Julio Ramón (1929-1994). Escritor peruano. Fue agregado cultural y consejero ante la UNESCO. Cultivo la novela en *Crónica de San Gabriel* (1960) y *Los geniecillos dominicales* (1965); el ensayo en *Dos soledades* (1974), en colaboración con Emilio Adolfo Wastphalen, y en *Prosas apátridas* (1975). Pero destaca fundamentalmente como cuentista; sus primeros relatos: *Los gallinazos sin plumas* (1955) y *Cuentos de circunstancias* (1958) se caracterizan por una fantasía donde se percibe la huella de Franz Kafka. Posteriormente evolucionó hacia una forma más realista, en la que la fuerza de lo narrado se sobrepone a los recursos técnicos: *Tras historias sublevantes* (1964), y *Los hombres y las botellas* (1964). Mereció el Premio Juan Rulfo de Literatura (1994).

ribonucleico, ácido (ARN). Componente del material genético de todos los organismos celulares y algunos virus. Está formado por una molécula de ribosa, un grupo fosfato y una base nitrogenada que puede ser adenina, guanina, citosina o uracilo. Los tres tipos principales de ARN en las células son: ARN mensajero, que actúa como un intermediario entre los genes localizados en los cromosomas y los ribosomas situados en el citoplasma, es decir, transporta el código genético contenido en las secuencias de bases nitrogenadas del ácido desoxirribonucleico (ADN), de los cromosomas a los ribosomas; ARN ribosómico, que en conjunción con las proteínas forma los ribosomas, que son los elementos celulares en donde se lleva a cabo la síntesis de proteínas (proceso a través del cual se crean proteínas); y el ARN de transferencia, que es un grupo de pequeñas moléculas, cada una de las cuales cumple con la función de atraer un aminoácido específico para llevarlo al ribosoma de forma que sea incluido en la proteína que se esté sintetizando en ese momento particular.

ribosoma. Organelo celular de forma más o menos esférica en donde se lleva a cabo la síntesis de proteínas. Los ribosomas existen en todos los tipos de células. En el laboratorio se puede separar un ribosoma en dos secciones, una grande y otra pequeña, cada una de las cuales se puede a su vez separar en proteínas y moléculas de ácido ribonucleico (ARN). Los ribosomas pueden encontrarse en el citoplasma, el núcleo, las mitocondrias y los cloroplastos.

Ribot, Thédule Armand (1839-1916). Psicólogo y filósofo francés, fundador de la *Revista de Filosofía* y director de la misma durante muchos años. Sus principales obras son: *La herencia psicológica, Ensayo sobre la imaginación creadora, Las enfermedades de la memoria, Las enfermedades de la voluntad, Las enfermedades de la personalidad* y *Ensayo sobre las pasiones.*

Ricardo I, *Corazón de León* (1157-1199). Rey de Inglaterra (1189-1199), el segundo monarca de la dinastía Plantagenet. Hijo de Enrique II y de Leonor de Aquitania. Poco después de ascender al trono organizó, junto con el rey Felipe Augusto de Francia, la tercera Cruzada, en la que se distinguió por su valor caballeresco, pero sin lograr resultado útil. De regreso de Tierra Santa y atravesando Europa Central, fue tomado prisionero por el duque Leopoldo de Austria, con quien había tenido una reyerta durante el sitio de San Juan de Acre en dicha cruzada, y los ingleses debieron pagar un elevado rescate para obtener su libertad. Al regresar a su patria comenzó a organizar una guerra contra el rey francés. Pero, durante el sitio del castillo de Châlus (Francia), cayó herido de muerte. En toda su vida de guerrero indómito, Ricardo sólo había permanecido en las islas Británicas durante seis meses. Jamás supo cuidar los intereses del reino, que dejó en manos de ministros y palaciegos sin escrúpulos, y los pesados impuestos que creó para sostener sus campañas bélicas produjeron una grave efervescencia popular. Cuando Juan *sin Tierra*, su hermano, se hizo cargo del trono, una crisis estalló en Inglaterra. La figura indómita de Ricardo, que estuvo a un paso de reconquistar el Santo Sepulcro, ha sido inmortalizada por Walter Scott en su novela *Ivanhoe*.

Ricardo III (1452-1485). Rey de Inglaterra (1483-1485). Fue hijo del duque Ricardo de York y por tanto la casa enfrentada a la de Lancaster, que tuvo principal participación en el histórico conflicto denominado Guerra de las Rosas. Al ascender al trono su hermano mayor, Eduardo IV, se puso a su servicio y desde muy joven –convertido en duque de Gloucester y gran almirante– demostró su arrojo y valentía: venció en Barbet y Tewkesbury, y ocupó Berwick y Edimburgo. Muerto su hermano, cuyo hijo mayor, todavía niño, ascendió al trono en 1483 como Eduardo V, intrigó hasta hacerlo estrangular en la Torre de Londres, junto con un hermano, menor y proclamó su sucesor. Su reinado fue breve. Su enemigo Enrique Tudor, luego Enrique VII, lo combatió hasta vencerlo en Bosworth donde murió Ricardo III dejando una reputación de soldado valeroso y político hábil, aunque cruel y pérfido.

Ricardo, David (1772-1823). Economista inglés. Nacido en el seno de una familia judía emigrada de Holanda, abrazó a los 20 años de edad la religión anglicana y se dedicó a realizar operaciones en la Bolsa de Londres. Cinco años después, ayudado por su talento y su buena estrella, era ya uno de los hombres más ricos de Europa. A los 34 años abandonó los negocios, compró una propiedad rural, se incorporó al Parlamento y consagró su actividad a defender la libertad política y las reformas sociales más avanzadas. Cierto día llegó a sus manos un ejemplar de *La riqueza de las naciones*, el famoso tratado económico de Adam Smith, y desde entonces se dedicó a la investigación económica y redactó varios folletos y un libro titulado *Principios de economía política y tributación* (1817), que se ha convertido en uno de los clásicos de la economía. Aunque escrito en lenguaje abstracto e impreciso, el volumen contiene ideas penetrantes y originales sobre la moneda, la teoría del valor y la renta de la tierra, que ejercieron notable influencia sobre Karl Marx, Henry George y otros economistas preocupados por los problemas de reforma social. En la actualidad se reconoce que Ricardo es el máximo exponente de la tendencia pesimista dentro de la escuela clásica de la ciencia económica.

Ricaurte, Antonio (1786-1814). Capitán colombiano del ejército libertador de Simón Bolívar en Venezuela. Combatió contra los españoles en las batallas de La

Corel Stock Photo Library

Ilustración antigua que muestra a Ricardo I.

Grita Carache, Horcones y Las Trincheras (1813). Se enfrentó a José Tomas Boves en la batalla de San Mateo (20 de marzo de 1814). Después, de ésta, Bolívar le encargó del parque que tenían los patriotas en una casa ubicada en el cerro que da nombre a dicho lugar. Sabedor de ello Boves, se dirigió a su conquista el 24 de marzo. Ante la imposibilidad de defenderse, el patriota colombiano hizo salir a sus soldados, poniéndolos a salvo, y cuando Boves lo

Retrato de Ricardo III.

Corel Stock Photo Library

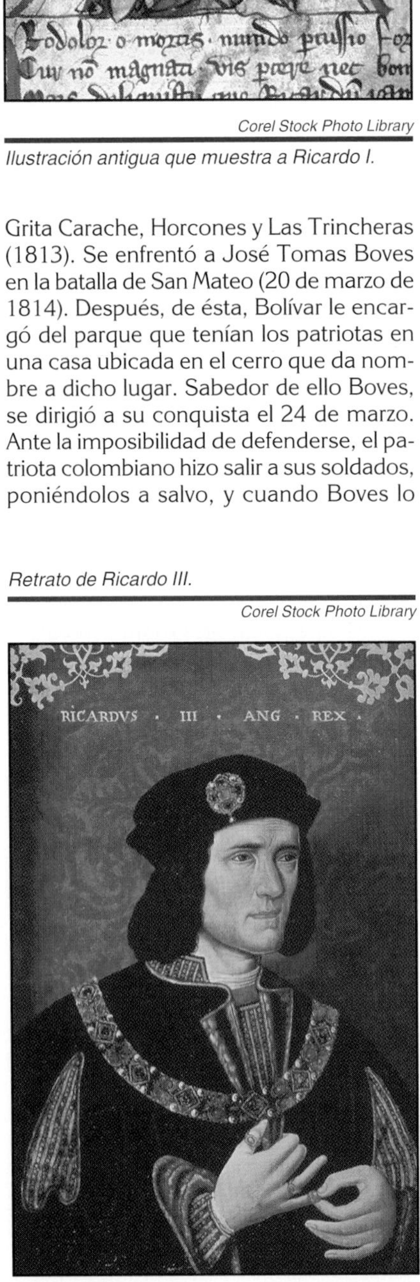

intimó a rendirse Ricaurte voló el edificio y pereció al hacer explosión las municiones. En el mismo lugar de su sacrificio se alza hoy un monumento conmemorativo y se ha construido un interesante museo histórico.

Ricci, Luigi (1805-1859). Compositor italiano, nacido en Nápoles. Estudió piano en el Colegio de Música de San Sebastián y recibió lecciones de contrapunto de Nicola Antonio Zingarelli. Contaba solamente 17 años cuando compuso una opereta bufa, que llegó a representarse. En 1836, siendo ya autor de 20 óperas, obtuvo la plaza de maestro de capilla de Trieste y de director de canto del teatro de dicha ciudad. En 1859, al oír las entusiastas aclamaciones con que era recibida su ópera *IL diavolo a quattro*, experimentó tal alegría que perdió la razón. Murió en un manicomio de Praga. Sus principales óperas, algunas de las cuales fueron compuestas en colaboración con su hermano Federico, son: *L'orfunella di Ginebra, Chiara di Rosemberg, Chi dura la vince, Colombo, L'eroina del Messico o Fernando Cortés* y *Crispino e la comare*.

Rice, Elmer (1892-1967). Autor dramático estadounidense, cuyo verdadero nombre es Leopold Reizenstein. Oriundo de la ciudad de New York, aborda en sus dramas y comedias diversos aspectos de la civilización industrial. Sus obras *La máquina de sumar* (1923), *La calle* (1914) y *Nosotros* (1959), *el pueblo* contienen un mensaje social expresado con originales recursos técnicos. Su novela *Un viaje a Purilia* satiriza la industria cinematográfica.

Richards, Dickinson Woodruff Jr. (1895-1973). Cirujano estadounidense. Trabajó en el Hospital Presbiteriano y el Hospital Bellevue de New York, y fue profesor de medicina en la Universidad Columbia (1945-1961). En colaboración con André Cournand, realizó investigaciones sobre la función cardiopulmonar en el hombre, utilizando una técnica de cateterismo cardiaco inventada por Werner Frossmann, que mide las presiones de gas en los pulmones y la arteria pulmonar. Además con el mismo método mejoró la forma de diagnóstico de ciertas enfermedades cardiacas y la cirugía correctiva de ciertos defectos cardiacos. Richards compartió con Cournand y Frossmann el Premio Nobel de Medicina o Fisiología de 1956.

Richards, Theodore William (1868-1928). Químico estadounidense. Estudió en las universidades de Harvard, Berlín y Gotinga. Fue profesor de química de la Universidad de Harvard (1901-1928) y director del Wolcott Gibbs Memorial Laboratory (1912-1928). Utilizó métodos de gravimetría y aplicó principios fisicoquímicos para determinar los pesos atómicos de una gran cantidad de elementos con una exactitud nunca antes lograda. En colaboración con M. E. Lembert, confirmó experimentalmente la existencia de la isotopía (1914) al comprobar que el peso atómico del plomo derivado del uranio por descomposición radiactiva es distinto al del plomo ordinario. En 1914 Richards fue galardonado con el Premio Nobel de Química.

Richardson, Robert C. (1937-). Físico estadounidense. Se graduó en la Universidad Politécnica de Virginia en 1958, y se doctoró en la Universidad Duke en 1966. Ha desarrollado su carrera de investigación y de docencia en la Universidad de Cornell. Desde 1990 es director del Laboratorio de Física de Estado Sólido de dicha universidad. Junto con David M. Lee y Douglas D. Osheroff investigó las propiedades físicas a bajas temperaturas del isótopo 3 del helio, descubriendo que se convierte en superfluido a 0.15 °K (-273.15 °C). Este descubrimiento permitió avanzar considerablemente en la comprensión del comportamiento de los sistemas cuánticos de muchas partículas que interaccionan fuertemente, como ocurre con los líquidos superfluidos. Debido a dicho descubrimiento, los tres científicos obtuvieron el Premio Nobel de Física en 1996.

Richardson, Samuel (1689-1761). Escritor inglés. Hijo de un carpintero, ingresó muy joven en el taller de un impresor, donde se relacionó con autores y editores. En la imprenta se acostumbró a escribir prólogos y dedicatorias a solicitud de los editores, y en 1740 publicó la primera parte de su novela *Pamela*, o *La virtud recompensada*. Su celebridad fue repentina. Poco después apareció la segunda parte de la misma obra, a la que siguieron otras dos del mismo carácter: *Clarisa Harlowe* o *La historia de una señorita* (1747-1748) y *Vida de sir Charles Grandison* (1753), con las que dio nacimiento a la novela inglesa moderna. Fue un moralizador puritano de la vida burguesa, la que analizó y estudió a través del análisis de los sentimientos femeninos.

Richardson, sir Owen Williams (1879-1959). Físico inglés. Estudió en las universidades de Cambridge y Londres. En 1906, fue a Estados Unidos como profesor de la Universidad de Princeton. En 1914, ocupó la dirección del Instituto de Física de Londres. Realizó notables investigaciones sobre la emisión de electrones por metales incandescentes, que sirvieron de base para establecer una rama de la física que Richardson designó con el nombre de termoiónica. También efectuó importante labor de investigación sobre el calor radiante, la fotoelectricidad y la espectroscopia de ondas cortas. Recibió el Premio Nobel de Física de 1928. Autor de *La teoría electrónica de la materia* (1914), *La emisión de electrones por cuerpos calientes* (1916) e *Hidrógeno Molecular y su espectro* (1934).

Richter, Burton (1913-). Físico estadounidense. Doctor por el Instituto Tecnológico de Massachusetts (MIT) en 1956; el mismo año fue nombrado profesor auxiliar de física en la Universidad de Stanford. Desde 1963, forma parte del equipo investigador del Centro del Acelerador Lineal de Stanford, donde ha realizado experimentos en el ámbito de la electromecánica cuántica. Contribuyó también al diseño del SPEAR, un anillo de colisión electrón-positrón que entró en funcionamiento en 1973. Al año siguiente, independientemente de Samuel Chao Chung Ting, descubrió una partícula que nombró *psi*, un mesón neutro de elevada masa y la primera de una familia de nuevas partículas cuyas características exigían para su interpretación de la introducción de un nuevo número cuántico, al que se llamó *charme* (encanto). En 1976, compartió con S. Ting el Premio Nobel de Física.

Richelieu, Armand Jean du Plessis, cardenal y duque de (1585-1642). Estadista francés. Nacido en el seno de una familia perteneciente a la baja nobleza, era hijo de un militar que había luchado en las guerras religiosas y a quien Enrique III había recompensado otorgándole el cargo de obispo de Luçon para que fuese ocupado por su hijo mayor. El joven Armand, de frágil salud, comenzó a estudiar la carrera de las armas, pero su padre lo persuadió para que abrazara la vida religiosa. Poco después de ordenado sacerdote, cuando sólo tenía 21 años de edad, ocupó la sede episcopal de Luçon. A pesar de su juventud logró ganar la confianza de María de Médici, que actuaba como regente de Francia desde el asesinato de Enrique IV. En 1614, fue elegido para representar al clero de Poitou en los Estados Generales, que en esa epoca eran el Parlamento del reino.

Los años siguientes fueron turbulentos. María de Médici se fue alejando paulatinamente del ambicioso obispo, pero su hijo, el rey Luis XIII, no tardó en advertir que Richelieu era un consejero sagaz y leal. En 1622, cuando tenía 37 años, fue nombrado cardenal. Dos años más tarde, moviéndose con asombrosa habilidad en medio de las intrigas palaciegas, pasaba a ocupar un sitial como ministro de Estado en el Consejo Real. A partir de este momento los destinos de Francia quedaron en sus manos y, disponiendo de la absoluta confianza del rey, comenzó a llevar adelante sus planes centralizadores y absolutistas. Convencido de que la solución para los males de Francia estaba en una férrea unión de la nación alrededor de la Corona, tomó una serie de medidas drásticas cuya eficacia ha sido confirmada por la historia.

Su primera lucha tuvo por escenario la corte misma. Todos los nobles que rehusaron aceptar su autoridad fueron encarcelados, desterrados o ajusticiados. Cuando concluyó su gobierno, 26 miembros de la corte habían sido ejecutados. Richelieu emitió edictos que prohibían la fortificación de castillos y posesiones privadas y creó una categoría nueva de funcionarios intendentes, que representaban al rey en las provincias; estos funcionarios percibían los impuestos, reclutaban tropas y administraban justicia bajo la mirada atenta del cardenal, que coartó así todos los atisbos de autonomía local y manejó todo el reino desde su despacho. Estas intendencias fueron introducidas en España por los Borbón, durante el siglo XVIII, y llevadas luego a América, donde desempeñaron importantes tareas. La política centralizadora de Richelieu tuvo, de tal modo, inesperados ecos en el Nuevo Mundo.

Solucionado este problema, el cardenal volvió su atención sobre el que planteaban los hugonotes. Éstos eran franceses que habían abandonado el catolicismo y abrazado el protestantismo. En virtud del edicto de Nantes (1598) gozaban de numerosos privilegios políticos y militares; las ciudades de La Rochela, Montauban y Nimes se gobernaban a sí mismas y estaban sólidamente fortificadas y defendidas por regimientos hugonotes. Richelieu no era intransigente en materia religiosa, pero no podía tolerar la subsistencia de *un Estado dentro del Estado*. Puesto al frente del ejército real, el cardenal supo aprovechar su formación militar; puso sitio a la poderosa fortaleza de La Rochela, principal baluarte de los hugonotes, y logró conquistarla en octubre de 1628. Suprimió todas las ventajas políticas que el edicto de Nantes había dado a los hugonotes, pero permitió que éstos siguieran practicando su culto con entera libertad. Esta conducta le valió la amistad sincera de muchos militares y nobles hugonotes, que habrían de ayudarlo en sus campañas posteriores.

Entretanto, la nobleza feudal seguía conspirando para quitarle el poder y la vida, por lo que Richelieu creó un complicado sistema de espionaje, gracias al cual siempre pudo conocer todos los planes de sus enemigos y proceder contra ellos con mano férrea. Pero, los problemas internos de Francia no lograron amenguar el gran interés de Richelieu: la política europea. El continente se desangraba en la terrible Guerra de los Treinta Años y el cardenal se consideraba llamado a establecer una *paz cristiana* entre católicos y protestantes, bajo la hegemonía francesa. Para ello debía aniquilar a la casa de Habsburgo, dominadora de los estados germánicos y de la Península Ibérica. Ayudó al rey Gustavo Adolfo de Suecia en su lucha contra los Habsburgo, envió un ejército a Italia para establecer a Carlos Gonzaga duque de Nevers, como señor de Mantua, y realizó otras campañas, sin derramar sangre francesa. Richelieu murió antes que la prolongada guerra terminara. Falleció en 1642 y fue enterrado en la capilla de la Sorbona, la gran casa de estudios que él mismo había fundado. La historia reconoce hoy que fue uno de los políticos más grandes de Europa; débil, odiado, perseguido y combatido, supo gobernar al rey y a la corte, imponer sus principios en Francia y vencer a rivales poderosos sin realizar guerras onerosas. El cardenal tenía pretensiones literarias y dejó numerosos escritos; pero su mayor aporte a la cultura de su patria fue la creación de la célebre Academia Francesa en 1635.

Richepin, Jean (1849-1926). Poeta, novelista y dramaturgo francés. Miembro de la Academia Francesa (1908) y luego canciller de este instituto (1923). Director del teatro oficial de la Comedia Francesa. Fue actor y recitador. Impulsivo y apasionado, visitó España y se enamoró de este país con una vehemencia que llevó a muchas de sus obras. Su elocuencia y vigor de imaginación fueron extraordinarios. Entre sus obras se destacan *Los muertos bizarros, Cuentos españoles, Nana Sahib, El caminante, La canción de los vagabundos* y *El mar.*

Richet, Charles Robert (1850-1935). Fisiólogo y escritor francés. Fue miembro de las academias de Medicina y de Ciencias y del Instituto de Francia. Investigó el calor animal probando que la sangre de los animales vacunados contra una infección era la que los protegía contra la misma, con lo que trazó los primeros supuestos de la teoría de la inmunidad. Demostró que el jugo gástrico no es más que ácido clorhídrico, dando así los primeros elementos de la fisiopatología de las dispepsias; estudió el tratamiento de la tuberculosis por la alimentación de carne cruda, la sueroterapia y la acción diurética de los azúcares. Descubrió con Paul Portier el fenómeno de la anafilaxia alimenticia, y de él es la teoría del tratamiento de la epilepsia por la sustracción de la sal del organismo. Cultivó la literatura con el seudónimo de *Charles Epheyre*, escribiendo sobre diversos temas y principalmente acerca del espiritismo, que calificó de metapsíquica. Publicó *Investigaciones experimentales y clínicas sobre la sensibilidad, Ensayo de psicología de los animales, La fisiología y la medicina, Poesías, La guerra y la paz* y una síntesis muy personal de la historia universal. Recibió el Premio Nobel de Medicina o Fisiología en 1913.

Ricksha en Takayama, Japón.

Corel Stock Photo Library

Richter, Johan Paul Friedrich (1763-1825). Escritor alemán, más conocido por su seudónimo de Jean Paul. Casi todas sus obras parecen inspiradas por la miseria que soportó durante su juventud. Sin embargo, este conflicto entre los deseos del hombre y las limitaciones de la vida nunca fue tratado por él en forma dramática sino con un humorismo y una imaginación muy singulares. Su gusto por la fantasía y los sueños, su amor por la naturaleza y su apasionada defensa del hombre solitario lo revelan claramente como un romántico. Su primer éxito fue la novela *La logia invisible* (1793). Sus principales obras son: *Selina, Titan* (1800-1803), *El valle de Campán, Levana* o *Doctrina de la educación* (1807-1814) y *Hesperus* (1795).

ricino, aceite de. Llamado también *palmacristi* y en América *aceite de castor*, es uno de los purgantes más eficaces por su enérgica acción en el intestino. Su desagradable sabor puede ser corregido mezclándolo con leche caliente, jugos de frutas o bebidas gaseosas. Además de su uso medicinal tiene distintas aplicaciones industriales como lubricante para motores preparación de pinturas, fabricación de linóleo, jabón, colorantes para textiles, etcétera.

Este aceite se obtiene prensando las semillas del ricino (*Ricinus comunis*), planta euforbiácea originaria de Oriente, mencionada ya en la Biblia y en las páginas de Herodoto. Los romanos advirtieron el parecido existente entre sus semillas y las garrapatas –*ricinus*, en latín–, y de ahí proviene su nombre. Se cultiva intensamente en la India, Italia, África, España y América del Sur (especialmente en Brasil). En los climas cálidos es arborescente y alcanza hasta 6 m de altura, y en los templados se desarrolla como planta anual. España y América, con regiones sometidas a tales climas, producen las dos variedades. De un tallo verde rojizo emergen ramas pobladas de hojas grandes, con fuertes pecíolos, aserradas en los bordes y partidas en lóbulos. Las flores, de distinto sexo, se agrupan en panojas que contienen arriba a las femeninas y abajo a las masculinas. Su fruto es una cápsula erizada de espinas con tres departamentos y otras tantas semillas. Su aspecto general es vistoso, por lo que se cultiva también como planta ornamental de parques y jardines. *Véanse* LUBRICANTE; PURGANTE.

Rickert, Heinrich (1863-1936). Filósofo alemán, nacido en Dantzig. Se inició en la enseñanza en Friburgo de Brisgovia. En 1915 la Universidad de Heidelberg lo llamó a ocupar la cátedra que había dejado vacante la muerte de Windelband. Rickert, de tendencia neokantiana, consideraba que la última finalidad de la filosofía es la comprensión de la cultura, al servicio de la cual ha de ponerse, tras haberla valorado positivamente. En su sistema concede primordial importancia a la teoría de la ciencia de la historia. Obras importantes: *Límites del concepto formativo en las ciencias naturales, Ciencia cultural y ciencia natural* y *Problemas capitales de la filosofía.*

rickettsia. Organismo inferior que presenta características intermedias entre las bacterias y los virus. Son parásitos intracelulares, no presentan distinción entre núcleo y citoplasma, y su dotación genética está contenida en una sola cadena de ácido desoxirribonucleico (ADN), inmersa en el protoplasma.

En el ser humano y los animales superiores, las rickettsias provocan varios tipos de fiebre, como el tifus exantemático, el tifus murino, la fiebre de las trincheras, etcétera. Estos padecimientos son generalmente transmitidos por artrópodos, como las pulgas, los piojos, las garrapatas y las larvas, siendo en un principio parásitos de dichos artrópodos y después de vertebrados.

ricksha o rickshaw. Formas abreviadas que emplean los europeos en Asia, de la palabra *jinrikisha*, con que se designa un vehículo de tracción humana de uso en Japón y China. Se atribuye su invención a Jonathan Goble, pastor bautista estadounidense en Yokohama (1869). Es un carruaje ligero, de dos ruedas, tirado por uno o dos *hikis*, resistentes corredores chinos o japoneses que corren regularmente más de 50 km por día. Un toldo suele proteger a los pasajeros contra las inclemencias del clima. Su uso está siendo restringido por no considerarse decoroso que una persona sirva de animal de tiro.

riego. Distribución artificial del agua sobre una superficie de tierra. La desigualdad con que se halla repartida el agua, indispensable para la vida, hizo que desde la antigüedad el hombre pensara en idear y poner en práctica alguna forma de riego. A veces la naturaleza le mostró el camino, como ocurrió en Egipto, pues el Nilo, en sus crecientes periódicas, inundaba vastas regiones y convertía el desierto en un oasis. Donde esto no ocurría, se alimentaban huertas y pequeños sembrados con agua que los esclavos traían en cubos de algún caudal vecino, pronto el ingenio humano creó máquinas para facilitar este trabajo, entre ellas el tornillo de Arquímedes y las norias movidas por bueyes, que consistían en una serie de cangilones unidos a un juego de ruedas.

Sistemas de riego. El más simple consiste en inundar el terreno, desviando a este efecto las aguas de algún arroyo o río. Este método sólo puede usarse cuando el agua abunda, ya que es muy difícil de graduar la cantidad. Si el agua corre rápidamente, arrastra elementos indispensables del suelo y penetra poco. En el caso contrario, se pierde por filtración. Para llevar el líquido se cavan zanjas paralelas o en forma de abanico. Un perfeccionamiento de este sistema consiste en dividir el área que necesita riego en parcelas separadas por bordes de tierra y hacer pasar el agua de una a otra, lo que permite mayor control. En ambos casos es necesaria una inclinación suficiente y uniforme de la superficie que se desea cultivar. Cuando la clase de la sementera lo justifica, tal sistema de surcos ofrece muchas ventajas. Maíz, papas, caña de azúcar, etcétera, pueden ser regados haciendo correr el agua por los surcos que dejó el arado. En los huertos y plantaciones de frutales se hacen otros más separados para ese objeto. Los surcos desembocan en una zanja mayor desde la cual se distribuye el líquido abriendo o cerrando convenientemente el paso. De este modo es factible inundar rápidamente una extensión grande, y luego, reduciendo la entrada, mantener la necesaria humedad. Algunas veces, en lugar de la zanja se utilizan acequias o tuberías de cemento y cañerías adaptadas a ese fin.

Hay lugares donde la consistencia y permeabilidad del suelo permiten utilizar el sistema llamado *subirrigación*. Consiste en una serie de zanjas paralelas, separadas 50 m una de otra. La humedad se extiende bajo la superficie, alimentando las raíces de la sementera, sin perderse por evaporación. Pero, requiere condiciones poco comunes, ya que la tierra debe ser porosa y tener a escasa profundidad una capa impermeable. En pequeñas extensiones, y para cultivos muy valiosos, suele también efectuarse el riego mediante una red de cañerías subterráneas perforadas.

Corel Stock Photo Library

Granja con un elaborado sistema de riego en Alberta, Canadá.

Se emplean también cañerías con agujeros equidistantes sobre la superficie. Se bombea en ellas agua a presión, que salta y cae en fina lluvia sobre los sembrados. Un efecto análogo se consigue mediante el sistema de pulverizador para riego rotativo, muy frecuente en parques y jardines.

Procedencia del agua. La mayoría de la destinada a riego proviene de las montañas. En la época del deshielo, se forman torrentes cuyo caudal, en condiciones normales, se va por el cauce de los ríos hacia el mar o es absorbido por las arenas. Mediante robustos murallones, llamados diques, es posible interceptar su curso, y aprovechando los accidentes del terreno, formar lagos artificiales, desde los cuales el agua se distribuye por redes de acequias y canales a las regiones vecinas. Los diques tienen dispositivos y compuertas que se alzan o bajan en la medida conveniente para regular el caudal. En otras ocasiones, el agua del torrente es desviada y dirigida por cauces artificiales de muy poca inclina-

Canales de riego en el delta del río Nilo.

Corel Stock Photo Library

Corel Stock Photo Library

Jardín de flores de riego en el delta del Mekong en Vietnam.

ción hasta gran distancia. Estos canales son de construcción difícil y costosa. A menudo es necesario horadar secciones rocosas para atravesar una colina o tender un acueducto sobre un desfiladero. Si la pendiente se hace muy pronunciada, el agua corre con demasiada velocidad; para evitar esto, se le obliga a caer perpendicularmente por trechos, fabricando pozos artificiales y murallas de cemento.

Baja así de la montaña en forma escalonada, y cuando llega a la llanura se le encamina sobre terraplenes por medio de canales anchos y poco profundos, desde los cuales se distribuye a otros más pequeños, o a las acequias de las granjas.

También puede obtenerse agua para riego cavando pozos y elevándola por medio de bombas. Algunos parajes privilegiados poseen en el subsuelo aguas a presión, que surgen espontáneamente a la superficie, y tales pozos se llaman artesianos.

En la mayor parte de los casos, algún medio mecánico es imprescindible. El más barato es el molino de viento, cuya rueda de palas aprovecha cualquier brisa para ir llenando un depósito desde el cual el líquido se distribuye por gravedad, pero su rendimiento es limitado y sólo se emplea para huertas y jardines. Bombas centrífugas, accionadas por motores eléctricos o diesel, resultan mucho más efectivas y, con relativamente poco gasto, proveen cientos de miles de litros por hora.

Uso del riego. Los evidentes beneficios del riego artificial pueden hacer olvidar que también entraña ciertos peligros. Si el agua es demasiado abundante convierte el suelo en un pantano y hace perder la cosecha. O bien, acumula sedimentos alcalinos nocivos para las plantas. Otro riesgo, acaso el mayor de todos, es la erosión, que se produce cuando el agua al correr arrastra elementos vitales de la tierra, volviéndola estéril en pocos años.

El elevado costo de las obras de irrigación requiere tierras cuyo rendimiento compense el capital invertido. Cuando el clima es apropiado y los demás elementos se hallan presentes, el riego puede obrar maravillas. El desierto se convierte en un vergel; desaparecen los cactos y los arbustos retorcidos, en su lugar crece la mies y madura el fruto. La ausencia de nubes, que por lo común caracteriza a los sitios áridos, permite que el sol infunda todo su vigor a la vida vegetal, y las comunidades prósperas surgen como por encanto al borde del canal o en torno al pozo. Pero, hay tierras que por su contenido de salitre u otras causas mejoran poco con el riego, en cuyo caso es preferible dejar que sus escasas matas alimenten unas pocas ovejas o cabras, o recolectar magras cosechas aprovechando la mínima humedad del suelo, mediante el sistema conocido como cultivo de secano.

Importancia del riego. Se calcula que en todo el mundo hay alrededor de 100 millones de ha de regadío. A la cabeza marchan la India y China con 20 millones de ha cada una; Pakistán, con 12 millones; Estados Unidos con 10 millones, y Rusia, con 7 millones. Los países de América Latina donde más se riega son México, Chile, Brasil y Argentina.

La superficie regada ha aumentado enormemente en los últimos cien años. Los progresos de la ingeniería y la maquinaria moderna han permitido construir diques y canales que se cuentan entre las obras más titánicas del hombre. A menudo se logra un doble objetivo, al aprovechar la fuerza del agua para producir energía eléctrica. Comarcas enteras se han salvado del hambre gracias al riego artificial, especialmente en la India y en China. Pero la mayor parte queda por hacer todavía y no es arriesgado afirmar que la solución del problema alimenticio que actualmente amenaza a grandes sectores de la humanidad está en el riego.

Sistema de riego en un invernadero de Cassava en Sudáfrica.

Corel Stock Photo Library

Una nueva manera de combatir las sequías es provocar lluvia artificialmente, el método consiste en hacer condensar el vapor de agua de las nubes que cruzan sobre regiones áridas esparciendo en las nubes productos químicos desde aviones, y por medio de determinadas radiaciones eléctricas, se consigue la formación de gotas y la consiguiente precipitación sobre el lugar deseado. *Véanse* ACUEDUCTO; AGRICULTURA; AGUA; DIQUE; IRRIGACIÓN; LLUVIA; LLUVIA ARTIFICIAL; POZO; PRESERVACIÓN.

Riego y Núñez, Rafael del (1785-1823). General español. En 1807 ingresó en la Guardia de Corps y un año después se sumó a los patriotas que lucharon contra las tropas invasoras de Napoleón. Después de haber estado prisionero en Francia, regresó a España y figuró en el Estado Mayor, del que lo alejaron sus ideas liberales. Su vida como militar, a partir de entonces, fue una constante lucha contra el absolutismo de Fernando VII. Comandante en uno de los regimientos de infantería del ejército que acampaba en Las Cabezas de San Juan y se disponía a embarcar en Cádiz para combatir la independencia de los países de América, se sublevó en 1820 y este movimiento, de gran repercusión en todo el país, obligó a Fernando VII a adoptar la Constitución liberal sancionada por las Cortes de Cádiz en 1812, derogada por el monarca seis años antes. Fernando VII recurrió a las potencias de la Santa Alianza, que en el Congreso de Verona (1822) acordaron la intervención y, en efecto, un ejército francés de 100,000 hombres, al mando del duque de Angulema, entró en España en la primavera de 1823. Riego, ya entonces capitán general, intentó resistir a los invasores, aunque sin resultado, porque esta vez numerosas partidas de absolutistas se unieron a los franceses, por odio al régimen constitucional. Riego fue hecho prisionero, sometido a toda clase de vejaciones y condenado a morir ahorcado después de haber sido paseado en un serón por las calles de Madrid. Fue una de las figuras principales del liberalismo español del siglo XIX. *El Himno de Riego*, que se cantó por primera vez cuando este general entró con sus tropas en Madrid en 1820, fue adoptado como himno nacional por la segunda República Española en 1931.

Riemann, Georg Friedrich Bernhard (1826-1866). Matemático alemán. Estudió en las universidades de Gotinga y Berlín, donde fue discípulo de Karl Gustav Jacobi y de Peter Gustav Lejeine Dirichlet. Tras doctorarse en Gotinga (1851), en 1854 fue nombrado *Privatdozent* de dicha universidad y en 1857 profesor extraordinario, sucediendo en 1859 a Dirichlet en la cátedra en la que este último había sucedido a Carl Friedrich Gauss en 1855. Contribuyó fundamentalmente en la teoría de las funciones al extender la noción de regularidad a las funciones multívocas mediante la idea de las llamadas *superficies de Riemann*, desarrollada en su tesis de 1851. Resultado de esta teoría fue el llamado *teorema de Riemann* de la representación conforme. En su memoria de 1854, publicada póstumamente en 1867, sentó las bases de la geometría diferencial de los espacios de dimensión superior a tres, generalizando los resultados de Gauss sobre la geometría de las superficies en el espacio ordinario, y mostrando especialmente que la llamada *curvatura riemanniana de un espacio* de *n* dimensiones viene determinada por la métrica de sus superficies geodésicas. Sus resultados en este sentido constituyeron el fundamento analítico de la geometría no euclideana. De sus contribuciones a la física matemática destaca su trabajo sobre las ondas sonoras (1860) que, desde el punto de vista matemático, dio origen a la teoría general de las ecuaciones diferenciales hiperbólicas.

Corel Stock Photo Library

Riego por inundación en Australia..

Rienzi, Cola di (1313-1354). Político romano. Hijo de un tabernero, recibió sin embargo una educación muy esmerada. Amigo de Petrarca, soñaba como éste con el antiguo esplendor del imperio romano. Decidido a combatir el abuso de poder de los nobles, obtuvo el apoyo del Papa Clemente VI y fue nombrado tribuno de Roma y defensor del pueblo. Creía necesaria la unión de los estados de Italia y en esa labor puso todo su esfuerzo. Pero al poco tiempo sus propios abusos y un levantamiento de los nobles lo obligaron a huir. Durante dos años vivió refugiado en un monasterio; fue luego apresado por Carlos IV y encerrado por el papa en una de las prisiones de Avignon. A la muerte de éste fue puesto en libertad y enviado a Roma como senador, para asegurar la autoridad del nuevo pontífice, Inocencio VI. Sus nuevos abusos, como el aumento de impuestos y persecuciones, le valieron muchas antipatías. El pueblo se levantó contra él; fue asesinado y su cuerpo arrastrado por las calles. Su vida ha sido motivo de inspiración de muchas obras. Son las principales una novela de Bulwer Lytton y una ópera de Richard Wagner.

Rietschel, Ernst Friedrich (1804-1861). Escultor alemán de gran habilidad técnica, cuidadoso y correcto, aunque algo frío. Fue discípulo de Rauch. Sus obras principales son las estatuas de Gottold Lessing, Cristoph Willibald Glück y Wolfgang Amadeus Mozart, el monumento a Martin Lutero en Worms y el grupo de Goethe y Johann Cristoph Friedrich von Schiller en Weimar.

Rif. Comarca montañosa del norte de Marruecos. El nombre de Rif o Er-Rîf, significa *país cultivado y fértil* o *litoral*, y se aplica, en sentido lato, a la zona de la costa comprendida desde la orilla sur y salida oriental del Estrecho de Gibraltar, al oeste, hasta el cabo de aguas y desembocadura del río Muluya, en el este. De norte a sur, la región se halla comprendida entre la costa del Mediterráneo y la cordillera del Pequeño Atlas. Cubre una superficie de 320 km de este a oeste y 50 de ancho, entre el límite meridional y el mar. La superficie total es de unos 15,000 km^2 y cuenta

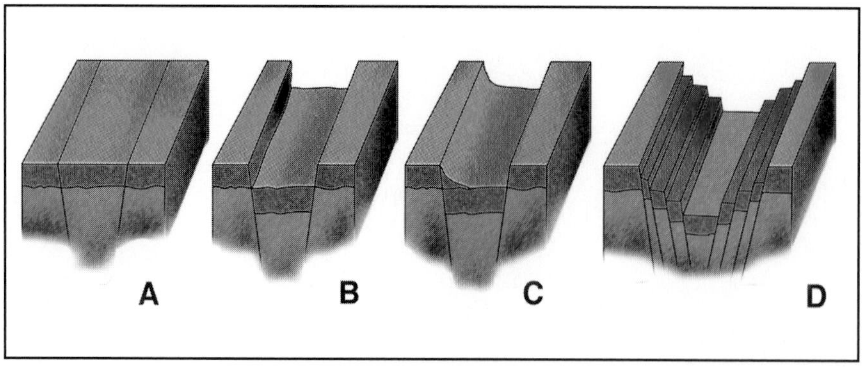

Del Ándel Diseño y Publicidad

Un valle de ruptura se forma cuando las fuerzas de tensión apartan (A) la superficie terrestre. Una trinchera elongada en terrazas (B) se forma cuando un bloque de corteza cae entre dos fallas creadas por tensión. Las orillas eventualmente están rodeadas (C) por la erosión. Un número de fallas paralelas (D) deben permitir hundirse al bloque de corteza para formar los valles de ruptura.

con 379,840 habitantes (1993), llamados *rifeños*, de origen bereber.

Desde el tiempo de los Reyes Católicos, España ha estado presente en el Rif, donde libró numerosas luchas. Los peñones de Vélez de la Gomera y de Alhucemas, la plaza de Melilla y las islas Chafarinas fueron ocupados por España para hacer efectiva su influencia en Marruecos. El peñón de Gomera fue conquistado en 1508, y aunque fue recobrado más tarde por el rey de Fez volvió a pasar a España en 1564. En varias épocas, los peñones, y las plazas de Ceuta y Melilla han sido atacados por los marroquíes y han sufrido la hostilidad de los rifeños. Hasta el reinado de Carlos III puede decirse que fue permanente la guerra entre la guarnición de Melilla y las cabilas rifeñas. El Rif formó parte considerable del Protectorado Español de Marruecos hasta 1956 en que España renunció al protectorado, que fue transferido a la monarquía independiente de Marruecos. Continuaron bajo la soberanía española las plazas de Ceuta y Melilla, los peñones de Alhucemas y de Vélez de la Gomera y las islas Chafarinas.

rifa. Juego que consiste en sortear entre varias personas una cosa determinada por medio de cédulas o billetes, los cuales suman por lo menos el precio en que aquélla ha sido estimada. Puede considerársele un juego de azar y su origen se remonta a los romanos, quienes solían comenzar sus fiestas por una distribución gratuita de billetes entre los asistentes; el que era favorecido por la suerte recibía algún objeto como premio. Actualmente las rifas deben estar supervisadas por un determinado organismo oficial, que las autoriza si la finalidad perseguida es honorable y no de lucro particular.

Mapa de la zona del Rift Valley en África.

Cartesia

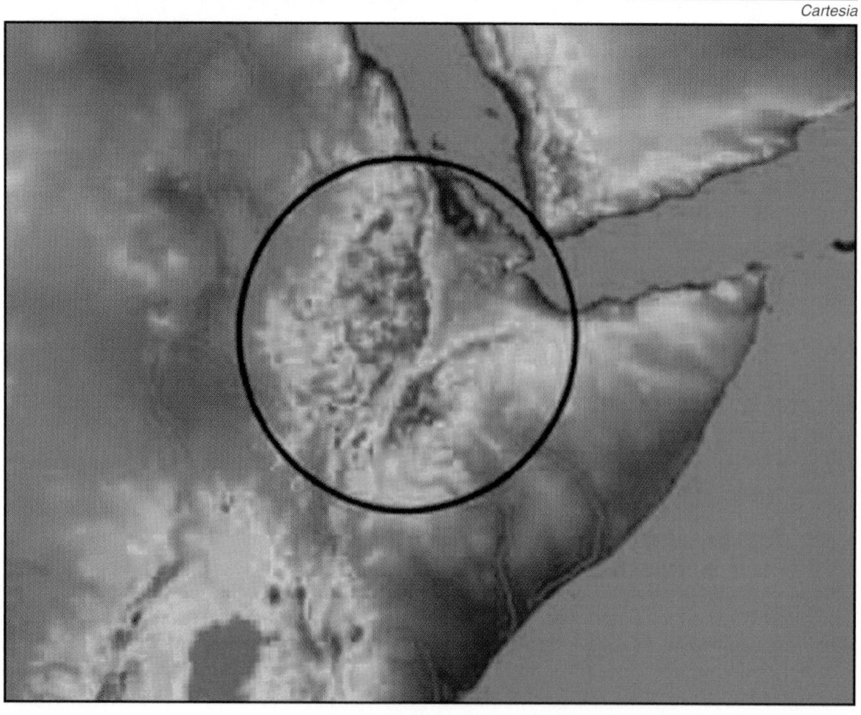

rifle. *Véase* Fusil y rifle.

rift. Fosa tectónica de gran longitud y poca anchura que se puede considerar como zona de distensión de la corteza terrestre y que se origina por hundimiento del arco de bóveda de zonas de grandes abombamientos.

Los rifts son estructuras muy importantes de la litosfera, especialmente los medioceánicos, que constituyen un sistema continuo que ocupa la parte central de las dorsales oceánicas. Los rifts oceánicos son zonas de gran actividad sísmica y volcánica, caracterizándose asimismo por el elevado flujo geotérmico que presentan. A lo largo de los mismos ascendieron materiales procedentes del manto que originaron la corteza oceánica. Los rifts oceánicos son los limites divergentes de las placas litosféricas; la actividad efusiva a lo largo de ellos es la responsable de la expansión de los fondos oceánicos y de la separación de las placas. Los rifts constituyen la línea estructural básica a partir de la cual se originaron los océanos. En la actualidad se estudia intensamente el rift de la zona de los Afars.

RIFT. Siglas correspondientes al programa estadounidense establecido en 1962 para el diseño y construcción de un vehículo destinado al ensayo del motor-cohete nuclear NERVA. El vehículo, que no llegó a construirse, estaba previsto como tercera etapa de un cohete lanzador *Saturn*. La parte esencial era el depósito de hidrógeno líquido que alimentaba el motor NERVA. Las dimensiones máximas eran 10 m de diámetro y 26 m de longitud, con un peso total de 50 toneladas.

Rift Valley. Provincia de Kenya que cuenta con una superficie de 173,868 km^2, una población de 5.128,000 habitantes y una población relativa de 29 h/km^2. Está localizada en la depresión del mismo nombre, accidentada al oeste por los Montes Mau (3,049 m). Tiene un clima intertropical. Es la principal región ganadera del país, con bovinos, equinos y avicultura; también se produce maíz y hay industrias lácteas, cárnicas, textiles y de fertilizantes. La capital es Nakuru, que es la tercera ciudad del país.

Rift Valley, great. Gran depresión y fractura que afecta a África oriental y a parte del suroeste de Asia. Se extiende en dirección meridiana desde la fosa siriopalestina hasta Mozambique. Su trazado se distingue por una serie de accidentes morfológicos, pero no constituye una depresión continua. En Asia sigue aproximadamente por el lago Tiberíades, valle del Jordán, Mar Muerto y el Golfo de Akaba. Siguiendo el Mar Rojo penetra en territorio africano a través de la Meseta Etiope y las tierras altas de África oriental. Luego se divide en dos ramas que bordean por el este y por el oeste el lago Victoria y se dirige hacia el sur hasta el lago Malawi. La rama occidental conocida con el nombre de Albertine Rift, comprende parte de los grandes lagos del este de África. La fractura, de la edad terciaria, afectó el material paleozoico y dio lugar a numerosas erupciones volcánicas. Según Gregory, se trata de la fractura de una gran bóveda anticlinal afroarábiga en cuyo sinclinal opuesto, en pleno océano Índico, se sienta la isla de Madagascar.

Rig-Veda. *Véase* VEDAS.

Riga. Capital de Letonia, situada a orillas del río Dvina, cerca del Mar Báltico. Tiene 847,976 habitantes, en su mayoría letones, con fuertes minorías rusas, alemanas y judías. Es puerto de gran movimiento y sede de la célebre Universidad Letona. Fue fundada por el obispo Alberto de Buxhövden en 1201, durante la cruzada contra los livonios, se convirtió en arzobispado, alrededor de 1253 y desde finales del siglo XIII fue uno de los grandes puertos bálticos en las rutas comerciales de la Hansa. Pasó a poder de Polonia (s. XVI), de Suecia (s. XVII) y de Rusia (s. XVIII), a la que perteneció hasta 1917. Capital de Letonia en 1918, fue ocupada por la URSS en 1919 y en 1940. Conquistada por Alemania en 1941, formó parte del territorio soviético en 1944 y mantuvo la capitalidad del Estado una vez obtenida la independencia(1991).

Rigaud, André (1761-1811). General haitiano. Fue educado en Francia y, entusiasmado por las ideas de la Revolución Francesa, quiso ponerlas en práctica en su isla. Decidido a lograr la emancipación de los negros, expulsó a los ingleses de Leogane y Tiburón. No halló apoyo en el Directorio; por el contrario, éste le opuso a François Dominique Toussaint, llamado Toussaint-Louverture, general, contra quien luchó sin éxito. Después de varias alternativas ambos rivales fueron hechos prisioneros y enviados a Francia. Rigaud consiguió escapar y volver a Haití. Se levanto en armas contra Anne Alexandre Sabés, llamado Pétion; fue vencido y murió en la cárcel.

Rilke, Rainer Maria (1875-1926). Escritor de lengua alemana nacido en Praga. Tuvo una infancia triste. La madre del poeta era una mujer devota y rara y el padre un hombre severo que se había empeñado en dar una educación castrense a su hijo. A esto se debió una de las más dolorosas experiencias sufridas por Rilke: su internado de cinco años en la escuela de cadetes de Saint-Polten, donde ingresó en 1886. Estudió en las universidades de Praga, Munich y Berlín. Visitó Rusia, donde conoció a Tolstoi, posteriormente se instaló en Worpswede, una aldea cerca de Bremen que era lugar de residencia de jóvenes artistas. Allí conoció a la escultora Clara Westhoff, con quien se casó. En 1903 fue secretario del gran escultor francés Auguste Rodin, a quien dedicó un libro magistral. Rilke, que nunca enraizó en ninguna parte, vivió y viajó por los países escandinavos, Alemania, Francia, Italia, España, Egipto y Suiza, huésped obligado de admiradores y amigos acaudalados, enfermo y solitario. Terminada la Primera Guerra Mundial, se refugió en Suiza. En 1922 terminó las *Elegías de Duino* y compuso los *Sonetos a Orfeo*, sus dos obras poéticas capitales. El 24 de octubre de 1926, mientras cortaba unas rosas se pinchó en un dedo. Este nimio accidente precipitó el proceso de la leucemia que sufría, y el 29 de diciembre del mismo año el poeta moría en Montreux.

Su obra ha influido hondamente en la poesía moderna y se le considera uno de los principales poetas líricos del siglo XX. Para Rilke la esencialidad del hombre se afirma en esa escala real de los seres que comienza en lo infinitamente pequeño y se eleva hasta Dios, venciendo a la muerte al agregarla a la existencia.

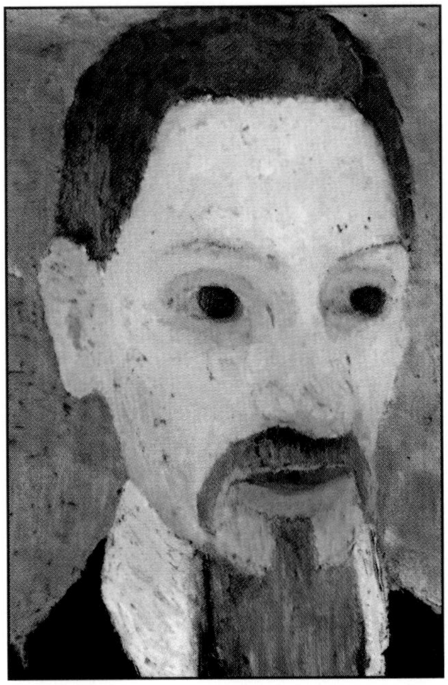

Bremen, Bremer Werkschau

Retrato de Rilke por Paula Modershon-Becker.

Dibujo de Rimbaud fumando, por Verlaine.

Museo Rimbaud

rima. Consonancia o asonancia, cuyo empleo en la poesía es relativamente moderno. Ignorada de los griegos, fue utilizada sólo excepcionalmente por los romanos. Hizo su aparición en los versos llamados *leoninos*, compuestos de dos hemistiquios rimados, y su posición al final del verso data del siglo III. Elemento importante en las lenguas modernas, carentes de la rica prosodia métrica del latín o del griego, la rima se tuvo por indispensable muchos años. Hoy ha perdido gran parte de su prestigio, ya que muchos consideran que con su juego pueril aparta la atención de otras bellezas más profundas del lenguaje y es cierto que, manejada inexpertamente, se vuelve incómodo sonsonete que llena de ripios el poema. A menudo, como afirmó Leopoldo Lugones, no es el artista quien desprecia la rima, sino ésta la que abandona al mal poeta. La rima puede ser perfecta o asonante. La primera consiste en la identidad de sonidos en dos palabras desde la última vocal acentuada (*anhelo* y *cielo*). En el segundo caso, basta con que las vocales fuertes sean iguales (*palo* y *alto; tristeza* y *licencia*). La rima asonante es privilegio del español, aunque la lírica francesa la utilizó en sus comienzos. Dio origen a la hermosa combinación métrica llamada romance y fue muy empleado en el drama en verso por la gran flexibilidad que permite.

Rimbaud, Arthur (1854-1891). Poeta francés nacido en Chatleville (Ardenas). Dotado de gran precocidad, Rimbaud empezó a escribir a los 10 años de edad, y algunos de los mejores poemas que figuran en sus obras fueron compuestos cuando el poeta sólo contaba 15 años. En febrero de 1871 se fugó de su hogar por tercera vez para dirigirse a París, donde no conocía a nadie y vivió días de miseria y angustia. De regreso en Chatleville aquel mismo año, escribió uno de sus poemas más extraordinarios, *El barco ebrio* una copia del cual mandó por correo a Paul Verlaine, quien, entusiasmado, alentó a Rimbaud para que regresara a París. Después de la caída de la Comuna, durante la cual luchó en una barricada, Rimbaud vivió en Bélgica y en Inglaterra, en compañía de Verlaine con el que tuvo una amistad borrascosa.

Rimbaud, a los 19 años abandonó definitivamente la literatura y vivió, hasta el fin, en un nomadismo constante. Se sabe que residió durante algún tiempo en Stuttgart y que recorrió los países escandinavos; fue descargador en los muelles de Liorna; desertor del ejército holandés en Sumatra y Java; trabajó en unas canteras de Chipre; se estableció en Harrar, dedicado al comercio de café y perfumes; en Abisinia traficó con armas, oro y marfil, e intrigó contra Italia en favor de Menelik. En 1891, un tumor maligno que se le formó en una rodilla, lo obligó a regresar a Europa. En Marsella sufrió la amputación de una pierna y murió poco después.

Paul Claudel, en un famoso prólogo, escribió que Rimbaud es "un místico en estado salvaje". Por la violenta originalidad de sus visiones, la fascinación de su verbo incandescente y la belleza de sus imágenes, la influencia de Rimbaud se acusa en toda la poesía moderna. Su obra completa contiene: *Primeros poemas, Iluminaciones* y *Una temporada en el infierno.*

Rímini. Ciudad de Italia, en la provincia de Forlí. Se halla situada a orillas del río Marecchia cerca de su desembocadura en el Adriático. Población: 130,006 habitantes. Sus aguas minerales y baños la han convertido en una de las más importantes estaciones balnearias de Italia. Entre sus construcciones más notables figuran un arco de triunfo (27 a. C.), un puente romano de cinco arcos, empezado por Augusto y terminado por Tiberio(s. I), el palacio Malatesta, la iglesia de San Francisco y el museo de Antigüedades. Es la antigua Ariminum de los romanos. Perteneció a los lombardos, a quienes venció Pepino *el Breve* para cedérsela al papa. En el siglo X el emperador Otón III la entregó a la familia Malatesta, que la conservó hasta el siglo XV, en que volvió a poder de los papas.

Rimsky-Korsakov, Nickolaj (1844-1908). Músico ruso, miembro del grupo de Los cinco que renovó el arte musical de su patria. Nacido en Tlhuio, estudió en la Academia Naval de San Petersburgo y sirvió tres años como oficial de la armada imperial. Durante un amplio crucero por los principales puertos del mundo, comenzó a estudiar música y componer canciones y piezas para piano; en San Petersburgo perfeccionó sus estudios bajo la influencia de Mily Balakirev, a quien rodeaba un núcleo de jóvenes talentosos que deseaban crear una música nacional. Nombrado profesor del Conservatorio de San Petersburgo abandonó definitivamente la marina y se consagró a la composición. Orquestador dotado de una amplia gama de recursos, compuso música sinfónica de colorido pocas veces igualado. La suite *Scherazade* (1888) de un orientalismo brillante, y la ópera *El gallo de oro* (1907), figuran entre lo mejor de su producción, que también incluye el *Capricho español* (1887), la ópera *Sadko* (1867), la sinfonía *Antar* y la *Obertura rusa de Pascua* (1888). Muchas piezas breves, como la *Canción hindú* y el *Vuelo del moscardón*, gozan de merecida popularidad. Rimsky-Korsakov completó y orquestó, con generosa solidaridad, varias obras de Aleksandr Borodin y Modest Petrovich Mussorgsky. Igor Stravinski, renovador de la estética musical, es el más ilustre de sus discípulos.

Rin, campaña del. Serie de combates librados por las fuerzas aliadas durante la Segunda Guerra Mundial, de septiembre de 1944 a abril de 1945, para conseguir franquear el río Rin, establecido como línea de resistencia alemana y defendido por las tropas de Karl Rudolf Gerd von Rundstedt. El ejército aliado, bajo el alto mando de Eisenhower, en el curso de la batalla de la línea Sigfrido, lanzó en noviembre de 1944 una ofensiva en dirección del Rin que fue momentáneamente detenida en la batalla de Ardenas (diciembre de 1944 - enero de 1945). Más tarde se reinició la ofensiva desde tres frentes, por el norte bajo el mando de Montgomery, hacia Münster; por el centro, dirigida por el general Omar Nelson Bradley, hacia Frankfurt, y por el sur, comandada por el general Devers, hacia Worms. Lideradas por el general George Smith Patton, las tropas aliadas vencieron a las alemanas en la batalla de Remagen (7 de marzo), el 23 de marzo cruzaron el Rin por Oppenheim y se internaron en territorio alemán hasta hacer contacto con las tropas soviéticas en Torgau, el 25 de abril.

Rin, río. Río nacional de Alemania a través de la historia y la leyenda, pero geográfica y políticamente gran río de la Europa Central. Nace en Suiza, en el cantón de los Grisones, y después de unir las turbulentas aguas que descienden de los glaciares de San Gotardo (Rin Anterior) y el macizo de Adula (Rin Posterior), va convirtiéndose en la caudalosa corriente que llega a conformar una cuenca hidrográfica de 200,000 km^2 a lo largo de 1,320 km de recorrido, teniendo como afluentes más importantes el Ill, Kinzig, Neckar, Main Lahn, Mosela, Lieg, Wüpper, Ruhr y Lippe, constituyendo uno de los factores políticos, históricos y antropogeográficos más importantes del mundo.

Su dirección primera es de sur a norte. Baña el límite de Suiza con el Principado de Liechtenstein y Austria. Cruza el lago de Constanza y prosigue su curso orientado hacia el oeste hasta Basilea, en donde vuelve a buscar el norte. Sus aguas han ido descendiendo de valle en valle (salto de 20 m en Laufen) y recibido el caudaloso Aar como afluente. Desde Basilea baña también tierra francesa: Estrasburgo, donde acoge las aguas del Ill. Pasa por Carlsruhe, en donde ya es absolutamente alemán, Mannheim y Maguncia, hasta que, después de cruzar por Emmerich, penetra en Holanda por Lobith. Allí se divide en dos brazos: el meridional, que recibe el nombre de Waal y se une al río Maas o Mosa; y el septentrional, que conserva el nombre de Rin y se divide en dos ramas, una el Issel, que desemboca en el Zuiderzee, y otra el bajo Rin, que se denomina sucesivamente Lek y Nuevo Mosa, cruza Rotterdam y desagua en el Mar del Norte.

En este dilatado curso el Rin ha enlazado su nombre a la historia de antiguas ciudades: Estrasburgo, la Argentoratum de los romanos; Spira y Worms, viejas ciudades que se hicieron famosas en los tiempos de la Reforma; Maguncia (Mainz en alemán), que fue cabeza de un estado eclesiástico de la época feudal; Colonia, fundada a comienzos de nuestra era por el célebre general romano Agripa, yerno de Augusto, y de aquí el nombre de Colonia Agripina que es origen del actual. Mannhelm y Coblenza, las grandes ciudades industriales; luego Bonn, Düsseldorf, Duisburgo.

Desde los tiempos prehistóricos, el Rin fue corriente navegable que sirvió de medio de acercamiento. También límite natural del imperio romano y valla que salvó a los latinos de occidente de las tribus teutonas. En la Edad Media sirvió al aporte civilizador y sus aguas crearon los primeros centros de intercambio y los vínculos espirituales de la futura nacionalidad germánica. Unido por todas estas circunstancias a los pueblos de Alemania, éstos lo hicieron símbolo de sus sueños, su vigor y su historia, y el genio de Richard Wagner lo plasmó en sus poemas musicales: el héroe Sigfrido se torna invencible al bañarse en la sangre del dragón que mora en las rocas del Rin; y el anillo de los Nibelungos, hecho con el oro guardado en las profundidades del río, da poder sobrenatural a quien lo posee. *Véase* ALEMANIA.

rinitis. Inflamación de la mucosa de las fosas nasales. Si es de carácter catarral se llama coriza, mientras que la forma crónica ulcerosa se denomina ocena. La primera produce al iniciarse comezón y prurito, que provocan frecuentes estornudos, y luego empieza a fluir por las aberturas nasales un flujo transparente, seroso que suele causar irritación en el borde inferior de la nariz y labio superior. Aunque la rinitis suele presentar únicamente accidentes locales, a veces va acompañada de malestar, inapetencia y fiebre ligera. Por lo regular, los síntomas empiezan a desaparecer al cabo de dos o tres días, en que cesa la calentura, si es que existe, y el flujo adquiere un color blanco y luego amarillo verdoso. El diagnóstico de la rinitis ofrece rara vez dificultad; sólo puede ser grave en los niños recién nacidos o de pecho.

Corel Stock Photo Library

Rinoceronte negro en África.

rinoceronte. Animal vertebrado de los mamíferos paquidermos y de la familia de los rinocerótidos, propio de las zonas tórridas de Asia y África. Los rinocerontes son animales corpulentos que llegan a alcanzar 4 m de largo y casi 2 m de altura, fuertes, de cabeza alargada, pescuezo corto, patas gruesas y cortas y ojos muy pequeños. Viven solitarios o en pequeños grupos, generalmente en sitios pantanosos; gustan de revolcarse en el agua para librarse de los insectos que pululan a su alrededor. En las horas más cálidas del día descansan a la sombra.

Son animales de carácter pacifico, sólo atacan para defenserse lanzándose velozmente, pese a su corpulencia, contra el enemigo. La piel, de un extraordinario grosor, le permite atravesar la maleza más espinosa y su gran fuerza y corpulencia derribar árboles, que deja a izquierda y derecha de su paso, lo que da una característica especial a sus huellas.

El rinoceronte tiene muy desarrollados los sentidos del olfato y del oído, lo que hace muy difícil cazarlo desprevenido. Embiste siempre en línea recta, a gran velocidad. Se conocen cinco especies de rinocerontes, de las cuales tres son asiáticas y dos africanas. Los rinocerontes de la India y de Java tienen un cuerno y los de África y Sumatra, dos.

Rinoceronte blanco corriendo.

Corel Stock Photo Library

riñones. Dos órganos situados a la altura de las dos últimas vértebras dorsales y que tienen por función secretar la orina. El riñón tiene forma de frijol mide unos 12 cm de largo por 7 cm de ancho. Su consistencia es más firme que la del hígado y bazo, con coloración rojo pardusca y su peso alrededor de 150 gr. De cada riñón parte un conducto cilíndrico, el uréter, que tiene la misión de conducir la orina hasta la vejiga. En el riñón humano pueden distinguirse dos zonas: la corteza y la médula. Elemento constitutivo importante del órgano es el nefrón, riñón en miniatura con irrigación sanguínea abundante. Se ha calculado que hay casi un millón de nefrones en cada riñón.

Los riñones vienen a representar el papel de filtros de la sangre porque expulsan por la orina productos de desecho como cloruros, fosfatos, urea y ácido úrico entre otros, todos ellos disueltos en 95% de agua. Estos órganos ejercen otras funciones, como contribuir a la presión sanguínea normal, intervenir en el equilibrio ácido-alcalino de la sangre y mantener la armonía funcional con las glándulas de secreción interna y con los demás órganos.

Los riñones pueden ser atacados por infecciones, procesos tuberculosos, cálculos, tumores, heridas y contusiones. Cuando sólo es un riñón el afectado, es posible la total extirpación, ya que el organismo puede vivir muchos años con un riñón, si queda sano. El organismo sin riñones no puede seguir viviendo. La muerte sobrevendría por autointoxicación al cabo de unas horas. Para el tratamiento de esta enfermedad se ha utilizado la diálisis.

Otras pruebas y análisis se emplean como paso previo para prevenir con un tratamiento los peligros de una acidosis (in-

Dibujo de un riñón humano cortado para mostrar su estructura.

Salvat Universal

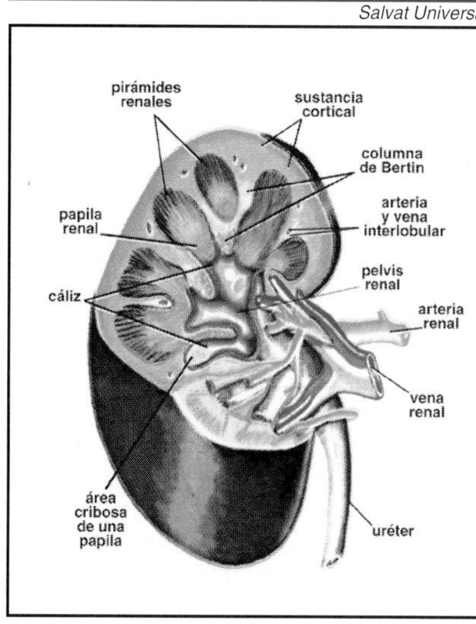

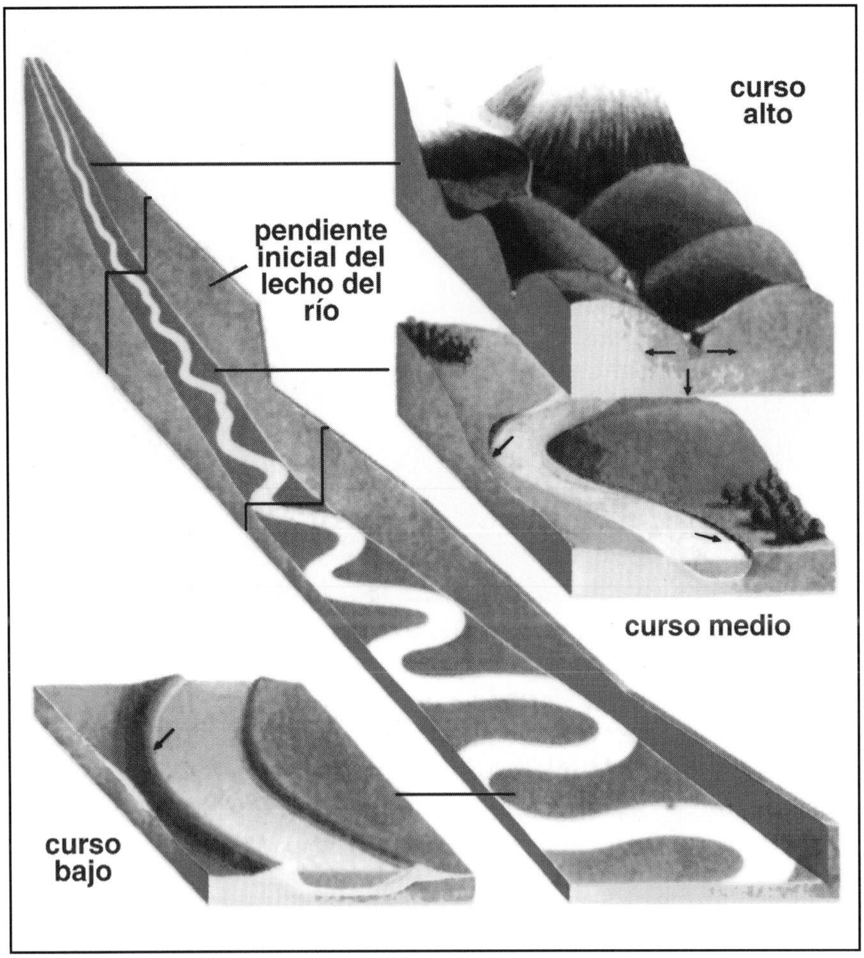

Salvat Universal

Esquema de las tres partes principales en que puede dividirse el curso de un río.

toxicación ácida), de la uremia (exceso de urea en la sangre) o de la anuria, (falta de secreción urinaria), que son tres estados de pronóstico grave. Los análisis de la función renal sirven también para indicar la intervención del cirujano. *Véanse* ACIDOSIS; CÁLCULO; INSUFICIENCIA; TUBERCULOSIS; UREA Y UREMIA.

río. Corriente de agua continua, más o menos caudalosa, que va a desembocar en otra o en el mar. La evaporación de las grandes masas líquidas del planeta (océanos, mares, lagos, etcétera), es seguida por su condensación y regreso a la superficie de la tierra para deslizarse o sumirse en ella y formar arroyos, manantiales o fuentes que dan origen a corrientes, hendiendo el suelo, labrándolo, esculpiéndolo en cauces más o menos fijos y de rumbo definido. Tal es el origen de los ríos que, según su procedencia, curso, forma y volumen, reciben distintos nombres. Si grande ha sido su importancia natural como artífices de las formas del modelado terrestre, de las cuales son los *escultores por excelencia*, según la frase de un geógrafo famoso (De la Noe), no fue menor su importancia como factores que contribuyeron a la formación de pueblos y al desarrollo de civilizaciones.

En efecto, en la cuenca de los grandes ríos ha desenvuelto el hombre sus mejores actividades sedentarias, y el comercio ha circulado por sus aguas como la sangre por las venas, siendo los ríos, como se ha dicho con frase gráfica, verdaderos *caminos que andan.* El Tigris, el Éufrates, el Nilo, fueron los patriarcas de estos ríos civilizadores, en cuyos valles los hombres cultivaron la tierra y fundaron el poderío de sus ciudades-estados, cambiando los vagabundos azares de la caza por una rutina laboriosa y constructiva. La riqueza de sus légamos permitía abundantes cosechas anuales, y la arcilla de sus limos sirvió para fabricar las tabletas en que se grabaron por primera vez los signos de la escritura. En el transcurso de las épocas, casi siempre hubo un gran río vinculado al desarrollo de un gran pueblo.

Dos fuentes esenciales dan nacimiento a los ríos: los ventisqueros, cuyo deshielo se resuelve en cursos de agua, y los manantiales, que son las aguas absorbidas por el suelo y que luego vuelven a aflorar. Su caudal es incrementado por las lluvias y los afluentes menores que lo van alimentando durante su recorrido; y su forma va siendo modificada por los accidentes de las regiones que atraviesa. O sea, su naturaleza y carácter depende, pues, del régimen de las lluvias, del régimen de las nieves, de la constitución geológica del suelo y de la topografía del terreno que recorren.

Hacen su marcha por el cauce o vaguada, que es su lecho, cuya amplitud depende del volumen de la corriente. Durante el verano, este lecho es mínimo, y máximo en el invierno, con las crecidas, régimen que se invierte en los países de lluvias de verano, como ocurre bajo el clima monzónico. Los ríos alimentados predominantemente por torrentes de montaña, alcanzan su máximo entrada la primavera, con los grandes deshielos.

Entre los principales ríos se cuentan el Amazonas, Orinoco y Paraná enAmérica del Sur, el Mississippi y San Lorenzo en America del Norte; el Nilo, Congo y Níger en África; el Yangsé, Ganges e Indo en Asia; el Volga y el Danubio en Europa.

Pocos símiles tan exactos ofrece la naturaleza para la vida del hombre como la vida de un río. En efecto, los ríos tienen personalidad y temperamento, desde que nacen hasta que envejecen y mueren. Veamos en líneas generales, por qué fases atraviesan y qué transiciones experimentan antes de llegar al mar:

1) *Curso alto o superior.* Nace el río brinca peñas abajo; rueda; echa espumas; roe el suelo con fuerza incontenible.

Río Yellowstone en Wyoming.

Corel Stock Photo Library

2) *Curso medio.* Corre sereno y cauteloso. Recorre la etapa de su madurez.

3) *Curso bajo o inferior.* Su caudal es mucho mayor, pero su curso es cada vez más despacioso, propio de su fase senil. Próximo a su fin, apresura el reparto de los materiales de acarreo y forma con ellos el valle fluvial. Luego, se entrega al mar, que es su tumba.

Como ocurre siempre con los más cabales símbolos de la vida, el río se relaciona también con la muerte, y así lo siente en sus coplas Jorge Manrique:

Nuestras vidas son los ríos
que van a dar a la mar,
que es el morir...

Corel Stock Photo Library

Río Queenstown en Nueva Zelanda.

Río, Andrés Manuel del (1764-1849). Geólogo y químico español. Fue discípulo de Abraham Gottlob Werner en Freiberg y trabajó con Antoine Laurent Lavosier en París en 1794. En 1795, fue nombrado profesor del seminario de Minería de la ciudad de México, que dirigía Fausto de Elhuyer. Recorrió el territorio del virreinato y descubrió el vanadio en el pardo del Zimapán. Montó en Michoacán la primera ferrería de México y publicó los *Elementos de orictognasia* (1795). Elegido diputado en 1820 defendió en la cámara de Madrid la independencia de México. Fue el introductor de la técnica minera de México.

Río, Dolores del (1905-1983). Actriz cinematográfica mexicana cuyo verdadero nombre fue Dolores Ansúsolo. Su admirable labor, tanto en la etapa del cine mudo como en la del sonoro, le conquistó celebridad internacional. Inició su carrera artística en Hollywood (1925), donde en poco tiempo surgió como estrella de renombre, actuando en los filmes *El precio de la gloria* (1926), *Resurrección* (1927), *Ramona* (1928), y muchas más. En México su labor artística como actriz dramática llegó a la cima de su perfección con su admirable actuación estelar en *María Candelaria* (1943), *Flor Silvestre* (1943), *La otra* (1946), *Bugambilia* (1946), *Las abandonadas* (1952), *Doña Perfecta* (1954) y *La malquerida* (1949).

Río Branco. Territorio de Brasil que limita con Guyana y Venezuela; antiguamente formaba parte del estado de Amazonas desde 1988 se constituyó como estado. Su nombre fue tomado por su contigüidad al río Branco, subafluente del Amazonas. Su superficie ocupa 230,104 km^2 y su población es de 130,070 habitantes. Comprende dos municipios: Boa Vista y Catrimani. Está situado en una de las zonas más fértiles del país, de gran riqueza agrícola. Produce caucho, madera, algodón y resinas; café, mandioca, batatas, cacao, azúcar, piñas, bananas y gran cantidad de aceites vegetales y especias. La capital es Boa Vista. Conservó el nombre de Río Branco hasta 1962 en que se le dio el de Roraima, que corresponde al monte así llamado (2,722 m). Hasta 1773 estuvo habitado por indios makuxi, wapixana y yamomani. A partir de entonces llegaron diversas olas de inmigrantes, la última de ellas en la década de los ochenta: los *gampeiros* o buscadores de oro, ilegales muchas veces, que en 1990 fueron detenidos.

Río Branco, José María da Silva Paranhos, barón de (1845-1912). Jurisconsulto, político y diplomático brasileño. Profundizó especialmente los problemas referentes a las fronteras de Brasil, resolviendo los asuntos de esa naturaleza con Argentina (territorio de Misiones, 1895), con Bolivia (zona de Acre, 1903), con Uruguay y Perú (1909). Ha sido uno de los más grandes estadistas de su patria y de los más hábiles juristas americanos. Fue cónsul en Liverpool (1876), ministro plenipotenciario en Alemania (1901) y desde 1902 desempeñó el cargo de ministro de Relaciones Exteriores. Una estatua suya se levanta en la avenida que lleva su nombre, en Río de Janeiro. Fue el diplomático que mayor superficie de territorio ganó para su patria sin derramar una sola gota de sangre. Escribió un *Compendio de historia del Brasil.*

Río Cuarto. Ciudad de Argentina, situada en la parte suroeste de la provincia de Córdoba. Tiene 88,852 habitantes. Su riqueza está constituida por la producción de cereales y fruta, la ganadería, aserraderos e industrias de fundición. Situada en la margen izquierda del río Cuarto, cuenta con consulados de diversas naciones europeas, observatorio meteorológico, escuela normal, biblioteca, hospital y guarnición militar. Posee interesantes monumentos históricos como la catedral y la iglesia de San Francisco.

Río de Janeiro. Estado de Brasil que limita con el océano Atlántico, al sur y con los estados de Minas Gerais, al norte; Espírito Santo, al este, y São Paulo, al oeste. Tiene una superficie de 44,268 km^2 divididos en 64 municipios. Su población, de 13.296,400 habitantes, se encuentra concentrada principalmente en la bahía de Guanabara y en la ciudad de Río de Janeiro, capital del estado. Con excepción de la zona baja del litoral, el terreno es muy accidentado por las estribaciones de las sierras del Mar y Mantequeira. Sus plantas petroquímicas y metalúrgicas lo han colocado en segundo lugar de importancia industrial en el país; además, es gran productor de azúcar, arroz, café, cereales y frutas. La capital era Niterói pero, tras la absorción del estado de Guanabara en 1975, la capital se trasladó a la ciudad de Río de Janeiro, importante centro turístico y cultural. Otras ciudades importantes son: Teresópolis, Nova Friburgo y los centros industriales de Campos y Volta Redonda.

Río de Janeiro. Puerto de Brasil, capital del estado de Río de Janeiro. Es una de las ciudades más hermosas y pintorescas del mundo, ubicada en la orilla occidental de la bahía de Guanabara, donde está también Niterói, en el litoral atlántico de América del Sur, al oeste del Cabo Frío.

Corel Stock Photo Library

El cerro del corcovado y Río de Janeiro al fondo.

Población: 5.547,033 habitantes. La bahía que se despliega de sur a norte, ligeramente orientada hacia el noreste, tiene unos 30 km de largo. La entrada se halla al fondo de una ensenada entre la costa de Río de Janeiro al oeste (Pan de Azúcar) y la punta de Santa Cruz al este, siendo preciso cruzar la barra o Canal de São Sebastião (el puerto anteriormente se llamaba São Sebastião do Rio de Janeiro). Después de pasar la barra aparecen numerosas islas, ensenadas y otras bellezas naturales, sobresaliendo las bahías de Botafogo y Jurujuba. Domina ese panorama el cerro de Pan de Azúcar, a cuyo pie está la ciudad.

Gran parte de la población se extiende por las colinas que, en forma de media luna, circundan el puerto y aumentan la originalidad y el encanto del paisaje. Río de Janeiro fue sede del gobierno federal hasta 1960, y es centro de gran parte de las actividades nacionales: mercantiles, industriales, de intercambio y distribución, comunicaciones ferroviarias, marítimas y aéreas. Esto le ha significado un progreso extraordinario. Tal desarrollo comenzó muy lentamente y se inicia a fines del siglo XVIII, cuando sustituyó a Bahía como capital de la nación (1763). Fue el rey Juan VI de Portugal quien inició el camino al escoger a Río en 1808 como su residencia y la de la corte durante su exilio, impulsando el progreso industrial y abriendo su puerto para el intercambio exterior. Al comenzar el siglo XIX la ciudad era antigua, estrecha y pobre. Pero, a partir de 1841, cuando sube al trono el emperador Pedro II, nieto de Juan VI, se inicia la transformación portentosa, y logra no sólo la belleza material y el adelanto espiritual, sino también un estado sanitario excepcional entre las ciudades tropicales. Su jardín botánico, fundado en 1808, posee miles de especies de plantas, muchas de ellas muy raras. El Museo Nacional, establecido en la que fue mansión del emperador Pedro II, es gran centro histórico sudamericano. Otros edificios notables son el Teatro Municipal y los palacios de Catete, que fue residencia presidencial y de Itamaraty, donde estuvo el ministerio de Relaciones Exteriores. La ciudad está dotada de grandes jardines, parques, avenidas, balnearios y múltiples atracciones. En la cima del Corcovado se halla la gigantesca estatua de Cristo, obra del escultor francés Paul Landowski.

Historia. Descubridor de la bahía fue el navegante Gonçalo Coelho en 1504, y un grupo de colonos portugueses que allí se estableció en 1562 le dio el nombre de Río de Janeiro, que en lusitano significa río de Enero, por haber arribado al lugar en dicho mes. En 1640 los holandeses se apoderaron del poblado, pero lo devolvieron. El almirante francés René Duguay-Trouin tomó la ciudad en 1711 y la restituyó después. En 1763, fue designada capital de Brasil, y continuó siéndolo hasta 1960 en que la capital fue trasladada a la nueva ciudad de Brasilia.

Vista aérea de Río de Janeiro.

Corel Stock Photo Library

Río de Janeiro, Protocolo de. Acuerdo de límites entre Ecuador y Perú por el que se reconocía a esta última la posesión de la Amazonia ecuatoriana y del territorio en torno a Tumbes (enero de 1942). Posteriormente (1951, 1960 y 1980), Ecuador ha declarado la nulidad de dicho tratado, a causa de lo cual se produjeron los litigios fronterizos de 1981 y el conflicto bélico en 1995.

río de la Plata. *Véase* PLATA, RÍO DE LA.

Río de Oro. Territorio de África occidental, que constituía la parte meridional de la antigua provincia del Sahara español. En 1976 la provincia fue anexionada por Marruecos y Mauritania, y correspondió a este último país la parte de Río de Oro. Su capital fue Villa Cisneros, situada en la península que los nativos llaman Dahla y que paralela a la costa forma un golfo largo y estrecho. La principal riqueza de todo el país es la pesca, que los pescadores de las islas Canarias explotaron desde tiempo inmemorial. *Véanse* MARRUECOS; MAURITANIA; SAHARA ESPAÑOL.

Río Gallegos. Ciudad de Argentina, capital de la provincia de Santa Cruz en el sur de la Patagonia. Población: 43,727 habitantes. Está situada a orillas del estuario del río de su nombre. Una línea ferroviaria de 257 km comunica su puerto con la cuenca carbonífera de Río Turbio. Producen, además de carbón, petróleo y es centro comercial de la ganadería ovina.

Río Grande del Norte. Estado de Brasil situado en el extremo oriental de la república. Limita con los de Paraíba y Ceará, y con el océano Atlántico, ocupa un área de 53,015 km^2, con 2.413,618 habitantes. La zona marítima es arenosa, baja y seca. La zona interior es muy fértil y en ella se produce algodón, caña de azúcar, mandioca, cera de carnauba, sal y pieles. El clima es cálido y seco. La capital es Natal.

Historia. La conquista del territorio empezó a fines del siglo XVI, después de la fundación de Natal (1599),que habría de ser desde entonces su capital. En 1630 cayó en poder de los holandeses, que lo ocuparon hasta 1654, en que fueron expulsados por la reconquista portuguesa. Durante el periodo colonial siguió la evolución del noreste brasileño (caracterizada por la explotación de la caña de azúcar y por la progresiva decadencia de la región a partir de finales del s. XVIII). Formó parte de la sublevación que, acaudillada por Pernambuco (1824), luchó sin éxito contra el centralismo de Pedro I. Ya en el siglo XX, la quiebra de su economía fue parcialmente mitigada por cierto desarrollo de la industria textil y por la explotación minera de tungsteno.

Río Grande del Sur. Estado de Brasil. Limita al norte con el estado de Santa Catarina; al oeste, con el océano Atlántico; al sur, con Uruguay, y al oeste con Argentina. En su litoral comprende las lagunas de los Patos y Mirim, separadas del mar por estrechas bandas de tierra, pero comunicadas entre sí y con el océano por canales naturales. Superficie: 282,184 km^2. Población: 9.578,600 habitantes. Su capital: Porto Alegre. Tierra fertilísima con agricultura y ganadería muy importantes. Industrias de conservas de carne, frigoríficos, vinos, textiles, harinas, tabaco, etcétera. Minas de oro, hulla, estaño y cobre. Importante comercio de exportación. Sus favorables condiciones económicas y climáticas han atraído inmigrantes: entre 1900 y 1970 la población se quintuplicó.

Historia. Los primeros europeos que se establecieron en la región fueron los jesuitas españoles, que fundaron misiones entre 1632 y 1707. Posteriormente, los portugueses fundaron la población de Río Grande (1737) y crearon guarniciones militares para salvaguardar el territorio de las reclamaciones de los españoles, que llegaron a ocuparlo entre 1763 y 1776. La constitución de Uruguay como Estado independiente fijó los límites del territorio de Río Grande. En 1835 estalló la sublevación republicana federalista de los *farrapos*, que proclamó la República Riograndense, que volvió a poder del gobierno central tras una cruenta guerra civil. El estado fue el eje de la guerra civil de 1892-1894. En 1930 apoyó el pronunciamiento de Getúlio DornellesVargas, y en 1961 Río Grande del Sur fue el artífice de la instauración de João Goulart en el poder.

Río Hortega, Pío del (1882-1945). Histólogo español, nacido en Portillo (Valladolid) y muerto en Buenos Aires. Estudió medicina en Valladolid, licenciándose en 1905. Se doctoró en Madrid en 1909. Pensionado en el extranjero por el Comité Español para el Estudio del Cáncer, completó su formación en París y en el Instituto Koch de Berlín. De regreso en su país trabajó en el laboratorio del doctor Nicolás Achúcarro y luego al lado de Santiago Ramón y Cajal. Obtuvo varios premios y en 1925 emprendió una gira de conferencias por varios países de América del Sur. Sus investigaciones científicas se dirigieron particularmente a la neurología y, en especial, las células que descubrió en el tejido nervioso, las que fueron designadas en Alemania con el nombre de *Río Hortega*. Dirigió en Madrid el Instituto de Biología Ramón y Cajal, de quien fue discípulo predilecto. La guerra civil de 1936-1939 motivó su salida de España. Radicado en Argentina (1940), dirigió el Laboratorio de Investigaciones Histológicas e Histopatológicas, creado por la Institución Cultural Española. Fue autor de numerosos trabajos y estudios científicos.

río Muni. *Véase* GUINEA ECUATORIAL.

Río Negro. Departamento de Uruguay, situado en la parte occidental del país. Limítrofe con Argentina. Ocupa un área de 9,282 km^2, con 48,730 habitantes. Los ríos principales que lo bañan son el Uruguay y el Negro, y su capital es Fray Bentos, con 23,200 habitantes. Su riqueza está representada por la ganadería –85% de las tierras son de pastoreo–, trigo, lino, papas, maíz, avena y legumbres.

Río Negro. Provincia de la República Argentina, situada en la región septentrional y más fértil de la Patagonia. Los 203,013 km^2 de sus tierras frías y desérticas se hallan poblados por 556,674 habitantes, que en su gran mayoría se agrupan en el valle del río que da su nombre a la provincia, zona donde la meseta patagónica interrumpe bruscamente su árida monotonía para dar paso a extensas llanuras en las que prosperan árboles frutales y viñedos. En la provincia se cría también ganado vacuno, y existen yacimientos petrolíferos en las cuencas de Catriel, Peñas Blancas y de Sierra Grande, con importantes reservas ferríferas; hay, además, otros minerales como cobre, plomo, manganeso y carbón.

La mayor altura del territorio es el cerro Tronador (3,776 m), en la frontera con Chile. La capital de la provincia es Viedma, que

Cerro catedral en Río Negro, Argentina.

Secretaría de Turismo, Presidencia de la Nación

tiene 24,338 habitantes. A orillas del lago Nahuel Huapi se encuentra la ciudad de San Carlos de Bariloche, hermosa población que es el centro vacacional y de turismo más importante del país. Bariloche atrae a turistas sudamericanos en verano y a esquiadores, europeos principalmente, en invierno. La región de los parques nacionales, que ocupa las comarcas vecinas en los Andes, es una de las principales zonas turísticas de América del Sur. Otras poblaciones importantes son Choele-Choel, San Antonio Oeste y Fuerte General Roca.

Río Piedras. Ciudad y antiguo municipio de Puerto Rico, 10 km al sureste de San Juan al cual está integrado. Su máxima importancia estriba en ser una zona residencial de la capital y la sede de la Universidad de Puerto Rico que fue fundada en 1903. Entre los edificios del recinto universitario está un museo donde se exhiben importantes colecciones de objetos arqueológicos, históricos y artísticos, una gran biblioteca, y un teatro en el que tiene lugar todos los años el festival Casals y otros conciertos.

Río Piedras, llamada originalmente *El Roble*, fue constituida en ciudad en 1714. Tiene gran número de industrias, entre las que se cuentan las de procesado de productos agropecuarios, incluidos los productos lácteos originados en la región que rodea la ciudad. Desde 1951 el municipio fue integrado a la capital San Juan.

Río San Juan. Antiguo departamento de Nicaragua, hoy Región I, en el extremo sureste del país donde limita con el Atlántico y Costa Rica. Comprende la antigua comarca de San Juan del Norte y tierras de regiones vecinas. Tiene 7,254 km^2 y 70,875 habitantes. Terreno casi totalmente bajo, poco poblado. Su capital es San Carlos. En él se incluyen el archipiélago de Solentiname y otras islas del lago Nicaragua. La economía se basa en el cultivo de cacao y bananas, en la pesca y en la explotación de la selva.

Riobamba. Antigua e histórica ciudad de Ecuador, capital de la provincia de Chimborazo, a 2,798 m de altura. Población 114,322 habitantes. Producción de cemento; industrias textil, alimentaria y del cuero; manufactura de alfombras, tapices y objetos de tagua.

Historia. Fue capital del reino de Puruhá en la época prehispánica, con el nombre de Liribamba. En 1533 fue ocupada por el conquistador Sebastián Benalcázar, y durante la época colonial floreció la industria textil a través de los obrajes que producían y exportaban ponchos y otros artículos de lana. La explotación provocó varias revueltas indígenas. En 1797, un terremoto destruyó la ciudad y ésta fue reubicada. Riobamba es el lugar donde el 11 de noviembre de 1820 fue proclamada la independencia; diez años más tarde, fue sede de la asamblea constituyente de la república de Ecuador en mayo de 1830.

Rioja. Comarca de España, en la comunidad autónoma de La Rioja.Corresponde a un sector llano de la depresión alta del Ebro, comprendido entre las primeras faldas del sistema Ibérico (Tierra de Cameros) y el curso del Ebro. La pluviosidad es mayor que en las áreas central y baja de la depresión, y las temperatures son algo inferiores. Grandes extensiones se dedican al cultivo de la vid, cuyos caldos gozan de merecido prestigio en el mercado. Su cultivo se realiza en secano sobre areniscas margosas en el graderío de las laderas, y en el marco de pequeñas y medianas explotaciones. La mitad de la población vive concentrada en la centro de Logroño. En la faja inferior, a lo largo del río, se extienden cultivos hortícolas y frutales, origen de una importante industria conservera. Se divide en dos subcomarcas: La Rioja Alta, a partir de las Conchas de Haro haste el valle del Iregua (que en Logroño afluye al Ebro), incluyendo los del Oja (que dio nombre a la comarca) con su afluente el Tirón, y el Najerilla, con Haro como mercado subcomarcal. Y la Rioja Baja, con los valles del Leza, el Cidacos y el Alhama captados por el del Ebro. La población se aglomera en Calahorra (mercado), Arnedo y Alfaro.

Rioja, Enrique (1895-1963) Naturalista español. Profesor de varios centros docentes españoles y de la Universidad Nacional Autónoma de México, donde residió desde 1940. Fue nombrado presidente de la Sociedad Mexicana de Hidrobiología. Llevó a cabo importantes investigaciones sobre los crustáceos, anélidos e hidrobiología. Publicó: *Estudio de los poliquetos de la Península Ibérica* (1931) y *Los crustáceos cavernícolas de México* (1951).

Rioja, Francisco de (1583-1659). Poeta español nacido en Sevilla. Se ordenó sacerdote, fue racionero de la catedral de Sevilla y, más tarde canónigo. Trasladado a Madrid por orden de su amigo Gaspar de Guzmán y Pimentel, duque de Sanlúcar la Mayor y conde de Olivares, primer ministro de Felipe IV, fue nombrado bibliotecario y abogado consultor del rey. Su fama principal reside en su poesía. Sus silvas figuran en todas las antologías de poesía española. Entre ellas se destacan *A la rosa, Al clavel, A un jazmín, Al verano*, etcétera. También es autor de poesías amatorias y filosóficas, apasionadas y melancólicas. La crítica moderna ha demostrado que no es el autor de la *Epístola moral a Fabio* ni de la *Canción a las ruinas de Itálica*, famosas poesías cuya paternidad se le atribuyó durante mucho tiempo. Rioja se destaca por buscar con empeño la auténtica ponderación del color, y los giros poéticos que emplea adquieren una gran belleza formal y clásica.

Rioja, La. Comunidad Autónoma uniprovincial de España. Limita al norte con las provincias de Alava y Navarra; al sur cor Soria; al este con Navarra y Zaragoza; y al oeste con Burgos.

Rioja, La. Provincia del noroeste de Argentina, situada entre las de Catamarca, Córdoba, San Luis, San Juan y la cordillera andina. Tiene una superficie de 89,680 km^2 y una población de 246,158 habitantes. Su capital es La Rioja, en la desembocadura de la quebrada de Sanagasta, que la abastece de agua y fue fundada en 1591 por don Juan Ramírez de Velasco. Tiene 103,727 habitantes. La falta de agua y de buenos pastos constituyen difíciles problemas, sin embargo uno de los recursos de la provincia es la ganadería. Su único río de relativa importancia es el Bermejo. Clima seco y cálido en la llanura, veranos rigurosos, lluvias raras y mezquinas; la más agradable estación es el invierno, cuando no sopla el viento de zonda. El viento de zonda es característico de la región; sopla con fuerza, es cálido y afecta desfavorablemente a los seres vivos produciéndoles inquietud. En los valles de la cordillera se cosechan vid, olivo, alfalfa y frutales (nogales, dátiles, manzanas, etcétera). Tiene grandes bosques de quebracho, algarrobo y una acacia de excelente madera para la ebanistería. Su principal riqueza son los minerales: oro, plata, cobre, hierro, plomo, cinc, uranio, molibdeno y rocas de aplicación. Los más importantes centros mineros están en la sierra de Famatina, donde se encuentra el cerro General Manuel Belgrano (6,250 m), y en la cual hay carbón de piedra, así como alumbre en Los Llanos. Habitada por los incas, fue conquistada por los españoles en el siglo XVI como parte de los virreinatos del Perú y del Río de la Plata. En 1820 se le declara provincia.

Riom. Ciudad de Francia, cabeza de distrito, en el departamento de Puy-de-Dôme, situada al pie de los montes Dôme y a orillas del Ambene. Población: 18,740 habitantes. El distrito tiene 13 cantones y 138 municipios. Cuenta con explotación de betún, fábricas de tejidos y manufactura de tabacos. Entre sus edificios merecen citarse la iglesia de San Amable, del siglo XI; el Hospital General y la capilla del castillo ducal. Es la antigua Ricomago, que fue capital de Auvernia desde 1360. En Riom se celebró a partir de febrero de 1942 –mientras Francia, vencida, estaba ocupada militarmente por Alemania– el proceso para juzgar a los políticos de la Tercera República, sobre los que recaía la responsabilidad de la derrota de Francia al principio de la Segunda Guerra Mundial. El proceso se suspendió dos meses después a pesar de la presión alemana.

Ríos, Los. Provincia de Ecuador que limita con Guayas, Pichincha, Cotopaxi y Bolívar. Tiene una extensión de 6,254 km^2 y 619,353 habitantes. Debe su nombre a los numerosos ríos que la riegan. Es una provincia ganadera y agrícola que produce caña de azúcar, cacao, arroz y tabaco, café, algodón, canela y maderas finas. Cuenta con algunos yacimientos de oro. Aunque su capital es Babahoyo, la ciudad más poblada es Quevedo. Administrativamente se divide en siete cantones.

Ríos Montt, Efraín (1925-). Militar y político guatemalteco. General en activo, en 1974 fue candidato a la presidencia de la república, iniciando así su vida política. Encabezó la junta militar que depuso al presidente Romeo Lucas (marzo de 1982), asumió el poder en nombre de los militares y gobernó dictatorialmente. Fue destituido por las Fuerzas Armadas el 8 de agosto de 1983. Retirado del ejército, se convirtió en el máximo dirigente de la iglesia del Verbo (fundamentalista protestante) y del Movimiento de Acción Solidaria, cuyo candidato, Jorge Serrano, venció en las elecciones presidenciales de 1991. En 1994, su propio partido, el Frente Republicano Guatemalteco, triunfó en las elecciones legislativas, y fue nombrado presidente del Congreso.

Ríos Morales, Juan Antonio (1888-1946). Político chileno. Ministro del Interior y de Justicia (1932) y presidente del Partido Radical, suscribió el pacto del Frente Popular (1939), el cual le llevó a la presidencia de la república en las elecciones de 1942. Perteneciente a la derecha de su partido rompió, sin embargo, las relaciones con el ejército. Practicó una política moderada.

Ríos Urruti, Fernando de los (1879-1949). Jurisconsulto, profesor y político español nacido en Ronda (Málaga) y muerto en New York. Afiliado desde muy joven al partido socialista, figuró en su comité ejecutivo y se caracterizó por su prudencia y moderación. Fue catedrático de la Universidad de Granada y después de la de Madrid. Durante la Segunda República, sucesivamente fue ministro de Gracia y Justicia, de Instrucción Pública y de Estado. Durante la guerra Civil de 1936 desempeñó el cargo de embajador de España en Washington y, posteriormente, una cátedra en la Universidad de Columbia. Sus obras principales son: *La filosofía política de Platón, La crisis de la democracia, Estado e Iglesia en España del siglo XVI* y *El sentimiento humanista del socialismo.*

Riotinto. Municipio de la provincia de Huelva (España), partido judicial de Valverde del Camino, con 8,009 habitantes. Es importante zona minera, con muy escasa agricultura e industria ajena a aquella actividad. Las minas de Riotinto, que fueron adquiridas en 1873 por una compañía inglesa, gozan de fama mundial y son antiguas, pues ya se hallaban en explotación en la época de los fenicios, cartagineses y romanos. Producen cobre –aunque los mejores filones de este metal están ya agotados a consecuencia de una explotación muy intensa a fines del siglo XIX y comienzos del XX– y azufre, origen de la fabricación de ácido sulfúrico en grandes cantidades. La compañía explotadora construyó un muelle que une la región minera con el puerto de Huelva, y transporta el mineral por medios propios.

riqueza. Abundancia de bienes. Esta acepción puede conducir a confusión si por principio no se establece una categoría de los bienes que constituyen la riqueza. Si consideramos como bienes todo lo que a pesar de su inmaterialidad implica disfrute o posesión, llegaríamos a un punto en el que resultaría imposible delimitar la riqueza de la pobreza, ya que hay elementos naturales de los que todos disfrutamos con igual derecho. Es preciso entonces, hacer una diferenciación entre bienes naturales y bienes económicos. Son naturales aquellos que por su carácter o abundancia no permiten ser valorados, tales como el aire y la luz; económicos son los susceptibles de valor de cambio, constituyendo estos últimos la mayoría de los que se incluyen en el concepto económico de la riqueza. Son tres las cualidades que deben reunir para quedar dentro de dicha denominación: primero, han de ser útiles; después, han de ser limitados, y por último transferibles.

El estado de riqueza tendrá que ser identificado prácticamente con el de bienestar, o dicho en otras palabras, con el poder de gozar de la mayor parte de cosas que deseamos.

Risueño, José (1665-1732). Escultor y pintor español, nacido en Granada. Pocas son las noticias que se tienen de su vida. Se sabe que fue cantor de la catedral y que tuvo por maestro a Diego de Mora, en escultura, y a Alonso Cano en pintura. Fue menos notable como pintor, aunque de él se conservan algunas interesantes obras de tema religioso. Como escultor es uno de los mejores representantes de la última fase del barroco andaluz. Se distinguió por su suavidad y fluidez del modelado, algo sensual a veces, y por la maestría del policromado de sus tallas, al oro mate. Entre las mejores obras que de este escultor se conservan en Granada figuran *La Dolorosa* y el *Eccehomo*, en la Capilla Real, *La virgen con el Niño*, en la Cartuja, y *San Juan de Dios*, en la iglesia de San Matías.

Rita de Cascia, santa (1381-1457). Religiosa italiana a quien se invoca como abogada de causas difíciles y aun imposibles, sin duda por los grandes obstáculos que ella misma hubo de vencer en los tres estados civiles en que vivió y por los reiterados esfuerzos que realizó para ser admitida en un establecimiento religioso, cuya entrada le fue negada tres veces para ser al fin admitida, después de haber perdido a su esposo e hijos, en el monasterio de Santa María Magdalena de la orden de san Agustín, en la ciudad de su nacimiento, Cascia (Umbría, en Italia). El Papa Urbano VIII la beatificó en 1627 y en 1900 fue canonizada por León XIII. Su fiesta se celebra el 22 de mayo día de su fallecimiento.

ritmo. Combinación armoniosa, distributiva y regular de los movimientos en la danza, los sonidos en la música y la cadencia de las palabras en la poesía. El ritmo poético depende de la longitud de las sílabas, la fuerza del acento y la frecuencia o alternación de las cesuras y pausas. Griegos y latinos lo hicieron consistir principalmente en el *tiempo* de las sílabas, y los poetas modernos en el acento. *Véanse* DANZA; MÚSICA; POESÍA.

rito. Costumbre o ceremonia, también se refiere a cada uno de los actos tradicionales eficaces que versan sobre cosas llamadas sagradas. Modo de hacer una cosa

Ceremonia católica del rito de la Eucaristía.

Corel Stock Photo Library

Corel Stock Photo Library

Rito de la fertilidad femenina en Nueva Guinea.

según un orden establecido que se repite de manera invariable y con religioso respeto. El rito es un ceremonial instaurado por un grupo social o por un individuo y constituido por un conjunto de actividades que guardan entre sí determinada relación.

En la Iglesia católica, los ritos deben estar de acuerdo con las disposiciones contenidas en el *Ritual Romano*, compilado en 1614 por orden del papa Paulo V. La Congregación de los Ritos declaró que las prescripciones del *Ritual Romano* son de aplicación general en toda la Iglesia católica. El *Ritual Romano* describe la forma apropiada como deben celebrarse las ceremonias sagradas y ser administrados los sacramentos de la Iglesia así como otros ritos indicados para distintos actos.

ritos fúnebres. *Véase* FUNERALES.

Ritter, Karl (1779-1859). Geógrafo alemán a quien se considera, con Alexander von Humboldt, como el fundador de la geografía científica moderna, pues realizó la conjunción entre las dos escuelas geográficas tradicionales, dando tanto valor al elemento histórico o humano como al natural o físico. Para él, el conocimiento geográfico de una parte cualquiera de la tierra es armonía entre el estudio causal de hechos físicos y el de la actividad humana presente y pasada que ha vivido en ella. Ocupó la cátedra de geografía de la Universidad de Berlín durante 35 años y condensó sus ideas en varias obras, muy valiosas en enseñanzas y estímulos, entre las que señalaremos: *Cuadro geográfico, histórico y estadístico de Europa* y *Geografía universal comparada.*

Rito de la misa católica en Igloolik en el Ártico.

Corel Stock Photo Library

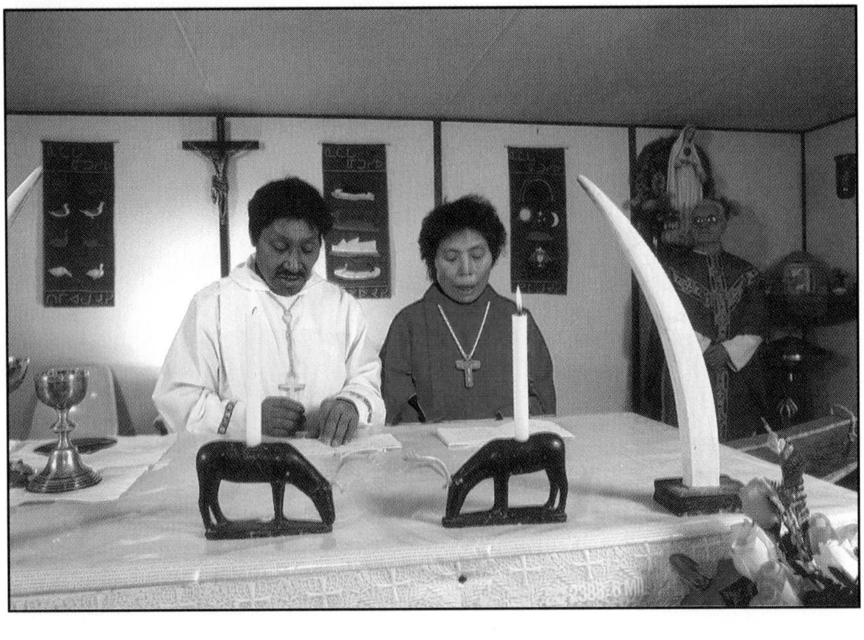

Riva Agüero, José Mariano (1783-1858). Político y militar peruano. Militó en su juventud entre los partidarios de la independencia americana, por lo que fue confinado y preso en varias ocasiones. Proclamada la independencia de Perú, fue elegido primer presidente de la república en 1823. Apoyo la monarquía y a tal efecto estableció contacto con el virrey La Serna, al que propuso que las Cortes de Cádiz designaran un infante español para emperador de Perú; pero sus tropas se pronunciaron contra tales proyectos y lo redujeron a prisión, siendo luego desterrado por Simón Bolívar. Pasó a Europa, y en Londres y Amberes publicó sendos folletos y justificativos de su conducta. En 1832, pudo regresar a su país; resultó elegido diputado a la Asamblea Constituyente, prestó ayuda al presidente Luis José Orbegoso contra los dictadores Agustín Gamarra y Pedro Pablo Bermúdez, y secundó en 1836 el plan de la Confederación Peruano-Boliviana del mariscal Andrés de Santa Cruz. Después de representar como diplomático a dicha confederación en Chile, ejerció la presidencia del estado Norperuano, y a raíz de la derrota sufrida por Santa Cruz en Yungal tuvo que expatriarse de nuevo, dirigiéndose a Europa. Al cabo de algunos años regresó a Perú a favor de una amnistía y ya no se incorporó más a la vida pública.

Riva Palacio, Vicente (1832-1896). Escritor, político y militar mexicano. Estudió leyes y abrazó la carrera de las armas. Peleó contra Maximiliano I, el imperio y la intervención francesa, y alcanzó el grado de general. Al triunfar la república, se dedicó activamente al periodismo, la literatura y la política. Fue gobernador de varios estados, desempeñó cargos de gabinete, ejerció como magistrado de la Suprema Corte y fue ministro de su patria en España. Escritor fecundo, cultivó la novela histórica, en la que descuellan sus obras *Calvario y Tabor, Martín Garatuza, Los piratas del Golfo* y otras. Fundó el famoso periódico de combate *El Ahuizote*. En el campo de los estudios históricos, se distinguió por la obra monumental *México a través de los siglos*. Editada bajo su dirección y con la colaboración de importantes historiadores, fue publicada de 1884 a 1889, y se considera como una de las más importantes contribuciones a la historia de México.

Rivadavia, Bernardino (1780-1845). Primer presidente de Argentina. Era hijo de padres españoles y se casó con una hija del virrey del Río de la Plata, Joaquín del Pino. Sus estudios fueron interrumpidos por las invasiones británicas de 1806 y 1807, llegó a teniente del cuerpo de Gallegos e incluso ejerció interinamente el mando de capitán. Fue comerciante, martillero, armador de buques y emprendió algunos negocios en los que perdió más de lo que ganó. Tenía 20 años, cuando empezó a reunirse con otros jóvenes en el Café de los Catalanes, siendo Manuel Belgrano uno de los contertulios. Sus ideas sobre la agricultura y el comercio hicieron profunda mella en el ánimo de Rivadavia y, andando los años, constituirían dos de sus grandes preocupaciones. Fue, también, gran admirador del rey español Carlos III y, sobre todo, de su ministro el conde de Floridablanca, y tenía la ilusión de prolongar en Buenos Aires el espíritu de los grandes reformadores españoles del siglo XVIII.

El primer cargo público que desempeñó fue el de secretario del Triunvirato. Posteriormente se trasladó primero a Brasil y luego a Europa en misión diplomática. Tras siete años de ausencia, vuelve a Buenos Aires y es nombrado por el general Martín Rodríguez ministro de Gobierno y de Relaciones Exteriores. Una de sus primeras medidas fue dictar la llamada *ley de olvido* o de amnistía para los enemigos. Deroga las facultades extraordinarias que el Congreso había concedido al gobierno; garantiza la seguridad de las propiedades; regula el sistema representativo constituyendo una Junta de 42 representantes; suprime el Cabildo, deroga el decreto que prohibía los matrimonios de españoles con los hijos del país, hice que el gobierno garantizase y asegurase los contratos de los patronos con sus oficiales y pone en vigor otra multitud de avances. Promovió la construcción del puerto de Buenos Aires, creó el Banco de Descuentos, regularizó el servicio de Correos, estableció la Bolsa Mercantil, implantó las Cajas de Ahorro, proveyó a Buenos Aires de agua corriente y fomentó la inmigración. Creó la Facultad de Medicina, la Sociedad Literaria, la de Ciencias Físicas, la de Amigos del País, la de Legislación, la de Música, la Escuela de Agricultura, el Jardín de Aclimatación y la reorganización de la Biblioteca Nacional. Defendió la libertad de imprenta y fundó la Universidad de Buenos Aires y la Sociedad de Beneficencia. Perfeccionó el alumbrado, la limpieza y la nomenclatura de las calles. Introdujo grandes reformas en el ejército y fue el principal gestor de una serie de medidas tendientes a regular las relaciones entre la Iglesia y el Estado.

En 1826, se creó la magistratura presidencial y fue elevado a ella. Durante su presidencia, y siguiendo las líneas de su política unitaria, el Congreso elaboró la llamada Constitución de 1826, que fue resistida por los caudillos del interior y debió ser abandonada. Rivadavia reorganizó la Universidad y la Facultad de Medicina, creó para los Correos una Dirección General, insistió en su política municipal de urbanización, instauró el Departamento de Ingenieros, construyó diversos canales y, sobre todo, dio gran impulso a la cultura, estimulándola por todos los medios a su alcance. Una de sus grandes concepciones fue el sistema de colonización rural denominado *enfiteusis;* fue éste el modo que discurrió para valorizar la tierra, que en la época colonial interesaba poco a los nativos –en su mayor parte se hallaba dedicada a la cría de ganado– y fomentar al propio tiempo la inmigración. Desde la presidencia de la República dictó un decreto prohibiendo totalmente la enajenación de las tierras públicas, para poderlas dar en enfiteusis, con lo cual el suelo seguiría siendo del Estado, pero sus frutos los producirían y disfrutarían los ciudadanos, mediante el pago de un censo modesto y a largo plazo.

Rivadavia permaneció año y medio en el poder, afrontó la guerra con Brasil y la lucha constante con las provincias. Convencido de que su apartamiento del poder facilitaría la solución de todos los conflictos, renunció a la presidencia en junio de 1827 y se retiró a su quinta, en 1829, sin que apenas nadie se enterara, marchó a Colonia, en Uruguay. En ese país permaneció casi cinco años, al cabo de los cuales volvió a Buenos Aires, pero reembarcó inmediatamente. Vuelve a Uruguay, y luego pasa a Brasil, y tras breve estancia en ese país, donde fallece su esposa, se traslada a España, en cuya provincia de Cádiz vive retraído y solo hasta su muerte.

Rivadeneira, Pedro (1527-1611). Escritor y jesuita español, nacido en Toledo, en el seno de una familia noble pero muy pobre. En su ciudad natal fue paje del cardenal Alessandro Farnesio, que lo llevó a Roma, donde ingresó en la Compañía de Jesús y se convirtió en el discípulo favorito de san Ignacio de Loyola. En 1555 se estableció en Bélgica, donde obtuvo un éxito asombroso predicando en latín, viajó por Alemania y estuvo en Londres para asistir en sus últimos momentos a la reina María, esposa del rey Felipe II. En 1574 regresó a España. Hombre de gran cultura y sólida preparación doctrinal, escritor de estilo impecable, se le deben, entre otras, las siguientes obras: *Vida de san Ignacio de Loyola* (en latín 1572, y en castellano, 1583), una de las mejores biografías que produjo el humanismo; *Historia del cisma en Inglaterra* (1588), en la que advertía a Felipe II los inconvenientes de mezclarse demasiado en los asuntos eclesiásticos; *Tratado de la tribulación*, y *Flos Sanctorum o Libro de las vidas de los santos*, que obtuvo gran popularidad. Su nombre figura en el Catálogo de autoridades de la Lengua publicado por la Academia Española.

Rivas. Departamento de Nicaragua, en la costa del océano Pacífico y limítrofe con Costa Rica. Ocupa un área de 2,200 km^2 y tiene 141,792 habitantes. Forman parte de este departamento las islas de Ometepe y Zapatera (lago de Nicaragua). El terreno es montañoso y produce café, cacao, arroz, frijol, caña de azúcar, maíz, tabaco, etcétera, revistiendo cada año mayor importancia la ganadería. Hay yacimientos de carbón, petróleo y cal. La capital es Rivas, antigua ciudad que era ya un poblado indio de importancia antes de la conquista española. En la actualidad, cuenta unos 19,564 habitantes.

Rivas, Ángel Saavedra, duque de (1791-1865). Poeta, dramaturgo y político español nacido en Córdoba. Tuvo actuación brillante en la guerra de la Independencia, en una de cuyas acciones estuvo a punto de perder la vida. En 1814, publicó *Poesías*, y luego, en Sevilla, comenzó a escribir obras dramáticas de tipo clásico.

Fue secretario de las cortes durante el periodo liberal y hubo de emigrar cuando Fernando VII recobró el poder absoluto. Primero en Londres y luego en Malta, siguió cultivando la poesía, alternándola con la pintura, a la que era muy aficionado.

Influido por el romanticismo, a la sazón en boga, compuso *El moro expósito* y algunos de sus célebres romances históricos. De regreso en su patria, el fallecimiento de su hermano mayor le hizo heredar el título. Entró a formar parte del senado; y en 1854 presidió un gabinete que sólo duró 48 horas. Su gloria literaria reposa en sus dramas, entre los que se destacan *Don Álvaro o la fuerza del sino*, *El desengaño en un sueño*, *El parador de Bailén*, etcétera, y en los citados romances históricos. Cultivó también con acierto la prosa en *Los españoles pintados por sí mismos* obra que encierra cuadros de costumbres de notable veracidad. Fue embajador en Nápoles y en París (1859), presidente del Consejo de Estado (1863). Al morir era director de la Real Academia de la Lengua.

Rivas Cherif, Cipriano (1891-1967). Literato español. Dirigió algunos años el Teatro Español de Madrid, actuando la compañía de Margarita Xirgu. Obtuvo el Premio Nacional de Literatura de España

(1931). Publicó *Versos de abril* y la novela *Una camarada más*. Tradujó obras del inglés, francés e italiano.

Rivelles, Amparo (1925-). Actriz española, hija de Rafael Rivelles y de María Fernanda Ladrón de Guevara. Empezó su actuación artística en el teatro, entregándose luego definitivamente al cine. Entre las películas en que ha tomado parte figuran: *El clavo* (1944), *Fuenteovejuna, La duquesa de Benamejí* (1949) y *Alba de América*. En 1996, le fue concedido el premio Nacional de Teatro en España.

Rivelles, Rafael (1898-1971) . Actor español, nacido en El Cabañal (Valencia). Atraído por el teatro, trabajó primero con Moruno y Rosario Pino, constituyendo después una compañía con su esposa, la actriz María Fernanda Ladrón de Guevara.

Invitado a actuar en el cine, pasó a Estados Unidos en 1930, en donde filmó varias películas, siendo las más populares: *El proceso de Mary Dugan, La mujer X* y *Mamá*. En España protagonizó: *El capitán Tormenta, Don Quijote de la Mancha* y *El embrujo de Sevilla*.

Rivera. Departamento en el centro norte de Uruguay, que limita con Brasil, del que lo separa la cordillera denominada Cuchilla de Santa Ana. De ésta descienden y lo cruzan los importantes ríos: Cuñapirú, Yaguarí y Tacuarembó. Superficie 9,370 km^2. Población, 97,959 habitantes. Capital: Rivera, frente a la población brasileña de Santa Ana do Livramento. Su riqueza reside en la industria agropecuaria.

Rivera, Diego (1886-1957). Pintor mexicano. Nació en Guanajuato. Su obra es de gran significación en la pintura contemporánea. Inició sus estudios pictóricos en la Academia de San Carlos, de México. En 1907 se trasladó a Europa, trabajó con Eduardo Chicharro en España y recibió en París las influencias de las distintas escuelas entonces en boga. Este periodo inicial de aprendizaje y absorción de estilos y maneras: realismo, impresionismo, cubismo, sintetismo, etcétera, que se refleja en sus obras de esa época, terminó en 1921, a su regreso definitivo a México, cuando Rivera se descubrió a sí mismo. Relegó a último término las influencias pictóricas que había recibido y comprendió que debía basar sólidamente su arte en lo autóctono mexicano y nutrirlo con elementos de honda raigambre popular, llegando a desarrollar un arte vigoroso y una técnica original, que hacen de él uno de los pintores más importantes de nuestra época. La obra de Rivera es admirable y la revolución artística que entraña otorga a la pintura mexicana un primer puesto en el panorama internacional de las artes plásticas.

En 1921, Rivera inició el movimiento muralista de México, cuyos temas pictóricos principales giran en torno a la Revolución Mexicana –dando principio a sus pinturas murales de la Escuela Nacional Preparatoria– movimiento en el que se distinguieron los pintores mexicanos José Clemente Orozco y David Alfaro Siqueiros, a quienes, en unión de Rivera, se designa con el nombre colectivo de los *Tres Grandes* del muralismo mexicano.

La obra muralista de Rivera es inmensa y a ella debe, principalmente, su renombre, aunque cultivó, también la pintura de caballete y tiene una obra extensa e importante de cuadros al óleo, acuarelas, dibujos y litografías. Pintó enormes murales que cubren millares de metros cuadrados de superficie, diseminados en innumerables edificios públicos de su patria y del extranjero, entre ellos el Palacio Nacional, el de Bellas Artes, la Secretaría de Educación Pública y el Instituto de Cardiología, en la ciudad de México; el palacio de Cortés, en Cuernavaca; la Escuela Nacional de Agricultura, en Chapingo.

En 1953, terminó la decoración de la colosal cámara de aguas del sistema del río Lerma que abastece la ciudad de México, cámara que comprende extensas superficies sumergidas que decoró empleando pinturas impermeables a base de polisterina, y perfeccionando una técnica original que utiliza la refracción y las ondulaciones del agua para dar mayor expresión a los motivos pictóricos.

En cuanto a los temas y motivos pictóricos de su obra, Rivera creyó que la primera función del arte estriba en llevar a las masas un mensaje social, función admirable cuando propugna, en el caso de México, la redención y el mejoramiento del indio. Pero la parte de la obra de Rivera en que trató de propagar su ideología política extremista fué muy discutida y provocó enconadas protestas en diversos sectores de la opinión pública de su patria.

Rivera, Fructuoso (1784-1854). Militar y político uruguayo. Luchó a las órdenes de José Gervasio Artigas por la independencia de su patria y después de la captura de Montevideo derrotó a Manuel Dorrego, lugarteniente de Carlos de Alvear en Guayabos, siendo promovido a coronel. Posteriormente se batió contra los invasores portugueses y se adhirió al grupo de los 33 Orientales que acompañaron al general Juan Antonio Lavalleja en la campaña libertadora de 1825. Elegido primer presidente de la República Oriental del Uruguay en 1830, tuvo que sofocar una revolución acaudillada por su antiguo compañero de armas, el general Lavalleja.

Le sucedió en la presidencia el general Manuel Oribe, amigo de Juan Manuel de Rosas, contra el cual se levantó en armas y derrocó. Por segunda vez volvió a ocupar la presidencia de la república en 1839 y diez días después declaró la guerra al dictador argentino Juan Manuel de Rosas, contra cuyas fuerzas libró numerosas batallas. Derrotó en varias ocasiones al general Justo José Urquiza y a los oribistas durante el sitio puesto por éstos a Montevideo. Acusado de entrar en inteligencia con ellos, fue destituido y desterrado y se refugió en Brasil, donde permaneció cinco años. En 1853, fue designado para constituir, en unión de Lavalleja y el coronel Venancio Flores, el triunvirato que debía sustituir al presidente Juan Francisco Giró, y al poner fin a su destierro para ir a ocupar tan alta investidura falleció a bordo del navío que lo devolvía a la patria.

Rivera, José Eustasio (1889-1928). Poeta y novelista colombiano. Un pequeño volumen de sonetos *Tierra de promisión* (1921), y una sola novela en que describe la ruda existencia de los caucheros en la selva *La vorágine* (1924), bastaron para darle sitio de honor en la literatura hispanoamericana. En sus versos corren parejas la inspiración elevada, la belleza de la forma y sencillez del lenguaje. En la novela, destaca una fuerza descriptiva impresionante y dramática. Abogado de profesión, una misión oficial lo llevó a las selvas del Orinoco y del Amazonas, donde captó personajes e impresiones para el libro que le abrió las puertas de la fama. Sus *Obras completas* se publicaron en 1962. Murió repentinamente en New York cuando se disponía a dirigir la filmación de su novela.

Rivero, Mariano Eduardo de (1790-1857). Hombre de ciencia peruano. Inició sus estudios en Inglaterra y, posteriormente, se trasladó a París, donde se dedicó a estudios de minería. Realizó más tarde, en Alemania, su primer descubrimiento, el del mineral que llamó humboldtina, al mismo tiempo que daba a conocer en Europa el salitre (nitrato de sosa), que abunda en su patria y es uno de los más fructíferos renglones de su exportación. El libertador Simón Bolívar lo tuvo en alta estima, y al retornar a Perú lo designó ministro de Instrucción Pública y Minas. No abandonó por ello sus estudios e investigaciones. Publicó con Nicolás de Piérola el *Memorial de ciencias naturales*, en cuyas páginas reunió valiosas informaciones mineralógicas recogidas en su patria. Fue director del museo de Historia Natural y de Antigüedades de Lima. Volvió a Europa como cónsul de Perú en Bélgica, lo que le permitió recopilar sus numerosos trabajos y escribir *Antigüedades peruanas*.

Riviera. Franja litoral del Mediterráneo que va de Cannes (Francia) a La Spezia (Italia). Esta costa tiene una zona francesa y otra italiana, enclavadas respectivamente en el departamento de los Alpes Marítimos y en la provincia de Liguria. La italiana se llama *Riviera di Levante*, la que se halla al este de Génova, y *Riviera di Ponente*, la situada al oeste de Génova. A la Riviera francesa se la denomina *Côte d'Azur* (Costa Azul). La belleza de estos lugares, la riqueza de su exuberante vegetación, la salubridad y la dulzura de su clima, hacen de la Riviera un agradable lugar de concentración de turistas y potentados, que acuden a disfrutar de sus virtudes climáticas y de sus muchas otras atracciones. En la costa, baja o escarpada, tienen su asiento poblaciones de renombre mundial, italianas (San Remo, Alassio, Rapallo, Bordighera, Nervi y Sestri Levante) y francesas (Niza, Villefranche, Menton, Cannes). La famosa Montecarlo se encuentra en el pequeño Principado de Mónaco.

Corel Stock Photo Library

Vista aérea de la Riviera francesa.

Riza Khan o Reza Jān, Pahlevi (1877-1944). Shah de Irán (1925-1941) y fundador de la dinastía de su apellido. De humilde extracción, sentó plaza en el ejército y en 1917 alcanzó el grado de oficial. En 1921 ya era general y un año después rechazó el intento de invasión soviética a Teheran (1920). Jefe de gobierno, asumió éste después de un golpe de Estado (1923) y en 1925 el Parlamento lo proclamó shah. Implantó medidas progresistas y propició la evolución de su país. En 1941, al atacar Alemania a Rusia, el shah no pudo contrarrestar la preponderancia nazi, por lo que fuerzas inglesas y soviéticas penetraron en Irán, lo que obligó al shah a abdicar el trono en su hijo Mohammed Riza Pahlevi.

Rizal, José (1861-1896). Patriota, médico y poeta filipino. Siendo estudiante de bachillerato, se hizo famoso en el archipiélago por su estro poético y sus éxitos literarios. En 1882, marchó a España a proseguir sus estudios de medicina y filosofía y letras, carreras en las cuales se doctoró en la Universidad Central. Vivió en Madrid y, en unión de algunos compatriotas, se esforzó por conseguir del gobierno reformas liberales para su país y a la vez colaboró en varios periódicos y revistas. Viajó a París y a Berlín donde publicó su novela *Noli me tangere*, intencionado estudio social de la vida en el archipiélago. Volvió a Filipinas y, ante la hostilidad de que fue objeto por parte de los elementos españolistas, tuvo que ausentarse de nuevo. Residió en China, Japón, Estados Unidos, Francia y Hong-Kong. Regresó a Manila pero, acusado de agitador y filibustero, fue deportado a Dapitan (Mindanao), donde permaneció cuatro años. Conspiró activamente contra la soberanía de España, cuyas autoridades lo enviaron a la península. Tras breve cautiverio en el castillo de Montjuich, de Barcelona, fue devuelto a Manila donde fue procesado por fundar asociaciones ilícitas y fomentar la insurrección. Un consejo de guerra lo condenó a muerte. Hallándose en capilla escribió el inspirado y luego famoso poema *Mi último adiós*. Hoy llevan su nombre la más importante provincia del Archipiélago Filipino y la más hermosa avenida de la capital, donde cuenta con un monumento.

Rizi, Francisco (1608-1685). Pintor español, hijo del pintor italiano Antonio Ricci. Nació en Madrid y fue pintor de Felipe IV, Carlos II y del cabildo de la Catedral de Toledo. Se formó al lado de Vicente Carducho y fue muy elogiado por los escritores de su tiempo, quienes le dieron el sobrenombre de *Fa Presto* por su rapidez y facilidad de ejecución. Descolló por su vivacidad, no exenta de desigualdades, y ejecutó grandes composiciones escenográficas y decorativas, como las que pueden admirarse en el Buen Retiro. En el Museo del Prado figuran, entre otros lienzos de su mano, *Auto de fe en la Plaza Mayor de Madrid*, de gran interés histórico y documental, además de artístico, una *Adoración de los Reyes* y una *Purísima Concepción.*

Rizi, fray Juan Andrés (1600-1681). Pintor español. Hijo del artista italiano Antonio Ricci, cuyo apellido se castellanizó en la forma Rizi durante su prolongada estancia en España. Estudió teología en Salamanca y en 1621 ingresó en el monasterio de Monserrat, de la orden benedictina; fue después abad de San Bartolomé, en Medina del Campo, y trabajó para varios conventos e iglesias de Burgos y Madrid. Ha sido considerado *el Zurbarán de Castilla*, tanto por la reiteración en los temas de la vida conventual como por la sobriedad y energía de su pincel. Para Augusto L. Mayer, en fray Juan Rizi "la herencia artística italiana se une felizmente con la religiosidad y el realismo español". Pintó más de 30 lienzos para el monasterio de San Millán de Yuso, cuyo retablo del altar mayor se considera la mejor de sus obras. En el museo del Prado pueden admirarse, entre otros cuadros de este pintor, dos que se creen procedentes de aquel monasterio: *La cena de san Benito* y *san Benito bendiciendo un pan.* En 1662, se trasladó a Roma, y en Italia residió hasta su muerte.

rizoma. Tallo subterráneo, más o menos engrosado, desprovisto de clorofila y con las hojas reducidas a escamasas. Produce yemas y de él nacen raíces. La mayoría de los rizomas crecen horizontalmente. *Véase* TALLO.

rizópodos. Clase de protozoos a la que pertenecen los amébidos (organismos unicelulares que se mueven y capturan el alimento con seudópodos, que son prolongaciones variables y temporales de la célula), que incluyen a la *Amoeba proteus* y la *Entamoeba histolytica*, las amebas causantes de la disentería amibiana. Los rizópodos también incluyen a ciertos grupos de protozoos que secretan una substancia con la que forman una concha dura alrededor de sí mismos. Un foraminífero, por ejemplo, secreta una concha de carbonato de calcio, mientras un radiolario secreta una concha que generalmente contiene substancias basadas en el silicio. Las conchas de los radiolarios y foraminíferos han formado vastos depósitos en la corteza terrestre, y las conchas del foraminífero *Globigerina* forman un denso fango que cubre grandes áreas del fondo del mar.

Art Today/National Geographic

Róbalos.

Roa Bastos, Augusto (1917-). Novelista paraguayo nacido en Asunción. Desde 1947 se exilió en Argentina. Es indudablemente uno de los grandes escritores latinoamericanos actuales. En su obra se conjugan las nuevas técnicas narrativas con el mundo mítico y social de Paraguay en el que figura notablemente el componente guaraní. A su libro de cuentos *El trueno entre las hojas* (1953) siguieron brillantes novelas como *Hijo de hombre* (1959) y *Yo el supremo* (1974). A partir de 1976 coordina los estudios guaraníes e hispanoamericanos en la Universidad de Tolouse. En 1983, le es concedida la nacionalidad española. Con la salida del dictador Alfredo Stroessner en 1987, Roa Bastos regresó a Paraguay. En 1993, publicó la versión definitiva de *El fiscal*; en 1996, *Madama Sui*, en la que narra la vida de una amante de Stroessner. En 1989, recibió el Premio Cervantes de Literatura.

Roabárcena, José María (1827-1908). Poeta y periodista mexicano, nacido en Jalapa (Veracruz). Colaboró en *El Universal* y en *La Cruz* y, más tarde, fue director de *El Eco Nacional* y *La Sociedad*. En 1879, ingresó en la Academia Mexicana. De su obra en verso cabe mencionar los notables poemas *Xóchitl* y *La princesa Rapatzin*. Entre sus obras principales se destacan *Diana, Poesías líricas, Leyendas mexicanas, Recuerdos de la invasión norteamericana* y otras.

Rob Roy (1671-1734). Nombre de guerra y apodo popular de Robert MacGregor, famoso caudillo de Escocia, con ribetes de héroe y bandolero, a quien el pueblo llamaba el Rojo, a causa del color de su cabello, y que sir Walter Scott hizo protagonista de una célebre novela (1818).

róbalo. Pez marino de la familia de los pércidos, también llamado lobina, cuyo nombre científico es *Labrax lupus*. Es de cuerpo prolongado y comprimido, de dorso azulado casi negro, costados grisáceos y vientre blancuzco. Tiene bastante tamaño y llega a alcanzar hasta 90 cm de longitud. Abunda en el Mediterráneo y en el océano Atlántico, y su carne es muy apreciada.

Robbia, Luca y Andrea della (1400-1482 y 1435-1528). Escultores italianos, creadores de la cerámica vidriada y autores de originales relieves y esculturas en tierra cocida y esmaltada. Las obras principales de Luca fueron los paneles de la catedral de Florencia, con ángeles y niños cantores y danzantes, y la tumba del obispo de Fiésole, además de numerosos relieves y bustos. Aprendió su oficio como modelador de cera, y ya en la plenitud de su arte logró bellos efectos con sus figuras infantiles llenas de suavidad y ternura, gracia y delicadeza. Su sobrino y discípulo Andrea dio a sus obras orientación más religiosa, siendo notables sus varios medallones con *la Virgen y el Niño*, rodeados de guirnaldas de flores y frutas. Las obras singulares de estos artistas conservan todo su esplendor, como recién salidas del taller, llenas de brillantez y vivacidad.

Robbins, Frederick Chapman (1916-). Microbiólogo y virólogo estadounidense. Después de la Segunda Guerra Mundial trabajó, con John Frankein Enders, en el Centro Médico del Hospital Infantil de Boston, desarrollando también trabajos de investigación pediátrica en la Escuela de Medicina de Harvard. De 1952 a 1980 fue profesor de pediatría en Escuela de Medicina de la Western Reserve University (Cleveland), y de 1952 a 1966 director del Departamento de Pediatría del Hospital General Metropolitano de Cleveland. Durante su permanencia en el laboratorio de Enders, llevó a cabo investigaciones sobre el virus de la parotiditis, el herpe símplex y la viruela vacuna; estudió especialmente el cultivo del virus de la poliomielitis en tejidos animales. Estos trabajos le valieron compartir el Premio Nobel de Medicina o Fisiología de 1954 con Enders y Thomas Huckle Weller.

Robert, Nicolás Luis (1761-1828). Inventor francés, nacido en París. Se le debe la construcción de la primera máquina para la fabricación de papel continuo. Patentó su invento en 1798. Instaló en Darnetal una fábrica de papel, y tuvo a su cargo la dirección de la manufactura de Essonnes. Ambas empresas no tuvieron éxito, pero su invento, perfeccionado luego, impulsó grandemente la fabricación del papel. Terminó sus días en la mayor pobreza.

Roberts, Richard (1943-). Biólogo estadounidense de origen británico. En 1968 se doctoró en química orgánica por la Universidad de Sheffield y en 1969 emigró a Estados Unidos. Fue profesor de la Universidad de Harvard (Cambridge) y desde 1972 trabajó en el laboratorio de Cold Spring Harbor. Desde 1992 es director de investigación del Instituto New England Biolabs en Beverly (Massachusetts). En 1993, compartió con Phillip Sharp el Premio Nobel de Medicina o Fisiología por sus descubrimientos realizados hacia 1977 sobre la estructura discontinua de los genes, hasta entonces concebidos como fragmentos continuos de la molécula de ADN.

Robeson, Paul (1898-1976). Cantante y actor estadounidense. Estudió en la Universidad de Columbia. Doctor en derecho, se casó y fue a vivir al barrio neoyorquino de Harlem, donde se inició en el ejercicio de la abogacía pero sin gran entusiasmo. Ingresó en un grupo teatral y en 1923 se reveló como gran actor en *El emperador Jones*, de Eugene Gladstone O'Neill. Poseedor de una hermosa y cálida voz de bajo, se dio a conocer como cantante a través de recitales, conciertos y por radio. Su éxito se extendió a la pantalla, habiendo actuado en películas con gran fortuna. Dio recitales en Europa y uno de sus triunfos más notables lo obtuvo en Londres en 1944-1945 con la interpretación de *Otelo*.

Robespierre, Maximilien Maria Isidore de (1758-1794). Político francés, uno de los protagonistas de la revolución de 1789. Oriundo de Arrás, estudió en el Liceo de Luis el Grande, en París, y en la Facultad de Derecho. Regresó a su ciudad natal en donde actuó como juez. Admirador de Jean Jacques Rousseau, pronto se hizo popular por su insobornable honestidad. Cuando los Estados Generales se reunieron en París en 1789, Robespierre fue elegido representante de Arrás. Pronto adquirió una reputación casi legendaria por los vehementes discursos que pronunciaba en la Asamblea y en el club de los jacobinos al que pertenecía. No tardó en convertirse en el principal enemigo de los girondinos, el partido más moderado. Cuando la muchedumbre invadió las Tullerías y destronó al rey Luis XVI, Robespierre se convirtió en el hombre fuerte de la Commune, cuerpo gubernativo que desde París manejaba los destinos de la Revolución Francesa.

Con su oratoria y su habilidad en el foro logró que el tribunal condenara al rey a morir en la guillotina. En esta época trabó amistad con George Jacques Danton, el temible representante de la Montaña o ala izquierda de la Convención, y Robespierre se incorporó al tristemente célebre Comité de Seguridad Pública, en el que llegó a tener actuación preponderante. El comité instauró el terror, ajusticiando en la guillotina a los enemigos del régimen. La guillotina decapitó a 1,300 personas en mes y medio.

A mediados de 1794 la influencia de Robespierre era máxima, pero el final se acercaba. Sus enemigos difundieron la especie de que aspiraba a convertirse en dictador. En este momento crítico cometió el error de abandonar la Convención durante varias semanas. Regresó el 26 de julio de 1794 y pronunció un brillante discurso; pero al día siguiente se pidió y aprobó su arresto. La Commune intentó defenderlo mediante una insurrección que abortó. Su suerte estaba decidida. Al día siguiente fue ejecutado sin juicio previo. Poco antes había recibido un balazo en la quijada, al intentar defenderse; pero fue llevado a la guillotina y decapitado con algunos de sus partidarios.

Corel Stock Photo Library

La historia de Robin Hood gira en torno del Castillo de Nottingham.

Estatua en honor de Robin Hood, Castillo de Nottingham.

Corel Stock Photo Library

Robin Hood o Robin de los bosques. Personaje legendario que se cree vivió a fines del siglo XII o principios del siglo XIII. Según poemas y crónicas de los siglos XIV y XV, se supone que era jefe de una banda de anglosajones que luchaba contra los conquistadores normandos en ciertas regiones de Inglaterra. Los normandos los llamaban bandoleros por sus asaltos y robos, pero los siervos los llamaban *héroes* por considerar que los vengaban de atropellos. Lanzada la fantasía en este terreno, la personalidad de Robin Hood y de sus seguidores, varía según la imaginación del escritor que lo describe. Entre los grandes autores que se han referido a Robin Hood se hallan: Walter Scott, en *Ivanhoe*; Tennyson en *Los monteros*, y De Koven en la ópera cómica *Robin Hood.* Sus hazañas han sido aprovechadas por el cine en varias interpretaciones.

Robinson Crusoe. Popular novela que publicó, en 1719, el escritor inglés Daniel Defoe, obra basada en supuestos relatos de Alejandro Selkirk, marinero que fue abandonado en la isla chilena actualmente llamada Robinson Crusoe (ex Más a Tierra), en el Pacífico. Defoe llamó al protagonista de su obra Robinson Crusoe, personaje que se lanza a conocer mundo con variada suerte y termina por ser el único sobreviviente de un naufragio que Defoe sitúa en una isla del Atlántico, cerca de la

Ilustración antigua que representa a Robinson Crusoe.

Art Today

desembocadura del Orinoco. Robinson Crusoe logra extraer del barco accidentado, antes de su hundimiento definitivo, algunos objetos útiles y provisiones. Construye la cabaña en que debe vivir y comienza su ejemplar esfuerzo para dominar las circunstancias que le rodean. Ideó la forma de llevar la cuenta del tiempo, construyó muebles y una canoa para pescar, pudo hacer pan y una huerta y tuvo un corral de cabras. Llevaba 15 años en la isla cuando salvó de ser devorado por unos caníbales a un negro, al que llamó *Viernes*, que ya nunca lo abandonaría en calidad de criado y compañero, y a quien enseñó su idioma mediante la lectura de la Biblia. Tiempo después llegaron allí otros náufragos y se originaron incidencias, tras las cuales Robinson Crusoe abandonó el lugar en que había permanecido 27 años y regresó a Inglaterra acompañado de Viernes. No termina su sed de aventuras, sin embargo, pues luego organiza un viaje a China y a la Tartaria rusa, pero nada supera sus aventuras en la lejana y solitaria isla

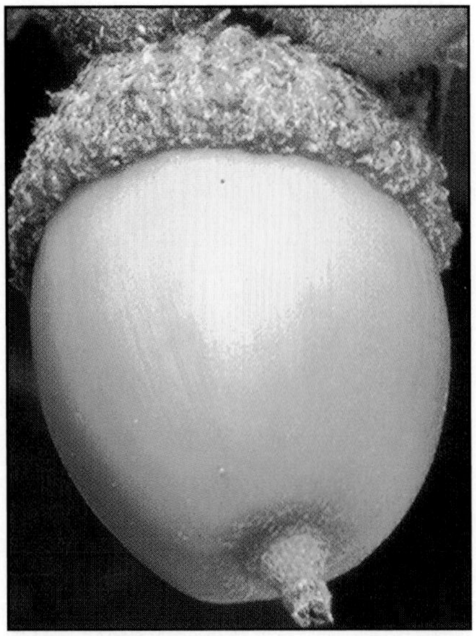

Corel Stock Photo Library

Fruto del roble quercus garryana.

Robinson, sir Robert (1886-1975). Químico inglés. Estudió en Manchester y fue profesor de química orgánica de las universidades de Sydney (1912), Liverpool (1915), Saint Andrews (1921), Londres (1928) y Oxford (1930-1955); presidente de la Chemical Society y de la Royal Society (1945-1950). Condecorado con la orden del Baño, medallas Lonstaff y Davy, y la Paracelso de la Sociedad Química Suiza. Efectuó importantes investigaciones sobre los alcaloides, las materias colorantes en las plantas, hormonas y vitaminas. Realizó luego, en colaboración con Edward Charles Dodds la síntesis de las hormonas sexuales, de una eficacia superior a la de los productos naturales. Llevó a cabo estudios sobre la penicilina y preparó este cuerpo por síntesis, con la ayuda de lady Robinson. Son notables sus investigaciones en química orgánica sobre la tropinona, antocianidinas y estrógenos. La Universidad de Londres lo nombró doctor *honoris causa.* Le fue concedido el Premio Nobel de Química de 1947.

roble. Árbol cupulífero, muy semejante a la encina y, como ésta, muy apreciado por la dureza de su madera, que goza de prestigio en la ebanistería y la construcción. Se da su nombre a muchas variedades del género *Quercus*. El roble es un favorito de la silvicultura, pues vive tan bien en masas o bosques como aislado; acepta que se le mezcle con otras especies, prospera en la mayor parte de los suelos y su larga vida le permite alcanzar proporciones considerables.

Entre muchas variedades, sobresale el *Quercus pedunculata* o roble común. Siendo el más representativo, su descripción da idea aproximada del género. Su raíz central gruesa y profunda, con raíces laterales de mucho desarrollo y extensión, conserva su dureza y vigor hasta muy avanzada la edad del árbol. El tronco es recto y desnudo hasta una altura de 15 m, cuando crece en los bosques; pero, aislado, se ramifica desde más bajo en brazos hasta de 7 m de alto, coronado por ancha copa. Los ejemplares bien dotados alcanzan una altura que varía entre 40 y 50 m, y su corteza es limpia y reluciente.

Sus hojas son lobuladas, lampiñas por ambos lados, de un verde mas pálido en la cara inferior. Sus flores masculinas cuelgan en amentos delgados y solitarios de 3 a 5 cm, y las femeninas se agrupan de 2 a 5 en un pedúnculo más o menos largo, ofreciendo tres estigmas de color rojo. Fructifica en bellotas de forma aovada, que sirven de alimento a los cerdos, y cuando estan dulces también son comestibles para el hombre.

Su área de dispersión abarca toda Europa; crece con más fortuna en el norte de España, y medra mejor en las partes bajas y llanas cruzadas por grandes ríos o bien en las colinas; pero, rehuye los suelos abruptos de la alta montaña. La madera del roble tiene numerosas aplicaciones entre las cuales se destacan la construcción de embarcaciones, la fabricación de muebles, tonelería y ciertas piezas de maquinaria; su corteza se emplea en el curtido de pieles; la especie tintórea suministra diversos principios colorantes. Como árbol ornamental, embellece los parques y jardines, y desde este punto de vista son famosas las especies americanas.

Merecen destacarse por su belleza y su utilidad el roble blanco de América *(Querqus alba)*, el roble rojo de California *(Quercus califórnico)* y el roble albar *(Quercus sessiliflora)*.

Canal con filas de robles en Holanda.

Corel Stock Photo Library

Robledo, Jorge (? -1546). Conquistador español, que después de haber tomado parte en la conquista de Quito, pasó, en 1536, al Nuevo Reino de Granada en compañía de Sebastián de Belalcázar. Tuvo una carrera corta pero brillante y un trágico fin. Exploró la provincia de Anserma, fundó Cartago y Antioquia, viajó a España y obtuvo el título honorífico de mariscal.

Robles, Francisco (1811-1893). Militar y político ecuatoriano. Participó con José María Urbina en la insurrección contra Francisco Javier Ascásubi (1850) y Diego Noboa (1851). Fue ministro de Guerra con Urbina (1851-1856), bajo cuyos auspicios accedió a la presidencia (1856-1859). Concedió tierras a los acreedores británicos, lo que provocó el bloqueo peruano de las costas. Depuesto por Gabriel García Moreno (1859) huyó a Chile. En unión de Urbina (1865), fracasó en su intento de destituir a Jerónimo Carrión y, en 1876 participó en la insurreción contra Antonio Borrero Cortázar.

robo. Apoderamiento de las cosas ajenas sin que haya mediado precio o autorización de su propietario. Para que un delito pueda reputarse robo, la ley exige que su objeto sea una cosa mueble, pues los edificios, las tierras y demás inmuebles no pueden ser objeto de robo sino del delito llamado usurpación; que exista violencia o intimidación en las personas (amenazas, lesiones, etcétera) o fuerza en las cosas (destrucción o rotura de puertas, cerraduras, muebles, embalajes, etcétera); y que sea realizado con ánimo de lucro, o sea, con el propósito de usar, vender o aprovecharse de las cosas robadas.

robot. Autómata mecánico que, mediante un mecanismo –siempre basado en fenómenos electrónicos–, es capaz de desempeñar funciones y realizar trabajos sin intervención humana. El *portero eléctrico*, que abre una puerta al aproximarse un objeto; las máquinas calculadoras y de contabilidad; las modernas máquinas automáticas para la fabricación de botellas y multitud de otros ingeniosos sustitutos del músculo o el cerebro del hombre, son otros tantos robots. La palabra –neologismo– viene del checo *robit*, que significa *trabajo*, y fue empleada por primera vez por el dramaturgo Karel Capek en su obra teatral R.U.R., cuyo protagonista es un hombre mecánico. Superando toda fábula, el robot promete a la industria humana un cúmulo de realidades insospechadas.

El componente fundamental de la mayoría de los robots es un brazo articulado, en cuyo extremo se encuentra el dispositivo efector encargado de ejecutar la tarea programada (manipulación de objetos, pintado, etcétera). Todo el conjunto es activado mediante señales eléctricas o neumáticas, y controlado mediante servomecanismos. Los robots más complejos poseen sensores –tales como cámaras de video o detectores de presión– que les permiten modificar sus movimientos y acciones según la información que reciben de ellos.

Los robots son muy utilizados en tareas repetitivas, fatigosas o peligrosas por las condiciones en que se desarrollan (centrales nucleares, astronáutica). La mayoría se utiliza en cadenas de montaje de productos muy diversos, efectuando tareas tales como traslado de piezas, soldadura, pintado, etcétera, y constituyen un componente importante de los sistemas de fabricación asistida por ordenador.

Corel Stock Photo Library

Robot ensamblador de automóviles en Detroit, EE.UU.

roca. Sustancia mineral muy dura y sólida que forma una parte importante en la masa terrestre. Las rocas pueden ser: simples, si están formadas por un solo mineral, como, por ejemplo, las calizas; o compuestas, cuando están integradas por dos o más minerales, como el granito, compuesto por la unión de cuarzo, feldespato y mica. En la composición química de los minerales que forman las rocas principales es reducido el número de elementos, predominando el oxígeno, el silicio y la alúmina.

Existen tres grandes variedades de rocas. La primera está formada por las de origen interno, consolidadas en la profundidad, en su trayecto de salida al exterior o

Ciclo de las rocas 1) rocas expuestas a los agentes externos; 2) erosión, transporte y depósito; 3) compactación y cimentación (diagénesis); 4) nueva cristalización y deformación por la presión y el calor; 5) incremento de calor, fusión; 6) cristalización por lento enfriamiento; 7) consolidación por rápido enfriamiento; 8) aporte de nuevo magma del mano.

Del Ángel Disño y Publicidad

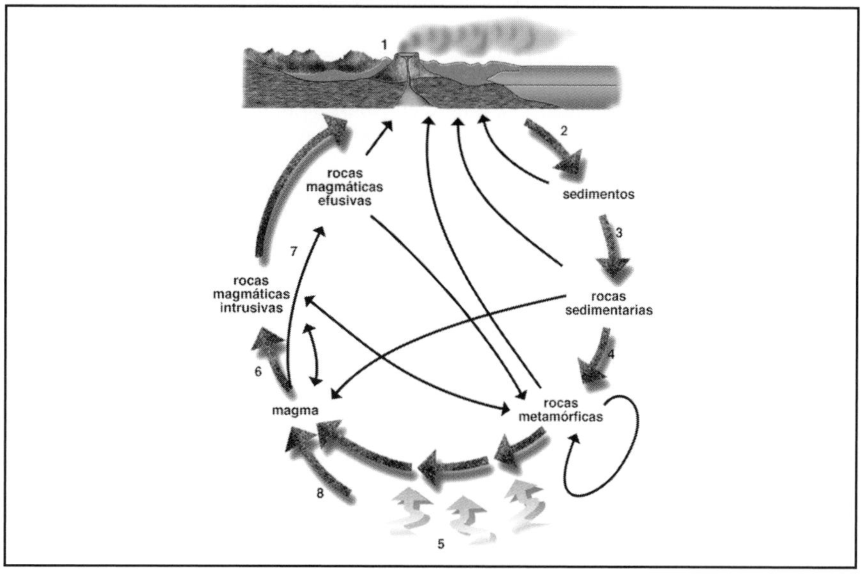

en la superficie de la tierra, donde surgieron en forma de lava; estas rocas se llaman eruptivas y están integradas en su mayor parte por minerales del grupo de los silicatos. Las del segundo grupo tienen origen externo y proceden del desecho de rocas anteriores o de la sedimentación de sustancias por las distintas formas de erosión del suelo; se llaman rocas sedimentarias, estratificadas o detríticas. Entre las rocas sedimentarias, las calizas ofrecen tipos diversos; como muchas de ellas se prestan al pulimento, han sido muy usadas en las construcciones de los grandes monumentos, compitiendo entre ellas por la variedad de sus colores. La tercera clase incluye gran número de rocas procedentes de los dos grupos anteriores, que han sufrido cambios provocados por la acción química de ciertos líquidos y gases o por diversos movimientos geológicos. Estas rocas se llaman metamórficas y comprenden numerosas variedades: cuarcita, pizarras, micacita, gneis, esmeril, calizas metamórficas, etcétera. *Véase* MINERALOGÍA.

Roca, Julio Argentino (1843-1914). General y político argentino. Fue dos veces presidente de la nación, y como militar se hizo famoso por la llamada *Campaña del Desierto*, con la cual alejó para siempre a los indios que ponían en peligro las poblaciones fronterizas. Nacido en Tucumán, siguió en Concepción del Uruguay un curso especial de instrucción militar. Incorporado al ejército, luchó al mando de Justo José Urquiza contra las fuerzas de Buenos Aires, que se habían separado de las provincias. Tuvo su bautismo de fuego en Rosario. Intervino también en Cepeda y en Pavón. Durante la presidencia de Bartolomé Mitre fue a las provincias del norte, como secretario de la intervención. De regreso, se le designó para enfrentar a las últimas montoneras, grupos de gauchos indómitos y localistas contra los cuales combatió en La Rioja y en Mendoza. Luego, la guerra con Paraguay le permitió evidenciar sus relevantes condiciones militares. Siendo presidente Domingo Faustino Sarmiento, llegó a teniente coronel y fue enviado a Salta para sostener a las autoridades. Posteriormente se enfrentó con López Jordán, en Entre Ríos, y tuvo destacada actuación en Ñaembé. Ascendido a coronel en el campo de batalla, fue jefe superior de la frontera de Río Cuarto y organizó el ejército para combatir a los sublevados en 1874. Venció a José Miguel Arredondo, aliado de Mitre, y lo tomó prisionero en Santa Rosa. Ya general, a la muerte de Adolfo Alsina fue elevado al ministerio de Gobierno, bajo la presidencia de Nicolas Avellaneda.

Al calmarse poco a poco las pasiones políticas que desencadenaron las guerras civiles, entró el país en vías de franco progreso; pero los indios y rebeldes eran una constante amenaza. Para escarmentarlos definitivamente se organizó una expedición, al frente de la cual se puso el general Roca (1878). El prestigio que le deparó este hecho de armas influyó poderosamente para que fuese elegido presidente de Argentina (1880), cargo que cumplió honrosamente. Levantó el nivel cultural y económico del país. La red ferroviaria se extendió notablemente y leyes acertadas fomentaron la educación popular. La instrucción primaria se hizo obligatoria, gratuita y laica, y la universitaria afirmó su categoría.

Al terminar su periodo presidencial, el general Roca realizó un viaje a Europa. De regreso, apoyó a Carlos Pellegrini, del que fue ministro del Interior. Estuvo al mando de los efectivos militares bajo Luis Sáenz Peña, y durante el gobierno de José Evaristo Uriburu fue senador nacional. Como presidente del Cuerpo Legislativo robusteció entonces la acción del gobierno, y en 1898 fue elegido de nuevo para desempeñar la primera magistratura. En su segunda presidencia se produjo el acercamiento con Brasil y se solucionó la difícil cuestión de límites con Chile, debiéndose en gran parte los Pactos de Mayo a su personal intervención. Fue ésta una etapa de visible prosperidad: se extendió la red ferroviaria, se abrieron canales de irrigación, se hicieron puertos y se comenzó la construcción de monumentales edificios, entre ellos el palacio de Justicia y el Congreso. Sin embargo, dos años antes de cumplir su mandato hubo de hacer frente a huelgas y disturbios populares, ocasionados por la proyectada unificación de las deudas, medida severamente criticada.

En 1904, se alejó Roca de la vida pública, retiro del que salió una vez, ya muy cercano el fin de su vida, para actuar como diplomático en Brasil. Como presidente, supo emplear su pericia militar para combatir la barbarie, mas se empeñó en solucionar pacíficamente los conflictos internacionales. Así, de acuerdo con su ministro Amancio Alcorta, sometió a arbitraje la cuestión de límites con Chile, gesto que tuvo en su hora repercusión mundial.

Roca Tarpeya. *Véase* TARPEYA, ROCA.

Rocafuerte, Vicente (1783-1847). Estadista ecuatoriano. Elegido diputado en las Cortes de Cádiz (1812), se vio obligado a salir de España cuando se le perseguía por su campaña en favor de la emancipación de las colonias y por su oposición al gobierno de Fernando VII. Conoció a Simón Bolívar en Francia y representó a México en Londres (1824-1829). Regresó a su patria (1833) y reanudó sus actividades políticas combatiendo contra el presidente Juan José Flores, a quien sucedió al terminar éste su mandato (1835). Su gobierno marcó evidentes progresos en la organización del sistema fiscal y de la instrucción pública. También consiguió que España reconociera la independencia de su patria. Alejado de la política y enfermo, fue designado delegado al congreso americano de Lima, que debía celebrarse en la capital peruana a fines de 1846, y allí, agravado su mal, murió en los primeros días de 1847.

Rocha. Departamento marítimo de Uruguay en el extremo sureste del país. Limita con Brasil y el océano Atlántico. Al noreste se encuentra la laguna de Merín que comparte con Brasil, y en la costa los cabos Polonio y Santa María. Superficie: 10,551 km^2. Población: 71,492 habitantes. Agricultura y rica ganadería, esta última constituye la base de las actividades principales de la región. Su capital es Rocha (23,900 h.) y es un centro comercial y turístico.

Rocha, Dardo (1838-1921). Político argentino. Después de cursar estudios jurídicos, intervino en la guerra contra Paraguay (1865-1870), actuando en los sangrientos combates de Tuyutí y Curupaití. Al regresar a Buenos Aires comenzó a actuar en el partido autonomista, encabezado por Adolfo Alsina, y ocupó los cargos de diputado, senador nacional y gobernador de la provincia de Buenos Aires. Después de colaborar activamente por la aprobación de la ley, que convertía a la ciudad de Buenos Aires en distrito federal y capital de la nación, propuso crear una nueva ciudad que sirviera de sede a las autoridades de la provincia de Buenos Aires. Al cabo de grandes esfuerzos tuvo la satisfacción, el 12 de noviembre de 1882, de colocar la piedra fundamental de la ciudad de La Plata. Poco después se fundó la universidad de la nueva urbe, una de las más prestigiosas de América. Dos años más tarde presentó su candidatura a la presidencia de la república: derrotado en los comicios, se retiró de la vida política.

Rochela, La. (La Rochelle). Ciudad de Francia, capital del departamento de Charente Marítimo, situada en la costa del océano Atlántico, enfrente de la isla de Ré. Su población asciende a 73,744 habitantes. Cuenta con un puerto muy seguro, aunque de poco calado. Comercio de cereales, de vinos y aguardiente, curtidurías y astilleros. Industria de ensamblado de automóviles, refinerías de petróleo. Antigua capital del Aunis, la Rochela perteneció a los duques de Aquitania. En los siglos XIII y XIV estuvo durante algunos años en poder de los ingleses. En 1371 una escuadra castellana venció a la inglesa. Hacia 1534 empezó a introducirse la Reforma en la ciudad y en 1568 Luis I, principe de Condé y

Gaspard de Coligny la convirtieron en centro de sus operaciones y en una de las plazas más fuertes de los calvinistas. Sitiada por el duque de Anjou en 1572, obtuvo una capitulación muy favorable. En 1627 fue atacada por el cardenal Armand de Richelieu y, a pesar del auxilio de los ingleses, la Rochela se rindió al cabo de 13 meses de sitio. En 1822 tuvo lugar en la ciudad la conspiración llamada *de los cuatro sargentos* contra el gobierno de la Restauración, que terminó con la ejecución de los conspiradores en París.

rocío. Vapor de agua que, durante la noche o al despuntar el alba, se condensa en gotas que se depositan en las hierbas, hojas, flores y superficie de la tierra. La formación del rocío se explica por la misma ley que hace que en verano se condense el vapor de agua atmosférico sobre las paredes externas de un vaso de agua fría. Esto ocurre porque si la temperatura de un cuerpo cualquiera desciende a un grado menor que el del punto de saturación del vapor de agua en la atmósfera, la capa de aire que rodea el cuerpo también se enfría y deposita parte de su vapor de agua. No es otro el motivo por el cual en noches claras y serenas –a causa del enfriamiento de la tierra al irradiar el calor almacenado durante el día– las plantas, los prados, los cristales, etcétera, se enfrían hasta un grado inferior al punto de saturación del aire, que desprende y deposita su vapor de agua en forma de rocío. De ahí que se llame *punto de rocío* a la temperatura de saturación del vapor de agua de la atmósfera, que se determina mediante los higrómetros de condensación. El rocío sólo se da en noches despejadas porque las nubes bajas son verdaderos aisladores térmicos que impiden el enfriamiento del suelo. Cuando la temperatura desciende por debajo del punto de congelación, en lugar del rocío se produce la escarcha, que consiste en la formación de cristales de hielo sobre los objetos.

Corel Stock Photo Library

Gotas de rocío sobre los pétalos de un rosa

Rockefeller, John Davison (1839-1937). Capitalista y filántropo estadounidense. Nació en Richford (New York). A los 16 años empezó a trabajar como auxiliar de tenedor de libros en una casa comercial de Cleveland (Ohio). Tres años después, con sus ahorros, pasó a ser socio de una empresa comisionista de víveres. En 1862, con sus socios Andrews y Clark, se dedicó al negocio de refinación de petróleo, nueva actividad industrial que empezaba, entonces, en Cleveland. En 1870, con su hermano William, Andrews, Flagler y otros socios, organizó la Standard Oil Company de New Jersey, con un capital de un millón de dólares en acciones. Rockefeller fue designado presidente de la compañía, en la que encontró campo propicio para ejercer sus dotes de organizador industrial. La naciente industria del petróleo se desarrollaba en forma caótica en todos sus sectores de explotación y distribución. Rockefeller obtuvo de las compañías de ferrocarril concesiones especiales para el transporte del petróleo y creó una eficiente organización que le permitió controlar la casi totalidad de la industria de refinación de petróleo de Estados Unidos.

En 1892, la Standard Oil Company había elevado su capital a cien millones de dólares, y llegó a constituir un gran monopolio industrial, lo que motivó una serie de grandes litigios que culminaron con la disolución de la Standard Oil Company, en 1911, por resolución del Tribunal Supremo de Estados Unidos. La Standard Oil se desintegró en 37 grandes empresas. Rockefeller se retiró de la vida activa de los negocios, cuya dirección confió a su hijo John. En el momento de retirarse, la fortuna de Rockefeller, que consistía en vastas inversiones en petróleos, minas de hierro, de carbón y compañías de ferrocarril, se calculaba en 1,000 millones de dólares y se le consideraba como el hombre más rico del mundo.

Rockefeller, a partir de 1890, había empezado a hacer grandes donaciones de carácter filantrópico, para lo cual había creado distintas organizaciones. En 1901 fundó el Instituto Rockefeller de Investigaciones Médicas, para promover el progreso general de las ciencias médicas. El capital del instituto es de 60 millones de dólares. En 1902, fundó la Junta General de Educación con el propósito de estimular la instrucción pública en Estados Unidos, sin distinción de razas, sexo o religión, con un capital de 130 millones de dólares.

En 1913, creó la Fundación Rockefeller, a la que se incorporaron otros organismos filantrópicos anteriores. El propósito de esta fundación es el de promover el bienestar de la humanidad en todo el mundo, para lo cual deberá cooperar económica y científicamente con los gobiernos de distintas naciones en la extirpación de enfermedades endémicas como la fiebre amarilla, el paludismo, enfermedades de origen parasitario, etcétera. El capital de la fundación es de 547 millones de dólares. En el año de su muerte, Rockefeller había donado, a través de esas organizaciones, más de 550 millones de dólares.

Su hijo John D. Rockefeller Jr. (1874-1960), se dedicó principalmente a continuar y dirigir la labor filantrópica iniciada por su padre. Entre sus actividades se destaca la construcción, a partir de 1931, del Rockefeller Center, también llamado Radio City, en el corazón de New York, grandioso sector de 15 altos edificios dedicados a oficinas y centros de actividades mercantiles, artísticas y culturales, entre los que descuella el edificio R. C. A., de 70 pisos y 260 m de altura. En 1947 donó 8 millones y medio de dólares para la adquisición del terreno en que se construyó el edificio que es sede de las Naciones Unidas en New York.

Rococó. Estilo artístico que predominó en Francia durante el reinado de Luis XV, en el siglo XVIII. Puede considerarse como una acentuación de ciertas tendencias del barroco italiano, sobre todo de las obras del arquitecto Francesco Castelli, llamado *Borromini*. La primera muestra de Rococó francés es el mueble tallado con figuras de

Corel Stock Photo Library

Salón estilo rococó en Bavaria, Alemania.

hojas, guirnaldas, flores y cupidos. Aparecen las mismas curvas del Barroco, pero más pequeñas, sinuosas y entrelazadas. En la ornamentación de interiores eran usados los mismos elementos, las molduras de bronce y las lacas. Los espejos, muy numerosos, estaban igualmente adornados. Hay también una pintura Rococó cuyo primer exponente es Jean Honoré Fragonard; pero en jean Antoine Watteau y François Boucher el estilo es más característico. Los cuadros representan casi siempre escenas de la corte, damas y caballeros en el campo o episodios de la mitología en jardines típicamente dieciochescos. Este estilo concluyó con el advenimiento del arte neoclásico de la época de Luis XVI y, después, de la del imperio y sus formas artísticas duras y severas, con predominio de la línea recta.

Rocosas, Montañas. El más importante macizo de cordilleras en América del Norte, de la que se le considera su espina dorsal. Corre de Alaska a México, penetrando en este último país con el nombre de Sierra Madre Occidental. En Canadá se llama Cordillera Canadiense y cruza las provincias de Alberta y Columbia Británica y el territorio de Yukón. En Estados Unidos pasa por los estados de Montana, Idaho, Wyoming, Utah, Colorado, New Mexico y Texas.

Las Rocosas (*Rocky Mountains* en inglés) se enlazan a través de las cordilleras centroamericanas con el sistema orográfico de la cordillera de los Andes que se alza en América del Sur, y su origen data de los periodos cretácico y terciario, con evidentes manifestaciones de la acción glaciar. Por un vasto periodo de millones de años estuvo allí el suelo cubierto por mares de escaso fondo; fenómenos volcánicos contraían la corteza terrestre y se iban formando las rocas.

Un océano de 1,600 km de ancho se extendió en un tiempo desde el Ártico al Golfo de México y desde el este del estado de Minnesota casi hasta Oregón. En otros periodos geológicos, las montañas emergieron y se cubrieron de hielo y su deslizamiento cortó laderas y abrió quebradas. Contienen ricos yacimientos de oro, plata cobre y carbón. De su periodo volcánico subsisten extensiones de lava en Idaho y los géiseres de Yellowstone. Las mayores alturas de estas montañas se encuentran en el monte McKinley (6.187 m) en Alaska; el monte Logan (5.956 m) en Yukón (Canadá); y el monte Elías (5,510 m) en Alaska. La mayor altura de las Montañas Rocosas en Estados Unidos es el monte Elbert (4,400 m). En las Rocosas nacen importantes ríos estadounidenses: Columbia, Missouri, Arkansas, Colorado y el Bravo o Grande del Norte.

Montañas Rocosas en su porción de EE.UU.

Corel Stock Photo Library

rodaballo. Pez marino pleuronéctido, de cuerpo ovalado y muy aplanado, con los dos ojos situados en el lado izquierdo del cuerpo. Habita, principalmente, en regiones del océano Atlántico cercanas a Europa y en el Mar Mediterráneo. Suele tener unos 60 cm de largo y pesar de 5 a 16 kg, aunque se han pescado ejemplares de casi 2 m de largo y 40 kg de peso. El lado izquierdo del cuerpo, en el que tiene los ojos, es de color pardo con partes azulosas y amarillentas y está salpicado de tubérculos; el lado derecho es blancuzco. El rodaballo vive, generalmente, en el fondo del mar, medio enterrado en la arena, con el lado derecho hacia abajo y el lado izquierdo hacia arriba, que por su coloración y granulaciones se confunde con la arena del fondo y resulta difícil distinguirlo, circunstancia que le facilita cazar a los pececillos que le sirven de alimento. La carne del rodaballo es muy apreciada por su buen sabor y blancura.

Ródano, río. El más caudaloso río de Francia (2,000 m^3/sg) y uno de los más importantes de Europa. Tiene 812 km de curso total (270 km en Suiza), con 522 km navegables. Su ancho, en Francia, varía entre 300 y 1,000 m, aunque no llega a los 25 m en el Jura francés; su cuenca ocupa una superficie de 99.000 km². Nace en Suiza, en el cantón de Valais y entra en el lago de Ginebra después de recibir las aguas de numerosos ventisqueros. Sale del lago por la ciudad de Ginebra y se interna en Francia, cruzando los Montes Jura. Avanza hacia el oeste y llega a Lyon, donde dobla hacia el sur corriendo por la región meridional de Francia y recibiendo el tributo de numerosos afluentes. En Arlés se divide en dos principales brazos, formando un vasto delta, llamado Bouches-du-Rhône (Bocas del Ródano), con la isla de la Camargue. Aquí el Ródano llega al Mar Mediterráneo y desemboca finalmente en el Golfo de León.

Rodas. Isla griega del Mediterráneo, situada cerca de la costa suroeste de Anatolia, en Asia Menor, de la que está separada por un canal de 18 km de ancho. Tiene 1,398 km² de superficie y 145,071 habitantes –la mayoría griegos– a los que siguen en importancia los italianos, los musulmanes y los judíos sefaraditas de origen español. Rodas es la más importante de las islas antiguamente llamadas del *Dodecaneso.* Su economía es fundamentalmente agrícola. En 1912, fue ocupada por Italia, y hasta 1945 figuró como dominio suyo en el grupo de islas italianas del Mar Egeo. Su capital, del mismo nombre, está situada en el extremo norte de la isla y fue fundada durante la Guerra del Peloponeso, entre los años 431 a 404 a. C. Se halla rodeada por un antiquísimo cinturón amurallado con varias puertas al exterior. Sobre la entrada de su puerto estaba una famosa estatua de Apolo, conocida con el nombre de Coloso de Rodas, que fue una de las siete maravillas del mundo antiguo.

Rodbell, Martin (1925-). Bioquímico estadounidense. En 1954, se doctoró en la Universidad de Washington. Fue director de laboratorios del Instituto Nacional de la Salud de 1970 a 1985, y desde ese año y hasta 1994 dirigió el Instituto Nacional de Ciencias Ambientales de la Salud, en Carolina del Norte. En 1970, descubrió la función de las llamadas *proteínas G,* que se encuentran en la membrana de las células y se encargan de captar los mensajes químicos que proceden de otras células (hormonas, neurotransmisores). Por estos trabajos Rodbell compartió con G. Gilman el Premio Nobel de Medicina o Fisiología en 1994.

Rodenbach, George (1855-1898). Poeta y novelista belga de lengua francesa, se caracterizó por una inspiración poética que se inclinaba a adivinar el alma de las cosas. Cantó las campanas dolientes, los canales de aguas tranquilas en las que se reflejan cielos melancólicos. Fue, en la prosa, un captador de las albas y los crepúsculos, y supo armonizar su estilo con los seres por él evocados. Recibió el doble influjo de simbolistas y parnasianos y pertenecio al grupo *La libre Belgique.* de su obra poética cabe citar *Le foyer et les champs* (1877), *La jeunesse blanche* (1886) y *Le miroir del ciel natal* (1898). Mayor fama le proporcionó la novela *Brugues la morte* (1892), en la que inmortalizo la ciudad flamenca de Brujas.

Corel Stock Photo Library

Rodeo en New Yersey, EE.UU.

rodeo. Nombre que se da en el campo a la tarea de recoger, reconocer o encerrar ganado, principalmente el vacuno, y que en ocasiones se convierte en animada fiesta típica en los países americanos. En Argentina, Chile y México (donde se le llama charreada) constituye un acontecimiento de importancia en estancias y haciendas, para el cual se hacen animados preparativos. Se invita a amigos y vecinos, y se aprovecha la ocasión para que durante varios días los mejores jinetes luzcan sus habilidades, y se entablen competencias, mientras abundan el canto, la bebida, el baile y los alimentos. Cabe agregar que es una fiesta hermosa y amena. Hay lejanas poblaciones rurales que la esperan con interés, pues representa el mejor periodo de cada año, por los negocios que se realizan y el dinero que dejan millares de visitantes. En el oeste de Estados Unidos constituye una fiesta de gran importancia en las comunidades campesinas.

Rodés, Luis (1881-1939). Astrónomo y jesuita español. Fue profesor de filosofía y física en el Colegio de San Ignacio de Sarriá (Barcelona) y pasó luego a Holanda, donde completó sus estudios teológicos y se ordenó. Representó en Suecia al observatorio del Ebro, del que posteriormente fue director desde el año 1920 hasta su muerte. Agregado a la Universidad de Harvard, visitó los observatorios de Estados Unidos, Canadá y Cuba. Tomó parte en diversos congresos y conferencias internacionales sobre astronomía y meteorología. Inventó un gravímetro diferencial y formuló las normas para aplicarlo.

Rodesia. *Véase* RHODESIA.

rodilla. Parte prominente de la articulación del muslo con la pierna. La parte fundamental de la rodilla es la articulación fémorotibial, que se divide en dos regiones distintas: anterior y posterior. La región anterior presenta una eminencia redondeada, constituida por la rótula a cada lado de la cual se encuentra una depresión que desaparece cuando la articulación está llena de líquido. Las capas de que se compone esta región son: la piel, la fascia superficial, una aponeurosis de cubierta y la aleta de la rótula. La piel que cubre la rodilla es gruesa en la parte anterior y más delgada en las laterales. La región posterior, o hueco poplíteo, es una vasta excavación situada detrás de la rodilla, en la parte inferior del muslo y superior de la pierna. Los órganos que contiene son: la arteria poplítea, la vena del mismo nombre, los nervios ciáticopoplíteos internos y externos, ganglios linfáticos y grasa. La articulación de la rodilla es la más vasta y complicada del cuerpo humano. Las lesiones traumáticas y espontáneas que en ella se desarrollan con

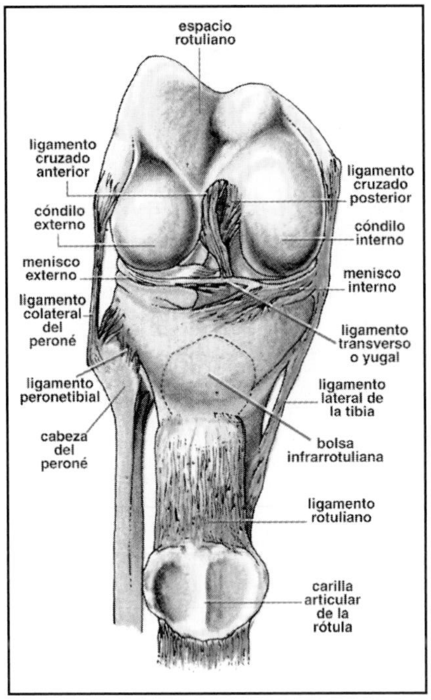

Salvat Universal

Rodilla. Estructura anatómica (la rótula se ha dibujado separada de su posición natural, colgando del ligamento rotuliano).

tanta frecuencia hacen su estudio uno de los más interesantes de la anatomía. Las superficies articulares de la rodilla corresponden a tres distintos huesos: el fémur, la tibia y la rótula.

Rodin, Auguste (1840-1917). Uno de los más grandes escultores franceses contemporáneos. De familia obrera, su aprendizaje fue duro y lento. Asistía a la Escuela de Bellas Artes por la noche y en el día trabajaba en un almacén; todas sus horas libres hacía bocetos de hombres y animales. Consiguió ingresar en el taller del escultor Antoine Louis Barye, donde desbastaba los bloques de mármol. Como él mismo se definió en cierta ocasión, "tenía la paciencia del agua, que gota a gota horada la piedra", y gracias a ella fue tan bravo luchador como buen soñador, que venció la oposición, la incomprensión y hasta la miseria. No podía ser un artista dulce y amable, representaba la vida dura que había conocido, rompía con la rutina y el amaneramiento, y seguía la ruta que le marcaba su poderosa y original inspiración. Tachaban sus obras de feas, y él contestaba: "Nada vivo es feo, toda la emoción humana, sea amor o sea odio, sea bondad o sea dolor, tiene un sello original de belleza". Sus obras son personales, acentuaba en ellas las formas o partes que expresan con mayor intensidad su ideal artístico, y cobraban un vigor singular y un carácter de extraña potencia. Le fue difícil abrirse camino. Cuando presentó su primera obra, *El hombre de la nariz rota* (1864), lo acusaron de moldear sobre modelo vivo, y levantó una tempestad de polémicas apasionadas. Citaremos, entre sus muchas esculturas *La Edad de Bronce* (1878), *San Juan, Balzac* (1891-1897), *Víctor Hugo, Sarmiento, El beso* (1886), *La primavera y El pensador* (1880). Dejó sus obras al Estado francés, y se admiran en el museo Rodin de París.

rodio. Elemento químico, perteneciente al grupo VIII de la segunda serie de metales de transición de la tabla periódica de los elementos. Es uno de los seis del llamado *grupo del platino*. Su número atómico es 45, su símbolo es Rh y su masa atómica 102,91. Es de color gris claro, muy duro, y se mantiene inalterable en el aire o en el agua. Dúctil y maleable, se usa en joyería y para fabricar utensilios quirúrgicos. Tiene propiedades catalíticas. Por el brillo que adquiere, se emplea en la fabricación de reflectores de automóviles. Se emplea también mezclado con el platino, para construir elementos termoeléctricos, ánodos para electrólisis, etcétera. El rodio fue descubierto en 1803 por Wollaston. Se halla en los Montes Urales y en ciertas partes de América del Sur.

Estatua de El pensador *de Auguste Rodin.*

Corel Stock Photo Library

Rodó, José Enrique (1871-1917). Escritor y poeta uruguayo, considerado uno de los grandes maestros de Hispanoamérica. En prosa en la que se tiene por modelo, planteó hondos problemas espirituales y construyó magníficos ensayos. Su obra más celebrada es *Ariel* (1900). Nació en Montevideo y después de doctorarse allí obtuvo el título de catedrático de literatura de la universidad en 1898, y fue nombrado director de la Biblioteca Nacional en 1900. Diputado y fogoso orador parlamentario, fue también periodista ágil, como lo demuestran sus corresponsalías en la revista argentina *Caras y Caretas*, enviadas desde Europa durante la Primera Guerra Mundial. Cuando se aprestaba a regresar a Uruguay, falleció en Palermo (Sicilia). Son, además de *Ariel,* obras importantes de Rodó las siguientes: *El camino de Paros, Bolívar, El mirador de Próspero, Motivos de Proteo, Liberalismo y jacobinismo, Rubén Darío* y *Vida nueva.* El agudo crítico Cejador escribe de él: "Toda la juventud americana lo rodeaba y seguía en espíritu y, en verdad, atenta y ganosa de escuchar sus consejos, arrebatada en pos de la altísima idea que para su educación intelectual, ética y artística les proponía, de los nobles propósitos y recios alientos que infundía generosamente en sus pechos... Más que filósofo fue, de hecho, un enamorado del elegante decir y del brillante mariposear por nobles temas". También fue fundador, en unión de varios compañeros en las tareas literarias, de la *Revista Nacional de Literatura y Ciencias Sociales* en 1895, y redactor de los periódicos *El orden* y *Diario del Plata.* Para Juan Ramón Jiménez, fue "estatuario y fijo, paseante de altos niveles clásicos", y para Emilio Oribe, "el mayor misterio del pensamiento hispanoamericano, que se constituye solo, se aisla, se perfecciona, se nutre en las fuentes primarias de lo natural y lo bello y condensa lo fundamental de su ser".

rododendro. Palabra griega que significa *árbol rosa* y designa a un arbusto de la familia de las ericáceas, que crece en las regiones elevadas de Europa, Asia y Norteamérica. Algunas de las especies más hermosas viven en las estribaciones del Himalaya. Las hojas son perennes, oblongas, de un verde brillante por encima y pálidas por debajo; las flores son grandes, de un color blanco o rosado, aunque hay también algunas especies con flores de un brillante color violeta. Las ramas, muy numerosas, forman un macizo espeso, de dos a cinco m de altura.

Rodolfo I de Habsburgo (1218-1291). Rey de romanos (1273-1291). Hijo de Alberto IV, conde de Habsburgo, de quien heredo la Alta Silesia y territorios de la Suiza Alemana (1239); fue el fundador de la dinastia de este nombre. Se caso (1245) con Gertrudis de Hohenberg y completó sus dominios con el legado de los Kyburg (1264) y otras concesiones de los emperadores Federico II y Conrado V. A la muerte de Ricardo de Cornualles (1273) fue propuesto a los electores por el papa Gregorio X pare la dignidad imperial, con el fin de contrarrestar la acción de Carlos de Anjou en Italia. Su elección puso fin al Gran Interregno (1250-1273) pero no consiguió ser coronado por el papa. Renuncio a ejercer la soberanía sobre los Estados pontificios y el sur de Italia; abandono la idea tradicional de presidir un imperio cristiano, orientando su política hacia la creación de lo que seria el futuro Estado nacional alemán. Se enfrentó a Otakar II, rey de Bohemia, que se opuso a su elección y a la prestación de homenaje, y le derrotó en Marchfeld (1278). Esta victoria le permitió anexionar los dominios austriacos (Austria, Estiria, Carniola) de la Gran Bohemia y constituir un nuevo Estado al este: la Gran Austria. en el interior reivindicó los bienes y derechos usurpados a la corona, renovó los estatutos de las ciudades, limitó el poder de los magnates y desarrolló la economía en el norte favoreciendo las empresas mercantiles de la Hansa.

Rodrigo, don. Último rey de los visigodos de Hispania (710-711). Rodrigo fue elevado al trono por los partidarios de la familia de Chindasvinto, a la que pertenecía, y que era hostil a la familia de Witiza. El hijo de éste, Ákhila, se sintió perjudicado en sus derechos y declaró usurpador a Rodrigo, disponiéndose a destronarlo, aliado con su tío, el arzobispo Oppas. Ákhila envió un mensaje en solicitud de ayuda a Tāriq b Ziyād, gobernador de Tánger en nombre de Muza, y mientras don Rodrigo se hallaba combatiendo a los vascones sublevados en Pamplona, Tāriq, al mando de doce mil berberiscos y árabes, invadió las costas meridionales de España. Don Rodrigo formó un ejército de godos, romanos y visigodos y presentó batalla a Tāriq, quien había recibido refuerzos de África. El encuentro tuvo lugar en las riberas del lago de la Janda, cerca del río Guadalete. Rodrigo, con temeraria confianza, había dado el mando de las alas del ejército a los hermanos de Witiza, Sisberto y Oppas, y éstos lo traicionaron pasándose con sus huestes al enemigo en el curso de la batalla. El centro del ejército, mandado por Rodrigo, resistió bastante, pero al cabo fue destruido y el rey desapareció. Según una crónica mozárabe del siglo VIII, Rodrigo murió en el campo de batalla, pero según la leyenda se dio a la fuga prosiguiendo durante muchos años sus andanzas por la España invadida.

Rodrigo, Joaquín (1902-1990). Músico español. Ciego desde los tres años, inició en Valencia sus estudios musicales y los amplió más tarde en Alemania y Francia. Fue profesor de historia de la música en la Universidad de Madrid (1948) y miembro de la Academia de Bellas Artes (1950). Entre sus obras recibidas con mayores elogios por el público y la crítica figuran: *Doce canciones populares, Sonatas de Castilla* y, sobre todo, sus cinco conciertos entre los que se destacan el *Concierto de Aranjuez* (1939) y el *Concierto Heroico* (1942). Obtuvo en 1943 y en 1981 el Premio Nacional de Música. En 1996, recibió el Premio Principe de Asturias de las Artes.

Rodríguez, fray Antonio (siglo XVII). Arquitecto ecuatoriano. Fue ordenado sacerdote en 1632 y se inició como arquitecto con el padre Benítez, continuador de fray Jodoco. En 1657, dirigió las obras de los conventos de Santa Clara y Santo Domingo de Quito. Su obra maestra es el santuario de Guápulo, comenzado hacia 1650. Se trata de un edificio de una sola nave sobre planta de cruz latina. Se le atribuye la traza de la iglesia del Sagrario, adosada al lado de la epístola de la catedral de Quito.

Rodríguez, Manuel (1786-1818). Patriota chileno que cooperó a la causa de la independencia, sirviendo de agente secreto entre Chile y Argentina. Estimuló montoneras y guerrillas. Hizo circular rumores que engañaban a las fuerzas españolas, favoreció los movimientos de los ejércitos de José de San Martín y Bernardo O'Higgins. Fue secretario del general José Miguel Carrera durante la presidencia de éste (1814). Creó y comandó el escuadrón de caballería denominado Húsares de la Muerte. Temerosos de su popularidad algunos gobernantes, fue detenido y asesinado en el campo de Tiltil, cuando se le enviaba escoltado de Santiago a Quillota. Es héroe muy popular entre los chilenos.

Rodríguez, Martín (1771-1844). Militar argentino de la guerra de Independencia. Luchó contra las invasiones inglesas en 1805 y 1807, y participó activamente en los trabajos para la constitución del primer gobierno patrio en 1810. Incorporado a las fuerzas que luchaban en el frente del Alto Perú, intervino en la batalla de Salta y ejerció mando como jefe de las fuerzas patriotas en Venta y Media. Después, ocupó la presidencia de Charcas hasta la derrota patriota de Sipe Sipe, lo que motivó su regreso a Buenos Aires (1816). Posteriormente, incorporado a las fuerzas de Buenos Aires, asistió a la batalla de Cepeda, cuyo adverso resultado motivó la caída del sistema directorial y una crisis política en 1820. En uno de los cambios de gobierno ocurrido en Buenos Aires en ese año, Rodríguez fue designado gobernador de la provincia de Buenos Aires (1820-1824). Después de dominar una revuelta estallada a los pocos días, estabilizó el poder y pudo terminar su mandato de tres años. Realizó un gobierno sumamente progresista, dando libre paso a las iniciativas de sus ministros Bernardino Rivadavia y Manuel José García, y realizó personalmente varias campañas contra los indios para extender las fronteras. En la guerra contra Brasil desempeñó la jefatura del ejército argentino, cargo en el que fue reemplazado por el general Carlos de Alvear. Participó en las luchas civiles en 1829 acompañando al grupo de los unitarios en todos los acontecimientos de este año, como consecuencia de lo cual emigró a Montevideo, lugar donde murió años más tarde.

Rodríguez, Simón (1771-1854). Educador venezolano que fue maestro de Simón Bolívar. Estableció en Chile y Bolivia la escuela práctica, de oficios útiles, que pudiese servir a las clases necesitadas. Andariego, revolucionario y predicador de libertad, hizo extensos viajes por Europa y América. Dejó varias obras, entre ellas *El libertador del mediodía de América y sus compañeros de armas defendidos por un amigo de la causa social* (1830) y *Sociedades americanas* (1842).

Rodríguez, Ventura (1717-1785). Arquitecto español nacido en Ciempozuelos (Madrid). De estilo severo y majestuoso, sobresalen entre sus obras principales la reforma del interior de la basílica de Nuestra Señora del Pilar, en Zaragoza, y las fuentes de la Cibeles, Apolo y Neptuno, en el Paseo del Prado de Madrid. otras de sus obras notables en la capital de España fueron la iglesia de San Marcos y los palacios de Astorga y Liria, existiendo también algunas en ciudades como Cartagena, Málaga, La Coruña, Burgos y Gerona. Es el representante más genuino de la reacción nacional dentro de la arquitectura española del siglo XVIII, que estuvo presidida por su influencia.

Rodríguez Castelao, Alfonso Daniel (1886-1950). Dibujante, escritor y político español. Diputado en las Cortes de la República, dirigió el Partido Nacionalista Gallego, cuyo programa defendió ardientemente, por lo que tuvo que expatriarse a Argentina, como consecuencia de la guerra Civil. Además de sus libros de dibujos, publicó: *Un ollo de vidro, Cousas* y *Sempre en Galiza.*

Rodríguez Francia, José Gaspar (1766-1840). Político y abogado paraguayo, más conocido como *el doctor Francia.* Oriundo de Asunción, cursó estudios eclesiásticos, pero se dedicó posteriormente a la abogacía. Participó en la revolución de 1811 y se convirtió en el jefe intelectual del movimiento. Tuvo sobresaliente participación en el congreso de 1813, convocado para organizar el gobierno de Paraguay, que se decidió a favor de una república que estuviera dirigida por dos cónsules.

Para desempeñar esos dos cargos fueron designados Rodríguez Francia y Fulgencio Yegros. En 1814, Rodríguez Francia consiguió que el poder le fuese conferido a él como único magistrado. Después obtuvo el nombramiento de dictador durante cinco años y, en 1816, el de dictador perpetuo. Francia se creía predestinado para una histórica misión; fomentó la agricultura y la industria, consolidó la independencia y organizó el país, pero suprimió las libertades públicas, gobernó despóticamente, con actos de cruel represión, hizo fusilar a los principales próceres de la independencia y se empeñó en mantener a Paraguay en un completo aislamiento.

Rodríguez Juárez, Juan (1675-1728). Pintor mexicano. Ha sido llamado *el Apeles de México.* Su obra comprende gran número de cuadros de motivos religiosos, entre ellos *La educación de la Virgen, San Francisco* y *San Antonio.* Los más admirados son los de la serie que decora la célebre Capilla de los Reyes, en la Catedral de México, de los cuales *La adoración de los Reyes Magos* es su obra maestra.

Rodríguez Juárez, Nicolás (1667-1734) Pintor mexicano, hermano de Juan Rodríguez, también gran pintor. Fue sacerdote y se dedicó a la pintura, en la que llegó a ser notable. Entre sus cuadros principales figuran *Santa Gertrudis* y *El Triunfo de la Virgen.*

Rodríguez Marín, Francisco (1855-1943). Polígrafo español nacido en Osuna. Ejerció la abogacía en Sevilla y posteriormente se trasladó a Madrid, donde desempeñó los cargos de consejero de Instrucción Pública, jefe del Cuerpo Facultativo de Archiveros, Bibliotecarios y Arqueólogos y el de director de la Biblioteca Nacional desde 1912 a 1930. Hombre de vasta cultura y conocedor profundo de los clásicos españoles, se le deben numerosas ediciones anotadas y comentadas de diversos escritores y poetas del Siglo de Oro. Es autor de una edición del Quijote (1910-1913) en seis tomos, con explicación de voces arcaicas y de los giros y alusiones que contiene el libro; de una edición crítica de *Rinconete y Cortadillo*, de otra de *El casamiento engañoso* y *El coloquio de los perros*, etcétera, en las que demuestra sus conocimientos de cervantista eminente. Es autor de bellas poesías y cuentos, libros llenos de gracia anecdótica y recopilaciones de refranes y poemas de autores españoles de todas las épocas. Perteneció a la Real Academia Española, en la que ingresó en 1905 y de la que era director al morir; también fue miembro de la Academia de la Historia. Utilizó el seudónimo *El bachiller* Francisco de Osuna.

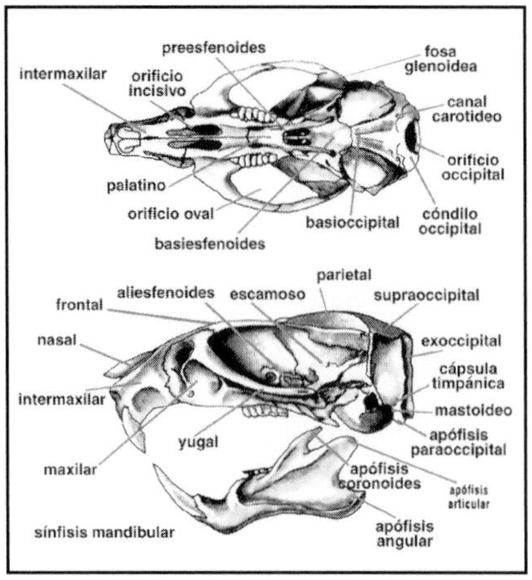

Salvat Universal

Cráneo de una rata visto por su cara inferior (arriba) y por su cara lateral (abajo).

Rodríguez Peña, Nicolás (1775-1853). Político argentino. A partir de las invasiones inglesas a su patria, de 1806 y 1807, contra las cuales luchó, Rodríguez Peña fue un ardoroso patriota que intervino destacadamente en los trabajos que culminaron con la revolución de mayo de 1810. Sustituyó a Manuel Maximino Alberti en la Junta de Buenos Aires (febrero de 1811), integró el segundo Triunvirato (octubre de 1812), fue presidente del Consejo de Estado (1814) y gobernador de Montevideo. En 1815, fue desterrado a San Juan, Aquí trabó conocimiento con el general José de San Martín, a quien ayudó en la organización del Ejército de los Andes. Instalado en Santiago de Chile, donde residió hasta su muerte, colaboró en el armamento del Ejército Libertador de Perú con sus cuantiosos bienes.

Rodríguez Piñeres, Eduardo (1869-1946). Jurisconsulto colombiano, presidente de la comisión colombiana de límites con el Ecuador, miembro de la delegación de Colombia a la IX Conferencia Internacional Americana, profesor de derecho civil, presidente de la Corte Suprema de Justicia, autor de numerosas obras y de varias compilaciones de códigos colombianos.

roedor. Mamífero que pertenece al orden de los roedores. Se considera que este orden agrupa más de la mitad de todos los mamíferos existentes. Los roedores se caracterizan por tener los dientes incisivos grandes, en forma de cincel, apropiados para roer. Los incisivos crecen durante toda la vida del animal, por lo que el desgaste que experimentan por el uso constante, se compensa con el crecimiento correspondiente. Además de los incisivos, en algunas especies de roedores, los molares tienen también crecimiento continuo.

Los incisivos son dos en la mandíbula inferior y dos o cuatro en la superior, por lo que los roedores se dividen en dos grandes grupos: los *simplicidentados*, con dos incisivos superiores; y los *duplicidentados*, que tienen cuatro incisivos superiores.

El primer grupo comprende tres subórdenes: los *histricomorfos* (puerco espín, chinchilla, agutí, vizcacha, capibara, coipu, etcétera); los *esciuromorfos* (ardilla, marmota, castor, ardilla voladora, etcétera), y los *miomorfos* (rata, ratón, lirón, topo, etcétera). El grupo de los *duplicidentados* abarca los conejos y liebres.

Roelas, Juan de las (1558?-1625). Pintor español, considerado el iniciador de la gran escuela pictórica sevillana del siglo XVII. Nació en Sevilla. En su pintura se advierten influencias venecianas. Residió algún tiempo en Valladolid como *pintor y clérigo presbítero*; después pasó a Sevilla donde realizó obras importantes, como *Santiago en la batalla con los moros,* en la capilla de este santo en la catedral, la *Visión de San Bernardo,* el *Martirio de San Andrés* y la *Circuncisión del Señor* cuadros todos ellos conservados en Sevilla. También pinto *Elevación de la cruz, Santiago Matamoros* y *Tránsito de San Isidro.*

Roemer, Olaf (1644-1710). Astrónomo danés; discípulo de Erasmus Bartholinus. En 1671, en un viaje que Jean Picard hizo a Dinamarca, conoció al joven Roemer que para entonces ya había clasificado los manuscritos de Tycho Brahe. Juntos determinaron la posición del observatorio Tycho Brahe, situado en la isla de Hveen. A instancias de Picard se trasladó a París, donde permaneció nueve años, fue profesor de matemáticas del Delfín e ingresó en la Academia de Ciencias de dicha ciudad. Luego pasó a Londres, y entró en relaciones con Isaac Newton, Edmund Halley y John Flamsteed. En 1681 fue llamado a Copenhague, ocupó la cátedra de matemáticas en la universidad y desempeñó varios cargos administrativos. Su principal descubrimiento fue el de la velocidad de la luz, al cual llegó observando los eclipses de los satélites de Júpiter. También inventó el telescopio meridiano y el círculo meridiano. Instaló el observatorio *Tusculum* y un telescopio ecuatorial en la Universidad de Copenhaque. Con excepción de uno, todos sus manuscritos fueron destruidos por un incendio.

Roentgen, Wilhelm Conrad (1845-1923). Físico alemán descubridor de los rayos X. En 1862, ingresó a la Escuela Técnica de Utrecht. De allí pasó a Zurich (Suiza), en cuya Escuela Politécnica cursó estudios. Fue alumno predilecto del físico Augusto Kundt, quien suscitó su afición por la física, lo instó a especializarse y lo hizo ayudante en su laboratorio. Roentgen, comenzó a investigar junto a su maestro, al que acompañó a Estrasburgo (Alsacia), entonces en poder de Alemania. Pronto fue designado profesor en la Academia de Agricultura; pasó después a la Universidad de Giessen, después a la dirección del Instituto de Física de Wurzburgo, donde realizó sus principales descubrimientos. A los 55 años pasó a la Universidad de Munich, donde organizó el Instituto de Física Experimental. En 1920, se retiró de la enseñanza, pero sin abandonar sus experimentos hasta momentos antes de su muerte. Segó su vida el cáncer, la enfermedad para cuyo diagnóstico y curación tanto contribuyeron sus inventos.

En 1895, en una sesión científica, comunicó Roentgen el descubrimiento de unos rayos que producía en un tubo al vacío, a los que llamó *rayos X* y que poseían la maravillosa propiedad de atravesar la materia sólida, cuyas partes más densas aparecen oscuras en una placa fotográfica o pantalla fluorescente. Se ofreció él mismo para las primeras pruebas, haciendo ver al asombrado auditorio los huesos de su mano. Con sencillez conmovedora cuenta el sabio cómo ocurrió su descubrimiento: "Trabajaba con un tubo al vacío, y cerca había una pantalla de papel sensibilizada con platinocianuro de bario. Al hacer pasar por el tubo una corriente eléctrica observé que sobre el papel aparecían extrañas líneas negras. Extrañado, repetí el experimento una y otra vez hasta cerciorarme de que brotaban ciertos rayos del tubo, que imprimían el papel sensibilizado. Evidentemente se trataba de algo nuevo, no observado hasta entonces".

Es enorme la importancia del descubrimiento de los rayos X. Aumentan la seguridad del diagnóstico en medicina, en casos tan difíciles como las fracturas, las lesiones tuberculosas o las cancerosas. La radiología, rama hoy avanzadísima de la medicina, se basa en el descubrimiento del profesor alemán. Hasta que se conocieron bien los efectos de los rayos X hubo numerosos mártires de la ciencia, porque las radiaciones, en dosis pequeñas y repetidas, resultan peligrosas y causan graves lesiones en las partes demasiado expuestas, e incluso la muerte. Pero estas mismas radiaciones, aplicadas sobre los tumores malignos, en ciertas dosis, constituyen un medio de curación. Los rayos X han ayudado poderosamente a la física, pues gracias a ellos conocemos hoy, en cristalografía, la índole exacta de la estructura cristalina, y en metalurgia, permiten apreciar las fallas internas de las piezas metálicas más importantes.

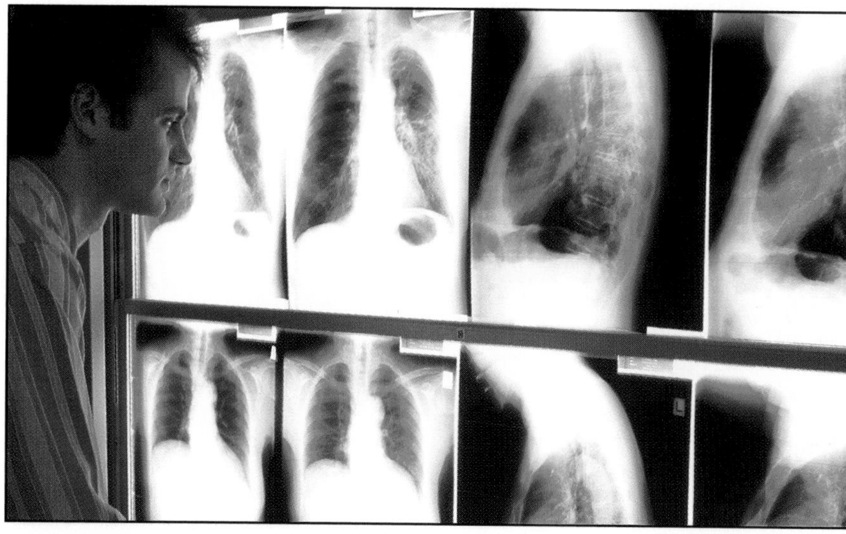

Corel Stock Photo Library

Wilhelm Roentgen fue el descubridor de los rayos X.

Roentgen recibió en 1901 el Premio Nobel de Física, y numerosas condecoraciones y premios del gobierno de su país y de otros. Su vida de trabajo sistemático y ordenado produjo otros muchos descubrimientos e investigaciones en la teoría de los colores, la dilatación y comprensibilidad de los gases, capilaridad, electromagnetismo y absorción de los rayos calóricos. Su labor ha sido una de las que más han contribuido al progreso de la física. *Véase* RAYOS X.

Roger de Flor (1266?-1305). Guerrero ítalocatalán. Caballero del Temple, marchó a la conquista de Tierra Santa, y cuando los sarracenos sitiaron y tomaron San Juan de Acre salvó en sus navíos a gran número de cristianos con sus bienes. Posteriormente entró al servicio de Fadrique de Aragón, rey de Sicilia, quien le hizo vicealmirante. Fue jefe de la expedición de los almogávares, compuesta por guerreros catalanes y aragoneses, a Constantinopla. Al frente de 8,000 de ellos acudió en auxilio de Andrónico II, emperador de Oriente, atacado por los turcos, los cuales tuvieron que retirarse ante el empuje de los almogávares. En recompensa Andrónico le confirió el título de César y le entregó en feudo las provincias asiáticas. Un hijo del emperador le hizo asesinar a la salida de un festín, pero los soldados vengaron la muerte de su caudillo asolando el imperio. Los poetas catalanes han compuesto en honor de este guerrero distintas obras de carácter épico. La *Venganza catalana* se hizo famosa en Oriente. *Véase* ALMOGÁVAR.

Roger de Lauria (1250-1305). Marino italiano al servicio de Aragón. Almirante de la armada aragonesa en Italia, derrotó a sus contrarios en las batallas navales de Malta, Siracusa, Capri, Mesina, Nápoles, Nicotera, Gadaqués, Agosta, Castellamare Tolemaida y Chíos. Vencido por primera y única vez en Esquilache, renovó sus laureles en Poli, Siracusa, Cabo Orlando y Ponza, última de sus grandes victorias. Se retiró luego a Valencia, donde murió, siendo enterrado en el monasterio de Santas Creas, a los pies de su rey, Pedro III de Aragón, *el Grande*, a quien sirvió tratando de convertir en realidad el lema aragonés de que *ningún pez surcaria el Mediterráneo si no llevaba en el lomo las barras de Aragón.*

Rogers, Will (1879-1935). Actor y humorista estadounidense. Con gran sentido del humor y la gracia, fue, además de *cowboy*, periodista, escritor, conferenciante, actor de cine, aviador, etcétera. Sus comentarios humorísticos aparecían en 350 periódicos. En 1926 recorrió Europa como embajador de buena voluntad del presidente John Calvin Coolidge. En 1933, dio la vuelta al mundo en avión, en el tiempo récord de 8 días, 15 horas y 51 minutos. Escribió varios libros de humor y sátiras, tales como: *Rogerismos*, *El cowboy que filo-*

sofa sobre la prohibición, No hay un traje de baño en Rusia, De lo que nos reímos, y otros. Murió en Alaska, en un accidente de aviación en el que también pereció el célebre aviador Wiley Post.

Rohán. Nombre de una antigua y noble familia bretona, muchos de cuyos miembros tuvieron actuación destacada en la historia de Francia. Su nombre procede del de la villa de Rohán, en el departamento de Morbihan, en la Bretaña (Francia). Dicha villa y su comarca formaron un señorío que con el título de vizcondado de Rohán le fue otorgado a Alain I, a principios del siglo XII. En la villa existen las ruinas del castillo que fue solar de los Rohán. Esta noble familia tuvo muchas ramificaciones, y sus miembros más connotados fueron: *Hércules* de *Rohán* (1568-1654). Duque de Montbazon. Al servicio de Enrique III y de Enrique IV luchó contra la Santa Liga, y fue nombrado por este último rey, gobernador de París y de la Isla de Francia, así como montero mayor de la corte.

Enrique, primer duque de Rohán (1579-1638). Hijo de Renato de Rohán. Militar, escritor y jefe del partido calvinista. A los 16 años de edad se incorporó al ejército francés e ingresó a la corte de Enrique IV, de quien mereció predilección. En el sitio de Amiens llevó a cabo sus primeras hazañas en el campo de batalla, y firmada la paz de Vervins, dedicó algún tiempo a viajar y a enriquecer su cultura. A su regreso, a la edad de 24 años, fue elevado a la dignidad de duque y par. En ese mismo año en 1603, contrajo matrimonio con Margarita de Béthune, hija del duque de Sully. Cuando Luis XIII decretó la restitución de las propiedades de la Iglesia en el Bearn Rohán, como jefe de los protestantes se lanzó a la guerra Civil. A su habilidad militar y política se debió en gran parte el éxito de la rebelión, que condujo a la confirmación del edicto de Nantes, gracias a un tratado firmado en 1623. Al ser violado dicho tratado resurgió la guerra y Rohán volvió a demostrar su pericia militar, y logró un segundo convenio que tuvo poca duración. Sobrevino un nuevo conflicto armado, y Rohán aunque agotadas sus fuerzas, después de resistir por espacio de un año, pudo obtener la paz de Alais, en 1629, con un tratado que restablecía el edicto de Nantes. Se retiró a Venecia, donde fue acogido con todos los honores que merecía su reputación de gran capitán, y allí escribió sus célebres *Memorias*. Declarada la guerra entre Francia y Austria, regresó a servir a su patria e hizo una victoriosa campaña en Luvino, en Tirano y en el valle de Fresne. Luego pasó a combatir a los imperiales al lado de su amigo Bernardo de Sajonia-Weimar, y en la batalla de Rheinfeld fue herido de muerte. También escribió, entre otras obras *El perfecto capitán, Tratado de la guerra*, y *Del interés de los príncipes y estados de la cristiandad*.

Luis, caballero de Rohán (1635-1674). Siendo muy joven entró en la corte francesa, y se distinguió en ella por su vida disoluta. En 1656, fue nombrado montero mayor y más tarde coronel de la Guardia. Como militar demostró valor en distintas campañas llevadas a cabo entre 1654 y 1672. Por su conducta licenciosa fue privado de todos los cargos en la corte. Lleno de deudas y en precaria situación, se asoció a Latreaumont en una conspiración, por lo que recibió fondos del gobierno holandés. Descubierta la conjura, fue encarcelado en la Bastilla y decapitado.

Luis René Édouard, cardenal de Rohán (1734-1803). Príncipe de Rohán Guéménée, diplomático, limosnero mayor y arzobispo de Estrasburgo. Después de ordenarse de sacerdote en 1760, recibió el nombramiento de coadjutor de su tío, Constantino de Rohán-Rochefort, entonces obispo de Estrasburgo, y luego fue designado obispo de Canope. Era hombre de ambiciones políticas y con mayor interés por la vida mundana que por sus deberes clericales. Se unió al partido encabezado por el duque de Aiguillon que se oponía a la alianza con Austria que significaba el matrimonio del Delfín con la archiduquesa María Antonieta. En 1771, por influencia de Aiguillon fue enviado como embajador especial a la corte de Viena, con la misión de investigar lo relativo a la repartición de Polonia, pero se concitó la antipatía de la emperatriz María Teresa quien pidió le retiraran las credenciales. De regreso en Francia, y estando Luis XVI en el trono, fue recibido con indiferencia, pero poniendo en acción su habilidad, en 1777 obtuvo el nombramiento de limosnero mayor. Al año siguiente recibió el de abad de Saint-Vaast y fue elevado a la dignidad de cardenal. En 1779 sustituyó a su tío Constantino en el arzobispado de Estrasburgo. Con todos estos cargos llegó a recibir una renta de 2.500,000 francos que tampoco le bastaron para sostener su vida lujosa. Queriendo congraciarse con María Antonieta, y bajo la influencia de Cagliostro, la condesa de Lamotte y otros aduladores, le regaló un collar de diamantes cuyo costo de 1.600,000 libras no había podido pagar la reina. Pero, como no pudo cubrir la deuda, fue procesado. Su absolución fue recibida con general entusiasmo, por considerarse una victoria sobre la corte y la reina. No obstante, fue privado del cargo de limosnero mayor y desterrado a la abadía de Chaise-Dieu.

Rohrer, Heinrich (1933-). Físico suizo. Ingresó al Instituto Tecnológico Federal Suizo en 1951. En 1955, inició su trabajo de tesis doctoral sobre la medición de los cambios de superconductores en el campo magnético, inducidos por una transición superconductora. En 1961 llegó a Estados Unidos y pasó dos años estudiando postdoctorado y trabajando en la Universidad de Rutgers en New Jersey. En 1963, le ofrecieron un puesto en el Laboratorio de Investigaciones de IBM en Rüschlikon, Suiza. De 1974 a 1975 pasó un año sabático en la Universidad de California en Santa Barbara, donde adquirió el gusto por la resonancia magnética nuclear. A Rohrer y a Gerd Karl Binning se debe la invención, en 1981, del microscopio de rastreo interno, el cual proporcionó las primeras imágenes individuales de átomos sobre la superficie de materiales. Este microscopio puede captar detalles de hasta 1/25 de diámetro de un átomo típico, lo cual corresponde a una resolución de una magnitud superior en muchos aspectos a la de un ultramicroscopio. En 1986, ambos investigadores compartieron con Ernst Auguist Friedrich Ruska el Premio Nobel de Física por este descubrimiento.

Rojas, Arístides (1826-1894). Polígrafo venezolano, autor de más de 30 obras (muchas inéditas) sobre historia, filología, folclore, literatura, fuentes bibliográficas, indigenismo y leyendas. Se destacan: *Leyendas históricas de Venezuela, Humboldtianas, Contribución a la historia antigua de Venezuela* y *Estudios indígenas* (1878).

Rojas, bachiller Fernando de (1465-1541). Escritor español, autor de la *Tragicomedia de Calixto y Melibea* (1499), joya de la literatura hispana, universalmente conocida bajo el título de *La Celestina*. Nació en Puebla de Montalbán, cursó leyes en la Universidad de Salamanca y se dice que su *tragicomedia* la terminó en 15 días, aprovechando unas vacaciones. Es la única obra que de él se conserva. Se sabe que tomó parte en la guerra de las Comunidades, aunque su nombre no figura entre los amnistiados por Carlos V. Fue abogado notable, y durante cierto tiempo ejerció el cargo de alcalde mayor en Talavera de la Reina. *Véase* CELESTINA, LA

Rojas, Diego de (? -1544). Conquistador español que fue el primero en explorar la región del Tucumán a la cabeza de una expedición al Río de la Plata, enviada desde Perú por el virrey Cristobal Vaca de Castro. Nombrado justicia mayor, partió al mando de 200 hombres dispuestos a emprender la conquista del Tucumán, es decir en lengua indígena el *pueblo del cacique Tucma*, donde se asientan hoy las provincias argentinas de Salta, Jujuy, Santiago del Estero, Catamarca, La Rioja, y una parte de Córdoba y el Chaco. Una engañosa fama atribuía a la región grandes riquezas en piedras preciosas. Atraídos por ellas, Rojas y sus hombres llegaron al valle de Humahuaca, y tras sostener sangrientas escaramuzas con los indios, atravesaron el pueblo aborigen de Chicoana (Salta) y fueron a enfrentarse en Capayán (Catamarca) con un millar de indios al mando de su cacique. Rojas venció y siguió su avance, pero no tardó en hallar la muerte al ser herido por una flecha envenenada. Uno de sus lugartenientes asumió el mando de la expedición que siguió el avance por tierras de Córdoba y Santa Fe hasta alcanzar el fuerte de Sancti Spiritus, que había fundado Giovanni Caboto. Hubo allí graves discordias. El sucesor de Diego de Rojas fue asesinado por otro oficial, que a su vez tomó el mando y regresó al Perú con 80 hombres. Aunque la de Rojas fue una mera exploración, las crónicas se hicieron eco de ella por lo cruento y azaroso de la marcha, así como por el hecho de que fue la primera aventura de la Conquista de esas tierras, en cuyo transcurso se allegaron datos que luego fueron de mucha utilidad.

Rojas, Isaac Francisco (1906-1968). Marino argentino. En 1952 fue ascendido al grado de contralmirante. Ocupaba la dirección de la Escuela Naval Militar argentina cuando estalló el movimiento revolucionario de septiembre de 1955, al cual apoyó; en esa ocasión desempeñó el comando de la Flota de Mar en operaciones. Triunfante la revolución que depuso al régimen peronista, fue designado vicepresidente de la república primero con Eduardo Lonardi y después con Pedro Eugenio Aramburu (1955-1958). Durante todo el periodo de gobierno provisional presidió la Junta Consultiva, constituida por los representantes de los partidos políticos tradicionales de Argentina. También presidió la Comisión encargada de investigar la corrupción bajo el régimen peronista. Retirado del servicio activo (1966), se pronunció contra el regreso de Juan Perón (1972).

Rojas, Ricardo (1882-1957). Escritor argentino que desarrolló vasta labor como historiador, crítico y catedrático. Fue profesor de litaratura y filosofía y rector de la Universidad de Buenos Aires. De filiación radical, estuvo en prisión en 1931. Su obra literaria, iniciada en los primeros años del siglo, con un volumen de poesías titulado *La victoria del hombre* (1903), se verificó en gran número de ensayos tendientes a rastrear los orígenes y el sentido de la cultura americana. *Eurindia* (1924), *El país de la selva* (1907), *Restauración nacionalista, La argentinidad* (1916) y *Retablo español* son los principales volúmenes orientados en esta dirección. Su ideario político quedó reflejado en *El radicalismo de mañana* y su obra teatral tomó forma en los dramas *Ollantay* (1939) y *La Salamanca* (1943). Dos biografías de José San Martín y Domingo Faustino Sarmiento, tituladas *El santo de la espada* (1933) y *El profeta de la Pampa* (1945), dan testimonio de su espíritu investigador, que tiene expresión definitiva en la monumental *Historia de la literatura argentina* (4 vols. 1917-1922; 8 vols. 1924-1928).

Rojas González, Francisco (1904-1951). Narrador mexicano. Interesado por temas de antropología y sociología mexicanas, escribió novelas (*La negra Angustias*, 1944; *Lola Casanova*, 1947) y relatos (*Historia de un frac*, 1930; *El pajareador*, 1934; *Chirrín y la celda 18*, 1944; *Cuentos de ayer y hoy*, 1946), de contenido costumbrista. Destaca su libro de cuentos póstumo, *El diosero* (1952), que muestra un directo conocimiento de las creencias religiosas y las actitudes del indio.

Rojas Pinilla, Gustavo (1900-1975). Militar y político colombiano. Estudió en la Academia Militar, en Bogotá, y después se especializó en ingeniería en Estados Unidos. Ministro de comunicaciones en el gobierno de Mariano Espina Pérez (1946-1949). En 1949 ascendió a general y al año siguiente fue designado jefe de Estado Mayor. En 1951, recibió el nombramiento de comandante en jefe de las fuerzas de Colombia que participaron en la guerra de Corea, como integrantes de la fuerza expedicionaria de las Naciones Unidas. En 1953, dirigió el golpe militar que derrocó al gobierno del presidente Laureano Gómez, y se hizo cargo del poder. En 1954, la Asamblea Nacional Constituyente lo eligió presidente constitucional. Durante su gobierno adoptó medidas de fuerza que le fueron enajenando los diversos sectores de la opinión nacional hasta que los partidos liberal y conservador lo obligarón a renunciar el 10 de mayo de 1957. Se exilió a Europa. Regresó voluntariamente a su país en 1958 para responder de las acusaciones que se le hacían y fue condenado, en 1959, a la pérdida de los derechos civiles y del rango militar. Sin embargo, regresó a la política y en 1964 fundó la Alianza Nacional Popula (ANAPO). Se presentó a las elecciones presidenciales en 1970 con apoyo de la izquierda, pero fue derrotado por Misael Pastrana Barreto. En las elecciones de abril de 1974 presentó a su hija y heredera política María Eugenia como candidata a la presidencia, pero la ANAPO perdió mucha de su influencia.

Rojas Zorrilla, Francisco de (1607-1648). Poeta y dramaturgo perteneciente a la gran época del teatro clásico español. Nació en Toledo. De los grandes ciclos que suelen señalarse en la producción dramática española del Siglo de Oro, –el de Lope de Vega y el de Calderón de la Barca–, Rojas Zorrilla corresponde al segundo, si bien algunas de sus obras revelan ciertos influjos del primero; colaboró en varias comedias con Calderón y, como éste, se destacó también en el cultivo de los autos sacramentales. El teatro de Rojas se compone de unas 80 obras, en las que se alternan con frecuencia los elementos cómico y dramático, en ocasiones tan fuertemente acentuados cada uno de por sí, que dan ocasión a profundos y sorprendentes contrastes. Dos series temáticas ofrecen singular interés en su obra: la de los conflictos planteados por la venganza del honor conyugal mancillado, y la de los conflictos entre la justicia y los lazos de la sangre cuando éstos unen al que ha cometido un delito y al que tiene el deber de castigarlo. Tales temas no son nuevos en el teatro español de la época, toda vez que son ellos, precisamente, los que informan buena parte de las producciones más distintivas del mismo; pero sí encierran marcada novedad ciertos aspectos ofrecidos por Rojas, en los que se advierte una tendencia a dar nuevos matices, en virtud de los cuales, los conceptos se ensanchan y humanizan.

La riqueza psicológica de los personajes en las obras de Rojas, se acerca más a la vida y penetra mejor en los encontrados sentimientos que alberga el corazón humano. Por último, han de señalarse sus tipos cómicos, de un costumbrismo bien observado, ingenioso siempre, tan fértil y variado en situaciones como de gran comicidad, rayana a veces en lo caricaturesco; así puede observarse en el personaje don Lucas del Cigarral de *Entre bobos anda el juego*, pieza con la que Rojas inicia el género llamado *comedias de figurón* cuya trama gira en torno a la deformación satírica de un personaje ridículo. En cuanto a la versificación, la de Rojas es abundante, fácil y resuelta, rica en imágenes y metáforas. Además de la mencionada, figuran entre las obras mejores de este autor: *Del rey abajo ninguno* –también llamada *El labrador más honrado*– y *García del Castañar*, que es su obra más celebrada; *Donde hay agravios no hay celos*, traducida por Paul Scarron con el título de *Jodet, maitre et valet*; *No hay ser padre siendo rey*, imitada por Routrou en su *Wenceslas*. *Casarse por venganza*, introducida por Alain René Lesage, reducida a novela, en su *Gil Blas*; *Obligados y ofendidos*, imitada por los franceses Scarron, Pierre Corneille y Boisrobert; *Los bandos de verano* y *El Caín de Cataluña*.

rojo. Primer color del espectro visible de la luz solar. Está situado entre la región del infrarrojo (invisible) y el color anaranjado y corresponde a las radiaciones cuyas longitudes de onda están comprendidas entre 7,800 y 6,100 Angstrom. Es uno de los tres colores primarios o fundamentales, los otros dos son el amarillo y el azul. De la mezcla de los tres, en proporciones adecuadas, se obtienen los colores secunda-

Corel Stock Photo Library

De izquierda a derecha y de arriba abajo: moño de celofán rojo, fresa roja, ramo de rosas rojas y manazanas rojas apiladas.

rios. Los pigmentos o sustancias colorantes rojas pueden ser de procedencia animal, vegetal o mineral. Entre los pigmentos más usados se cuentan el bermellón, carmín, laca, rubia, ocre rojo y otros que se obtienen del alquitrán de hulla. Se utiliza este color como símbolo de peligro y como señal para detener el tránsito urbano de vehículos. En política significa ideas radicales o revolucionarias. Véase COLOR.

Rojo, Mar. Brazo del océano Índico que se extiende entre las costas de Arabia al este y las africanas de Somalia, Eritrea, Sudán y Egipto al oeste, comunicándose al norte con el Mediterráneo por el Canal de Suez y al sur con el Índico por el estrecho de Bab-el-Mandeb.

Este mar tomó su nombre de las manchas rojas que forma en su superficie cierta especie de algas. Tiene 2,230 km de longitud, una anchura máxima de 350 km y media de 190 km, y una extensión superficial de 440,000 km. Se bifurca en el extremo norte formando los golfos de Suez y de Akaba. Sus costas son bajas, desérticas, arenosas o pantanosas en el sector norte y más elevadas rocosas y áridas en la parte sur. El clima tropical es calurosísimo y deprimente, las lluvias son escasas y la evaporación muy intensa; no recibe las aguas de ningún río y se alimenta del océano Índico. Sus aguas, de una elevada salinidad (42%), alcanzan una profundidad máxima de 2,600 m y media de 490 m. Se han formado grandes arrecifes de coral que dificultan el acceso a las costas, que cuentan con pocos puertos importantes.

En la historia, y particularmente en la Biblia, este mar –que llevó los nombres de *Mare Rubrum*, *Mare Erythraeum* y *Sinus Arabicus* y que los árabes conocieron por *Babr-el-Hejaz*– desempeña un papel de importancia, porque fue el que cruzaron los israelitas, guiados por Moisés, cuando huían de Egipto. Las naves egipcias, fenicias y romanas lo frecuentaron en la antigüedad, y las venecianas, durante la Edad Media, hasta que se encontró una ruta mejor por los portugueses, para ir a la India, por el cabo de Buena Esperanza. *Véase* ÁFRICA *(Mapa)*.

rol. Conjunto de funciones sociales que definen la conducta social del individuo y que le son exigidas por la sociedad para reforzar su capacidad de integración. En la sociedad cada individuo asume varios roles, que varían en función de la edad, el sexo, las relaciones interpersonales y las situaciones vitales concretas (profesionales, religiosas, políticas). Si los roles resultan contradictorios surgirán conflictos, que conducirán a la modificación de aquéllos o a la instauración de una situación de desequilibrio para el sujeto. La adopción rígida e inflexible de un determinado rol suele corresponder a una personalidad poco madura o incluso patológica. La persona sana tiende a interpretar críticamente su rol y a conservar cierta distancia entre éste y su personalidad.

Roland, Madame (1754-1793). Dama francesa de la época de la Revolución. Hija de un modesto grabador, que le dio esmerada educación, en su juventud se proclamó enemiga del viejo régimen y entusiasta de la libertad. Se llamaba Marie Jeanne Philipon y se casó con Jean Roland de la Patidre en 1780. Influyó extraordinariamente entre los girondinos, a los que hizo romper con George Danton. Al caer los girondinos, fue proscripta con ellos, acusada de haber estado en connivencia con el gobierno inglés. Se negó a abandonar París, siendo detenida, procesada y condenada a muerte. Momentos antes de caer víctima de la guillotina, pronunció las famosas palabras: "¡Libertad, libertad, cuántos crímenes se cometen en tu nombre!", y afrontó la muerte con admirable serenidad. Su marido, refugiado en Ruan, se suicidó al conocer la suerte de su esposa. Mujer de gran cultura, dejó una copiosa correspondencia y un volumen de *Memorias*.

Rolando, Luigi (1773-1831). Anatomista y médico italiano. En 1807, ocupó la cátedra de medicina práctica en la Universidad de Sassari, y en 1814 participó en la Universidad de Turín como profesor de anatomía. Efectuó importantes investigaciones sobre la función y estructura del sistema nervioso y, principalmente del cerebro, una de cuyas fisuras lleva el nombre de *surco de Rolando.*

Roldán. Héroe francés de la Edad Media, celebrado en los libros de caballería y uno de los paladines de Carlomagno. Cuenta la leyenda que en Asia se enamoró perdidamente de la reina de Catay, quien lo traicionó y provocó en él la locura que Ariosto canta en *Orlando furioso.* Después recuperó la razón, acompañó a Carlomagno a la conquista de España, y dirigió la retaguardia en la retirada de aquella expedición. Atacados por los árabes (778) en Roncesvalles (Pirineos españoles) afirma la leyenda que Roldán luchó con inusitado valor y que dio un golpe con su espada Durandarte con tal violencia que abrió en la montaña el paso llamado *Brecha de Roldán,* que se encuentra cerca de Marboré. La gesta de este personaje fue inmortalizada en Francia en la *Canción de Rolando* y en España por el *Cantar de Roncesvalles,* denominándose a su protagonista *Roland* (Rolando) en Francia, *Roldán* en España, y *Orlando* en Italia.

Roldán, Amadeo (1900-1939). Compositor violinista cubano. Estudió en el Conservatorio de Madrid, y a los 15 años alcanzó el primer premio de violín, otorgado por el Conservatorio, y el premio extraordinario *Sarasate.* Actuó, primeramente, como violinista en España y en Cuba; después se inició en la composición y en la dirección de orquesta, y fue director de la orquesta Filarmónica de La Habana (1925-1932). Fundó el cuarteto de la Habana y fue profesor de armonía y de composición del Conservatorio, centro que dirigió de 1936 a 1938. Como compositor, estudió la música afrocubana, sobre la que efectuó importantes investigaciones, y cuyos temas y ritmos utilizó en muchas de sus producciones. La obra de Roldán revela influencias de Stravinsky, del folclore afrocubano y una orientación nacionalista. Entre sus obras principales se destacan: *Obertura sobre temas cubanos* (1925), *Tres pequeños poemas: Oriental, Pregón y Fiesta Negra* (1926), *El milagro de Anaquillé, La rebambaramba* (1928) y *Los tres toques* (1931). Es considerado el fundador de la escuela cubana moderna.

Roldán, Belisario (1873-1923). Escritor y político argentino. Por sus dotes oratorias se le dio el sobrenombre de *Pico de oro.* Doctorado en derecho, actuó en política y fue diputado nacional. Escribió varios libros de versos (*La leyenda encantada, Bajo la toca de lino*) y cultivó el teatro con gran fortuna, dejando más de 30 obras, en su mayoría en verso, de lenguaje grandilocuente y rebuscadas metáforas. Entre las principales cabe mencionar: *El puñal de los troveros* y *El rosal de las ruinas.* Ejemplo sobresaliente de su oratoria, romántica y vehemente, es la famosa *Oración a la bandera.*

Rolland, Romain (1866-1944). Literato francés. Se dio a conocer como escritor de gran valía y como experto conocedor de la técnica y de la historia de la música con su obra *Orígenes del teatro lírico moderno,* premiada por la Academia Francesa, en 1895. Desempeñó una misión científica en Italia, que le fue encomendada por el gobierno, y luego ocupó cátedras en la Escuela Normal Superior y en la Sorbona. En 1913, obtuvo el premio de literatura de la citada Academia. Al estallar la Primera Guerra Mundial, la condenó de acuerdo con sus principios pacifistas, exponiéndose a injurias y reproches. Se trasladó a Suiza y allí se dedicó a la humanitaria tarea de hacer que los prisioneros de guerra de ambos bandos pudieran recibir correspondencia de sus familiares. Entonces publicó *Por encima de la lucha* y poco después, en 1915, le fue otorgado el Premio Nobel de Literatura. Finalizada la contienda, fue defensor de la unidad europea. Al ser ocupada su patria por los ejércitos alemanes, durante la Segunda Guerra Mundial, fue recluido en un campo de concentración. Hombre de gran sensibilidad y vastos conocimientos, puso toda su pasión y sinceridad al servicio de un elevado ideal humano. Su obra más célebre es la novela *Juan Cristóbal,* en 10 volúmenes, de carácter autobiográfico: "la tragedia de una generación próxima a desaparecer", conforme él la calificó. En ella expone la tesis de la conveniencia de reemplazar las ambiciones imperialistas por la unión de las naciones, armonizando sus encontrados puntos de vista. Obras suyas son también *El alma encantada, Músicos del pasado, Músicos de hoy, Vida de Beethoven, Vida de Tolstoi, Haendel, Los precursores, Vidas de hombres ilustres,* y diversas obras teatrales, entre las que sobresalen *Dantón, Robespierre* y *El juego del amor y de la muerte.*

Roma. Capital de Italia. Tiene una población de 2.693,383 habitantes. Ninguna urbe del mundo encierra tantos tesoros de arte e historia y un simbolismo tan profundo como esta gran metrópoli llamada la *Ciudad eterna,* capital de un imperio, foco de irradiación de una cultura y sede de la iglesia católica apostólica romana. Según la leyenda, Roma fue fundada por Rómulo y Remo, hijos del dios Marte y de la vestal Rea Silvia, quienes fueron abandonados sobre las aguas del Tíber y recogidos por una loba, que los amamantó. El pastor Fáustulo les dio albergue y, cuando crecieron, ambos decidieron fundar una ciudad en el monte Palatino, a orillas del río que los había acunado. Durante una riña, Rómulo dio muerte a su hermano y se convirtió en fundador de la ciudad, que surgió el año 753 a. C. Los primeros pobladores raptaron a las hijas de sus vecinos, los sabinos, y ambos pueblos vivieron unidos bajo Rómulo. Los herederos de Rómulo fueron los reyes llamados Numa Pompilio, Tulio Hos-

Plaza del Quirinal en Roma, Italia.

Corel Stock Photo Library

Corel Stock Photo Library

La Casa del Monstruo *en la Vía Gregoriana de Roma.*

tilio y Anco Marcio, que agrandaron la ciudad, le dieron sus primeras leyes y construyeron el puerto de Ostia a corta distancia. Así termina el periodo primitivo de la historia de Roma, donde se mezclan de modo inexplicable los mitos con la realidad.

La ciudad antigua. La grandeza de Roma comenzó con el advenimiento de Tarquino el Antiguo, en el año 616 a. C. Este rey, de origen etrusco, llevó a la rústica ciudad el refinamiento de la civilización griega. En su tiempo se construyó la Cloaca Máxima, maravilla de la ingeniería, que todavía se conserva. La monarquía cayó en el año 509 a. C. y fue sucedida por la República. Al tiempo que sus legiones se iban adueñando del Mediterráneo, Roma se embellecía: el Foro, los templos de Hércules y de Júpiter y la Vía Appia fueron algunas de las obras construidas por iniciativa de tribunos y cónsules. La presencia de mercaderes cartagineses, de esclavos griegos, visitantes orientales e individuos de numerosas razas, fue modificando las costumbres del pueblo y el aspecto de la gran urbe. Los ricos agregaron a la sobriedad de sus antiguas moradas el encanto del peristilo griego; los pobres se acumularon en edificios de cinco o seis pisos, sobre callejas tortuosas y malolientes. El Foro o plaza central siguió embelleciéndose con nuevas construcciones: las cuatro basílicas destinadas a los tribunales, el *Tabalarium* que guardaba los archivos del Estado, los templos de Saturno y de la Fortuna Viril. Tres grandes puentes –Fabricius, Cestius, Aemilius– y otros tantos acueductos –Anio Vetus, Aqua Marcia, Aqua Tepula– fueron testimonios de la capacidad de los ingenieros romanos. Al concluir el periodo republicano, la ciudad presentaba un aspecto de pujante belleza.

Plaza de San Pedro en Roma, Italia.

Corel Stock Photo Library

La metrópoli imperial. Augusto comenzó por dividir la ciudad en 14 regiones, cada una a cargo de un prefecto de la urbe, a quienes secundaba el prefecto del pretorio o jefe de la guardia imperial, el *prefecto de las vigilias* o jefe de la policía nocturna, y el director de los aprovisionamientos, funcionario que daba alimentación gratuita a los pobres. El emperador comenzó por construir el monumental Foro de Augusto y su propio mausoleo, llamado Augusteo, cerca del cual se hallaba la famosa *Ara Pacis* o altar de la Paz. Antes de concluir su gobierno, terminó la restauración del monumental circo romano. "Encontré una ciudad de ladrillos; dejo una metrópoli de mármol", repetía Augusto, y estaba en lo cierto. Junto al aspecto monumental, la ciudad presentaba un rostro nuevo: un arte, autóctono, nacido a la sombra de su poderío, se expresaba en una arquitectura grandiosa, un poco recargada, y una pintura que se esforzaba por ser a la vez decorativa y realista.

Tiberio, que comenzó a gobernar en el año 14 a. C., hizo construir un palacio sobre el monte Palatino. Calígula, su heredero enloquecido, prolongó la gigantesca construcción hasta el Foro. Nerón hizo incendiar siete barrios de la ciudad y edificó su Mansión Dorada *(Domus Aurea)*, vasto conjunto de palacios, museos y jardines. Vespasiano comenzó la construcción del inmenso anfiteatro Flaviano, conocido hoy como Coliseo, que fue inaugurado por su hijo Tito, quien también levantó el monumental arco de triunfo que recuerda su victoria sobre los judíos. Los emperadores de la familia de los Antoninos –Nerva, Trajano, Adriano y Marco Aurelio– llevaron al apogeo el esplendor de la Roma imperial. Adriano construyó, sobre la margen derecha del Tíber, el inmenso mausoleo que hoy se conoce como castillo de Sant Angelo.

En el siglo III de nuestra era surgieron algunas obras imponentes, entre las que descuellan las Termas, inauguradas por Caracalla en el año 216. La Roma de esta época estaba poblada por una vasta turba cosmopolita –alrededor de 2 millones de personas–, alimentada gratuitamente por el gobierno, que la proveía de espectáculos circenses durante 175 de los 365 días del año. El circo máximo, con capacidad para 80,000 espectadores, era el centro de atracción popular. Sobre las avenidas pavimentadas marchaban veloces carros de transporte y de guerra; vastos palacios de mármol albergaban a la aristocracia. Pero, la verdadera vida de la ciudad bullía en sus entrañas, donde miles de cristianos ocultos adoraban al mesías y daban nacimiento a un arte todavía burdo, pero pleno de savia vital.

En el año 313, el emperador Constantino reconoce a los cristianos la libertad de practicar su culto. La ciudad de los césares paganos comienza a llenarse de templos donde se adora a Cristo. El mismo Constantino construye el primero de ellos, una basílica que llevará su nombre, y edifica al mismo tiempo un bello arco de triunfo. Mientras Diocleciano construye unas gigantescas termas –que Miguel Ángel ha de transformar en la basílica de Santa María de los Ángeles–, la decadencia de la ciudad comienza con imperceptible ritmo. Bizancio hereda su predominio sobre el mundo mediterráneo y en el año 410 los bárbaros golpean a sus puertas. Alarico y sus godos saquean la altiva urbe durante los tres días más negros de su larga historia. El papa San León Magno logra detener a Atila cuando ya avanzaba sobre Roma, pero cuatro años más tarde caen sobre ella las hordas de vándalos al mando de Genserico.

Edad Media y Renacimiento. Después de numerosos esfuerzos, Bizancio logra arrancar a la *Ciudad eterna* de manos de los bárbaros. Transcurridos dos siglos de dominación bizantina, el papa Esteban II suscribe una alianza con Pipino *el Breve*, rey de los francos, quien salva Roma de la amenaza lombarda y cede al pontífice algunos territorios que son el origen de su poder temporal. Medio siglo más tarde, en el año 800, el papa León III corona a Carlomagno, heredero de la corona franca, como emperador de Occidente. Pero no tardan en producirse tensiones entre papas y emperadores y mientras el poder pontificio se debilita, Roma queda repartida entre innumerables señores feudales: los Orsini, Colonna, Frangipane, Conti, etcétera. Después de la agitada Querella de las Investiduras, en la que el papa se ve forzado a buscar refugio en el castillo de Sant Angelo, la ciudad queda en manos de la dinastía Hohenstaufen, heredera del sacro imperio romano Germánico. Estalla luego la lucha entre güelfos y gibelinos, que destruye innumerables monumentos.

En 1341 tiene lugar, en medio de tanto caos, la coronación de Petrarca, realizada en el Capitolio como homenaje al gran renovador del humanismo antiguo. Dos años más tarde estalla la rebelión popular encabezada por Cola di Rienzo, un hijo del pueblo, contra los señores feudales. Después de

Corel Stock Photo Library

Puente hacia el castillo de Sant Angelo *en Roma.*

cuatro años de guerra, la aristocracia logra vencer al tribuno. Los papas, que habían trasladado su sede a Avignon desde 68 años antes, retornaron a los palacios del Vaticano y se encontraron con una ciudad desolada.

La Roma medieval era tan sólo la sombra de la orgullosa ciudad de los césares. El terremoto de 1349 había abatido la cuarta parte del Coliseo y las inundaciones, los incendios, los combates callejeros, la incuria de las autoridades y las depredaciones de los bandidos habían borrado muchos restos del esplendor imperial. Sobre las ruinas de los grandes monumentos, y utilizando sus mármoles, se edificaban innumerables iglesias. En el siglo XIV había en Roma 5 basílicas, 18 iglesias diaconales, 20 abadías y 300 parroquias.

En los últimos tiempos de la Edad Media comienza la reconstrucción de las joyas antiguas. En 1230 surge el bellísimo claustro de San Juan de Letrán, obra de los Vassalletti, y en el siglo siguiente aparece la pintura, frescamente primitiva, de Giotto di Bondone. Fuera de la urbe, en la Tos-

Escalinata española en Roma, Italia.

Corel Stock Photo Library

cana, se produce un movimiento estético que repercute en Roma. El papa Nicolás V comienza la serie de los proyectos grandiosos: encomienda a León Battista Alberti la ambiciosa tarea de reconstruir la urbe, comenzando por la basílica de San Pedro, donde Guido di Pietro, llamado *Fra Angelico* deja algunos de sus frescos más bellos. El cardenal Barbo, elevado al trono pontificio con el nombre de Paulo II, construye el palacio de Venecia uno de los monumentos más imponentes de la ciudad. Sixto IV edifica la Capilla Sixtina, en cuyos muros dejan frescos admirables Alessandro Botticelli, Domenico di Tommaso Ghirlandaigo y Luca Signorelli. Inocencio III construye el palacio del Belvedere y Julio II encomienda a Rafael las pinturas de una serie de cámaras en las que el genio renacentista trabaja hasta la muerte. Este papa tuvo la fortuna de conocer a Miguel Ángel, quien trabajó durante cuatro años recostado sobre un andamio a 25 m de altura, pintando 3,000 m^2 con 350 figuras de proporciones colosales. Donato di Pascuccio, llamado *il Bramante*, el gran arquitecto, comenzaba hacia la misma época la atrevida cúpula de San Pedro, mientras Rafael efectuaba numerosos trabajos para el banquero Chigi y el cardenal Julio de Médici.

El saqueo de Roma, perpetrado por los soldados del condestable de Borbón, produjo ingentes destrozos en el año 1527. En los años siguientes, durante el pontificado de Paulo III Miguel Ángel se convirtió en el dictador artístico de la ciudad. Diseñó fragmentos del hermoso palacio Farnesio y completó la decoración de la Capilla Sixtina con su asombroso *Juicio Final*. Antes de morir, a la edad de 89 años, tuvo fuerzas para construir la Porta Pía y elevar la cúpula de San Pedro. Las luces del Renacimiento comenzaron a extinguirse. Gregorio XIII, el papa de la Contrarreforma, construye los austeros palacios del Colegio Romano y del Quirinal.

Corel Stock Photo Library

Edificios de la Plaza Santa en Trastevere, Roma.

El arte renacentista no había nacido en Roma aunque tuvo en ella el mejor de los albergues. Pero el arte barroco, su heredero, es un verdadero hijo de la ciudad, que ha dejado sus huellas en todos los rincones. Giacomo Barozzoda Vignola, Carlo Maderno y Francesco Cadtelli, llamado *Borromini* son los grandes arquitectos de la época. Pero a todos eclipsa un creador genial: Gian Lorenzo Bernini. La admirable columnata que rodea la basílica de San Pedro, la fachada del palacio Barberini, el proyecto del palacio de Montecitorio, la fuente del Tritón, las tumbas monumentales de tres papas, todo es obra suya. Cien obras inmortales no agotaron su inventiva ni su capacidad técnica. La iglesia de Jesús, sede central de los jesuitas, marca el prototipo al que se sujetarán, durante dos siglos, todas las iglesias de la cristiandad. El altar de San Ignacio muestra la culminación de un aspecto del arte barroco, que tendrá repercusión en varias catedrales americanas.

Los siglos posteriores señalaron la lenta declinación del poder creador de los artistas romanos, aunque con el breve periodo de Antonio Canova y sus esculturas. A fines del siglo XIX, la monarquía italiana, representada por la casa de Saboya, comenzó a modernizar la ciudad, pero respetando su patrimonio artístico. La obra, que a veces ha dado cierto aspecto híbrido a algunos sectores de Roma, se halla concluida. Los visitantes que arriban a ella se encuentran con 25 siglos de testimonios arqueológicos, históricos y religiosos, acumulados en calles y edificios.

Vista aérea de la Plaza de San Pedro en Roma.

Corel Stock Photo Library

La ciudad actual. Roma se extiende sobre las dos orillas del río Tíber, a unos 25 km del Mar Tirreno. Su perímetro, marcado por una antigua muralla, tiene 24 km. La ciudad del Vaticano, Estado soberano que sirve de sede a las autoridades supremas de la Iglesia católica, comprende un sector de la ciudad, sobre la margen derecha del Tíber. Su soberanía actual data de 1929 y tiene alrededor de 1,000 habitantes(1995), policía propia, servicio diplomático y correos autónomos. Diez puentes atraviesan el Tíber, cuyas aguas han sido canalizadas y están contenidas por murallones de piedra.

Roma suele ser denominada *la ciudad de las siete colinas*, porque dentro de su perímetro hay otras tantas elevaciones del terreno. La colina del Palatino, donde vivieron los primeros pobladores de la urbe, está cubierta por restos de edificios y monumentos, y contiene un gran parque. Las colinas Aventina y Caelia también poseen ruinas, pero en las llamadas *Esquilino* y *Viminal* se han construido barrios populosos de trabajadores industriales. La colina del Quirinal ha pasado a ser el símbolo del gobierno italiano; en ella están el palacio presidencial y la mayoría de los edificios públicos. La colina del Capitolio posee famosos museos y el edificio homónimo, construido sobre planos de Miguel Ángel.

La Universidad de Roma, fundada en 1303 por el papa Bonifacio VIII, tiene sus edificios actuales a corta distancia de la Porta Pía. Es una de las instituciones de enseñanza más famosas del mundo; a ella asisten 36,000 alumnos. También tiene su sede en Roma la Universidad Gregoriana, máximo centro cultural del catolicismo. El Colegio Pío Latino Americano perfecciona la formación cultural de los futuros sacerdotes del Nuevo Mundo. Varias órdenes religiosas tienen sus casas principales en Roma.

Los museos y galerías romanos contienen la mayor colección de tesoros artísticos que posea ciudad alguna. La Biblioteca Vaticana, a la que tienen acceso investigadores de todo el mundo, contiene una maravillosa colección de manuscritos e incunables. La obra de arte más imponente de la Roma moderna es el monumento al rey Víctor Manuel II, labrado en mármol de Carrara y situado en la Piazza Venezia, uno de los lugares más céntricos de la ciudad.

Roma, como capital del Estado italiano, es una ciudad de actividades gubernamentales y administrativas principalmente. Sus industrias son mucho menos importantes que las de otras ciudades italianas. Pero, posee algunas fábricas principalmente de tejidos y productos alimenticios. Las principales líneas ferroviarias y aéreas de Italia pasan por Roma, y los transportes internos son efectuados por medio de tranvías y autobuses.

El legado cultural de Roma. Se repite con frecuencia que Roma, considerada en su carácter histórico de metrópoli del antiguo imperio romano, recibió la gran herencia cultural griega, la esparció por el mundo y la salvó de perecer desquiciada por las tribus germanas que invadieron y desmembraron el imperio en el siglo v de nuestra era. Esto es cierto en lo que se refiere al cuadro general de la cultura romana a partir de la expansión imperial. Pero, es preciso señalar que la cultura de los romanos tiene su origen en los etruscos. Fueron los etruscos, en efecto, quienes primero dieron a los habitantes de Roma normas de civilización que les habrían de servir de instrumento de expansión para escalar las vitales posiciones que Roma ocupó luego en la historia. En el instante en que comienza la historia de Roma, el pueblo etrusco se hallaba establecido en lo que hoy se llama Toscana. Los historiadores modernos todavía no se han puesto de acuerdo acerca del verdadero origen de este pueblo. Los etruscos fueron –dejando de lado la leyenda de Rómulo y Remo y de la loba que los amamantó– los verdaderos fundadores de Roma. Ellos crearon la primera monarquía, dieron formas jurídicas a la vida de la urbe e impusieron su cultura a los primitivos romanos. Entre las costumbres etruscas figuraba la de organizar luchas de gladiadores como parte de las ceremonias fúnebres, y esta costumbre la heredaron los romanos y la llevaron luego al circo. Pero, donde la influencia etrusca es visible en los primeros

Corel Stock Photo Library

Vista del Templo de Venus *y el* Coliseo *en Roma, Italia.*

siglos de Roma es en la idea de la ciudad, de la vida urbana. Los etruscos enseñaron a los romanos a vivir en comunidad y a comprender la importancia que tenía una poderosa aglomeración urbana.

Pero, una vez superado el poder de Etruria, Roma supo recoger y aprovechar el valioso legado etrusco y lo adaptó a sus ambiciones de gran ciudad imperial. Hasta la segunda mitad del siglo IV a. C., las costumbres etruscas habían regido en lo cultural la vida de Roma. El arte llamado ya entonces *latino* o *romano* venía sustentándose en los principios etruscos. La toma de Corinto por las legiones romanas hizo afluir a Roma a numerosos artistas, entre ellos Demófilo y Gargaso, escultor y pintor, respectivamente. Estos dos nombres figuran entre los primeros que importaron a la península itálica el arte griego, hecho que se inició con la decoración del templo de Ceres por los artistas mencionados. A partir de entonces se inicia el periodo del arte grecorromano. Los monumentos que los conquistadores romanos vieron en Grecia y en Asia Menor y la afluencia de arquitec-

Personas descansando en la Escalinata Española de Roma.

Corel Stock Photo Library

tos helénicos a Roma, contribuyeron a que durante el último siglo de la República se impusiera en Roma la arquitectura griega.

Arquitectura. La gigantesca red de vías o calzadas que los romanos construyeron, al ritmo de la expansión imperial, obedecía a necesidades estratégicas para transportar el ejército hasta los confines del imperio y para traer a la metrópoli el botín y los productos de los países vencidos. La Vía Appia era una magnífica carretera que llegaba desde Roma a Brindisi; la Aemilia conducía a las Galias y a las regiones germánicas; y la Augusta se extendía por la costa oriental de España hasta Cartagena. Estas vías las construían los romanos procurando dominar los accidentes del terreno, construcción de diques, terraplenes, viaductos y puentes. El pavimento de las vías era de arena, grava y piedras de basalto, poligonales y pulimentadas, que cubrían la parte central del camino destinado a los carruajes. A estas obras de ingeniería seguían los puentes y los acueductos, verdaderas maravillas arquitectónicas como el que puede admirarse todavía en Segovia (España). Los canales subterráneos o alcantarillas fueron otro de los aspectos en que sobresalieron los romanos. A 26 siglos de distancia aún sigue funcionando la Cloaca Máxima de Roma, en la que desagua una red de canales muy difícil de establecer en una ciudad de terreno tan desigual.

Las obras de arquitectura para embellecimiento de las ciudades y para dar brillo a una gran civilización, son otros tantos ejemplos de la cultura de los romanos. Los antiguos templos según el gusto etrusco fueron sustituidos por nuevas formas arquitectónicas. Los romanos utilizaron mucho el mármol blanco, rosa y gris; alabastros, jaspes, granitos orientales, basaltos negros, pórfidos rojos, etcétera, elementos todos que empleaban muy pulimentados y relucientes, lo que daba a sus edificios un efecto policromo extraordinario. Los teatros, anfiteatros y circos eran también construcciones que el genio romano supo elevar al máximo en belleza arquitectónica y en capacidad numérica. El célebre arquitecto Marco Vitrubio construyó la basílica de Jano y estableció el tribunal en forma de hemiciclo. Entonces ya ejercían visible influencia las formas griegas. Estos edificios estaban destinados al comercio y a la administración de la justicia, y si bien eran dos cosas distintas, se construían unidas una con la otra. El foro, lugar donde se reunía el pueblo, era una plaza rectangular rodeada de pórticos, bajo los cuales estaban instaladas las tiendas. Por la galería alta paseaba el público. Las termas romanas, comparables a los gimnasios griegos –aunque entre los romanos los ejercicios gimnásticos no tenían la misma importancia que entre los helenos–, eran un lugar de reunión adonde iban los ciudadanos a descansar, pasear y conversar. Las termas eran vastas construcciones divididas en departamentos para baños fríos, tibios y calientes. Había también baños de vapor y salas para masajes. En torno al cuerpo central del edificio se agrupaban estancias para biblioteca, sala de lectura, pórtico para pasear, tiendas, tabernas, etcétera.

La casa romana no fue, en sus comienzos, otra cosa que una reproducción de la etrusca; pero la influencia de la arquitectura griega hizo concebir nuevas formas y estilos. La casa romana se abria con un vestíbulo rodeado de habitaciones bien iluminadas, y más al interior, en el llamado *peristilo,* estaban las habitaciones para la familia, que daban a un patio rodeado de columnas y que por lo común terminaba en jardín. En Roma había casas de dos y más pisos que poseían todas las comodidades y el refinamiento ornamental de una gran civilización. Los arcos de triunfo son otro alarde técnico y arquitectónico de los romanos. A partir del siglo III a. C. los romanos comenzaron a construir columnas conmemorativas destinadas a glorificar un importante hecho histórico. La más hermosa de ellas es la que el Senado ordenó levantar en honor de Trajano, después de la conquista de Dacia, que todavía hoy se conserva en Roma.

Vista del edificio llamado Salón de té de Babington *en Roma.*

Corel Stock Photo Library

Escultura. Las primeras estatuas que aparecieron en Roma representan a los fundadores de la ciudad, los de la leyenda áurea. En un principio, los romanos no se distinguían por su gusto en materia de arte. Gran parte de la estatuaria romana consistía en retratos escultóricos, y quienes los ordenaban exigían que el rostro fuese parecido y el traje, propio. Pero, cuando las estatuas de Grecia y Asia Menor llegaron a Roma como botín de guerra, el gusto de los ciudadanos de la urbe se transformó. Fulvio Novilior desfiló por Roma llevando en su cortejo cientos de estatuas de bronce y de mármol, y Paulo Emilio irrumpió en la ciudad con 50 carros cargados de estatuas y pinturas. Sin mencionar los lugares públicos, invadidos por obras de esta naturaleza, en las casas de los romanos pudientes se fueron formando grandes colecciones de obras de arte y algunos llegaron a poseer verdaderos museos. Numerosos escultores griegos se establecieron en Roma y dejaron en la ciudad valiosas muestras de su talento. En tiempo del imperio, al lado de la escultura de influencia griega comenzó a manifestarse la escultura romana en estilo y espíritu, y sus autores renunciaron a los gastados temas mitológicos, ya que los dioses romanos estaban demasiado identificados con los griegos. A partir del siglo II d. C., empezaron a verse representaciones de divinidades egipcias y asiáticas (Isis, Mitra, etcétera), como antes se habían visto bacantes, nereidas, silenos y otras expresiones del arte helénico.

Pintura. La pintura romana, lo mismo que la escultura, presenta en su origen marcada influencia etrusca y, en periodos posteriores, influencia griega. Los pintores de la urbe abandonaron pronto los temas mitológicos y comenzaron a reproducir en sus lienzos los acontecimientos épicos. Lo hacían en grandes murales que decoraban las paredes de los templos. Algunas de estas pinturas eran tan detallistas que hasta reproducían el mapa del país conquistado. Pronto dejaron de lado esta pintura y los artistas se dedicaron al paisaje, las perspectivas arquitectónicas y los retratos. La invención del fresco por los alejandrinos precipitó la decadencia de la pintura romana. El fresco impuso la moda de reproducir acontecimientos históricos y mitológicos muy conocidos, y los pintores se consideraron dispensados de toda invención y originalidad. Las casas de los romanos pudientes, las termas de Tito y de Trajano y la casa de Tiberio en el Palatino estaban materialmente cubiertas de estos frescos. Lo mismo ocurría en Pompeya, donde parece que no había pared que no estuviese pintada por este procedimiento. Los pintores romanos se ejercitaron también en la caricatura y en la naturaleza muerta, ésta como accesorio de la decoración mural. La caricatura parodiaba con arte y originalidad los hechos legendarios y demostraba que sus autores poseían gran poder de observación y ágil espíritu satírico.

Corel Stock Photo Library

Detalle de la Basílica de San Pedro en Roma, Italia.

Literatura. Desde el siglo II a. C., al desmoronarse las ciudades-estado helénicas, el mundo intelectual griego comenzó a aceptar la supremacía romana. Sin embargo, aquí podemos afirmar con un autor moderno que "sin Grecia no se concibe Roma". En efecto, Roma, dominadora en lo militar y en lo político, era discípula en lo artístico y literario del mundo griego. Augusto, aclamado como el restaurador del orden y de la prosperidad, reunió en torno suyo todas las fuerzas espirituales del imperio, y Roma se convirtió en el centro intelectual del mundo romanizado. El emperador se erigió en protector de los escritores, a los que llegó a tratar con afecto y llaneza. Esta actitud fue imitada por la alta sociedad cortesana, en la que Mecenas hizo el papel de protector máximo de los hombres de letras. Virgilio, hijo de un campesino de Mantua, y Horacio, hijo de un liberto, disfrutaron de los favores de la corte de Augusto. La aportación de los provincianos romanizados fue de extraordinario valor. Cornelio Nepote, Catulo y Tito Livio son galos cisalpinos entusiasmados por el patriotismo romano, y provincianos hispánicos eran también los dos Séneca, Lucano, Marcial y otros, todos los cuales contribuyeron a dar brillo y jerarquía a la literatura romana. Muchos de estos escritores, llegados a Roma desde todos los puntos del imperio, adolecían de no manejar el idioma con la perfección de los antiguos romanos, pero fueron ellos quienes rebasaron con su gracia, su vivacidad y su pintoresquismo el austero y macizo espíritu de la época ciceroniana. En una palabra, los romanos no poseían una gran cultura artística y literaria, pero supieron aprovechar con inteligencia todos los aportes provenientes de los pueblos conquistados por ellos y estimularlos en aras de la grandeza común. El espíritu romano metódico y ordenado en lo intelectual, sobresalió en forma extraordinaria en el derecho, cuya influencia aún sirve de bases jurídicas a los pueblos modernos. El genio jurídico de los romanos estuvo representado por Mucio Escévola, Ulpiano, Papiniano y otros famosos jurisconsultos que dieron vida a las Doce Tablas, el Digesto, el Código de Justiniano y otros monumentos del derecho que son modelos a través del tiempo.

A partir de Augusto las tendencias despóticas de los emperadores produjeron una literatura satírica y epigramática, en la que se critica, abierta o veladamente, la sociedad y el régimen político. En los anfiteatros las multitudes ponían de manifiesto su extraordinaria pasión por los espectáculos sangrientos y por la violencia. Contra esta crueldad se pronunciaron los escritores romanos, y adoptaron para ello las formas y los estilos que las circunstancias les permitían a cada uno. Fueron los principales censores del poder omnímodo de los emperadores y de la falta de conducta moral de la plebe. Algunos en forma de apólogos morales, otros en forma de sátira, otros por la vía del humorismo y otros mediante la palabra oral, todos pusieron de relieve el destino fatal que le esperaba al imperio si no volvía a las antiguas costumbres.

Los escritores romanos son numerosos y gran parte de excepcional importancia en su época y como fuente de cultura del mundo antiguo; Julio César, además de caudillo, fue uno de los más grandes y originales escritores de toda la época romana. Petronio, intendente de Nerón, fue un gran prosista, humorístico y frívolo. Lucano, en la *Farsalia*, describe la guerra Civil entre César y Pompeyo. Marco Anneo Séneca cultivó la oratoria brillante, y Lucio, su hijo, sobresalió como filósofo y también como autor de tragedias.

Las iras neronianas no permitieron la supervivencia del espíritu creador. En la generación posterior sobresalen Quintiliano y Marcial, el primero como escritor moderado y maestro de retórica, y el segundo como epigramático. Silio Itálico, Valerio Flaco, Estacio y otros fueron poetas virgilianos. En la época de Trajano se destaca Juvenal, gran epigramático, que supera a Marcial en galanura de estilo y en profundidad de pensamiento. Plinio *el Joven* en las *Epístolas* dejó un valioso documento de la alta sociedad romana de aquella época, y en la historia sobresalen Cornelio Tácito y Suetonio. Tiberio estableció una verdadera censura y ordenó la destrucción de obras de varios autores, y Domiciano expulsó de Roma a los filósofos en el año 90, entre los que figuraba su antiguo esclavo Epicteto. Éste se refugió en el Epiro y allí recogió su enseñanza oral Arriano. Plinio *el Viejo* sobresalió como hombre de ciencia y como naturalista. En esta somera lista de escritores romanos no pueden dejar de mencionarse los nombres del poeta Ovidio, ni de los poetas cómicos Plauto y Terencio, cuyas comedias, influidas por las comedias griegas, fueron muy festejadas por las multitudes romanas.

La coerción ejercida por los emperadores y su tendencia a convertirse en tiranos fueron extirpando lentamente el espíritu creador de la vieja ciudad del Tíber. Al desaparecer la libertad, el número de los escritores, poetas y filósofos fue cada vez menor y la vida intelectual de Roma sufrió un colapso. Hubo intentos de restauración de la antigua primacía, que determinaron esporádicos florecimientos. La brillante cultura de los romanos iba a pasar, tomando en cada uno de los pueblos romanizados características propias, al mundo en el que ya predominaba el cristianismo. Era la herencia de Roma, o de la cultura grecorromana, de la que aún se enorgullece el espíritu de Occidente. Mientras tanto en la antigua y poderosa urbe, magos y astrólogos se disputaban el favor popular y el apoyo que algunos emperadores les prestaron en ocasiones.

De este modo se abismaba la luminosa claridad espiritual que Roma había recibido del mundo helénico. *Véanse* ARQUITECTURA; BIBLIOTECA; COLISEO; DERECHO; EDAD ANTIGUA; FORO; HOGAR; IMPERIO ROMANO; LATÍN; LATINA, LITERATURA; LENGUAS ROMANCES; LEYES AGRARIAS; LITERATURA; RÉTICO O RETORROMANO; RÓMULO Y REMO; SAN PEDRO DE ROMA; TÍBER; VATICANO; VESTIDO; VIVIENDA.

Romains, Jules (1885-1972). Escritor francés cuyo verdadero nombre es Louis Farigoule. Hasta 1919 fue profesor en colegios de provincias y en París. En 1904, su libro de poemas *El alma de los hombres* fue premiado por la Sociedad de Poetas Franceses. Con Georges Duhamel y otros escritores fundó la escuela unanimista, combatida y defendida con calor polémico en Francia y en el extranjero. El unanimismo, según su fundador, consiste en considerar a las masas como un inmensa individualidad, incluso en lo biológico, con personalidad definida como el individuo. Para sostener esta teoría estético-filosófica publicó en 1908 el poema *La vida unánime* y posteriormente una serie de libros que le dieron gran celebridad. Es autor de *Europa, El viaje de los amantes, Donogoo Tonka* o *Los milagros de la ciencia, Musse* o *La escuela de la hipocresía, Muerte de alguien, Knock* o *El triunfo de la medicina, Boen, Psique, Siete misterios del destino de Europa, El año mil* y *Los hombres de buena voluntad*, serie de novelas traducidas a todos los idiomas, en las que se escalonan vidas y hechos a través de un espacio de tiempo determinado, típica modalidad de otros autores franceses. Este sistema de novelar se llama en Francia *roman-fleuve* (*novela-río*). La última de esta serie apareció en Estados Unidos en 1946, donde el autor se refugió durante la Segunda Guerra Mundial. Casi todas las obras de este escritor sobresalen por su originalidad, espíritu innovador, observación realista y humorismo. Fue miembro de la Academia Francesa desde 1946. En 1960, se le concedió el Gran Premio de la Sociedad de Autores y Compositores de Francia.

romana. Instrumento que sirve para pesar. Se compone de una palanca con dos brazos muy desiguales con el fiel sobre el punto de apoyo. El cuerpo que se ha de pesar se coloca pendiente del extremo del brazo menor y se equilibra con un pilón o peso constante que corre a voluntad sobre el brazo mayor, donde está trazada la escala de los pesos. Cuando la palanca tiene una posición horizontal, el número señalado por el trozo de metal indica el peso del cuerpo.

romance. Se aplica a cada una de las lenguas modernas derivadas del latín. Se da también el nombre de *romance* a la novela o libro de caballerías en prosa o en verso. En poesía, el romance es una combinación métrica que consiste en repetir al fin de todos los versos pares una misma asonancia, y en no dar a los impares rima de ninguna especie. El romance, estructura métrica característica de los orígenes de la poesía española, está formado por versos octosílabos asonantados, especie de rima imperfecta limitada a las vocales y que empieza en la última sílaba acentuada de cada verso. La rima asonante representa como un término medio entre el verso suelto y el de consonante riguroso, por lo que la forma métrica del romance resulta fácil, natural y apropiada al carácter de la lengua española.

romancero. Colección de composiciones poéticas en forma de romance, o sea con los versos pares formando asonancia y con los impares sin rima alguna. Dicha forma es de origen español. Los contenidos en las primeras colecciones fueron populares y anónimos, pues de este carácter es la legítima raíz del romancero. Se tiene por la más antigua colección del género la de aquellos que se incluyen en el *Cancionero general* publicado en Valencia, en 1511, en el que aparece un número reducido de antiguos romances, que la tradición había conservado y que, entonces, se imprimieron por primera vez. La primera edición exclusivamente de estas composiciones fue el *Cancionero de romances* dado a la estampa por Martín Nuncio en Amberes hacia 1545. Figuraban allí a la cabeza las aventuras de los Doce Pares de Francia. Los motivos son hazañas, temas amorosos y otros varios, muchos de ellos tomados de labios de quienes los recordaban.

Portada de la primera edición del Romancero general *(Madrid, 1600).*

Salvat Universal

ROMANCERO GE-
NERAL, EN QVE SE CON-
tienen todos los Romances que andan
impressos en las nueue partes
de Romanceros.
AORA NVEVAMENTE
impresso, añadido, y emendado.
Año 1600
Con licencia, En Madrid, Por Luis Sanchez.
A costa de Miguel Martinez.

El romancero, no ya como título de una colección, sino como término alusivo a todo un género español de poesía, constituye un gran monumento de los albores de la historia literaria y especialmente de la inspiración popular. Muchas veces se trató de las hazañas de un solo ciclo o personaje: *Romancero de los Doce Pares de Francia*, de *Germania, del Cid*, de los *Infantes de Lara*, los cuatro publicados en el siglo XVII, y otros. Antes en el XVI, habían aparecido varias colecciones como la de García de Nájera: *Silva de varios romances de que están recopilados la mayor parte de los romances castellanos que hasta ahora se han compuesto*; o las de Timoneda: *Rosa de amores, Raza española, Rosa gentil y Rosa real.*

Viniendo a tiempos más modernos, hallamos la colección más completa en la antología de poetas líricos de Menéndez Pelayo. A lo largo de algunos de sus tomos se reúnen la erudición y el resultado de una búsqueda del incansable investigador. El romancero es casi siempre de carácter heroico popular y define el alma poética del pueblo con admirable elocuencia. En su ingenuidad, su frescura y su vital acento de canción radica lo mejor de su virtud. La misma forma poética abordada luego por plumas artísticas y eruditas fue en gran parte olvidada por la posteridad y causó un eclipse en el gusto por los romances viejos y su búsqueda.

Lances caballerescos, hazañas fronterizas, guerras y desafíos entre moros y cristianos, amores y excelencias de reyes y guerreros, historias pastoriles, etcétera, son los motivos más abundantes en esta poesía. Una de sus formas más características y de más donaire fue la de los romances moriscos. Acaso el más típico entre los de esencia castellana sea para los españoles el *Romancero del Cid*. No ha faltado gran historiador de estética literaria que compare dicho romancero general con las grandes expresiones de la vieja poesía en la antigüedad clásica.

romanche. *Véanse* RETORROMANO Y ROMANCE.

Romanelli, Giovani Francesco (1610-1662). Pintor italiano, nacido en Viterbo. Fue discípulo de Dominiquino y después de Pedro de Cortona. Más tarde, bajo la influencia de Gian Lorenzo Bernini, su estilo se modificó. El cardenal Francesco Barberini, su protector, lo llevó a Francia, donde Giulio Mazarino le encargó las pinturas de su palacio. Pintó también los baños de la reina, en el antiguo Louvre. Se considera como su obra maestra *Presentación en el templo*, que se conserva en la iglesia de Santa María de los Ángeles de Roma.

románico. Estilo de arte europeo, que se desenvuelve desde el siglo IX al XII, principalmente en arquitectura. La denominación se debe al arqueólogo Gelville, quien la utilizó ya en 1818, aunque fue difundida posteriormente por A. de Caumont en su *Abécédaire d' Archéologie* (1850), en un intento de relacionar este arte con la antigua tradición romana. Una de sus características introducida de Roma y Bizancio es la bóveda, no usual en las primitivas basílicas cristianas. Numerosos esfuerzos tuvieron que realizar los arquitectos de este periodo para lograr, faltos de tradición y de documentos, sostener las bóvedas sin que peligrase la estabilidad de los muros. El plan de las primeras basílicas era de tres naves paralelas, modificadas por el arte románico según el modelo de la cruz latina, con una nave central y dos laterales. Las primeras tentativas para cubrir con bóvedas en cañón las naves de las iglesias fueron realizadas en el norte de Italia, con éxito cada vez mayor. En el estilo arquitectónico románico la bóveda entra como elemento dominante de la construcción y a él se subordina todo. Las bóvedas comenzaron a construirse sobre las naves laterales solamente; la central conservaba el techo plano. Numerosos cambios fueron introduciéndose en esta última: los muros se espesaron, se suprimieron ventanas, se reformaron los arcos y se construyeron contrafuertes en la parte exterior. La basa y el capitel acabaron por perder su primitivo carácter, y como la columna se hizo accesoria al machón, pasó a ser un elemento decorativo de la hilada general. Este nuevo concepto adquirido por el capitel produce la alteración de sus proporciones y aún de su forma, pues al lado del perfil cóncavo, derivado del orden corintio, se ve el cúbico y el convexo de la arquitectura bizantina.

Ayudó poderosamente al desarrollo de la arquitectura románica la propagación por toda Europa de la orden del Císter, y puede decirse que debido a ello la arquitectura cristiana adquirió la unidad de concepto que no se había alcanzado en el arte desde los griegos.

A mediados del siglo XII, el arte románico abandona las antiguas formas macizas y rudas para tomar elevadas y airosas proporciones en arcos, capiteles y columnas, y se transforma poco a poco en un estilo de más seductora apariencia que imprime su sello característico a todo lo que resta de la Edad Media: el ojival.

Como la arquitectura, la escultura románica se distingue también por la falta de tradición. Los primeros escultores copiaban sus temas de las miniaturas de los libros y los esculpían directamente en los templos, introduciendo varios elementos de enlace, follaje y figuras de animales y monstruos mitológicos. Obra maestra del arte escultórico del periodo románico es el admirable pórtico de la Gloria en la catedral de Santiago de Compostela, en Galicia (España). Entre los edificios más notables del arte románico en Europa, se cuentan las catedrales de Pisa y Verona, en Italia; las de Autun y Angulema, en Francia; la iglesia de San Martín de Canterbury y la Torre de Londres, en Inglaterra; la catedral de Aquisgrán, en Alemania, la catedral de Zamora, las iglesias de San Isidoro de León, San Lorenzo de Sahagún, Martín de Frómista y San Vicente de Avila, en España.

Romano I *Lecapene* (?-948?). Emperador bizantino (919-944). Hijo de un soldado armenio que había salvado la vida al emperador Basilio I, fue nombrado gran almirante. Sus amores con Zoé, viuda de León VI, le permitieron alimentar mayores ambiciones. En el año 919, mediante intrigas, se asoció al joven Constantino VII, a quien había casado con su hija Elena, y compartió el poder imperial. Después Romano decidió colocar a su familia en lugar de la de Basilio I. Ayudado por sus hijos, consiguió, en 926, relegar del poder a Constantino VII. Durante su reinado, los búlgaros, los húngaros y los rusos devastaron su imperio. En el año 944 fue depuesto por dos de sus hijos y encerrado en un monasterio, donde murió en el año 948.

Romano IV *Diógenes.* Emperador bizantino (1068-1071). A la muerte de Miguel VI, intentó arrebatar el poder a Eudoxia, pero ésta, en vez de hacer que le diesen muerte, se casó con él. Romano IV rechazó a los turcos en tres brillantes campañas, pero en la cuarta fue vencido y hecho prisionero por Alp-Arslán en la batalla de Mantzikert. Recobrada la libertad mediante crecido rescate, encontró el trono ocupado por su hijo Miguel VII. Trató de recuperar el trono, pero no lo pudo conseguir, y se retiró a la isla de Prole donde murió.

Romano, Juan Cristóbal (1465?-1512). Escultor y medallista italiano, nacido en Roma. Trabajó en los sepulcros de los Visconti y de los Sforza en la Cartuja de Pavía. Llamado a Milán por Ludovico *el Moro*, ejecutó el busto de Beatriz de Este que en la actualidad se conserva en el Museo del Louvre. Esculpió también hermosas medallas, tales como las de Julio II, Isabel de Este, Isabel de Aragón, etcétera.

Romano, Julio (1492-1546). Pintor y arquitecto italiano, discípulo predilecto de Rafael, cuyo verdadero nombre era Julio Pippi de Sannuzi. Rafael lo tuvo a su lado como principal colaborador en los trabajos del Vaticano, y cuando murió lo instituyó su heredero artístico. Juntamente con Baldassare Peruzzi, terminó algunas obras de su maestro. Durante el pontificado de Clemente VII dirigió como arquitecto la villa Madama en el monte Moría y luego la decoró con bellísimos frescos que lo colocaron a la altura de los grandes artistas de su tiempo. Después se retiró a Mantua, donde fue jefe de una célebre escuela de pintura y demostró sobresalientes condiciones de ingeniero en la construcción de obras de fortificación y saneamiento. Sus obras principales son *La derrota de Majencio, El diluvio, La flagelación, La virgen y el niño, Venus y Vulcano, San Juan* y otras muchas, que figuran en los principales museos de Europa. Su arte se caracteriza por una rica imaginación, conocimiento del gusto antiguo y composición correcta y vigorosa.

Romanones, conde de (1863-1950). Político español, cuyo nombre era Alvaro de Figueroa y Torres; nació y murió en Madrid. Fue jefe del Partido Liberal, alcalde de Madrid, diputado por Guadalajara en numerosas ocasiones, tres veces presidente del Consejo y 17, ministro de la Monarquía.

En 1931, cuando era ministro del último gobierno monárquico, sirvió de intermediario ante el gobierno republicano para evitar derramamiento de sangre y defendió en las Cortes Constituyentes de 1931 el régimen caído. Profundo conocedor del siglo XIX, a él dedicó, en sus figuras políticas más representativas, gran parte de su producción literaria, en la que se destacan sus estudios biográficos: *Sagasta, o el político*; *Salamanca, creador de riqueza*; *Espartero, el general del pueblo*; *Doña Maria Cristina de Habsburgo Lorena, La discreta regente de España*; *Amadeo de Saboya, el rey efímero*, y *Los cuatro presidentes de la Primera República.* Perteneció a las academias de Historia, de la Lengua y de Bellas Artes, y fue presidente de esta última.

Romanticismo. Movimiento literario y artístico que dominó en Europa en la primera mitad del siglo XIX. Sus características son complejas, pero pueden resumirse como una reacción contra el espíritu clásico, revalorizado en el Renacimiento, y contra el ideal de una vida racional y mesurada, tal como era entendida en los siglos XVII y XVIII. El sentimiento, según los románticos es más importante que la razón, no debe escribirse según ciertas normas, sino siguiendo los impulsos del alma. Nace así una literatura de confesiones y de diarios íntimos; los hombres románticos llevan una vida de sobresaltos y aventuras; casi todos ellos mueren jóvenes, muchos se suicidan; Jean Jacques Rousseau en Francia y William Wordsworth en Inglaterra afirman que el hombre debe volver a la naturaleza; otros poetas aconsejan los viajes a tierras exóticas y desconocidas. En oposición al Renacimiento, el Romanticismo significó una defensa de la Edad Media, principalmente en sus elementos populares: leyendas, tradiciones, supersticiones. Los castillos, los fantasmas, los seres sobrenaturales, fueron temas preferidos de los románticos. Los hombres románticos fueron además revolucionarios políticos y, en este sentido, herederos de las ideas de la Revolución Francesa.

En cada uno de los países americanos y europeos el Romanticismo tuvo características propias. En Inglaterra los escritores románticos más conocidos son: Samuel Taylor Coleridge, William Wordsworth, Lord George Byron, Percy Bysshe Shelley, John Keats, sir Walter Scott, Robert Burns y Thomas Carlyle. Los hermanos August Wilhem y Friedrich von Schlegel dieron gran impulso al romanticismo alemán, que cuenta con grandes figuras como Johann Wolfgan Goethe, Friedrich Wilhem Joseph von Schelling, Johann Gottfried Herder, Johann Christoph Friedrich von Schiller y Heinrich Heine. Nicoló Ugo Fóscolo, Alessandro Manzoni y Giacomo Leopardi son las tres figuras más importantes del romanticismo italiano. En España los grandes románticos fueron Angel de Saavedra duque de Rivas, Ramón de Mesonero Romanos, José de Espronceda, Mariano José de Larra, Gustavo Adolfo Bécquer, Juan Eugenio Hartzenbusch, José Zorrilla y Francisco Martínez de la Rosa. Germaine, baronesa de Staël-Holstein, llamada Madame de Staël inició el romanticismo francés con su libro sobre Alemania, y entre los grandes literatos franceses, Victor Hugo, François Rene de Chateaubriand, Alphonse de Lamartine, Alfred de Vigny, Alfred de Musset y George Sand, fueron románticos. Ricardo Palma en Perú, Esteban Echeverría en Argentina, e Ignacio Rodríguez Galván en México, animaron el romanticismo hispanoamericano. En Estados Unidos la principal figura de este movimiento fue Edgar Allan Poe. El Romanticismo llegó a todas las artes. Los músicos Robert Schumann, Hugo Wolf, Franz Schubert, Johannes Brahms, Frederic Chopin, Franz Liszt, Héctor Berlioz y Richard Wagner, y el pintor francés Eugène Delacroix, pueden denominarse también románticos.

romanza. Aria generalmente de carácter sencillo y tierno. Casi todos los músicos románticos cultivaron alguna vez este género de composición. Felix Mendelssohn Bartholdy fue el creador de la romanza sin palabras, composición pianística sin letra, muy en boga entre los pianistas del final del siglo XIX. Las arias de las zarzuelas españolas suelen ser romanzas. *Véase* MÚSICA.

Romas Rojas, Samuel (1907-). Escultor chileno, formado en la Escuela de Bellas Artes de Santiago de Chile. En 1937, obtuvo una beca y permaneció dos años en Alemania. A su regreso fue nombrado profesor de la Escuela de Bellas Artes. Realizó varias estatuas monumentales para los parques de la capital, así como diversos bustos en mármol para la galería de presidentes del palacio de la Moneda. Su estilo es figurativo, pero no académico.

Los romanticistas pugnaron por una defensa de los elementos culturales de la Edad Media.

Corel Stock Photo Library

rombo. Paralelogramo que tiene los lados iguales y dos de sus ángulos mayores que los otros dos. Las diagonales que se tracen en un rombo son perpendiculares entre sí y bisectrices de los ángulos cuyos vértices unen. Para hallar el área de un rombo, se multiplica su base por su altura.

romboedro. Prisma oblicuo de bases y caras rombales. Los romboedros se dividen en dos clases: agudos y obtusos. Romboedro agudo es el que tiene dos ángulos triedros opuestos formados por ángulos planos agudos; el obtuso es el que tiene dos ángulos triedros opuestos formados por ángulos planos todos obtusos. Cada uno de los ángulos planos obtusos del romboedro obtuso es menor de 120°. El eje del romboedro es la recta que une los dos vértices de los dos ángulos triedros cuyos tres ángulos planos son agudos en el romboedro agudo y obtusos en el romboedro obtuso.

romboide. Paralelogramo cuyos lados contiguos son desiguales y dos de sus ángulos mayores que los otros dos. Las diagonales que se tracen en un romboide no son perpendiculares entre sí y son desiguales.

Romea Yanguas, Julián (1818-1863). Actor y poeta español, nacido en Aldea de San Juan (Murcia) y muerto en Madrid. Fue discípulo del actor Carlos Latorre, al que emuló, y desde sus primeras apariciones llamó la atención de la crítica y de las figuras más eminentes de su época. Estuvo casado con la eminente actriz española Matilde Díez. En 1833, se presentó en el Teatro del Príncipe de Madrid con gran éxito, y tres años después recorrió triunfalmente España y América. Cultivó el verso (*Poesías,* 1846) y dejo algunos escritos sobre teatro.

Romeo y Julieta. *Véase* ÓPERA.

romería. Viaje o peregrinación, especialmente la que se hace por devoción a un santuario; fiesta popular que con meriendas, bailes, etcétera, se celebra en el campo inmediato a alguna ermita o santuario el día de la festividad religiosa del lugar. Las romerías nacieron con las peregrinaciones a los santos lugares, y se multiplicaron durante la Edad Media en toda Europa, y muy particularmente en dirección a los sitios donde había un santuario famoso. En España atraen caravanas de romeros, entre otros lugares, la tumba de Santiago Apóstol, en Compostela, y el santuario de la Virgen del Pilar, en Zaragoza; en Francia, La Salette y Lourdes; en Italia, la capilla de San Jenaro, en Nápoles, y las tumbas de los apóstoles san Pedro y san Pablo, en Roma. Las romerías son fiestas eminentemente populares, y el nombre de peregrinación se reserva para las visitas colectivas que se organizan a los santuarios de mayor importancia.

romero. Planta arbustiva de la familia de las labiadas, que alcanza 1 m de altura y que crece espontáneamente en la región del Mar Mediterráneo y América meridional. Tiene hojas estrechas, de color verde, lustrosas por el haz y blanquecinas por el envés. Las flores, axilares y pequeñas, de color azul pálido se agrupan en racimos.

El romero prospera bien en terrenos calizos y aun esteparios. Planta fuertemente aromática, se emplea para obtener esencias por destilación de sus hojas o de las plantas enteras, pero en Francia se destilan únicamente las flores obteniendo esencias muy finas que se utilizan en perfumería.

Es una de las plantas melíficas más apreciadas: está florecida casi todo el año, dando a la miel un sabor muy agradable, que caracteriza a la célebre miel de la Alcarria (España). Se cultiva en jardines como planta de adorno.

Corel Stock Photo Library

Hojas de romero.

Romero, Francisco (1891-1962). Filósofo argentino. En un principio siguió la carrera militar, pero una vez obtenido el grado de mayor se retiró de ella para dedicarse por entero a la filosofía. Perteneció al grupo de alumnos de Alejandro Korn, filósofo influido por el idealismo de Immanuel Kant y enemigo del positivismo de Auguste Comte, que entonces dominaba en las cátedras argentinas. Desde 1928 hasta 1946, Romero fue profesor, en varias universidades de su país, de las materias de su especialidad. Formó en esos años un vasto grupo de discípulos, y contribuyó notablemente a la difusión en América Latina de las doctrinas europeas más modernas. Durante todo este tiempo, su actividad filosófica pareció reducirse a la explicación y comentario de las obras de otros filósofos y aun a la elaboración de textos de enseñanza, como una *Lógica* escrita en colaboración con Ernesto Pucciarelli. Pero, en 1947 comenzaron a aparecer libros *(Sobre la historia de la filosofía, Filosofía de la persona, Papeles para una filosofía)* en los que Romero expone, aunque fragmentariamente, sus ideas, y en 1952 publica una obra de gran importancia filosófica, con el título de *Teoría del hombre*. Las raíces de esta filosofía pueden encontrarse en la obra de varios pensadores alemanes, notablemente Edmund Husserl, Max Scheler, Wilhem Dilthey y Nicolai Hartmann. El hombre es ante todo, según Romero, un ser espiritual, y la característica esencial del espíritu es la de poder superar los límites de la razón y relacionar al hombre con la realidad, tanto la más baja (la material) como la más alta (la espiritual). Esta posibilidad de que el hombre salga de sí mismo y aun rompa el límite de su situación histórica, se llama *trascendencia*.

Romero, José Rubén (1890-1952). Novelista mexicano originario de Cotija de la Paz, Michoacán. Su popularidad la debe en primera instancia a su novela *Mi caballo, mi perro y mi rifle* (1936) y después a *La vida inútil de Pito Pérez* (1938). También es autor del libro de versos *Tacámbaro* (1922), de los libros de recuerdos *Apuntes de un lugareño* (1932) y *Desbandada* (1934) y de la novela *Rosenda* (1946). En 1957, apareció la primera edición de sus *Obras completas*. Desempeñó varios cargos públicos: director del Registro Civil en el D. F., embajador en Brasil y Cuba, consejero de la presidencia. Su narrativa está emparentada con la temática de la novela de la Revolución Mexicana.

Romero, Pedro (1754-1839). Matador de toros español, considerado el primer gran torero de la historia taurina. Nació y murió en Ronda. Fue uno de los iniciadores de la llamada *escuela rondeña*, que se caracteriza por su toreo más sobrio, contrapuesto al más adornado de la *escuela sevillana*. Se distinguió en la suerte de matar recibiendo, es decir, aguantando a pie firme la acometida del toro. Fue admirado, y le ayudaban en su trabajo sus facultades y gran fortaleza. Se retiró prácticamente a los 45 años en pleno vigor, y fue nombrado, a los 76, director de la Real Escuela de Tauromaquia, fundada por Fernando VII.

Romero Barceló, Carlos Antonio (1932-). Abogado y político puertorriqueño, nacido en San Juan en el seno de una familia con larga trayectoria política. Su madre, Josefina Barceló, había presidido el Partido Liberal Puertorriqueño. Estudió ciencias políticas y economía en la Universidad de Yale (1949-1953), y derecho en la Universidad de Puerto Rico (1956). Inició su carrera política en 1965, dentro de la agrupación estadista Ciudadanos Pro Estado 51, entidad que llegó a presidir. En el plebiscito de 1967 sobre el *status* de Puerto Rico, aquel movimiento se unió al grupo Estadistas Unidos, de Luis A. Ferré Aguayo, para defender conjuntamente la fórmula de la estadidad. Los resultados plebiscitarios –cerca de 39% de los votos– determinaron la disolución de Estadistas Unidos y la constitución del Partido Nuevo Progresista (PNP) aquel mismo año. Romero Barceló, uno de sus principales líderes, fue elegido alcalde de San Juan en 1968. En 1971, asumió la vicepresidencia del PNP y en 1972 fue reelegido alcalde. El dirigente progresista asumió desde entonces un papel cada vez más destacado en la política puertorriqueña y estadounidense. En 1974, publica *La estadidad es para los pobres*. Segundo vicepresidente (1973) y presidente (1974) de la influyente Liga Nacional de Ciudades, logró en 1974 la presidencia del PNP y tres años más tarde, como candidato oficial de este partido, se convirtió en gobernador de Puerto Rico. Fue reelegido gobernador en las elecciones de 1980, quizá las más reñidas de Puerto Rico, por un escaso margen electoral. En 1985, perdió las elecciones frente a Rafael Hernández Colón, en el marco de la investigación del asesinato de dos disidentes cometido por policías en 1978. En 1993, toma posesión del cargo de comisionado residente (Resident Commissioner) en el Senado de Estados Unidos. Fue reelegido en los comicios de 1996.

Romero de Torres, Julio (1880-1930). Pintor español. Nació en Córdoba, de cuyo espíritu estuvo impregnada su personalidad artística y en donde su padre era director de la Escuela de Bellas Artes. Su primera obra presentada en un certamen oficial fue rechazada. Comenzó su fama en 1907 cuando participó en una exposición de dependientes con José Gutiérrez Solana, Santiago Rusiñol, Eduardo Chicharro y otros artistas. Su principal tema pictórico fue el de las mujeres cetrinas, morenas y con cierto dramatismo. *Retablo de amor* (obra presentada en el Salón de Madrid de 1910, y que originó un movimiento de protesta por no haber sido premiada), *Consagración de la copla* y *Poesías de Córdoba*, son algunos de sus cuadros más característicos. En 1922, presentó sus obras en Buenos Aires, donde obtuvo un gran éxito. Fue nombrado hijo predilecto de su ciudad natal, en cuyo museo de Bellas Artes se le destinaron salas especiales que reúnen buena parte de su obra.

Rommel, Erwin (1891-1944). Mariscal de campo alemán. Oficial durante la Primera Guerra mundial, combatió en diversos frentes y, por su actuación en Isanzo, obtuvo la Cruz de Hierro (1915). Retirado momentáneamente del ejército y simpatizante de la SA, reingresó al ejército en 1933 y fue instructor en la Academia de infantería y, posteriormente, jefe del batallón de la Cancillería (1935). En la Segunda Guerra Mundial fue jefe del cuerpo expedicionario alemán en África. Derrotó al general inglés Archibald Percival, primer conde de Wavell (1941) y avanzó hasta Tobruk. Al año siguiente, rechazó al Octavo Ejército inglés y llegó a El Alamein, en la frontera de Egipto, lo que significaba un grave peligro para el Canal de Suez y las líneas de abastecimiento de los aliados. Pero el general inglés Bernard Low Montgomery infligió una severa derrota a Rommel en El Alamein (noviembre de 1942), y Rommel se vio obligado a retirarse, primero a Trípoli, luego a Túnez, y después abandonó África. En enero de 1944 fue designado jefe de las fuerzas que habrían de oponerse a la invasión, por los aliados, de las costas de Francia en poder de los alemanes. La invasión se inició el 6 de junio, y en los grandes combates que siguieron, Rommel fue herido gravemente el 17 de julio. Según las investigaciones practicadas después del fallido atentado contra Hitler el 20 de julio de 1944, Rommel era uno de los altos jefes militares implicados en el mismo. Hitler le dio a escoger entre el suicidio o el consejo de guerra, y Rommel se envenenó. Oficialmente se declaró que había muerto a consecuencia de las heridas recibidas y fue enterrado con honores militares.

Romney, George (1734-1802). Pintor inglés. Artista de notable habilidad en la ejecución y el colorido, compitió con Thomas Gainsborough y sir Joshua Reynolds. Son célebres sus numerosos retratos de lady Hamilton, su protectora y modelo preferido. Romney fue el pintor de la gracia femenina y de la juventud inglesa elegante. Además de las citadas, entre sus obras se destacan *La condesa de Warwick*, *La familia del conde de Gower*, *Autorretrato*, *Muerte del general Wolfe* y *Milton sus hijas*.

rompehielos. *Véase* BUQUE.

Rómulo y Remo. Personajes legendarios a quienes se atribuye la fundación de Roma. Según la leyenda, eran hijos de Marte, el dios de la guerra, y de la vestal Rea Silvia, hija de Numitor, rey de Alba Longa. Arrojados en un cesto a las aguas del río Tíber, los dos niños fueron arrastrados por la corriente hasta las orillas próximas al Monte Palatino, una de las siete eminencias que luego quedarían comprendidas dentro del perímetro de Roma. Marte envió una loba que encontró a los pequeños y los amamantó, hasta que fueron encontrados por el pastor Fáustulo, que vivía en la vecindad, quien los educó junto con sus hijos hasta que llegaron a la adolescencia. Cierto día fueron descubiertos por el rey Numitor, al que ayudaron a recuperar el trono. Decidieron luego fundar una ciudad en el sitio donde los había hallado la loba; no pudiendo ponerse de acuerdo, consultaron la voluntad de los dioses, reflejada en los fenómenos de la naturaleza, y Rómulo resultó ser el elegido. Subió el joven a un arado y marcó con un surco, que nadie podría violar, los límites de la futura ciudad. Pero Remo, celoso de la fortuna de su hermano, cruzó el surco, muro imaginario de la ciudad, y fue muerto por Rómulo. No tardó éste en arrepentirse del inútil fratricidio y durante el resto de su vida mantuvo un trono vacío junto al suyo, simbolizando así la presencia espiritual de su desaparecido hermano. La nueva ciudad, levantada en el estratégico sitio, no tardó en prosperar, despertando recelos entre las tribus vecinas, cuyos jefes decidieron que ninguna mujer podría casarse con un romano. Los pobladores de Roma se lanzaron cierta noche sobre las viviendas de los sabinos, que habitaban a corta distancia, y raptaron un grupo de mujeres. Este hecho, unido a la rivalidad política y económica, fue la causa de una feroz guerra entre romanos y sabinos. Rómulo desapareció cierto día en medio de una tormenta; narra la tradición que el dios Marte, su padre, lo llevó a la mansión de los dioses. Los romanos lo deificaron, dándole el nombre de Quirino.

Roncesvalles. Valle y desfiladero del Pirineo, entre la provincia española de Navarra y Francia. A 2 km del puerto se encuentra el diminuto pueblo de Roncesvalles, formado en torno a la célebre Abadía o

Escultura de la loba amamantando a Rómulo y Remo, en Italia.

Corel Stock Photo Library

Real Colegiata; soberbio edificio de estilo gótico, cuya construcción se debe al rey de Navarra Sancho el Fuerte, y que fue uno de los más famososo santuarios de la cristiandad. En él se conservan reliquias y joyas históricas de gran valor. El valle de este nombre, a 1,112 m de altitud, ha sido escenario de memorables hechos de guerra, pero el más célebre de ellos es la derrota infligida al ejército de Carlomagno, que habiendo llegado hasta Zaragoza, en 778 regresaba a Francia. Los montañeses navarros y vascos sorprendieron y destrozaron a los francos, entre los que venían los Doce Pares de Francia y Roldán, o Rolando, paladín de grandes hazañas que pereció a manos de Bernardo del Carpio, jefe de los montañeses.

Ronda. Provincia de Málaga, edificada sobre un macizo rocoso, seccionado en dos porciones, en medio de las cuales corren las aguas del río Guadiaro. Su población es de 35,788 habitantes. En la comarca se producen vinos, cereales, legumbres y frutas y se cría ganado. Posee algunas industrias de materiales de construcción, tejidos, hilados y conservas. Tres puentes (el Viejo, el de las Cortadurías y el Nuevo) permiten salvar el torrente del río Guadiaro, que corre a una profundidad de más de 200 m. Entre sus edificios más notables figuran el palacio del Rey Moro, con una cava subterránea de 365 escalones, tallados en roca viva; el palacio de Mondragón, y la puerta árabe de Almocacer.

rondador. Instrumento musical del Ecuador, a modo de flauta, formado por una serie de canutos de carrizo de diversa longitud y calibre y combinados convenientemente para la gradación armónica de los sonidos. En Colombia también se utiliza, pero se le da el nombre de castruera.

Rondeau, José (1773-1844). General argentino de la guerra por la independencia. Comenzó su carrera prestando servicios en Montevideo, y luchó contra los ingleses, que ocuparon esta ciudad en 1807 y lo remitieron preso a Inglaterra. Puesto en libertad, regresó a Montevideo; al estallar en Buenos Aires el movimiento revolucionario de 1810, se incorporó al mismo, siendo nombrado jefe de las fuerzas patriotas que operaban en la Banda Oriental. Por dos veces sus fuerzas sitiaron a Montevideo, obteniendo la victoria del Cerrito, que motivó su ascenso a general. En 1814, fue designado general en jefe del ejército del Alto Perú, sufriendo en su campaña la derrota de Sipe-Sipe (1815). Posteriormente fue elegido director supremo del Estado, cargo que desempeñó por siete meses hasta su derrota en Cepeda a manos de los caudillos federales en febrero de 1820, derrota que significó la disolución del sistema directorial. Luego prestó servicios en una campaña general contra los indios en la provincia de Buenos Aires y desempeñó diversas funciones en la guerra contra Brasil, entre ellas la de ministro de Guerra y Marina del gobernador Manuel Dorrego. Al finalizar esta guerra, Rondeau fue elegido gobernador y capitán general interino de la nueva República Oriental de Uruguay (1828-1830), fue jefe del Estado Mayor de su ejército (1835) y ministro de Guerra con Fructuoso Rivera. Siguió prestando servicios hasta su muerte, en Montevideo.

rondó. Composición musical de carácter alegre y animado, cuyo tema se repite o insinúa varias veces. La forma del rondó deriva de antiguas canciones donde el tema principal alternaba con varios motivos secundarios. Franz Joseph Haydn, Wolfang Amadeus Mozart y Ludwig van Beethoven compusieron célebres rondós y, posteriormente, Vincenzo Bellini y otros músicos italianos intercalaron esta forma musical en algunas óperas. *Véase* MÚSICA.

Rondônia. Territorio federal de Brasil, en el oeste del país, que limita con los estados de Amazonas y Mato Grosso y la frontera boliviana que sigue el curso de los ríos Guaporé y Mamoré. Superficie: 243,044 km^2. Población: 1.339,500 habitantes. Capital: Porto Velho. Región selvática cuya principal actividad agrícola está dedicada a la industria del caucho silvestre. Una línea de ferrocarril enlaza Porto Velho con Guajará Mirim, en la frontera con Bolivia. Creado el 13 de septiembre de 1943 con la designación del Territorio Federal de Guaporé. Este nombre fue cambiado por el de *Rondônia*, mediante un decreto federal, en honor del explorador brasileño mariscal Cándido Rondón, que exploró la región y creó el Servicio de Protección de los Indios (1910) de ese territorio: grupos wayoróy tuparí. En este año también se terminó de construir el *ferrocarril del diablo* para unir los ríos Madeira y Mamoré durante el apogeo de los *serengueiros* o buscadores de caucho.

ronquido. Ruido monótono, gutural, que a menudo produce la persona que duerme. Se debe a las vibraciones que el paso del aire respirado producen en el paladar y la úvula, que se hacen más intensas cuando estos órganos se resecan a causa de dormir con la boca abierta. Se sabe de casos en que la violencia del ronquido es tal, que el durmiente despierta con la garganta dolorida. Los pólipos nasales, adenoides, desviaciones del tabique, etcétera, son obstrucciones que propician el ronquido. Lo mismo puede decirse de la fatiga, el sueño profundo y las posturas forzadas.

Ronsard, Pierre de (1524-1585). Poeta francés. En sus primeros años actuó como paje en la corte de Francia, y tuvo oportunidad de realizar varios viajes. Pero a los 19 años de edad le acometió una súbita sordera y decidió consagrarse al estudio y a la poesía. Acompañado por Joachim Du Bellay fundó el grupo literario llamado *La pléyade*, que aspiraba a renovar la literatura nacional mediante el cultivo de las formas clásicas. Desde la aparición de sus primeras *Odas* fue reconocido como *el príncipe de los poetas franceses* y su reputación fue en aumento en los años posteriores, cuando se difundieron sus *Himnos, Amores, Elegías* y *Mascaradas*. Maestro del soneto y de la poesía amatoria, no brilla a igual altura en sus esfuerzos dramáticos, como lo demuestra el inconcluso poema *La Franciade*, fríamente acogido.

Rooney, Mickey (1922-). Actor cinematográfico estadounidense. Su verdadero nombre es Joe Yule Jr. Niño prodigio, debutó en la pantalla en una serie de cortos infantiles. Fue contratado para actuar en películas, en Hollywood, y pronto alcanzó fama por su gracia y dinamismo. Se distinguió por su actuación en la serie de películas *La familia Hardy*. Entre sus numerosas interpretaciones pueden citarse: *El sueño de una noche de verano* (1935), *El pequeño lord* (1936), *Capitanes intrépidos* (1937), *La ciudad de los muchachos* (1938), *Baby Face Nelson* (1957), *Silla eléctrica para ocho hombres* (1958), *Desayuno con diamantes* (1961), *Skidoo* (1968), *Erik el vikingo* (1989) y *La vía láctea* (1992). En 1991 apareció su autobiografía *Life is too short*.

Roosevelt, Anna Eleanor (1884-1962). Escritora, socióloga y política estadounidense. Nació en la ciudad de New York. Se casó en 1905 con Franklin D. Roosevelt, presidente de Estados Unidos. Interesada en cuestiones sociales y políticas, fue activa colaboradora de su esposo. Propugnó elevadas causas sociales y organizó movimientos de interés nacional, a favor de los cuales pronunció discursos y conferencias, escribió numerosos artículos de prensa y publicó libros. Después de la muerte del presidente Roosevelt, fue designada miembro de la delegación de Estados Unidos a la Asamblea General de la Organización de las Naciones Unidas (1945-1953 y 1961) y, en 1946, elegida presidenta de la Comisión de Derechos Humanos del Consejo Social y Económico de las Naciones Unidas; en tal carácter contribuyó a redactar la Declaración de los Derechos Humanos. También fue lider del ala liberal del Partido Demócrata (1950). En su obra se destacan la campaña en pro de la tolerancia racial, la defensa de los derechos civiles y el fomento del progreso social de las minorías. Entre sus obras destacan: *La base moral de la democracia* (1940), *Lo* *que yo recuerdo* (1949) y *La autobiografía de Eleanor Roosevelt* (1961).

Roosevelt, Franklin Delano (1882-1945). Estadista estadounidense, presidente de Estados Unidos. Nació en Hyde Park (New York). Estudió en la Universidad de Harvard, en la Facultad de Derecho de la Universidad de Columbia, y ejerció la abogacía en New York. Se casó con Anna Eleanor Roosevelt, prima suya y nieta del presidente Theodore Roosevelt, del cual era Franklin pariente lejano. En 1910, fue elegido senador por el partido demócrata para la legislatura del estado de New York. En 1912, apoyó la candidatura de Woodrow Wilson para presidente de la República, y al ser elegido Wilson nombró a Roosevelt subsecretario de Marina (1913-1920), cargo que desempeñó con gran eficiencia durante el difícil periodo de la Primera Guerra Mundial. En 1924, sufrió un ataque de poliomielitis que le inmovilizó los músculos de las piernas y de cuyos efectos se recuperó parcialmente. En 1929 fue elegido gobernador de New York y reelegido en 1930; saneó la administración del Estado, redujo las contribuciones a la propiedad rural y propició una legislación obrera progresista.

Fue elegido presidente de la República en 1932, por el Partido Demócrata, en momentos en que la nación sufría una crisis económica de excepcional gravedad, en la que los bancos habían suspendido sus operaciones y millones de hombres carecían de trabajo. Roosevelt se enfrentó resueltamente a la crisis, decretó una moratoria bancaria, logró que el Congreso aprobara leyes para reformar el sistema bancario; suspender la convertibilidad en oro de la moneda y proceder a su desvalorización; derogar la prohibición de expender bebidas alcohólicas; crear un cuerpo de legislación social y obrera; otorgar subsidio a los sin trabajo, y adoptar todas las medidas tendientes a superar la crisis y propiciar la estabilidad económica de la nación.

El grupo de colaboradores y consejeros de que se sirvió Roosevelt para desarrollar su gestión de gobierno, fue conocido con el nombre de *braintrust* (*trust* de los cerebros), y todo el vasto conjunto de leyes y disposiciones que introdujeron nuevas modalidades en la estructura política, social y económica de Estados Unidos recibió el nombre de *New Deal* (*Nuevo Trato*). En esencia el *New Deal* se basaba en la promulgación de tres cuerpos de leyes, cada uno de ellos con el propósito de estabilizar y beneficiar económicamente a la población rural, a las clases obreras y a los hombres de negocios. Las bases respectivas de esos tres cuerpos legales fueron la ley de ajuste agrícola, la de relaciones obreras y la de recuperación industrial. Se crearon numerosos organismos y agencias gubernamentales para llevar a cabo las disposiciones establecidas por esas leyes.

La actuación de Roosevelt mereció la aprobación de grandes sectores de la opinión pública estadounidense; pero despertó la crítica adversa de otros, contrarios a la reglamentación de las fuerzas económicas, a la elevación de los impuestos y al aumento de las atribuciones que ejercía el presidente en detrimento del poder legislativo. Elegido en 1936 para un segundo periodo, Roosevelt tuvo que enfrentarse con el dictamen adverso del Tribunal Supremo de Estados Unidos, que declaró inconstitucionales varias de las leyes emanadas del *New Deal*.

En el aspecto internacional, Roosevelt estableció lo que llamó *política del buen vecino*, a la que quiso dar alcance mundial, pero con especial aplicación a los países del continente americano. De acuerdo con esa política, Estados Unidos renunció al derecho de intervención en Cuba, que les daba la enmienda Platt de la Constitución cubana; retiró las fuerzas de ocupación en algunos países latinoamericanos; e inauguró en lo económico, una etapa de tratados de reciprocidad comercial, y en lo político, de conferencias, consultas y convenios interamericanos. Las complicaciones surgidas en Europa y Asia a causa del poderío bélico creciente de un totalitarismo agresivo en ciertas naciones, especialmente en Alemania, Italia y Japón, obligó a Roosevelt a declarar que a Estados Unidos no les sería posible permanecer neutral en el caso de otra guerra mundial y, en consecuencia, adoptó medidas para aumentar el poderío militar, naval y aéreo, entre ellas la de instituir el servicio militar obligatorio.

Al estallar la Segunda Guerra Mundial, mientras Estados Unidos permaneció neutral, adoptó una política de apoyo a las naciones en lucha contra los países del Eje, cuyo resultado más importante fue la implantación, a principios de 1941, de la ley de préstamo y arriendo *(lend-lease)*, por la cual se les facilitó armas, alimentos, y suministros de todas clases por valor de miles de millones de dólares.

Elegido en 1940, por tercera vez, la agresión japonesa a Pearl Harbor propició que Estados Unidos entrara en la guerra. Roosevelt multiplicó sus actividades y toda la nación se movilizó para hacer frente a las necesidades bélicas impuestas por el conflicto. Como jefe del Estado y de las fuerzas armadas, Roosevelt tuvo que adoptar decisiones estratégicas y políticas de la más grande importancia histórica, y sostener conferencias y reuniones con los jefes de Estado de las naciones aliadas –conferencias de Teherán, Quebec, Casablanca, Cairo, Yalta, etcétera– que lo llevaron a trasladarse a distintas partes del mundo y a formular declaraciones conjuntas de trascendencia internacional. Cuando el curso favorable de la guerra hacía presentir la victoria final, Roosevelt fue elegido por cuarta vez en 1944. Resentida su salud por una actividad excesiva y por el peso de las graves responsabilidades que tuvo que afrontar, falleció a consecuencia de una hemorragia cerebral, el 12 de abril de 1945, tres semanas antes de la rendición de Berlín y de la victoria de los aliados sobre Alemania.

Retrato de F. D. Roosevelt.

U.S.I.S., F. Salisbury

Roosevelt, Theodore (1858-1919). Presidente de Estados Unidos. Nació en la ciudad de New York y estudió derecho en la Universidad de Harvard. En 1881 fue elegido miembro de la legislatura del estado de New York, donde reveló sus dotes políticas y carácter independiente que lo destacaron como valioso integrante del Partido Republicano. En la campaña presidencial de 1896 laboró activamente por la candidatura de William McKinley y al ser éste elegido presidente nombró a Roosevelt subsecretario de Marina (1897). En ese cargo se esforzó por mejorar y aumentar la eficiencia de la marina de guerra, en previsión del conflicto que habría de surgir con España (1898). Cuando estalló la guerra renunció al cargo, organizó un regimiento de voluntarios de caballería, del que fue coronel y marchó a pelear a Cuba. Roosevelt y su caballería, conocida con el nombre de *Rough riders*, se distinguieron por su actuación en varias acciones de guerra.

En 1898, fue elegido gobernador del estado de New York y en 1900 vicepresidente de la República. Al ser asesinado el presidente McKinley en 1901, Roosevelt pasó a ocupar la presidencia en sustitución, hasta 1904, año en que fue elegido para seguirla ocupando en el periodo siguiente. Su política se caracterizó por el expansionismo exterior y las reformas interiores. En política interior dictó medidas para elevar la eficiencia de la administración pública y, basándose en la ley Sherman, combatió los grandes monopolios. Los objetivos de su política exterior los sintetizó en una frase que se hizo célebre: "Se debe hablar con suavidad pero con un garrote en la mano". Consecuente con ello, aumentó el poderío naval y militar de Estados Unidos y no vaciló en ejercer una acción diplomática y de todo orden que le aseguró la adquisición de la zona de Panamá necesaria para la construcción posterior del canal interoceánico.

Cuando Gran Bretaña y Alemania procedieron a intervenir en Venezuela, Roosevelt se apoyó en la doctrina de Monroe para oponerse, y la disputa internacional fue sometida al arbitraje. Roosevelt interpuso su influencia para acortar la sangrienta guerra entre Rusia y Japón, y sus esfuerzos culminaron en el tratado de paz firmado en Portsmouth (1905), que puso fin a dicho conflicto, y en reconocimiento de lo cual le fue otorgado el Premio Nobel de la Paz en 1906.

Su interpretación de la doctrina de Monroe representaba una ampliación de la misma en el sentido de poder intervenir en las naciones americanas si alguna de ellas dejaba de cumplir sus obligaciones financieras internacionales. Basado en esa interpretación, intervino en República Dominicana (1904) y se hizo cargo de la recaudación de aduanas; apoyándose en esa interpretación y en la enmienda Platt de la Constitución cubana intervino en Cuba (1906) para restablecer el orden. Esa aplicación drástica de la doctrina de Monroe despertó inevitablemente el recelo de los países latinoamericanos.

Al término de su mandato fue sucedido en la presidencia por William Howard Taft, y Roosevelt se dedicó a viajar por África y Europa. A su regreso se postuló nuevamente candidato a la presidencia en las elecciones de 1912. Sobrevino una escisión en el Partido Republicano, una fracción del cual postuló a Taft, y otra, con distinta denominación, a Roosevelt. Así debilitados, los republicanos perdieron las elecciones, que ganaron los demócratas y llevaron a la presidencia a Woodrow Wilson.

Root, Elihu (1845-1937). Abogado y político estadounidense. Como secretario de Guerra con los presidentes de Estados Unidos. William McKinley y Theodore Roosevelt (1899-1904) realizó reformas en el ejército y llevó la administración militar de Cuba y Filipinas. Fue secretario de Estado (1905-1909) y senador por New York (1909-1915). Miembro del Tribunal de Arbitraje de La Haya, recibió el Premio Nobel de la Paz en 1912.

Roque, san (1295-1327). Nació y murió en Montpellier (Francia), ciudad de la que su padre era gobernador. A los 20 años, muertos sus padres, distribuyó toda su fortuna entre los pobres y marchó en peregrinación a Italia. Llegado a Aquapendente, población que estaba siendo diezmada por una epidemia de peste, se detuvo allí y, afanoso de servir a Dios, se entregó a prestar asistencia a los enfermos. Atacado, a su vez, por el terrible mal, para no propagar el contagio se ocultó en un bosque, donde fue hallado por un perro, que acudió todos los días a socorrerlo llevando un pan en el hocico. El dueño del can descubrió el lugar en que se había ocultado san Roque y lo ayudó a curarse. De regreso en Montpellier, fue detenido como espía y encerrado en un calabozo, donde al cabo de algún tiempo falleció. Se cree que perteneció a la Orden Tercera de San Francisco. Es el abogado de los inválidos, y sus emblemas son un ángel, un perro y un pan. Se conservan reliquias de este santo en Venecia, Roma y Arlés. Su fiesta se celebra el 16 de agosto.

Roraima. *Véase* RÍO BRANCO

rosa. Flor del rosal que, por su hermosura y fragancia, ha sido llamada *reina de las flores*. Desde tiempo inmemorial se la considera apropiado emblema de la gracia y la belleza y, como tal, sirve de inspiración a los poetas y delicado adorno en fiestas familiares y solemnidades religiosas. Su color es generalmente encarnado, con una cierta tonalidad de encendimiento; pero con el cultivo, se obtienen rosas de variados colores y distinto número de pétalos.

En Inglaterra se le tiene particular estimación y se celebran concursos en que se premia a quien obtiene en sus jardines los ejemplares más bellos y delicados. Una época de la historia de Inglaterra se vincula de un modo dramático a esta flor: la de la llamada *guerra de las Rosas* en donde surgió el conflicto entre la casa de York, que tenía por emblema una rosa blanca, y la casa de Lancaster, cuyo emblema era una rosa roja.

Pertenece a la familia de las rosáceas. La rosa presenta un receptáculo cóncavo con cinco sépalos y cinco pétalos. Multitud de estambres se insertan en la base del receptáculo, con innumerables carpelos. Cuan-

Rosa.

Corel Stock Photo Library

Corel Stock Photo Library

De izq. a der. y de arriba abajo: jardín de rosas rojas en Inglaterra, rosas violetas con ramas, rosas de té híbridas y rosas amarillas.

do los estambres adquieren formas petaloides, se obtienen rosas dobles de admirable belleza. Entre los diversos colores que puede adquirir la rosa por el cultivo, son mas frecuentes el blanco, el amarillo, el rosado, y el rojo o purpúreo. Solitaria o en corimbo, la flor brota en arbustos erguidos o trepadores, provistos de espinas.

Se calcula que hay unas 200 especies y 3,000 variedades, repartidas principalmente en la zona templada boreal y en las regiones elevadas de los trópicos. Entre muchas, son muy apreciadas por su hermosura las rosas de Francia, de 100 hojas (*centifolia*), de Damasco, de Bengala, de Provins, de Borbón, de té y eglantina.

Las rosas son apreciadas sobre todo, como flores de jardín, y se procede a su selección mediante injertos. La propagación de los rosales puede hacerse por semilla, renuevo, acodo o injerto. Las tierras deben ser blandas, de profundidad, muy abonadas, y regadas de acuerdo al clima y la estación. También pueden plantarse en macetas o lugares resguardados. Suelen ser el cultivo preferido de muchos floricultores, y algunos han llegado a obtener cientos de variedades. Todos los años destinan algunas hectáreas de sus terrenos a procurarse nuevas creaciones, mientras en la extensión restante se renuevan las especies conocidas. La industria del perfume utiliza una buena parte de la recolección anual principalmente de Bulgaria y el sur de Francia para elaboración de la esencia de rosas.

rosa de Jericó. Nombre vulgar de una planta de la familia de las crucíferas, que vive en las regiones desérticas de Siria, Iran, Arabia y Egipto. Crece en las regiones cálidas, tiene el tallo cubierto de brotes y da flores blancas y pequeñas. La particularidad de esta planta consiste en que mientras hay humedad su tallo y hojas se expenden en forma de roseta, y cuando la humedad desaparece, se contraen y forman una bola. De este modo resiste largos periodos de sequía, y cuando vuelven las lluvias los brotes adquieren el aspecto normal. Este detalle se debe al agua que absorben las membranas celulares de dicha planta. Aun después de haberse secado totalmente, basta introducirla en el agua para que adquiera la apariencia de una planta viva.

Rosa de Lima, santa (1586-1617). Nació y murió en Lima (Perú), y es la primera santa americana que subió a los altares. Sus padres fueron Gaspar Flores y María de Oliva. Se bautizó en la parroquia de San Sebastián, en la histórica pila que hasta hoy se conserva. Su nombre era Isabel, pero posteriormente se le llamó Rosa, por deseo de su madre, que la vio un día mientras dormía, con las mejillas encarnadas como una rosa. Desde temprana edad se entregó a una vida de piedad, recogimiento y mortificación, pasando la mayor parte de su tiempo en una ermita construida en el jardín de su casa. Procuró moldear su conducta siguiendo el ejemplo de santa Catalina de Siena. Ajaba su juventud con ayunos, penitencias, corona de espinas y cilicios que llevaba ocultos. En 1606, tomó el hábito de la Tercera Orden de Santo Domingo. Su vida de convento está llena de ejemplos de virtud, sacrificios y algunos milagros. Sus restos reposan en el altar especial que se construyó en el templo de Santo Domingo, en Lima. Fue canonizada en 1667; es considerada patrona de América y Filipinas; sus emblemas son un áncora y una rosa, y su fiesta es el 23 de agosto.

Rosa, Salvatore (1615-1673). Pintor, grabador, músico y escritor italiano. Nacido cerca de Nápoles, fue destinado a la carrera sacerdotal, a la que renunció para dedicarse al arte. Llevó una vida aventurera, y de la mayor penuria pasó a vivir con la fastuosidad de un príncipe. Su obra maestra es *La pitonisa de Endor*. Es también autor de *Conspiración de Catilina*, *Prometeo*, *El hijo pródigo*, *La muerte de Abel*, *Jesús discutiendo con los doctores* y otras obras. Sobresalió en la pintura de batallas, paisajes y marinas. Hoy en día se le considera uno de los creadores del paisajismo moderno y, en concreto, prerromántico.

Rosacruz, orden. Hermandad de carácter internacional dedicada a la investigación de los misterios de la naturaleza para aplicar el conocimiento así obtenido al perfeccionamiento de las facultades del ser humano. Se atribuye su origen, según su versión, a la época de los faraones egipcios; según otra, la fundó en Europa central el noble alemán Chistian Rosenkreuz (Rosacruz) que se cree vivió durante el siglo XIII. La hermandad se extendió por Europa y América del Norte. Las ramas existentes en distintos países, forman el Consejo Internacional Rosacruz, y, en su conjunto, llevan el nombre de Antigua Orden Mística Rosacruz. El símbolo de la hermandad consiste en una cruz con una rosa en el centro. *Véase* SOCIEDAD SECRETA.

Rosales, Eduardo (1836-1873). Pintor español, nacido y muerto en Madrid. De origen humilde, su corta existencia fue una lucha constante con la penuria y el infortunio; en sus últimos años, cuando su excepcional talento empezaba a ser reconocido, la tuberculosis vino a turbar las excelentes perspectivas que se le ofrecían para su arte y su bienestar. Hizo sus estudios en la Escuela de San Fernando, y después estuvo pensionado en Roma. Se reveló en la Exposición Nacional de 1864 con su obra *El testamento de Isabel la Católica*, uno de los mejores cuadros de historia del siglo XIX español. Otros lienzos suyos en los que puso de manifiesto sus dotes de colorista sobrio y enérgico, su originalidad de concepción y elegancia de factura son: *Tobías el ángel* (1860), *Don Juan de Austria presentado a Carlos V* y *Lucrecia en el baño*.

Rosario. Importante ciudad y puerto fluvial de Argentina, en la provincia de Santa Fe, ubicada a orillas del río Paraná, considerada la segunda del país. Comercio portuario fluvial de importación y exportación, hacia el cual convergen los productos de una vasta zona. Modernas instalaciones de muelles y grandes elevadores de granos con capacidad aproximada de 500,000 ton. Población 1.118,984 habitantes. Industrias: frigoríficos, producción de manteca y caseína, molinos harineros y yerbateros, cerveza, extracto de quebracho, muebles, textiles, aceites de maní, lino, tártago y girasol, refinerías de azúcar, aserraderos, etcétera. Casi todas estas producciones se destinan a la exportación, particularmente las referentes a cereales y carnes y sus derivados. La ciudad es moderna, con hermosas construcciones, amplias avenidas y paseos importantes; entre éstos se destacan el Parque Independencia, la avenida Costanera, que tiene más de 5 km de longitud, y el Boulevard Oroño.

Rosario tiene una vida social activa, para la que cuenta con el Jockey Club y su hipódromo Independencia, el club social y los que sostienen las principales colonias extranjeras: italiana, española, francesa y alemana, muy numerosas. Cuenta con universidad y escuelas de ciencias económicas, comerciales y políticas, industriales, normales y superiores de comercio; conservatorio de música, academia de bellas artes, bibliotecas y museo. Es sede arzobispal y de altas autoridades nacionales, aunque la capital de la provincia a que pertenece es Santa Fe. Centro ferroviario y de carreteras a todos los puntos del país, a más de su comunicación fluvial, que le proporciona vía propia con el exterior, y es una

Libro del Sumum Bonun *de Robert Fludd*

Emblema rosacruz con una rosa sobrepuesta a la cruz, simbolizando a Jesús y María.

de sus principales fuentes de prosperidad. El crecimiento constante de la ciudad ha ido creando una serie de hermosas poblaciones residenciales en sus vecindades: Fisherton, Alberdi, etcétera, que tienen gran movimiento durante la temporada veraniega. El clima es templado y extraordinariamente cálido de diciembre a fines de febrero, produciéndose repentinos cambios de temperatura. Por ferrocarril la ciudad dista 4 horas y media de Buenos Aires, a la que también la enlazan excelentes servicios de autobuses, que recorren una espléndida carretera pavimentada de 356 km. La característica de esta ciudad es su movimiento permanente y el espíritu emprendedor de sus habitantes, lo que ha hecho que se llame *la Chicago argentina*. Es la ciudad que, después de Buenos Aires, mejor ha aprovechado las grandes posibilidades que ofrece a la república su ubicación geográfica y sus fáciles vías de comunicación. Habiendo sido un fuerte contra los indios en 1689, la ciudad de Rosario fue fundada como tal en 1725 por Francisco Godoy. Su crecimiento y progreso comenzaron a manifestarse en 1854-1857 cuando, a raíz de hallarse en conflicto con el resto del país, el presidente, general Justo José de Urquiza, inició la construcción del ferrocarril, abrió el puerto de Rosario a la navegación internacional, lo declaró puerto único de las 11 provincias confederadas del interior y decretó derechos diferenciales. A partir de 1919 funciona ahí la Universidad Nacional del Litoral.

rosario. Rezo de la Iglesia católica, en que se conmemoran los 15 misterios de la Virgen Santísima. Según la tradición, la Virgen María entregó el rosario a santo Domingo de Guzmán como arma espiritual contra la herejía de los albigenses, que a la sazón causaba estragos en Europa. Otra tradición piadosa afirma que el rezo del rosario ayudó a obtener la victoria de Lepanto, en el año 1571. Pío V le dio gran impulso en los años posteriores y los papas modernos, a partir de León XIII, lo recomiendan insistentemente y estimulan el desarrollo de iniciativas como la *Cruzada del rosario en familia*.

El rosario se utiliza para llevar la cuenta en las oraciones católicas.

Nova Development

En esencia, el rosario es la meditación de los 15 misterios, gozosos, dolorosos y gloriosos de la vida de Jesús y de María, divididos en tres grupos de cinco misterios, que corresponden a diversos días de la semana. Los misterios gozosos, relativos a la infancia de Jesús, se rezan los días lunes y jueves, los dolorosos que recuerdan la Pasión, corresponden a los martes y viernes; los gloriosos, relativos a la vida celestial de Jesús y María, los miércoles, sábados y domingos. A cada misterio corresponde el rezo de un padrenuestro, 10 avemarías y un gloriapatri. Cada serie de cinco misterios se cierra con la Salve o Salutación Angélica y las Letanías de la Virgen. Para facilitar el rezo del rosario, que combina las características de la oración vocal y mental se hace uso de una sarta de cuentas separadas de 10 en 10 por otras de distinto tamaño, y terminada en una cruz.

Rosas, Juan Manuel de (1793-1877). General y político argentino. Desde muy joven se dedicó a las actividades rurales, administrando una estancia de su padre llamada *El rincón de López* en la que aprendió a conocer las modalidades del campo argentino y sus pobladores, que tanto le habrían de servir en su carrera política. No intervino en los acontecimientos de mayo de 1810 ni en todo el proceso revolucionario de la independencia. En 1813, ya casado con Encarnación Ezcurra, dejó la administración de la estancia paterna y estableció sociedad con Juan N. Terreno y Luis Dorrego, dedicándose a la explotación de la ganadería, acopio de frutos del país, saladero de pescados y carnes y exportación de estos productos a Cuba y Brasil. Más tarde organizó la cría de ganado en gran escala, adquiriendo campos sobre el río Salado, que confinaban con las tierras en posesión de los indígenas, y en este lugar fundó su famosa estancia *Los Cerrillos.*

Hombre inteligente y perspicaz, que había impuesto una rigurosa disciplina a su peonada, empezó a hacerse popular a consecuencia de sus eficaces y valerosas acciones contra los indios. Presentó al gobierno el proyecto de organización de una Sociedad de Labradores y Hacendados así como un plan de fomento, policía y defensa de la pampa, en el cual se vislumbraba la futura conquista del desierto. Inició su carrera pública en 1820, al frente de un regimiento de caballería formado por sus peones, armados y vestidos de su cuenta, con los que se constituyó en un elemento de orden en los acontecimientos anárquicos ocurridos en Buenos Aires en ese año, por lo que fue ascendido a coronel de caballería.

Apartado de la política activa, se dedicó a cuidar sus intereses rurales, y por su laboriosidad en el cargo de comandante de la campaña de la provincia de Buenos Aires, adquirió gran prestigio entre hacendados y peones. Sobre todo acrecentó éste por su participación decisiva en la fijación de la nueva línea de fronteras con el indio y la construcción de fortines y demás obras que la aseguraron, actividad que le llevó tres años de trabajos y dio origen a la fundación de las ciudades argentinas de Veinticinco de Mayo, Junín y Bahía Blanca.

En 1828, volvió a participar en política apoyando al gobernador Dorrego en contra de la sublevación de Lavalle. Después del fusilamiento del primero a manos de Juan Galo Lavalle y del retiro de éste de la gobernación, la sala de representantes eligió a Juan Manuel de Rosas gobernador de la provincia en diciembre de 1829. En este carácter firmó con las provincias del litoral el importante Pacto Federal del 4 de enero de 1831, que sirvió de antecedente a la Constitución de 1853. Volvió a ser reelegido tres años más tarde, pero no aceptó el cargo por no haberle sido acordadas facultades extraordinarias. Con el título de brigadier general emprendió en 1833 una victoriosa campaña contra los indios al frente de 2.000 hombres, llegando a las márgenes del río Colorado y explorando el río Negro con vistas a una futura colonización ganadera. Al regreso de esta expedición se produjeron en Buenos Aires tumultuosos sucesos que culminaron con la exoneración del gobernador, y de los cuales había sido Rosas promotor principal desde la sombra.

La legislativa volvió a elegirlo en 1834 para el cargo de gobernador, que tampoco aceptó. Nuevamente volvió a elegirlo en marzo del año siguiente por tiempo indeterminado, exigiendo él entonces "la suma del poder público", que le fue otorgada sin que estuviera obligado a dar cuenta del uso de la misma. Para aceptar el nombramiento impuso como condición la celebración de un plebiscito, cuyo resultado favorable lo llevó al poder. A partir de entonces su gobierno fue de extrema dureza para con sus adversarios, a la vez que éstos no cejaron un instante en sus esfuerzos por derribarlo del gobierno.

Ejerció verdadera autoridad sobre todas las provincias, sometiendo a todos los caudillos. Derrotó a la revolución antirrosista organizada por los estancieros del sur, y sucesivamente sus generales infligieron serias derrotas a las tropas de los generales unitarios Lavalle y Lamadrid. Igualmente hizo frente al bloqueo del Río de la Plata establecido por Francia en 1838, al cual se sumó enseguida Inglaterra. Rosas mantuvo con energía y decisión el derecho de Argentina a dirigir sus propios asuntos y en noviembre de 1845 tuvo lugar en la Vuelta de Obligado una batalla contra la escuadra anglofrancesa. Se llegó a la paz con Inglaterra en 1849 y al año siguiente con Francia.

El gobierno de Rosas tocó a su fin cuando el general Justo José de Urquiza, caudillo y gobernador de Entre Ríos, se pronunció en su contra el 1 de mayo de 1851, tras concertar una alianza con Brasil y los unitarios de Uruguay. El 3 de febrero de 1852 tuvo lugar la histórica batalla de Caseros que acabó con un periodo de la historia argentina. Al ver perdida su causa, Rosas buscó refugio en un barco inglés que lo llevó a Gran Bretaña. Se estableció en una finca en Swathling, cerca de Southampton, donde vivió durante 25 años, teniendo que soportar en ese tiempo dificultades económicas que solventó merced a la ayuda que le fue prestada desde Buenos Aires.

Roscio, Juan Germán (1763-1821). Político y jurista venezolano, nacido en San Francisco de Tiznados. Intervino en la redacción y fue uno de los firmantes del Acta de Independencia de su país. En 1812, siendo miembro del Ejecutivo Federal, contribuyó a la capitulación de Francisco de Miranda, debido a lo cual Roscio cayó en poder de los españoles y fue recluido en los presidios de Ceuta, de donde logró escapar en 1814. Estuvo en Jamaica (1816) y después en Philadelphia (1817). Regresó a su patria en 1918 y participó en el congreso de Angostura (1819), que le designó gobernador de Venezuela al constituirse la gran Colombia. Ocupaba la presidencia de la República cuando murió. En 1817 publicó su obra cumbre, *El triunfo de la libertad sobre el despotismo*, que ejerció gran influjo en la causa de la independencia americana.

Rosenberg, Alfred (1893-1946). Político y escritor alemán, principal teorizador del nazismo. Había nacido en la ciudad rusa de Reval, posteriormente incorporada a la República de Estonia, y estudió arquitectura en Riga y Moscú. Convertido en espectador de la revolución de 1917, huyó hacia Alemania y en 1919 trabó amistad con Hitler, a la sazón oscuro agitador de Munich. Después de acompañarlo en su azarosa campaña política se convirtió en el principal expositor de la llamada *filosofía nacionalsocialista.* Durante la Segunda Guerra Mundial fue nombrado ministro de los territorios ocupados del Este, y ordenó deportaciones en masa y la ejecución de millares de personas. Concluidas las hostilidades fue condenado a muerte por el tribunal internacional de Nuremberg y ahorcado.

Rosenblatt, Ángel (1902-1984). Filólogo venezolano de origen polaco. Historiador *(La población indígena y el mestizaje en América)* y comentarista de los clásicos castellanos, trabajó en el Instituto de Filología donde destacó por su investigación filológica del castellano en América y de manera especial en Venezuela: *Buenas y malas palabras* (1956).

Rosetta, piedra de. Lápida de basalto negro esculpida con tres clases de inscripciones, que sirvió para descifrar la escritura del antiguo Egipto. Fue descubierta en 1799, cerca de la población egipcia de Rosetta, en el delta del Nilo, por M. Boussard, oficial francés de ingenieros, durante la expedición militar de Napoleón a Egipto. En 1802, la piedra fue llevada a Inglaterra y se conserva en el museo Británico de Londres. Tiene 106 cm de alto, 76 de ancho y 27 de grueso; presenta tres inscripciones, labradas en el año 196 a. C., para conmemorar la exención de impuestos al cuerpo sacerdotal de Egipto, otorgada por el faraón Tolomeo V Epífanes. Las tres inscripciones contienen el mismo texto: la inferior, en caracteres griegos; la central, en caracteres egipcios correspondientes a la escritura hierática o jeroglífica; y la superior, también en caracteres egipcios, pero de la escritura demótica o común. Los caracteres griegos, conocidos de los helenistas, se utilizaron para descifrar las otras dos clases de caracteres. Diversos sabios trabajaron en ello durante varios años, pero fueron las investigaciones del egiptólogo francés Jean François Champollion, las que permitieron encontrar la clave para llevar a cabo esa tarea. *Véase* JEROGLÍFICO.

Rosny, Joseph Henry. Seudónimo que usaron indistintamente hasta 1903 los novelistas franceses, nacidos en Bélgica, Henry Boex (1856-1940) y Seraphin Julien Boex (1859-1948). Después de ese año, agregaron a su seudónimo las palabras el *Mayor* y *el Joven*, respectivamente. Pertenecieron a la Academia Goncourt, que ambos dirigieron. Inicialmente se adscribieron al Naturalismo, con el que posteriormente rompieron. En colabaración produjeron varias novelas (*Nell Horn* 1886; *Le termite*, 1890) reveladoras de su curiosidad científica.

Roso de Luna, Mario (1872-1931). Escritor, astrónomo, historiador y teósofo español. Se licenció en ciencias fisicoquímicas, derecho y filosofía y letras. Descubrió un cometa y dos estrellas temporarias, la losa sepulcral de Solana de Cabañas (monumento arqueológico muy antigno) y descifró numerosas inscripciones ibéricas, romanas y góticas. *La Astrobiología* es su obra más conocida, entre otras muchas de difusión científica y de teosofía. Fundó la revista *Hesperia.*

rosoli o resoli. Licor de color rosado, conocido especialmente en Italia, Yugoslavia y Turquía. Es particularmente apreciado el que producen las destilerías de Turín y Zara. Son muchas las fórmulas para su elaboración, pero en todas ellas entran aguardiente rectificado, azúcar, canela y otros ingredientes aromatizantes. Con el nombre de rosoli de quina, se conocía antiguamente una ratafía (licor en que entra el zumo de ciertas frutas) a la que se atribuían propiedades medicinales y tónicas. *Véanse* BEBIDAS; LICOR.

Ross, sir James Clark (1800-1862). Almirante y explorador inglés. Acompañó a sir William Parry en varias expediciones al Ártico (1819-1827) y, en 1829, a su tío John Ross también al Ártico, en un viaje que duró cuatro años. De regreso en Londres organizó una expedición al Antártico y en 1841 descubrió la Tierra Victoria, nombre que le dio en homenaje a la reina de Inglaterra. Allí también descubrió un volcán de 4,000 m de altura, al que denominó Erebus. Fue el primero en llegar hasta los 78° 10' de latitud, límite que no fue sobrepasado sino en 1900. En sus expediciones al Ártico, determinó la posición del Polo Norte magnético (1831) que fijó en los 70° 7' de latitud. En su honor se dio el nombre de Mar de Ross a una parte del océano Glacial Antártico y el de Dependencia de Ross a un vasto sector de la región Antártica en la que también se encuentran la isla de Ross y la barrera de Ross.

Ross, sir John (1777-1856). Almirante y explorador inglés. Encargado de buscar un paso entre el Atlántico y el Pacífico por el norte de América, exploró el litoral septentrional de Groenlandia y llegó al Mar de Baffin. De regreso en Londres publicó *Viaje de exploración a la bahía de Baffin.* En 1829, emprendió la segunda expedición y durante ella descubrió el Golfo de Boothia, y su sobrino James el polo magnético. Después de haber perdido la nave y de cuatro años de increíbles peripecias, regresó a Londres (1834) y dio a conocer su *Relación del segundo viaje en busca del pasaje del noroeste.*

Ross, sir Ronald (1857-1932). Médico y bacteriólogo inglés. En 1881, ingresó en el Servicio Médico de la India, dedicándose al estudio del paludismo. En 1895, dio a conocer sus investigaciones relacionadas con la picadura del mosquito Anofeles, agente trasmisor del paludismo. En 1899, regresó a Inglaterra, con el grado de mayor del ejército, y fue designado profesor de enfermedades tropicales en la Universidad de Liverpool y de otras importantes instituciones científicas. Después de la

La piedra de Rosetta ayudó a los arqueólogos a comprender la escritura egipcia.

British Museum, Londres

Primera Guerra Mundial, fundó el Instituto y Hospital de Enfermedades Tropicales, que lleva su nombre. Fundó y dirigió revistas científicas, y es autor de *La fiebre palúdica* y *Prevención del paludismo*. Cultivó también la poesía y la literatura y publicó *Filosofías y otros poemas*. Fue uno de los más eminentes patólogos de su tiempo y, por sus investigaciones sobre el paludismo, le fue adjudicado el Premio Nobel de Medicina o Fisiología, en 1902.

Rossellini, Roberto (1906-1977). Director cinematográfico italiano. Su película *Roma, ciudad abierta* (1944-1945) inauguró el llamado neorrealismo italiano, escuela cinematográfica que pretende ser un reflejo directo de la vida, y que rehúye las virtuosidades técnicas. Entre su cinematografía destaca *Paisà* (1946), *Alemania, año cero* (1947-1948), *Francesco, guillare di Dio* (1949-1950), *Stromboli, terra di Dio* (1950), *Te querré siempre* (1953), *La paura* (1954), *Europa 1951* (1952), *India* (1958), *El general de la Rovere* (1959), *Fugitivos de la noche* (1960), *Viva l'Italia!* (1960), *Vanina Vanini* (1961), *Atti degli Apostoli* (1968), *La prise de pouvoir par Luis XIV* (1966), *Sócrates* 1970, *Blaise Pascal* (1971) y *L'età dei Medici* (1972).

Rossellino, Antonio (1427-1478). Escultor y arquitecto italiano, cuyo verdadero nombre era Antonio di Matteo di Domenico Gambarelli. Conquistó renombre con sus esculturas para el sepulcro del joven cardenal de Portugal, en la iglesia de San Miniato de Florencia. Su arte se distinguió por la delicadeza de ejecución y la originalidad de su estilo. Sus obras más importantes son: *San Sebastián* (1470), el retrato de Nicolás Palmieri (1468) y el bajorrelieve de *La Anunciación a los pastores*.

Rossetti, Christina Georgina (1830-1894). Poetisa inglesa, hermana del poeta y pintor Dante Gabriel Rossetti. A los 17 años publicó su primer libro de poesías, *Verses*, en las cuales apuntaba ya la riqueza de su visión. En 1861 vio la luz su primer libro importante, *Goblin Market*, que la colocó entre los mejores poetas de su tiempo. Su poesía se caracteriza por su pureza y perfección. Mujer de espíritu delicado, encerrada en sí misma, su melancolía de inclinación religiosa se vertió en una lírica honda y dulce, de tono austero y expresión original. Por su vida de soledad y sufrimiento, se ha dicho de ella que fue tanto una santa como una gran poetisa. Otras obras: *Sing-Song, Spearing Lirenesses, Seek and Find, Time Flies* y *The Face of the Deep*.

Rossetti, Dante Gabriel (1828-1882). Poeta y pintor inglés. Fue uno de los fundadores del movimiento prerrafaelista, que se oponía a la pintura neoclásica iniciada por Rafael y en general a todo el espíritu del Renacimiento. Pero es un espíritu romántico y no medieval, como él mismo pretendía, el que anima sus poemas y cuadros. Éstos representan generalmente a figuras del prerrenacimiento, como la Beatriz de Dante. Su famoso poema *La doncella bienaventurada* (1847), que más tarde inspiró al músico francés Claude Debussy, apareció en el libro *Baladas y sonetos*, sin duda el mejor de este autor, pues figura también en él la conocida serie de sonetos titulada *La casa de la vida*. La doncella bienaventurada es una joven muerta, que en el cielo no puede reprimir sus lágrimas ante la ausencia del ser amado. Este sentimiento de pérdida parece ser también el tema de la vida del poeta. En 1860, se casó con Elisabeth Siddal, a quien enseñó a escribir y dibujar. Mostró ella tanto talento, que llamó la atención de John Ruskin. Pero, falleció dos años después del matrimonio y Rossetti hizo enterrar junto con su cadáver el manuscrito de *Poemas y Sonetos*, aunque más tarde fue recuperado.

Rossi, Pellegrino, conde (1787-1848). Economista y político italiano. Fue educado en Pavía y Bolonia. Cuando cayó Murat, a quien Rossi había secundado, se refugió en Ginebra, donde obtuvo una cátedra de derecho romano. Al ser rehusado su proyecto de Constitución en la Dieta federal extraordinaria de 1832, Rossi se trasladó a Francia. Fue profesor de economía política en el Colegio de Francia. En 1839, fue nombrado par y en 1845 enviado a Roma como embajador de Francia. Después de la revolución de 1848 permaneció en Roma y fue ministro del Interior bajo Pío IX. Murió asesinado en las escaleras de la Cámara de Diputados. Obras principales: *Curso de economía política, Tratado de derecho penal* y *Curso de derecho constitucional*.

Rossini, Giacchino (1792-1868). Compositor italiano, que ejerció decisiva influencia en el desarrollo de la ópera. Oriundo de la ciudad de Pesaro, cursó sus estudios musicales en Bolonia, donde compuso su primera ópera *La cambiale di matrimonio* (1810), cuando sólo tenía 19 años. Aunque escribió su famoso *Stabat Mater*, su renombre proviene de la serie de óperas que compuso con asombrosa celeridad. *Otelo, La urruaca ladrona* y *La italiana en Argel* que gozaron del favor popular, han sido eclipsadas por el brillo de *El barbero de Sevilla* (1816), inmortal ópera bufa inspirada en la comedia de Pierre Augustine de Beaumarchais, arias como *Largo al factótum, La calumnia* y *Una voce poco fa* han quedado como modelos de la ópera italiana, renovada en sus efectos orquestales por este creador de sorprendente fecundidad, que compuso su obra maestra en sólo 15 días.

Cuando gozaba la plena madurez de su talento, ya rico y famoso, juzgó que había llegado al término de su triunfal carrera, poco después del estreno en el Teatro de la Ópera de París (1829) de su obra *Guillermo Tell*, que fue aclamada, declaró ante el asombro y la consternación de sus admiradores, que dejaba de componer y adujo las siguientes razones: "Un nuevo triunfo nada añadiría a mi fama; una caída podría disminuirla. Ni necesito del uno ni quiero exponerme a la otra".

Rostand, Edmond (1868-1918). Poeta y dramaturgo francés, que alcanzó la celebridad con sus obras teatrales en verso. Natural de Marsella, cursó estudios en París, donde se doctoró en derecho. Su primer libro de versos, *Les Musardises* fue recibido con beneplácito, pero no así su primera obra teatral, *Les Romanesques* (1894), que la Comedia Francesa le rechazó primero para solicitarla dos años más tarde y presentarla con un éxito magnífico. Se reveló como un poeta brillante, claro y fácil y de profunda teatralidad, y estrenó sucesivamente y con éxito creciente, *La princesa lejana, La samaritana, Cyrano de Bergerac* (1897), considerada como su obra cumbre, *L'Aiglon* (1900), *Chantecler* (1910) y *La última noche de don Juan*, para citar las más conocidas. Fue miembro de la Academia Francesa.

Rostock. Ciudad alemana, en el estado de Mecklemburgo-Pomerania. Se halla situada en la orilla izquierda de Warnow, a 10 km de su desembocadura en el Báltico. Su población: 232,634 habitantes. La ciudad cuenta con astilleros, fundiciones de hierro y acero, fábricas de papel, instrumentos de música, productos químicos y maquinaria para procesamiento de pescado. En su universidad, fundada en 1419, enseñó Johannes Kepler. Aguas abajo de la ciudad, el río Warnow, que tiene 500 m de anchura forma un estuario en Warnemünde. En la ciudad existen bellos edificios y monumentos. En el Mercado Nuevo se halla la Casa Ayuntamiento de los siglos XIII y XIV. Entre las más notables iglesias góticas se encuentran la de Santa María, la de San Nicolás, en la que se conserva un retablo de madera del siglo XV, y el campanario de San Pedro que mide 126 m de altura. Rostock perteneció a la Liga Anseática hasta su disolución.

Rostov. Ciudad de Rusia, situada en la orilla derecha del Don, a unos 40 km de la desembocadura de este río en el Mar de Azov.

Tiene 1.026,000 habitantes (1994). Es centro comercial de la rica región, y posee una de las más importantes fábricas de maquinaria agrícola de Rusia. Es nudo vital de comunicaciones.

rostro. *Véase* CABEZA.

rotación de cultivos. Procedimiento agrícola que consiste en cambiar un cultivo por otro, por lo general anualmente, en un terreno, una zona o una región. La rotación de los cultivos obedece a diversas causas; la principal de ellas consiste en evitar el agotamiento del suelo. No todas las plantas se nutren con las mismas sustancias y esto permite que un suelo que se ha vuelto pobre para ciertas especies vegetales sea adecuado, en cambio, para otras. Se requieren extensos conocimientos de agronomía para aprovechar al máximo el rendimiento posible de un suelo. La rotación de cultivos, que trata de evitar el empobrecimiento de la tierra, se organiza en series, es decir, en ciclos constituidos por dos, tres o varias clases de vegetales, series cuyo orden no debe ser alterado. El orden del cultivo dentro de la serie es fijado por los técnicos, de acuerdo con cultivos experimentales.

Existen, sin embargo, ciertas normas ya establecidas; por ejemplo, después del cultivo de oleaginosas conviene seguir con leguminosas, porque estas últimas incorporan nitrógeno a la tierra. Otra de las causas de la rotación de cultivos es la necesidad de combatir ciertas plagas. Si una plaga específica de un vegetal ha invadido una región, se cambia ese cultivo por otro resistente a la plaga; esta última, al no poder sobrevivir en él, queda exterminada. El precio variable de los distintos cereales lleva a los agricultores a cultivar los productos que en determinado momento están mejor cotizados, norma poco aconsejable porque se deben tener en cuenta factores que pueden ser perjudiciales. *Véanse* AGRICULTURA; LABRANZA.

rotarismo. Denominación con que se conoce la acción conjunta de los clubes rotarios que existen en diversas partes del mundo y forman la asociación conocida con el nombre de Rotary International. Existen unos 7,500 clubes con un total de más de 350,000 miembros, en un gran número de países. Los propósitos del rotarismo son los de prestar servicios útiles a la comunidad; ajustarse a elevadas normas éticas en el ejercicio de las profesiones y en la práctica diaria de los negocios; fomentar la paz y el buen entendimiento internacional. El primer club rotario se fundó en Chicago, en 1905, y en 1922 se estableció el Rotary International para agrupar a todos los clubes que se habían fundado en distintos países. Cada club está integrado por comerciantes, hombres de negocios y profesionales. El Rotary International tiene su casa matriz en Chicago y oficinas en Londres, Zurich y Bombay. La institución otorga becas a graduados para perfeccionar estudios y auspicia campañas y movimientos para fomentar el bienestar material y el progreso cultural.

Corel Stock Photo Library

Máquina rotativa para impresión de periódicos.

rotativa. Máquina de imprimir que utiliza exclusivamente papel continuo en rollo para la impresión. Los moldes para la misma son cilíndricos y dispuestos de manera que la impresión se logre simultáneamente por ambas caras del papel. Las rotativas modernas de los grandes periódicos disponen de diversos cuerpos de cilindros con lo que pueden imprimir desde 2 hasta 32 páginas de una sola vez. El papel, después de pasar por los cilindros de impresión, sigue su recorrido hasta una dobladura automática que forma parte del cuerpo de la máquina y que va doblando y cortando los periódicos a la misma velocidad en que son impresos.

Existen distintos tipos de máquinas impresoras rotativas. Las de los periódicos utilizan el sistema de impresión directa por medio de planchas de metal cilíndricas estereotipadas. Pueden imprimir en blanco y negro y color, y la velocidad de tiro alcanza en las más modernas a miles de ejemplares por hora. También hay prensas rotativas para la impresión en huecograbado y *offset* en colores, utilizando los procesos de estos dos sistemas combinados con el principio de los cilindros rotativos y papel continuo.

Entre los dispositivos auxiliares con que cuentan las rotativas offset se puede mencionar el alimentador automático de bobinas que hace el empalme de la bobina agotada con la siguiente, de manera automática y sin que pare la máquina. Un túnel de secado, a base de aire caliente a temperaturas de 220 °C a 250 °C, consigue el secado total de la tinta y permite el manejo inmediato del papel a la salida. Los mecanismos de plegado y las cortadoras longitudinales y transversales dan al papel impreso su forma definitiva de pliegos, aptos ya para ser encuadernados. Algunas máquinas disponen incluso de elementos grapadores que entregan el pliego de la revista completamente terminado. Finalmente, sistemas electrónicos de control y registro actúan como alineadores de banda y de tensión y consiguen una gran calidad de impresión, compatible con una alta velocidad de trabajo.

Últimas innovaciones. Varias de ellas van encaminadas a una resolución mejor y más económica en el problema del secado de la tinta, bien sea mediante el empleo de polvos (sistema MPS), o mediante la atracción magnética de polvos-papel (sistema Oxy-Dry). En cuanto a la mejora de impresión propiamente dicha la investigación apunta a tipos de impresión electrostática y a la impresión simultánea de cuatro colores sobre el papel con un solo cilindro impresor para todos ellos, con la posibilidad de multiplicar por cuatro la velocidad de la rotativa.

Rotblat, Joseph (1908-). Físico británico, de origen polaco. Obtuvo el grado de maestría en la Universidad Libre de Polonia en 1932 y el de doctorado en física en la Universidad de Varsovia (1937), en donde fue asistente de director del Instituto de Física Atómica. En 1939, empezó a trabajar en la Universidad de Liverpool con James Chadwick a quien siguió a Los Álamos para tomar parte en el Proyecto Manhattan (fabricación de las primeras bombas atómicas). En noviembre de 1944, cuando se confirmó que la Alemania nazi nunca podría construir la bomba, regresó de inmediato a Inglaterra. Fue el único científico que renunció antes de la devastadora conclusión del Proyecto Manhattan. En 1946, fue cofundador de la Asociación de Científicos Atómicos y en 1947 organizó la exhibición llamada *Atom Train* sobre los usos pacíficos y en contra de las aplicaciones militares de la energía nuclear.

De 1945 a 1949, fungió como director de Investigaciones de Física Nuclear en la Universidad de Liverpool. De 1950 a 1976 fue profesor de física, ahora emérito, en la Universidad de Londres, en el hospital Médico de St. Bartholomew y en el hospital Chief Physicist.

En 1955, fue uno de los 11 firmantes del manifiesto elaborado por Bertrand Russel y Albert Einstein, en donde se invitaba a los científicos del mundo a encontrar la forma de evitar una guerra nuclear. En 1957 fue fundador y primer secretario general de la organización Conferencias Pugwash sobre Ciencia y Asuntos de Guerra, y en 1988 fue su presidente. Es autor de más de 300 publicaciones, incluyendo 20 libros. En 1995, 50 años después de Hiroshima y Nagasaki, Rotblat y las Conferencias Pugwash fueron galardonados con el Premio Nobel de la Paz.

Rothschild. Apellido de una familia de banqueros, cuyos miembros ejercieron influencia preponderante en el curso de las finanzas de Europa durante el siglo XIX. Oriundos del barrio judío de la ciudad alemana de Francfort del Mein, comenzaron a destacarse cuando **Mayer Amschel** (1743-1812), humilde mercader hebreo de dicha urbe, estableció, hacia 1780, una casa de cambio en cuya fachada colocó un escudo rojo *(Rothschild)* como distintivo. El negocio prosperó y fue ventajosamente conocido con el nombre de su distintivo, al extremo de que Amschel cambió su apellido, que era el de Bauza, por el de Rothschild.

La probidad con que conducía sus negocios, le valió ser nombrado agente financiero de Guillermo I, elector de Hesse-cassel, y cuando éste tuvo que abandonar sus estados en 1806, ante la invasión napoleónica, le confió sus tesoros a Mayer Amschel, quien no sólo se los guardó celosamente durante varios años, sino que al regreso del elector se los devolvió aumentados.

A partir de ese momento, la reputación de Mayer Amschel aumentó, sus operaciones adquirieron considerable importancia, y la casa de Rothschild entro en negociaciones con Gran Bretaña y fue el centro financiero que respaldaba monetariamente a los soberanos de las naciones europeas que luchaban contra Napoleón. Mayer Amschel, que tuvo cinco hijos y cinco hijas, envió a sus hijos a fundar sucursales bancarias en Londres, París, Viena y Nápoles.

Jacob (1792-1868). Fundó la sucursal de París en 1810. Hizo grandes empréstitos al gobierno francés y suministró los recursos financieros para la construcción de las primeras líneas de ferrocarriles franceses. Le sucedió su hijo **Alphonse** (1827-1905) que fue regente del Banco de Francia y presidente del consejo de ferrocarriles franceses. La casa Rothschild francesa tuvo una intervención destacada que permitió a Francia el pago de la contribución de guerra de 5,000 millones de francos que le impuso Alemania a la terminación de la guerra de 1870. En 1940, durante la Segunda Guerra Mundial, la casa Rothschild de París fue clausurada, y Edouard Rothschild que la dirigía tuvo que abandonar Francia.

Nathan Mayer (1777-1836). Fundó la sucursal de Londres. Fue el mayor genio financiero de la casa Rothschild. Negoció grandes empréstitos con diversos gobiernos europeos para que continuaran la lucha contra Napoleón. Tomó parte decisiva en hacer de Londres la capital financiera del mundo, al crear los procedimientos bancarios para impulsar el financiamiento de empréstitos extranjeros.

Su hijo **Lionel Nathan** (1808-1879) heredó su genio financiero, y proporcionó al primer ministro británico Benjamin Disraeli, los elementos financieros necesarios para adquirir las acciones que dieron a Gran Bretaña el dominio sobre el Canal de Suez. Fue el primer judío elegido al Parlamento británico en 1847 y elecciones sucesivas, sin que pudiera tomar posesión del cargo hasta 1858, por negarse a prestar juramento contrario a sus creencias hebreas, obstáculo que fue removido en ese año y que inició la supresión de las restricciones civiles impuestas hasta entonces a los judíos en Gran Bretaña.

El hijo de Lionel, llamado **Nathalien** (1840-1915), fue ennoblecido con el título de barón miembro del Parlamento durante 20 años, y el primer judío elevado a la dignidad de par y que ocupó un escaño en la Cámara de los Lores en 1885. Le sucedió su hijo Lionel Walter (1868-1937).

rotífero. Gusano generalmente microscópico del grupo de los troquelmintos, que se caracteriza por tener un aparato vibrátil y retráctil en el extremo anterior del cuerpo. Los rotíferos carecen de corazón y de sistema vascular. Su cuerpo está segmentado exteriormente y se divide en porciones muy desiguales en forma de anillos que encajan unos en otros. Los sexos están separados y se distinguen por su acentuado dimorfismo. Casi todos los rotíferos ponen huevos de dos clases, de invierno y de verano, que transportan consigo. Estos últimos se reproducen por partenogénesis.

Los rotíferos comprenden varias familias, entre las que se encuentran las de los asplácnidos, filodínidos, hidatínidos, braquiónidos y flosculáridos. Viven especialmente en las aguas dulces, formando a veces microscópicas colonias flotantes, dentro de vainas gelatinosas o bien como parásitos.

rotograbado. Sistema de impresión por el procedimiento de huecograbado, pero en prensa rotativa de papel continuo. El proceso es el mismo que se detalla para el huecograbado, utilizándose cilindros de cobre en vez de planchas. El rotograbado se emplea cuando se necesitan grandes tiradas, por la ventaja que representa la gran velocidad con que se logra la impresión. Existen rotativas especiales con diversos cuerpos para la impresión de rotograbado en color.

Diagrama del funcionamiento de una prensa de rotograbado.

Del Ángel Diseño y Publicidad

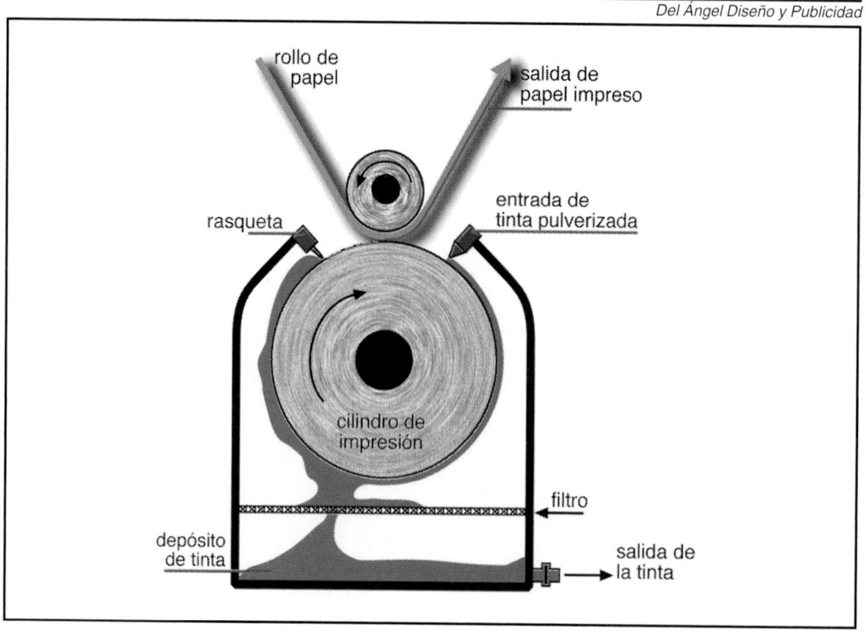

rotor. En mecánica, es la parte o conjunto de partes que giran dentro de un elemento estacionario, como, por ejemplo, la parte móvil en el interior de los motores eléctricos. Se conoce, también, con el nombre de rotor, el mecanismo inventado en 1922 por Anton Flettner destinado a sustituir las velas en la propulsión de navíos.

Rotterdam. Segunda ciudad y primer puerto de Holanda, situada a orillas del río Niuewe Maas, uno de los brazos del Rin, a 20 km de su desembocadura en el Mar del Norte.

Tiene 598,236 habitantes (1.076,442 la aglomeración urbana). Salida natural de la cuenca del Rin, su puerto es uno de los principales del continente europeo, uno de los grandes centros internacionales del seguro marítimo y sede de numerosas compañías navieras. Tiene grandes astilleros, diques secos y refinerías; importantes industrias metalúrgicas, textiles, alimentarias, tabacaleras y cerveceras, destilerías y refinerías de azúcar. Rotterdam es uno de los principales mercados mundiales de algodón, cereales y café. En 1940, la mayor parte de la ciudad fue devastada por los bombardeos alemanes, pero después de la Segunda Guerra Mundial fue totalmente reconstruida: Jacobus Oud fue nombrado arquitecto municipal y se construyeron el Tussendijken (casa para obreros) o la colonia de Kiefhoek.

rótula. *Véase* ESQUELETO.

Rouget de Lisle, Claude Joseph (1760-1836). Oficial de ingenieros, poeta y compositor francés, autor de *La Marsellesa*, el himno nacional de Francia. Lo compuso por indicación del alcalde de Estrasburgo, barón Philippe Frédéric Dietrich, y su familia, para dar un himno a los voluntarios revolucionarios. Ante el grupo familiar lo interpretó por primera vez la noche del 24 de abril de 1792, encendiendo un entusiasmo que rápidamente alcanzó a todo el país. Los marselleses lo adoptaron y le dieron el nombre de *La Marsellesa* que reemplazó al que le había puesto su autor: *Canto de guerra del ejército del Rin*. Cantándolo los revolucionarios llegaron a París y sus notas estimularon el asalto de las Tullerías (10 de agosto de 1792). Pero, el glorioso himno fue ingrato con su patrocinador y su autor: escuchándolo, fue guillotinado Dietrich (1793) y Rouget de Lisie llevó una vida azarosa y pobre. Fue separado del ejército, desterrado, encarcelado, herido en Quiberon; vivió en la pobreza y pasó sus últimos años acogido a la hospitalidad del general Blein. Dejó varias obras literarias, traducciones y composiciones musicales de mérito. Sus *Cincuenta cantos franceses* constituyen una interesante colección patriótica.

Rous, Francis Peyton (1879-1970). Médico estadounidense. De 1906 a 1908 enseñó patología en la Universidad de Michigan y en 1908 en el Instituto Rockefeller de Investigación Médica de New York, donde pasó a ser miembro emérito del mismo en 1945. Fue autor de importantes estudios en el campo de la virología y sus trabajos hicieron posible la valoración de los mecanismos de aparición del cáncer, la formación de los anticuerpos y la generación y destrucción de las células hemáticas. Consiguió demostrar experimentalmente, por primera vez, la transmisión vírica de formas tumorales en el pollo (1910). En 1966, compartió con Charles Bronton Huggins el Premio Nobel de Medicina o Fisiología.

Corel Stock Photo Library

Molinos de viento en Rotterdam, Holanda.

Rousseau, Jean Jacques (1712-1778). Filósofo y educador suizo, nacido en Ginebra de familia francesa. Su padre, relojero, cultivó en él, desde muy niño, la afición a los libros. Separado de su padre, quedó su educación a cargo de un pastor protestante, que vivía en el campo y despertó su amor por la naturaleza. Vuelto a Ginebra trabajó primero en la oficina de un notario y después con un grabador que lo maltrataba. Su único refugio y compensación fueron los libros. A los 16 años se escapó de su ciudad natal y comenzó una vida nómada que duró varios años, y durante la cual fue convertido al catolicismo por madame Warens, que había de ejercer influencia considerable en toda su vida. En 1741 se estableció en París, donde vivió dando lecciones y trabajando como copista; en esta época conoció a Étienne Bonnot de Condillac y a Denis Diderot, en cuya famosa *Enciclopedia* colaboró. Se hizo célebre al ganar el premio de un concurso literario de la Academia de Dijon, con su trabajo: *El progreso de las ciencias y las artes y la corrupción de las costumbres* (1750), seguido por su *Discurso sobre la desigualdad entre los hombres*.

Tras varios años de vicisitudes y de éxitos cada vez más resonantes, se retiró a Montmorency donde escribió *La nueva Eloísa*, *El contrato social* (1754) y *Emilio* (1762). Volvió a la vida errante, trasladándose a Inglaterra, invitado por el filósofo David Hume. Cuando regresó a París se hallaba enfermo y, cada vez más encerrado en sí mismo, arrastró una vida solitaria y miserable hasta que, llamado por el marqués de Girardin, se trasladó a su castillo de Ermenonville, donde murió. Después de su muerte, se publicaron sus *Confesiones* (1782-1788). Como educador, más que un pensador sistemático es el hombre de las intuiciones que han abierto el camino a muchas ideas de la educación actual, y que influyó sobre los conceptos de otros grandes pensadores como Immanuel Kant, Johann Heinrich Pestalozzi y Wolfgang Goethe. Sus ideas esenciales fueron: naturaleza y libertad. La educación ha de seguir a la naturaleza. El hombre ha de poseer libertad, es decir, independencia respecto a los demás. Naturaleza y libertad se completan y forjan la personalidad. Rousseau descubre al niño y sienta las bases de su educación en la psicología infantil, en el respeto a su actividad y a sus sentimientos y emociones. Sus ideas sobre educación se exponen en *Emilio*.

Los conceptos de Rousseau sobre sociología política se hallan en *El contrato social*, donde expone sus ideas acerca del origen y organización de la sociedad humana, con puntos de vista heredados de John Locke, de gran influencia sobre la historia contemporánea, y que constituyeron la base ideológica de la Revolución Francesa y de los movimientos liberadores de América. El conjunto de sus ideas propició el advenimiento del mundo moderno; y aunque fueron muchos sus errores, constituyó un fermento creador para nuevas ideas y nuevos moldes sociales. Su obra tendía a constituir un método para rescatar al hombre de "la maldad acumulada por la cultura artificial y la desigualdad humana".

Roux, Pierre Paul Emilie (1853-1933). Médico y bacteriólogo francés que se destacó, en plena juventud, como colaborador de Louis Pasteur. Sus trabajos de laboratorio lo llevaron a la preparación del suero antidiftérico, cuyo descubrimiento, uno de los más importantes de la medicina contemporánea, compartió con el bacteriólogo alemán Emil Adolf von Behring. En 1904 fue designado director del Instituto Pastear, continuando la obra de su maestro con dedicación y entusiasmo ejemplares.

Rowland, Frank Sherwood (1927-). Químico estadounidense. Ingresó en la Universidad de Ohio Wesleyan durante los años de la Segunda Guerra Mundial y, al cumplir 18 años, justo antes de terminar sus estudios, se enlistó en el programa naval para la capacitación de operadores de radares. En 1948, solicitó su ingreso a la Universidad de Chicago y en 1952 finalizó su trabajo de tesis y se integró al cuerpo de investigación de la Universidad de Princeton como instructor del Departamento de Química. En 1956, entró como asistente del profesorado en la Universidad de Kansas y en 1964 ingresó en la Universidad de California como profesor de química. Durante la década de 1970, investigó con Mario Molina las interacciones químicas en la atmósfera de los clorofluorocarburos (CFC), utilizados ampliamente como y como propelentes en los pulverizadores. Ambos concluyeron que los CFC destruyen el ozono de la estratósfera, incrementando así la cantidad de rayos ultravioleta que llegan a la superficie de la Tierra. Sus predicciones fueron confirmadas en 1985, cuando se descubrió por primera vez un "agujero" en la capa de ozono sobre la Antártida. Por dichas investigaciones Rowland y Molina recibieron en 1995 el Premio Nobel de Química junto con Paul Crutzen.

Royo, Arístides (1939-). Político panameño. Licenciado en derecho por la Universidad de Salamanca, amplió estudios en la de Bolonia. Abogado de la sociedad Morgan (1965) y profesor de la Universidad de Panamá, colaboró en la redacción de la Constitución de 1972. Ministro de Educación desde 1973 y consejero del general Omar Torrijos, fue elegido presidente de la república en 1978. Renunció al cargo en julio de 1982 alegando "razones de salud". Embajador en España 1982-1985.

Rozo, Rómulo (1899-1964). Escultor colombiano nacido en Chiquinquirá. Estudió en la Escuela de Bellas Artes de Bogotá y en el Instituto Técnico Central de esa ciudad. En Madrid asistió a la Escuela de San Fernando, y en París a varios cursos en escuelas prestigiosas. Obtuvo un premio, en el Salón de Artistas Franceses, por su escultura en granito *Dos serpientes sagradas.* Fue profesor de escultura en la Escuela Nacional de Artes Plásticas de la Universidad Nacional Autónoma de México.

Ruan (Rouen). Ciudad de Francia, capital de Alta Normandía y actualmente del departamento del Sena Marítimo y del distrito homónimo. Activo puerto fluvial en el río Sena, es una de las más interesantes ciudades francesas por sus monumentos, sus edificios históricos y sus riquísimos museos. Se destaca su magnífica catedral en bello estilo gótico florido. Centro comercial e industrial de importancia con fábricas de hilados y tejidos, productos químicos, refinerías de azúcar y de petróleo, equipo mecánico, automóviles, papel, partes de aviones etcétera. Su población se eleva a 102,772 habitantes (380,220 la aglomeración urbana). Entre sus hijos ilustres se cuentan Pierre y Thomas Corneille, René Robert Cavalier, señor de La Salle y Gustave Flaubert.

Ruanda. Estado de África central. Limita con Uganda, Tanzania, Burundi, Zaire y el lago Kivu. La sabana herbácea y el prado alternan con bosques de eucaliptos y selva tropical en los montes Virunga. Tiene 26,338 km^2 y 6.853,000 habitantes. La población con una de las mayores densidades de África, se concentra en el oeste, en los alrededores del lago Kivu, y está compuesta mayoritariamente por hutu (bantúes, 85%) y tutsi (nilóticos, 14%) Existe, asimismo, una minoría de pigmeos (twa, 15%) localizados en los sectores cubiertos por la densa foresta ecuatorial. La población urbana alcanza solamente 6% del total, entre los principales núcleos destacan la capital Kigali (237,782 h) Butare y Ruhengeri. Las lenguas oficiales son el francés y el ruanda (kinyaruanda), pero se hablan también el swahili y el inglés. La religión mayoritaria es la católica (65%), creencias tradicionales (15%), protestantes (9%) y musulmanes (9%). Su forma de gobierno es la República unitario y su unidad monetaria es el franco ruandés. Su economía es agrícola en 8%; de esta cifra una parte importante de la producción se dedica al autoconsumo. Los cultivos principales son: maíz, bananas, mandioca, maní, cereales, té y tabaco y para la exportación café y algodón. Cuenta con yacimientos de estaño. Su explotación se interrumpió temporalmente a mediados de la década de los años ochenta para reanudarse a fin de la misma. Cerca de Kigali se encuentra una fundición de estaño y dos centrales hidroeléctricas, en Mukunga y Kitimba. Carece de ferrocarriles y los caminos tienen unos 14,565 km. Existen enlaces de navegación en el lago Kivu y aeropuertos en Kigali y Astrida.

Mujeres de la tribu Hutu en Ruanda.

Corel Stock Photo Library

Ruanda constituye un conjunto cultural lingüístico e históricamente heterogéneo. Perteneció al grupo de reinos del este africano caracterizados por la superposición de una aristocracia, la de los tutsi (ganaderos y guerreros) sobre los hutu (agricultores) y los twa (cazadores, artesanos y guerreros al servicio de los tutsi). La nobleza formaba un grupo fuerte dirigido por un *mwami* o rey absoluto. Los tutsi expandieron su territorio desde el siglo XVI hasta finales del XIX cuando reconocieron el protectorado alemán. Después de la Primera Guerra Mundial, Ruanda-Urundi fue confiado a Bélgica como *territorio bajo mandato* por la Sociedad de Naciones (territorio bajo la tutela de la ONU a partir de 1946). Bélgica reforzó la autoridad de los tutsi hasta que, en 1957, el creciente nacionalismo de este grupo hace que Bélgica apoye a los movimientos campesinos hutu. A finales de 1959 los hutu del noroeste se rebelan persiguiendo e incendiando las casas de los tutsi; los jefes hutu son asesinados por los twa. En 1960, se realizan elecciones en las que gana el Partido del Movimiento de Emancipación de los hutu (Parmehutu) y su dirigente Grégoire Kayibanda. La independencia de la República Ruandesa se declara el 1 de julio de 1962. Kayibanda es reelegido en 1965 y 1969. En 1973 Habyarimana, ministro de Defensa, provoca un golpe de Estado y proclama una adecuada representación de las etnias bajo un partido único, el Movimiento Revolucionario Nacional para el Desarrollo (MRND). En politica exterior, participó con Zaire y Burundi en la conferencia tripartita pare la seguridad y la cooperación económica, en Bujumbura (junio de 1974), con la que dichos estados reforzaron sus lazos con Europa. La creación del Movimiento Revolucionario Nacional para el Desarrollo (MRND) en 1975, como partido único sin distinciones étnicas, fue un intento de resolver el antagonismo entre la mayoría hutu y la minoría tutsi. El régimen militar elaboró una Constitución, aprobada en referéndum (diciembre de 1978), que permitió la elección presidencial de Habyarimana como único candidato. Tras sofocar un intento de golpe de Estado (1980), Habyarimana fue reelegido en 1983 y 1988, sin oposición. Habyarimana gobierna hasta 1990 cuando los rebeldes tutsi del Frente Patriótico Ruandés (FPR) penetran en el país desde Uganda; se instaura el multipartidismo y se liberan 500 presos políticos en noviembre de ese año. El 4 de agosto de 1993 se firman los acuerdos de Arusha entre el FPR y Habyarimana; sin embargo, éste es asesinado en abril de 1994 desencadenando un genocidio contra los tutsis (500,000 muertos) y el éxodo de un millón de personas. Un informe de la Comisión de Ayuda a los Refugiados de la ONU (1995) compara el genocidio contra los tutsi con el holocausto judío. El intento de cerrar el campo de desplazados hutu de Kibeho (al sur del país), por parte del FPR, se saldó con varios miles de víctimas y un nuevo éxodo (abril de 1995), y los hutu refugiados en Zaire rechazaron su repatriación por temor a su integridad física. Las tensiones interétnicas y la guerra Civil larvada persistieron en gran parte de Ruanda, lo que provocó la dimisión del primer ministro Faustin Twagiramungu (28 de agosto), hutu del MDR, tras poco más de un año en el cargo. El Consejo de Seguridad de la ONU creó un Tribunal Penal Internacional para juzgar a los responsables del genocidio. En octubre de 1996, un nuevo conflicto estalló entre Ruanda y Zaire tras la ofensiva protagonizada por el ejército zaireño y las tropas del antiguo ejército hutu ruandés, refugiadas en dicho país, unidos para contrarrestar el avance de los *banyamulengues* (guerrilla tutsi de Zaire), apoyados por Ruanda y Burundi. Como consecuencia, 500,000 refugiados hutu ruandeses en los campos de la región de Kivu, fronteriza con Uganda, Ruanda y Burundi, protagonizaron una huida masiva hacia Ruanda. Entre los refugiados que volvieron a Ruanda se encontraban parte de las antiguas milicias hutu (responsables del genocidio de 1994), algunos de los cuales fueron identificados y juzgados a su llegada al país (diciembre de 1996).

Forma de gobierno. La Constitución aprobada por referéndum el 17 de diciembre de 1978 fue virtualmente abolida en 1994, aunque en mayo de 1995 se consensuó una Constitución de transición. El FPR aseguró el mantenimiento del régimen presidencialista, y el establecimiento de una Asamblea Nacional, elegida democráticamente. El presidente concentraba todos los poderes y era elegido por sufragio universal para un periodo de cinco anos.

Corel Stock Photo Library

Grupo de mujeres campesinas Hutu en Ruanda.

Organizaciones polítical y sindicales. El Movimiento Revolucionario Nacional pare el Desarrollo (MRND), único partido autorizado durante el régimen de Habyarimana, representante de la línea dura hutu, cambió su nombre en 1991 por el de Movimiento Republicano Nacional por la Democracia y el Desarrollo (MRNDD) y quedó proscrito en 1994. El Frente Patriótico Ruandés (FPR), también llamado Inkotanyi, fundado en Uganda por tutsi exilados, pero de orientación multiétnica. El Partido de la Emancipación del Pueblo Hutu (Parmehutu), dominante en 1962-1973 y prohibido en 1973-1991, se convirtió en el Movimiento Democrático Ruandés (MDR), de vocación multiétnica, y unica oposición tolerada después de 1994 junto a al Partido Socialdemócrata, fracción moderada surgida en 1991 como escisión del MRND, el Partido Liberal, creado en 1991, y el Partido Democratacristiano, fundado en 1990.

Los principales sindicatos son la Central de Educación y Cooperación de los Trabajadores pare el Deasarrollo/Alianza Cooperativa Ruandesa (CECOTRAD/ACORWA), creada en 1984 como sucesora de la Confederación Sin dica l de los Trabajadores de Ruanda, y la Central Sindical de los Trabajadores de Ruanda.

Organizacion militar. La guerra Civil situó a la población en mínimos vitales intolerables y destruyeron toda la estructura estatal, incluida la Guardia Nacional.

Hasta entonces, la estructura militar estaba formada por 5,200 hombres de la Guardia Nacional, organizados en 1 batallón y 8 compañíes de infantería, 1 escuadrón y 1 compania de zapadores. Su material pesado se reducía a 44 blindados, 2 aviones contrainsurgencias R-235 Guerrier y algunos de transporte. También existían 1,200 gendarmes.

rubáiyat. Nombre de una forma métrica en cuartetos usada en la poesía persa. Los rubáiyat más populares son los atribuidos al poeta, matemático y filósofo persa Omar Khayyam (s. XII). Sus temas son la vida y el destino misteriosos del hombre, el elogio del amor y de las flores y pensamientos escépticos alternados con hondo misticismo.

Rubbia, Carlo (1934-). Físico italiano. Estudió en la Universidad de Pisa, doctorándose en la Universidad Columbia de New York. En 1961, se incorporó como investigador en el Centro Europeo para la Investigación Nuclear (CERN, por sus siglas en francés) del que posteriormente fue director (1989-1993). En 1969 regresó a Estados Unidos para trabajar en el Fermilab (Laboratorio Nacional Fermi de Aceleradores) de Chicago y desde 1971 fue profesor de la Universidad de Harvard. En 1978 se reincorporó al CERN, donde con la colaboración del ingeniero físico Simón van der Meer, promovió la modificación del acelerador SPS (Super Sincrotón de Protones) para transformarlo en un anillo de colisión protón-antiprotón con el que, en 1983, se descubrieron los bosones W^+, W^- y Z^0. Por dicho descubrimiento, Rubbia y van der Meer recibieron en 1984 el Premio Nobel de Física.

Corel Stock Photo Library

El retrato de una dama *(izq.) y* El Rey David *(der.) de Peter Paul Rubens.*

Rubens, Peter Paul (1557-1640). Pintor flamenco. Nació en Siegen (Westfalia, Alemania), donde su padre vivía. En 1587 Rubens se trasladó a Amberes, donde estudió humanidades y lenguas, y se destacó como notable poligloto: dominó el flamenco, español, alemán, inglés, italiano y latín. Desde la adolescencia sobresalió por su afición a la pintura y de 1592 a 1598 estudió con los maestros Tobias Verhaecht, Adam van Noort y Otto van Veenius. Tenía 21 años cuando el gremio de pintores de Amberes lo admitió en su seno como maestro, hecho no registrado hasta entonces con un pintor tan joven. En 1600 Vicente Gonzaga, duque de Mantua, lo llamó a su lado. En 1603, visitó la corte de Felipe III en Madrid, oportunidad en que se inició la actividad diplomática de Rubens, que años después, bajo Felipe IV, contribuyó a mejorar las relaciones entre España e Inglaterra.

Fue un hombre de portentosa capacidad de trabajo y de gran poder creador. Dotado de una fuerte vitalidad, nadie como él supo captar los diversos matices del barroco y remozarlos con un arte personalísimo y vigoroso. Su concepción artística fue monumental y decorativa, rebosante de formas, luces y de sabia apreciación de la naturaleza. Toda su pintura transmite una fuerza jocunda, henchida de saludable alegría y poblada de figuras y gestos en vigoroso torbellino de fuerza. La plenitud renacentista italiana lo cautivó desde que llegó a Mantua, y su personalidad absorbió el arte de la antigüedad para fundirlo en un mensaje vibrante de pasión, colorido y fuerza.

Fue maestro del desnudo, y en sus obras la carne adquiere elasticidad y los cuerpos colores que hacen presentir la circulación del torrente sanguíneo. Los más variados tonos rojos se asociaron en la pintura de Rubens con el amarillo y el verde, sobre tonos grises y rosa. Fue, en consecuencia, un consumado maestro en la técnica del color, de la ejecución y de la belleza pictóricas, y el más grande maestro de la pintura flamenca, con reminiscencias renacentistas, pero poderosamente personal en un mundo artístico en que se estructuraban las escuelas nacionales.

Entre sus principales obras figuran: *El Bautismo de Nuestro Señor, La caída de los réprobos, La Transfiguración, La Adoración de los Reyes, El descenso de la Cruz, La Asunción de la Virgen, La matanza de los inocentes, El festín de Venus, El juicio de Paris, El jardín del amor* y *El rapto de las sabinas.* Fue un gran artista en todos los temas que abordó: en los históricos, en los religiosos, en el retrato y en íntimas escenas hogareñas. Rubens murió en Amberes el 30 de mayo de 1640 en la plenitud de su gloria y rodeado de un verdadero museo de obras propias y de los mejores maestros antiguos y contemporáneos.

La cacería del zorro y del lobo *de Peter Paul Rubens.*

Corel Stock Photo Library

rubí. Piedra preciosa de hermoso color rojo y brillo intenso Es un mineral cristalizado, variedad del corindón, y una de las piedras preciosas más estimadas en joyería. Debe su color al óxido de cromo que contiene. El color ofrece variedad de tonos y matices, el más preciado es el del rubí oriental, procedente de Myanmar, de un bello color rojo vivo, que suele llamarse *sangre de pichón.* Otra variedad es el rubí espinela, cuya composición química en la que entra aluminato de magnesia, difiere de la de los rubíes orientales, aunque sólo los expertos pueden establecer la diferencia. Birmania suministra al mercado mundial los rubíes más hermosos que se conocen, y su valor excede varias veces el del diamante. Aunque de colorido más opaco y tenue, los rubíes de Sri Lanka y Tailandia son también muy apreciados. Se ha llegado a obtener rubíes sintéticos de dureza y aspecto idénticos a los naturales, y para distinguirlos debe procederse a un examen, por medios ópticos especiales, efectuado por expertos. Los rubíes sintéticos se emplean para pivotes de relojería, y en instrumentos científicos y de precisión. *Véase* PIEDRAS PRECIOSAS.

rubia. Planta de la familia de las rubiáceas. Tiene tallo y hojas espinosas, flores pequeñas y amarillentas, fruto carnoso y negro, y raíces delgadas, largas y rojizas, color al que debe su nombre. Es originaria de Oriente, y en España se conoce también con el nombre de *granza*. Se cultiva por la utilidad que presta su raíz, con la cual se prepara una sustancia roja colorante de mucha aplicación en tintorería. Debido a esto, los botánicos la llaman *Rubia tinctorum*. Su cultivo es antiquísimo, y de ella hablan ya Plinio *el Viejo* y Julio César.

rubicón. Pequeño río de Italia, que según la mayoría de los historiadores es el actual Fiumicino, que desemboca en el Adriático. Debe su fama al hecho de que, siendo el límite convencional entre la Galia Cisalpina e Italia, se había establecido que ningún militar romano con mando de tropas podía cruzar el río y penetrar al frente de sus huestes en territorio romano, sin consentimiento del Senado. Al atravesarlo Julio César al mando de sus legionarios, sin cumplir esa disposición, en enero del año 704 de la fundación de Roma (49 a. C.), se declaró en franca rebeldía contra el Senado y la República. Al cruzarlo, César pronunció su célebre frase *Alea Acta est* ("La suerte está echada"). Éste fue el episodio inicial de la sangrienta guerra civil, en el curso de la cual Julio César derrotó a su poderoso rival, Pompeyo, en la decisiva batalla campal de Farsalia, victoria que señaló el fin de la República romana. La expresión "cruzar el Rubicón" se usa para indicar un acto osado y de importancia decisiva.

rubidio. Elemento químico perteneciente al grupo I A metales alcalinos, de la tabla periódica de los elementos, tiene un masa atómica de 85.46, se funde a los 38.5 °C y es tan blando y maleable que incluso a bajas temperaturas ofrece la contextura de la cera. Su número atómico es 37 y está situado entre el potasio y el cesio, es muy semejante a ellos en sus propiedades. Su símbolo es Rb. Se halla en escasa proporción en ciertas aguas minerales y en las del mar, en las algas y en las raíces de algunas plantas (remolacha, café, té, tabaco, etcétera), en las cenizas de maderas y en unos pocos minerales. Es muy oxidable al aire, descompone el agua a la temperatura ordinaria, emite llamas azuladas en la combustión, y produce vapores verde-azules a la temperatura de 696 °C. Asociado con el óxido de carbono forma compuestos explosivos y la mayoría de los minerales que lo contienen son radiactivos. Su analogía con el potasio hace difícil su identificación, debiendo recurrirse al espectroscopio, Robert Wilhelm Bunsen y Gustav Robert Kirchhoff lo descubrieron en 1861 gracias a este aparato. Forma numerosos compuestos, algunos de los cuales, como el bromuro y el yoduro, se utilizan en medicina.

Corel Stock Photo Library

Anillo de oro con un rubí rodeado de diamantes.

Rubinstein, Anton Grigor'evich (1829-1894). Compositor, director de orquesta y pianista ruso. A los nueve años dio el primer concierto en Moscú, y luego emprendió una gira por Francia y otros países, en los que cosechó ruidosos éxitos y conquistó el aprecio y la estimación de Frédéric Chopin y de Franz Liszt. Su precoz talento fue reconocido y elogiado por todos. Radicado en San Petersburgo, la gran duquesa Helena Pav Lovna lo nombró músico de cámara. Tres años después fundó la Sociedad Musical Rusa y posteriormente el Conservatorio de San Petersburgo, del que fue director hasta 1867. Después emprendió otra gira de conciertos por Europa, que abarcó España e Italia, donde su maestría repitió los grandes triunfos de la primera ocasión. Compuso varias óperas, entre ellas *Los hijos de la Tierra*, *Nerón*, *Los Macabeos* y *Moisés*, y las sinfonías *El océano* y la *Dramática* y dos oratorios: *El Paraíso perdido* y *La torre de Babel*. Opuesto al estilo musical de Richard Wagner, fue un compositor prolífico y brillante, y sus canciones son famosas; pero su celebridad de gran ejecutante supera a la de autor.

Rubinstein, Arthur (1886-1982). Pianista polaco, nacido en Lódz. Discípulo de Ignacy Jan Paderewski, comenzó a dar conciertos a los 12 años. Su técnica notable, plenitud del sonido y ejecución apasionada, le han dado renombre universal. Admirador de la música española, se le considera el mejor intérprete de Isaac Albéniz, a quien ha popularizado en todo el mundo. Manuel de Falla compuso para él la *Fantasía Bética*.

rubio. Pez marino acantopterigio, con cuerpo en forma de cuña. Mide unos 30 cm de longitud y presenta la parte posterior afilada y la cabeza ensanchada, en forma cuadrangular, cubierta de duras escamas, hocico prominente y dientes laterales en el labio inferior. El dorso es de color rojo negruzco, con manchas negras y el resto del cuerpo es plateado, con las aletas dorsales amarillas y las pectorales azules. En la parte inferior de la cabeza nacen tres filamentos delgados. Es de carne comestible, poco apreciada, y abunda en el Atlántico y Mediterráneo.

rublo. Unidad monetaria de Rusia desde 1863, que en 1947 paso a serlo de la Unión Soviética y desde 1991 de nuevo de Rusia y es emitida por el Banco Central de Rusia. Cada rublo se divide en 100 *kopecks*. Su nombre se deriva del vocablo ruso que significa *cortar*, por ser el antiguo rublo un pedazo cortado de una barra de plata.

También es unidad monetaria de Bielorrusia desde 1992, con el nombre de *rublo bielorruso*, que en agosto de 1994 fue sustituida por el *nuevo rublo* a razón de 10 rublos bielorrusos por nuevo rublo. Es emitida por el Banco Nacional de Bielorrusia, y se divide en 100 kopecks. Asi como lo es de Tadjikistán desde mayo de l995, con el nombre de *rublo tadjik*. Es emitida por el Banco Nacional de Tadjikistán, y se divide en 100 kopecks.

En 1922-1923 se llevó a cabo una reforma monetaria que estableció el chernovets como moneda soviética y se introdujo el llamado rublo chernovets como unidad de cambio. En 1947 el chernovets fue abandonado y el rublo pasó a ocupar su lugar. La inconvertibilidad de la moneda soviética restringió el ámbito de su uso y circulación a las transacciones domésticas. El llamado rublo transferible, utilizado en los intercambios entre los países miembros del COMECON, era tan sólo una unidad de cuenta que nada tenía que ver con la circulación monetaria dentro de la antigua Unión Soviética. Una limitada convertibilidad del rublo pare transacciones por cuenta corriente fue introducida a mediados de 1992, como elemento de la política de liberalización del sector exterior que ha caracterizado la transici6n a una economia de mercado. Tras la disolucidn de la URSS, el rublo continuó siendo usado por alqunos de los nuevos Estados ex soviéticos, edemás de Rusia, quien disponía de las planchas de impresión y suministraba rublos en metálico a otros estados. Esta distribución se ejercía de modo unilateral y arbitrario por Rusia, sin la existencia de un marco general que regulase la participación de los diversos estados en la creación de nuevo dinero. Hasta mediados de 1992, los nuevos rublos puestos en circulación continuaban llevando símbolos soviéticos y se conservaba la ficción de su emisión por el ya desaparecido Gosbank. Posteriormente, se introdujeron nuevos diseños en los cuales toda referencia soviética fue eliminada y se procedió a la paulatina retirada de los viejos billetes. Este proceso gradual fue aprovechado pare posibilitar la separación de los sistemas monetarios de Rusia y aquellos Estados ex soviéticos que continuaban usando el rublo, proporcionando a estos

Plantas medicinales de México. *Maximino Martínez*

Ruda. Tallo con hojas y flor.

últimos billetes viejos que serían declarados fuera de circulación en Rusia a finales de julio de 1993. A partir de ese momento, el rublo pasó a ser únicamente la moneda de la Federación Rusa. En septiembre de 1993 se firmó un tratado entre Rusia y otros países ex soviéticos en el que se determinaban de manera general las condiciones pare el uso del rublo ruso por otros Estados en lo que se denominaba una zona del rublo de nuevo tipo, es decir, en la que a diferencia de la situación anterior, el cárácter exclusivamente ruso del rublo se establecía sin ambigüedades. El rechazo a las condiciones ruses precipitó la introducción de monedas nacionales en el último trimestre de 1993. Únicamente Tadjikistán retuvo el rublo ruso en su circulación monetaria, país que introduciria también su propia moneda (rublo tadjik) durante I99S. Por su parte, Bielorrusia conservó la denominación de rublo bielorruso pare su nueva moneda, que tras sufrir una devaluación fue rebautizada, en 1994, como nuevo rublo. El rublo ruso mantiene, sin embargo, un papel importante en las transacciones exteriores de los países de la antigua URSS, dada la importancia de su comercio con Rusia y el amplio superávit de esta nación respecto al resto de la región.

Mujer tejiendo con rueca en Escocia.

Corel Stock Photo Library

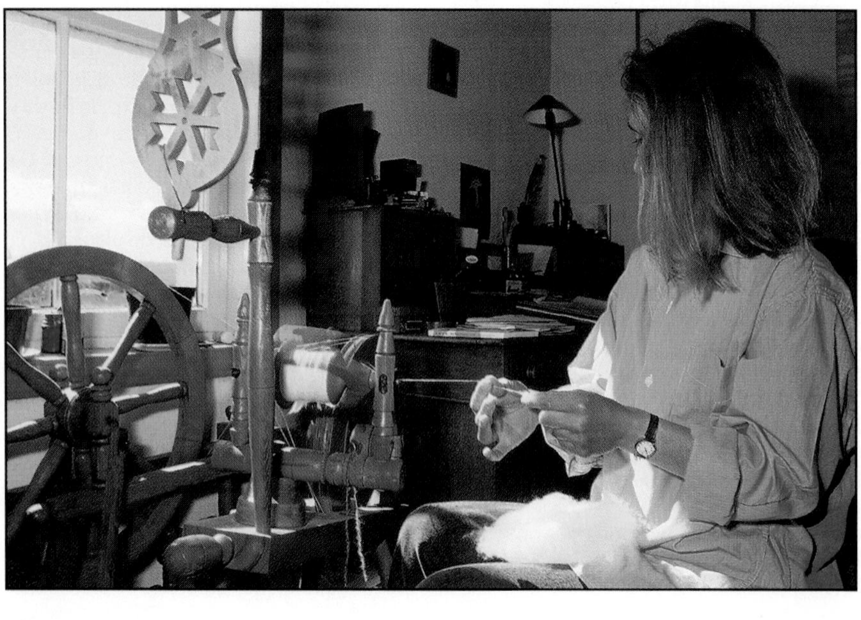

Rückert, Johann Michael Friedrich (1788-1866). Poeta y orientalista alemán, nacido en Schweinfurt. Con el seudónimo de Freimund Raimar publicó los versos antinapoleónicos *Sonetos armados* en 1814. En su juventud, llevó una vida errante. De 1826 a 1841 ocupó la cátedra de lenguas orientales en la Universidad de Erlangen. Conocedor a fondo de las lenguas persa, árabe y turca, tradujo en verso algunos de los libros más famosos de Oriente, entre ellos el poema *Nala y Damayanti, Hamasa* y *Amrilkais, el poeta rey*. Sus libros de poemas más importantes son: *Poesías alemanas, Sonetos armados* y *La corona del tiempo*.

ruda. Planta rutácea perenne muy común en el sureste de Europa, el norte de África y algunos países americanos. Es de olor fuerte y desagradable. Tiene tallos ramosos, hojas alternas, flores amarillas, fruto capsular, y semillas negras, chicas y arriñonadas. Se emplea en medicina y como remedio casero. Sus principios activos más importantes son el aceite esencial y la rutina; contiene, además, ácido rutínico y melina. Se emplea como excitante, emenagogo y antihelmíntica. En medicina se prescribe en polvo, infusión, tintura, etcétera, y en preparados como el aceite de ruda y el bálsamo tranquilo.

Rude, François (1784-1855). Escultor francés, de genio original, que supo expresar el movimiento y que reunió en sus obras a un fino realismo, la pureza clásica. Fue discípulo de Pierre Cartellier. Por sus ideas políticas pasó parte de su vida en el exilio, viviendo en Bruselas, donde fue su mentor artístico el pintor Pierre Jean David, llamado David d'Angers. Son obras suyas *Mercurio ajustándose las sandalias, Juana de Arco* y el *Pescador napolitano*. Su obra maestra es el relieve llamado *La Marsellesa*, en el Arco de Triunfo de París, donde vibra el espíritu de la Revolución Francesa en su figura de mujer tocada de gorro frigio, que incita al grupo de patriotas exaltados a luchar por la libertad.

rueca y huso. Instrumento que sirve para hilar, compuesto de una vara delga-

Corel Stock Photo Library

De arriba abajo y de izq. a der: rueda de tren de vapor; ruedas del mecanismo de un reloj; ruedas industriales de una planta hidroeléctrica, y ruedas de una carreta antigua.

da con un rocadero o armazón en forma de piña hacia la extremidad superior. Es tan antiguo que data de los orígenes del tejido y aún se conserva entre las hilanderas campesinas. El hilo que se obtiene con él es desigual en su grueso y su torcido, siendo, además, el trabajo muy lento. Ha sido desplazado naturalmente por la moderna maquinaria textil, que perfecciona la labor y economiza tiempo. La rueca es inseparable del huso, instrumento manual, generalmente de madera, de forma cónica redondeada, más largo que grueso, que va adelgazándose desde el centro hacia ambos extremos, y sirve para hilar torciendo la hebra y devanando en él lo hilado. En el siglo XIV se introdujo en Europa el torno de hilar, originario de la India. Fue perfeccionado en el siglo XVI y significó un notable adelanto sobre la rueca primitiva. *Véanse* HILANDERÍA; HILADOS.

rueda. Mecanismo circular y rotatorio, que, por lo general, gira en torno a un eje. Surge en la historia del hombre cuando éste ya conoce la forja de los metales y su manejo de la madera le permite asimilarla a la forma curva y adaptarla al movimiento de rotación. Su destino inicial fue servir al rodado de los carros de transporte, significando con esto un gran progreso sobre el transporte a lomos de caballería.

Las primeras ruedas fueron simples discos o platos (llamados de *centro lleno*) y sólo una evolución de siglos llevó al tipo actual de rueda radiada, que consta de tres partes: el cubo, o piñón central, de donde –a modo de abanico– brotan los rayos que van a insertarse en la corona o llanta. Esta última va protegida por un aro de hierro llamado calce. Por su parte el cubo también está revestido por zunchos del mismo metal, provisto además de un manguito o baje, de hierro o bronce, cuya misión es impedir el desgaste mecánico y disminuir el roce con el eje, pieza cilíndrica o en forma de cono truncado –de madera o hierro– que permanece fija mientras a su alrededor gira la rueda. El eje constituye la base geométrica de la rotación, y, en este sentido, tiene las propiedades de la línea recta que pasa por el centro de un cuerpo.

Durante siglos la rueda ha girado por el camino del progreso humano en la carreta, el carro, la carroza, el carruaje, el coche, hasta que, abandonando la madera, y optando definitivamente por el acero, adquirió las velocidades del tren, y superó todas las marcas hasta entonces conocidas, reduciendo el tiempo necesario para recorrer las distancias a poco menos de la décima parte. Luego, cambiando su calces metálicos por neumáticos de caucho, ha duplicado su velocidad, gracias al automóvil. En nuestra época el avión ha llegado a superarla; pero –aún en él– sigue siendo necesaria la rueda como pieza de despegue y aterrizaje.

Fuera del transporte, la rueda ha tenido múltiples y sorprendentes aplicaciones en la hidráulica (turbinas, molinos, etcétera); en la mecánica (rueda dentada, volante de máquina, polea de trasmisión, etcétera); en la náutica (rueda de timón, etcétera) y, en nuestra edad industrial, gira incesante, tanto en el engranaje de las grandes máquinas como en el delicado mecanismo de un reloj pulsera.

rueda hidráulica. Tipo especial de rueda destinada a transformar en fuerza motriz o aprovechable la energía contenida en los caudales de agua. Estos aparatos eran ya conocidos en los tiempos más remotos. Salvo la fuerza irregular del viento, o la más regular, del animal o del hombre, constituían los únicos motores empleados para accionar las rudimentarias maquinarias. La utilización industrial del vapor, de los motores de explosión, y de la electricidad fue desterrando tales artefactos, que se usaron por muchos años; en el siglo XIX había todavía fábricas de tejidos, de harina o de papel movidas por este primitivo sistema. Las turbinas que en la actualidad utilizan las centrales hidroeléctricas pueden ser consideradas como ruedas hidráulicas perfeccionadas. Herón de Alejandría, Vitrubio y muchos otros diseñaron diversos modelos de ruedas de ese tipo; alguno, como Isaac de Caus, proyectó una curiosa combinación de balancines y émbolos para lograr el movimiento continuo, que constituyó la obsesión de los físicos e inventores de los siglos XVI y XVII. Las ruedas hidráulicas son, esencialmente, de dos clases: las que aprovechan una corriente por la simple acción del choque que ésta produce sobre cualquier obstáculo que se le interponga (ruedas de paletas, verticales o inclinadas respecto a su eje como la del matemático francés Jean Victor Poncelet); y las que aprovechan la diferencia de nivel del líquido, en cuyo caso el agua actúa como un peso que las hace girar por gravitación (ruedas de canjilones). Estas últimas tienen la particularidad de que, si su movimiento se efectúa a la inversa, con la ayuda de una fuerza suplementaria, sirven para elevar el líquido de un plano inferior a otro superior. Las norias son una aplicación de este tipo de ruedas hidráulicas. Las ruedas de paletas fueron utilizadas como elemento de propulsión, antes del descubrimiento de la hélice, en los primeros barcos de vapor.

Rueda, Lope de (1505-1565). Dramaturgo y actor español, nacido en Sevilla. Al igual que sus padres fue artesano, pero abandonó su oficio de batihoja (batidor de panes de oro), para dedicarse al teatro, incorporándose a alguna de las compañías que por entonces recorrían las ciudades y pueblos españoles representando farsas y coloquios. En 1551, aparece ya como autor conocido y con compañía propia en Valladolid, donde construyó un corral para comedias y recibió un salario que le asignó el ayuntamiento de la ciudad. Representó sus propias obras en las principales ciudades de España, y tanto reyes y magnates como el pueblo que acudía a verlo, premiaban su labor de autor y actor con extraordinario aplauso. Cervantes recordaba con agrado "haber visto actuar al gran Lope de Rueda, varón insigne en la representación y en el entendimiento", agregando que "fue admirable en la poesía pastoril, y en ese modo ni entonces ni después acá ninguno le ha llevado ventaja".

Las obras de Lope de Rueda fueron editadas poco después de su muerte por Juan de Timoneda (Valencia, 1567). Estas obras, aparte del *Auto de Nabal y Abigail*, de cuya atribución se duda, se componen de los tres coloquios *Camila*, *Timbria* y *Prendas de amor*; las cinco comedias *Eufemia*, *Armelina*, *Medora*, *Los engañados* y *Discordia y cuestión de amor*; y los diez *pasos* puestos bajo el título común de *El deleitoso*. En los primeros géneros, comedias y coloquios, Lope de Rueda se inspira casi siempre en el teatro italiano de carácter eglógico y pastoril, o de aventuras novelescas, bien que introduciendo personajes y escenas de marcado sabor popular español. Aun en estas obras, en las que sigue una corriente literaria convencional, Rueda atina a introducir pinceladas costumbristas y modismos de expresión en los que principalmente radica su originalidad y que hacen de él el verdadero iniciador del teatro español. En este aspecto, donde más se destaca su aportación es en los "pasas", consistentes en escenas breves, sin intriga ni desenlace, meros diálogos jocosos, para ser representados como piezas accesorias y de entretenimiento, entre dos actos de una comedia o antes de empezar ésta. El tema, muy sencillo, suele darlo la presentación de un personaje burlesco, el *simple* o bobo, del que nacerá el tipo del *gracioso*, tan bien perfilado en las obras dramáticas del Siglo de Oro. Los diez "pasos" de Lope de Rueda se titulan: *El caminante*, *El convidado*, *La carátula*, *La ciudad de Jauja*, *El rufián cobarde*, *Cornudo y contento*, *Pagar y no pagar*, *La generosa paliza*, *Los lacayos ladrones* y *Las aceitunas*. El más famoso de todos es este último. En opinión de Marcelino Menéndez Pelayo, "el mérito positivo y eminente de Lope de Rueda no está en la concepción dramática, casi siempre ajena, sino en el arte del diálogo, que es un tesoro de dicción popular, pintoresca y sazonada, tanto en sus pasos y coloquios sueltos, como en los que pueden entresacarse de sus comedias".

Rueda, Salvador (1857-1933). Poeta español nacido en Benaque (Málaga). De origen humilde, durante los primeros años de su vida, ejerció diversos oficios. Pasó después a Madrid, donde fue protegido por Gaspar Núñez de Arce, que le consiguió un destino en la *Gaceta de Madrid*. Desde sus primeros libros poéticos se vio en él a un renovador y, como tal, fue elogiado por los mejores escritores de la época. Triunfó en Hispanoamérica y Filipinas, y en 1910 fue coronado poeta en el Gran Teatro Payret de Cuba. Posteriormente se retiró a Málaga, donde fue nombrado director de la Biblioteca Provincial, y pasó casi ciego los últimos años de su vida. De fantasía exuberante, sus versos están llenos de imágenes y metáforas refulgentes, a veces excesivas. Escribió cuentos y cuadros de costumbres (*Sinfonía callejera*, 1893), novelas (*El gusano de luz*, 1882; *La reja*, 1890; *La cópula. Novela de amor*, 1906), piezas teatrales (*La Musa*, 1902), ensayos (*Mi estética*, 1918) y libros de versos (*Noventa estrofas*, 1883; *En tropel*, 1892; *Camafeos*, 1897 y *Cantando por ambos mundos*, 1914).

Ruelas, Julio (1870-1907). Dibujante, grabador y pintor mexicano. Estudió en la antigua academia después convertida en la Escuela Nacional de Bellas Artes, y en París. Fundó la *Revista Moderna* (1895). Es quizá el último de los pintores románticos. Su pintura revela un espíritu atormentado, una mezcla de angustia y erotismo y una fusión de *art nouveau* y *superrealismo*. Son particularmente sobresalientes sus dibujos y grabados. Como grabador destacó por sus series La escalera, La muerte, La esfinge, La caridad y La crítica, fechadas en París entre 1906-1907.

Ruffo, Tittá (1878-1953). Famoso barítono italiano considerado el más grande de su época. Estudió con Persichini en Roma y Cassini en Milán. Debutó en Roma cantando el papel de Herald de *Lohengrin* (1898) con gran éxito, el cual fue siempre una de sus creaciones. Se presentó en todas las grandes capitales de Europa y América. A su magnífica voz unió excepcionales cualidades de actor, y entre las óperas en que sobresalió, como barítono y actor, se destacan *Rigoletto*, *Don Juan* y *El barbero de Sevilla*.

rugby. *Véase* FUTBOL RUGBY.

Ruhmkorff, Heinrich Daniel (1803-1877). Mecánico inventor alemán. Trabajó en los talleres de Chevalier, en París, destacándose como constructor de aparatos electromagnéticos y galvanómetros. Se le debe la invención del aparato inductor con interrupción de la corriente por medio del martillo de Wagner y del carrete o bobina de su nombre, que fue ampliamente utilizado como fuente de energía en los bilbos de Geissler y Crookes.

Ruhr. Río de Alemania, afluente del Rin, que da nombre a una cuenca hidrográfica de 4,500 km^2 que concentra a las grandes industrias del país. Es una de las regiones más densamente pobladas del mundo, pues ha llegado a contener 7 millones de habitantes. Nace el río en la meseta de Winterberg. Es notable por su caudal y una tercera parte de sus 240 km de extensión son navegables por barcos de hasta 1,500 ton. Cruza el valle de su nombre y después de Duisburgo entra en un canal que lo lleva al Rin en un punto a 20 km al oeste de Essen. La región del Ruhr es el primer gran centro industrial de Europa; tiene para ello múltiples yacimientos carboníferos y facilidades de comunicación con el resto del país y salidas al Mar del Norte a través de Holanda y de la propia Alemania. Entre sus principales centros industriales se cuentan: Essen, Bochum, Dusseldorf, Dortmund, Duisburgo y Mulheim, y hay en ellos, particularmente, fundiciones de acero y hierro. De estos productos Alemania ha obtenido durante muchos años una cantidad mayor que la producida por cualquier otro país de Europa. En la cuenca del Ruhr se hallan las famosas fábricas de armamentos y municiones de Krupp.

El Ruhr es el centro de la gran industria metalúrgica alemana y la base de su poderío industrial y de sus fábricas de armamentos. Durante la Segunda Guerra Mundial sufrió los más intensos bombardeos aéreos que aniquilaron sus ciudades y fábricas más importantes, y destruyeron la mayor parte de las industrias de material de guerra de la región, lo que contribuyó en gran medida a la derrota de Alemania. El Ruhr fue ocupado por tropas británicas y francesas, y a partir de 1946 se inició su reconstrucción. Al constituirse en 1948 la República Federal Alemana, el Ruhr pasó a formar parte de Nord Rheim-Westfalia, uno de los nueve estados que integraron dicha república. Las restricciones militares impuestas por los aliados a la producción industrial fueron derogadas en 1952, al entrar en vigor el tratado por el cual se creó la Comunidad Europea del Carbón y el Acero, que establece un mercado común para esos productos en el que participan Alemania, Bélgica, Francia, Holanda, Italia y Luxemburgo, naciones signatarias del tratado.

ruibarbo. Hierba vivaz, de la familia de las poligonáceas, originaria del Asia Central. Mide entre 1 y 2 m de altura. Sus hojas, radicales, provistas de pecíolo, son grandes, dentadas con la cara superior áspera y la inferior nervuda y cubierta de vello. Sus florecillas, amarillas o verdes, se agrupan en espigas, que ramifican desde el tronco. El rizoma, de exterior pardo e interior rojizo, es muy amargo, y de ahí viene el decir: "amargo como el ruibarbo". Su raíz, que se conoce comercialmente con el mismo nombre de la planta, tiene virtudes terapéuticas, y es generalmente prescrita como purgante. El fruto, seco, es una semilla única, de forma triangular.

ruido. Sonido inarticulado y confuso más o menos fuerte. Para la informática y las telecomunicaciones el término se refiere al error introducido en los datos enviados por un canal de transmisión de la información, consistente en la pérdida o adición de bits ajenos a la información original. En electrónica se le llama *ruido eléctrico* o simplemente *ruido*, y puede aparecer en cualquier sistema empleado para recoger o transmitir información, como radios, televisores, computadoras, etcétera. Se puede originar externamente al aparato o en su interior, debido a causas naturales, como el ruido térmico de una resistencia eléctrica, o bien a la interferencia originada por otros aparatos, como motores o generadores eléctricos. En general, el ruido debido a fenómenos naturales no puede reducirse por debajo de cierto nivel, y un buen diseño asegura un funcionamiento eficaz sólo en presencia de ese ruido irreducible. En lo que se refiere a aparatos de sonido, como radios o caseteras, suele denominársele vacío.

Las fuentes de ruido eléctrico se pueden clasificar en no fluctuante y fluctuante. El ruido no fluctuante es, por lo común, el resultado de la radiación de otros equipos eléctricos, de acoplamientos accidentales con otros sistemas o bien de oscilaciones parásitas producidas en el propio circuito. Por el contrario, el ruido fluctuante es no predecible, aunque puede presentar cierta regularidad estadística. Atendiendo a su naturaleza, origen o efectos, el ruido fluctuante recibe las siguientes denominaciones: ruido térmico, de fluctuación, de contacto, de distribución o de partición, y de granalla o de parpadeo.

ruina. Acción de caer o destruirse una cosa. Se designa con el nombre de *ruinas*, los restos de un edificio arruinado. En arquitectura, se aplica el término de ruina a un edificio u obra que presenta señales evidentes de desagregación que hace temer su destrucción. Una ruina puede ser

Corel Stock Photo Library

El ruido producido por los motores de un avión, puede ser muy alto.

Ruinas de un edificio después de un terremoto en San Francisco, E E. U U.

Corel Stock Photo Library

incipiente, avanzada o inminente. En el primer caso, significa que la obra se encuentra al principio de la desorganización de sus partes principales, como cimientos, muros de fachada, etcétera. Se considera ruina avanzada cuando los destrozos son muy marcados, pero las partes amenazadas se sostienen firmemente. Se llama *ruina inminente* cuando la obra se mantiene todavía en pie debido a causas no averiguadas, como sujeción de algunos morteros o cargas que contrarrestan los empujes, aunque puede hundirse en cualquier momento. La ruina se anuncia por grietas más o menos profundas, por desplomes, por pandeos en los muros y otras señales de deformación. Para conocer si una grieta es peligrosa hay que estudiar primero su dirección, ya que si se trata de un tabique o medianería carece, por regla general, de importancia, si se presenta sola; pero si son varias que van en la misma dirección indican la desviación de un muro de crujía, lo cual es temible.

ruiseñor. Pájaro canoro de la familia de los túrdidos, del género *Luscinia*. Es de color gris oscuro en la parte superior y blanco sucio por debajo, con garganta más clara. Las crías tienen manchas amarillas y negruzcas. Vive en el verano en Europa y norte de África en la espesura de los bosques cercanos al agua, siendo aficionado a las proximidades de las viviendas humanas, y muy manso y confiado con el hombre. Es muy fácil de cazar, pero muy delicado, pues no resiste el cautiverio y muere de tristeza. El ruiseñor se mueve siempre con altivez y tiene un canto muy especial, con notas llenas y variaciones agradables y armoniosas, alternando los tonos plañideros y alegres con gracia indescriptible. Vive en perfecta armonía con las otras aves, siendo muy raro que luche con sus semejantes. Vive en parejas, conservando cada pareja su dominio sin permitir la proximidad de los intrusos. El macho comparte con la hembra la incubación de los huevos y la alimentación de los pequeñuelos.

Ruiz, Juan (1283?-1351?). Poeta español, comúnmente conducido por la designación de *Arcipreste de Hita*, autor del llamado *Libro del buen amor*, que es una de las obras capitales de la literatura castellana. Sólo ha podido conjeturarse algo acerca de la vida del autor tomando pie en lo que se considera que ha puesto de sí propio en su obra. Así, se cree que nació en Alcalá de Henares dentro del último tercio del siglo XIII, y que fue hombre de genio alegre, como el protagonista del *Libro*. Fue arcipreste de la villa de Hita, en la provincia de Guadalajara, y, según deduce el erudito Julio Cejador, persona leída y entendida en Sagrada Escritura, derecho civil y canónico, en la erudición latino-eclesiástica de su siglo y en las obras literarias que hasta entonces se habían escrito en lengua vulgar. De otras estrofas de su libro se colige que fue personaje de confianza de don Gil de Albornoz, cardenal de Toledo.

Pero, el arcipreste cayó en disfavor del cardenal y fue encarcelado por mandato de éste. Estuvo en la prisión 13 años, durante los cuales escribió la única obra que de él se conoce: el *Libro del buen amor*. En su cuerpo principal esta obra es un largo poema en el que se relatan las aventuras del protagonista, el supuesto arcipreste; lleva intercalados, además, diversos episodios, multitud de fábulas o apólogos y un vasto cancionero. Trátase, pues, de un libro heterogéneo, aunque referido siempre a su tema central, escrito en su mayor parte en coplas de la llamada *cuaderna vía*, si bien contiene versos de todas clases y estrofas variadísimas. En cuanto a su sentido, cabe concluir, con Cejador, que la idea capital está en pintar al hombre mundano, que conoce el mal que hace viviendo desordenadamente y se arrepiente. El buen amor es la virtud, la piedad, el amor a Cristo, y el *amor loco* es el amor desordenado y deshonesto.

Ruiz Aguilera, Ventura (1820-1881). Poeta y periodista español, nacido en Salamanca y fallecido en Madrid. Cursó en su ciudad natal la carrera de medicina, que casi no ejerció. Ingresó en las filas del progresismo, postura ideológica que formó parte de su labor periodística.

Escribió piezas de teatro, unas adaptadas y otras propias, como *Camino de Portugal*, *Flor marchita* y *Bernardo de Saldaña*, ésta en colaboración con Zea. Lo mejor de su obra son sus poesías, en especial las de carácter patriótico que recogió en *Ecos nacionales* (1849 y 1854) y las de carácter íntimo y emoción sincera que le inspiró la muerte de su hija y que tituló *Elegías* (1862). Fue director del museo Arqueológico Nacional.

Ruiz Cortines, Adolfo (1890-1973). Político mexicano, nacido en Veracruz. En 1913, tomó parte en la lucha contra la dictadura de Victoriano Huerta y militó en el ejército constitucional (1914-1926), donde alcanzó el grado de mayor. Colaboró con Lázaro Cárdenas, quien le nombró oficial mayor del Departamento del Distrito Federal (1935-1937). Diputado por Tuxpan (1937-1939), fue gobernador de Veracruz (1944-1948) y secretario de Gobernación con Miguel Alemán (1948-1951). Fue presidente constitucional de la república de 1952 a 1958. Su gobierno concedió atención preferente a la elevación del nivel cultural del pueblo, se le concedió el voto a la mujer, la continuación de la reforma agraria y el desarrollo equilibrado de la agricultura y la industria como grandes factores en la prosperidad de la nación. En 1961, fue designado delegado de Nacional Financiera para la explotación de minerales no metálicos.

Ruiz de Alarcón y Mendoza, Juan (1581-1639). Ilustre dramaturgo del Siglo de Oro y una de las figuras de mayor renombre de las letras mexicanas y españolas. Nació en México, en el Real de Minas de Taxco (Guerrero) y murió en Madrid (España). Descendía de la noble familia española de los Mendoza. Estudió leyes en la Universidad de México, y después de trasladarse a España, en 1600, en la Universidad de Salamanca, donde continuó sus estudios. En 1608 regresó a México y se graduó de licenciado en leyes. Hizo oposiciones, sin éxito, a varias cátedras, y ejerció la abogacía en la Audiencia de México. Desalentado por las dificultades con que tropezaba para abrirse paso, a las que contribuía su aspecto físico, corcovado de pecho y espalda, regresó a España en 1614. A pesar de su ilustre prosapia, tanto en México como en España, padeció estrecheces económicas, hasta que, en 1626, fue nombrado Relator del Consejo de Indias, y mejoró su situación.

Su iniciación literaria tuvo lugar en México, y sus obras maestras vieron la luz en España. Su ascensión en los dominios de las letras fue lenta, penosa, llena de inmerecidos sinsabores que amargaron su vida. Su defecto físico y el orgullo de casta en que se refugiaba para poder sobrellevarlo, fueron blanco de las sátiras sangrientas de grandes ingenios del Siglo de Oro español, que lo zaherían con apodos crueles y versos sangrientos. como el de la conocida quintilla:

> Tanto de corcova atrás
> y adelante, Alarcón, tienes,
> que saber es por demás
> de donde te corco-vienes
> o adonde te corco-vas.

Llegó a la escena literaria de Madrid en momentos en que estaban en la cumbre de su fama, Góngora, Lope de Vega, Tirso de Molina, luminarias de la pléyade más admirable de las letras españolas. Y Alarcón, desconocido y contrahecho, concitó sobre sí la hostilidad de los grandes autores y la malquerencia del público, al que llamaba *bestia fiera*. En condiciones tan adversas, estrenó su obra *El Anticristo*, cuya representación trataron de interrumpir sus enemigos literarios, mezclando sustancias pestilentes en el aceite que quemaban las lámparas del teatro.

Su producción, comparada con la tan fecunda de los ingenios españoles de su época, resulta exigua. Pero no es la cantidad, sino la calidad, el verdadero mérito de las obras de Alarcón. Escribió 24 comedias, y alguna más en colaboración. De las escritas completamente por él, hay varias que figuran entre las joyas más valiosas tanto del teatro clásico español como del universal.

En algunas de sus obras, se percibe la influencia de Lope de Vega y Tirso de Molina; pero cuando llegó a adquirir la plenitud de facultades, realizó admirable labor, en que suple la fecundidad y facilidad con voluntad, constancia y meditación cuidadosa, dando vida a un arte propio, original a fuerza de imaginación creadora, observación profunda y análisis psicológico.

La trama de sus obras revela dominio armónico de las proporciones, su estilo se distingue por la sobriedad y la precisión, su versificación es elegante y los diálogos, que están fraseados en lenguaje sencillo, son ingeniosos y brillantes.

Dotado de profundo sentido de los valores éticos, supo reflejarlos en los argumentos y personajes de sus comedias, y la elevada moralidad que propugna en sus obras ha hecho que se le comparara, con Publio Terencio. Debido a ello, la obra de Alarcón fue una de las influencias decisivas en la incorporación al teatro de la comedia moral.

Entre sus obras maestras, merecen mención especial, *La verdad sospechosa*, *Los pechos privilegiados*, y *Las paredes oyen*. En *La verdad sospechosa*, llega a la máxima perfección de su arte. Con esa comedia, el teatro de Alarcón rebasa la limitación de ser simplemente español y pasa a la categoría de universal. Pierre Corneille, gloria del teatro francés, no tuvo reparo en captarla y basarse en ella para su célebre comedia *Le menteur*, y tanto el teatro español como el francés, posteriores a Alarcón, deben a éste el descubrimiento de nuevos rumbos, que han sido de gran trascendencia en la evolución y perfeccionamiento de la comedia moderna.

Ruiz Wilches, Belisario (1887-). Ingeniero, astrónomo y matemático colombiano, miembro de la Comisión de Límites con Venezuela y con Brasil. Elaboró los planos para la construcción del edificio del Instituto Geográfico Militar, del cual fue director, catedrático de la Universidad Nacional y director del Observatorio Astronómico de Bogotá. Es autor de obras científicas y director de la revista de la Academia Colombiana de Ciencias Exactas, Físicas y Naturales. Hizo investigaciones sobre la refracción atmosférica en los trópicos.

ruleta. Juego de azar, de origen francés, que consiste en una rueda horizontal dividida en 36 casillas radiales de colores rojo o negro, alternados. Se hace girar la rueda y se lanza sobre ella una bolita de marfil que, al debilitarse el impulso, termina encajándose en alguno de los compartimientos, señalando con ello el número

Corel Stock Photo Library

Ruleta para juego en Las Vegas, Nevada.

ganador. El juego permite también hacer apuestas a otras combinaciones como color, pares y nones, calle, etcétera. *Véase* JUEGO DE AZAR.

Rulfo, Juan (1918-1986). Novelista y cuentista mexicano, nacido en Sayula (Jalisco). Estudió contabilidad y desempeñó varios cargos públicos. Fue miembro del Instituto Indigenista y escribió guiones para el cine y la televisión. Es autor de una colección de cuentos, *El llano en llamas* (1953), y una novela, *Pedro Páramo* (1955). La técnica narrativa empleada en ambas es de origen kafkiano, aunque también le debe bastante a las concepciones literarias de Agustín Yáñez, sobre todo en el análisis psicológico de los personajes. Éstos, aunque pertenecen al ambiente rural de México, adquieren una proyección universal en la obra de Rulfo; su novela, a pesar de la aparente falta de lógica, está cuidadosamente realizada. Además de Franz Kafka, fue influido por otros escritores extranjeros: Leonid Andreiev, John Dos Passos, Ernest Hemingway, William Faulkner; pero la raíz de sus relatos es el mundo indígena de su país. En 1983, se le otorgó en España el Premio Príncipe de Asturias. En 1994, póstumamente, se publicó *Cuadernos de Juan Rulfo*, que incluye su biografía y varios relatos.

Rumania. País situado en el sureste de Europa, al norte de los montes Balcanes y al occidente del Mar Negro. Ocupa una extensión de 237,500 km^2. Limita al noreste con Ucrania al noroeste con Hungría; al suroeste con Yugoslavia; al sur con Bulgaria, y al sureste con el Mar Negro. Su capital es Bucarest, donde reside el gobierno.

Dos cordilleras atraviesan el suelo rumano: los Cárpatos Orientales y los Cárpatos Meridionales que se unen formando un ángulo; más abajo de las mismas corre el hermoso Danubio hacia su desembocadura en el Mar Negro. Los Cárpatos Orientales son continuación de los Cárpatos de Galitzia. Estos núcleos montañosos separan las dos grandes regiones de Moravia y Transilvania. El Monte Urla (2,477 m) y los montes Parangul, cordillera secundaria donde se eleva a 2,529 m el Verfu Mandra, son los puntos culminantes de los Cárpatos Meridionales, que corren de oeste a este para encontrarse con los Cárpatos. Los montes Parangul y los montes Fagarasului, también notables, encierran el valle donde corre el Olt. La sección banatotransilvana del macizo tiene una anchura variable desde los 40 a los 100 km, y toda la cadena está interrumpida por valles, ríos y pasos.

El sistema hidrográfico de Rumania depende principalmente del Danubio al que afluyen numerosos tributarios. Este gran río internacional tiene una extensión de 480 km sobre territorio rumano, y parte de su trayecto constituye la frontera natural con Bulgaria, formando, antes de llegar a su desembocadura, lagos y grandes lagunas. Los afluentes rumanos más importantes del Danubio son el Jiul, el Olt, el Siret y el Prut. Su única costa es la occidental del Mar Negro.

El clima presenta aspectos muy cambiantes debido a los vientos del noreste. Años de sequía alternan con otros muy lluviosos y el termómetro ha registrado descensos hasta de 20 °C bajo cero en la estación invernal, para marcar 35 °C en verano. El viento de las estepas o *viento ruso* es denominado *crivetin*, el del Mediterráneo,

Corel Stock Photo Library

Vista panorámica del pueblo de Sigisoara, en Transilvania, Rumania.

o *astru*, suele llegar acompañado de lluvias. El otoño es la estación más benigna, y el clima más propicio a la agricultura corresponde a la región central de Transilvania.

Comercio e industrias. La riqueza minera del suelo de Rumania radica en los yacimientos de carbón, petróleo, sal, oro, plata, bauxita, cobre, plomo, hierro, antimonio, azufre y cinc, estos últimos explotados en el macizo de los Cárpatos. Pero sobre todas estas explotaciones, la que adquiere mayor importancia es la del petróleo, que hace de Rumania importante productor del preciado elemento en Europa. El petróleo se refina en más de cien destilerías surtidas por varios centenares de pozos en explotación. La intervención rumana en la Segunda Guerra Mundial determinó la intensificación de la producción petrolera para abastecer las necesidades bélicas. Los oleoductos, el principal de los cuales termina en Constanza, alcanzan los 3,200 kilómetros.

Además del petróleo, la otra gran riqueza de Rumania es su suelo fertil, cuya explotación va en aumento debido a los esfuerzos del gobierno para impulsar la producción de la agricultura colectivizada. En orden de importancia los cultivos comprenden: cereales, patatas, remolacha, girasol y vid; ropa y calzado, refrigeradores, vegetales enlatados, aceites comestibles, acero y cemento. La ganadería está bien desarrollada y se exporta ganado vacuno y lanar; en cuanto a la pesca, tiene un ritmo creciente de explotación. La riqueza forestal del país radica en sus bosques extensos, que abundan en las zonas montañosas y que contienen casi todas las especies del continente europeo.

Respecto a la industria, si se exceptúa la minera, no es de mayor importancia, y comprende principalmente la fabricación de llantas, carne enlatada, fertilizantes, materias plásticas, resinas y productos farmacéuticos. Las comunicaciones y transportes están a cargo del Estado, que controla los 11,083 km de vías férreas, las líneas aéreas interiores y la navegación comercial del Danubio. El intenso tráfico danubiano se rige por las reglas dictadas por una comisión internacional de la que forma parte Rumania. Esta comisión tiene además a su cargo los trabajos de drenaje y conservación de esta vía fluvial. El tránsito internacional de pasajeros y correspondencia, que vincula a Rumania con el resto del continente europeo, se realiza, además, por medio de líneas aéreas internacionales. La unidad monetaria es el leu.

Población, gobierno y división territorial. Rumania tiene 22.810,035 habitantes, en su mayoría rumanos (89.4%); el resto pertenece a núcleos importantes y variados provenientes de otras razas. Así encontramos hungaros (7.1%), cíngaros (1.8%), alemanes (0.5%) y ucranios (0.3%).

En 1947, se abolió la monarquía y se proclamó la República Popular Rumana; en 1948 se adoptó una constitución que fue sustituida por la de 1965, la cual proclamaba la República Socialista Rumana.

La constitución que rige al país es la del 8 de diciembre de 1991. El poder ejecutivo lo ejerce el presidente, elegido por voto para un periodo de cuatro años y que puede ser reelegido una sola vez, asistido por un primer ministro y un consejo de ministros. El poder legislativo descansa en la Asamblea de Diputados (integrada por 387 miembros, 13 de ellos no reelectivos, el resto mediante voto) y en el Senado (119 miembros). Al poder judicial lo representan la Corte Suprema, las cortes de condado y las cortes locales.

La capital de Rumania es la ciudad de Bucarest, que tiene 2.080,363 habitantes. Otras ciudades importantes son Brasov (323,736 h), Timisoara (334,115 h), Iasi (344,425 h), Cluj-Napoca (328,602 h) y Constanza (350,581 h).

La religión principal es la de la iglesia ortodoxa rumana (86.8%). Otras religiones son la católica (5.1%), ortodoxos griegos (3.5%), pentecostales (1.0%) y musulmanes (0.2%).

El idioma rumano es de origen latino y fue introducido por los colonos de Roma que se radicaron en la región (s. II). La unión del latín, el eslavo y numerosos vocablos de origen magiar, servio y turco, han configurado el idioma que actualmente se habla no sólo en Rumania, sino en zonas adyacentes y que pertenecen políticamente a otras naciones como Grecia y Bulgaria. El rumano se divide a su vez en cuatro dialectos, los más extendidos de los cuales son el macedorrumano y el dacorrumano. La instrucción es obligatoria. Todos los establecimientos de enseñanza están a cargo del Estado; las universidades se hallan en Bucarest, Iasi, Cluj y Timisoara.

Historia. Se considera a los habitantes de Rumania como descendientes de los dacios que vivían al norte del Danubio, en la región denominada Transilvania. El emperador romano Trajano (53-117) conquistó Dacia a principios del siglo II y la transformó en provincia romana. Los colonos introducidos por Trajano convirtieron el territorio en una de las provincias más prósperas y fueron el núcleo originario de la actual población. Posteriormente hubieron de soportar las sucesivas invasiones de godos, hunos, gépidos, ávaros y finalmente la invasión pacífica de los eslavos, en la época en que los ávaros dominaban el país. La organización de Rumania como entidad política tiene sus orígenes en el nacimiento, hacia el siglo XIII, de los principados de Valaquia y Moldavia, que pasaron a ser después provincias del imperio turco. Los príncipes valacas y moldavos debieron someterse a las decisiones de los jerarcas turcos y pagar tributos como vasallos de la Sublime Puerta. En 1828, a raíz de la guerra turco-rusa, Rusia ocupó los dos principados. La unión de las dos provincias se hizo más efectiva en 1856, como consecuencia del tratado de París, y en 1859 convinieron de común acuerdo en elegir como príncipe al coronel Alejandro Juan Cuza. Valaquia y Moldavia desaparecen en 1866 como estados independientes para dar lugar al nuevo estado de Rumania. El príncipe Cuza fue derrocado por una revolución y se eligió como sucesor a Carol I, de la casa de Hohenzollern, elevado en 1881 a la dignidad de rey.

Durante la Primera Guerra Mundial, Rumania intervino de parte de los aliados y fue ocupada totalmente por las tropas alemanas. La victoria final de los aliados la favoreció con un aumento de su extensión territorial. En 1922 fue coronado rey Fernando I, a quien sucedió su primogénito, Carol o Carlos II, que despertó gran oposición en diversos medios y no tardó en organizar un régimen dictatorial. Mientras grandes sectores de la clase media se aliaban con la Guardia de Hierro, organización semimilitar de tipo fascista, Alemania fue aumentando su presión política y el Partido Agrario, representante de un campesinado oprimido por un régimen feudal, inició una oposición violenta.

En estas caóticas circunstancias debió abdicar Carol y la Unión Soviética, a la sazón aliada de Alemania, ocupó los territorios de Besarabia y Bucovina del Norte. La agitación interna y la inestabilidad económica determinaron una sucesión de gobiernos autoritarios y la dictadura del mariscal Ion Antonescu. En 1941, Rumania se alía con Alemania, cuando ésta declara la guerra a Rusia con el ánimo de recuperar Besarabia y Bucovina. La victoria de los aliados y la penetración hasta Iasi de las tropas soviéticas determinó la caída del gobierno. Se formó un gabinete de coalición nacional, que tuvo vida efímera. Los comunistas dirigidos por Petru Groza y respaldados por la Unión Soviética tomaron las riendas del poder y en 1946 se condenó y ejecutó a Antonescu y sus principales colaboradores. Ocupada Rumania por el ejército soviético, se extendieron las actividades comunistas en lo político y el rey Miguel I se vio forzado a abdicar en 1947. Se adoptó una constitución de tipo soviético y se proclamó la República Popular Rumana. En 1961, fue designado presidente del Consejo de Estado, Gheorghe Gheorghiu-Dej que ejercía al mismo tiempo la presidencia del Politburó y el cargo de primer secretario del Partido Obrero Rumano; y Gheorghe Maurer para el cargo de primer ministro. Gheorghui-Dej falleció en 1965 y fue elegido Chivu Stoica para presidente del Consejo de Estado, a quien sucedió en 1967 Nicolae Ceausescu, designado presidente de la república en 1974.

Al año siguiente, los partidos socialdemócrata y comunista se unificaron en el Partido Rumano de los Trabajadores (PRT) y se aprobaba una nueva constitución de carácter socialista. Sentadas las bases del nuevo Estado se procedió a una serie de reformas estructurales; nacionalización de la industria y de las fuentes de energía, aceleración de la reforma agraria (aunque la colectivización de la tierra no se completó hasta 1962), primer plan quinquenal.

La vida política de Rumania estuvo dominada por Gheorghiu-Dej hasta 1989 (secretario general del partido, presidente del Consejo de Ministros y del Consejo de Estado). A la represión generalizada se unió la crisis del PRT. La política exterior al principio de la posguerra se sostuvo por la estrecha alianza con la Unión Soviética y con el resto de los países socialistas del este de Europa, orientación que perduró hasta la muerte de Joseph Stalin (1953).

En los años siguientes se inició la política de independencia respecto a la Unión Soviética; a la vez predominaron las actividades reacias a la desestalinización. Una nueva constitución (1965) cambió la denominación de la República Popular por la de República Socialista y los dirigentes formados en la URSS fueron alejados paulatinamente del poder y sustituidos por jóvenes con una formación más técnica que ideológica; se aceleró la industrialización y se inició una política exterior basada en la intensificación de relaciones con los países capitalistas y en la neutralidad en el conflicto chino-soviético.

Ceausescu fue elegido en 1969 secretario general del Partido Comunista Rumano y como presidente del Consejo de Estado

Corel Stock Photo Library

Monasterio Sucevita en Moldavia, Rumania.

Palacio de Peles en Transilvania, Rumania.

Corel Stock Photo Library

Corel Stock Photo Library

Plaza madre *del pueblo de Sibiu en Rumania.*

(presidente de la república). De 1970 a 1972 se estrecharon las relaciones comerciales con China. Paralela y posteriormente se reforzó el poder de Ceausescu y se acentuó la separación de Rumania respecto a las decisiones del Pacto de Varsovia y del COMECON, lo que significó una correspondiente libertad interior, que continuó coartada básicamente por el encuadramiento del control económico estatal de los rumanos (sobre todo a través de la *libreta personal de producción* que sigue al trabajador a lo largo de su vida profesional) y la falta de libertades (religiosa, sindical, nacional). En 1980, Ceausescu fue reelegido presidente de la república y su esposa Helena designada viceprimera ministra.

En 1982, una profunda crisis en el aparato del partido y del Estado se saldó con una remodelación radical ministerial y la inclusión de dos nuevos miembros de la familia Ceausescu en el poder. En 1985, las dificultades energéticas culminan en una crisis sin precedente en la industria generadora de electricidad, que es puesta bajo control militar. En 1987, miles de trabajadores protestan en BraËov y otras ciudades por el bajo nivel de vida y las condiciones laborales existentes. En 1988, el gobierno declara zona militar e implanta el toque de queda en la frontera con Hungría para cumplir con los planes de CeauËescu de destruir más de la mitad de las aldeas pobladas por campesinos húngaros.

En 1989, miles de personas interrumpen un discurso de Ceausescu en Bucarest, las fuerzas de seguridad disparan sobre la multitud y matan a más de 40 personas, lo que inicia la lucha en todo el país. Ceausescu y su esposa son capturados y fusilados después de un juicio sumario. El frente de Salvación Nacional (FSN) nombra a los líderes que gobernarán hasta las elecciones de 1990.

En 1990, el FSN proscribe el PCR; Ion Iliescu, presidente interino, autoriza empresas libres con más de 20 empleados. Iliescu y el FSN ganan las elecciones y toman posesión del cargo. Las metas del FSN fueron reestructurar la economía, el sistema educativo y el sector agrícola. Se reconocieron los derechos de las minorías, las libertades de expresión y culto. Iliescu volvió a ganar las elecciones en 1992. En 1994 Rumania se convirtió en el primer Estado de Europa oriental en asociarse a la OTAN. El giro en la política rumana se produjo tras las elecciones presidenciales de noviembre de 1996, en las que el conservador Emil Constantinescu, al frente de la coalición Convención Demócrata, derrotó a Iliescu y nombró a Victor Ciorbea como primer ministro, que emprendió una política de austeridad económica.

Artes, letras y ciencias. La literatura rumana se distinguió, principalmente, por la extraordinaria riqueza de su poesía oral. Los primeros fragmentos escritos aparecen durante el periodo del Renacimiento y la Reforma, y consisten en traducciones de la Biblia y de textos sagrados. En los siglos XVII y XVIII, una creciente inspiración nacionalista enriqueció a la literatura rumana, encabezada por los cronistas Grigore Ureche, Miron Costin, Ion Neculce, y por la gran figura de Dimitrie Cantemir, príncipe de Moldavia, historiador, filósofo y novelista, cuya fama se extiende a toda Europa. En el siglo XIX se reafirma la tendencia nacionalista y el sentimiento de originalidad, manifiesto en las obras de Ion Heliade-Radulescu y, de una manera especial, en las del crítico y poeta Mihail Eminescu. En prosa sobresalen Ion Creanga e Ion Luca Caragiale.

En el siglo XX, la evolución de la literatura rumana tiende a acercarse cada vez más a las corrientes literarias occidentales, aun cuando el régimen genera una literatura oficial constreñida a sus ideales. A principios de siglo, la mayoría de los escritores emigrados decidieron expresarse en un idioma extranjero, por lo general en francés. Entre ellos encontramos los talentos más variados: la poetisa Anna de Noailles; Tristan Tzara, uno de los iniciadores del dadaísmo; el narrador Panait Istrati; el poeta Ilarie Voronca; el ensayista Emil Michel Cioran; el historiador Mircea Eliade; el poeta Virgil Gheorghiu y el dramaturgo Eùgene Ionesco, miembro de la Academia Francesa desde 1970.

En bellas artes merecen destacarse entre los monumentos de gran belleza la iglesia de San Nicolás de Curtea de Arges y la de los Tres Jerarcas, construida en 1639 y ubicada en el centro de Bucarest. Su arquitecto, Jenachi, o Juan de Jerusalén, fue condenado a muerte, según la tradición, ante el temor de que pudiera hacer otra obra maestra de esa magnitud. A pesar de las marcadas influencias extranjeras en la arquitectura, en particular del estilo bizantino, algunas ciudades como Bucarest conservan el carácter peculiar del arte nacional. En su forma definida, el estilo rumano comienza en el siglo XVII, durante la gran época de los príncipes nacionales fundadores de iglesias y monasterios, como los Basarabas y Constantino Brancovan, y su exponente más significativo es el monasterio de Hurezi. El arte popular también denota la influencia bizantina y puede admirarse la simplicidad de las líneas arquitectónicas en las viejas iglesias que proporcionan un carácter típico al paisaje rumano. El interior de estas iglesias está decorado con frescos que son verdaderas joyas artísticas.

La pintura rumana ofrece la jerarquía artística de sus cultores en la obra de Grigoresco, Lukian, George Emil Palade, Sion y Rodica Maniu, uno de los más sólidos talentos de la Rumania contemporánea dentro de la línea estética del impresionismo; gozan de prestigio entre los modernos Loghi, Bancila y Strambulesco.

En música el panorama es variado como los grupos étnicos que forman la población; presenta, sin embargo, una semejanza notoria con la música de los pueblos eslavos vecinos, como asimismo es dable observar la influencia de la cíngara o gitana. Los músicos ambulantes de raza gitana se denominan *lautari* o tañedores de laúd y constituyen el acompañamiento obligado en bodas, bautizos y duelos. De las danzas y cantos populares, de carácter alegre, por lo general la más difundida es la *hora*, y cuando las melodías no son cantadas se toca la cobza, una especie de flauta con sonidos pastoriles. La Academia rumana publicó en 1913 las canciones populares del distrito de Bihor, recogidas por Béla Bartok. Jorge Enesco es el compositor más conocido en el extranjero de los que se dedican a la música culta.

Rumford, Benjamín Thompson, conde de (1753-1814). Físico y estadista inglés de origen estadounidense. En Inglaterra ejerció el cargo de subsecretario de las Colonias. Llamado a Baviera fue ministro de la Guerra y de Policía, reorganizó el ejército bávaro y mejoró la situación de las clases trabajadoras. En 1791, fue ennoblecido con el título de conde. Como hombre de ciencia, sostuvo que el calor no era una sustancia ponderal, sino una forma de movimiento; efectuó numerosas investigaciones que lo condujeron a perfeccionar el calorímetro y el fotómetro y a introducir mejoras en la fabricación de la pólvora y de las armas de fuego, en la calefacción, la iluminación y la conservación y preparación de los alimentos.

Corel Stock Photo Library

El becerro es un rumiante.

rumiantes. Mamíferos vivíparos patihendidos, que se caracterizan por tener el estómago dividido generalmente en cuatro cavidades: panza, bonete, libro y cuajar. Esta división permite el acto de rumiar que les da nombre, el cual consiste en la devolución de los alimentos, previamente ingeridos en la panza y el bonete hacia la boca, donde vuelven a ser masticados más detenidamente durante el reposo del animal. Convertidos en papilla por esta nueva masticación, los alimentos pasan esta vez al libro y de éste al cuajar. Los alimentos se mezclan en el cuajar con los jugos gástricos, se digieren parcialmente y pasan al intestino donde se completa la digestión. La mayoría de los rumiantes carece de incisivos superiores y del segundo y quinto dedos, o los posee en forma rudimentaria. La mayoría tiene cuernos, que son protuberancias óseas de los huesos frontales, unas veces encerrados en un estuche córneo otras revestidos de piel en forma temporaria. Los rumiantes habitan en casi todo el mundo, son animales de costumbres generalmente apacibles de inteligencia limitada y viven formando rebaños muy numerosos, que se alimentan exclusivamente con vegetales. Entre los principales rumiantes se cuentan los bueyes, carneros, ovejas, cabras, camellos, jirafas, llamas, ciervos y antílopes. Son utilizados por su piel, cuernos, pelo y carne; muchas especies pueden ser domesticadas y puestas al servicio del hombre.

Rumiñahui (?-1534). Caudillo indígena de Perú, nacido en Quito. Atahualpa, inca del Perú, le dio el mando de un ejército para oponerse a los españoles. Al caer Atahualpa en poder de Francisco Pizarro, Rumiñahui se negó a participar en su rescate. A la muerte de Atahualpa se proclamó emperador y degolló a toda la familia de Atahualpa. Perseguido por el conquistador Sebastián Belalcázar, se refugió en unas abruptas montañas donde fue hecho prisionero y murió en el tormento antes de declarar donde había escondido sus tesoros.

rummy. Juego de naipes originario de Estados Unidos. Se juega con una baraja inglesa de 52 cartas y en él pueden participar de dos a seis jugadores. Se dan 10 cartas a cada jugador cuando éstos son dos; siete cartas si son tres o cuatro jugadores; y cinco cartas si son cinco o seis jugadores. Después de recibir las cartas se coloca el resto de la baraja sobre la mesa y se pone una carta descubierta para iniciar el grupo de descarte. El rummy consiste en que cada jugador debe hacer con sus cartas grupos o combinaciones de tres o cuatro cartas de la misma clase y valor o de un mismo palo o serie en orden consecutivo.

El camello es un rumiante.

Corel Stock Photo Library

Para ello cada jugador toma, por su orden, una carta del mazo que está sobre la mesa o del grupo de descarte, según le convenga, y deja en este último el naipe de que decida descartarse. Cada mano la gana el jugador que haya alcanzado la combinación más alta. Existen distintas variaciones de este juego entre las cuales la más conocida es la llamada *gin rummy*. *Véase* JUEGOS DE AZAR.

runa. Nombre dado a los caracteres más antiguos que se conocen de la escritura germánica o escandinava; por extensión, dado el significado peculiar que se atribuía a los mismos, esta voz se aplica como sinónimo de la de misterio. El alfabeto rúnico se hallaba constituido por 24 signos habiéndose usado entre los pueblos del norte de Europa principalmente desde el siglo III hasta el X. Se escribía ordinariamente de izquierda a derecha y cada uno de sus signos, formados por simples trazos que se cortan en ángulo recto, se designaba con nombres mitológicos o palabras que correspondían a cosas de la vida ordinaria (la *T*, por ejemplo, se denominaba *dios de la guerra*; la *F*, *ganado* y también, *riqueza*, etcétera). Los sacerdotes se reservaban la interpretación de estos signos, que adquirían por ello un carácter misterioso e impenetrable para el vulgo, sobre todo los grabados en ciertas ramitas de abedul (varitas rúnicas) cuyas *inscripciones sabias*. sólo podían ser descifradas por los hechiceros. Para conservar la eficacia mágica de tales caracteres era preciso trazarlos con gran pulcritud y precisión, conociéndose hasta cuatro clases de virtudes o poderes que podían lograrse con sus combinaciones, a saber: la amarga, destinada a causar perjuicio a cualquier persona; la de seguridad, para ahuyentar desgracias y calamidades; la medicinal, para fines curativos, y la victoriosa, para lograr éxito en la guerra.

La escritura rúnica cayó en desuso a partir del siglo X, cuando los misioneros cristianos difundieron el alfabeto latino en el norte de Europa.

Rundstedt, Karl Rudolf Gerd (1875-1953). Militar alemán. Durante la Primera Guerra Mundial tomó parte en las campañas del Marne, Cárpatos y Galitzia como jefe del Estado Mayor. Tras colaborar con Hans von Seeckten en la reorganización del Ejército(1919), aplastó la resistencia del gobierno social-demócrata de Prosia cuando éste no aceptó la disolución ordenada por Franz von Papen (1932). Firmado el armisticio, fue uno de los oficiales que continuaron en el ejército que se le permitía a Alemania por el tratado de paz. En 1938, siendo ya coronel general, pidió el retiro, pero al estallar la Segunda Guerra Mundial al año siguiente volvió a incorporarse al ejército. Tuvo el mando de las unidades del ala sur que invadieron Polonia. Más tarde fue ascendido a mariscal por su actuación en la campaña de Flandes. En 1942, era jefe de las tropas de ocupación en Francia y dos años después fue nombrado jefe supremo de las fuerzas de contrainvasión en el oeste. Cayó prisionero en la primavera de 1945, pero fue puesto en libertad en 1949.

rupestre, arte. Expresión con la que se alude a las pinturas y esculturas descubiertas en las paredes de las cavernas habitadas en los tiempos prehistóricos o sobre algunas montañas y peñas. Su autenticidad y antigüedad está demostrada por la presentación de fauna hoy desaparecida, por su comparación con los temas decorativos de instrumentos de la misma época y por las capas estalagmíticas que cubrían algunas de estas pinturas y grabados. La gran mayoría de unas y otros representan animales de la fauna glacial, como renos, mamutes, caballos, bisontes o peces. De todos ellos, el reno ocupa el primer lugar: imágenes vivas, en sus ágiles movimientos, en actitud de correr o de pacer. También aparecen el caballo sin domesticar, que servía de alimento a los cazadores del periodo cuaternario, el mamut y el bisonte, bastante similar al actual búfalo norteamericano, hallado esculpido en relieve en bastones de mando y arpones. En 1879, el arqueólogo español Marcelino Sautuola descubrió cerca de Santillana del Mar (Santander) las figuras de unas cavernas –las famosas cuevas de Altamira–, gracias a la curiosidad de una nieta que le acompañaba, a la cual llamó poderosamente la atención la figura de un *buey*, el espléndido bisonte que es hoy la joya principal de la caverna. El estilo de las pinturas admirables que cubrían toda la bóveda era el mismo de los grabados y esculturas prehistóricas que ya se conocían.

En 1895, el francés Émili Rivière investigó dibujos semejantes en la cueva de La Mouthe. Las mejores muestras del arte rupestre se encuentran en el sur de Francia y primordialmente en España, donde además de la de Altamira, ya mencionada, se encuentran las cuevas de La Pileta (Málaga), de Alpera (Albacete), de Cogul (Lérida), del Parpalló (Valencia), de Calapatá (Teruel) y las del barranco de Gasulla, del barranco de Valltorta y de Morella la Vella (Castellón) para citar solamente algunas de las principales.

Las más importantes de todas las cavernas prehistóricas descubiertas hasta hoy son las de Altamira. Las pinturas están a menudo lejos de la entrada de la caverna; en la de Niaux hay que recorrer una galería de 800 m para encontrarlas. El hallazgo de una lámpara de piedra, de esteatita, análoga a las que usan los esquimales, explicó la manera de iluminar estos oscuros santuarios paleolíticos. Se requiere singular maestría para distinguirlos y muy buena iluminación, así como también luz apropiada para fotografiarlos. En las cuevas de Lascaux, Francia, se encontraron representaciones de hasta 5 m de altura esbozando bisontes, vacas, toros, renos y otros animales. Fueron grabadas con raspadores triangulares de sílex que a veces se encuentran encallados en la roca. A los hombres que trabajaban la piedra con tal maestría hay que suponerles una mayor habilidad en el manejo de otros materiales

Toro con caballos rojos y negros, *de las pinturas rupestres de Lascaux, Dordogne, Francia.*

Corel Stock Photo Library

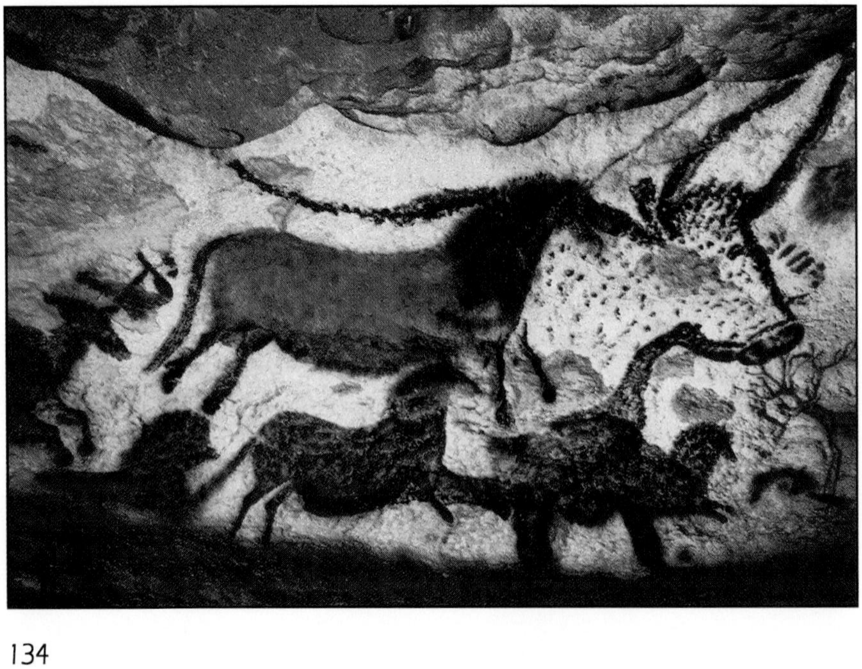

como la madera y las fibras; con estos elementos debieron realizar la obra, probablemente simbólica, de sus pinturas rupestres. Para estas últimas utilizaban colores de tierras rojizas y ocres disueltos en grasa. Las figuras poseen una fineza característica, revelan propiedad absoluta y demuestran que no pueden haber sido trazadas sino por hombres de ojo sumamente ejercitado; los contornos son de exactitud y vida tan sorprendentes que a veces producen el efecto del relieve. Los animales representados por ellos son casi siempre animales útiles, herbívoros, que sirven para la alimentación y el transporte, y raramente los carniceros que devoran al hombre y a los que éste no come.

Tal vez los artistas reproducían las figuras de los animales herbívoros porque les atribuían el poder mágico de asegurar la multiplicación y la caza de los mismos. Como se advierte aún entre pueblos cazadores-recolectores, la caza poseía para ellos un sentido mágico. Los indígenas de Anam empiezan una cacería dibujando antes sobre la arena el animal cuya captura pretenden. Los aruntas de Australia creen que sólo pueden atraer a los animales para asegurar su reproducción a los sitios donde estén representados gráficamente. Otros pueblos dibujan sobre sus armas serpientes, leones, leopardos, etcétera, que creen que les comunican su fuerza o su astucia. De esta mentalidad habría nacido, según muchas opiniones, el arte rupestre. Arte intermedio entre la escritura y la pintura, se advierte en él una marcada evolución, pues de la representación inicial de animales salvajes –bisontes arrodillados o en las convulsiones de la agonía; corzos y ciervos heridos, con el cuello tendido; jabalíes y caballos en fuga precipitada–, se llega a la de figuras masculinas y femeninas y animales en actitud doméstica. La representación de 11 m de largo de la caverna de Cogul presenta diversas escenas de la vida diaria, con bueyes domesticados y de largos cuernos, escenas de cacería en que aparece el cazador disfrazado, así como una danza de nueve mujeres en torno a una figura masculina y un magnífico dibujo en rojo de un ciervo entre varias ciervas. En las Cuevas de San Francisco (Baja California, México) existen murales rupestres con características particulares: las figuras humanas, de tamaño natural, tienen la mitad del cuerpo rojo y la otra mitad, negro. Estas figuras son estáticas pero los animales sugieren movimiento. Se piensa que las figuras más grandes (9 m) fueron pintadas en el siglo VII. Durante los siguientes siglos se pintaron figuras más pequeñas y toscas. Las últimas se dibujaron en el siglo XIII.

Una segunda etapa de evolución del arte rupestre se encuentra en el periodo glacial, como si el cambio de estilo coincidiera con la irrupción de otras razas. Las pinturas no se hallan ya en las cavernas, sino únicamente en abrigos, y se trata de motivos de caza, de lucha, de combates, en los que la figura humana aparece profusamente. La obra más importante de este último arte paleolítico es el complicado friso de Alpera en el que se cuentan centenares de figuras. En África los bosquimanos practicaron este arte con gran pericia; pintaban sobre las rocas cuadros de costumbres, batallas entre bosquimanos y hotentotes, danzas de ciervos y de cuervos, antílopes en actitudes de brincar, etcétera. Las pinturas rupestres del África del Sur se extienden por un periodo de 4,000 a 5,000 años por lo menos. Los colores van apareciendo uno a uno hasta llegar a una rica policromía, a un naturalismo y al movimiento.

La maravillosa exactitud de la figura y del movimiento, así como su belleza plástica característica, se modifican durante el periodo neolítico, cuando el hombre se consagra a la agricultura y al pastoreo. El arte del paleolítico es eminentemente realista, salvo en la reproducción de la figura huma-

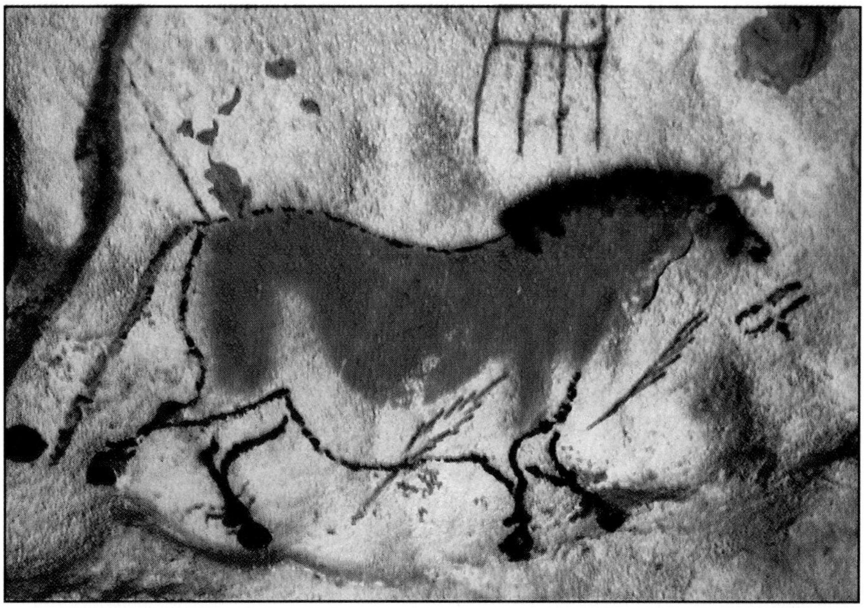

Corel Stock Photo Library

Pintura rupestre llamada Segundo Caballo Chino, *en Lascaux, Dordogne, Francia.*

Pintura rupestre llamada Bisonte cayendo, *en Altamira, España.*

Corel Stock Photo Library

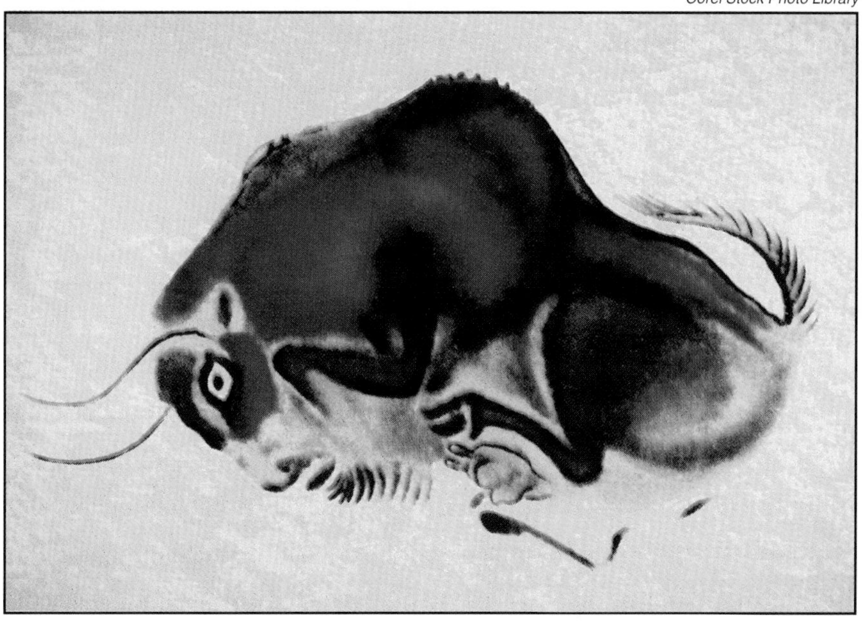

na, que suele limitarse a un boceto de pocas líneas; el del neolítico se estiliza, se desvía de las formas reales, pierde gracia y vigor y acaba reduciéndose a esquemas muchas veces ininteligibles. Los artistas de aquel periodo, dados al ejercicio de la caza, que afina el sentido de la vista y desarrolla la memoria visual y la habilidad manual, merecen un lugar destacado entre los más admirables animalistas que figuran en la historia del arte. *Véase* PREHISTORIA.

rupia. Moneda de plata de la India desde el siglo XVI. También moneda de oro, *mobur mogol* (12.3 g). Hay muchas variedades de peso dentro del país. Hay media y cuarta.

Unidad monetaria de la India. En 1957 fue introducido el sistema decimal en el sistema monetario. Desde septiembre de 1975 la paridad de la rupia se halla ligada a una cesta de monedas de los países con mayor pa rticipación en el comercio exterior de la India. Su emisión corresponde al Banco de Reserva de la India, y se divide en 100 paise.

Unidad monetaria de Indonesia. Utilizada desde 1950 en sustitución del florín indonesío, fue reemplazada en diciembre de 1965 por la rupia nueva, a razón de 1,000 rupias antiguas por una nueva. Emitida por el Banco de Indonesia, se divide en 100 sen.

Unidad monetaria de Mauricio. Su cambio se establece en relación con una cesta de las monedas de los principales socios comerciales de Mauricio. Emitida por el Banco Central de Mauricio, se divide en 100 céntimos

Unidad monetaria de Nepal. Su paridad estuvo fijada en relación con el dólar estadounidense haste febrero de 1993 cuando pasó a ser enteramente conveitible. Emitida por el Nepal Rastra Bank, se divide en 100 paise, y 50 paise constituyen un mohur.

Unidad monetaria de Pakistán desde 1948. Emitida por el Banco del Estado de Pakistán, se divide en 100 paise.

Unidad monetaria de Seychelles, con un tipo de cambio vinculado al DEG. Es emitida por el Banco Central de las Seychelles y se divide en 100 centavos.

Unidad monetaria de Sri Lanka desde su independencia en 1948. Emitida por el Central Bank of Sri Lanka, se divide en 100 centavos.

Unidad monetaria de las islas Maldivas; moneda de oro de Irán; y moneda de Afganistán, que se divide en 100 pouls. Hay piezas de oro de 100 rupias.

ruptura. Brusca variación de la continuidad de una superficie, o línea o franja que marca el lugar en donde dicha superficie está rota.

Ruptura de frente. Acción de romper la continuidad del frente enemigo. Los procedimientos para lograr la ruptura han variado al paso de las diferentes guerras, respondiendo a los medios disponibles en cada momento. Durante la Primera Guerra Mundial sólo se lograba mediante el empleo masivo de la artillería, con amplios despliegues de cañones y acumulación de municiones, que imponían, a su vez, plazos considerables de tiempo. En la Segunda Guerra Mundial se inician las rupturas con preparaciones artilleras cortas, seguidas por la acción conjunta de los carros de combate y la aviación.

Ruptura de relaciones diplomáticas. Se llama así al evento suscitado cuando un país dado retira a sus representantes diplomáticos acreditados en otro país, con la intención de romper las relaciones diplomáticas existentes entre ambos países. En derecho internacional, la ruptura de relaciones diplomáticas no supone necesariamente una declaración de guerra, sino que puede ocurrir como consecuencia de un conflicto, en los casos en que se han agotado los medios de resolución pacífica, cuando hay un cambio de gobierno y ocurre una negativa a reconocerlo, o como consecuencia de un agravio importante. La ruptura no influye, salvo disposición convencional de lo contrario, en la validez de los tratados en vigor entre los Estados interesados, y tampoco supone restricción alguna que afecte a los residentes de uno de los dos países en territorio del otro.

Ruptura eléctrica. Falta o interrupción temporal de energía eléctrica, ya sea planeada, como la que se llevó a cabo para la limitación de cargas, o accidental, causada por tormentas, fallas en el equipo de transmisión o errores humanos. En general, el patrón de tales disturbios se inicia con la pérdida de algún elemento de los sistemas de energía, seguido por un rápido desarrollo de condiciones de inestabilidad y sobrecarga, dando como resultado la desconexión automática de otros elementos de transmisión y una pérdida en cascada del servicio eléctrico.

Muñecas artesanales rusas.

Corel Stock Photo Library

Rusia. La vasta extensión geográfica de Rusia tiene, en total, 17,075,400 km^2, de los cuales corresponde a territorios en Europa y Asia. Esa gran extensión representa, aproximadamente, la sexta parte de la superficie terrestre del globo terráqueo. Al norte, por las costas y litorales que corresponden a los mares Blanco, de Barents, de Kara, de Laptev y Siberiano Oriental, que son mares dependientes del océano Ártico. Al este, por los mares de Bering, de Okhotsk y del Japón, pertenecientes al océano Pacífico. Al sur, por una serie de accidentes geográficos, principalmente grandes cordilleras, ríos y mares interiores, que son, de este a oeste, los ríos Usuri y Amur, los sistemas orográficos de Sayan, Tien Shan, Altai, Pamir, Elbruz, etcétera, y los mares Caspio y Negro, que separan de Mongolia, China. Al oeste, la frontera europea es, en su mayor parte, artificial y limita con Noruega, Finlandia, Estonia, Letonia, Ucrania, Georgia, Azerbaijan, Kazajastan, Bielorusia,el mar negro, el Mar Caspio y Báltico, Dentro de estos límites, tiene una extensión máxima de casi 10,000 km, de este a oeste, y de 4,500 km, de norte a sur.

Regiones geográficas. La primera división que generalmente se hace es, una parte europea y otra asiática. Para esa división se toma la cordillera de los Urales, cuya dirección general es de norte a sur, y que se prolonga desde Kara, en las costas del Ártico, hasta cerca del extremo norte del Mar Caspio. Todo el territorio al oeste de los Urales corresponde a la Rusia europea, y al este, a la Rusia asiática. La cordillera de los Urales tiene una longitud de 2,200 km y su altura máxima es el monte Narodnaya, de 1,860 metros.

Esas dos grandes divisiones, en una parte europea y otra asiática, son de proporciones tan vastas que para conocerlas en sus rasgos generales es conveniente describirlas, primero, de oeste a este, o sea de Europa a Asia, y, después, de norte a sur, o sea de las costas heladas del océano Ártico a las fronteras terrestres meridionales.

Procediendo de Europa a Asia, vemos que presenta cuatro divisiones principales: una, que es la parte europea, considerada como un todo, y las otras tres que son sectores de la parte asiática: el sector occidental, el central y el oriental. Esos tres sectores asiáticos están compuestos, en su mayor parte, por la vasta región que se conoce con el nombre general de Siberia, aunque, en sus bordes meridionales.

La parte europea y el sector occidental de la parte asiática, desde los Urales hasta el río Yenisey, constituyen una vasta extensión de grandes llanuras, separadas por la cordillera de los Urales. La altitud media de esas llanuras no llega, en su mayor parte, a 200 m sobre el nivel del mar, aunque existen algunos grupos de colinas de mayor altitud y en la región del Mar Caspio hay depresiones de 25 m bajo el nivel del mar. En el extremo sur del sector occidental de Siberia, se va elevando el terreno hasta llegar a formar altiplanicies y los grandes relieves montañosos del Altai, el Tien Shan y la elevada meseta del Pamir, donde se hallan las mayores alturas, entre las que descuellan el monte Comunismo (antes Stalin) de 7,500 m de altitud.

El sector central de Siberia está limitado por el río Yenisey al oeste y el río Lena y su gran tributario, el Aldan, al este. Se caracteriza por planicies irregulares cuya elevación oscila de 400 a 600 m. En el sur de este sector central se continúa el relieve orográfico del sector occidental y en él se elevan la cadena de Sayan y los montes Yablonoy, al Sureste del lago Baikal.

El sector oriental de Siberia, entre los ríos Lena y Aldan, al oeste, y el extremo oriental de Asia, en el estrecho de Bering, presenta numerosos sistemas montañosos, entre ellos las cordilleras de Verkhoyansk y de Cherskiy, con altitudes de 2,700 m; la de Anadyr en el extremo oriental de Asia, y la de Koryak, en la península de Kamchatka, con volcanes en actividad y picos de 4,800 m de altitud.

La cordillera del Cáucaso, en el sur de Rusia, entre el Mar Negro y el Caspio, tiene 1,200 km de longitud y alturas superiores a 5,000 m, entre las que sobresale el monte Elbruz, de 5,560 metros.

Al considerar ahora, de norte a sur, el territorio de Rusia, se observa que presenta tres zonas principales: la tundra, la taiga y la estepa. La zona de la tundra, que se inicia en las costas y litorales del océano Ártico y se extiende hacia el sur, tierra adentro, ocupa un área de 2.3 millones de km^2, que representa, aproximadamente, el 10% de la superficie. El suelo está constantemente helado y el deshielo, que es sólo superficial y ocurre en el verano, cubre con cieno grandes extensiones de la tundra. La faja más septentrional de la tundra, llamada tundra ártica, con temperaturas extremas bajo cero, es inhóspita e improductiva. La flora de la tundra consiste principalmente en líquenes, musgos y algunos arbustos. Al sur, la tundra se mezcla gradualmente con la taiga hasta que ésta predomina.

En la zona de la taiga existen inmensos bosques de coníferas y el borde meridional de la taiga forma una zona mixta de bosques y praderas, que va cediendo ante la siguiente zona de la estepa. La faja septentrional de la taiga está cubierta por extensos bosques de coníferas y en la faja meridional aunque predominan las coníferas hay también robles, encinas, hayas, arces, fresnos, olmos, tilos, etcétera. La taiga es la gran región forestal de Rusia, se le calcula una extensión de 11 millones de km^2, casi la mitad de todo el territorio ruso; sus bosques son los más extensos del mundo y su explotación constituye uno de los más importantes factores de la economía. La zona de la estepa es de vegetación principalmente herbácea, con vegetación arbórea ocasional a lo largo de los cursos fluviales. El suelo está formado en gran parte por tierra negra muy fertil, de condiciones óptimas para la agricultura. La estepa tiene una extensión de 2.5 millones de km^2, lo que representa, aproximadamente, el 11% del área total. Además de las tres grandes zonas mencionadas, existen regiones áridas y semiáridas. En el extremo Sureste de la Rusia europea se extiende,

Corel Stock Photo Library

Exterior del Gran Palacio de San Petersburgo *en Rusia.*

Palacio de Pedro el Grande en Rusia.

Corel Stock Photo Library

al norte del Mar Caspio, una región árida. Existen también, regiones de características subtropicales, como, por ejemplo, en el litoral del Mar Negro, en el Suroeste del Mar Caspio y en ciertos sectores de la Rusia asiática.

Hidrografía. Los principales ríos de la Rusia europea son el Niemen, Dvina occidental y Neva, que desembocan en el Báltico; el Dvina septentrional, en el Mar Blanco; el Pechora, en el Mar de Barents, el Dniester y el Dnieper, en el Mar Negro; el Don, con su afluente el Donets, en el Mar de Azof; el Volga, que es el río mayor de Europa, y el Ural, en el Mar Caspio. Los lagos son numerosos e importantes y entre ellos se destacan los de Ladoga y Onega (los mayores de Europa), Peipus e Ilmen. El Mar Caspio es un vasto mar interior entre Europa y Asia.

En Siberia, los ríos principales son el Amu Daria y el Syr Daria, que desembocan en el lago Aral; el Obi, Yenisey, Lena y Kolima, en el océano Ártico; y el Amur, en el Pacífico. Los lagos mayores de la Rusia asiática son el Aral, Baikal, Balkash, Issyk Kul y Khanka.

Clima. Aunque, debido a su gran extensión, tiene diversidad de climas, la mayor parte de su territorio corresponde a la zona templada y al clima de tipo continental, los océanos Atlántico y Pacífico ejercen muy débil acción moderadora sobre el clima. En cambio, el océano Ártico tiene una influencia considerable que extrema la severidad del clima, no solamente en la sexta parte del territorio ruso situado dentro del Círculo Polar Ártico, sino, también, en la mayor parte de su territorio al sur del Círculo Polar.

En la Rusia europea, el rigor del clima está ligeramente disminuido por la relativa proximidad e influencia del océano Atlántico, pero al este de los Urales, en las vastas llanuras de Siberia predominan las más bajas temperaturas. En la Rusia europea, las temperaturas invernales más bajas se registran en el norte, en la cuenca inferior del Pechora y en el norte de los montes Urales, con medias de 22.5 °C bajo cero, mientras que en el sur de Rusia, en Batumi, situado en el litoral del Mar Negro, la media de invierno es de 5 °C. La temperatura media estival es de 25 °C en la región del Volga Inferior, en el Sureste de la Rusia europea, y de 8 °C en las costas del Ártico. En el Noreste de la Rusia europea, las temperaturas bajo cero se inician en noviembre.

En la Rusia asiática el clima es extremoso, con inviernos largos y veranos cortos. En la Siberia oriental se registran las temperaturas extremas y en ellas se encuentra una de las regiones más frías de la Tierra, Verkhoyansk, donde la media de enero es de 50 °C bajo cero, y se han registrado temperaturas de casi 70 °C bajo cero. En esa misma región los veranos suelen ser cálidos y alcanzar máximas de 33 °C.

Muchos ríos permanecen helados de cuatro a seis meses al año, y algunos de Siberia oriental más de ocho meses. También la capa de nieve que cubre la tierra persiste de tres a ocho meses según la región. La lluvia es, en general, escasa; más abundante en la Rusia europea, con precipitaciones de unos 550 mm anuales, va disminuyendo gradualmente hacia el este, en Siberia, de 375 a 250 mm anuales. En el sector asiático del Círculo Polar (tundra ártica) la precipitación es aún menor, de 100 a 175 mm anuales. La mayor precipitación en Rusia se registra en el extremo oriental del litoral del Mar Negro, con 2,435 mm anuales. En el litoral asiático del Extremo Oriente, se registran precipitaciones de 750 mm debido a los monzones de verano.

Distrito nuevo en Moscú, Rusia.

Corel Stock Photo Library

Economía. Es, uno de los principales países productores de petróleo, gas natural, cobre fundido, carbón, mineral de hierro, fertilizantes, minerales, cemento, acero, fosfatos, níquel e hilados de algodón. La economía rusa es una de las mas industrializadas, gracias a los abundantes recursos minerales que posee, como son el carbón, el petróleo, que ocupa en el rango de combustibles y lubricates de exportación el 39.9%. Hierro, niquel, aluminio y oro, entre los metales ferrosos y no ferrosos el 28.8%, el equipo de transporte y maquinaria el 7.8%, los productos forestales el 5.8%, alientos 3.4%; además de su riqueza hidroeléctrica y madera. Su actividad agropecuaria se orienta principalmente a la producción de trigo, girasol, patata, remolacha y lino.

Agricultura, ganadería y pesca. Las tierras de la Unión Soviética que pueden emplearse para la agricultura: granjas, prados, pastizales, huertas, etcétera, cubren aproximadamente un 27% de la extensión del país. Las más aptas para el cultivo están encerradas en un triángulo, cuya base, en términos generales, va desde San Petersburgo, en el norte, hasta Odessa, en el Suroeste. Los otros dos lados del "Triángulo fértil" siguen en dirección Sureste, hacia los montes Altai, disminuyendo cada vez más la distancia entre sí. Hay también pequeñas zonas agrícolas aisladas en Siberia y Asia central. La tierra más apta para la agricultura es la rica tierra negra (chernozem), en el centro del triángulo fértil.

La superficie cultivada comprende unas 132,283,000 ha aproximadamente un 7.7% del territorio, mientras que a prados y a pastos se dedican unas 78,020,000 ha 4.6% de la superficie total. Los bosques ocupan unas 778,500,000 ha 45.6%, siendo el resto del territorio improductivo. El principal cultivo es el de los cereales, especialmente el trigo, del que es uno de los principales productores mundiales, Rusia es un importante productor de centeno, maíz y cebada. Otros cultivos de importancia son las patatas, las legumbres, y los vejetales oleícolas, como el girasol y la soja. Entre los cultivos industriales destacan la remolacha azucarera y lino. La industria de lino se encuentra centrada en San Petersburgo.

En Rusia ha aumentado constantemente el consumo de pescado por persona, así como los productos derivados de la pesca, lo cual refleja el interés del gobierno en aumentar las proteínas en la alimentación del pueblo. Aproximadamente un 14% de la pesca del mundo se obtiene en esta región, ocupa el segundo lugar en este renglón, después de Japón. Por orden de importancia se obtiene pescado de la familia del bacalao, de los arenques y las sardinas y distintas variedades de carpa. Los principales puertos pesqueros marítimos son: Murmansk, Arkangel, Kaliningrado, Riga, Vladivostok. Un renglón importante de la pesca se efectúa en aguas interiores, principalmente en el Mar Caspio donde abunda el esturión, del que se obtiene el caviar.

La agricultura no se ha desarrollado al mismo ritmo que el resto de las demás actividades quizá por la carencia de incentivos materiales y el bajo nivel de las ganancias.

Minería. La riqueza mineral es muy grande y se estima que las reservas de carbón, mineral de hierro y petróleo existentes en Rusia son de cierta importancia mundial.

Existen yacimientos de carbón en diversas regiones,del Kuznetsk en Asia central y del Lena en el Extremo Oriente. Son de gran importancia los yacimientos de lignito y turba, que se explotan en varias regiones. El promedio de la producción anual de carbón es de unos 720 millones de toneladas métricas.

Las principales regiones petrolíferas se encuentran en los Urales occidentales, la región del Volga, Siberia oriental y occidental. Las reservas de gas natural son, aproximadamente, un tercio de las reservas mundiales conocidas, pero están situadas en regiones remotas e inhóspitas, algo semejante a lo que ocurre con el petróleo. Su explotación depende de los oleoductos que tiene para su transporte, y que pasan de 266,500 kilómetros.

El mineral de hierro se extrae, de Magnitogorsk en los Urales. Existen, también, yacimientos importantes en la cuenca del Kuznetsk en el Asia central, en Transbaikalia y otras regiones.Otros minerales como el cobre, en los Urales y la cuenca del Yenisey; el níquel, en la península de Kola, los Urales y el Asia oriental; el plomo y el cinc, en el Cáucaso y los montes Altai; la bauxita en los Urales y la nefelita en la península de Kola, para la producción de aluminio; el platino en los Urales, y el oro en los Urales y en las cuencas de los ríos Lena y Kolima, en Asia.

Industria. El régimen ruso ha puesto especial interés en fomentar la industrialización, a la que ha dado atención preferente en sus planes económicos, sobre todo en lo que respecta a la industria pesada, lo cual, en cierto modo, ha desbalanceado la producción industrial del país. La gran riqueza de minerales existente en el subsuelo ha sido técnicamente explorada con vistas a su explotación industrial en gran escala. La abundancia de carbón, petróleo, hierro y los minerales que a éste sirven de aleación (manganeso, cromo, etcétera.) ha facilitado el desarrollo de la moderna industria pesada. Decenas de años de esfuerzos constantes en favor de la industrialización han dado como resultado el surgimiento de grandes centros industriales. La región Volga-Urales, en el borde oriental de la Rusia europea, y la zona Yenisey-Baikal, en la Siberia oriental, ha ido creciendo en importancia industrial (industria pesada) desde 1950. El país ocupa el segundo lugar en el mundo como productor de energía eléctrica. En 1987 produjo 1.665,000 millones de kw/h. En 1980, la Unión Soviética operó 29 centrales nucleares y empezaron a construirse otras 29, casi todas situadas cerca de ciudades de la Rusia europea. Poco más de la décima parte de la electricidad proviene de centrales nucleares; sin embargo, el programa nuclear sufrió un fuerte revés en el año de 1986 cuando la planta de Chernobil, en Ucrania, tuvo un serio accidente.

Corel Stock Photo Library

Teatro Bolshoi en Moscú, Rusia.

Casi un tercio de la superficie de Rusia está ocupado por bosques, la mayoría situados en Siberia. Es importante productor de madera en troncos.

Comercio. En Rusia hay gran diversidad de pueblos y razas. Se reconocen oficialmente 104 grupos étnicos, pero el mayor núcleo de población lo integran los eslavos, cuyos tres grupos principales constituyen casi las tres cuartas partes del total son: rusos (85.0%), ucranianos (2.4%) y bielorrusos (0.8%), además de un número reducido de otros eslavos, como polacos, checoslovacos, eslovacos y búlgaros. La población no eslava comprende grupos étnicos muy diversos, de los cuales los más importantes son los turcos, tártaros, turkmenos, etcétera. En las regiones árticas habitan pueblos de origen mongol.

Idioma. El idioma oficial es el ruso, y los dialectos de las minorías étnicas.

Instrucción pública. Durante la época zarista la educación tenia un caracter de feudal, solo se extendia a la nobleza, la burguesía y los funcionarios, mientras que la gente común vivia en el mas completo abandono educacionl. aproximadamente el 75 % de la población era analfabeta en 1905. Entre las principales universidades se destacan las de Moscú, fundada en 1755; Leningrado, fundada en 1819; Kharkov, Odessa, Kasán, Saratov, Tashkent, Kiev y Tiflis. Se encontraban sometidas al Gobierno central, La revolución de 1917 y la implementación del Socialismo se tradujo en la formación del Estado Federal Soviético, que en un plazo de 23 años alcanzó los objetivos de pluralizar la educación.

La Academia de Ciencias, de merecido renombre desde su fundación por Catalina I, en 1726, es actualmente el núcleo que agrupa los organismos científicos, entre ellos institutos de investigación, observatorios, laboratorios, etcétera. También casi todas las repúblicas constituyentes tienen sus Academias de Ciencias.

Un número considerable de la producción de libros, revistas y periódicos se destina al sistema bibliotecario del Estado. Existen unas 134,150 bibliotecas públicas, además de las científicas, técnicas y especializadas.

Los museos y galerías de arte abundan también en la Unión Soviética. Es de renombre internacional el Museo de L'Hermitage, en Leningrado, fundado por Catalina II, que contiene admirables tesoros de arte.

Corel Stock Photo Library

Mansión rural del siglo XIX en Rusia.

Religión. En la época del Imperio, la religión oficial era la ortodoxa rusa. Pero en 1917, al advenimiento de la república, se decretó la separación de la Iglesia y el Estado, y después el gobierno soviético estimuló una política antirreligiosa que no logró apagar el espíritu religioso del pueblo ruso. La Iglesia ortodoxa rusa sigue siendo la principal denominación religiosa en la región., asistido por el Santo Sínodo. Aunque no se conocen datos oficiales sobre la religión, se estima que la Iglesia ortodoxa rusa cuenta con un gran número de creyentes. Otras ramas del cristianismo son la Iglesia católica romana, denominaciones protestantes, sobre todo luteranos. La religión judía tiene bastantes fieles.

División política. De acuerdo con el Tratado de la Federación, aprobado en marzo de 1992, la Federación Rusa está formada por 21 repúblicas (16 de las cuales eran autónomas en el sistema anterior y cuatro sólo eran regiones), una región autónoma, 49 regiones administrativas y seis provincias. Hay, además, diez distritos autónomos, bajo la jurisdicción de la región. Las ciudades de Moscú y San Petersburgo tienen estado administrativo especial.

Entre los grandes centros de población figuran, en primer término, Moscú, capital de la Federación Rusa, con 8.967,000 h, a la que sigue San Petersburgo (antes Leningrado) con 4.456,000 h; otras ciudades con más de un millón de habitantes son Nizhny Novgorod, Novosibirsk, Yekaterimburgo, Samara, Omsk, Chelyabinsk, Kiazán, Perm, Ufa, Rostov-ha-Donu y Volgogrado; con más de 900,000 h están Krasnoyarsk y Saratov; hay 19 ciudades cuya población sobrepasa los 500,000 habitantes.

Gobierno. Después de la Constitución del 24 de diciembre de 1993, el sistema ejecutivo se encuentra integrado por el presidente de la Federación, con las funciones de jefe de Estado y del Gobierno, elegido por voto popular para un término de cuatro años, Vicepresidente y Consejo de Ministros.

El sistema legislativo se integra por la Camara Baja o Duma Estatal con 450 miembros, y Camara alta o Consejo de la Federación con 178 miembros. Por último el sistema Judicial que cuenta con una Corte Constitucional, Corte Suprema, Corte Suprema de Arbitraje, cortes menores y procurador general. Gobierno subdivisional, cada uno de las Repúblicas autónomas tienen presidente propio y jefe de gobierno.

Literatura. La lengua rusa es de formación reciente. En el siglo IX dos teólogos bizantinos, San Cirilo y San Metodio, emprenden la tarea de evangelizar los países eslavos, para lo que utilizan un antiguo dialecto búlgaro hablado en Macedonia, al que dotan de alfabeto y gramática, y que se destina sólo a la lengua escrita y a la liturgia, el eslavo eclesiástico en el que esencialmente está escrita toda la literatura eslava oriental hasta el siglo XVIII.

No se puede hablar de una verdadera literatura de lengua rusa hasta después de 1675, con la obra del célebre cismático Avvakoum. Desde entonces la lengua hablada empieza a sustituir al eslavo como lengua literaria, pero aún es pobre para asumir tal papel. A finales del siglo XVII Rusia se encuentra en la misma situación que la Grecia actual, con una lengua escrita, perfectamente pulida, pero artificial, y una lengua hablada, viva y expresiva, pero en la cual todavía no puede expresarse cabalmente.

La construcción del ruso moderno se realizará a lo largo del siglo XVIII, a partir de la lengua vulgar y gracias al gran científico, filólogo y poeta Mikhail V. Lomonosov, quien enriquece dicha lengua con palabras tomadas del eslavo y la dota de una gramática, su Gramática rusa en la cual señala por primera vez la dependencia que la lengua literaria tiene del eslavo eclesiástico. Por otro lado, con las aportaciones del escritor Nikolai M. Karamzine, el ruso sufre la influencia del francés. Poco a poco se forma la nueva lengua, se afina para florecer, por fin, en la obra de Alexander Pushkin que no es sólo el poeta ruso más conspicuo, sino el artífice que fija los rasgos de la lengua que se habla actualmente en toda la Unión Soviética.

Las primeras obras. La literatura medieval aparece algo tarde en Rusia. Hasta el siglo XIII el centro cultural es Kiev. A las traducciones de textos religiosos hechas por los monjes suceden crónicas y, después, una célebre narración épica en magnífica prosa, *Historia de la expedición de Igor*, escrita entre 1185 y 1187 y conservada en un manuscrito descubierto en 1795, y publicado en 1780. La ocupación de los mongoles (1240-1480) detiene el avance de la literatura, que se limita a las crónicas, recopilaciones religiosas y narraciones militares. Cuando se lleva a cabo la reconquista se forma una Rusia nueva alrededor de Moscú.

La ficción no aparece hasta el siglo XVII con numerosos relatos, de carácter histórico-legendario casi siempre. Unos son edificantes, como *La historia de Savva Grudtsy*, y otros, satíricos, como *Frol Skabeyev*.

Formación de una literatura nacional. La obra La vida del Arcipreste Avvakum escrita por él mismo data de 1675, pero sólo bajo los reinados de Isabel y de Catalina aparecen los grandes pioneros de la literatura nacional. El verdadero creador del verso ruso es Mikhail Vasilevich Lomonosov (1711-1765), con sus odas majestuosas, aunque demasiado retóricas, porque Vasili Kirilovich Trediakovski (1703-1769) fue teórico más que poeta. Después Gavrila Derzhavine (1743-1816) se expresa en acentos de un lirismo conmovedor donde refleja su amor a la naturaleza y al paisaje rusos y que tienen cabal expresión en el romanticismo. Demís Fonvizin (1744-1792) da al teatro sus primeras obras maestras; algunas de sus comedias satíricas todavía se representan (*El minero*, 1782). Alexander Radishchev (1749-1802), influido por la Revolución Francesa, escribe *Viaje a San Petersburgo a Moscú* (1790), acerba crítica de la aristocracia. La reforma de la lengua literaria rusa, en el sentido de eliminar eslavismos eclesiásticos y seguir el estilo y sintaxis de los modelos franceses, se debe a Nikolai Karamzin (1766-1826) sobre todo en su obra Historia del Imperio ruso, que, con las fábulas de Iván Krilov (1769-1844), cierra la época de transición.

El siglo de oro. El siglo clásico de la literatura rusa va desde el romanticismo hasta la revolución de octubre de 1917. En reacción contra el racionalismo y la influencia francesa, los románticos rusos celebran la pasión, los sueños, la fantasía, el misticismo, el folklore y el pasado nacional. Se editan recopilaciones de canciones, cuentos populares; se descubren las bylines, especie de coplas transmitidas oralmente, donde se narran las hazañas de cientos de guerreros, sus luchas contra los salteadores de caminos, sus altercados con los príncipes de Kiev o de Moscú, hasta, incluso, con los dioses mitológicos.

El genio de este periodo es el mayor poeta ruso de todos los tiempos, Alexander Pushkin (1799-1837), quien en ciertos países no es todo lo conocido que debiera, porque su prosa (que es la verdaderamente traducible) no está a la altura de su obra poética, en la que toca todos los géneros: lírico, folklórico, narración real o fantástica, novela romántica, drama histórico, sátira social, siempre con admirable precisión como en *Eugenio Oneguín.*

A esta concisión, se opone la poesía atormentada de Mikhail Lermontov (1814-1841), el primer gran poeta romántico ruso, que, con versos de gran musicalidad, canta la belleza del Cáucaso o la sed de libertad (*El demonio, La novicia*). Su obra no es tan variada como la de Pushkin, pero imita con acierto y brío las bylines, como, por ejemplo, en su *Cantar del zar Iván Vasilievich*; en *Un héroe de nuestro tiempo* recuerda a lo que serán las narraciones de Kipling.

Al lado de estos dos grandes, sobresale Alexander Griyedov (1795-1829) con su obra de sátira social en verso libre, *La desgracia de tener ingenio*, que evoca *El misántropo* de Molière.

Nikolai Gogol (1809-1852) es, a la vez, el último romántico y el primer realista. Sus grandes novelas ambientadas en San Petersburgo (*Diario de un loco, El abrigo, La nariz*) señalan la entrada de funcionarios públicos en la novela rusa y anuncian el surrealismo. De sus dos grandes comedias, *La boda* y *El revisor*, la segunda es tanto una crítica social como una parábola angustiosa sobre el Juicio final. Esta misma ambigüedad aparece en *Almas muertas*, novela de la mediocridad humana, con clara intención religiosa.

A partir de 1840 el romanticismo deja paso a un realismo fuertemente impregnado de preocupaciones sociales y políticas. El gran poeta de este tiempo es Nikolai A. Nekrasov (1821-1878), que canta los sufrimientos del pueblo en *El hombre helado de la nariz roja* y *¿Quién vive bien en Rusia?* El gran dramaturgo es Alexander Ostrovski (1823-1886), cuyas mejores obras son, como *La tempestad*, estudios de costumbres; pero la parte principal de esta época corresponde a los cuentistas y novelistas.

La primera generación es la de Iván Turgueniev (1818-1883), que debuta con una obra maestra, *Relatos de un cazador*; la mejor de sus novelas es, sin duda, *Padres e hijos* donde crea el primer tipo de héroe nihilista. Puede citarse, además, a Sergei Aksakov (1791-1859) que con su *Crónica de familia* nos presenta el ambiente de la Rusia de su infancia; Nikolai Leskov (1831-1895), excelente cuentista en *Lady Macbeth del distrito de Mtsensk* y otras obras, y, por fin, los dos grandes nombres de la novela rusa: Dostoievski y Tolstoi.

Fedor Dostoievski (1821-1881) se reveló antes de su deportación, en 1849, con Pobre gente, pero sus obras principales las escribió cuando volvió de Siberia: *Recuerdos de la mansión de los muertos, Crimen y castigo, El idiota* y *Los hermanos Karamazov.* El universo asfixiante de Dostoievski, la fuerza de sus personajes y, en fin, su angustia metafísica ejercieron gran influencia en los novelistas modernos.

León Tolstoi (1828-1910) expone en *Los cosacos* una especie de panteísmo místico que luego desarrollará en *La guerra y la paz*, inmenso fresco épico-social de la Rusia de las guerras napoleónicas, que, junto con *Ana Karenina* y *La sonata a Kreutzer*, son sus obras maestras.

Los cuentos de Anton Chejov (1860-1904) son contemporáneos de la vejez de Tolstoi. Dignos de mencionarse son también dos poetas: Fedor Sologub (1863-1927) y Andrei Bely (1880-1934).

Vista panorámica del parque Kuscovo *en Rusia.*

Corel Stock Photo Library

También es importante señalar toda una serie de pensadores casi desconocidos, injustamente, que reaccionan con pasión contra el positivismo y el realismo reinantes, entre ellos Vladimir Solovieiv (1853-1900), Sergei Bulgakov (1871-1944), Dimitri S. Merejovski (1865-1941), Vasili V. Rozanov (1856-1919), crítico, ensayista y místico, etcétera. La literatura de emigración cuenta también con algunos grandes escritores como Vladimir Nabokov (1899-1977) y Mark Aldanov (1886-1957), entre otros.

Si bien *La madre*, de Máximo Gorki (1868-1936), tiene páginas bellas, la obra de este autor está marcada por la época. Su mejor libro es su narración autobiográfica *Días de infancia.*

Música. Es evidente que el pueblo ruso es el más dotado del mundo para la música. Sin embargo, el clero ortodoxo condenaba la música instrumental y la danza, como de naturaleza diabólica, hasta el siglo XVIII. Sólo se reconocía la música eclesiástica, la vocal y la coral, que aún hoy es la más bella de la cristiandad. Consecuencia de la liturgia bizantina, está influida, no obstante, por los antiguos modos eslavos.

Por el contrario, el folklore ruso, tal como lo conocemos, está profundamente marcado por la liturgia ortodoxa y por el clasicismo europeo.

Pedro I el Grande abre las puertas de Rusia a la música europea y los compositores rusos crean óperas a la italiana y ballets a la francesa.

La música rusa moderna no encuentra su propia expresión hasta la época del romanticismo, con Mikhail Glinka (1804-1857), autor de dos óperas, italianas por su composición pero ya profundamente rusas por sus temas musicales: *La vida para el Zar* (1836) y *Ruslan y Ludmila* (1842), esta última precursora de las obras de Rimsky-Korsakov, Stravinsky y Prokofiev.

Los sucesores de Glinka forman el impropiamente llamado en el extranjero grupo de los cinco, que reúne muchos músicos de valor desigual pero con exigencias comunes: nacionalismo, estudio del folklore, deseo de unir más estrechamente la música al drama, etcétera.

Russalka, la primera ópera de Alexander Daramyzhsky (1813-1869), precursor del grupo de los cinco y uno de los sucesores de Glinka, data de 1856. A su muerte dejó inconclusa *El convidado de piedra*, y la dirección del grupo pasó a Mili Balakirev (1830-1910) quien, junto con el crítico Vladimir Stasov, se convirtió en el representante de la vanguardia musical rusa.

Alexander Borodin (1833-1887), uno de los tres grandes del grupo de los cinco, dejó tres sinfonías para música de cámara, un poema sinfónico *(En las estepas del Asia Central)* y una excelente ópera sin terminar, *El príncipe Igor*. Modest Musorgsky (1839-1881), otro conspicuo integrante del grupo y músico de renombre internacional, compuso excelentes melodías, y su más relevante obra es la ópera *Boris Godunov*.

De los tres grandes, el más prolífero es Nikolai Rimsky-Korsakov (1844-1908), autor de numerosas óperas, profanas y religiosas, en las que recreó el folklore y la historia rusos *(El cuento del zar Saltan, El gallo de oro, La ciudad invisible de Kitezh*, etcétera), poemas sinfónicos *(Capricho español, Scherezade)*.

La figura solitaria de Peter Ilich Tchaikovsky (1840-1893) domina la música sinfónica rusa durante la segunda mitad del siglo XIX. Su nacionalismo estriba, sobre todo, en crear un estilo ruso que expresa sus propios sentimientos. Sus grandes ballets: *El cascanueces, La bella durmiente, El lago de los cisnes*, se conocen en todo el mundo, pero su obra instrumental (sinfonías, conciertos y música de cámara), excepto la célebre sexta sinfonía llamada *Patética*, se impuso recientemente.

Entre los sucesores del grupo de los cinco se puede citar a Anatol Liadov (1885-1914) (Baba Yaga 1904), Alexander Glazunov (1865-1936), Alexander Grechaninov (1864-1956) y, en parte, Alexander Scriabin (1872-1915), a quien también puede considerarse como el primer modernista en la música rusa; sus primeras obras para piano están muy influidas por Chopin y su música orquestal debe mucho a Wagner, pero con el tiempo desarrolla su alta técnica individual de composición en la que casi no existe la tonalidad: *Poema divino, Poema del éxtasis, Poema del fuego* o *Prometeo*.

La emigración rusa de 1917 revela a Europa los ballets de Sergei Diagjilev (1872-1929), quien introdujo con ellos en el mundo occidental a Vaslav Nijinsky, Anna Pavlova, etcétera, y a uno de los músicos más brillantes de la escuela moderna, Igor Stravinsky (1882-1971), virtuoso del ritmo y de la orquestación, cuyas obras más conocidas son *El pájaro de fuego, Petrushka, La consagración de la primavera*, todas de inspiración rusa.

Corel Stock Photo Library

Cuadro del Zar ruso Nicolás I.

Corona imperial rusa.

Corel Stock Photo Library

Sergei Prokofiev (1891-1953), menos innovador pero rico en ideas musicales, salió de Rusia, pero se reintegró a su país en 1933, y se le conoce sobre todo por su *Sinfonía clásica* (1917) y por el poema sinfónico *Pedro y el lobo* (1936).

Dimitri Shostakovich (1906-1975) nunca fue expatriado, pero no se libró de la censura por su ópera *Lady Macbeth del distrito de Mtsenk*; su *Séptima sinfonía*, escrita durante el sitio de Leningrado, es famosa en el mundo entero.

Aram Khachaturian (1903-1978) es muy conocido por su *Danza del sable*, su ballet *Gayane*, y por su admirable serie de conciertos.

No tan conocidos en occidente, por lo menos entre el gran público, son los compositores soviéticos Nikolai Miaskovski, contemporáneo de Prokofiev, que escribió música sinfónica; Dimitri Kabalevsky, Alexander Mosolov y Boris Asafyev, entre otros.

Arquitectura, escultura y pintura. El arte ruso propiamente dicho empieza en Kiev, en las regiones del Dnieper y del Dvina, donde se establecen los eslavos orientales. El bautismo del príncipe Vladimir, enel año de 989, marca el principio de la influencia bizantina, y la iglesia más antigua de esta época es la de Santa Sofía, en Kiev, construida hacia 1037. Su nombre, como su decoración (frescos y mosaicos), son copia del arte bizantino, pero con una libertad de detalle y un sentido de lo monumental que ya le dan carácter netamente ruso. Hasta el siglo XIII, época de la invasión mongólica, se siguen construyendo iglesias y palacios de este estilo en la Rusia de Kiev.

Más modesta pero más orginal aparece a mediados del siglo XI la arquitectura de Novgorod. En esta rica ciudad comercial, como en Pskov, la tradición local compensa la fascinación bizantina. Las construcciones de madera sirven de modelo contribuyendo así a crear los campanarios típicamente rusos, las cúpulas en forma de bulbo o cebolla y las pirámides.

La última ciudad medieval rusa, Moscú, se convierte en el siglo XV en la capital religiosa y política, así como en el centro cultural del país. Sus soberanos llaman a los arquitectos italianos más famosos para hacer de ella una ciudad magnífica, pero característicamente rusa; así, el zar Iván III envió al boloñés Fioravanti a Vladimir para que estudiara el arte regional. El Kremlin (que significa parte alta y fortificada de una ciudad) de Moscú es un complejo político-militar y religioso, con palacios suntuosos, donde se hermana el genio ruso de la policromía y la decoración italiana de los exteriores, flanqueados por tres iglesias, la de la Dormitio, la del Arcángel San Miguel y la de la Anunciación, y por el campanario de Iván el Grande. Una alta muralla de ladrillos rojos coronada por torretas defiende el conjunto, uno de los más pintorescos del mundo. No lejos de allí se yergue la célebre iglesia de San Basilio con sus nueve cúpulas multicolores.

La proliferación decorativa de la arquitectura rusa del siglo XVII no agota la fuente de inspiración tradicional. En Kiiji, islita situada en medio del lago Onega, está la obra maestra de arquitectura en madera, la iglesia de la Transfiguración (1714), delicada pirámide de madera con cúpulas recubiertas de láminas de madera festonada.

A Pedro el Grande, que visitó Europa occidental en 1697, se debe la occidentalización de la arquitectura. Fundó la ciudad de San Petersburgo (actual Leningrado), el ejemplo más patente de esta nueva arquitectura realizada por maestros italianos, franceses y alemanes, la fortaleza Pedro y Pablo y el palacio de Verano son de Tressini, se deben a Leblond las edificaciones a la francesa que rodean la residencia imperial de Peterhov (la actual Petrodvorest). Otro italiano, Rastrelli, domina la escena rusa bajo el reinado de la emperatriz Isabel I; es el introductor del barroco tardío en Rusia, estilo que mezcla briosamente con el de la arquitectura tradicional. El palacio de Invierno, así como el monasterio de Smonly, respetan la tradición rusa en plena época del rococó.

A partir del reinado de Catalina II, el estilo neoclásico goza de gran favor en Rusia, y su influencia dura hasta el siglo XIX. Está ilustrado brillantemente por la academia de Bellas Artes y el Pequeño Ermitage, obras del francés Vallin, y por otras obras del italiano Rinaldi.

Al lado de estos arquitectos extranjeros deben mencionarse dos arquitectos rusos: Bashenov, de estilo severo (el arsenal) y Starof, autor del palacio de Táuride.

Después de Catalina II los arquitectos extranjeros y, sobre todo, un urbanista ruso de origen italiano, Rossi, colaboraron con los artistas rusos en monumentos cada vez más grandiosos, como el palacio del Almirantazgo, obra de Zakharof, y Nuestra Señora de Kazan, de Voronikhine.

La revolución de 1917 viene acompañada de una conmoción radical: la arquitectura soviética que, utilitaria y proletaria, hace hincapié en la urbanización; los hermanos Vesnine introducen el gusto del momento en el antiguo Moscú. Aunque esta arquitectura, en las otras repúblicas de la URSS, tienda a adaptar las formas tradicionales a las innovaciones de la técnica moderna, "el gótico estalinista" no es un acierto estético.

Escultura. Rusia, heredera de Bizancio, es, durante mucho tiempo, refractaria a la escultura: los relieves que decoran los exteriores de las iglesias de Vladimir son la excepción. No hay muchos ejemplos de estatuas medievales rusas.

La escultura no penetra verdaderamente en el país hasta la época de Pedro el Grande y eso a iniciativa de escultores extranjeros, como Carlo Rastrelli, padre del arquitecto del mismo nombre. Durante el siglo XVIII florecen distinguidos escultores rusos, gracias a las enseñanzas de Gillet en la Academia de Bellas Artes, fundada en 1757; entre ellos sobresalen Gordeyev, Iván Prokofiev y, sobre todo, Martos, autor éste del monumento a Mirine y Poscharski en la plaza Roja. Fedor I. Shubin es el mayor escultor ruso de la época, autor de bustos de personalidades de su tiempo.

Desde la revolución de 1917, la escultura está al servicio del gobierno y exalta el trabajo, la patria y los grandes hombres que han contribuido a fundar el régimen soviético.

Pintura. Al contrario de la escultura, la pintura es una de las artes más fecundas de Rusia. Se empieza a desarrollar en Kiev, de donde pasa a Novgorod y, en el siglo XV y XVI, a Moscú. Los iconos son el elemento que caracteriza la pintura rusa antigua, y representan figuras de santos y escenas del Antiguo o Nuevo Testamento; destinados al principio exclusivamente al culto, los más antiguos son anónimos.

Con el mayor artista religioso ruso de la Edad Media, Andrei Rublev (1360-1430), el arte de los iconos alcanza su cima. Este monje, que practica también la pintura mural, es autor de muchas composiciones en Vladimir y en un lugar de peregrinación, no lejos de Moscú; la armonía y belleza de su pintura puede observarse en su célebre Trinidad, en la galería de Tretakiov de Moscú. Otro artista sobresaliente es Dionysius (1440?-1500?).

Durante el siglo XVI y XVII se extiende la influencia occidental y uno de los resultados de esta influencia es que los pintores tienden a dar más realismo a sus obras. Con Pedro el Grande la pintura profana se introduce tímidamente en Rusia, pero no se puede hablar de una escuela rusa hasta la segunda mitad del siglo xviii. Sus grandes representantes son retratistas, Levitsky (1735-1822), Rokotov (1735-1808) y Borovikovski (1757-1825), testimonios excelentes del lujo de la aristocracia y de la corte bajo los reinados de Catalina II y Alejandro I.

Las guerras napoleónicas propiciaron en Rusia la exaltación del sentimiento nacional, tanto en la literatura como en la pintura. Bryullov (1799-1852) pinta Los últimos días de Pompeya. La pintura de género de tendencia realista, representada por Venetsianov (1780-1847) y Fedotov (1815-1852), denuncia los privilegios de clase.

En 1870 la pintura rusa decide desligarse del clasicismo occidental y funda la "Sociedad de los ambulantes", con propósito social y de divulgación. A finales del siglo XIX hay una reacción contra esta corriente, a la que sucede un arte refinado y cosmopolita cuyo centro es de nuevo San Petersburgo, y que dirigen dos hombres de genio, Mikhail Vrubel (1856-1910) y Valentín Serov (1865-1911). Este movimiento, denominado "El mundo del arte", está influido por el impresionismo y simbolismo, y sus principales representantes son Alexander Benois (1870-1960), Sergei Diaghilev (conocido por sus ballets), Mstilav Dobuzhinsky (1875-1957).

El comienzo del siglo XX se caracteriza en Rusia por una extraordinaria revolución artística. Moscú se convierte en uno de los centros más activos de la búsqueda esté-

Capilla real del palacio Pavlovsk en Rusia.

Corel Stock Photo Library

tica contemporánea. Algunos artistas, después de haberse adherido a la revolución, salen del país. Tal es el caso de Marc Chagall (1887-1985), Vassily Kandinsky (1886-1944), Naum Gabo (1890-1977) y Anton Pevsner (1886-1962).

Cine. La producción cinematográfica rusa de la época zarista es muy variada: reportajes, películas históricas, patrióticas o melodramáticas y cine de marionetas.

Historia. Entre los primitivos habitantes de Rusia figuran los sármatas y escitas. Tribus eslavas irrumpieron hacia el sur e invadieron el territorio. Durante el siglo III tribus germánicas conquistaron varias regiones situadas entre el Báltico y el Mar Negro, pero fueron desalojadas posteriormente. Rurik, caudillo de piratas escandinavos, conquistó Novgorod (862) y dio al país el nombre de Rusia. En los siglos IX y X, los rusos aparecen en las crónicas del Imperio Bizantino como una posible amenaza a Constantinopla, capital del Imperio. En el año 988 misioneros bizantinos convirtieron al cristianismo a Vladimiro, príncipe de Kiev. De esa época data la introducción de la religión ortodoxa griega en Rusia y la influencia que el arte bizantino tuvo en la arquitectura del país. En 1380, Demetrio, gran duque de Moscú, logró una resonante victoria sobre los tártaros que habían invadido el territorio ruso desde el siglo XIII. Iván III el Grande, a fines del siglo XV, conquistó los últimos reductos tártaros, extendió hacia el sur sus dominios por los territorios del Volga, y por el norte llegó hasta las costas bálticas. Reinó de 1462 a 1505 y se le considera el verdadero fundador del Imperio Ruso; dejó de usar el título de gran duque de Moscú para adoptar el de Autócrata de Todas las Rusias. Su nieto Iván IV el Terrible (1533-1584) fue el primero que usó el título de zar; consolidó el poder imperial doblegando a la nobleza y centralizó las funciones del gobierno y los ingresos del Estado.

La dinastía Rurik, que con Iván III el Grande había efectuado la unificación imperial de Rusia y tenido monarcas poderosos como Iván el Terrible y Boris Godunov, que gobernaron con mano de hierro y engrandecieron la extensión del imperio, se extinguió en 1610 cuando el débil zar Basilio IV fue destronado por los boyardos. Sobrevino un periodo de confusión y graves disturbios, mientras suecos y polacos invadían grandes sectores de Rusia y Novgorod caía en poder de los suecos y Moscú, de los polacos.

En 1613, una asamblea de representantes de la nobleza, los burgueses y los cosacos eligió zar a Miguel Romanov, el primero de la dinastía de su nombre, cuyos monarcas habrían de gobernar a Rusia durante tres siglos. Los polacos, que habían sido vencidos en 1612, evacuaron Moscú, y Gustavo Adolfo, el célebre rey de Suecia y gran capitán, derrotado en Pskov (1615), se retiró de Novgorod. Con el advenimiento de la dinastía Romanov empezó a aumentar en Rusia la influencia de la civilización europea occidental. Pedro I el Grande, que reinó de 1689 a 1725, procedió a implantar grandes reformas para acelerar la europeización de Rusia. En 1697 y con el carácter de simple agregado, se unió a una misión rusa que partía al extranjero y visitó Prusia, Holanda, Francia, Inglaterra y Austria, países en los que estudió sus adelantos, instituciones y costumbres. Interrumpió su viaje y regresó a Rusia obligado por una rebelión que estalló en Moscú, la que sofocó con energía. Procedió a implantar en Rusia las reformas, fruto de su viaje al extranjero, que culminaron en notables mejoras y modificaciones en los organismos de gobierno, la economía y las costumbres y creó la marina rusa. Fundó, en 1703, la ciudad de San Petersburgo (hoy Leningrado) a la que trasladó la capital del Imperio. Pedro I, que había sido vencido por Carlos XII de Suecia en Narva, aniquiló a los suecos en Poltava (1709) y Carlos XII tuvo que huir y refugiarse en Turquía. En 1714 y 1720, la escuadra rusa derrotó a la sueca en el Báltico y Rusia se elevó a la categoría de gran potencia militar y naval.

Entre los sucesores de Pedro I el Grande, descuella Catalina II, llamada también la Grande, que reinó de 1762 a 1796. Al ascender al trono, Catalina encontró a Rusia en el estado de postración a que la habían conducido los desaciertos de algunos monarcas anteriores. Catalina reanudó, con inteligencia y energía, la política de Pedro I, tanto en la gobernación interior como en las relaciones internacionales. Se rodeó de sabios, estadistas y legisladores, y protegió las ciencias y las artes. Agrandó el territorio del Imperio desde el Báltico al Mar Negro.

Durante el reinado de Alejandro I (1801-1825) Rusia fue invadida por Napoleón (1812) al frente de 600,000 hombres. Después de la sangrienta batalla de Borodino, los ejércitos rusos se atuvieron a la estrategia de retirarse ante las tropas francesas y atraer a los invasores hacia el interior del país. Napoleón penetró hasta Moscú, desierto e incendiado por los rusos, y se encontró sin suministros, con sus líneas de aprovisionamiento amenazadas. Los rusos rechazaron las proposiciones de paz de Napoleón, y, ante la inminencia del invierno, éste decidió abandonar Moscú (octubre de 1812). En medio del frío, de la nieve y de los incesantes ataques de los rusos, las tropas napoleónicas efectuaron una de las retiradas más desastrosas de la historia. El hambre, el frío y las penalidades casi aniquilaron al ejército invasor, del que sobrevivieron menos de 50,000 hombres. El desastre señaló el principio del fin de la estrella napoleónica.

Nicolás I, que reinó de 1825 a 1855, se lanzó a una política de nacionalismo y expansión, que en lo internacional se arrogaba la protección de las poblaciones cristianas del Imperio Turco y que lo llevó a una guerra con Turquía. Tal política, que a juicio de las potencias europeas conducía al engrandecimiento territorial de Rusia en el Mediterráneo oriental, a costa de Turquía, y ponía en peligro el equilibrio europeo, condujo a la guerra de Crimea (1854). En este conflicto, la Gran Bretaña, Francia,

El Palacio de Invierno *en San Petersburgo, Rusia.*

Corel Stock Photo Library

Cerdeña (Italia) y Turquía pelearon contra Rusia, que fue derrotada, y por el tratado de paz que puso término a la guerra se garantizaba la integridad territorial de Turquía y se contenían las aspiraciones expansionistas de Rusia.

Alejandro II abolió el régimen de servidumbre (1868) que agobiaba al pueblo ruso e implantó otras reformas. Nicolás II, que ascendió al trono en 1894, prosiguió la expansión de Rusia en Asia y obtuvo diversas concesiones de orden económico y territorial en China, entre ellas la de Port Arthur (1898). Esa política alarmó al Japón que, sin previa declaración de guerra, atacó y destruyó la escuadra rusa en Port Arthur y sobrevino la guerra rusojaponesa (1904-1905), en la que Rusia fue vencida. Esta derrota avivó el descontento que desde hacía años existía en el pueblo ruso contra el zarismo y originó huelgas y grandes disturbios que fueron reprimidos con cruel energía. Ante la gravedad de los acontecimientos, Nicolás II se vio obligado a hacer concesiones de orden político y estableció la Duma del Imperio.

En el terreno de las relaciones internacionales, Rusia había formado una alianza con Francia (1893), que la marcha de la política europea obligó a reforzar con el acuerdo entre Rusia, Francia y Gran Bretaña (1914) frente a la agresividad de Alemania. Al estallar la Primera Guerra Mundial (1914-1918) en la que Rusia, unida a Francia y Gran Bretaña, peleó contra Alemania y Austria, las condiciones políticas y sociales internas de Rusia eran de tal gravedad que el Imperio Ruso se encontraba al borde de la revolución. El curso general de la guerra, su prolongada duración, el defectuoso aprovisionamiento de los ejércitos en campaña, la falta de municiones y suministros, los sufrimientos de los soldados y las privaciones de la población civil, las intrigas de la corte imperial en la que el monje Rasputín era una figura dominante, condujeron inevitablemente a la revolución.

La revolución rusa y la instauración de la Unión Soviética. En marzo de 1917 surgieron motines en Petrogrado a los que se unieron las fuerzas de guarnición en la capital. Alejandro Kerensky y los socialdemócratas consiguieron que las tropas sublevadas apoyaran a la Duma, que formó un gobierno provisional y solicitó la deposición del zar, quien abdicó el 15 de marzo. La Primera Guerra Mundial siguió su curso durante año y medio, al mismo tiempo que Rusia se debatía entre las convulsiones de la revolución.

Kerensky trató de robustecer el gobierno provisional, pero surgió en Petrogrado el Soviet de Soldados y Trabajadores, integrado por mencheviques y socialistas revolucionarios, que no acataba la autoridad del gobierno provisional. En otras ciudades se formaban también soviets como el de Petrogrado. A mediados de abril de 1917, Lenin, que estaba en el destierro, llegó a Rusia, y con Trotsky, Stalin y otros bolcheviques, procedieron a restar fuerza al gobierno provisional. Kerensky, jefe del gobierno, pudo dominar difícilmente la situación durante varios meses. En los frentes de guerra, los soldados desertaban y la resistencia se desintegraba. A principios de noviembre de 1917, los bolcheviques se levantaron en armas, atacaron la sede del gobierno provisional y Kerensky tuvo que huir. Lenin lanzó una proclama en la que manifestaba que el poder había pasado a manos de los soviets. El Congreso de los Soviets, que se había convocado, decretó que se debía concertar la paz, nacionalizó tierras y propiedades, creó el Consejo de Comisarios del Pueblo bajo la jefatura de Lenin, y Rusia se convirtió en una república de trabajadores y campesinos.

En marzo de 1918 firmó Rusia la paz por separado con Alemania, mediante el tratado de Brest-Litovsk, en condiciones humi-

Corel Stock Photo Library

Catedral de la Transfuguración *en el interior del Kremlin en Moscú, Rusia.*

Vista exterior del Kremlin en Moscú, Rusia.

Corel Stock Photo Library

Corel Stock Photo Library

Palacio de Catalina *en Pushkin, Rusia.*

llantes para Rusia y que representaba grandes pérdidas de territorio. En noviembre de 1918, Alemania se rindió a los aliados y terminó la Primera Guerra Mundial. Desde ese año hasta 1921, el gobierno bolchevique tuvo que hacer frente a la guerra civil y a las fuerzas aliadas de intervención que habían desembarcado en Murmansk y otros puntos de Rusia. Desaparecido el antiguo régimen económico y con graves dificultades para implantar el nuevo, Lenin y los bolcheviques tuvieron que librar una lucha prolongada y adoptar medidas de represión para sostenerse en el poder. El zar Nicolás II y su familia, prisioneros de los bolcheviques, fueron ejecutados en julio de 1918.

Trotsky, nombrado comisario de guerra en 1918, había organizado un ejército rojo y, finalmente, el gobierno soviético pudo derrotar a las diversas fuerzas antibolcheviques, salir victorioso de la guerra civil y restablecer la paz en todas las fronteras. Pero la economía de la nueva Unión Soviética estaba en situación desastrosa. La producción agrícola e industrial había descendido a los niveles más bajos, y el hambre se extendió por todas partes y causó millares de víctimas. Lenin se vio obligado a la suspensión temporal de las drásticas medidas implantadas que paralizaban la economía y puso en vigor (1922) la llamada Nueva Política Económica que, entre otras disposiciones, sustituía el sistema de requisición de cosechas y ganado, que soliviantaba a la población rural, por tasas y contribuciones en especie y en dinero, y restablecía, dentro de ciertos límites, el retorno de la iniciativa privada en el ejercicio del comercio interior, fortaleciendo el bloque socialista surgido de la revolción Rusa, y desaparecido al desmembrarse las repúblicas que lo constituían en 1991.

Los resultados electorales pusieron de manifiesto la radicalización popular y la irreversible pérdida de autoridad del PCUS. La violencia interétnica se hizo endémica en Armenia y Azerbaiján a causa de la disputa sobre la región de Nagorno-Karabah, y se recrudeció en Georgia después de la intervención del ejército contra los manifestantes en Tiflis (abril de 1989). La agitación nacionalista desembocó en una crisis de Estado cuando Lituania proclamó la independencia (marzo de 1990), decisión suspendida en junio ante el bloqueo económico decretado por Moscú. Tras la caída del muro de Berlín y la caída de los regímenes comunistas en la Europa del este, Gorbachov lanzó una nueva ofensiva reformista. El Congreso de los Diputados votó otra reforma constitucional que abolía el monopolio político del PCUS, instauró un sistema presidencialista y eligió al propio Gorbachov para el nuevo cargo de presidente de la URSS (15 de marzo de 1990). Las elecciones republicanas y locales (febrero-mayo) constituyeron un éxito para los radicales; B. Yeltsin fue elegido presidente de la Federación Rusa. El XXVIII Congreso del PCUS (julio de 1990), que reeligió a Gorbachov como secretario general, no pudo impedir que Yeltsin y otros dirigentes radicales abandonaran el partido. Para hacer frente a la crisis nacional, Gorbachov propuso un nuevo Tratado de la Unión, que fue aprobado por el Congreso de los Diputados y ratificado en referéndum (17 de marzo de 1991) en nueve de las quince repúblicas, mientras las tres repúblicas bálticas, Armenia, Georgia y Moldavia organizaban consultas electorales en sus territorios respectivos para reafirmar su voluntad de independencia. El tratado soviético-estadounidense para reducir las armas nucleares estratégicas (Start), firmado en Moscú con motivo de la visita del presidente G. Bush (31 de julio), agravó las tensiones en el aparato del PCUS y en el complejo militar-industrial. El 18 de agosto, cuando se encontraba de vacaciones en Crimea, Gorbachov fue confinado en su residencia y declarado "incapaz de asumir sus funciones por motivos de salud", en un golpe de Estado planeado por los conservadores del aparato, la KGB y algunos jefes militares. Gennadi Yanaev, vicepresidente de la URSS, asumió interinamente la presidencia, y una dirección colegiada compuesta por ocho personas decretó el estado de urgencia, restableció la censura y publicó una proclama justificando el golpe. La resistencia fue encabezada desde el primer momento por B. Yeltsin, quien, desde el parlamento de Rusia, llamó a la desobediencia civil y a la huelga general. La creciente oposición popular en Moscú y Leningrado, el rechazo internacional y la defección de algunas unidades militares, que pasaron a obedecer a Yeltsin, dividieron y paralizaron a los golpistas. El golpe quedó abortado el 21 de agosto, cuando los miembros del Comité de Estado se dispersaron antes de ser detenidos. Gorbachov, liberado, regresó a Moscú y apoyó y estimuló decididamente los cambios radicales que la nueva situación requería. Las actividades del PCUS fueron proscritas por el Tribunal Supremo (29 de agosto), se disolvieron los órganos del poder central y se abrió un nuevo periodo constituyente. El 6 de septiembre de 1991 el Consejo de Estado reconoció la independencia de Estonia, Letonia y Lituania.

En los meses siguientes, las sucesivas proclamaciones de independencia de las repúblicas y el colapso económico aceleraron la pérdida de autoridad política de M.

Gorbachov, que fracasó en el intento de concluir el Tratado que debía dar lugar a una Unión de Estados Soberanos para sustituir a la antigua organización del Estado. El 8 de diciembre de 1991 las tres repúblicas eslavas –Rusia, Bielorrusia y Ucrania– constituyeron una Comunidad de Estados Independientes, abierta al resto de las repúblicas, que puso fin en la práctica al Estado soviético. M. Gorbachov presentó la dimisión el 25 de diciembre de 1991.

Todas las repúblicas que constituían la URSS fueron reconocidas internacionalmente como Estados independientes.

Se celebra en 1992 una ronda de negociaciones para definir el futuro del Medio Oriente tocando los temas de armamento, economía y la administración de recursos naturales, para finales de este año las conversaciones con los Estados Unidos se llevan a cabo para reducir a dos terceras partes el armamento nuclear en zonas estratégicas, durante el año de 1992 las negociaciones con las repúblicas independientes de Rusia para establecer los pagos de la deuda contraída durante la existencia del bloque socialista. En 1993 Rusia contrae una serie de préstamos con las instituciones bancarias internacionalescomo el FMI, el Banco Europeo de Reconstrucción, Estados Unidos y Japón, con la condición de canalizar los fondos al desarrollo del pais. Tras cinco años de inestabilidad política y económica la respuesta se presenta en 1998 con brotes de violencia, tanto en atentados masivos como secuestros, las negociaciones internas por el poder llevan a la ingobernabilidad al Gobierno ruso, y en su política exterior sigue siendo apoyado el movimiento de democratización.

Rusia Blanca o Bielorrusia. Una de las repúblicas constituyentes de la Comunidad de Estados Independientes. Su superficie abarca 207,600 km^2 y cuenta con 10,442.000 habitantes. Limita al oeste con Polonia al noroeste con Lituania y Letonia, al norte y al este con Rusia y al sur con Ucrania.

El suelo de Bielorrusia es casi plano, con ligeras ondulaciones, excepto en la zona norte donde una línea de colinas separa dos cuencas hidrográficas: la del río Dvina occidental y la del alto Dnieper. En el sur está la Polesia, zona de pantanos. La agricultura y la ganadería son las segundas actividades principales del país (lino, cereales, papas, remolacha azucarera y cría de ganado vacuno). La explotación forestal desempeña un papel importante en la economía del país. Su población se compone por bielorrusos en su mayoría (77.9%) aunque también habitan rusos (13.2%), polacos (4.1%) y ucranianos (2.9%). La principal religión es la cristiana ortodoxa y hay dos lenguas oficiales, el bielorruso y el ruso.

Corel Stock Photo Library

Vista aérea de Tallin, Bielorrusia.

La Segunda Guerra Mundial supuso una gran tragedia humane y económica, al comportar la pérdida de la mitad de la población y alrededor del 80% de la capacidad económica. Con posterioridad a esta confrontación bélica, el pais, tradicionalmente agrícola, experimentó una rápida industrialización a partir de los años cincuenta, la cual conllevó una diversificación económica inexistente haste entonces. A inicios de los noventa la renta percápita se situaba ligeramente por encima de los 3,000 dólares.

Bailarinas del Joroshki, *conjunto coreográfico bielorruso.*

Corel Stock Photo Library

La agricultura, a pesar de no contar con un suelo particularmente fértil, reviste cierta importancia. Bielorrusia era un exportador neto de alimentos al resto de repúblicas de la URSS. La producción ha revestido un carácter relativamente especializado. Patatas, remolacha y ciertas verduras son los cultivos más importantes. La ganadería ocupa un paper destacado, suponiendo 60 % de la producción agrícola. La catastrofe nuclear de Chernobil tuvo un impacto negativo en este sector debido a que afectó particularmente a los territorios del sur del país donde se concentran las explotaciones agrícolas más intensivas y los rebaños mas numerosos. Como consecuencia de este accidente, de 15 a 20% de la tierra cultivable se ha visto sometido a diversos grados de restricciones en su uso. El desarrollo de explotaciones privadas es todavía limitado.

Sus industrias más destacadas son: metal-mecánica, equipo y material de construcción, electrónicos, textil, productos químicos, alimentos, productos derivados del petróleo, papelera y procesadores de productos agrícolas y forestales.

La producción de energía eléctrica ha experimentado notable desarrollo en los últimos años. Su unidad monetaria es el rubel.

Su capital es Minsk (1.671,000 h.) y otras ciudades importantes son Gomel (517,000 h.), Mogilev (364,600 h.) y Vitebsk (362,700 h.). El nombre histórico no aparece haste el siglo XIII. Su territorio tradicional corresponde en esencia al ocupado desde 1991 por el Estado independiente de Bielorrusia. Entre los siglos V y VIII fue co-

Corel Stock Photo Library

Bisontes europeos en el valle Bielovezhskaya Puscha, Bielorrusia.

lonizada por tribus eslavas del este. Hacia el siglo X cayó bajo el dominio del principado de Kiev. En el siglo XIII se repartieron el territorio bielorruso varios principados (Turov, Smolensk, Polotsk, etcétera) vasallos de Kiev. A finales del siglo siguiente sufrió la invasión mongola, que facilitó la intervención de los duques de Lituania, y quedó incluida en la orbita de influencia polaca y católica. Oficialmente pasó a poder de Polonia por la Unión de Lublin (1569). Pero desde finales del siglo XVI el imperio ruso empezó a anexionarse parse de Bielorrusia, situación legalizada tras los repartos de Polonia (1772, 1793, 1795), y en las sierras ocupadas se procedió a una intensa campaña de rusificación. En 1812, sufrió la invasión de los ejercitos napoleónicos; devastada y empobrecida, fue un foco tradicional de em ig ración a lo la rgo del siglo XIX En los primeros ahos del siglo XX vivió en un clime de agitación revolucionaria que favoreció el surgimiento de un sentimiento antirruso. Durante la Primera Guerra Mundial fue invadida (1915) por los alemanes, que penetraron hasta Minsk (1918). En 1918, se proclamó república independiente, pero en 1919 el Gobierno sovietico se hizo con el poder en Minsk. Sus límites occidentales fueron fijados en 1919 por la conferencia de Paz de París siguiendo el límite lingüístico, según la línea Curzon. La guerra ruso-polaca (1919-1921) modificó esta frontera en favor de Polonia. Fue una de las cuatro repúblicas que se federaron pare constituir la URSS (22 de diciembre de 1922). En 1939, la URSS recuperó el territorio perdido. Durante la Segunda Guerra Mundial fue nuevamente invadida por los alemanes (1941-1944). En la conferencia de Yalta (1945) volvió a ser aceptada la línea Curzon, y en el mismo año, un tratado entre sovieticos y polacos estableció una modificación de límites en favor de Polonia.

Típica artesanía bielorrusa de paja.

Corel Stock Photo Library

La independencia. Durante todo el periodo comunista, y aunque fue miembro fundador de la ONU (1945), en la que tuvo un estatuto de Estado independiente, Bielorrusia fue dirigida y administrada desde Moscú, que la convirtió en un inmenso centro de montaje, especialmente de vehículos pesados y tractores. Bajo la dirección del bielorruso Nikolai Sliunkov, miembro del politburó del PCUS (1987), respaldó el programa de reformas de Mikhail Gorbachev a partir de 1985. Una parse de su territorio fue afectada por el accidente nuclear de Chernobil (26 de abril de 1986). El Partido Comunista de Bielorrusia triunfó en las elecciones predemocráticas del 4 de marzo de 1990 pare el soviet supremo (parlamento), que proclamó la soberanía de la república, pero como "una etapa necesaria para participar armdnicamente en las negociaciones de un nuevo tratado de unión" (27 de julio de 1990). En el referédum del 17 de marzo de 1991, 82 % votó a favor de una federación soviética renovada. Tras el fracaso del golpe de Estado contra Gorbachev, el soviet supremo de Minsk proclamó la independencia (25 de agosto de 1991) y eligió presidente al centrista Stanislav Shushkevich, que no era miembro del PCUS. Bielorrusia fue una de las tres repúblicas eslavas que proclamaron la desaparición de la URSS y el nacimiento de la Comunidad de Estados Independientes (CEI), en una reunión celebrada en Minsk (8 de diciembre de 1991).

Ante las demandas de la oposición democrática, agrupada en el Frente Popular, dirigido por Zianon Pazniak, el gobierno de Viacheslav Kebich aprobó un programa moderado de liberalización, en el que se incluyó la privatización de la tierra (1992). En el exterior, además de mantener estrechos lazos con Rusia, estableció relaciones diplomáticas y firmó un acuerdo comercial con Polonia (marzo de 1992). Las armas tácticas fueron trasladadas a Rusia y las estratégicas quedaron bajo el mando de las fuerzas armadas de la CEI. Bielorrusia firmó el tratado Start-1 en 1993. En enero de 1994, Mechislav Grip, exgeneral de la policía, fue elegido presidente del Parlamento, cargo que equivalía al de presidente del país. En las primeras elecciones presidenciales de julio de 1994 venció, con 80% de los votos, el populista Alexandr Lukasenko (prorruso), quién nombró primer ministro a Mijail Chigir. En 1996 cerca de 15,000 personas marchan por el centro de Minsk para exigir la continuidad de la independencia ante la propuesta gubernamental de reincorporarse a Rusia.

Literatura. En los siglos XI y XII, después de la adopción del cristianismo, en la actual Bielorrusia se desarrollo una literatura religioso-eclesiástica bastante extensa, como irradiación de la cultura del principado de Kiev. La invasión del país por la Horda de Oro en la primera mitad del siglo XIII y la unión con Lituania despertaron la conciencia nacional y motivaron el desarrollo del idioma bielorruso, que se convirtió en la lengua oficial del principado de Lituania. En bielorruso fueron escritas las leyendas históricas, las crónicas locales y el *Estatuto de Lituania*, y a la misma lengua se tradujeron las historias de los santos, como *La vida de San Alejo, hombre de Dios*. Junto con la literatura feudal y piadosa, existen obras épicas de inspiración popular, como la *Batalla de Mamaj* y los *Anales de Avreamka* (1492), de espíritu patriótico, que llaman a la unión nacional, a la independencia y a la lucha contra los invasores extranjeros. De la monotonía de los autores apologéticos y defensores del orden social (I. Potq, I. Kuncevic) de los siglos XVI y XVII destaca la personalidad de Georgij Skorina (n. 1490), que tradujo al bielorruso la Biblia y la editó en Praga; publicó también dos obras originales en Vilna: *El Apóstol* y *Pequeña guía*. Skorina, propagandista de las ideas del humanismo, junto con sus seguidores (V. Tjapinskij, S. Budnyj), representa la transición a la literatura laica. A finales del siglo XVI fue escrito el original Discurso de Meleska, panfleto contra la política de los reyes polacos, donde el autor anónimo, tras haber descrito la corrupción y la avidez de los extranjeros, recomienda "pegar con el puño a la cara" de los señores alemanes y polacos "que nos rodean, nos ahogan y nos llevan contra nuestros propios derechos". Después de un largo periodo de estancamiento, la literatura bielorrusa parece recobrar sus fuerzas a principios del siglo XIX. En la poesía popular gozan de gran difusión las llamadas *gutarkas*, obras en forma de dialogo que tratan de la situación de los campesinos, abogando por su liberación (*Primavera, hambre, miseria*). El campesino trace también su aparición en la literatura. Primero en los cuentos didácticos y exhortaciones a la obediencia a los señores feudales del romanticismo (Jan Borscevskij, 1790-1851), y luego en las obras de los escritores aristócratas liberales, de tendencias humanitarias (Jan Cacot, 1797-1847), que, no obstante sus descripciones realistas de la vida campesina, la idealizan desde una posición sentimental y utópica. Destacada figure de esta corriente es Dunin Marcinkevic (1807-1884), poeta y dramaturgo autor de numerosos libretos de ópera (Seljanka, 1843). A finales del siglo xix se afianza la tendencia critico-realista, cuyo representante principal es F. Bogusevic (18401900), seguidor de las ideas de los demócratas revolucionarios rusos (Cernysevskij, Dobroljubov) y participante en el levantamiento campesino del año 1863, que en su poesía de inspiración popular pone de manifiesto su amor a los campesinos pobres y explotados y trata de despertar en ellos la dignidad humana y llevarlos a la acción. De igual modo se expresan en sus poemas Adam Gurinovic (1869-1894) y Janka Lucina (1851-1897). El desarrollo industrial y los antagonismos sociales que culminan en los acontecimientos revolucionarios del año 1905 se reflejan en la actividad literaria de Janka Kupala (1882- 1942) y Jakub Kolas (18821956), que, junto con Aloiza Paskevic (1876-1916), saludan la revolución como "tormenta purificadora" y se identifican con la lucha popular por la liberación nacional y social de las mesas. La confusión ideológica, el pesimismo, el esteticismo gratuito y las tendencias apolíticas que siguieron a la derrota de la revolución, se reflejan en cierto modo en la actividad literaria de aquellos grandes representantes de la poesía bielorrusa que iniciaron su labor en esta época: Maksim Bogdanovic (1891-1917) y Zmitrok Bjadulja (1886-1941). Bogdanovic introdujo el tema urbano, dio flexibilidad al idioma bielorruso y tradujo obras clásicas. La poesía de preocupaciones filosóficas de Z. Bjadulja expresa también la dignidad de los seres más sufridos de su patria. La revolu-

Corel Stock Photo Library

Fachada del Museo de Arte Nacional en Bielorrusia.

Lagos y bosques de un paisaje típico de Bielorrusia.

Corel Stock Photo Library

ción cultural que siguió a los acontecimientos históricos de octubre de 1917, y la miseria ocasionada por la guerra e intervención extranjera, polarizó también los frentes literarios. En conflictos y luchas internas contra los nacionalistas, al lado de Kupala, Kolas y Bjadulja, que aceptaron sin reserves el cambio político, surgió una nueva generación de escritores y poetas jóvenes (P. Brovka, P. Glebka, P. Trus, K. Krapiva, M. Lynikov, K. Cornyj [1900-1944] etcétera), los cuales reflejaban en sus obras las luchas de la guerra civil y cantaban el entusiasmo de los primeros años de la edificación socialista. Las organizaciones de escritores (Polymja, Molodnjak, Uzvyssa, Asociación Bielorrusa de Escritores Proletarios) a raíz de la reorganización de la vida literaria, fueron fundidas en 1932 en la Unión de Escritores Soviéticos de la República Socialista de Bielorrusia. A principios de los años 30 comenzó su actividad uno de los poetas mas importantes del país, Arkadij Kulesov, que se convirtió en uno de los mas populares de toda la URSS. La Segunda Guerra Mundial castigó duramente el territorio de Bielorrusia y muchos escritores murieron por su patria luchando en las filas de guerrilleros. De la generación posbélica destacan los novelistas 1. Samjakin (*Corriente azul*), Taras Hadkevic (*Fraternidad*) y los poetas M. Tank, A. Stahovic, A. Belevic, A. Zarickij, K. Kireenka, A. Veljugin, A. Kulakovskij, M. Posledovic.

Rusiñol y Prast, Santiago (1861-1931). Pintor y escritor español. Nació en Barcelona y murió en Aranjuez. Dedicado a las tareas comerciales, las abandonó para consagrarse a la pintura cuando tenía 26 años. Fue discípulo de Tomás Moragas y vivió largas temporadas en París con el escultor Enric Clarasó y los pintores R. Canudas, Maurice Utrillo e Ignacio Zuloaga. En sus primeros cuadros, *La morfina* y *La última receta*, se advierte la influencia del impresionismo francés y una especie de misticismo a lo Greco. Pero, donde su figura adquirió relieves de gran artista fue como pintor de los jardines de España, en lo cual se reveló ni primitivo, ni clásico, ni moderno, sino intensamente personal y singular. Supo corregir gradaciones y matices inesperados de un mismo color; sus verdes son tan ricos y varios, que en sus lienzos no hay dos semejantes. Fueron de su predilección los jardines de Aranjuez, los parques señoriales de Mallorca, el esplendor moruno del Generalife de Granada y los jardines valencianos. Antes que en España, que le hizo justicia en 1908 y 1912, habían triunfado sus cuadros en París Chicago, Roma, Venecia y Buenos Aires. Sobre el acantilado de Sitges fundó su famoso museo del Cau Ferrat en el que reunió valiosas colecciones de hierros y vidrios catalanes, antigüedades ebusitanas, pinturas valiosas, etcétera. Se reveló como escritor en 1890, año en que obtuvo sus primeros éxitos de autor dramático, que, tanto en castellano como en catalán, fueron muchos posteriormente. Hombre de gran vitalidad y capacidad de trabajo, pintó centenares de cuadros y escribió novelas, ensayos y obras dramáticas entre las que sobresalen *El místico, La buena gente, La madre, L'auca del senyor Esteve* (1907), *Libertad* y *La alegría que pasa* (1898). Muchas de sus obras han sido traducidas al francés, italiano, portugués, e incluso al volapuk. Humorista muy original, fue también asiduo colaborador del famoso periódico de esa índole *L'Esquella de la Torratxa.*

Ruska, Ernst (1906-1988). Ingeniero electrónico alemán. Estudió en los politécnicos de Munich y Berlín. En 1929, formando parte del grupo de científicos dirigidos por M. Knoll y A. Mathias en el Politécnico de Berlín, desarrolló los lentes electrónicos de deflexión de corta distancia focal. En 1939, en colaboración con B. van Borries, puso a punto, en los laboratorios de la *Siemens & Haske AG* de Berlín, el primer modelo comercialmente satisfactorio de microscopio electrónico. En 1955 fue nombrado director del *Max-Planck-Gesellschaft* de Berlín-Dahlem. En 1986, compartió con Gerd Binning y Heinrich Rohrer el Premio Nobel de Física.

Ruskin, John (1819-1900). Escritor, crítico de arte, dibujante y sociólogo inglés. Sus primeras obras fueron una defensa del paisajismo del pintor William Turner y el arte gótico. Opinaba que el arte del Renacimiento tenía poco valor, pues había sido creado en una época incrédula y decadente, que la estética estaba subordinada a la moral y que el espíritu científico era funesto para el arte. Estas teorías le hicieron el defensor de los pintores y poetas prerrafaelistas, que también intentaban una revaloración del arte medieval. De esta época de su vida datan sus obras *Pintores modernos* (1843-1860), *Las siete lámparas de la arquitectura* (1849) y *Las piedras de Venecia* (1851-1853). Hacia 1860 comenzó a interesarse en los problemas sociales. Dueño de una gran fortuna ayudó a artistas, obreros, cooperativas y museos. Afirmaba que la sociedad debía organizarse no con fines utilitarios, sino para satisfacer el impulso creador, natural en todos los hombres. Creía que el dinero debía ser empleado en interés de la colectividad. En 1887, ya había gastado toda su fortuna y sólo la venta de sus libros le ayudaba a vivir.

Russell, lord Bertrand Arthur William (1872-1970). Filósofo, lógico, matemático, pedagogo, ensayista y político británico. Conde Russell y vizconde de Amberley, premio Nobel de Literatura (1950) y premio Kalinga de la UNESCO (1957), fue una de las figures más sobresalientes y comprometidas política y socialmente de la intelectualidad contemporáneo. Huérfano de padre y madre a los 3 años, fue educado hasta los 18 por sus abuelos y profesores particulares en un ambiente rígidamente puritano. Mas tarde ingresó en el Trinity College de Cambridge, donde estudió filosofía y matemáticas. Influido en su primera juventud por filósofos hegelianos británicos (Francis Herbert Bradley, Bernard Bosanquet, etcétera), debido al contacto con George Edward Moore y a los propios estudios matemáticos, abandonó el idealismo (hacia 1898) en favor de una especie de *realismo platónico*. Entusiasmado por la reciente teoría de conjuntos cantoniana y la obra lógica de Friedrich Gottlieb Frege, Russell trató de proseguir la fundamentación lógica de las matemáticas emprendida por este y Giuseppe Peano. En 1901, descubrió en la teoría de conjuntos la paradoja que lleva su nombre y que conmovió los fundamentos lógicos de la matemática. Entre 1903 y 1908 buscó una base no contradictoria pare la teoría de conjuntos y formuló la llamada *teoría de tipos*: los predicados se ordenan en una jerarquía infinita de niveles o *tipos*, de modo que en el enunciado "*a* es el elemento de *c*", *c* debe ser de un tipo superior a *a*. En 1905 publicó el articulo *On Denoting* (*Sobre la denotación*), agudo análisis lógico de las descripciones: según Russell, una descripción equivale a la afirmación de la existencia unívoca de un individuo; así, *el presidente de Alemania* equivale a "existe un *x*, y un solo uno, tal que *x* es presidente de Alemania". Estos y otros estudios en lógica permitieron a Russell, con la colaboración de Alfred North Whitehead, publicar entre 1910 y 1913 los monumentales *Principia Mathematica*. Por vez primera en la historia se formalizaba y axiomatizaba en un solo sistema todo el edificio de las matemáticas a partir de conceptos lógicos. Con ello, Russell y Whitehead pretendían llevar hasta el fin su programa *logicista* de reducir la matemática a la lógica. Por otra parte, con los *Principia* la *nueva lógica* mostró por vez primera sus posibilidades como instrumento de formalización científica.

Tras la publicación de esta obra, y aunque en 1918 escribió una *Introduction to Mathematical Philosophy* (*Introducción a la filosofía matemática*), los intereses filosóficos de Russell derivaron hacia problemas de antilogía, epistemología y filosofía de la ciencia. En 1912 conoció a Ludwig Wittgenstein y de su contacto surgió una teoría destinada a explicar la relación entre lenguaje y realidad: el *atomismo lógico*. Según ella, los elementos *mínimos* de realidad son *hechos* atómicos, simples, a los cuales corresponden en un lenguaje ideal proposiciones atómicas; mediante las *conectivas lógicas*, las proposiciones atómicas se combinan en proposiciones *moleculares* que, a su vez, corresponden a hechos compuestos.

En 1914, Russell publicó *Our Knowledge of the External World* (*Conocimiento del mundo exterior*), de gran influencia en la epistemología actual y en particular en la primera obra de Rudolf Carnap, e inició la aplicación de métodos lógicos y matemáticos a los problemas epistemológicos y de teoría de la ciencia. Por los años veinte, Russell se dedicó cada vez mas a la filosofía de la ciencia propiamente dicha: filosofía de la psicología –*The Analysis of Mind* (*Análisis de la mente*), 1921– y filosofía de la física –*The Analysis of Matter* (*Análisis de la materia*), 1927–. Su última gran obra en este campo es *Human Knowledge* (*El conocimiento humano*), 1948. La teoría semántica de Russell aparece en su *Inquiry into Meaning and Truth* (*Investigaciones sobre pensamiento y verdad*). En 1914, Russell atacó duramente el belicismo, y su defensa de los objetores de conciencia le valió ser encarcelado en 1918. En 1920, marchó a Rusia, de sus experiencias allí surgió la *Practice and Theory of Bolshevism* (*Teoría y practica del bolchevismo*), 1920. En los años siguientes elaboró concepciones revolucionarias en pedagogía y moral sexual –*On Education* (*La educación*), 1926; *Marriage and Morals* (*Matrimonio y moral*), 1929–. Sus nuevas ideas en materia de educación cristalizaron en la creación de la escuela de Beacon Hill. En 1940, durante su estancia en New York, tuvo lugar el *proceso Bertrand Russell* (1940): por el cargo de *indecencia*, Russell fue condenado a perder su cátedra en la universidad. El peligro de guerra nuclear le condujo a organizar, junto con Albert Einstein, el *Movimiento Pugwash* (1953), formado por científicos de los dos bloques de la *guerra fría*. La creación del *Comite de los 100* en favor de una resistencia pacifica contra la carrera de armamentos le llevó a ser encarcelado por segunda vez. En sus últimos años promovió el *tribunal* contra los crímenes de guerra en Vietnam. De 1967 a 1968 publicó *The Autobiography of Bertrand Russell* (*Autobiografía de Bertrand Russell*).

Rut. Mujer moabita cuya historia se narra en uno de los libros más breves y hermosos del Antiguo Testamento. Al morir su esposo se dirigió a Judea acompañando a su anciana suegra, llamada Noemí, y se dedicó a las tareas del campo. Cierto día, mientras se hallaba recogiendo espigas de trigo, fue vista por Booz, propietario de los campos, quien se prendó de sus virtudes y belleza y contrajo matrimonio con ella, a pesar de que no era hebrea. La pareja, cuyo rústico idilio inspiró tan hermosas páginas, tuvo un hijo llamado Obed, abuelo del rey David.

ruta comercial. Vía de comunicación utilizada en el tráfico mercantil. En la historia de la humanidad ha existido siempre el influjo de las rutas comerciales, creadoras de contactos entre distintos pueblos y civilizaciones.

Rutas históricas. Para rastrear los orígenes del tráfico mercantil debemos acudir a crónicas, leyendas y algunas narraciones más o menos imaginativas. Muchas interrogaciones quedarán sin respuesta: ¿Cómo pudieron los habitantes de Troya tener piedras preciosas labradas en China? ¿Cómo pudo el jefe de una tribu británica, hace 4,000 años, poseer espejos tallados en Egipto? Es imposible contestar con exactitud, pero parece que las rutas comerciales más antiguas de la humanidad partieron de Ur, la legendaria ciudad de Mesopotamia, para llegar a diversas regiones de Asia Menor. También existen indicios de que los pobladores de Creta surcaban en sus naves las aguas del Mediterráneo hace 35 siglos. Tenemos que aguardar hasta el siglo XII a. C. para encontrar pruebas de que los fenicios llegaron a las Columnas de Hércules (estrecho de Gibraltar) y que posteriormente se internaron en las aguas del Mar del Norte. Los comerciantes de las repúblicas griegas extendieron sus rutas terrestres por el sur de Rusia y el interior de los Balcanes, donde vendían aceites, trigo y lanas; avanzando hacia el oeste, fundaron colonias en las penínsulas itálica e ibérica. Alejandro Magno abrió al comercio griego las rutas del Oriente, y los traficantes de Atenas no tardaron en llevar a Europa las joyas de la India y los perfumes de Arabia. El tráfico terrestre partía de Antioquía, en territorio sirio, y se adentraba en las inhóspitas comarcas del Turquestán. Los romanos, maestros de la organización política, crearon un perfecto sistema de caminos a través del continente europeo; cruzando los Alpes, sus rutas se adentraban en tierras ibéricas, francesas y germánicas. Perturbado por las invasiones de los bárbaros, el sistema romano sufrió un colapso definitivo con el apogeo del Islam, en los siglos VII y VIII. Las repúblicas de Venecia y Génova restablecieron, hacia el año 1100, el contacto con el Oriente. De Venecia partió Marco Polo en busca de las fabulosas riquezas del Catay.

Después de seguir durante un tiempo la secular ruta de las caravanas de Asia Menor, se desvió hacia el sur y llegó hasta la ciudad de Ormuz, a orillas del Golfo Pérsico, de donde prosiguió hacia el Oriente por los caminos del Turquestán, entre interminables peripecias. Llegado a Pekín, *la ciudad de donde salen todos los días mil carros cargados de sedas*, se convirtió en consejero comercial de su monarca. La narración de sus viajes, publicada en Europa poco después de su regreso, excitó el espíritu aventurero de muchos comerciantes; pero las guerras e invasiones obligaron a buscar nuevas rutas para el tráfico con el Extremo Oriente. Correspondió el honor de hallarlas a los portugueses Bartolomé Díaz y Vasco de Gama, que abrieron el camino marítimo por el cabo de Buena Esperanza. Al buscar la misma ruta marchando hacia el oeste, Cristóbal Colón halló un mundo nuevo, de riqueza inigualable. Aunque las compañías mercantiles siguieron comerciando con los pueblos orientales, la atención de Europa se concentró durante tres siglos en las riquezas del Nuevo Mundo. Las rutas marítimas experimentaron pocos cambios hasta que la apertura de los canales de Suez y Panamá, unida al desarrollo de la navegación de vapor, modificaron el esquema de los caminos del comercio.

Rutas actuales. Si se observa un globo terráqueo, se verá que la mayor parte de los centros económicos y culturales del mundo se hallan alrededor de la gran cuenca del Atlántico Norte. Es natural que por allí pase la principal red de rutas comerciales, que une a Europa con América del Norte. El segundo grupo de rutas es el que une los puertos del Mediterráneo con las regiones de Asia y Oceanía, pasando por el Canal de Suez. El tercero comunica el mundo occidental con los puertos asiáticos del Pacífico, utilizando la vía del Canal de Panamá. El cuarto establece un nexo entre Europa y los puertos de América del Sur.

Aunque las rutas marítimas son las de mayor importancia comercial, las ferroviarias también establecen conexiones entre diversos centros mercantiles. Las principales se hallan en América del Norte, Europa occidental y algunas regiones de América Latina y de Asia. A su vez, las rutas aéreas han venido a aumentar los medios de comunicación y de transporte. Dedicado a objetivos pacíficos, el aeroplano, con su velocidad enormemente superior a la de los otros medios de transporte, cruza océanos, une continentes y, al facilitar el contacto entre hombres y naciones, es otro factor de progreso y civilización. *Véanse* COMERCIO; TRANSPORTES.

Rutenia. Región que perteneció a Checoslovaquia y que, a partir de 1945 fue incorporada a la entonces Unión Soviética. Con el nombre de Zakarpatskaya Oblast (Región Subcarpática) pasó a formar parte de la República Socialista Soviética de Ucrania la cual se independizó en 1991.

Rutenia tiene 103,000 km^2 y 8.750,000 habitantes. Como parte de Ucrania, Rutenia se ha convertido en la provincia llamada *Transcarpático*. Su capital es Uzghorod. Rutenia perteneció a Hungría hasta la terminación de la Primera Guerra Mundial. En

1919, se unió a Checoslovaquia, bajo un régimen autónomo, y adoptó el nombre de Rutenia Subcarpática. En 1939, en el curso de la Segunda Guerra Mundial, tropas soviéticas ocuparon Rutenia y, al año siguiente, la Unión Soviética celebró un pacto con Checoslovaquia por el cual Rutenia pasaba a formar parte de la primera.

rutenio. Elemento químico perteneciente al grupo de la segunda serie de metales de transición de la tabla periódica de los elementos. Es uno de los seis del "grupo del platino". Su símbolo es Ru, su número atómico es 44 y su masa atómica es 101.07. Es un metal que se encuentra unido al iridio, al osmio, al paladio y al rodio en el platino nativo. Es de color blanco agrisado, quebradizo, parecido al iridio y después del osmio es el menos fusible de los metales del grupo del platino. Es inmune a los ácidos y al agua regia. Cronológicamente, el rutenio fue el último de los metales del grupo del platino que se descubrió. Osann dio noticias de ello en 1828, pero fue aislado por primera vez en 1844 por Klaus, en los residuos del tratamiento de un mineral de platino. Hasta 1848 no fue obtenido en grado de pureza. Se utiliza en aleaciones para aumentar la dureza del platino y el paladio. Aparte de su uso en joyería, se emplea en contactos eléctricos por su resistencia al desgaste, así como en la fabricación de puntas para plumillas y filamentos eléctricos. Como todos los metales del grupo del platino, es utilizado en síntesis orgánica por sus propiedades catalíticas.

Ruth. *Véase* RUT.

Rutherford, sir Ernest (1871-1937). Físico inglés, nacido en Nueva Zelanda. Estudió en el Canterbury College, en Christchurch. Fue profesor de física en las universidades McGill de Montreal (1898-1907) y Manchester (1907-1919). Sucedió a sir Joseph John Thomson como director del Cavedish Laboratory de la Universidad de Cambridge (1919-1937), fue profesor de filosofía natural en la Royal Institution (1922-1937) y presidente de la Royal Society (1925-1930). Descubrió las radiaciones alfa y beta del uranio, el gas radón (emanación del radio) y la ley básica de la decadencia de la radiactividad. Prosiguiendo en sus estudios, enunció su teoría sobre la desintegración espontánea de los átomos y propuso los medios para medir la radiactividad, demostró la estructura del átomo y los electrones y alcanzó la meta de los antiguos alquimistas: la transmutación artificial de la materia, separando un protón del núcleo del nitrógeno, y transformando a éste entonces en un isótopo del oxígeno. Fue catedrático en la Universidad de Montreal y en la de Cambridge, y galardonado con el Premio Nobel de Química en 1908. Autor de *Sustancias radioactivas* (1904) y *La mas reciente alquimia* (1937).

Ruysbroek, Jan van (1294-1381). Místico flamenco, llamado el *Admirable* y *el Divino Doctor*. En 1343, siendo capellán de Santa Gúdula, se retiró a vivir en una ermita del bosque de Soignes, adonde acudieron a verlo, atraídos por su sabiduría y santidad, muchos visitantes, entre ellos Gerardo de Groote, el precursor de Tomás Kempis. Es autor de numerosos tratados ascéticos y místicos, los más importantes de los cuales son: *Ornamento de las bodas espirituales* y *Las doce beguinas*.

Ruysdael o Ruisdael, Jacob Isaac van (1628-1682). Pintor barroco de la escuela neerlandesa, considerado como uno de los más representativos dentro de la especialidad paisajista. Hijo de un ebanista; estudió inicialmente con su tío Salomon van Ruysdael, y en 1648 ingresó en el gremio de pintores de Haarlem, trasladándose a Amsterdam en 1657. Durante mucho tiempo permaneció olvidado; pero las polémicas suscitadas en Francia en el siglo XIX entre clásicos y románticos, determinaron que surgiera del silencio y se le colocara entre los grandes pintores. Es autor de numerosos cuadros, algunos de los cuales figuran en los principales museos de Europa. Observador realista, reprodujo la naturaleza y supo embellecerla con hábiles contrastes de luz y sombra. No pudo eludir, sin embargo, la influencia de pintores compatriotas suyos, entre ellos Rembrandt Haemensz van Rijn. Sus paisajes son de ejecución simple y natural y de ellos se desprende una tranquila suavidad. Es uno de los grandes artistas de la escuela holandesa, pero no fue comprendido ni apreciado en su época. Sus más conocidas obras son: *Bosque, Efecto de sol, La selva, Senda en el campo, Paisaje de montaña* y *Bosque con una cacería a lo lejos*, que se encuentra en el museo del Prado (Madrid). Cultivó también el grabado.

Ruyter, Michel Adriaanszoon de (1607-1676). Marino holandés. Ingresó en la marina como grumete y por su valor e inteligencia se elevó sucesivamente a los más altos grados y fue capitán en 1635, contraalmirante en 1641 y almirante general en 1672. En la guerra contra los ingleses (1652-1654), penetró en el río Támesis (1667) y amenazó Londres (1664-1667). Defendió las costas de Holanda contra las escuadras reunidas de Francia e Inglaterra, a las que infligió severa derrota. En Sicilia apoyó a los españoles contra los franceses y murió a consecuencia de las heridas que recibió en la batalla naval de Agosta.

Ruzicka, Leopold (1887-1976). Químico croata nacionalizado suizo de origen yugoslavo. Profesor de la Universidad de Utrecht (1926-1928) y del Instituto de Tecnología de Zurich (1929-1957). Realizó importantes descubrimientos en la serie de los politerpenos. Fue laureado con el Premio Nobel de Química de 1939, junto con el químico alemán Adolf Butenandt, por sintetizar las hormonas sexuales, androsterona y testosterona partiendo del colesterol.

Ryle, sir Martin (1918-1984). Radioastrónomo británico. Estudió en la Universidad de Oxford y durante la Segunda Guerra Mundial trabajó en el Laboratorio de Investigación en Telecomunicaciones en cuestiones relacionadas con el radar. Al final de la guerra pasó a la Universidad de Cambridge, primero como investigador del Laboratorio Cavendish y luego como director del Observatorio Radioastronómico Mullard (1957). Fue profesor de radioastronomía en 1959 y nombrado astrónomo real en 1972. En 1958 concibió, mediante la acción combinada de dos pequeños telescopios, la síntesis de abertura, técnica de gran utilidad para la confección de radiomapas celestes con la que Antony Hewish y J. Bell confirmaron la existencia de los pulsares en 1967. En 1974 se le concedió, juntamente con A. Hewish, el Premio Nobel de Física.

Ryukyu, islas. Archipiélago japonés situado en el océano Pacífico, frente a la costa de Asia, entre la isla Kiu-Shiu de Japón y la isla de Taiwan; sirve de división entre el Mar de China oriental y Mar de Filipinas. Está compuesto por unas 60 islas y numerosos islotes que forman un arco de 1,050 km^2 que se divide en tres grupos: islas Amami, al norte; islas Okinawa, al centro (consideradas como las más importantes); e islas Sakishima, al sur. El clima es subtropical, con temperaturas promedio de 21 °C. La ocupación principal de los isleños es el cultivo de la caña, papas, plátanos, piñas, arroz y soya; la pesca es una industria prometedora. Población: 1.222,458 habitantes.

Pertenecientes a China, en el siglo XVII, fueron ocupadas por Japón, que en 1879 las convirtió en provincia. Durante la Segunda Guerra Mundial se libraron en Okinawa sangrientas batallas entre las fuerzas japonesas y las estadounidenses, las cuales culminaron con la entrada de Estados Unidos en Okinawa, y la isla se convirtió en importante base militar. En 1945, al rendirse los nipones, las Ryukyu pasan al dominio estadounidense. En 1952, gracias al tratado de paz, se devuelven a Japón las islas Amami. Las demás y Okinawa son devueltos 1968 y 1972, respectivamente. Sin embargo, aún hay ahí instalaciones militares estadounidenses en virtud de un tratado entre Japón y Estados Unidos de seguridad mutua.

S. Vigésima segunda letra del alfabeto español y decimoctava de sus consonantes. Su nombre es *ese* y representa un fonema fricativo sordo. El antiguo alfabeto sánscrito tenía cuatro letras de sonido sibilante: la primera equivalía a una s sonora; la segunda, a una s sorda; la tercera, al sonido de *sh*, y la cuarta, a la *x*. La *s* sorda se convirtió en la *sigma* griega, de la cual proviene la *s* latina. Ésta es la antecesora directa de la letra castellana. Como abreviatura, la letra s significa: segundo, sujeto, sur, etcétera, y en química es el símbolo del azufre.

Saadi (Moncharriff-ed-Din) (1184?-1291). Poeta de los más notables de Persia. Nació en Schiraz y estudió en Bagdad. Viajó por los países islámicos, de la India a Marruecos, e hizo varias peregrinaciones a La Meca. Su obra más notable es *El jardín de las rosas*, narrativa y doctrinal, escrita en prosa con versos intercalados. Escribió también *El huerto*, obra del mismo carácter que la anterior pero toda en verso, *El libro del Consejo* y cuentos, fábulas y aforismos de personal y elegante estilo. Sus obras se caracterizan por el equilibrio de sus reflexiones morales y la riqueza de sus imágenes. Han ejercido influencia en la literatura europea.

Saar, territorio del. *Véase* SARRE, TERRITORIO DEL.

Saavedra, Ángel. Véase RIVAS, DUQUE DE.

Saavedra, Bautista (1870-1939). Estadista boliviano. Catedrático de derecho en la Universidad de La Paz. Autor de los estudios sociológicos: *Ayllu, estudio sociológico sobre America* (1914) y *La democracia en nuestra historia* (1917). Ocupó la presidencia de la república después del golpe de Estado de 1920. Efectuó extensos estudios referentes a las fronteras de su patria y tuvo actuación destacada en el litigio por cuestión de límites entre Bolivia y Perú.

Saavedra, Cornelio (1761-1829). Militar y político argentino. Se distinguió durante las invasiones de los ingleses a Buenos Aires (1806-1807) y posteriormente presidió la Primera Junta de gobierno. Nacido en Potosí, a la edad de ocho años se trasladó con su familia a Buenos Aires. Estudió en el Colegio de San Carlos. Durante la primera invasión de los ingleses actuó como comandante del cuerpo de *Patricios*, recientemente formado. En aquel instante decisivo para el futuro de la Colonia, Saavedra dio pruebas de valor personal y de pericia militar. Con el grado de teniente coronel dirigió el mismo cuerpo contra la segunda invasión de los ingleses, en 1807, donde volvió a demostrar sus condiciones de soldado y su temple de patriota. Durante el levantamiento de Martín de Alzaga se puso de parte del virrey Santiago de Liniers y Bremond, que había sido el defensor de Buenos Aires frente a los ingleses.

La acción de Cornelio Saavedra se encaminó luego hacia la consecución de la libertad política. El 24 de mayo de 1810 el cabildo de Buenos Aires se reunió a puertas cerradas y eligió una junta de gobierno entre cuyos miembros figuraba Saavedra como representante de los patriotas. Pero el pueblo no se mostró conforme con la decisión adoptada, porque las autoridades virreinales seguían conservando el poder; Saavedra y Castelli, que representaban a los patriotas, presentaron la renuncia. Acto seguido se trasladaron ambos a presencia del virrey Baltasar Cisneros y le solicitaron la renuncia, medida a la que no opuso resistencia el representante del monarca español, al comprender la grave situación por que estaba pasando la Colonia. La junta de gobierno que se formó después de la renuncia del virrey, conocida en la historia argentina con el nombre de Primera Junta, quedó constituida definitivamente al día siguiente, 25 de mayo de 1810, y nombró como presidente al coronel Cornelio Saavedra. La vida del gobierno independiente se desarrolló envuelta en grandes dificultades, particularmente de orden político, y luego Saavedra presidió también la Segunda Junta conocida con el nombre de *Junta Grande*. Divergencias con Mariano Moreno y otros patriotas crearon grandes dificultades a su obra gubernativa.

Su persona, al frente del gobierno, fue un factor de moderación y de orden, tanto frente a los realistas intransigentes como Alzaga, como frente a los patriotas exaltados. Violentos ataques a su obra gubernativa y la desorientación política en que vivía el país al proclamarse la independencia, alejaron del poder a Saavedra, que fue destituido en agosto de 1811 y desterrado a San Juan. En 1818, fue rehabilitado y desempeñó algunos cargos en el ejército de Buenos Aires, que no lograron, no obstante, evitar que se opacara su recia personalidad política y militar. En las *Memorias* que dejó escritas, Saavedra narra los acontecimientos en que le tocó actuar y relata los episodios más importantes de su vida pública. Cornelio Saavedra fue un patriota sincero, de juicio sereno y espíritu reflexivo. Durante los ocho últimos años de su vida permaneció retirado en el campo, alejado de toda actividad política.

Saavedra Fajardo, Diego de (1584-1648). Escritor, diplomático y político español, nacido en Algezares (Murcia), en el seno de una familia noble y adinerada. Cursó estudios de jurisprudencia en la Universidad de Salamanca, y a los 22 años le había sido concedido el hábito de Santiago. Vivió casi siempre fuera de la península, desde que en su juventud, y como secretario de cámara del cardenal Gaspar de Borja, marchó a Roma, donde asistió a dos cónclaves. Desempeñó importantes misiones diplomáticas en Viena, Bruselas, Ratisbona y Münster; y su prolongado contacto con los hombres más representativos de las diversas cortes europeas lo convirtió en un profundo conocedor de la política de su tiempo. Al final de su vida se recluyó en un convento de agustinos recoletos de Madrid, donde falleció. Escribió varias obras, entre ellas: *Empresas políticas*, compuesta de 100 comentarios a otros tantos emblemas o empresas "que forman la idea de un príncipe político cristiano"; *Política y razón de Estado*, en la cual describe e interpreta los hechos del rey Fernando el Católico, que considera ejemplares; y *La república literaria*, libro en el que presenta, en forma alegórica, las diversas artes y ciencias, y enjuicia a sus representantes más famosos. En su ideario político, Nicolas adopta una postura contraria a la de Maquiavelo, y repudia el disimulo y el engaño aconsejados por éste, para aceptar sólo cierta prudencia de acuerdo con los principios cristianos.

Saavedra Lamas, Carlos (1878-1959). Jurisconsulto y político argentino. Alternó su labor docente, desarrollada como profesor de derecho público, historia constitucional y sociología, en las universidades de su país, con la actividad política que culminó con su nombramiento de ministro de Relaciones Exteriores, durante el gobierno del presidente Agustín Pedro Justo. En el ejercicio de ese cargo realizó una labor admirable en pro de las buenas relaciones entre las naciones americanas, en la que se destacan sus esfuerzos para la adopción de una política pacifista conocida con el nombre de *Pacto antibélico Saavedra Lamas*, que fue adoptado primero por Argentina y el Brasil y después por las demás naciones americanas en la Conferencia Panamericana de Montevideo en 1933, y en la que Saavedra Lamas presidió la delegación argentina. Son notables sus gestiones para terminar la guerra del Chaco entre Paraguay y Bolivia, que culminaron en la paz entre ambas naciones, firmada en Buenos Aires en 1936. Tuvo, también, actuación destacada en la Conferencia Interamericana para la Consolidación de la Paz, que se celebró en Buenos Aires, en 1936, por iniciativa de Franklin D. Roosevelt, presidente de Estados Unidos, que asistió a la misma. Saavedra Lamas presidió la Asamblea de la Sociedad de las Naciones, en 1936. Por su noble actuación internacional fue laureado con el Premio Nobel de la Paz en 1936. En 1941, fue nombrado rector de la Universidad de Buenos Aires. Entre sus numerosas obras destacan las siguientes: *Los asalariados en la República Argentina, Tratados internacionales de tipo social, El régimen educacional, La escuela intermedia, Economía colonial, Los tratados de arbitraje* y un notable proyecto de código del trabajo.

Saba, reina de (s. X a. C.). Legendaria reina de Saba, región habitada por la tribu de los sabeos, en Arabia Feliz y que comprende el actual Yemen. El nombre de la reina de Saba ha llegado hasta nosotros principalmente por las referencias que de ella hace la Biblia en el capítulo 10 del primer Libro de los Reyes, donde se refiere que la reina de Saba, conociendo la fama de Salomón, rey de Israel, fue a visitarlo para comprobar si eran ciertas su sabiduría y su riqueza, y le llevó ricos presentes de oro, piedras preciosas y especias. En la Biblia se leen las palabras con que la reina de Saba manifestó a Salomón su admiración: "Verdad es lo que oí en mi tierra de tus cosas y de tu sabiduría. Bienaventurados tus varones, dichosos estos tus siervos, que están continuamente delante de ti, y oyen tu sabiduría".

Se cree que la reina de Saba se llamaba Bilgís, era hija de Joksan, y que tuvo un hijo de Salomón, al que puso el nombre de Menelik. Una leyenda etíope relata que la dinastía reinante en Etiopía remonta su origen a ese vástago de Salomón y la reina de Saba, por lo que el emperador de Etiopía se titula León de Judá y Rey de Reyes. La figura legendaria de la reina de Saba ha servido de inspiración a grandes poetas, escritores y artistas, que le han inmortalizado tanto en poemas y diversas obras literarias como en cuadros y esculturas notables.

Búfalo macho, habitante típico de las sabanas en África.

Corel Stock Photo Library

Sabadell. Ciudad española de la provincia de Barcelona. Tiene 189,404 habitantes. Se halla situada en el centro de un extenso valle –El Valles– y a orillas del río Ripoll. Ocupa lugar prominente en la industria textil española. Tiene más de 100 fábricas de tejidos, con varias industrias derivadas de esta fabricación y otras de material eléctrico, metalurgia, artículos de piel, aguardientes y licores, etcétera. En sus alrededores se cultivan el trigo, la vid y los productos hortícolas. Está bien comunicada por encontrarse en el cruce de varias carreteras y en la línea férrea de Barcelona a Zaragoza. Se comunica con Barcelona, de la que dista 21 km, por un ferrocarril eléctrico. Está dotada de escuelas de artes y oficios, biblioteca pública y museo local.

sábado. Séptimo y último día de la semana. La palabra proviene de la hebrea *sabbāth*, que significa reposo o cesación del trabajo. En la semana judía está consagrado al culto y al reposo porque en él descansó Dios tras haber creado el mundo. En los países cristianos, en vez del sábado, el día dedicado al descanso es el domingo.

sábalo. Pez marino, comestible, de la familia de los clupeidos, que vive en las zonas templadas de dos océanos: Atlántico y Pacífico. De cuerpo fusiforme, algo comprimido lateralmente; alcanza unos 45 cm de largo y está cubierto de escamas duras, grandes y terminadas en punta, que dan al pez un aspecto plateado, con el lomo amarillento. La cabeza es corta y aguda, con boca grande y desdentada; la mandíbula inferior prominente. Las aletas son pequeñas de color ceniciento y rayadas de azul. En primavera remonta grandes distancias en los ríos para desovar, lo que explica que en esa época se les pesque abundantemente en aguas fluviales. Hecho el desove se deja arrastrar por la corriente. Poco tiempo después de nacidas, las crías salen al mar. Sus huevas son el mejor sustituto de las de esturión, para hacer caviar, y su carne se consume fresca, y a veces también ahumada o salada, como el bacalao.

sabana. Llanura en las regiones tropicales o cercanas a ellas, de escasa vegetación arbórea y cubierta de altas hierbas, con predominio de las gramináceas. Estas llanuras por lo general vecinas a las selvas sirven para la cría de ganados así como de refugio para manadas de rumiantes cimarrones o en estado salvaje. Algunas veces tienen su origen en la desforestación, y por falta de humedad en años de sequía pueden convertirse en áreas semidesérticas. Se hallan principalmente en América del Sur, África y Australia. En dichas zonas el clima suele definirse en una temporada lluviosa y otra seca, persistiendo el calor sofocante; su configuración puede variar desde el tipo del llano venezolano, en el que aparecen mesetas, o aislados grupos de palmeras, hasta el tipo pantanoso en épocas de lluvias.

sabañón. Inflamación cutánea en forma de manchas de color rojo-violáceo, que se localiza en las manos, pies, orejas y nariz; al calentarse la piel produce un intenso escozor y con el frío resulta dolorosa llegando a veces a ulcerarse. Aparece generalmente en invierno y se debe a deficiencias en la circulación de los vasos capilares. Los sabañones son muy molestos aunque no suelen ofrecer grandes peligros. Para combatirlos y mitigar el escozor que causan, se aplican fomentos de lanolina con ictiol o un ungüento de formalina. Cuando están ulcerados y supuran, puede usarse una pomada con óxido de cinc, nitrato argéntico e ictiol.

Sabatier, Paul (1854-1941). Químico francés. Inició sus investigaciones como ayudante de Marcellin Berthelot en el Colegio de Francia. Fue profesor de química orgánica en las universidades de Nimes, Burdeos y Toulouse; en esta última llegó a ser decano de la Facultad de Ciencias. Miembro de la Academia de Ciencias de París y del Instituto de Francia. Realizó importantes trabajos sobre química industrial y agrícola. Inventó el procedimiento de hidrogenación catalítica y llevó a cabo notables experimentos sobre el petróleo sintético. En 1912, compartió con Victor Grignard el Premio Nobel de Química.

Sabatini, Rafael (1875-1950). Novelista inglés, nacido en Jesi (Italia). Educado en Suiza y Portugal, se traslado con su madre, de nacionalidad inglesa, a Londres. Allí comenzó a escribir en inglés novelas históricas y de aventuras, que tuvieron gran aceptación y fueron traducidas a muchos idiomas. Entre sus obras, algunas de las cuales fueron llevadas con gran éxito al cinematógrafo, se destacan: *El capitán Blood, Scaramouche, La piel del león, El cisne negro, El rey perdido* y *Vida de César Borgia.*

Sábato, Ernesto (1911-). Novelista argentino originario de Rojas. Durante mucho tiempo se dedicó por entero a la ciencia, doctorándose en física en la Universidad de París. Sin embargo, en 1945 la abandonó para consagrarse a la literatura. Desde entonces ha dado a la luz obras notables: *El túnel* (1948), *Sobre héroes y tumbas* (1962) y *Abaddón, el exterminador* (1974). Escribió los ensayos *Heterodoxia* (1953), *El escritor y sus fantasmas* (1963), *Apologías y rechazos* (1979), entre otros. En 1983, el presidente Raul Alfonsín lo hizo responsable de la comisión investigadora sobre las personas desaparecidas entre 1975 y 1983 durante el régimen militar; el reporte se llamó *Nunca más.* Le fue concedido el Premio Cervantes de Literatura en 1985.

Corel Stock Photo Library

Sabana en Kenia, África.

Cuadro de Rafael que representa La escuela de Atenas, *cuna de la sabiduría filosófica.*

Corel Stock Photo Library

sabiduría. Conducta prudente, o buen juicio, en la vida o en los negocios. El término se refiere también al conocimiento profundo sobre determinadas materias o al conjunto de los conocimientos adquiridos por la humanidad. La sabiduría es un concepto plurivalente en el que convergen cosas de muy distinta especie. En la literatura bíblica se distingue la sabiduría como doctrina, como cualidad del hombre y como atributo divino. Al igual que los otros pueblos, Israel tiene un saber práctico, fundado en la experiencia de las leyes que determinan la vida del hombre. La sabiduría empírica, que primeramente subsistió como género independiente junto a la sabiduría religiosa, fue desplazada cada vez más por ésta y quedó, finalmente, asumida en ella. El hecho de que Israel sintetizara todo su saber, profano y religioso, en el concepto de sabiduría, tuvo importancia para la discusión con el mundo gentil contemporáneo, pues este concepto ocupaba también lugar importante en el mundo espiritual helenístico y podía servir de puente para el encuentro de Israel con el helenismo.

sabina. Arbusto de la familia de las coníferas. Sus hojas casi cilíndricas, escamosas y opuestas, crecen en grupos de cuatro. Es de tronco grueso, con espesa corteza rojiza, madera de color encarnado y aroma persistente, que la hace apreciada para la construcción de estuches y muebles. Los frutos son pequeños, esféricos, de color azulado oscuro. Existen varias especies, entre ellas la sabina blanca, de madera más clara y mayor altura que la común. *Véase* PINO.

sabinas. Mujeres a quienes la leyenda asigna un papel de importancia decisiva en la fundación de Roma. Erigida ésta por Rómulo, se observó la necesidad de atraer mujeres para constituir familias; pero los pueblos vecinos, especialmente los sabinos, rechazaron las propuestas de enlaces. Entonces Rómulo los invitó a las festividades del dios Conso y los jóvenes romanos aprovecharon la ocasión para raptar a las sabinas. El rey Tacio declaró la guerra a los romanos y estaba a punto de trabarse en sangriento combate, cuando mediaron las sabinas en el campo de lucha y lograron que se estableciera la paz entre ambos bandos. Los sabinos recibieron tierras en Roma, Tacio compartió el poder con Rómulo y cien sabinos ingresaron al Senado. Sin embargo, pasaron algunos años (753 -700 a. C.), sin que rigiese una paz completa entre sabinos y romanos, lo que se obtuvo cuando los hijos de las sabinas fueron adultos y se encargaron del gobierno de su país.

Sabines, Jaime (1926-1999). Poeta mexicano. Figura inclasificable, ajena a toda capilla literaria, su poesía da muestras de una actitud amarga y escéptica, a menudo confesional, con un lenguaje cotidiano dotado de un violento prosaísmo. *Recuento de poemas* (1962) reúne sus primeros libros: *Horal* (1950), *La señal* (1950), *Tarumba* (1956) y *Diario semanario y poemas en prosa* (1961). Publicó después *Yuria* (1969), *Algo sobre la muerte del mayor Sabines* (1971), *Maltiempo* (1972), *Poemas sueltos* (1981).

sable. Arma blanca parecida a la espada; generalmente más corta que ésta, curvada y de un solo filo. Se usó en Oriente desde los tiempos más remotos, y en la baja Edad Media pasó a Europa, extendiéndose su empleo a partir de las Cruzadas. Su forma experimentó varias modificaciones en la época moderna.

Sabogal, José (1888-1956). Pintor y grabador peruano. Influido por los muralistas mexicanos Diego Ribera y José Clemente Orozco introdujo en Perú la doctrina del nacionalismo artístico. De 1933 a 1943 fue director de la Escuela Nacional de Bellas Artes de Lima, ejerciendo activa influencia en la plástica de su país. Los temas indigenistas son los predominantes en su obra.

sabotaje. Daño o deterioro que, en forma oculta, hacen los obreros en la maquinaria y los productos de una fábrica. También se llama sabotaje a la adopción por parte de los obreros de procedimientos que disminuyen el rendimiento del trabajo, retardan la producción y rebajan su calidad. La palabra sabotaje se cree que proviene del francés *sabot* (zueco), debido a que, a principios del siglo XIX, se afirmaba que los obreros franceses solían tirar sus zuecos dentro de las máquinas para entorpecer su funcionamiento. El propósito del sabotaje es el de forzar a los patronos a que accedan a las demandas que les plantean los obreros, en los casos en que se resistan a concedérselas. La práctica del sabotaje como arma de los trabajadores fue preconizada por elementos obreros sindicalistas y anarquistas, durante el siglo XIX y principios del XX. Los adeptos a ideologías extremistas suelen recurrir al sabotaje para perturbar la producción industrial y la vida económica de un país, con fines de subversión política.

Saboya. Región francesa limítrofe con Suiza e Italia, situada entre los Alpes, el lago de Ginebra y el río Ródano. Constituía el ducado de Saboya, que pertenecía al reino de Cerdeña, y en 1860 fue anexada al territorio francés. Se encuentra íntegramente en la cuenca del río mencionado, está cruzada por numerosos afluentes de éste y comprende los más elevados picos alpinos. Cuenta con ricos yacimientos minerales en explotación; agricultura y ganadería bien desarrolladas; industrias químicas, metalúrgicas, textiles y gran afluencia de turismo. Políticamente se divide en dos departamentos: el de Baja Saboya, con 6,028 km^2 y 365,800 habitantes, capital: Chambéry; y el de Alta Saboya, con 4,388 km^2 y 600,700 habitantes, capital: Annecy, ciudad a orillas del lago de igual nombre.

Perro sabueso.

Corel Stock Photo Library

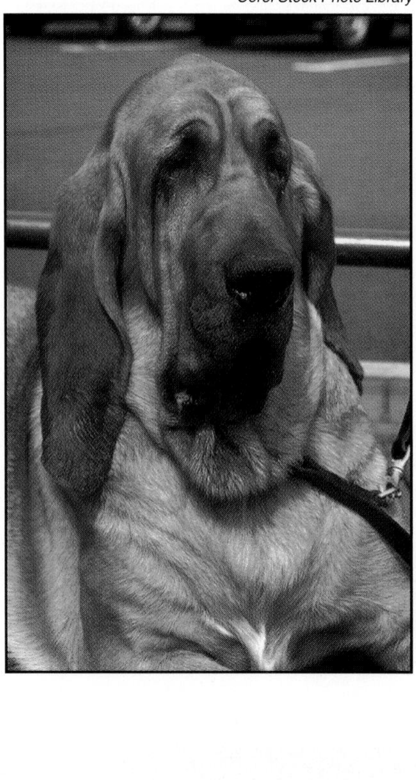

Saboya, dinastía de. Familia que reinó en Italia de 1870 a 1946; pero que en el curso de nueve siglos gobernó la Saboya, el Piamonte y otras regiones italianas que poco a poco fue poniendo bajo su dominio. La fundación de la casa de Saboya se atribuye a **Humberto Blancamano**, conde de Maurienne (?-1048?), en el siglo XI. Uno de sus descendientes, **Amadeo III** (1103-1148), recibió del Emperador del sacro imperio romano germánico, el título de conde de Saboya, en el año de 1111. **Víctor Amadeo II** (1675-1730) logró la posesión de Sicilia y el título de rey; pero pronto cambió aquella isla por la de Cerdeña, conservando el regio título. La casa de Saboya llevó a cabo la persecución de los valdenses, y ya poseída de ambición, empezó a codiciar la Lombardía, que al fin logró anexarse. Los príncipes saboyanos, colocados en una situación intermedia, en los conflictos entre el Papado y el imperio y entre distintos soberanos de Europa, aprendieron a ser diplomáticos hábiles y tomaron parte en numerosas guerras.

En la primera mitad del siglo XIX hubo en Italia un movimiento político tendiente a la unificación y a la libertad, llamado el *resurgimiento.* El rey **Carlos Alberto** (1831-1849), cediendo a las ideas liberales, concedió un estatuto constitucional. Después de una suerte variable en la lucha contra Austria, fue vencido en Novara, el 23 de marzo de 1849, y abdicó en su hijo **Víctor Manuel** (1849-1878), quien fue proclamado rey de Italia en 1861, cuando la mayor parte de la península italiana pasó a integrarse con sus dominios. Finalmente, después de obtener Venecia (1866) y ocupar Roma (1870), pudo reinar sobre la Italia unificada. El penúltimo rey italiano fue **Víctor Manuel III** (1900-1946) cuyos últimos 20 años reinó bajo el fascismo dirigido por Benito Mussolini.

Sabú. (1924-1963). Actor cinematográfico nacido en Maisur, ciudad de la India. Fue elegido por el productor Alexander Korda para actuar en el papel principal de la película *El niño del elefante* cuando sólo tenía 12 años de edad. Filmó en Inglaterra *Motín en las montañas, El ladrón de Bagdad, Narciso negro,* y en Hollywood *Tánger, La salvaje blanca y El hijo de las fieras,* entre otras.

sabueso. Perro de caza, variedad del podenco. Tiene las orejas largas y pendientes, los ojos hundidos y el pelo corto. De color oscuro o negro, tiene por lo general las patas parduscas. Se distingue por su extraordinario olfato que, si está bien adiestrado, le permite seguir las huellas de un determinado fugitivo aunque se cruce con las de otros. Una vez que consigue localizarlo, no suele atacar a menos que se le azuce; se contenta con montar guardia, pues es de condición más bien mansa. *Véanse* PERRO; POLICÍA.

sacarimetría. Conjunto de procedimientos que determinan la proporción de azúcar contenida en una solución. Comúnmente se emplean para ello aparatos especiales denominados sacarímetros, los cuales son, en realidad, polarímetros adaptados a esta finalidad y que permiten aprovechar el fenómeno rotatorio que presentan algunos cuerpos ópticamente activos. La sacarimetría tiene numerosas aplicaciones en la ciencia y en la industria.

sacarina. Sustancia que endulza unas 500 veces más que el azúcar de caña o sacarosa. La sacarina fue descubierta en 1879 por Ira Remsen y Fahlberg. Investigaban en el laboratorio los compuestos del ácido benzoico y cuando ya en su casa Fahlberg se disponía a comer, se percató que sus dedos estaban impregnados de sabor dulce a pesar de haberse lavado cuidadosamente las manos. Regresó al laboratorio y en colaboración con Remsen logró, tras meritoria investigación, identificar y sintetizar la sacarina, que es un polvo blanco, inodoro, moderadamente soluble en agua y más soluble en alcohol, que se usa en medicina para endulzar los alimentos de las personas diabéticas, pues la sacarina no es asimilable en el organismo y carece por lo tanto de valor nutritivo. En la industria de aguas gaseosas suele emplearse la sacarina para endulzar sus productos. Su uso está reglamentado.

sacarosa. Azúcar de caña; sucrosa. Disacárido formado por la unión de d-glucosa y d-fructosa. Es un polvo cristalino de sabor dulce y estable al aire. Cuando está finamente molido es higroscópico y absorbe 1% de la humedad. Es soluble en agua, y algo soluble en alcohol, glicerol y piridina. Es fermentable, pero resiste la acción bacteriana cuando sus soluciones son concentradas. Se obtiene industrialmente a partir de la caña de azúcar y la remolacha azucarera, que la contienen en 15 o 20% y 10 o 17%, respectivamente. La sacarosa se encuentra también en algunos sorgos, en arces, en el néctar de las flores y en diversos frutos como los dátiles, plátanos, melocotones, albaricoques, etcétera. Junto con el almidón, constituye la reserva más importante de hidratos de carbono en las plantas.

Sacatepéquez. Departamento de Guatemala, situado en la parte surcentral del país. Ocupa un área de 465 km^2 con 180,155 habitantes (1994). En él se hallan los volcanes Acatenango, Agua y Fuego. Su río más caudaloso es el Guacalate. Su producción es de café, caña de azúcar, cereales, frutas, tabaco, ganadería. Está dividido en 16 municipios. Capital: Antigua Guatemala (26,945 h.).

Corel Stock Photo Library
Sacerdote católico leyendo la Biblia.

sacerdote. Persona investida de facultades superiores para consagrar, celebrar y ofrecer sacrificios en nombre de la divinidad. En la Iglesia católica el sacerdote es el religioso que ha sido ordenado y tiene la facultad de oficiar la misa y absolver de pecado por las vías de la confesión. Se designa al sacerdote con el nombre de cura cuando tiene a su cargo una parroquia, capellán si está al frente de una capellania, oratorio privado o capilla, y castrense cuando sirve al ejército en los menesteres propios de su oficio. En todos los pueblos de la antigüedad el sacerdote gozaba de un gran poder, influyendo notoriamente en la política y en los asuntos de Estado. Condición implícita al sacerdocio ha sido siempre la del sexo. En consecuencia, la mujer queda excluida aun cuando en los pueblos antiguos (Caldea, Egipto, Grecia y Roma) había sacerdotisas que actuaban, a veces, en los cargos más elevados (Oráculo de Delfos, Santuario de Diana en Efeso). En esas civilizaciones se atribuía al sacerdote poderes sobrenaturales, tales como los de lograr, por la mera virtud de sus palabras, oraciones, fórmulas o gestos cabalísticos y secretos, la caída de las lluvias, la abundancia de las cosechas, la inmunidad del ganado, la curación de enfermedades, el remedio de la esterilidad, etcétera. Conjuraban los peligros de los cataclismos (terremotos, huracanes, epidemias, etcétera) y predecían o profetizaban las victorias y las derrotas en las batallas. Además, y como rito propio de su culto, practicaban los holocaustos (ceremonias por las que se sacrificaba a personas o animales para ser propicios a los dioses y calmar sus iras) y las mutilaciones (corte de orejas, circuncisiones, etcétera). Poseían la virtud de purificar los objetos calificados de impuros, devolviendo la santidad a las casas y lugares profanados, e intervenían en los actos funerarios. Muchos eran profetas o videntes, auguraban cuando se hallaban imbuidos por el hálito divino, y sus sentencias eran infalibles y definitivas. Cultivaban la poesía, la música y la medicina cuyo privilegio solían sustentar. Los romanos tuvieron cuatro clases de sacerdotes, cuya respectiva competencia se hallaba perfectamente definida: los pontífices o jefes máximos, los augures o profetas, los encargados de la custodia e interpretación de los libros sagrados (sibilinos), y los organizadores de los banquetes sagrados. Julio César reunió en su persona la autoridad de emperador y sumo sacerdote, para tener en sus manos el completo dominio de los negocios públicos. Tiberio creó 21 sacerdotes que se llamaban *augustales*, por cuanto su misión consistía en ofrecer sacrificios a Augusto, que fue elevado a la categoría de dios. En la civilización mexica, existían dos sacerdotes principales, que rendían culto a los dioses Huitzilopochtli y Tláloc. *Véase* RELIGIÓN.

Sachs, Hans (1494-1576). Poeta alemán, de gran popularidad en el siglo XVI. Después de estudiar en la escuela de latín de Nuremberg, su ciudad natal, escogió el oficio de zapatero. Varios años de su juventud los dedicó a viajar por distintas ciudades germánicas perfeccionando su oficio y su arte de cantor. En 1516, se estableció definitivamente en Nuremberg, alternando su artesanía con la literatura; fue admitido en el gremio de maestros cantores, del cual llegó a ser su más alto exponente. Hombre de copiosa producción, dejó más de 6,000 piezas en verso. A Martín Lutero dedicó en 1523 el himno *El ruiseñor de Wittemberg*. De su producción teatral destaca *Farsas de carnaval* (1517-1563). Johann Wolfgang Goethe en su *Misión poética de Hans Sachs* reivindicó su obra y su personalidad y Richard Wagner lo convirtió en el protagonista de la ópera *Los maestros cantores de Nuremberg*.

Sachs, Nelly (1891-1970). Escritora alemana judía. Su voz poética brotó cuando el holocausto la obligó a encontrar un medio de expresión capaz de "transformar lo impronunciable en algo soportable". En 1940, huyó a Suecia, abandonando su natal Alemania con la ayuda de la escritora

Selma Lagerlöf. La persecución, los campos de exterminio, la huida y el eterno exilio son los principales temas de una obra cuyo misticismo y judaísmo se inspiran en los Salmos, en el *Zohar*, en Jakob Böhme y en el hasidismo. En 1947 publicó su primer libro de poemas, *En las moradas de la muerte*, al que siguieron, entre otros, *Eclipse estelar* (1949), *Huida y metamorfosis* (1959), *Viaje en la región sin polvo* (1961) y *Poesías tardías* (1965). En 1966, compartió con samuel Yosef Agnon el Premio Novel de Literatura.

Saco, José Antonio (1797-1879). Escritor y político cubano. Por motivos políticos pasó a Estados Unidos, y en New York fundó el *Mensajero Semanal* (1828-1831). Retornó a su patria y, debido a sus campañas, fue desterrado por el general Miguel Tacón (1834), y vivió algún tiempo en España. En varias ocasiones fue elegido diputado a Cortes, sin que llegara a tomar posesión. Aunque partidario de la independencia de Cuba, se opuso a que ésta fuese anexada a Estados Unidos. Además de muchas publicaciones políticas y patrióticas, editó *Historia de la esclavitud* (1875-1879), que se considera su obra magistral y que fue traducida a varios idiomas.

sacramento. Signo externo por el cual los hombres reciben la gracia divina; o según las palabras de san Agustín: una forma visible de gracia invisible instituida por Jesucristo para la salvación del hombre. La doctrina sacramental es parte fundamental del dogma católico, y fue fijada por el Concilio de Trento en la primera mitad del siglo XVI. Los sacramentos son siete: bautismo, confirmación, eucaristía o comunión, penitencia, extremaunción, orden sagrado y matrimonio, y para ser tales han de reunir tres condiciones: institución divina de un modo permanente; signo sensible, y gracia invisible conferida por un signo externo. Producen la gracia en quien los recibe, por virtud de la acción *(ex opere operato)*, o sea, que en su eficacia no interviene el mérito del que los recibe ni del que los administra.

Todo sacramento tiene tres elementos: la materia, la forma y el ministro. La materia es la cosa y la acción de que se sirve la Iglesia; en el bautismo, por ejemplo, la materia es el agua y la acción de echarla. La forma son las palabras que dan valor sacramental a la materia. El ministro del sacramento es la persona autorizada para conferirlo. Para la validez de esta acción únicamente se requiere que el ministro tenga la intención de hacer lo que Jesucristo instituyó, sin que necesariamente goce de la gracia de Dios.

Si establecemos un paralelo entre la vida natural y la sobrenatural, observaremos por qué los sacramentos son siete. En la vida natural, el hombre nace, crece, se alimenta, se cura de sus enfermedades, y convalece o muere. En la vida sobrenatural nace por el bautismo a la vida de la gracia; crece por la confirmación; se alimenta por medio de la eucaristía; se cura de sus enfermedades (los pecados) por medio de la penitencia; y al convalecer o morir recibe la extremaunción. Como miembro de la sociedad civil, el hombre tiene autoridades y da hijos a la sociedad. Como miembro de la sociedad sobrenatural (la Iglesia) tiene potestades conferidas por el orden sagrado y da hijos al reino de Dios por el sacramento del matrimonio.

Grabado que representa la instauración del Sacramento de la Eucaristía por Jesucristo.

Corel Stock Photo Library

Los sacramentos pueden dividirse en dos clases: según su necesidad y según la gracia que confieren. Hay tres grados en esta necesidad: l) la necesidad absoluta, que hace que la recepción del sacramento –o por lo menos el deseo de recibirlo– sea indispensable para obtener la salvación. Sólo el bautismo y la penitencia son absolutamente necesarios; 2) la necesidad de precepto, que no obliga a todos los hombres, sino a los que están en condiciones de recibir el sacramento. La confirmación, la extremaunción y la eucaristía pertenecen a esta categoría; 3) la necesidad social, que no obliga a ningún individuo en particular. El orden sagrado y el matrimonio pertenecen a este último grupo. Una segunda clasificación de los sacramentos tiene en cuenta la gracia que confieren. Se llaman de *muertos* los que dan vida al alma que vivían en el pecado: bautismo y penitencia. Se llaman de *vivos* aquellos que aumentan la gracia santificante de quien los recibe, o sea, los otros cinco.

El *bautismo* es el sacramento que nos hace cristianos y nos da opción a los demás sacramentos; purifica del pecado original con que todos nacemos y perdona las penas debidas por todo otro pecado. Fue instituido por el mismo Jesús, cuando se apareció a los apóstoles después de la rerurrección y les dijo: *Id y enseñad a todas las naciones, bautizándolas en el nombre del Padre, y del Hijo, y del Espíritu Santo.* La materia del bautismo es el agua natural; si se derrama el agua sobre el que se bautiza, el sacramento se llama de infusión; si se introduce al bautizado dentro del agua, se denomina de inmersión; y si se le rocía con ella, se llama *de aspersión.* El ministro puede ser ordinario o extraordinario: el primero es el sacerdote, y en especial el párroco; el segundo puede ser cualquier persona, varón o mujer, cristiana o no. En la administración del Bautismo interviene, en situaciones normales, una persona llamada *padrino*, que debe tener más de 14 años de edad y no poseer el estado religioso; el padrino se convierte en pariente espiritual de su ahijado.

La *confirmación* aumenta la gracia en los bautizados y perfecciona su fe cristiana. Según las sagradas escrituras fueron los apóstoles san Pedro y san Juan los primeros en administrar este sacramento, que también recibe otras denominaciones: unción, perfección, crisma santo, sello espiritual, etcétera. La materia es el crisma, mezcla de aceite de oliva y bálsamo, y la imposición de manos. La forma de la confirmación son las palabras: *Yo te señalo con la seña de la Cruz y te confirmo con el crisma de la salud, en el nombre del Padre, y del Hijo, y del Espíritu Santo.* El ministro de la confirmación es únicamente el obispo.

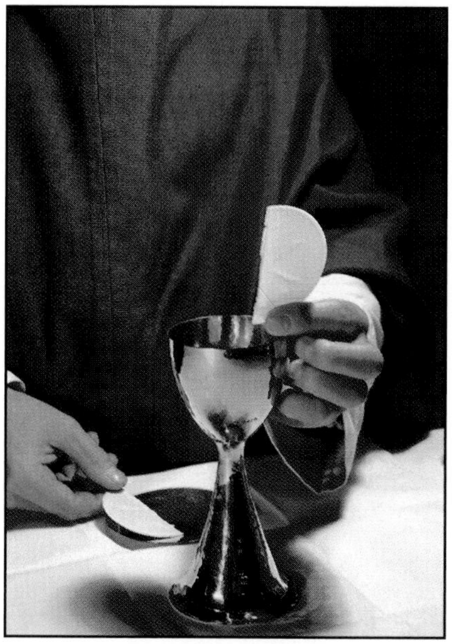

Corel Stock Photo Library

En el Sacramento de la Eucaristía, la hostia representa el cuerpo de Cristo.

La *eucaristía* o *comunión* es el sacramento que, bajo las especies de pan y vino, sirve de alimento espiritual de los fieles. Prefigurado y prometido en el Antiguo Testamento, este *sacramento de la unidad y del amor* fue instituido por Jesucristo en la Última Cena. Concluida la celebración, el Salvador lavó los pies a sus apóstoles en señal de sublime humildad. Luego volvió a la mesa, tomó un trozo de pan, lo bendijo, partió y dio de él a sus discípulos, diciendo: *Tomad y comed, este es mi cuerpo*, y tomando el cáliz con vino, pronunció estas palabras: *Tomad y bebed, esta es mi sangre, derramada por vosotros en remisión de los pecados. Haced esto en memoria mía.* Practicada por los primeros cristianos y regulada por la Iglesia primitiva, la comunión forma hoy el elemento básico de la liturgia católica. El ministro de la eucaristía es el sacerdote, que obra en nombre de Cristo, y repite sus palabras. La materia es el pan de trigo y el vino de vid. El sujeto es cualquier persona bautizada que tenga uso de razón, se halle libre de pecado mortal y esté en ayunas desde la medianoche anterior, salvo dispensa especial. La Iglesia obliga, desde el IV Concilio de Letrán (año 1215), a comulgar por lo menos una vez al año, por Pascua.

La *penitencia o confesión* es el sacramento por el cual se perdonan los pecados cometidos después del bautismo. Su forma es la absolución impartida por el sacerdote, ministro del sacramento. La materia consta de tres elementos: la contrición, la confesión y la satisfacción. Se llama contrición al profundo sentimiento de pesar por los pecados cometidos, acompañado del propósito de no volver a cometerlos; este dolor ha de ser interno, universal, sumo y sobrenatural. La confesión es la acusación de los pecados propios hecha ante un sacerdote autorizado, en forma humilde, total, breve, discreta, sincera y sentida. La absolución es la sentencia que el sacerdote pronuncia en nombre de Jesucristo.

La *extremaunción* se administra a los enfermos en peligro de muerte. Su materia es el aceite de oliva bendecido por el obispo el Jueves Santo, unido a los signos de la Cruz que el sacerdote traza sobre los ojos oídos, nariz, boca, manos y pies del moribundo. El ministro es el cura párroco del lugar, pero en caso de urgencia puede administrarlo cualquier sacerdote. El sujeto es todo individuo bautizado que tenga uso de razón y se halle en la extremidad de la vida. La forma es la oración propia del caso.

El *orden sagrado* es el sacramento que da potestad para desempeñar el ministerio de la Iglesia e imprime el carácter indeleble de sacerdote del Señor. Se diferencia de los anteriores en que no fue instituido para la santificación individual de quien lo recibe, sino para la santificación de la comunidad. Además, no es obligatorio; lo recibe libremente quien se siente inducido por la vocación. El ministro es el obispo; el sujeto es todo varón bautizado que tenga la edad necesaria (21 años para ser diácono, 22 para ser subdiácono y 24 para ser presbítero), y que posea buenas costumbres y ciencia suficiente. Una vez recibido el sacramento, cuya materia es la imposición de manos y cuya forma son las palabras que pronuncia el obispo, el nuevo sacerdote contrae gravísimas responsabilidades: su vida debe tender constantemente a la santidad, debe vestir siempre el hábito eclesiástico y llevar bien visible la tonsura (corte circular en el pelo), debe rezar a diversas horas del día el oficio divino y abrazar el celibato eclesiástico. Da origen a una jerarquía de orden que comprende ocho grados, cuatro menores y cuatro mayores. Las órdenes menores son: ostiario, lector, exorcista y acólito; las mayores son: subdiácono, diácono, presbítero y obispo.

Sacramento del Bautismo.

Corel Stock Photo Library

Corel Stock Photo Library

En el Sacramento de la Eucaristía, el vino representa la sangre de Cristo.

El *matrimonio,* último de los sacramentos, tiene origen en el contrato o unión natural del hombre y la mujer. Jesucristo lo elevó al plano sobrenatural, convirtiéndolo en sacramento que da a los esposos la gracia para amarse santamente y educar a sus hijos, formando entre ellos una unión sagrada e indisoluble. San Pablo nos dice que el matrimonio simboliza la unión de Cristo con su Iglesia. La materia del sacramento lo son los mismos contrayentes, la mutua entrega y aceptación de sus cuerpos. La forma son las palabras, variables por lo demás, que expresan el consentimiento ante el altar. Los ministros son los mismos esposos, que adquieren así una altísima dignidad; el sacerdote no es más que el testigo oficial de la Iglesia. Todo varón o mujer bautizado es sujeto del matrimonio, siempre que no tenga los llamados impedimentos dirimentes (parentesco natural con el otro cónyuge matrimonio anterior no anulado, fuerza o miedo) ni los impedientes, como el voto simple de castidad.

El matrimonio cristiano exige la unión de un solo hombre con una sola mujer y la indisolubilidad del vínculo. *Lo que Dios ha unido, no lo puede separar el hombre,* dijo Jesucristo. El fin principal del matrimonio es la procreación y educación de los hijos; los fines secundarios son la satisfacción de los sentimientos y la asistencia mutua de los esposos.

sacrificio. Ofrenda que, con ciertas ceremonias, se hace a una divinidad, en señal de homenaje y expiación. Los sacrificios pueden ser cruentos, si hay derramamiento de sangre, o incruentos, si sólo se limitan a representaciones simbólicas, como ocurre en el catolicismo con el sacrificio de la misa, en que, para honrar a Dios, el cuerpo de Cristo se ofrece bajo las especies de pan y vino. Otros sacrificios de este tipo consiste en la oblación de cereales, frutas, leche, aceite, vino. Entre los sacrificios cruentos los hay también humanos; costumbre, entre otros, de tirios, cartagineses y algunas tribus galas, que inmolaban a sus semejantes a Baal, Moloc, Teutates; y también de muchos pueblos antiguos de América, entre ellos, México y Perú. El sacrificio de bueyes, corderos, chivos, etcétera, fue un rito muy arraigado entre los judíos. Aunque repudiaban los sacrificios humanos Abraham puesto a prueba por su Dios según el Antiguo Testamento, estuvo a punto de sacrificar a su hijo Isaac.

sacristán. El que ayuda al sacerdote en los servicios religiosos y tiene a su cargo el cuidado material del templo. Se ocupa de la limpieza de altares e imágenes, aseo de la iglesia, provisión de las especies sagradas, conservación y custodia de los ornamentos, etcétera. Anuncia las diversas ceremonias que se celebran con los toques rituales de campana; guarda las llaves de las distintas dependencias del edificio, del que es su vigilante permanente, pues suele habitar en el mismo o en un lugar anexo.

Sacro Colegio Romano. Corporación constituida por los cardenales de la Iglesia católica. El número de sus componentes ha variado con el tiempo, si bien el papa Sixto V estableció que fueran 70. Hasta 1958 constaba del número indicado, distribuidas las dignidades de la siguiente forma: seis cardenales obispos, 50 cardenales presbíteros y 14 cardenales diáconos. El número total no excedía de los 70 indicados, pero a veces el número de cardenales presbíteros pasaba de 50 y había vacantes entre los cardenales diáconos. El papa Pío XI convocó el Consistorio en 1935 y designó 20 nuevos cardenales, número con el que el sacro colegio quedó integrado por setenta purpurados. En 1952 el papa Pío XII convocó un nuevo Consistorio y designó 24 cardenales nuevos para integrar dicha corporación. El 17 de noviembre de 1958, el papa Juan XXIII elevó el número de cardenales del Sacro Colegio a 75 y designó 23 nuevos cardenales para cubrir las vacantes. En años posteriores Juan XXIII procedió a designar nuevos cardenales y su número se elevó a 87 en 1961, de los cuales cinco correspondían a España, y 12 a distintas naciones de la América Latina (Argentina, Brasil, Colombia, Cuba, Chile, Ecuador, México, Uruguay y Venezuela). El mayor aumento lo experimentó la dignidad de cardenales presbíteros que llegó a contar 67. Bajo el papa Paulo VI el número de cardenales se elevó, en 1965, a 103. Los cardenales forman parte del gobierno universal de la Iglesia católica y se encargan de elegir a un nuevo papa.

Sacro Imperio Romano Germánico. Denominación con que se conoce el imperio de Occidente, en la historia de Europa. El antecedente de su fundación se asigna a Carlomagno. Durante la baja Edad Media perduró el recuerdo del esplendor del antiguo imperio romano, de sus leyes e instituciones, y de la unión de la cristiandad que había existido en la época del emperador Constantino. En la segunda mitad del siglo VIII, Carlomagno, rey de los francos, había logrado reunir bajo su cetro una gran parte de Europa occidental, y su actitud en relación con la Santa Sede fue siempre la de respaldar y acatar la autoridad espiritual de la Iglesia. El lejano imperio romano de Oriente, con sede en Constantinopla, ya muy debilitado, carecía de la fuerza y el prestigio necesarios para que su influencia pesara en el Occidente europeo. En la Navidad del año 800, el papa León III coronó en Roma emperador a Carlomagno, que representaba el poder material y político de gran parte de Europa, unida bajo un solo monarca, dispuesto a colaborar con el poder espiritual y religioso del sumo pontífice, que al coronarlo le dio el título de campeón de la fe y defensor de la Santa Sede.

Miniatura francesa que representa la coronación de Carlomagno.

Museo Goya

Carlomagno falleció en 814 y el imperio se fue debilitando bajo sus sucesores hasta que, después del reinado de Carlos III el Craso, se desintegró. Mientras el imperio se desmoronaba surgió en los países germánicos el Estado más poderoso de Europa en aquella época, regido por Otón I de Sajonic, que gobernaba sobre Germania y el norte y el centro de Italia y recibía vasallaje de otros países limítrofes. Fue coronado emperador el año 962 y conocido con el nombre de Otón I *el Grande*. Con este monarca el imperio pasó a ser regido por la dinastía de Sajonia. En esta época, aunque los emperadores actuaban como defensores de la Iglesia, ejercían influencia decisiva en la designación de pontífices y empezó a perfilarse una divergencia de intereses entre el pontificado y el imperio.

En 1024 con la muerte de Enrique II *el Santo*, último emperador sajón, pasó el trono a la casa de Franconia, y el imperio alcanzó un gran poderío bajo el reinado de Enrique III *el Negro* (1039-1056). Con el monarca siguiente, Enrique IV (1056-1106), estalló el conflicto (1075) en el que se disputaba la supremacía entre el pontificado y el imperio, conocido con el nombre de *querella de las investiduras*. El papa Gregorio VII reclamaba para el pontificado el derecho de investidura de obispos y abades, que era ejercido desde hacía mucho tiempo por los reyes y grandes señores. El conflicto continuó hasta que se apaciguó transitoriamente por el Concordato de Worms (1122), que disminuyó las atribuciones de los emperadores, pero quedó latente el problema de la supremacía. Esa cuestión resucitó con los emperadores de la dinastía Hohenstaufen principalmente con Federico I Barbarroja, en 1159, a causa de la elección del papa sucesor de Adriano IV. Los ejércitos imperiales fueron derrotados en Legnano (1176) por los de la confederación de las ciudades del norte de Italia, que defendían al papa Alejandro III. Esa derrota señaló el afianzamiento del predominio del papa sobre el emperador.

Las relaciones entre ambos poderes se complicaron aún más por las luchas entre güelfos (partidarios del papa) y gibelinos (partidarios del emperador) y porque desde 1125 se había establecido que la sucesión al trono imperial sería electiva y no hereditaria, y el papa tenía la prerrogativa, que con frecuencia se abstenía de ejercer, de coronar y consagrar al emperador en Roma. En varias ocasiones hubo al mismo tiempo dos emperadores rivales. Uno de ellos (1257-1273) fue Alfonso X *el Sabio*, rey de Castilla y León.

El principio electivo que, con suerte varia, se había iniciado en 1125, fue reafirmado definitivamente en 1356, por medio de la Bula de Oro del emperador Carlos IV, en la que se estipulaba que el rey de romanos, heredero presunto del imperio, debería ser designado por siete electores: tres eclesiásticos los arzobispos de Maguncia, Colonia y Tréveris y cuatro laicos el rey de Bohemia, el conde palatino del Rin, el duque de Sajonia y el margrave de Brandeburgo.

El sentido y la extensión del imperio se fueron limitando hasta comprender solamente los países germánicos, por lo que el título oficial se modificó a santo imperio romano germánico, y los lazos que lo unían al papado se debilitaron casi hasta desaparecer, a partir de 1493, en que los monarcas germánicos se investían de la dignidad de emperadores sin el requisito de ser coronados en Roma por el papa.

A partir de 1437 la corona imperial pasó, con Alberto II, a la dinastía de los Habsburgo, uno de cuyos miembros, el rey de España, Carlos I, fue elegido emperador, en 1519, en pugna con Francisco I de Francia y Enrique VIII de Inglaterra. De 1519 a 1555, el rey de España fue también emperador con el nombre de Carlos V y reunió bajo su cetro el santo imperio romano germánico y el reino de España con los vastos intereses y posesiones del imperio español en Europa y América. Pocos años antes de su muerte en 1556, Carlos V abdicó en su hijo Felipe II la corona de España y posteriormente la imperial en su hermano Fernando I.

Los conflictos religiosos causados por la Reforma, las ambiciones y antagonismos de príncipes, electores y ciudades imperiales, redujeron el imperio a una débil federación de pequeños Estados sobre los que Austria ejercía un predominio nominal. En 1805, Napoleón, ya emperador de los franceses, derrotó a Austria y Rusia en Austerlitz y procedió a crear, en julio de 1806, la Confederación del Rin, bajo la protección de Francia, formada por 16 estados alemanes, entre ellos Baviera, Wurtemberg y Baden, que se separaron del imperio germánico. En agosto de ese año el emperador Francisco II declaró que renunciaba a la dignidad de soberano del imperio, que relevaba a los diversos estados que lo componían de sus compromisos de fidelidad, y que asumía el título de emperador de Austria, para dedicarse a gobernar los dominios hereditarios de su dinastía. En esa forma, el santo imperio romano germánico quedó disuelto después de 10 siglos de existencia.

Sacsahuamán. Antigua fortaleza de la época incaica en Perú, que protegía Cuzco, capital del imperio inca. Está edificada sobre un cerro o promontorio natural, a poca distancia de la ciudad del Cuzco, antigua capital del imperio de Tahuantisuyo. Consta de tres terrazas superpuestas, amuralladas con enormes bloques de piedra, y es inaccesible por la parte que da frente a dicha capital. Por el lado oriental tiene una escalinata de piedra que conduce a la parte superior en la que hay una explanada circular. Es un notable exponente de la arquitectura militar incaica. Su constitución fue planeada por Pachacuti Inca Yupanqui (1438-1471) durante la reconstrucción de Cuzco, afectado por el temblor de tierra de 1440, pero su realización fue iniciada por Topa Inca Yupanqui (1471-1439) y concluida por Huayna Cápac (1493-1525). En ella se hizo fuerte Manco Inca (1536) para atacar a los españoles avencidados en Cuzco. Su reconquista por los pizarristas, en este último año costó la vida a Juan Pizarro. Sofocada la rebelión de Manco Inca (1537), los españoles destruyeron la fortaleza.

Corel Stock Photo Library

Mohamed Anwar al Sadat.

Sadat, Mohamed Anwar al (1918-1981). Militar y político egipcio. En 1938, se graduó en la Real Academia Militar en El Cairo y desde entonces formó parte de los militares disidentes que abogaban por la separación de la influencia inglesa. Fue uno de los nueve Oficiales Libres que derrocaron al rey de Egipto Faruk, pero también militante de los Hermanos Musulmanes. Secretario general de la Unión Socialista Árabe (1957-1961) y presidente de la Asamblea Nacional. Fue vicepresidente de 1964 a 1966 y de 1969 a 1970. Ya como mandatario, en 1972, expulsó de Egipto a cerca de 20,000 soldados rusos. En 1977, firmó el histórico tratado de paz con Israel. Esto, y su acercamiento a Occidente, le valió el distanciamiento de Egipto con la unidad árabe. Su política de intolerancia contra los fundamentalistas islámicos provocó que estos últimos lo asesinaran en 1981 durante una ceremonia militar. Recibió el Premio Nobel de la Paz en 1978, que compartió con el israeli Merachem Begin.

Sade, Donatien Alphonse François, marqués de (1740-1814). Escritor francés. Aprendió las primeras letras con un tío paterno amigo de Voltaire (seudónimo de François Marie Arouet) y autor de una obra sobre Francesco Petrarca. Destinado a la carrera militar, participó en la campaña de Prusia y alcanzó el grado de capitán de caballería. Su vida disoluta en las guarniciones le dio pronta fama de libertino acreditado. Abandonó el ejército y frecuentó en París las casas de juego y los medios teatrales. En 1763 se casó con Renée Pélagie. Los casos escandalosos de Arcueuil y de Marsella (1772) concluyeron con la condena a muerte acusado de envenenamiento y sodomía. Marchó entonces a Italia con Mlle de Launay, su cuñada. En Vincennes, donde estuvo recluido desde 1778 a 1784, antes de pasar a la Bastilla, compuso la profesión de ateísmo *Dialogue entre un prêtre et un moribond* (1778-1784). *Les 120 journées de Sodome* y *Les infortunes de la vertu datan*, respectivamente, de 1785 y de 1787. Ya en libertad, Sade se consagró por un tiempo a escribir pare el teatro. En 1791 sacó a la luz *Justine ou les malheurs de la vertu.* Del lado de los revolucionarios, ocupó cargos importantes y escribió algunos opúsculos políticos (*Discours aux manes de Marat et Le Pelletier*, 1793). Sospechoso por su origen noble sufrió nuevo encierro y fue libertado en; 794; escribió por entonces la ambiciosa novela *Aline et Valcour* (1795), pretexto pare expresar su ideario general y ratificar su ateísmo declarado. De 1797 es *La nouvelle Justine con L'histoire de Juliette*, su continuación, obras en que se apoya su aureola de satanismo y de repulsa del optimismo del siglo XVIII. La aparición de *Zoloe et ses deux acolytes* (1800) lo llevó otra vez a la prisión (*Hospice de Charenton*), en la cual habría de permanecer hasta su muerte. Prosiguió incesantemente su producción literaria, integrada por una serie de escritos como *Les crimes de l'Amour* y *La philosophic dans le boudou* (1795), por múltiples proyectos abandonados, cartas y otros documentos. El hallazgo de escritos inéditos (*Cahiers personnek* 1953; *Journal inedit*, 1970) contribuyó a iniciar un proceso de rehabilitación humana y literaria del escritor (originado en parte por los esfuerzos de los surrealistas).

saduceos. Se denominaba así los pertenecientes a uno de los dos partidos o tendencias en que se hallaba dividido el judaísmo y cuyos orígenes se remontan al siglo III a. C., cuando el poder empezó a ser ejercido en el Estado judío por la aristocracia sacerdotal y civil. Se cree que su nombre deriva del gran sacerdote Sadoq, en tiempos de Salomón y David, porque el profeta Ezequiel señaló a los hijos de Sadoq como los únicos que debían desempeñar las funciones litúrgicas. En oposición al partido de los fariseos, los saduceos rechazaban la tradición oral y se atenían exclusivamente a la ley escrita, de la que no aceptaban otra interpretación que la más literal.

Sáenz, Antonio Mario Norberto (1780-1825). Sacerdote y patriota argentino. De sólida cultura, se adhirió al movimiento revolucionario de mayo de 1810 por la independencia. Fue miembro de la Sociedad patriótica, diputado a la Asamblea General Constituyente de 1813 y al Congreso de Tucumán de 1816. Culminó su actuación promoviendo la fundación de la Universidad de Buenos Aires, en 1821, de la que fue su primer rector.

Sáez, José María (? -1834). Político y general ecuatoriano. Luchó a las órdenes de Simón Bolívar en las campañas del sur del Cauca de Pastos. Retornó a Quito tras la batalla de Pichincha (1822). Opuesto a la política del general Antonio Flores Jijón fundó y dirigió la sociedad El quiteño libre (1833). Al estallar la revolución de Guayaquil (1834) invadió Ecuador, pero fue derrotado y muerto.

Sáenz de Thorne, Manuela (1793-1856). Conocida como *la libertadora del Libertador*, Manuela Sáenz fue destacada patriota ecuatoriana. En 1817 conspiró en Lima a favor de la causa independentista. En 1822 conoció a Simón Bolívar tras lo cual se separó de su esposo Jaime Thorne, no abandonando ya al libertador sino hasta su muerte. En 1828 salvó la vida de Bolívar lo que le valió su sobrenombre. A la muerte de éste fue desterrada a Jamaica al final de su vida.

Sáenz Peña, Roque (1851-1914). Estadista, abogado y político argentino, creador de la ley electoral que lleva su nombre. En su juventud, siendo capitán de infantería, luchó contra las fuerzas del general Bartolomé Mitre. Elegido diputado por la provincia de Buenos Aires, presidió su legislatura cuando aún no había cumplido los 26 años de edad. Al estallar la guerra del Pacífico, Sáenz Peña se alistó en el ejército peruano con el grado de teniente coronel. Fue hecho prisionero por las fuerzas chilenas y poco después restituido a su patria. Representó al gobierno argentino ante Uruguay como plenipotenciario, y poco después concurrió al Congreso Penal Internacional, donde demostró sus grandes conocimientos en materia jurídica. En la Conferencia Panamericana de Washington de 1889 refutó la doctrina Monroe con el discurso "América para la humanidad". De regreso en su patria se hizo cargo del Ministerio de Relaciones Exteriores y Culto, cargo que renunció al estallar la revolución de 1890. Posteriormente fue designado ministro plenipotenciario argentino ante los gobiernos de España e Italia.

Asumió la presidencia de la República en 1910. Sáenz Peña dio al país una ley electoral inspirada en los principios de la libertad individual y en el libre juego de los partidos políticos para llegar al poder. Esta ley, conocida en la historia argentina con el nombre de su creador, ha recogido el periodo de mayor progreso de la nación desde que terminaron las luchas civiles. Quebrantada la salud, renunció al cargo y completó el periodo presidencial Victorino de la Plaza, el vicepresidente.

Safo (612-570). Poetisa griega natural de Mitilene (isla de Lesbos). Fue mujer de gran belleza. Se dice que se suicidó arrojándose de lo alto de la roca Leúcade en el mar por haber sido desdeñada por el joven Faón. Alceo, su contemporáneo, le dedicó versos en los que ensalzaba su nobleza de alma. Escribió epitalamios, elegías, himnos y odas, de los que conocemos una oda y el himno a Venus.

saga. Leyenda poética contenida en los *Eddas* de la antigua Escandinavia y, también, las narraciones de gran valor poético, con alternancia de prosa y verso, que cuentan episodios de la vida de Islandia (biografía de un personaje notable, relato de un hecho local, de una tradición) en estrecha relación, frecuentemente, con la historia de Noruega. Se compusieron en los siglos XII, XIII y primera parte del XIV. Las primeras se transmitieron oralmente y eran recitadas en banquetes, fiestas y asambleas y constituían un grato entretenimiento en las largas noches del invierno norteño. Se conservan más de 40, la mayoría anónimas. Las más interesantes son las denominadas históricas, entre las que se distinguen aquellas que tratan de los acontecimientos islandeses, de las crónicas de los reyes noruegos y de la historia de otros países.

Sagasta, Práxedes Mateo (1825-1903). Político español, que fue jefe del partido progresista, del constitucional y del fusionista. Fue de los primeros redactores del periódico *La Iberia*, editado en Madrid, del que pasó a ser director a la muerte de su fundador. Diputado a cortes (1854-1856), no tardó en destacarse como orador y como revolucionario, ávido de reformas que hicieran progresar a su país. Audaz y decidido, sabía aprovechar las circunstancias. En 1856, el general Pierrard bombardeaba el Congreso, donde se habían reunido en sesión especial ciertos elementos liberales. Un casco de granada cayó junto a Sagasta, entonces en el uso de la palabra, quien se limitó a pedir que constase en acta. Sucesivamente sublevado, emigrado, ministro y conspirador. Durante la República figuró en la oposición. Más tarde desempeñó los cargos de ministro de Estado y Gobernación. En 1875 se declaró alfonsino, organizó el partido constitucional y ocupó varias veces la presidencia del Consejo de Ministros, luchando entre su deseo de reformas y las circunstancias. Aunque concedió la autonomía a Cuba y Puerto Rico, no pudo impedir la intervención de Estados Unidos y la guerra con esta nación.

Sagi Barba, Emilio (1876-1949). Cantante español, que a los 17 años actuó por primera vez en público, en la zarzuela *La tela de araña*. Poco después se trasladó a América y triunfó en Argentina y en otros países hispanoamericanos, así como en su patria, a la que regresó pocos años después. Su consagración definitiva la obtuvo con la interpretación del papel de Puck en *Las golondrinas*, del maestro Usandizagá. Otro compositor hispano que tuvo él a un feliz intérprete fue Rafael Millán. Se dedicó especialmente a la opereta y a la zarzuela grande realizando verdaderas creaciones con las que deleitaba a los auditorios con su bien impostada voz de barítono. Fue también autor de piezas teatrales y de canto. En los últimos años de su vida y retirado de la escena, se dedicó a la enseñanza del canto.

sagitaria. Planta herbácea anual, de los lugares pantanosos, también llamada *saeta de agua*. Mide de 40 a 60 cm, pero algunas especies del Brasil alcanzan más de 1 m de altura. Tiene tallos rastreros, con tres aristas, de los que nacen hojas con largos peciolos y limbos de forma de punta de flecha, flores unisexuales, blancas o rojizas, dispuestas en verticilos de tres, a distintas alturas: las masculinas en el ápice del pedúnculo floral, y las femeninas más bajas. Las raíces son fibrosas, con los extremos inflados en bulbos carnosos, y los frutos secos capsulares. Se emplea como planta de adorno por sus vistosas flores y hojas.

sagitario. El noveno de los signos del Zodíaco, en el cual el Sol entra el 22 de noviembre hasta el 21 de diciembre. Una buena parte de la Vía Láctea se extiende en el sector occidental de este signo. Es la constelación austral del zodíaco que se encuentra un tanto al oriente del signo. Contiene dos estrellas de segunda magnitud y varias de tercera. Se observan en ella distintas nebulosas, siendo las más brillantes Omega y Trífida.

Sagrada Familia. La formada por san José, la Virgen María y el Niño Jesús. En tiempos de las catacumbas, en Roma, ya se habló de la Sagrada Familia. Los primitivos cristianos le erigieron una capilla para venerar su memoria como símbolo de la familia cristiana. Alrededor del año 500 d. C., los artistas bizantinos empezaron a representar al Niño Jesús en actitud de ser bendecido por la Virgen. Las tres figuras principales fueron representadas después por todos los pintores que se ocuparon del tema. En algunos cuadros de los primitivos aparecen pintorescamente agrupados; otros pintores, llevados por su devoción o por el deseo de introducir mayor número de figuras en el cuadro, agregaron a santa Ana, madre de la Virgen María; a san Juan Bautista, a santa Isabel y a santa Catalina. El tema de la Sagrada Familia fue de especial predilección para los pintores italianos del Renacimiento, entre ellos Rafael Sanzio y Vecellio Tiziano. Otros pintores, tales como el español Bartolomé Esteban Murillo y el holandés Peter Paul Rubens, recurrieron a este tema con mucha frecuencia en sus cuadros religiosos. Una de las primeras muestras artísticas de la iconografía religiosa con la Sagrada Familia la constituye un mosaico que se conserva en Santa María la Mayor de Roma.

Sagradas, guerras. Guerras de la antigua Grecia promovidas en favor del santuario de Delfos. La primera (s. IV a. C.) se debió al intento de Delfos por librarse de la tutela de la ciudad de Crisa, por donde debían pasar los peregrinos, a los que se cobraba impuestos. Crisa fue destruida. La segunda (449-447 a. C.) estalló al ser invadido el santuario por los focenses, con el consenso de Atenas. Esparta intervino contra éstos, y luego Atenas en su favor, con lo cual la situación anterior fue finalmente restablecida. La tercera (356-346 a. C.) se originó cuando, a instigación de Tebas, el Consejo de la Anfictionía de Delfos sancionó a los focenses que habían cultivado tierras sagradas. Al mando de Filomeno éstos ocuparon el santuario y con sus tesoros reclutaron un ejército de mercenarios, a la par que se aliaron a Esparta y Atenas. Se luchó en Grecia central y el Peloponeso. La ocasión fue aprovechada por Filipo de Macedonia para intervenir: castigó a los focenses y ocupó su lugar en la Anfictionía. La cuarta (339-338 a. C.) se dirigió contra Anfisa, acusada también de impiedad por Esquines. Nombrado Filipo jefe de los ejércitos anfictiónicos, destruyó Anfisa y aprovechó el momento para hacerse con el control de Grecia, lo que consiguió tras la victoria de Queronea (338 antes de Cristo).

Sagrado Corazón. Devoción practicada por los fieles católicos al corazón humano de Jesús, como símbolo de la caridad y del amor del Redentor. A esta forma de devoción hicieron alusión algunos místicos medievales, pero no llegó a adquirir significado especial hasta que fue expuesta por San Juan Eudes en 1680, y muy especialmente hasta que la monja francesa María Margarita Alacoque introdujo este culto (1647-1690, canonizada en 1920), monja de la orden de la Visitación, recibió las manifestaciones de este culto por revelación divina, y las expuso para ser incorporadas como adoración especial al Corazón de Jesús. Las nuevas formas del culto se propagaron rápidamente por Francia y de allí pasaron a las demás naciones católicas. Al comienzo, el nuevo culto halló seria resistencia, y muy particularmente por la oposición de los jansenistas y del concilio de Pistola; pero el papa Clemente XIII lo autorizó en 1765. Esta autorización papal permitió el nuevo culto en aquellas iglesias que lo solicitasen expresamente y estableció su fiesta el viernes siguiente a la octava del Corpus Christi. El culto al Corazón de Jesús, como fórmula del amor universal de Cristo, se extiende hoy por todos los pueblos católicos del mundo, donde existen numerosas instituciones dedicadas a propagarlo. En 1800, Magdalena Sofía Barat fundó en París la primera congregación dedicada a propagar el culto al Sagrado Corazón, y desde entonces estas instituciones se han multiplicado por toda la extensión de la tierra donde existen fieles de la Iglesia católica. Esta congregación, denominada Sociedad del Sagrado Corazón de Jesús, tiene 153 establecimientos en todo el mundo, incluyendo academias, colegios y centros de primera y segunda enseñanza. La casa principal está en Roma. Los fieles de la Iglesia católica rinden también culto especial al Sagrado Corazón de María. Esta fiesta religiosa se celebra el once de febrero y fue instituida por el papa Clemente X en 1666.

Nova Development

Representación del signo zodiacal sagitario.

sagú. Planta arbórea del grupo de las palmeras, que vive en los países tropicales del sur de Asia y en las islas Malayas. Llega a tener 7 m de altura, las hojas son grandes y el fruto como una gran ciruela rojiza. En la médula del tallo se almacena una especie de fécula muy rica en almidón llamada también *sagú*, que es comestible y que en otro tiempo se exportaba en cantidad a Europa, donde ha sido sustituida en gran parte por la tapioca. En las regiones meridionales de Asia aún constituye una de las principales bases de la alimentación. Se recolecta cuando el árbol tiene de 6 a 8 años, antes de la floración, que agotaría las reservas. Para ello

Sagrada Familia.

Corel Stock Photo Library

se corta el árbol a ras de tierra y después se divide en trozos cortos, partiéndolos longitudinalmente, para rasparles la médula y obtener una especie de aserrín, que contiene el sagú. Éste se separa de la materia leñosa mediante el lavado. Cada árbol puede producir hasta 350 kg de fécula, que tras repetidos lavados y purificaciones da una harina de pequeños gránulos esféricos que se emplea para confeccionar sopas y papillas alimenticias y de fácil digestión.

Sagua la Grande. Ciudad de Cuba en la provincia de Las Villas, sobre la margen izquierda del río de su nombre, a 32 km del puerto de Isabela, o Boca de Sagua, que usa principalmente para su comercio. Población: 56,017 habitantes. El río de Sagua la Grande es navegable en unos 30 km y es una de sus vías internas de comunicación, junto con el ferrocarril a La Habana, Santa Clara y Cienfuegos, y buenas carreteras. Situada en una fértil comarca con grandes centrales azucareras y abundante producción de caña de azúcar, tiene gran actividad y cuenta con refinerías de azúcar, destilerías, industrias químicas y fábricas de curtidos. Es población moderna con hermosas construcciones y paseos, numerosos centros culturales y bellos monumentos.

Sagunto o Sagunt. Ciudad española, en la provincia de Valencia, a 26 km de la capital y 6 km del Mar Mediterráneo. Tiene 54,759 habitantes. Está situada en un monte, a cuyos pies corre el río Palancia. La fundición de hierro y la industria del acero, creadas después de la Primera Guerra Mundial, desplazaron parte de la población hacia el mar, donde se hallan grandes altos hornos. Es ciudad antiquísima y posee valiosas ruinas, entre ellas un teatro romano con capacidad para 10 mil espectadores y un circo, también romano, parte del cual ha sido, absorbido lentamente por los arenales formados por el río antes mencionado.

Habitada desde muy antiguo por la tribu de los arsetanos, Plinio acoge la leyenda basada en una falsa etimología, según la cual debe su origen a una colonia griega procedente de Zacinto, en la costa oeste de Grecia, 200 años antes de la caída de Troya. Se hizo célebre por su enconada resistencia al poderoso ejército de Aníbal, quien al emprender la conquista de la costa oriental de la península, le puso sitio en la primavera del año 219 a. C. Confiados en la ayuda de Roma, de la que eran aliados, los saguntinos rechazaron las acometidas de Aníbal, que resultó herido en la lucha. Al cabo de ocho meses de sitio, perdida toda esperanza de socorro, los saguntinos, tras una última y desesperada salida, prefirieron la muerte a la rendición y, formando una enorme hoguera, se arrojaron a sus llamas, cuando ya Aníbal penetraba en la ciudad por el lado oeste, que era el único accesible. Los historiadores romanos consideran que el sitio de Sagunto fue una provocación de Aníbal para obligar a Roma a una segunda guerra con Cartago; ésta, la segunda guerra Púnica, se inició, en efecto, poco después y duró 16 años, desde 218 al 202. Los romanos reconquistaron la ciudad en el año 214 a. C. y la declararon ciudad con derecho romano, lo que le permitió tener sus propios leyes y sus propios magistrados, gozando de todos los derechos que confería la ciudadanía romana.

Desierto del Sahara cerca de Merzouga, Marruecos.

Corel Stock Photo Library

Sahagún, fray Bernardino de (1499-1590). Religioso franciscano e historiador español. Nació en Sahagún (León), y murió en la ciudad de México. Estudió en la Universidad de Salamanca y fue a Nueva España en 1529. Al fundarse el célebre colegio de Tlaltelolco (1536) tuvo a su cargo la cátedra de latinidad, en la que instruyó a numerosos jovenes indios. Estudio idiomas indígenas y dominó a la perfección el náhuatl. Consagró la mayor parte de su vida a vastísimos trabajos históricos, etnográficos y filológicos. Su asombrosa labor comprende obras religiosas, en náhuatl; obras filológicas, entre ellas gramáticas, vocabularios y diccionarios de lenguas indígenas, y obras etnográfico-históricas, de las que es la principal su *Historia general de las cosas de la Nueva España,* trabajo prodigioso de investigación y tesoro inagotable de datos para el conocimiento de los pueblos y la historia del México prehispánico, que lo acredita como el iniciador de los estudios etnográficos del Nuevo Mundo.

Sahara. Nombre del desierto más grande del mundo, que se extiende por el norte de África desde el océano Atlántico al Mar Rojo, y desde la cordillera del Atlas y el Mediterráneo hasta Sudán. Su extensión es de 10 millones de km^2 aproximadamente y cubre extensiones considerables en parte de Marruecos, Río de Oro, Argelia, Libia, Egipto, Mauritania, Malí, Níger, Chad y Sudán.

Es una región de variado e irregular relieve en la que predominan vastas extensiones que se asemejan a un mar de arena, sólo interrumpido por líneas de dunas (el *erg* de los árabes). Existen también extensiones rocosas y que los árabes llaman *hamada.* El centro forma una gran meseta, donde se alzan los macizos montañosos de Ahaggar, el Tibesti y el Air, con picos que se elevan hasta 3,400 metros.

El Sahara no fue siempre una región seca y árida; en la época glacial estuvo atravesado por grandes ríos, de los que quedan huellas de sus cauces, completamente desecados, algunos de los cuales sirven de paso a las caravanas. El clima está determinado por la circulación de los vientos, que absorben la humedad del aire y provocan grandes diferencias de temperatura: durante el día se registran hasta 70 °C en las dunas, y en cambio, durante la noche, como la arena se enfría muy rápidamente desciende a -2 °C y -3 °C . Las lluvias son tan escasas que en algunas partes pasan varios años sin que caiga una sola gota de agua.

Las zonas fértiles son los oasis, situados por lo general en alguna depresión, donde el agua subterránea está a poca profundidad y pueden vivir algunas plantas, especialmente la palmera datilera. El hombre saca el agua mediante pozos y cultiva granos y árboles frutales. Los oasis se encuentran unas veces en grupos y otras diseminados por toda la extensión del desierto y son de tamaño muy variable. En alguno sólo cabe una familia, y otros pueden albergar varios miles de habitantes.

El espejismo es frecuente y peligroso en el Sahara, pues engañando al sediento y fatigado viajero, hace que se extravíe de su camino yendo en busca de un falso oasis.

Aparte de los oasis la vegetación del Sahara es muy pobre. En las *hamadas*, se encuentran plantas raquíticas y gramíneas trepadoras, y sólo hacia los límites del desierto se ven algunas hierbas verdes. La fauna es también muy pobre, limitándose principalmente a las regiones montañosas. Se encuentran gacelas, antílopes, liebres, hienas, chacales y zorros. El león está casi extinto. Las aves son muy escasas, pudiendo citarse el águila y algunas avestruces; en cambio hay variedad de reptiles y arácnidos. Entre los animales domésticos se encuentran caballos, asnos, cabras, corderos y especialmente el camello, de gran importancia como bestia de carga, y que además suministra leche, pelo para tejidos y cuero.

La población total del Sahara es de unos 1.500,000 habitantes, pertenecientes a diversas razas. Predominan los tibus, que ocupan gran parte del centro y sureste, y a veces están mezclados con negros. Los tuaregs son nómadas, en su mayoría, y muy guerreros; recorren todo el Sahara desde Argelia al Sudán, y dominan el macizo central. En el norte y este se encuentran árabes y bereberes, y los oasis están generalmente habitados por negros descendientes de los antiguos esclavos. Las tormentas de arena, los ataques de las tribus guerreras, la falta de agua, el calor y las enormes distancias, constituyen grandes amenazas para las caravanas de camellos que atraviesan el desierto. Por ello, antes de emprender un viaje, hacen grandes preparativos y van conducidos por un guía, quien conoce las rutas y oasis, y puede orientarse por la menor señal, trabajo sumamente difícil, pues las arenas, barridas por el viento, cubren y borran todas las huellas. El transporte se está modernizando, y, en ciertas regiones, funcionan líneas de autobuses y aviones que establecen la comunicación con los escasos lugares poblados del desierto. *Véanse* ÁFRICA *(Mapa)*; DESIERTO; EGIPTO; LIBIA; OASIS.

Sahara español o Sahara occidental. Antiguo nombre de la región del África Española, situada al noroeste de África, en el sur de Maruecos. Limita al oeste con el océano Atlántico, frente a las islas Canarias; al noroeste con Argelia y al este y sur con Mauritania. Su extensión de 252,120 km² es de suelo pobre, árido y llano. Su economía se basa en la pesca y, sobre todo, en los importantes depósitos de fosfatos.

Corel Stock Photo Library

Piedra de arena tallada por el viento en el desierto del Sahara en África.

Los españoles no se interesaron en estos territorios hasta finales del siglo XIX; en 1884 el gobierno proclamó el protectorado español en la zona costeña comprendida entre Cabo Bojador y Cabo Blanco. En 1900, tras disputas territoriales con Francia, España firmó el tratado de París en el que se establecieron los límites del territorio francés y español, con algunos cambios en tratados siguientes (1902, 1904 y 1912). En 1958 se le concedió a esta región la categoría administrativa de provincia africana de España, pero, años más tarde, tras la *Marcha Verde* marroquí dirigida por Hasan II, para invadir el Sahara Occidental, España, de acuerdo con Marruecos y Mauritania, cede la provincia en 1975 a estas dos últimas: 169,000 km² a Marruecos y 97,000 km² a Mauritania. Estos hechos provocan un levantamiento de las tribus saharauíes (Frente Polisario), que aspiran a la independencia. En 1979 Mauritania, cede sus derechos a los saharauíes, pero Marruecos ocupa todo el antiguo Sahara Español. Para 1996, todavía no se había definido el estatus del Sahara Occidental, ya que el

Caravana de beduinos cruzando el desierto del Sahara en África.

Corel Stock Photo Library

Frente Polisario y el gobierno de Marruecos no están de acuerdo en qué tribus deben votar el referéndum que definiría dicho estatus. *Véase* MARRUECOS; MAURITANIA.

saiga. *Véase* ANTÍLOPE.

sainete. Pieza teatral jocosa, en un acto, generalmente de carácter popular y costumbrista. Género propio del teatro español, solía representarse entre los actos o jornadas de las comedias grandes y más comúnmente al final de la función. Su origen hay que buscarlo en los entremeses y pasos del Siglo de Oro, pero no existió este nombre hasta el siglo XVII, en que apareció aplicándose al entremés, jácara, mojiganga y otros fines de fiesta, con un significado de aliciente o cosa sustanciosa y sazonada, propia del arte culinario, pues sainete originalmente significa salsa que se pone a ciertos manjares para hacerlos más apetitosos. La forma que actualmente tiene se la dio don Ramón de la Cruz quien a fines del siglo XVIII empezó a ofrecer, en cuadros breves (*El fandango del candil, La petimetra,* etcétera) de singular gracejo y a veces ligera deformación satírica, fiel trasunto de los elementos de la sociedad de aquel tiempo. Utilizó el romance octosílabo popular, el diálogo ordinario del pueblo, el habla familiar y retrató la vida sin artificios. También de la segunda mitad del siglo XVIII es Juan Ignacio González del Castillo sainetero gaditano que dio a la escena animados cuadros de costumbres andaluzas.

Posteriormente lo cultivaron con éxito Ricardo de la Vega, Ramos Carrión, Vital Aza, Sinesio Delgado, Tomás Luceño, López Silva, los hermanos Serafín y Joaquín Álvarez Quintero, Antonio Casero, Carlos Arniches y otros autores. De él se derivó el *género chico,* que contó con la colaboración de los maestros Manuel Bretón de los Herreros, Ruperto Chapí, Federico Chueca, Fernán Caballero (seudónimo de Cecilia Böhl de faber), José Serrano y otros. *Véanse* CRUZ, RAMÓN DE LA; GÉNERO CHICO; TEATRO.

saino. *Véase* PECARI

Saint Etienne. Ciudad francesa, capital del departamento de Loira, con 199,528 habitantes (313,467 la aglomeración urbana). Situada en una gran región hullera, es importante centro industrial. Tiene fábricas de armas, bicicletas, maquinaria, hilados y tejidos, productos químicos y vidrio, entre otras. En sus cercanías, en el valle del río Furens, se levantan fábricas a lo largo de 50 km. Tiene escuelas especiales de minas y de artes industriales.

Saint-Exupéry, Antoine de (1900-1944). Aviador y novelista francés nacido en Lyon. En sus obras literarias se reflejan la influencia de la aviación. Fue destacado aviador comercial y militar, llevó a cabo los *raids* París-Saigón y New York-Tierra del Fuego. Después de la rendición de su patria (1940), en la Segunda Guerra Mundial, se unió a las tropas de liberación del general Charles De Gaulle, y pereció en una misión de reconocimiento al ser abatido su aparato cuando volaba sobre la Francia meridional (1944).

Saint-Exupéry describió sus primeras experiencias de vuelo y los sentimientos que éstas le despertaron, en obras como *Correo del sur* (1929); *Vuelo nocturno* (1931), obra que le valió el Premio Fémina; y *Tierra de hombres* (1939). En estas obras se destaca, además, una profunda meditación poética sobre el hombre y la civilización. Sus experiencias en la guerra las resume en *Piloto de guerra,* publicada por primera vez en inglés (1942). Otras obras de gran renombre son: *Ciudadela sombría* (1948), su obra póstuma, y *El principito* (1943), una fantasía para niños en la que se manifiesta, además, su talento de dibujante. Esta fantasía se ha convertido en importante obra clásica.

Saint-Gaudens, Agustus (1848-1907). Escultor estadounidense; nacido en Irlanda llegó a Estados Unidos cuando no tenía más que seis meses de edad. Realizó sus estudios artísticos en la Academia Nacional de Dibujo. Más tarde se trasladó a Europa. se instaló primero en París y luego en Roma. Logró su primer éxito en París con la exposición de su estatua del almirante David Glasgous Farragut, erigida actualmente en Madison Square (New York). Fue su primer monumento público. Otras de sus obras famosas son la estatua del presidente Lincoln, en Chicago; la del general John Sherman, en New York, y *Amor caritas,* de la que hay una copia en bronce en París.

Ilustración de El principito, *por Saint-Exupéry.*

Salvat Universal

Saint-Just, Luis Antonio de (1767-1794). Revolucionario francés. Licenciado en derecho en Reims (1788), se adhirió a las ideas revolucionarias y entre 1790 y 1792 fue coronel de la guardia nacional de su localidad (Blérancourt). En 1791 publicó Esprit de la Révolution et de la Constitution de la France. En 1792 fue elegido miembro de la Convención por el departamento del Aisne. Alcanzó rápidamente la fama con el discurso que pronunció en la convención nacional, en el que recomendaba la muerte del rey Luis XVI. Ardoroso jacobino, actuó con los más decididos promotores del terror. Su influencia provocó la caída de los girondinos y la muerte de Georges Jacques Danton. Estuvo siempre junto a Maximilien de Robespierre y subió con él al patíbulo. El rigor revolucionario que lo caracterizó contrastaba con su encanto personal y su talento literario.

Saint Kitts y Nevis. Estado cuyo nombre oficial es Federación de Saint Kitts y Nevis, y está localizado en el Mar Caribe del este. Formado por las islas de Saint Kitts (San Cristóbal) y Nevis. Su clima es tropical, atemperado por la influencia oceánica. La temperatura media anual es de 26 °C. Población: 40,407 habitantes (1993), de los cuales aproximadamente 75% viven en San Cristóbal, en donde se localiza la capital, Basseterre.

Saint Kitts es una fértil isla volcánica con 168 km^2 de superficie y cuya altura máxima es el Mount Misery (1,156 m). Su densa vegetación está dominada por arbustos de flores en tanto que sus praderas están ocupadas por cultivos de caña de azúcar y algodón. Nevis, por su parte, se encuentra 3 km al sudeste de Saint Kitts y es una formación volcánica circular con 93 km^2 de superficie, constituida principalmente por el Pico Nevis (985 m). La mayor parte de los ingresos del país provienen del turismo y la producción de caña de azúcar.

Las islas estaban habitadas por indios caribes cuando Cristóbal Colón las descubrió en 1493, pero no fueron colonizadas hasta que las ocuparon los ingleses en 1623 y los franceses en 1625. Las dos islas, así como la de Anguila, cambiaron de manos durante las guerras coloniales, pero por la paz de Utrecht (1713) quedaron en poder de Gran Bretaña, que por el tratado de París (1783) vio definitivamente reconocida su posesión. Anguila, Saint Kitts y Nevis se integraron en la Federación de las Indias Occidentales (1958-1962), y en 1967 constituyeron un Estado con gobierno propio, pero asociado a Gran Bretaña. Anguila, que en 1969 intentó proclamarse *república independiente,* proyecto frustrado por la intervención británica, consiguió en 1976 separarse del Estado y recobrar la condición de *dependencia de Gran Bretaña*. Saint Kitts y Nevis continuaron formando un Estado asociado, que el 19 de septiembre de 1983 proclamó su Constitución, accedió a la plena independencia e ingresó en la ONU. Desde 1967, el Partido Laborista había precedido en las labores de gobierno a la coalición entre el Movimiento de Acción del Pueblo (PAM) y el Partido de la Reforma de Nevis, que accedió al poder en 1980 y se mantuvo tras las elecciones de 1984. Desde 1987 el PAM obtuvo la mayoría (seis escaños) y en los comicios de 1993 quedó igualado a cuatro escaños con el Partido Laborista, lo que, ante el rechazo de la tercera fuerza (Movimiento de los Ciudadanos Inquietos, dos escaños) a aceptar alianzas, condujo al gobernador general a proponer al líder del PAM Kennedy A. Simmonds un Gobierno en minoría con el apoyo del NRP (un escaño). Las protestas de tal decisión en el seno del Partido Laborista (que pidió una nueva convocatoria de elecciones) desembocaron en disturbios y manifestaciones y en la declaración temporal del estado de emergencia. El Dr. Kennedy A. Simmonds encabezó cuatro gobiernos de coalición desde 1983 hasta 1995, cuando el líder del Partido Laboral, Denzil Douglas, lo sucedió como primer ministro.

Forma de gobierno. Estado asociado de la Commonwealth, con régimen parlamentario. Un gobernador general representa a la reina de Gran Bretaña. El poder Legislativo corresponde al Parlamento, que comprende al gobernador y a la Asamblea Nacional, integrada por 14 miembros (11 elegidos, y tres senadores designados, dos de ellos por el primer ministro y uno por el líder de la oposición). Ante la Asamblea responde el primer ministro, jefe del Ejecutivo, y su gabinete. Nevis posee su propia Asamblea Isleña y el derecho (aunque restringido) de secesión de Saint Kitts.

Saint Kitts y Nevis	*(Federación de Saint Kitts y Nevis)*
Superficie	269.4 km^2
Población absoluta	41,826 h.
Población relativa	155.2 h./km^2
Índice de natalidad	21.9%
Índice de mortalidad	9.5%
Crecimiento real anual	-1%
Forma de gobierno	Monarquía constitucional
Capital	Basseterre (15,000 h.)
Ciudades principales	Charlestown (1,200 h.)
Lengua oficial	Inglés
Principales organizaciones internacionales de las que es miembro	ONU, OEA, asociado a la UE
Principales religiones	Protestantes (76.4%), católicos (10.7%)
Composición étnica	Negros (94.9%), otros -mestizos, blancos e indopaquistaníes- (5.1%)
Unidad monetaria	dólar del Caribe oriental (1 = 100 centavos)

Saint-Moritz. Población de Suiza, en el cantón de los Grisones, región de la Alta Engadina, sita a 1,835 m sobre el nivel del mar a orillas del lago del mismo nombre. Tiene 6,510 habitantes; es estación estival y de invierno, muy frecuentada por los aficionados a los deportes, y debe su florecimiento a los ricos manantiales de aguas ferruginosas ya conocidos en la Edad Media, pero que en el siglo pasado fueron proclamados como de gran mérito para el tratamiento de diversas enfermedades. Dispone de buenas comunicaciones.

Saint-Pierre, Jacques-Henri Bernardino de (1737-1814). Escritor francés, gran amante de la naturaleza. De carácter tímido y melancólico, era al mismo tiempo altivo y sumamente susceptible, condiciones éstas que le crearon muchas dificultades en su carrera de ingeniero y en sus vinculaciones con el ejército. Viajó extensamente; visitó Rusia, Holanda, la Martinica y llegó hasta el cabo de Buena Esperanza. De regreso a Francia se hizo amigo de Jean Jacques Rousseau, con quien tenía muchos puntos de contacto. Influido por éste, escribió *Estudios de la naturaleza* (1784), que obtuvo señalado éxito, y luego *Pablo y Virginia* (1788), idilio que alcanzó enorme popularidad. Opuesto a la tendencia materialista y experimental, pretendió penetrar los secretos de la creación sin más guía que el sentimiento, y es justo reconocer que logró cuadros y descripciones plenos de encanto. En sus obras se muestra su misticismo, que en la primera edad lo tentó a buscar el martirio en tierra lejanas. Escribió también *Viaje a la isla de Francia* (1773), *La cabaña india* (1791) y otras obras.

Saint Pierre y Miquelón. Archipiélago de América del Norte, situado en el océano Atlántico, unos 25 km al sur de la isla de Terranova. Está formado por dos grupos de islas entre las cuales las principales son Saint Pierre y Miquelón. Las nueve islas que lo forman tienen en conjunto 242 km^2 y su población se eleva a 6,600 habitantes (1994). Pertenece a Francia y su capital es San Pedro. Su base económica es la pesca, exportan bacalao y otros productos de sus pesquerías. Francia ocupó por primera vez estas islas en 1604. Después las perdió y recuperó en varias ocasiones, hasta que por los tratados de París y de Viena (1814 y 1815) le fueron definitivamente restituidas. En julio de 1976 se constituyó en departamento francés de ultramar, adquiriendo en 1985 el estatus de colectividad territorial de ultramar.

Saint-Saëns, Camile (1835-1921). Pianista, organista y compositor francés. Nació en París, y desde muy pequeño dio muestras de su precocidad musical en el piano y ya componía valses a los siete años. Se presentó por primera vez en público a los 11 años , y dos años después ingresó en el Conservatorio de París, donde obtuvo varios premios. En 1858 lo nombraron organista de la iglesia de la Magdalena, en París puesto que desempeñó por más de 20 años, durante los cuales dio además numerosos conciertos de piano, y compuso varias obras que le valieron renombre universal, especialmente su ópera *Sansón y Dalila* (1877), estrenada por Franz Liszt en la ciudad alemana de Weimar, después de haber sido rechazada varias veces por la Ópera de París. A partir de entonces se dedicó casi por entero a la composición y escribió obras que abarcan todos los géneros musicales, entre las que se encuentran un nutrido repertorio de óperas, tres sinfonías, cinco conciertos para piano y orquesta, dos para violonchelo y varios poemas sinfónicos. Entre sus páginas más conocidas se cuentan *El cisne, El carnaval de los animales* (1886) y la *Danza macabra* (1874).

Saint-Simon, Claude Henri de Rovroy, conde de (1760-1825). Filósofo francés. Muy joven aún se trasladó a América y combatió a las órdenes de George Washington. De regreso en su patria, estudió matemáticas y ciencias físicas, y se dio a la tarea de reorganizar la sociedad, que vivía en perpetua conmoción por las consecuencias de la Revolución Francesa. En 1814 publicó *Reorganización de la sociedad europea*, obra en la que preconizaba, entre otras avanzadas teorías, la creación de un parlamento europeo con derecho para juzgar las divergencias que surgieran entre las diversas naciones. Sus teorías, expuestas en numerosos escritos, postulaban una especie de socialismo utilitario basado en el principio de que la industria es el instrumento básico de la sociedad moderna y de que los sabios, los intelectuales y los artistas forman la verdadera aristocracia. Su doctrina, llamada *sansimonismo*, tuvo numerosos adeptos y su momento de mayor esplendor fue a partir de la revolución de 1830. Sostenía la abolición de la propiedad y la dirección de los destinos del país por una minoría de personas ilustradas y capaces. En su obra *El nuevo cristianismo*, Saint-Simon propuso la creación de una religión humanitaria que sus discípulos intentaron llevar a la práctica. Sus ideas influyeron sobre el positivismo de Augusto Comte y sobre un sector importante del movimiento obrero.

Sainte-Beuve, Charles Agustin de (1804-1869). Escritor francés gran crítico de la escuela romántica. Sus primeros artículos aparecieron en la revista *Le Globe*, y le valieron la amistad de Victor Hugo y de Alfred de Vigny. Entró a formar parte del célebre Cenáculo, y su primera obra importante fue *Cuadro histórico y crítico de la poesía francesa del siglo* XVI. Siguieron *Vida, poesías y pensamientos de José Delorme*, *Los consuelos* y la novela *Voluptuosidad*. Tras una colección de *Retratos literarios*, publicó *Historia de Port-Royal*, su obra maestra, donde muestra su erudición y penetración psicológica acertada y sutil. Después de *Chateaubriand y su grupo literario*, escribió la extensa serie titulada *Conversaciones del lunes (Causeries du lundi)*. Sainte-Beuve hizo de la crítica una obra de arte. Fue senador y defendió con energía las ideas liberales.

Sáinz de la Maza, Regino (1896-1981). Guitarrista y compositor español. Inició sus estudios de música siendo niño, los perfeccionó en el Conservatorio de Madrid y dio su primer concierto en Bilbao, cuando tenía 17 años. Catedrático del Conservatorio de Madrid desde 1935, estrenó en 1940 el *Concierto de Aranjuez* de Joaquín Rodrigo, que se lo había dedicado. Como investigador, descubrió y reconstruyó páginas de vihuelistas españoles y portugueses de los siglos XVI y XVII; como compositor, creó numerosas obras. Las más conocidas son *Alegrías, Meditación, Trémolo, Zambra gitana* y *Boceto andaluz*.

Sajalín o Sakhalin. Isla de Rusia situada al suroeste del mar de Ojotsk y al norte de Japón. El Estrecho de La Perouse la separa de este último y el de Tartaria, de Siberia. Es una gran isla (63,700 km^2) de litoral poco accidentado y forma alargada (1,000 km de longitud), cuya anchura varía de 25 a 180 km. Geológicamente forma parte de Asia continental y su subsuelo es rico en yacimientos minerales, principalmente en hulla y petróleo. Su suelo presenta aspecto montañoso y su relieve lo forman cadenas de colinas paralelas que se desarrollan en sentido de los meridianos. No tiene otros ríos más importantes que el Tymi y el Peronai. El clima es tan riguroso como el de Siberia. Posee extensos bosques y se da el trigo y la cebada. Abundan los animales de pieles finas y la pesca. Las industrias más desarrolladas son: la minera, la pesquera y la forestal. Está poblada por 713,000 habitantes (ghiliacos, orocos, ainos, campesinos rusos, etcétera) Su capital es Juzno-Sajalinsk. Desde l905 hasta 1945, en que toda la isla volvió a ser rusa, estuvo dividida en dos por el paralelo 50. La parte septentrional, cuya capital era Alexandrovsk, pertenecía a Rusia, y la meridional, que tenía por capital a Toyohara, a Japón. Después de la Segunda Guerra Mundial toda la isla pasó a ser parte de la Unión Soviética. Actualmente es parte de Rusia.

Sajonia. Región situada en el este central de Alemania. Su superficie es de 18,341 km^2, y tiene 4.584,300 habitantes. Los *Erzgebirge* o montes Metálicos ocupan la porción meridional del territorio. Por el extremo oriental de esos montes penetra el Elba, principal río de Sajonia, cuyo curso majestuoso avanza hacia el noroeste, recibiendo las aguas de numerosos afluentes. La tierra no es muy fértil, pero el espíritu tenaz de la población –formada por una mayoría de teutones y una reducida minoría de eslavos– ha sabido sacar provecho de sus restringidas riquezas naturales. Yacimientos argentíferos, de hierro, cobre y mármol alimentan la explotación minera, principal actividad de los habitantes; en las llanuras del Elba, se obtienen cosechas de trigo, avena, patatas, cebada y centeno. El lino suministra materia prima para la próspera industria textil. Dresde, capital de la región, tiene grandes museos e instituciones culturales y es famosa por su industria de porcelana artística. Otro gran centro cultural se halla en la histórica universidad de la ciudad de Leipzig. Sajonia es la patria de Georg Friedrich Haendel, Robert Schumann, Richard Wagner y otros grandes músicos alemanes. Juguetes famosos en todo el mundo son obra de los artesanos sajones, herederos de una técnica que se remonta a la Edad Media.

La historia de Sajonia es muy compleja. Los primeros sajones aparecen en las costas europeas a mediados del siglo XV, dedicados a la piratería, y algunos de ellos desembarcan en las costas inglesas dando origen a la cultura anglosajona. Carlomagno necesitó 30 años para subyugar las tribus sajonas que habitaban en las costas del continente, entre los ríos Elba y Rin, pero sus herederos no pudieron evitar que los duques de Sajonia ejercieran su dominio sobre buena parte del sacro imperio romano germánico. Conflictos, presiones y migraciones llevaron a los sajones hacia el este y los colocaron bajo la hegemonía de la familia de Wettin, celosa defensora de la reforma luterana. En la época napoleónica, en la guerra entre Francia y Prusia, las tropas sajonas aliadas a las prusianas fueron derrotadas por Napoleón en la batalla de Jena (1806). Pero, después Sajonia entró a formar parte de la Confederación del Rin, bajo la protección de Napoleón, y el duque de Sajonia asumió el título de rey. Al crearse el imperio alemán, en 1871, el reino de Sajonia se incorporó a él como Estado libre. En 1918, después de la Primera Guerra Mundial, pasó a formar parte de la República Alemana. Después de la derrota de Alemania en la Segunda Guerra Mundial, Sajonia, que había quedado dentro de la zona de ocupación soviética, fue incorporada en 1948 a la República Democrática Alemana. En 1991, con la caída del muro de Berlín, se reunificaron las dos Alemanias.

Sakhalin. *Véase* SAJALÍN.

Sakharov, Andrei Dimitriyevich (1921-1989). Científico y crítico social soviético. Reconocido internacionalmente por su trabajo en el campo de la física termonuclear y tres veces condecorado héroe del Partido Socialista Laboral, Sakharov fue objeto de críticas oficiales cuando protestó porque el gobierno soviético pretendía violar el tratado de 1961 para la Prohibición de las pruebas nucleares. Franco defensor de los derechos civiles, Sakharov criticó públicamente el trato que el gobierno soviético daba a los disidentes políticos. De 1980 a 1986 fue desterrado al interior, a la ciudad de Gorky. Recuperó su libertad con Mikhail Gorbachev, pero siguió criticando con vigor las políticas del gobierno. En 1989 fue electo diputado para el Congreso del Pueblo. En 1975 recibió el Premio Nobel de la Paz por su valiente cruzada en pro del desarme nuclear y la democracia en la URSS.

Sakkarah. Población egipcia situada junto a la margen izquierda del Bajo Nilo. Tiene 4,000 habitantes. En sus cercanías se descubrió una antigua necrópolis y un grupo de pirámides. Se han hallado numerosas inscripciones que datan de los primeros tiempos de la cultura egipcia, que encierran gran valor arqueológico. Entre los hallazgos más importantes figuran los realizados por Walter Emery (1936), que descubrió la gran tumba de Hemaka y el sarcófago del faraón Hor-aha. En 1946 se descubrieron varias tumbas de la época de la primera dinastía. Muchas de las inscripciones han sido destruidas por la acción del tiempo y el pillaje practicado por los ladrones.

Sakmann, Bert (1942-). Médico y biofísico alemán. En 1974 obtuvo una plaza de investigador en el Instituto Max Planck de Química Biofísica de Göttingen. Junto con Erwin Neher desarrolló allí una técnica para detectar, en áreas de la membrana celular del orden de sólo 1 micra, las débiles corrientes que se generan cuando se abren los finísimos canales que permiten el paso de iones a través de la membrana. Esta técnica ha permitido un extraordinario avance en el conocimiento de la regulación de múltiples funciones celulares, de la comunicación entre células y de los mecanismos que desencadenan numerosas enfermedades, como la hipertensión o la diabetes. Por estos trabajos, Sakmann y Neher recibieron en 1991 el Premio Nobel de Medicina o Fisiología.

sal. Si todo o parte del hidrógeno que entra en la composición de un ácido es reemplazado por un metal, se produce una sal. Tomemos por ejemplo el ácido sulfúrico, cuya fórmula es H_2SO_4, o sea que tiene dos átomos de hidrógeno (H). Si sustituimos uno de ellos, por un metal, sodio (Na) por ejemplo, tendremos $NaHSO_4$ que es una sal que se llama sulfato ácido de sodio; si reemplazamos los dos, tendremos Na_2SO_4, o sea sulfato neutro de sodio. Las sales en química se consideran formadas por la combinación de pesos equivalentes de un ácido y una base, en un proceso que se denomina neutralización. Las sales, disueltas en agua, son buenas conductoras de la electricidad; cristalizan en estado sólido. Todos los metales con agua forman bases. Cuando las sales contienen oxígeno en su molécula se llaman oxisales; cuando llevan agua de cristalización sales hidratadas, y cuando están exentas de agua, sales anhidras.

sal amoniaco. Compuesto de nitrógeno, hidrógeno y cloro (NH_4,Cl). Es cristalino, blanco, volátil, de sabor salado y muy soluble en agua. Se obtiene de la combinación de ácido clorhídrico con el amoniaco de las aguas procedentes de la destilación de la hulla. En química se conoce con el nombre de cloruro de amonio. Las incrustaciones blancas de la lava de los volcanes son sal amoniaco. Este compuesto se utiliza en análisis químicos, en medicina, en la fabricación de pilas eléctricas, en la refinación de oro, para fundir soldaduras y en la industria textil, y si se hace reaccionar con sosa cáustica desprende el gas amoniaco.

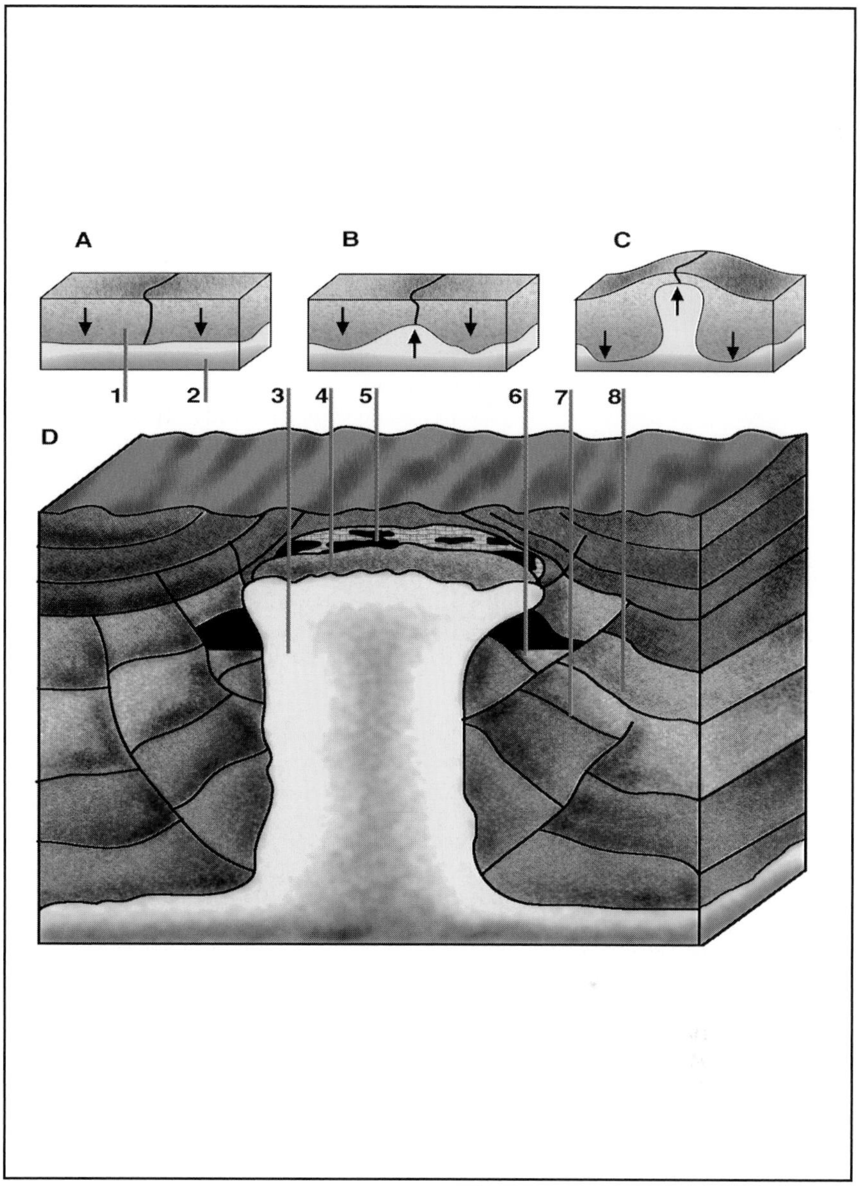

Del Ángel Diseño y Publicidad

Los domos de sal se forman cuando la presión de las rocas sedimentarias (1) forzan una porción de estratos (2) a salir a través de una fisura (A,B,C,D.). La sal acumulada (3) está normalmente cubierta con yeso y anhidrita (4) mezclados con piedra caliza (5). Las trampas de aceite (6) se forman entre la sal acumulada, la arena que lo rodea (7) y las capas de pizarra (8).

sal común. Sustancia generalmente blanca, cristalina, de sabor propio bien señalado, soluble en agua, crepitante en el fuego, que se utiliza para sazonar los alimentos, en medicina y en la industria. Se compone de cloro y sodio, abunda en las aguas del mar y se encuentra también en masas sólidas en el subsuelo o disuelta en lagunas y manantiales.

La sal ha desempeñado un papel de primer orden en la historia del mundo, pues todos los pueblos la adicionaron a su alimentación desde la antigüedad más remota. En la antigua Roma una parte de la paga de los legionarios consistía en sal, y posteriormente se les daba una cantidad para comprarla (salario). Marco Polo cuenta que en los pueblos de Asia y África, especialmente Abisinia y el Tíbet, la empleaban como moneda. En las civilizaciones primitivas ha sido uno de los elementos predilectos en la magia y la superstición. La conquista de México fue en gran parte posible gracias a la ayuda que los españoles obtuvieron de los tlaxcaltecas, quienes se decidieron a pelear contra los aztecas para acabar con las vejaciones que recibían de éstos, entre ellas la restricción del consumo de la sal. En Laos y Siam creen que la sal tiene poderes sobrenaturales y las mujeres, después del alumbramiento, se lavan con sal y agua, para protegerse contra el sortilegio. Los árabes de Marruecos esconden la sal en la oscuridad, a fin de ahuyentar a los espíritus, y en los países nórdicos se pone cerca de la cuna de los niños, para protegerlos de toda mala influencia. En Arabia, comer sal en compañía crea un vínculo sagrado que se llama comunión de la sal. En las costumbres medievales, la sal separaba a los individuos de la familia de los de la servidumbre. En el fresco de Leonardo de Vinci que representa la Última cena, se reconoce a Judas por el salero que derramó; el pintor puso de relieve la supers-

Corel Stock Photo Library

Banco de sal junto a la costa.

tición de que derramar sal trae mala suerte. Por su propiedad de evitar la putrefacción, se considera la sal desde tiempos remotos como símbolo de la purificación. La Iglesia católica utiliza la sal como un elemento litúrgico que entra en varios ritos y ceremonias: en el bautismo, la ordenación sacerdotal, consagración de los templos, bendición de las aguas, etcétera. La sal cristaliza en el sistema cúbico bien determinado. De ordinario es blanca y si es muy pura, límpida y hialina; en ocasiones tiene tonalidades grises, amarillas o rojas e incluso azules y verdes, las dos últimas no muy frecuentes, y ellas se deben al óxido de hierro ciertos infusorios u otros colorantes retenidos en la masa. Al calor, en el tubo de ensayo, se funde con crepitación o sin ella. Muy rara vez se encuentra en la naturaleza la sal pura, pues, de los análisis resulta que contiene sulfato de calcio, sulfato de magnesio y cloruro de potasio. La sal común procedente de la evaporación de las aguas marinas es todavía más impura. Dos son las variedades más importantes de la sal común: la sal marina y la sal piedra o gema. La sal marina es el cloruro sódico, extraído de las aguas saladas, que la contienen por término medio, en proporción de 3%; sometida a la acción del calor crepita, porque se rompen las partículas cristalinas al escapar el vapor de agua. La sal gema es el cloruro sódico natural, también llamado halita, que se extrae del seno de la tierra. Ésta es uno de los minerales más abundantes de la naturaleza. Entre los depósitos más importantes del mundo figuran los de Cheshire, en los alrededores de Liverpool (Inglaterra), y los de Wieliczka (Polonia). Poseen también yacimientos de importancia Estados Unidos, Rusia, Alemania, China, India, Francia, Italia y España. Una de las curiosidades geológicas más notables es la enorme formación de sal gema de Cardona (España), que constituye una montaña de 180 m de altura y 4 km de circunferencia en la base, y otra es el banco de sal de Cabezón de la Sal (España), sobre el cual está edificada la villa del mismo nombre. Por lo que se refiere a la sal marina, una de las salinas más relevantes es la del puerto de los Alfaques (España), al sur de la desembocadura del Ebro, y las de San Fernando, Torrevieja, Ibiza y Formentera (España). En Estados Unidos, la mayor parte de la sal se obtiene de los lagos y manantiales salados. En los países cálidos, la sal marina se obtiene por evaporación del agua del mar al aire libre, inundando una serie de estanques rectangulares de poco fondo, llamados salinas; en los países fríos, por calefacción, y en las regiones árticas, por congelación. De las minas se extrae mecánicamente y mediante la disolución en agua dulce, formando salmuera, de la cual se separa por evaporación; sólo en algunos casos en que se encuentra muy pura, como en Cardona, se beneficia directamente de la misma roca. De los manantiales salados se obtiene la sal por concentración y cristalización fraccionada, eliminando así las impurezas que le acompañan. La sal destinada a condimento se purifica para eliminar de ella los compuestos de magnesio, que la hacen higroscópica; mientras que la destinada a fines industriales se desnaturaliza mediante el añadido de productos de sabor o aspecto desagradable, para evitar el gravamen impositivo. Desde la Edad Antigua, la sal es un producto que ha interesado al fisco, pues, en monopolio o con imposición al consumo, ha formado parte de las materias gravadas.

Trabajadores recolectando sal en Vietnam del norte.

Corel Stock Photo Library

El cloruro sódico es de todas las sales, la más necesaria para la vida animal. Tanto que el hombre no puede prescindir de ella, pues su ausencia ocasiona graves trastornos. Entra en la constitución de casi todos los jugos, del suero y de los cartílagos; favorece el trabajo de la nutrición de los tejidos, la formación de la bilis y los jugos gástricos y pancreáticos. Una vez aislado de sus acompañantes, el cloruro sódico permanece a través de todas las emigraciones como un depósito siempre vivo de energías. Son ricos en sal, la saliva, el jugo gástrico, las mucosidades, el pus y los exudados debidos a inflamaciones.

Toda la sal del organismo procede de la alimentación y es eliminada por la orina, los excrementos, las mucosidades nasales y bucales, las lágrimas y el sudor. Parte de la sal ingerida se transforma en el organismo en otros compuestos. La adición de sal a los alimentos favorece la digestión. Desde el punto de vista de la química, la sal proporciona al organismo el ácido clorhídrico del jugo gástrico y la sosa de la bilis, hallándose en formación íntima en el proceso de las células. Una persona necesita anualmente 7.75 kg de sal. La vida vegetal también se beneficia de la sal, pues la presencia de ésta en las tierras es muy provechosa a la vegetación. Una adición de 300 a 400 kg de cloruro de sodio por hectárea aumenta la producción de cereales en un 20%, así como la producción de patatas, lino, cáñamo, etcétera. Además la sal mejora la calidad de las cosechas, proporcionándoles buen gusto y haciéndolas más nutritivas. En la industria se emplea la sal para la obtención de sodio, sosa, sal de Glauber, cloro, ácido clorhídrico; en la fabricación del vidrio y artículos de alfarería; en la fabricación de colorantes, jabón, tintes; en los curtidos, en el blanqueo, en los estampados, en la extracción de la plata, en el proceso de amalgamación en metalurgia del hierro, en la refinación de las grasas, preparación del tabaco, obtención de aguas minerales artificiales, mezclas frigoríficas, etcétera.

sal de higuera. Sulfato de magnesio natural. Esta sal hace amargas las aguas del manantial de Fuente la Higuera (España) de donde toma su nombre. El sulfato de magnesio es un purgante drástico que en dosis menores actúa como colagogo. Muchas aguas minerales contienen entre sus componentes cantidades de sulfato de magnesio (Pullna, Carabaña, Loeches, etcétera). Durante muchos años esta sal se obtuvo hidratando y cristalizando la kieserita (sulfato de magnesio monohidratado). Actualmente gran parte de la demanda industrial se satisface con el sulfato de magnesio obtenido del cloruro de magnesio del mar (Proceso Dow) y ácido sulfúrico; como subproducto se obtiene ácido clorhídrico. *Véase* PURGANTE.

Saladino I (1138-1193). Sultán ayyubí de Egipto (1171-1193) y de Siria (1174-1193). Hijo de un guerrero de nacionalidad curda, supo aprovechar hábilmente las disensiones internas del mundo musulmán para conquistar el poder. En 1174, a la muerte del sultán Nural-Din, inició la conquista de Siria y entró victorioso en Damasco. Después conquistó Alepo y Mosul. Luchó tenazmente para arrojar a los cristianos del Medio Oriente, para lo cual hizo frente a los cruzados que iban a Jerusalén, a quienes derrotó en la batalla del lago Tiberíades. Este hecho ocasionó una verdadera conmoción en Europa y se organizó la Tercera Cruzada para detener los ímpetus de Saladino. Ricardo Corazón de León de Inglaterra, Felipe Augusto de Francia y Federico Barbarroja de Alemania fueron los artífices de esta cruzada, y encontraron en Saladino a un paladín de los musulmanes dispuesto a no tolerar que los cristianos se apoderasen de Jerusalén. Luchó para impedir que Acre cayese en poder de los cristianos, pero no lo pudo evitar (12 de julio de 1191). Entonces buscó neutralizar el poder de los cristianos al pretender casar a un hermano suyo con la hermana del rey de Inglaterra, hecho que tampoco se llevó a cabo. Saladino fue un gran capitán, un caudillo de enorme prestigio y su desaparición fue causa de duelo general en el mundo musulmán. Su nombre árabe era Salh-ed-Din Yusuf. *Véase* CRUZADAS.

Corel Stock Photo Library

Sacos de sal en Gambia, África.

Salado, gran lago. Situado en el noroeste del estado de Utah, en Estados Unidos, es considerado una maravilla de la naturaleza. Se halla a 1,285 m de altura, tiene varias islas y su mayor profundidad es de 15 m, y debido a esto último es cruzado de este a oeste por un puente sobre el cual corre el ferrocarril Sudpacífico. Es cerca de seis veces más salado que el océano, aunque se alimenta con ríos de agua dulce; como contiene gran residuo de minerales y carece de desagüe, el agua evaporada deja gran cantidad de sal, producto del que se retiran unas 50,000 ton anuales. No contiene peces y sólo se encuentra un pequeño camarón. En una parte de su extensa playa, sólida y segura, se efectúan pruebas de automóviles de carreras y se alcanzan marcas mundiales de velocidad. Tiene balnearios muy visitados, pues allí es posible bañarse sin temor a hundirse, debido a la densidad del agua por la sal que contiene. Su superficie, cuyo promedio es de unos 4,690 km^2, varía constantemente, pues depende de las lluvias y del agua que aporten los ríos que allí desembocan, como el Jordán por el sur y el Bear por el norte.

Salam, Abdus (1926-1996). Físico paquistaní. Estudió en la Universidad Panjab de Lahore y en el Colegio St. John´s de Cambridge. Enseñó matemáticas en el Colegio de Gobierno de Lahore (1951-1954) y desempeñó la dirección del Instituto de Matemáticas de la Universidad Panjab (1952-1954). En 1957 fue nombrado director del recién creado Instituto de Física Teórica del Colegio Imperial de Londres. En 1964 fundó el Centro Internacional de Física Teórica de Trieste, del que asumió la dirección. Miembro del Comité Consultivo de la ONU para la Ciencia y la Técnica (1963-1975). En 1968, independientemente de Steven Weinberg, unificó las interacciones débiles y las electromagnéticas mediante el denominado mecanismo de ruptura espontánea de simetría, modelo que, tal como se demostró en 1971, estaba exento de inconsistencia y podía, por tanto, constituir una teoría satisfactoria unificada sobre las interacciones débiles y electromagnéticas. En 1979 compartió con Sheldon Glashow y Weinberg el premio Nobel de Física.

Salamanca. Ciudad española, capital de la provincia homónima perteneciente a la región leonesa. Tiene 167,382 habitantes, emplazada en la orilla derecha del río Tormes y en la zona intermedia entre las altas cumbres de las sierras de Béjar, Francia y Gata, continuaciones todas ellas de la de Gredos, y las frescas vegas durienses. Es una vieja e histórica ciudad, ya habitada por los vetones con el nombre de Helmantiké, que conserva muchos y hermosos monumentos como la Catedral Vieja (s. XII) y la Nueva (s. XVI y XVIII), el puente romano de 27 arcos, las iglesias de San Martín, San Marcos, San Julián, la Clerecía (fundación de los jesuitas); los conventos de San Esteban, de las agustinas, las úrsulas, las dueñas y Santa Clara, y los palacios de Monterrey, de la Salina (hoy Diputación Provincial), de San Boal y el que se ha hecho famoso bajo el nombre de Casa de las Conchas. La Plaza Mayor es bellísima y de profundo carácter. Su famosísima universidad fue fundada por Alfonso IX y está instalada en un monumental edificio cuya construcción se inició en tiempos de los Reyes Católicos. De una de sus fachadas tomó origen el llamado estilo plateresco, cuyos mejores exponentes se encuentran en Salamanca. En sus alrededores, regularmente fértiles, se dan los cereales y la vid y se cría ganado bovino bravo y de labor. Mercado agrícola y ganadero muy activo cuenta, además, con fábricas de curtidos –su industria principal–, de harinas, de fundición de hierro y otras; sus labores de orfebrería son de tradicional renombre.

Salamanca. Provincia española perteneciente al antiguo reino de León y situada en el extremo suroeste de la meseta del Duero, junto a la frontera portuguesa. Sus zonas norte y central son llanas y suavemente onduladas, en tanto que el sur, atravesado por cordones de la sierra de Gredos, es quebrado y montañoso. La bañan los ríos Duero, Tormes, Águeda, Alagón, Cuerpo de Hombre y Francia, con sus afluentes. Superficie: 12,336 km^2. Población: 371,607 habitantes (1994). Capital: Salamanca, con su mundialmente célebre universidad. Otras ciudades importantes: Ciudad Rodrigo, Béjar, Sequeros, Alba de Tormes y Ledesma. Importante producción agrícola en especial de cereales y leguminosas, y gran abundancia de pastos, origen de su riqueza ganadera. Comunicaciones de ferrocarril y carreteras a Madrid y Lisboa.

salamandra. Nombre común de diversos anfibios del orden de los urodelos. Se caracterizan por tener cola cónica de punta roma, cuatro dedos en las patas delanteras y cinco en las traseras, y en el centro del lomo unas glándulas o aberturas. La principal es la *Salamandra maculosa*, de unos 20 cm de largo, piel lisa y color negro intenso con manchas amarillas. Es un batracio anfibio que vive en su primera edad en el agua; posteriormente se metamorfosea, vive en la tierra y respira por pulmones. Se alimenta de insectos y habita en todos los países de Europa.

Salvat Univesal

Salamanquesa.

Debido a que exuda un líquido tóxico que produce la muerte a animales pequeños, la salamandra ha sido considerada durante siglos como un animal venenoso para el hombre. Otras características de este batracio han hecho que se le tuviera también por inmortal y por incombustible al fuego. Se ha comprobado, en efecto, que la salamandra resiste meses enteros sin alimentos y que cuando se la expone al aire seco su cuerpo se contrae y pierde peso. Se han encontrado salamandras endurecidas, atrapadas entre la nieve, a las que se creyó muertas. Pero, cuando se las extrajo se comprobó que estaban vivas y que podrían seguir viviendo aún mucho tiempo. Con el fuego ocurre un fenómeno parecido. Si se coloca una salamandra sobre leños encendidos, al momento los poros del animal expelen una sustancia viscosa que va formando una capa negra en torno a los carbones y da la impresión de que por este medio se protege del fuego. Pero no es así. El animal sufre quemaduras que le ocasionan una muerte segura. Debido a estas particularidades, la superstición popular ha creído que la salamandra era un ser fantástico, una especie de espíritu del fuego. En este sentido magos y cabalistas la han utilizado para sus supercherías. Menos difundida que la salamandra común es la salamandra negra, que vive en las regiones montañosas. En el oeste de la península ibérica abunda la salamandrita portuguesa, de reducido tamaño. El ajolote mexicano pertenece a la misma familia. *Véase* ANFIBIOS.

Salamandra con manchas amarillas en el parque Algonquin en Canadá.

Corel Stock Photo Library

salamanquesa. Reptil saurio de la familia de los gecónidos. La cabeza es grande y con prolongaciones membranosas, así como el cuerpo, rechoncho y aplastado, que no pasa de 8 cm. Se halla cubierto de una piel de color gris oscuro en el dorso y blanquecina en el vientre. Las patas, cortas y robustas, terminan en dedos unidos entre sí por una membrana y provistos de uñas; en la parte inferior de cada dedo de los miembros posteriores tiene un abultamiento formado por laminillas, que le permite adherirse y correr por paredes lisas y aun por los techos. Se alimenta de pequeños insectos y se la tiene por venenosa aunque es inofensiva. Vive en el mediodía de Europa, escondiéndose en las grietas de los edificios y bajo las piedras.

salario. Precio del trabajo efectuado por cuenta y orden de un patrono. El concepto del salario ha evolucionado con el progreso y hoy constituye uno de los problemas más complejos de la organización económica y social de los pueblos. Los desequilibrios de salarios son capaces de provocar las más graves perturbaciones (huelgas, alzamientos, motines, revoluciones, etcétera). Durante las edades Antigua y Media este asunto no revistió especial importancia, a causa de la peculiar estructura económica de la sociedad de aquel entonces (esclavitud, vasallaje, artesanado, etcétera); pero, en la Edad Moderna la aparición de las máquinas y la mayor complejidad del orden social transformaron las condiciones materiales de vida de la gente. Más de los dos tercios de la población mundial dependen para su existencia de las rentas que el trabajo por cuenta ajena les proporciona.

Los economistas clásicos sostenían que el monto del salario dependía de la ley de la oferta y la demanda. Según ellos, el obrero procura cobrar un salario alto y el patrono pagar uno bajo. Cuando el trabajo escasea y abundan los obreros parados, los salarios resultan más bajos, y más altos en el caso contrario. Esa ley que, en cierto modo, rige los fenómenos económicos libres (competencia en el mercado) no puede aplicarse a un obrero a quien no es posible comparar con una mercancía. A mediados del siglo XIX, surgieron nuevas concepciones del salario mucho más dignas y humanas. El economista alemán Ferdinand Lasalle enunció su famosa ley de bronce, según la cual el salario debe cubrir el mínimo de las necesidades que un hombre cualquiera precisa para subsistir. El alemán Carlos Marx, por su parte, afirmó, con su teoría de la plusvalía, que el salario debe guardar relación entre el beneficio lícito del patrono y el aumento de valor que la mercancía ha adquirido gracias al trabajo del obrero.

En ciertos tipos de industria se practica el salario a destajo (remuneración por cantidad de trabajo realizado), a comisión (pago por operación hecha), a domicilio, y con participación en los beneficios.

Salas, Antonio (1795-1860). Pintor ecuatoriano. Trató temas religiosos durante la época colonial *(La adoración de San Francisco, San Francisco, San Francisco en el monte)* y posteriormente, con la independencia, se dedicó al retrato. Entre sus obras se encuentran *Los generales de la independencia* y numerosos retratos de Simón Bolívar.

Salas, Manuel de (1755-1841). Patriota chileno. Llevó a cabo una larga y constante obra en favor del engrandecimiento de su patria y se hizo tan popular que se le conocía con el apodo cariñoso de *taitita Salas*. Estimuló la construcción de diversas obras públicas, fomentó el cultivo de varias plantas industriales, favoreció numerosas industrias y la minería, y fundó la Academia de San Luis. Partidario decidido de la independencia de su patria fue desterrado a la isla de Juan Fernández, donde permaneció hasta la victoria de los republicanos.

Salaverría e Ipenza, José María (1873-1940). Escritor español de origen vasco. Publicó multitud de crónicas, y artículos periodísticos, reveladores de un profundo observador y sutil psicólogo, en los que supo captar la realidad contemporánea y muchos aspectos de los países que recorrió. Gran parte de esos trabajos los reunió posteriormente en volúmenes, algunos de los cuales son *Vieja España* (1907), *Tierra argentina, El poema de la pampa, Viaje a Mallorca* y *Retratos.* Escribió un notable ensayo sobre el poema *Martín Fierro,* del argentino José Hernández, y publicó una biografía del libertador Simón Bolivar. Entre sus novelas se destacan *La Virgen de Aránzazu* (1909) y *El oculto pecado.* Su último libro fue *Retrato de santa Teresa.*

Salaverry, Felipe Santiago (1805-1836). Militar peruano, el más joven presidente de Perú. Militar desde los 14 años, ganó todos sus ascensos por méritos de guerra y alcanzó el grado de general. En marzo de 1833 lo redujeron a prisión, debido a su enérgica protesta contra el gobierno de Agustín Gamarra. En la prisión escribió la obra *La patria de duelo*; se fugó y promovió motines contra Gamarra. A la edad de 28 años se proclamó jefe supremo de Perú, en ausencia del presidente constitucional Luis José de Orbegoso. Tuvo que salir a combatir, y triunfante, se dedicó a reorganizar la administración pública, inició la formación del presupuesto, estableció la superintendencia de la Aduana de El Callao, celebró tratados comerciales con varios países, abrió puertos al comercio, y aumentó los fondos del colegio San Carlos. Pero, sus enemigos se unieron contra él, perdió la batalla de Socabaya y fue fusilado en Arequipa.

Salazar, Adolfo (1890-1958). Compositor y musicólogo español. Discípulo de Bartolomé Pérez Casas y Manuel de Falla. En 1915 fundó la Sociedad Nacional de Música, y ejerció la crítica en El Sol, de Madrid, desde 1918 hasta 1936. En 1937 se exilió a México, donde fue profesor de El Colegio de México, (1939) y del Conservatorio de esta ciudad(1946). En 1950 fue nombrado miembro de honor del Instituto de Musicología de Barcelona. Compuso *Tres preludios para piano,* y los poemas sinfónicos *Paisajes y Don Juan en los infiernos.*

Salazar Arrué, Salvador (1899-1976). Escritor y pintor salvadoreño conocido también con el seudónimo de Salarrué. Fue gran difusor de la cultura de su país y durante algún tiempo agregado cultural en Washington. En sus narraciones cortas, que él llamaba "cuenteretes", se advierten modismos dialectales y personajes sufridos, tristes, supersticiosos y explotados. Su estilo es realista. Obras suyas: *El señor de la burbuja* (1927), *O-Yar-Kandal* (1929), *Cuentos de barro* (1933) y *La espada y otras narraciones* (1960).

Salazar Bondy, Sebastián (1924-1965). Dramaturgo, cuentista y poeta peruano de ideas socialistas. Fue miembro del Frente Democrático Nacional. Colaboró en varios periódicos nacionales como *Marcha* y *La nación.* Sus éxitos mayores los logró con sus piezas dramáticas *Amor, gran laberinto* (1948), *No hay isla feliz* (1954), *Rodil* (1956), *Flora Tristán* (1964), aunque sus cuentos, y sobre todo sus poemas, son también sobresalientes *Los ojos del pródigo* (1951), *Pobre gente de París* (1958), *El tacto de la araña* (1965). Ganó varios premios nacionales de teatro y fue también difusor y antólogo de la poesía peruana.

salchicha. Embutido, en tripa delgada, generalmente de carne de cerdo magra y gorda, bien picada, que se sazona con sal, pimienta y otras especies, y que suele consumirse fresco. Su origen es desconocido, pero se sabe que existía muchos siglos antes de Cristo.

sales aromáticas. Mezcla de carbonato de amonio y perfume, cuyas inhalaciones se emplean contra los desmayos y dolores de cabeza. En el comercio se expenden, por lo general, en forma de cristales blancos, y su poder estimulante se debe a que los vapores de amoníaco que desprenden excitan las mucosas nasales y aceleran la función de los órganos respiratorios. Tal es el mecanismo fisiológico que hace recobrar el sentido a quien ha sufrido un desmayo.

Salgado, Luis H. (1903-1987). Compositor ecuatoriano. Director del Conservatorio Nacional de Quito (1934-1952). Fue autor de cinco sinfonías (1942-1958); de los bailetes *El amaño* (1947), *Licisca* (1949) y *El dios Tumbal* (1952); de las óperas *Cumandá* (1940-1954) y *Eunice* (1956-1957); de varios conciertos, de obras corales, de dos cuartetos y de numerosas composiciones para piano. Escribió *Música vernácula ecuatoriana* (1952).

Salgari, Emilio (1862-1911). Novelista italiano que se especializó en el género de aventuras, en el que produjo numerosas obras que alcanzaron extraordinaria popularidad. Ingresó en el Instituto Náutico de Venecia, atraído impetuosamente por la vida en el mar, fue oficial de la marina mercante, y efectuó numerosos viajes.

Muy joven había publicado algunos trabajos periodísticos y continuó escribiendo colaboraciones mientras viajaba, de lo que provino su dedicación a escribir novelas narrando hazañas, imaginarias unas y ciertas las otras, de la vida marina. Abandonó su carrera, contrajo matrimonio y se dedicó a escribir. Fue un trabajador incansable y de imaginación nada común. Entre sus obras más difundidas se hallan *Los piratas de la Malasia, El capitán Tormenta, El rey del mar, Un drama en el Pacífico, El león de Damasco, Yolanda, Los mineros de Alaska, La favorita del Mahdi y Sandokan.* La miseria y los infortunios familiares le llevaron al suicidio.

salicílico, ácido. Cuerpo que cristaliza en agujas prismáticas. Es inodoro y con sabor ácido dulzón, poco soluble en agua fría y muy soluble en agua caliente, alcohol o éter. Se obtiene por síntesis haciendo reaccionar ácido fénico en solución de sosa cáustica e inyectándole bióxido de carbono. Fue obtenido por Piria en 1838. Se le halla también en la esencia vegetal de Wintergreen bajo la forma de su éster metílico. En un poderoso antiséptico que impide la fermentación y la putrefacción de alimentos y bebidas, y se usa en la preparación de conservas. En medicina se emplea en el tratamiento de parásitos y en algunos eccemas. De este ácido se derivan la aspirina (ácido acetil-salicílico) y el salicilato de metilo, y en la industria entra en la preparación de diversos tintes.

salificación. Preparación de una disolución de electrólito en un disolvente que contiene algún gas disuelto o bien un sol liófilo. La salificación provoca, además de variaciones en las propiedades coligativas, otros efectos, como la disminución de la solubilidad de gases no disociables en la disolución. Este efecto se denomina salificante y se explica por la solvatación de los iones añadidos, debida a partículas del disolvente. Ese efecto provoca la precipitación de la sustancia dispersa en los soles liófitos, pues los iones del electrólito deshidratan las partículas dispersas.

salinar, cultura. Localizada en el norte de la costa peruana. Pertenece al periodo en que las culturas perdieron la homogeneidad que se puede apreciar todavía en el horizonte chavinoide y tendieron a diversificarse cada vez más. En esa época surgió también una mayor tecnificación de la agricultura, con los canales de irrigación y la utilización de fertilizantes. Como consecuencia de los cambios operados en los sistemas social y políticos, nacieron establecimientos aldeanos aglutinados y amurallados, de los que es un buen ejemplo Puerto Moorin en el valle del Virú. En cerámica cabe situar a la cultura Salinar en el horizonte estilístico *blanco sobre rojo*, con un alto desarrollo tecnológico y el predominio del color claro; las principales formas son globulares o semiglobulares, asa estribo y una sola vertedera o con asa puente y doble vertedera observándose también gran variedad de representaciones de edificios, zoomorfas y antropomorfas; la decoración es a base de pintura y de incisión y predominan los colores blanco y rojo y las formas geométricas.

Salinas. Cantón del occidente de Ecuador, provincia de Guayas; 25,498 habitantes (1995). Al oeste de Guayaquil, en la Península de Santa Elena. Petróleo en Ancón, trasladado por oleoducto hasta el puerto de La Libertad. Refinerías. Salinas. Turismo. Ferrocarril y carreteras a Guayaquil.

Salinas, Francisco (1513-1590). Célebre músico, matemático y humanista español. Perdió la vista a la edad de 10 años, cuando ya dominaba los rudimentos de su arte, y tal desdicha no le impidió proseguir sus estudios de canto y órgano en Roma, donde permaneció 20 años. Regresó a su patria para ocupar la cátedra de música en la Universidad de Salamanca (1567-1587). Allí publicó su famoso tratado *De música libri septem* (1577), en el que expone, *conforme al sentido y a la razón*, la verdad doctrinal tanto en lo que respecta a la armonía como en lo que afecta al ritmo. Su ilustre contemporáneo fray Luis de León le dedicó una inspirada poesía.

Salinas, Pedro (1892-1951). Poeta español nacido en Madrid y fallecido en Boston (Estados Unidos). Se doctoró en filosofía y letras en la Universidad de Madrid en 1917. Después desempeñó cátedras de literatura en varias universidades de España y fue lector de español en la Sorbona de París y en la Universidad de Cambridge, en Inglaterra. En 1940 se trasladó a Estados Unidos y allí dictó cátedra de literatura española en la Universidad John Hopkins hasta su muerte. En 1923 publicó *Presagios*, y a partir de entonces fueron saliendo *Seguro azar* (1929), *Fábula y signo* (1931), *Amor en vilo*, *La voz a ti debida* (1939), *Razón de amor* (1936), y varios trabajos críticos sobre poetas españoles. En prosa publicó *Vísperas del gozo* (1926) y una novela, *La bomba increíble* (1950). Salinas se inspiró en temas de la vida cotidiana, y a través de una admirable sencillez llegó a cincelar una poesía de belleza inefable, riquísima en matices y estructurada en una expresión rigurosamente selecta.

Salinas de Gortari, Carlos (1948–). A los 40 años de edad, Salinas de Gortari se convirtió en el mandatario más joven del siglo XX. Es hijo de un destacado político neoleonés y de una economista. Nació en la ciudad de México. Se graduó en economía en la Universidad Nacional Autónoma de México (1969), donde también hizo su maestría en ciencias políticas. Poco más tarde se doctoró en la Universidad de Harvard (1978). Es sin duda el presidente mejor preparado académicamente entre el grupo de políticos mexicanos graduados en Harvard conocidos como *tecnócratas*. Dirigió la campaña electoral de Miguel de la Madrid y asumió la Secretaría de Programación y Presupuesto durante su sexenio (1982-1988). En 1988 ganó apretadamente las elecciones presidenciales. Su política se caracterizó por el aparente reactivamiento de la economía. Firmó el acuerdo de libre comercio TLC/NAFTA, con Estados Unidos y Canadá (1992) y otro tratado similar con los países del llamado *Grupo de los Tres*, Colombia y Venezuela (1994). El fin de su mandato coincidió con una grave crisis financiera y política que terminó con su prestigio internacional: en enero de 1994 estalla la guerra en Chiapas, poniendo en entredicho el crecimiento económico y los derechos humanos de un amplio sector de la población; por otro lado, la crisis dentro del Partido Revolucionario Institucional (PRI), el asesinato del candidato Luis Donaldo Colosio y del secretario del partido (en el cual estuvo implicado Raúl Salinas de Gortari). El ex presidente se exilia en 1995 en Estados Unidos y más tarde, en Irlanda.

Salisbury, Roberto Gascoyne Cecil, marqués de (1830-1903). Estadista y político inglés. El primer ministro Benjamín Disraeli le confió la secretaría de Estado para la India. Al morir Disraeli, en 1881, Salisbury se convirtió en el jefe del partido conservador. Fue elegido primer ministro (1885). Derrotado en dos oportunidades por Guillermo Gladstone, jefe del partido liberal, volvió al poder en 1886 y 1895. En l902, abandonó el gobierno y se retiró a la vida privada.

saliva. Liquido segregado por las glándulas salivales y vertido por éstas en la boca. Es alcalino, transparente y algo viscoso. La cantidad normal de saliva segregada es de poco más de 250 gr en 24 horas. Contiene 99.4% de agua. No todas las glándulas salivales producen el mismo tipo de saliva, pero en general ésta contiene albúmina, mucina, cloruros de sodio y potasio, y tialina.

La misión general de la saliva es humedecer y disolver los alimentos, facilitar su degustación, reconocimiento y distinción por el sabor, y permitir la elaboración del bolo, preparándolo para su deglución. La tialina tiene una función importante e inicia la fase salival de la digestión. Mediante la masticación, la tialina entra en contacto con el alimento y actúa sobre los almidones, que convierte en dextrina, y parte de esa dextrina en maltosa. Las glándulas salivales son seis: dos parótidas, dos submaxilares y dos sublinguales. Existen, además, otras glándulas menores en las mucosas de la región bucal que también contribuyen a la producción de la saliva.

Salk, Jonas Edward. (1914-1995). Médico bacteriólogo estadounidense, creador de la vacuna contra la poliomielitis, que lleva su nombre. Es oriundo de la ciudad de New York, en cuya universidad se graduó de médico. En la Universidad de Pittsburgh, se dedicó a realizar investigaciones sobre el virus de la influenza; además de ser profesor de investigaciones bacteriológicas (1949), de medicina preventiva (1954) y de medicina experimental (1957). De 1963 a 1975 dirigió el Salk Institute for Biological

Studies de San Diego. En 1949 la Fundación Nacional contra la Parálisis Infantil le encomendó la tarea de investigar las variedades del virus de la poliomielitis. Al cabo de tres años de estudio y experimentación en varias especies de animales, logró obtener una vacuna mediante el cultivo del virus en tejidos procedentes de los riñones de monos. En 1955 se aplicó la vacuna a más de 6 millones de niños en Estados Unidos.

Salmerón, Nicolás (1838-1908). Estadista y político español. Estudió derecho y filosofía y letras en Madrid, y fue el principal divulgador de la filosofía krausista en España, después de su maestro Julián Sanz del Río. Desempeñó varias cátedras, y desde muy joven se destacó como orador y colaborador periódico en publicaciones republicanas. El 18 de julio de 1873 sustituyó en la presidencia de la primera República Española a Francisco Pi y Margall, cargo al que renunció el 6 de septiembre del mismo año por negarse a firmar algunas penas de muerte. Reimplantada la monarquía, vivió expatriado en París dedicado a la abogacía. En 1886 fue elegido diputado y se le devolvieron las cátedras. Después presidió el partido de Unión Republicana. Apoyó el regionalismo catalán, siendo elegido presidente de la Solidaridad Catalana (1906), pero antes de las escisiones lerrouxistas se traslado a Francia.

salmo. Himno o cántico que da nombre a uno de los libros del Antiguo Testamento: el *Libro de los Salmos*, también denominado *Salterio de David*, título que le dio el Concilio de Trento, aunque esto sólo significa que David fue su principal autor. Las inscripciones que preceden a muchos de los 150 de que se compone la colección le asignan a David 64; a Moisés 1, el 90; otro a Salomón, el 72; 12 al levita Asaf; 12 a los coreitas o hijos de Coré, y 1, el 89, a Etán. Los restantes son anónimos, atribuyéndose la colección general a Esdras. Constituyeron una parte importantísima de la vida religiosa del antiguo pueblo hebreo, que en el uso litúrgico que hizo de ellos distinguió los salmos de Aleluya de los Graduales. Los primeros se cantaban en los novilunios de las fiestas de Pascua, Pentecostés, Tabernáculos y Dedicación; los segundos los entonaban por el camino los que de toda la tierra subían a Jerusalén a celebrar las tres primeras fiestas mencionadas. En general, todas las composiciones se destacan por la gran nobleza del estilo y por la dulzura y resignación con que expresan el dolor. La difusión de los salmos en la antigua Iglesia cristiana universal, fue hasta el punto de ser cantados por quienes se ocupaban en las faenas agrícolas. Los compositores de música sacra los utilizaron como temas de sus obras a partir de la aparición de la música polifónica; particularmente el salmo 50, que empieza con las palabras *Miserere mei Deus*, ha sido objeto de inspiradas composiciones.

Corel Stock Photo Library

Pescador mostrando un salmón plateado de 7 kilogramos.

salmón. Pez de la familia de los salmónidos, de los más apreciados por su exquisita carne, muy nutritiva, que se consume tanto fresca en los países de origen, como en conserva en todo el mundo, y constituye un elemento familiar en la dieta de millones de personas. Tiene el cuerpo fusiforme, con piel gruesa cubierta de escamas, de color azul brillante en el dorso y plateado en los costados cuando vive en el mar, y más oscuro y opaco mientras está en los ríos. El adulto llega a medir más de un metro de largo y pesa por término medio unos 15 kg, aunque se han pescado algunos de 30 y 40 kilo gramos.

Salmón rey, de Canadá.

Corel Stock Photo Library

Se conocen distintos géneros de salmones: los del Pacífico (género *oncorhynchns*), que comprenden varias especies y se encuentran en las costas templadas y frías de Norteamérica y Asia, y del Atlántico *(Salmo salar)*, confinado en los mares y ríos nórdicos de Europa. Todos tienen una vida similar, muy curiosa. Después de haber pasado un tiempo en el océano, impelidos por un extraño sentido de orientación, se dirigen a los ríos donde nacieron, para desovar en sus aguas.

Cuando alcanza la madurez y llega la época de la reproducción, el salmón emprende el viaje al río, aguas arriba, luchando contra la corriente, los rápidos y las cascadas, que traspone dando repetidos saltos fuera del agua hasta que alcanza la parte superior, y es tan poderoso el instinto que lo impulsa a remontar el río, que si en su trayecto encuentra una catarata infranqueable, persevera tenazmente en sus intentos por vencerla, hasta que cae desfallecido y muere. En el lecho arenoso de las fuentes de los ríos, donde las aguas son cristalinas y aireadas, la hembra cava con la cola y el cuerpo una especie de zanjas, y deposita en ellas varios miles de huevecillos del tamaño de arvejas. En seguida el macho fertiliza la puesta, y después de cubrirla con una capa de piedrecitas para impedir que sea arrastrada por la corriente, desciende de nuevo al mar.

Durante todo este largo y penoso viaje, a veces centenares de kilómetros, el salmón no se alimenta, y se extenúa de tal modo que tiene que dejarse llevar por la corriente, y perece con mucha frecuencia. Los que consiguen llegar al mar pronto se reponen y al año siguiente están en condiciones de volver al río, pero aunque se da el caso de que algunos se reproduzcan varias veces, no es lo más común. Mientras tanto, los huevos comenzaron a desarrollarse, y según la temperatura y la especie de que se trata, al cabo de dos ó cinco meses nacen las larvas, tan débiles que no pueden comer y deben alimentarse de una especie de saquito que llevan adherido al cuerpo, lleno de materia nutritiva, hasta que pasadas varias semanas pueden procurarse el alimento por si mismos. Estos salmoncitos, llamados alevines, permanecen en el río durante un año o poco más, y cuando tienen de 12 a 15 cm de largo y pesan unos 50 gr, inician su viaje a las aguas del mar, donde permanecen dos ó cuatro años, hasta llegar a la edad adulta en que regresarán al río y comenzará nuevamente el ciclo. Aunque la emigración de los salmones se considera casi como un distintivo del género, hay algunas especies que nunca emigran, como sucede con los que viven en los lagos, pues pasan toda su vida en las aguas dulces.

El salmón ha disminuido, e incluso desaparecido de muchas partes, como resultado de diversos factores: la impureza de las aguas por los desagües públicos, minas e industrias, la pesca intensiva, y los diques o presas que forman saltos de agua para producir fuerza motriz, y que impiden al salmón llegar a los lugares de desove. Para protegerlos y fomentar su reproducción, se ha reglamentado la pesca, restringiéndola a determinadas épocas, y prohibiendo el uso de explosivos, venenos y redes de mallas demasiado pequeñas, que destruyen y atrapan hasta los alevines.

salmonela. Género de bacteria en forma de bastón. Se han identificado más de 1,500 especies, generalmente aislándolas de intestinos de humanos y animales. Las salmonellas son responsables de los males del sistema gastrointestinal humano conocidos en conjunto como salmonelosis, que van desde ataques relativamente leves de fiebre, diarrea, vómito y cólicos abdominales, hasta la muerte si las bacterias producen una deshidratación excesiva o si se extienden a otros órganos. Los ataques se pueden presentar por comer carne de animales que tienen cepas de salmonela, que se han vuelto resistentes por el uso exagerado de antibióticos en el forraje del ganado. Las infecciones producidas por la salmonela cuando los alimentos no se manejan correcta ni higiénicamente, incluyen el envenenamiento por alimentos y la fiebre tifoidea. A partir de finales de la década de 1980, estas bacterias se han encontrado con frecuencia en el pollo y los huevos de gallina.

salmonete. Pez marino de color rojizo en el lomo y blancuzco en el vientre. Mide poco más de 20 cm de largo y tiene cabeza grande, provista de barbillas en la mandíbula inferior. Abunda en el Mar Mediterráneo y su carne es muy apreciada. Forma el género *Mullas* y abarca varias especies.

Salom, Bartolomé (1780-1863). Militar venezolano. Luchó junto con Francisco Miranda y posteriormente con Simón Bolívar en la campaña de Magdalena. Hecho prisionero en 1813 fue embarcado rumbo a Cádiz, pero no pasó de las Antillas. Se incorporó a las tropas republicanas en Cartagena de Indias. Actuó en la campaña libertadora de 1819 y en 1821 en la batalla de Carabobo. General de división en 1825 fue destinado al asedio de El Callao, a cuyo frente permaneció hasta su expugnación en enero de 1826. En 1827 regresó a Colombia e intentó retirarse, pero finalmente aceptó el gobierno de Maturin (1828) por encargo de Bolívar. La oposición de José Antonio Páez impidió su elección a la presidencia de la República en 1846.

Salomé. Princesa judía, hija de Herodes Filipo y de Herodías. Refiere la Biblia que habiendo bailado Salomé en la fiesta de cumpleaños de Herodes Antipas, tetrarca de Galilea, éste, encantado por la maravillosa danza, juró darle lo que quisiera; y Salomé, a instancias de su madre, le pidió la cabeza de san Juan Bautista, de quien Herodías deseaba vengarse. Herodes se entristeció, pues le tenía gran respeto al santo, mas a causa de su promesa, hecha en presencia de los príncipes y tribunos de Galilea, no pudo negarse, y mandó cortar la cabeza a san Juan la que después fue entregada a Salomé en una bandeja. *Véase* JUAN BAUTISTA, SAN.

Salomón. (S. X a. C.). Rey de Israel (1970-933 a. C.), hijo y sucesor de David y Betsabé. Según la tradición, tenía sólo 12 años al comenzar su prolongado reinado, que alcanzó a 40 años de duración. Narra la Biblia que Dios se le apareció en sueños y le pidió que expresara un deseo; Salomón pidió que su corazón estuviese siempre lleno de comprensión, para poder gobernar con entera justicia. En los primeros años de su reinado se preocupó por aumentar las riquezas y el poderío dejados por su padre. Construyó una flota de buques mercantes que le permitieron mantener activo tránsito por las aguas del Mar Rojo y todos los países del Cercano Oriente. La reina de Saba, región del sur de Arabia, lo visitó en cierta ocasión, llevándole presentes de indescriptible valor. Con las riquezas obtenidas mediante el comercio, Salomón construyó en Jerusalén una serie de monumentales edificios, entre los que descollaban el templo y dos grandes palacios. Después de casarse con la hija del faraón egipcio probablemente Siamón, construyó para ella un magnífico palacio, utilizando la madera de los cedros del Líbano. Rodeado por los principales sabios y escritores de Israel, supo estimular el progreso cultural de su capital. La fama de su sabiduría se hizo legendaria. En cierta ocasión, dos mujeres se presentaron ante su trono disputándose la pertenencia de un niño de corta edad. "Dividiremos al niño en dos y así cada una tendrá una parte de él", sentenció Salomón. La verdadera madre, horrorizada, rompió a llorar y pidió que la criatura fuese entregada a la otra mujer. Así supo el monarca quién era la impostora, y entregó el niño a la madre auténtica.

A pesar de su sabiduría y de su poderío, Salomón no supo gobernar con eficacia. Creó impuestos excesivos para costear el boato impresionante de su corte, y utilizó como esclavos a muchos habitantes pobres. En sus últimos años se rodeó de muchas esposas extranjeras que introdujeron la idolatría en Israel, y se vio precisado a sofocar varias rebeliones. A su muerte, la unidad del pueblo hebreo desapareció y comenzó un largo periodo de decadencia y división política (Israel y Judá). La tradición hebraica y cristiana atribuye a Salomón la redacción de tres libros de la Biblia: el *Eclesiastés*, el *Libro de los Proverbios* y *El Cantar de los Cantares. Véase* BIBLIA.

Salomón, islas. Estado independiente situado en el archipiélago de Melanesia, al norte de Australia y al este de Indochina en el Océano Pacífico. Comprende las islas: Guadalcanal, Malaita, Florida, Nueva Georgia, Choiseul, Santa Isabel, San Cristóbal, Santa Cruz y otras pequeñas, con una extensión territorial de 28,369 km^2 y una población de 368,000 habitantes. Todas son montañosas y ricas en bosques y las hay formadas por volcanes que aún están en actividad. El clima es tropical, cálido y húmedo y el suelo, fértil. Se produce principalmente copra (cuyo aceite ocupa el primer lugar en las exportaciones) y por orden de importancia, cacao, arroz y madera en troncos.

El archipiélago fue descubierto en 1568 por el navegante español Álvaro de Mendaña, quien le dio el nombre que todavía lleva por creer que había encontrado el lugar en donde se extrajo el oro empleado en el templo de Salomón, en Jerusalén. Desde su descubrimiento, las islas son objeto de diversas ocupaciones. En 1885, Alemania estableció un protectorado sobre las del norte y, en 1893, los británicos se posesionaron de las del sur. Unos años después, en 1899, todas, excepto Buka y Bougainville, quedaron bajo protectorado británico. Durante la Primera Guerra Mundial, el tratado de Versalles cedió la parte alemana a Australia. En la Segunda Guerra Mundial, en 1942, cayeron en poder de los japoneses y todo el archipiélago se convirtió en un verdadero campo de batalla, sobre todo Guadalcanal, hasta que fueron liberadas por los estadounidenses. De nuevo bajo protectorado británico, se estableció un consejo Legislativo en 1960 que fue revisándose y modificándose hasta que en 1970 quedó con 17 miembros de elección popular y 12 designados. En 1973, después de elecciones generales, se formó un nuevo consejo con 24 miembros, y se introdujo un sistema ministerial; el líder del Partido Alianza de los Pueblos, Solomón Mamaloni fue elegido primer ministro en agosto de 1974. Luego de varios cambios y de otras elecciones generales en 1976 fue elegido primer ministro Peter Kenilorea. Por fin, el 7 de julio de 1978, tras acuerdo con Gran Bretaña, las islas Salomón alcanzaron su independencia como una monarquía constitucional. Ese mismo día, Kenilorea fue confirmado como primer ministro. Miembro de la Commonwealth, en septiembre ingresó en la ONU. Derribado por el Parlamento, Kenilorea fue sustituido por S. Mamaloni (del Partido de la Alianza de los Pueblos, PAP) en agosto de 1981. Pero tras el empate en las elecciones de octubre de 1984, Kenilorea (del Partido de la Unidad de las Islas de Salomón, SIUPA) formó un Gobierno de coalición con el partido Solomons Ano Sagufenua (SAS) e independientes, pero, implicado en un escándalo de corrupción, fue sustituido por Ezequiel Alebua, del mismo partido (SIUPA). En las elecciones legislativas (febrero 1989) triunfó el PAP y su líder, S. Mamaloni, asumió asumió el cargo de primer ministro. En 1993, el independiente Francis Billy Hilly fue elegido primer ministro (18 junio) y formó un Gobierno de coalición que trató de mejorar las relaciones con Papua Nueva Guinea. En 1994, tras perder su coalición la mayoría en el parlamento, Billy Hilly dimitió (31 octubre) y una semana después Mamaloni fue elegido de nuevo como primer ministro. La jefatura del estado la ejerce la reina Isabel II de Inglaterra (representada por un gobernador general, que debe ser ciudadano de las islas). El sistema de gobierno es parlamentario y unicameral con un gabinete dirigido por el primer ministro.

La capital del país es Honiara, con 33,700 habitantes. Sus ciudades principales son Gizo, Auki, Kira Kira y Buala. Su lengua oficial es e inglés. En cuanto a la religión los protestantes son mayoría (77.5%) y el resto católicos (19.2%). Su composición étnica se divide en melanesios (94.2%), polinesios (3.7%), otros isleños del Pacífico (1.4%), europeos (0.4%), asiáticos (0.2%) y otros (0.1%). Su unidad monetaria es el dólar de las Salomón.

En el arte de las Islas Salomón destaca la escultura en madera, generalmente policromada en blanco y rojo; sus principales realizaciones son figures humanas con incrustaciones de nácar, y motivos esculpidos en los postes de las chozas y en las piraguas (mascarones de proa en formas humanas o animales). Se fabrica algo de cerámica, pero sobresalen las grandes vasijas de madera, hemisféricas, decoradas con asas e incrustaciones de madreperla. Para la ornamentación de sus objetos artísticos, el material mas utilizado es la concha, en forma de lamina vaciada dispuesta en bandas con motivos de peces, aves, etc. También hacen joyas de concha y nácar, peinetas de grandes dimensiones con una decoración lineal, y medallones formados por una place de madreperla sobre la que se colocan finos recortes de concha de tortuga, formando así un bello contraste de negro sobre blanco.

salón de belleza. Establecimiento dedicado a mejorar y embellecer la apariencia femenina, mediante la aplicación de cosméticos, tinturas y tratamientos. Su desarrollo ha sido extraordinario en los últimos años al punto de convertirse en una de las industrias más prósperas, a la vez que ha estimulado la formación de nuevas profesiones. Sus servicios comprenden la atención de la piel: limpieza, tonificación, masajes faciales, maquillaje y depilación; del cabello: lavado, corte, teñido y peinado; y de las manos y los pies: limpieza y corte, y pintado de uñas. Algunas veces estos establecimientos ofrecen tratamientos para adelgazar y curar ciertas enfermedades, especialmente del cuero cabelludo, pero en muchos países les está prohibido por ser tales cuestiones de índole rigurosamente médica y exigir mayores y más concienzudos estudios.

Historia. Los salones de belleza son relativamente nuevos y aparecieron primeramente como sencillas peluquerías para señoras, en los años de la Primera Guerra Mundial (1914-1918). Pero, los primeros servicios del embellecimiento femenino se practicaron en el antiguo Egipto varios siglos antes de nuestra era, impulsándolos más tarde la reina Cleopatra (69-30 a. C.), y ya se practicaban el maquillaje, las tinturas y el cuidado de manos y pies. Posteriormente surgió la industria del cosmético al pasar aquella iniciativa a Grecia, Roma, España y Francia. Este último país importó perfumes y afeites árabes y asiáticos, creó los propios, ideó peinados y estimuló el uso del carmín para los labios y mejillas, la sombra para los ojos y los finísimos polvos para blanquear el rostro. Así se llegó paulatinamente al perfeccionamiento de la industria dedicada a la fabricación de productos para la belleza femenina y al progreso de los establecimientos donde se aplican esos productos mediante procedimientos adecuados. *Véanse* COSMETICOS; MAQUILLAJE; PEINADO.

Salta. Ciudad del norte argentino, capital de la provincia del mismo nombre. Terminal del ferrocarril internacional que la une con la ciudad puerto chileno de Antofagasta, sobre el Pacífico, y también en el camino de la línea ferroviaria que va de Buenos Aires a Bolivia, vía La Quiaca. Población: 370,904 habitantes. Situada en el valle de Lerma, nombre éste con el cual se fundó la ciudad en 1582, a orillas del río Arias, a 1,187 m, posee hermosos edificios: el palacio de Gobierno, la catedral, el Colegio Nacional, la iglesia de San Francisco. Es sede episcopal y cuenta con establecimientos de instrucción oficial y privada. Está rodeada de intensos cultivos de tabaco, trigo, maíz, arroz, forrajes y caña de azúcar. Las explotaciones mineras de la provincia, petróleo particularmente, impulsan la industria y el comercio de la capital regional, cuya característica colonial se va borrando rápidamente con su gradual modernización. En las cercanías de la ciudad tuvo lugar la batalla de su nombre (20 de febrero de 1813), en la que el general Manuel Belgrano venció a las fuerzas realistas del general Juan Pío Tristán. Buena parte de la población está formada por los indígenas calchaquíes. Salta es una de las ciudades argentinas de mayor porvenir, debido a su excepcional ubicación como punto de enlace internacional entre Argentina y el Pacífico.

Salta. Provincia argentina situada en la extremidad noroeste del país, que cubre una superficie de 154,775 km^2 y tiene una población de 952,174 habitantes. Su territorio montañoso al oeste y llano al este, está cruzado por los ríos Bermejo y Juramento. Produce caña de azúcar, alfalfa, maíz, arroz, uva, tabaco y frutales. En la ganadería, ocupa el primer lugar el ganado bovino, que se exporta a Chile, siguiéndole el ovino, caballar, caprino y mular. La minería constituye una de las principales riquezas, destacándose la producción de petróleo. También se explotan las calizas, canto rodado, sal, oro, plomo, cinc, cobre, plata, estaño y mármol. Entre sus industrias sobresale la azucarera, que cuenta con modernos ingenios. Tiene varias destilerías de petróleo. Es importante también la producción de cemento, cal y vinos. Su colonización por los españoles (quienes la hicieron depender de Tucumán) culminó en 1582. Erigida en provincia (1814), sus límites fueron modificados en 1943.

Salta, batalla y defensa de. En dos ocasiones la actual provincia argentina de Salta fue escenario de heroicos hechos de armas. La primera ocurrió en 1813 cuando las tropas encabezadas por el general Manuel Belgrano derrotaron a los realistas; la segunda se desarrolló de 1816 a 1821 cuando los gauchos de Güemes defendieron el norte argentino contra el embate de las tropas realistas provenientes del Alto Perú.

La batalla de Salta tuvo lugar el 20 de febrero de 1813. Después de la victoria de Tucumán, Belgrano decidió avanzar hacia el norte y dar batalla a los realistas que mandaba el general Juan Pío Tristán; después de amagar un ataque frontal, las dos alas del ejército de Belgrano –mandadas por Díaz Vélez y Martín Rodríguez– atacaron por los flancos e infligieron enormes pérdidas a Tristán, que no tardó en capitular y comprometerse formalmente a no volver a tomar las armas contra el Ejército de las Provincias Unidas del Río de la Plata. El gobierno premió a Belgrano con 40,000 pesos, pero el gran patriota donó el dinero para crear cuatro escuelas.

saltamontes. Insecto ortóptero, saltador, especie de langosta. Tiene el cuerpo largo y comprimido, de unos 6 cm de longitud, y de color verde amarillento. La cabeza es, generalmente, cónica y prolongada, aunque su forma varía según la especie. Tiene ojos compuestos, antenas finas, y alas membranosas. Las patas posteriores son mucho más grandes y fuertes que las anteriores, lo que le permite dar grandes saltos. Muchas especies de saltamontes pueden producir sonidos estridentes, para lo cual frotan rápidamente las patas posteriores sobre los élitros. Son insectos voraces que se alimentan de vegetales. *Véase* LANGOSTA.

Salten, Félix (1869-1945). Novelista y ensayista austriaco, autor de numerosos relatos con animales como protagonistas, a los que presenta con expresiva ternura y suave gracia. El más conocido de todos es *Bambi*, historia de un cervatillo salvaje, cuya adaptación al dibujo animado, obra de Walt Disney, constituye una obra maestra del género. Fue también periodista en Viena, y al entrar los alemanes en su país se refugió en Suiza. Su labor literaria incluye además *Florián*, *Quince conejos*, *Sansón y Dalila*, *Los hijos de Bambi* y *Buenos compañeros*.

salterio. *Véase* SALMO.

Saltillo. Ciudad del norte de México, capital del estado de Coahuila. Tiene 457,716 habitantes. Está situada en el descenso de la meseta del Ojo de Agua, en el extremo sureste del estado a 1,568 m de altitud. Es importante centro mercantil e industrial: maquinaria agrícola, montaje de automóviles, alimentos y jabones. Entre sus industrias típicas se destaca la confección de los famosos sarapes de Saltillo, de bellos colores, artísticos dibujos y excelente calidad. La ciudad es interesante, el clima agradable y saludable, y la comarca que la rodea, surcada de manantiales, está cubierta de rica vegetación. Entre los edificios y lugares más notables son dignos de mención la catedral, el palacio de Gobierno y el parque Zaragoza.

Historia. Fue fundada por el conquistador español Francisco de Urdiñola, a mediados del siglo XVI, que la pobló con familias tlaxcaltecas y españolas. Entre sus hijos ilustres figura el poeta Manuel Acuña.

salto. Acción de levantarse del suelo con impulso y ligereza, ya para dejarse caer en el mismo sitio, ya para pasar a otro. Es el conjunto de movimientos ordenados que permiten al cuerpo salvar extensiones o ganar alturas sin apoyar los miembros en parte alguna. El salto constituye un deporte en sí mismo, pero puede considerarse complementario de ciertas actividades en las que el hombre deba marchar o cambiar de posición. Fortalece los músculos y la caja torácica, activa la circulación, agudiza la vista, robustece la voluntad y aumenta el dominio del hombre sobre su cuerpo. Se practica en cuatro formas: altura, longitud, con pértiga y con trampolín. El de altura requiere un terreno llano en el que se situarán dos postes separados que sirven de apoyo a una barra o cuerda a la que se irá dando la altura que convenga. El saltador correrá unos metros, se parará un instante cerca de la barra, se impulsará con el pie y tomará altura para salvarla. El de longitud exige que los que lo practican sean, también, buenos corredores. El salto con pértiga se efectúa con ayuda de una vara de unos 4 m de largo. Una de sus extremidades va provista de una o varias puntas que se afianzan en tierra en el momento preciso para que el saltador utilice la vara como una palanca y logre así la elevación deseada. En los gimnasios se practica el salto con trampolín, suerte de rampa sobre la que monta el saltador a la carrera y desde la que se lanza al aire. En natación los saltos desde el trampolín se complican con numerosas figuras y forman una especialidad aparte llamada de *saltos ornamentales*. *Véase* DEPORTE.

Salto. Ciudad de Uruguay, capital del departamento de su nombre, situado sobre la margen izquierda del río Uruguay. Es la tercera ciudad del país y cuenta con una población de 80,823 habitantes. Importante centro comercial, por su puerto se exportan la carne y demás productos de la zona vecina. También sostiene un importante comercio con la vecina ciudad de Concordia (Argentina). En sus alrededores existen colmenares y grandes plantaciones de naranjas que le han valido el nombre de *Ciudad de los naranjos*. Su progreso es notable, y entre sus atractivos merecen citarse el parque Solari y el monumento a la Batalla de San Antonio. También son notables las próximas aguas termales de Arapey.

Salto. Departamento de Uruguay en la parte noroeste del país, donde limita con Argentina, de la que está separado por el río Uruguay. Superficie: 14,163 km^2. Población: 115,244 habitantes. Capital: Salto, que es también puerto importante sobre el río indicado. Cultivos de vid y cereales. Importante y rica ganadería de la que derivan las principales industrias. El 95% de la superficie comprende tierras de pastoreo, teniendo el primer lugar nacional de producción lanar. Maderas y yacimientos mineros.

salud. Estado en que el ser orgánico ejerce normalmente todas sus funciones. Desde el origen de la creación el hombre ha tendido a permanecer en estado de salud, y preservar su bienestar físico y moral aunque el concepto de salud ha sido el mismo a través de la historia, los medios de conservarla o lograrla han variado con la evolución de la humanidad, hasta llegar a la concepción científica de nuestros días en que las normas de higiene la preservan y la medicina procura liberarnos de las enfermedades que la minan.

En las antiguas civilizaciones la salud se hacía depender directa o indirectamente de la voluntad de ciertas divinidades y del sacerdote que, como representante de las mismas, hacía las funciones de médico. Sin referirnos a los testimonios que en tal sentido dejó cada una de las antiguas culturas orientales, baste recordar que entre los griegos, Apolo era considerado médico divino, padre de Esculapio, dios de la medicina, y que los hijos de éste, los Asclepíades, a su vez recibían de Apolo el arte de curar. Por el carácter solar de esta divinidad, su culto encerraba la idea de la purificación, y sus rayos libraban de padecimientos de cualquier índole.

En la duración de la vida influyen factores como el régimen nutritivo, el clima y las condiciones de trabajo. Con el mejoramiento progresivo de estos factores se ha ido elevando la duración de la vida humana, que todavía a principios del siglo XIX tenía un promedio de apenas 35 años. En la mitad del siglo XX, gracias a las medidas de higiene pública, las vacunas y muchos otros recursos preventivos y curativos, el promedio de vida se había elevado a 67 años.

Por un principio de interdependencia entre la parte y el todo, la salud individual y la colectiva tienen estrecha relación entre sí, y toda medida sanitaria o progreso higiénico dirigido a una de ellas produce también efectos favorables en la otra.

En la segunda mitad del siglo XIX el mejoramiento de la salud pública recibió gran impulso al descubrirse que la mayoría de las plagas y epidemias que afligían a la humanidad tenían su origen en las concentraciones microbianas provenientes de la falta de higiene y que esas plagas podían ser dominadas y aun extinguidas por medio de procedimientos científicos. A partir de entonces los rápidos progresos en materia de higiene de la comunidad han sido paralelos a la evolución de las ciencias médicas, y es punto vital en todo programa de gobierno. El Estado, por medio de sus organismos de sanidad o salubridad, crea instituciones adecuadas y destina parte de los fondos públicos a tareas conducentes al mantenimiento y elevación de la higiene y la salud públicas. Con tal fin, crea cuerpos de vigilancia y nombra todo género de autoridades que se encargan de velar por la calidad de los productos alimenticios y el agua potable, de organizar campañas educativas y combativas contra enfermedades contagiosas como la tuberculosis, de instalar dispensarios médicos en las zonas rurales y urbanas que lo requieran, de aislar brotes epidémicos y contrarrestar males endémicos, de reglamentar la construcción de viviendas en forma que permitan la suficiente ventilación e iluminación, de dictar las medidas convenientes a las salas de espectáculos y establecer cuarentenas, de recoger y eliminar debidamente los desperdicios y basuras de las ciudades, de encauzar la salida de gases nocivos y humos procedentes de los centros industriales, de auspiciar la creación de institutos de investigación científica y estadísticas demográficas; en fin, todo lo que redunde en beneficio de la sociedad, y por tanto, de la salud de cada ciudadano.

La salud y los alimentos. Ya que la alimentación es una de las necesidades básicas del cuerpo humano, la forma en que se satisface esta necesidad se refleja en la salud de modo determinante. Una alimentación inadecuada trae como consecuencia la debilitación de las defensas orgánicas ante los ataques de los microbios portadores de cada una de las enfermedades, la consiguiente disminución y pérdida de la salud, y como último efecto el acortamiento de la vida. Las necesidades nutritivas del hombre exigen que su alimentación diaria contenga proteínas, carbohidratos, grasas, sales y vitaminas, en la proporción adecuada para reponer el consumo que de todas esas sustancias reparadoras hace el cuerpo humano a causa del funcionamiento normal de los procesos fisiológicos y del gasto adicional de energía ocasionado por el trabajo y las ocupaciones habituales.

Los alimentos desempeñan una función plástica, porque contribuyen a la formación y reparación de los tejidos que integran las distintas estructuras y órganos del cuerpo. Además, tienen una función energética porque producen las calorías necesarias para las actividades y procesos vitales. Las necesidades calóricas se han calculado en la siguiente forma: el adulto, hombre o mujer, que no realice trabajos musculares, necesita unas 2,500 calorías diarias; si los esfuerzos son intensos, se necesitan de 4,000 a 5,000 calorías. Los leñadores de los países fríos, como Canadá o Suecia, por ejemplo, pueden necesitar hasta 9,000 calorías. Las estadísticas internacionales dan cuenta de que las dos terceras partes de la población mundial están mal alimentadas, y por lo tanto su salud y capacidad de trabajo, las cuales están íntimamente relacionadas, tienen un bajo nivel.

Otros factores básicos de la salud. La función normal de la piel, que únicamente requiere su limpieza cotidiana, es muy necesaria a la salud. Si todos los poros del cuerpo humano se taparan con alguna sustancia impermeable, sobrevendría la muerte en pocas horas. La vestimenta del hombre y la mujer cumple una doble función: por un lado guarda el calor del cuerpo y facilita la respiración de la piel, y por otro, la preserva de los agentes físicos exteriores. Debido a ello y como resultado de

Corel Stock Photo Library

Fumar es nocivo para la salud.

investigaciones de médicos higienistas, debe tenderse a que la vestimenta masculina y femenina se confeccione en forma que favorezca al organismo, teniendo en cuenta el clima y la clase de actividad.

La respiración es una función de importancia primordial, pues por medio de ella el organismo toma el oxígeno del aire y expele anhídrido carbónico. Por tanto, debemos procurar que el aire que respiramos reúna las condiciones de pureza y apropiada circulación que sean más favorables para nuestro organismo.

Los avances de la ciencia han logrado que se tengan mejores índices de salud.

Corel Stock Photo Library

Si nuestras actividades nos permiten la permanencia prolongada al aire libre, preferentemente en el campo, entonces nuestra respiración se efectúa en el medio más favorable. Pero, si vivimos en la ciudad y trabajamos en oficinas, talleres, u otra clase de recintos, entonces respiramos en condiciones en las que, generalmente, se excluyen las ventajas higiénicas que proporciona el aire libre.

Afortunadamente, gracias a los progresos de la higiene, sabemos que en tales casos es necesario evitar la contaminación del aire a causa del polvo y de gases nocivos que puedan deberse a determinadas actividades industriales, y proceder a la adecuada renovación y circulación del aire confinado. Generalmente, en los edificios públicos, teatros, oficinas, fábricas y talleres, y aun en muchos hogares, suelen instalarse equipos adecuados de acondicionamiento y circulación de aire que lo purifican y le dan la temperatura y el grado de humedad conveniente, dotándolo así de las condiciones higiénicas apropiadas.

El ejercicio y el sueño son también factores determinantes de la salud. La falta del primero reblandece los músculos y entorpece la función de los órganos vitales, trayendo como consecuencia la pérdida gradual de las reservas de fuerza. Esto no significa que el cuerpo requiera movimientos violentos, pues basta con los quehaceres comunes para evitar la inactividad nociva. El sueño, que es una diaria necesidad para la reparación del sistema nervioso, queda sujeto a las costumbres y exigencias del individuo, ya que se ha comprobado que hay personas cuyo organismo requiere de más horas de reposo que otras; sin embargo, como regla general se aconsejan ocho horas de sueño para los adultos.

La correcta posición del cuerpo ayuda a mantener los órganos en su posición normal, ya que de lo contrario se contraen y deforman, y se entorpece su funcionamiento. Los pulmones, por ejemplo, sometidos a una posición antinatural del tórax, no pueden expandirse con la amplitud necesaria que permita a la sangre obtener el oxígeno necesario.

Por último, parte importante en el bienestar que implica la salud, es todo lo concerniente a la higiene mental, cuyo principal objeto es el de dominar las reacciones emotivas en forma que la personalidad pueda ajustarse al ambiente. Dicho en otras palabras, es la adaptabilidad del individuo a la sociedad en que vive, para poder lograr el máximo desarrollo de sus capacidades, al mismo tiempo que procura causar la menor fricción posible con sus semejantes.

La salud y la comunidad de las naciones. En el estado de estrecha y rápida comunicación, de diaria convivencia a que han llegado las naciones, ninguna de ellas puede permanecer aislada del resto, porque lo que afecta a una irremediablemente trasciende a las demás. Punto principal en la correlación de las naciones es, pues, todo lo que atañe a la salud. Así, progresivamente, los países se han reunido en organizaciones internacionales para prestarse mutuo auxilio en casos de emergencia, para afrontar problemas de nutrición, de erradicación de enfermedades, o bien para reglamentar la supervisión de comunicaciones, que constituyen un peligroso medio de contagio a grandes distancias.

Con este fin también se han formado ciertas instituciones internacionales sostenidas por la iniciativa privada, como la Cruz Roja y algunas dependencias de la Fundación Rockefeller.

Asimismo, los congresos médicos que constantemente se reúnen en los más diversos puntos del globo para tratar problemas relativos a la salud, tienen por objeto el que cada nación, por medio de sus representantes, aporte los conocimientos propios al acervo común, para que éste a su vez vaya a rendir beneficios en la colectividad de las naciones. Otras conferencias internacionales se llevan a cabo para tomar medidas defensivas contra la expansión de vicios como la toxicomanía. Así ha podido reglamentarse la fabricación y distribución de estupefacientes, estableciendo el registro que cada país debe llevar de tales productos para evitar su uso indebido.

En 1946, como una de las más importantes dependencias de las Naciones Unidas, nació la Organización Mundial de la Salud, cuya declaración de principios, entre otras cosas, dice: "La salud es un estado de completo bienestar físico, mental y social, y no solamente la ausencia de afecciones o enfermedades. El goce del grado máximo de salud que se pueda lograr es uno de los derechos fundamentales de todo ser humano, sin distinción de razas, religión, ideología política o condición económica y social. La salud de todos los pueblos es una condición fundamental para lograr la paz y la seguridad, y depende de la amplia cooperación de las personas y los Estados".

Para gozar de una salud plena, se recomiendo realizar ejercicio.

Corel Stock Photo Library

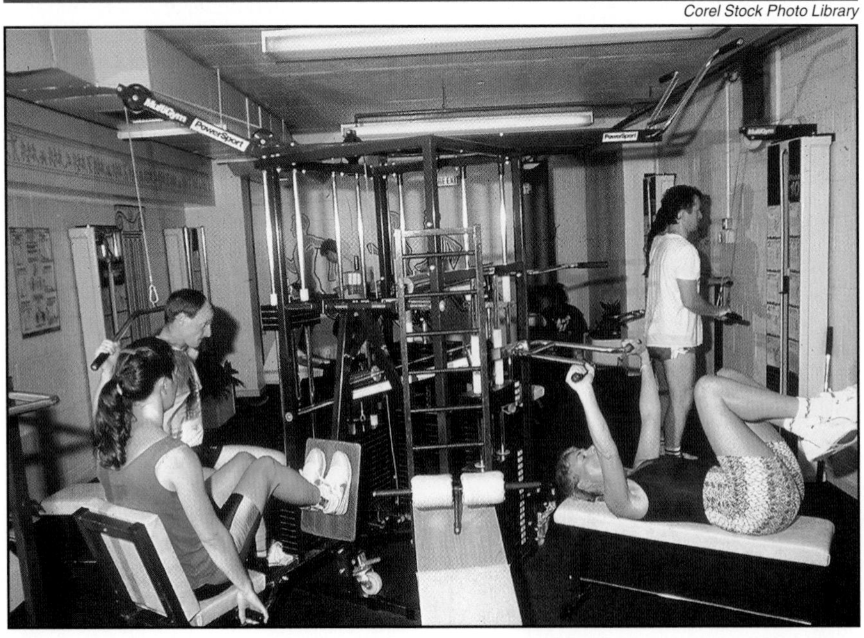

Entre las funciones de la Organización Mundial de la Salud, figuran las siguientes: actuar como autoridad directa y coordinadora en asuntos de sanidad internacional; establecer y mantener colaboración eficaz con las Naciones Unidas, los organismos especializados, las administraciones oficiales de salubridad, las agrupaciones profesionales y demás organizaciones que se juzgue conveniente; ayudar a los gobiernos, a su solicitud, a fortalecer sus servicios de salubridad; proporcionar ayuda técnica adecuada y, en casos de emergencia, prestar a los gobiernos la cooperación necesaria que soliciten o acepten; proveer o ayudar a proveer, a solicitud de las Naciones Unidas, servicios y recursos de salubridad a grupos especiales, tales como los habitantes de los territorios administrados en fideicomiso; establecer y mantener los servicios administrativos y técnicos que sean necesarios inclusive los epidemiológicos y de estadística, estimular y adelantar labores destinadas a suprimir enfermedades epidémicas, endémicas y otras; promover, con la cooperación de otros organismos especializados cuando fuere necesario, el mejoramiento de la nutrición, la habilitación, el saneamiento, la recreación, las condiciones económicas y de trabajo, y otros aspectos de la higiene del medio; promover la cooperación entre las agrupaciones científicas y profesionales que contribuyan al mejoramiento de la salud, proponer convenciones, acuerdos y reglamentos y hacer recomendaciones referentes a asuntos de salubridad internacional, así como desempeñar las funciones que en ellos se asignen a la organización y que estén de acuerdo con su finalidad: promover la salud y la asistencia maternal e infantil, y fomentar la capacidad de vivir en armonía en un mundo que cambia constantemente.

saludo. Muestra de respeto, amistad o cortesía, de una persona a otra. Sus formas han sido muy diversas. Los egipcios se saludaban al encontrarse, inclinando el cuerpo en señal de respeto, bajando la mano izquierda hasta la rodilla y poniendo la derecha sobre el pecho, como hacen los pueblos orientales. Griegos y romanos se saludaban más con palabras que con actitudes; *chaire* (alégrate) e *hygianie* (hállate bien), decían los primeros, y *vale* (sé fuerte) y *salve* (sé salvo) los segundos. Asimismo se estrechaban la mano derecha e incluso se besaban. Se cree que la costumbre de darse la mano servía antiguamente para saber si el hombre iba armado y evitar así un ataque por sorpresa. En el siglo XVI la cortesía alcanzó gran importancia en la vida social; los hombres saludaban descubriéndose, mientras que las mujeres lo hacían doblando más o menos ceremoniosamente la rodilla; unos y otras besaban y daban la mano. En el siglo XVIII, edad de oro de la galantería, aparecieron las contorsiones, los besos exagerados y las frases rebuscadas. La Revolución Francesa hizo desaparecer todas estas ceremonias. En casi todos los países el saludo va acompañado de un contacto físico, siendo el más común el apretón de manos. En Francia, se estila aún el beso en la mejilla; pero, en la mayoría de los países el beso sólo se usa entre mujeres; en otros, el abrazo sin beso. En algunas tribus indígenas de Oceanía y otras regiones se saludan mediante el contacto de la nariz. El saludo militar es una reverencia cortés que los subordinados hacen al jefe. Los oficiales la hacen también con el sable o espada; según los casos. Es una antiquísima expresión de disciplina militar. Antiguamente fue análogo al saludo civil; el inferior debía quitarse el sombrero. Luego quedó limitado a determinados movimientos de la mano derecha, en caso de no llevar armas, o al movimiento de éstas en caso de ir armado el que saluda. *Véase* URBANIDAD.

Salustio Crispo, Cayo (86-35 a. C.). Historiador romano. Descendiente de una familia rica, aunque plebeya, recibió una excelente educación orientada hacia la política, en la que intervino desde muy joven, llegando a ser su ocupación exclusiva. Fue cuestor, tribuno y senador. Su licenciosa vida le valió la expulsión del Senado por indigno, pero fue reintegrado por César, que, además, lo nombró pretor. Más tarde, por haberse distinguido en la guerra de África, le encomendó el gobierno de Numidia con el título de procónsul. En este cargo hizo una exorbitante fortuna que le permitió construir un suntuoso palacio, después mansión de emperadores, que, transformado en maravilloso museo, le sirvió de retiro a la muerte de César y donde escribió las obras que lo han colocado entre los mejores historiadores. Sus obras son: *La conjuración de Catilina* (43 a. C.), *La guerra de Yugurta* (40 a. C.) y la *Historia de Roma* (78-67 a. C.). Se muestra como historiador y filósofo, a la manera de Tucídides, de tendencia moral.

Salvá y Campillo, Francisco (1751-1828). Médico, físico e inventor español. Nació y murió en Barcelona, donde ejerció la medicina y fue uno de los primeros inoculadores de la vacuna antivariólica en España. Defendió, asimismo, la conveniencia de los medicamentos antimoniales; desempeñó la cátedra de clínica médica creada por él y fue autor de numerosas memorias sobre su especialidad. Pero lo que más contribuyó a su renombre fue la invención de un telégrafo eléctrico, en 1800. Su barco-pez para navegar bajo el agua es uno de los primeros antecedentes del actual submarino.

www.ecst.csuchico.edu/~william/tourism / Green Arrow Guide.

Vista aérea del lago de Ilopango(superior izq.), el volcán de Izalco(superior der.), el volcán de Santa Ana, Cerro Verde y el volcán de Izalco(inferior izq.) y las ruinas del Tazumal(inferior der.).

Salvador, El. La República de El Salvador se encuentra en América Central. Limita al norte con Honduras, al sur con el océano Pacífico, al este con Honduras y el Golfo de Fonseca y al oeste con Guatemala.

Extensión y relieve. Ocupa una superficie de 21,040 km2 y es el único país centroamericano que no tiene costa sobre el Atlántico, así como el más densamente poblado. La costa sobre el Pacífico –parte de la cual se llama del bálsamo, por producirse allí el bálsamo del Perú– mide aproximadamente 300 km de extensión y está bañada en su extremo oriental por el Golfo de Fonseca. Los puertos principales son La Unión, La Libertad y Acajutla. La región de la costa es llana, con numerosas lagunas y sin grandes irregularidades. La región interior es montuosa y su rasgo principal es una meseta que corre entre dos cadenas de montañas a poco más de 500 m de altura.

Población. Es de 5.897,000 habitantes (1996), de los que aproximadamente 10% son indios puros nativos; 89% son de origen mestizo (blanco e indio), algunos de los cuales conservan sus costumbres y tradiciones, y 1% son blancos. La densidad de población es de 280 h./km2 (1996).

Orografía. Junto al límte con Guatemala y Honduras, se alza la Cordillera del Norte, formación orográfica que al norte y al noreste se pierde en otras cadenas secundarias, y hacia el noroeste desciende hasta las riberas del río Lempa. Sus mayores alturas se aproximan a los 2,500 m, encontrándose cortadas por los valles del Lempa, Sumpul y Guarajambala. A unos 25 km de la costa y paralela a ésta corre la llamada Cordillera Costera, que también cortan los valles del Lempa y río Grande de San Miguel. Entre los dos sistemas orográficos se encuentran las planicies que constituyen el rasgo topográfico más importante del país, y en la cadena de la costa están los mayores volcanes. Entre las sierras del litoral sobresalen las de Apaneca, con alturas medias de 1,650 m, y de Chinameca, formada por cuatro cimas volcánicas.

Hidrografía. No hay grandes ríos en el país. El más importante es el Lempa, que procede de Honduras y Guatemala, y que en territorio salvadoreño no cubre un recorrido de más de 250 km. Le siguen los denominados Paz, Guascorán, Grande de San Miguel y Jiboa. Los tres primeros son navegables en parte y sólo por embarcaciones pequeñas. Abundan los lagos, que se han formado por las depresiones originadas por fenómenos volcánicos y atraen por su belleza y original ubicación. Son los más importantes: Ilopango, cerca de la ciudad capital de San Salvador; Güija, que es el mayor de todos y se halla junto al límite con Guatemala, y Coatepeque, en la falda del volcán Santa Ana, que es un lugar de recreo muy visitado por turistas extranjeros y del país, atraídos por el clima y el paisaje.

Geología. En las alturas de la Cordillera del Norte abundan las rocas primitivas, mientras que en la formación plutónica de la Cordillera Costera son muy comunes los basaltos, escorias y cenizas volcánicas. Los aluviones formados por los detritos de las rocas y descomposición de las plantas cubren los valles, las faldas de los montes y las costas. Estas circunstancias proporcionan tierras excepcionalmente fértiles. En el interior hay rocas basálticas, calizas, sílices, alúmina, magnesio, óxidos de hierro, manganeso, sílices feldespáticas, cuarzos, granitos y cantidad de metales varios. El humus es de espesor poco común en las sel-

Corel Stock Photo Library

Ferrocarril en la parte central de El Salvador.

vas y en los terrenos sometidos a inundaciones a causa de las torrenciales lluvias del trópico. Por desgracia casi toda la selva tropical ha desaparecido y la erosión constituye un serio problema.

Volcanes. En la zona oeste del país se alza el Izalco (1,910 m), cerca de la ciudad de Sonsonate, que permaneció activo desde su nacimiento hasta hace pocos años y su columna de humo o fuego constituía una señal de orientación para los barcos que navegaban por el Pacífico a su altura, por lo que se le dio el nombre de Faro del Pacífico o Faro de Centroamérica. Cerca de él se encuentra el Santa Ana (2,365 m). Siguiendo hacia el este se alzan, entre otros, el San Salvador (1,893 m) al noroeste de la capital, el San Vicente (2,181 m), el Usulután (1,326 m), el Tecapa (1,630 m), el San Miguel (2,129 m) y el Conchagua (1,250 m) en el Golfo de Fonseca. Los volcanes El Águila (2,035 m), Las Ranas (1,970 m), Los Naranjos (1,961 m) y Laguna Verde (1,851 m) son parte de las cumbres eruptivas de El Salvador, país que ha sufrido repetidos siniestros que arrasaron ciudades y regiones importantes. La ciudad de San Salvador, capital de la nación, ha sufrido innumerables terremotos desde su fundación en el primer tercio del siglo XVI, algunos de ellos con efectos devastadores.

Clima. La altitud influye sobre el clima, que es caliente y húmedo a lo largo de la costa, y desde allí mejora a medida que se penetra en el interior del país. En la costa el clima es absolutamente tropical con temperatura media de 28 °C a 30 °C. La estación lluviosa se extiende desde mayo hasta octubre; los meses más calurosos son marzo y abril. En el interior rigen las mismas estaciones, pero sus efectos son diferentes. El clima se vuelve templado y sano, y se le puede calificar de muy agradable. Hay zonas de relativa altitud en las que la temperatura media es de 18 °C a 20 °C, lo que en ciertos meses de la estación seca, principalmente de noviembre a febrero, origina una agradable temperatura invernal que atrae al turismo extranjero, principalmente estadounidense.

Minas y aguas termales. Existen pocas riquezas minerales: oro, plata, azufre, hierro, mercurio, cobre, cinc, cuarzo, lignito, platino, plomo, yeso y sal. La producción de oro es de unos 32 kg y la de plata es de 2,200 kg. Son innumerables las fuentes de aguas termales a las que acuden millares de personas para el alivio de sus males. Hay fuentes de agua hirviente y cenagosa (ausoles), difíciles de encontrar en otros puntos. Las más famosas son las de Ahuachapán, especie de anfiteatro del que brotan numerosas fuentes, algunas de lodo hirviente, cuyos espesos vapores cubren la atmósfera.

Producción, industria y comercio. Su moneda es el colón salvadoreño (¢), dividido en 100 centavos. La base de la economía es la agricultura, que representa 14% del producto interno bruto (PIB), que en 1993 fue de 7.625,000 dólares, con un ingreso per cápita de 1,360 dólares. Su renglón de producción más importante es el café (verde), del que en 1995 se produjeron 151,000 ton. Siguen en importancia el maíz, la caña de azúcar, el arroz, las patatas, el cacao, el henequén, el banano, los cocos, las piñas y diversas frutas tropicales; se cultiva también algodón, mandioca y tabaco. La explotación forestal produce maderas de buena calidad: caoba, cedro, roble, encino, pino, brasil, mora, así como el llamado bálsamo del Perú, del que se extraen 100 ton de esencia exportable; hay también diversas palmeras de gran utilidad. En la ganadería, los vacunos, con 1.262,000 cabezas, constituyen el renglón más importante; le sigue el ganado porcino con 372,000 cabezas y el caballar con 96,000 cabezas. Exporta 15,000 ton de queso.

La industrialización de El Salvador ha progresado notablemente y la exportación de artículos manufacturados es una parte importante del comercio exterior del país. La industria comprende 22% del PIB. Las presas 5 de Noviembre, del Guajoyo, las plantas geotérmicas de Ahuachapán, de Cerrón Grande y la presa hidroeléctrica en el paso San Lorenzo, sobre el río Lempa, han contribuido a aumentar considerablemente la capacidad energética del país. En el puerto Acajutla, dotado de modernas instalaciones, existe una refinería de petróleo, y durante el curso de la industrialización han surgido la siderúrgica de Zacatecoluca, la fábrica de cemento de Metapán, la de carrocerías de autobuses en San Marcos, y el complejo industrial de Santa Ana, además de fábricas de hilados y tejidos de gran capacidad. Otras industrias importantes son fábricas de bombillas eléctricas, refrigeradores, calzado, productos químicos, fertilizantes, cerveza, harina, diversos productos alimenticios, láminas de asbesto-cemento, etcétera; plantas para la industrialización de aceites vegetales, del henequén y otras fibras textiles (con las que se confeccionan sacos, que la sola exportación del café requiere en gran cantidad), para el procesamiento del café, manufacturas de tabaco, etcétera. En la zona de la población de San Bartolo, Ilopango, existe una zona franca industrial con nueve grandes empresas que sólo fabrican artículos para la exportación, principalmente ropa y memorias para computadoras.

El comercio interior es próspero y activo. Respecto al comercio exterior, el principal renglón lo constituye la maquila con 39.6% de las exportaciones; le sigue en importancia el café, con 21.9%; materias textiles y sus manufacturas, 7.1%; productos alimentarios y tabaco, 6.9% (1995). El 50.8% de intercambio comercial se realiza con Estados Unidos, después con los países del Mercado Común Centroamericano (18.3%), luego con Alemania (8.4%) y Países Bajos (4.9%).

Vías de comunicación. El Salvador posee una red ferroviaria de 602 km de extensión, de cuyo centro, San Salvador, parten diversos ramales que llegan hasta el puerto de La Unión, el Golfo de Fonseca por el este, y, por el oeste, uno va desde Santa Ana hasta Ahuachapán, otro hasta la frontera con Guatemala y un tercero hasta el puerto de Acajutla. La red de carreteras y caminos abarcan 15,081 km, 13% pavimentadas. La carretera Panamericana cubre 310 km del territorio nacional, desde la frontera de Guatemala hasta la de Honduras; la carretera del Litoral, de 320 km, va desde el puerto de La Unión, al este, hasta La Hachadura, en la frontera con Guatemala. Para el transporte marítimo internacional, el país cuenta con puertos importantes como La Unión, Acajutla y La Libertad. Al moderno aeropuerto internacional de Ilopango (San Salvador) y al de Cuzcatlán llegan líneas aéreas internacionales y son servidos por dos líneas nacionales, AESA y TACSA. El gobierno salvadoreño ha mostrado un gran interés en tener en su país el aeropuerto más importante de Centroamérica.

Ciudades. San Salvador con 422,570 habitantes (1.522,126 h. con su área metropolitana) es la capital de la república y principal centro comercial; ciudad moderna a 15 km del hermoso lago de Ilopango, con grandes paseos y avenidas, edificación antisísmica y magnífica pavimentación. Es famosa su conmemoración de la Semana Santa, que atrae a millares de turistas. Entre sus edificios sobresalen la Catedral, el Palacio Nacional, el Hospital Rosales y el Teatro Nacional. La segunda ciudad del país es Santa Ana (202,337 h. en 1992), centro de la industria cafetalera y que cuenta con varios templos históricos. Otras ciudades son Nueva San Salvador, San Vicente Usulatán, Aguachapán, etcétera.

Gobierno, religión y educación. El país se rige por la Constitución de 1983. Es una república unitaria, democrática y representativa, que consta de tres poderes: Ejecutivo, que ejerce un presidente elegido por cinco años (sin que pueda ser reelegido) asesorado por un consejo de ministros; Legislativo, a cargo de la Asamblea Nacional de 60 diputados, y Judicial, ejercido por una Corte Suprema de Justicia, compuesta por 14 magistrados. Poseen derecho a voto los ciudadanos mayores de 18 años de edad. El país se divide en 14 departamentos, regidos por su respectivo gobernador, que es designado por el presidente de la república.

La educación abarca cinco niveles: de párvulos (3 años), básica, media o bachillerato, superior no universitaria y superior universitaria. La enseñanza básica es gratuita y obligatoria, y se divide en tres ciclos (primero a tercero, cuarto a sexto y séptimo a noveno grados). El bachillerato comprende tres años y se estudia en institutos nacionales. Existen escuelas para la enseñanza superior no universitaria y para la universitaria, como la Universidad Nacional de San Salvador, con centros en Santa Ana (para la zona occidental del país) y en San Miguel (para la zona oriental), y otras universidades particulares.

En El Salvador, la Joya de Cerén, conjunto de ruinas mayas descubiertas en 1976, y extremadamente bien conservadas por una gruesa capa de ceniza volcánica, está incluida en la lista del patrimonio mundial de la UNESCO como bien cultural.

Historia. El territorio fue poblado inicialmente por mayas pertenecientes a la época del Antiguo Imperio, y después por indígenas de origen azteca, siendo los *pipiles* quienes fundaron los señoríos de Izalco y Cuzcatlán, y dejaron huellas de su cultura; cultivaban el maíz y el algodón; tejían telas y vivían en comunidades bien organizadas. También llegó desde el norte, enviado por Hernán Cortés, el conquistador del país, Pedro de Alvarado, en una campaña que se prolongó desde 1524 hasta 1526; aunque el descubridor del El Salvador fue Andrés Niño, quien procedía de Panamá y llegó a los golfos de Fonseca y Tehuantepec en 1523. Jorge de Alvarado, hermano de Pedro, fue quien culminó la campaña -sangrienta y reñida en todo instante, pues los indígenas se resistieron sin tregua- y fundó la villa de San Salvador el 1 de abril de 1528. Desde entonces el país fue perdiendo su nombre indígena de Cuzcatlán y adoptó el que hoy tiene, que se deriva de su capital. Los españoles incorporaron El Salvador al reino de Guatemala y no hubo alteración hasta 1821, en que se proclamó la independencia. Cuando en 1824 se constituyó la Federación Centroamericana, San Salvador fue su capital, y al desaparecer esta unión, en 1839, se constituyó como Estado independiente. En 1841 se modificó su constitución federalista e inició la vida republicana, mientras participó en la agitación revolucionaria constante a lo largo de la historia centroamericana, plena de una intranquilidad perjudicial a su progreso. No obstante, El Salvador ha sostenido un principio político inalterable: el de la unidad centroamericana, y para esto en 1920 inició las invitaciones que culminaron con el pacto de unión del 21 de enero de 1921, entre El Salvador, Honduras y Guatemala, siendo presidente Jorge Meléndez (1919-1923) a quien sucedieron Alfonso Quiñones Molina (1923-1927), Pío Romero Bosque (1927-1931) y Arturo Araujo (1931-1932). Cuando parecía afirmada la regularidad constitucional, Araujo fue derrocado por el general Maximiliano Hernández Martínez, a quien una huelga general obligó a renunciar en 1944, siendo reemplazado, después de breves actuaciones del general Andrés I. Menéndez y el coronel Osmín Aguirre, por el general Salvador Castañeda Castro, que fue derrocado en marzo de 1945. Se formó una junta de oficiales presidida por el coronel Manuel J. Córdoba. Un miembro de dicha junta, el coronel Oscar Osorio, fue elegido presidente para 1950-1956, y al expirar su mandato fue elegido para sucederle el coronel José María Lemus, quien fue derrocado en 1960. Asumió el gibierno una junta militar (depuesta en 1961) y después un directorio. Se creó una asamblea legislativa, se promulgó la Constitución de 1962, y se eligió presidente al coronel Julio A. Rivera para el periodo 1962-1967. En el año 1967 ascendió al poder el coronel Fidel Sánchez Hernández. Durante su gobierno, a mediados de 1969, estalló un conflicto armado entre El Salvador y Honduras, a raíz de las violencias provocadas por un partido de futbol. El ejército salvadoreño, después de haber ocupado 23 ciudades hondureñas en 100 horas, se retiró a sus posiciones,

Paisaje montañoso de El Salvador.

Corel Stock Photo Library

pero hasta 1979 se firmó el tratado de paz y se reestablecieron relaciones diplomáticas entre ambos países. A Fidel Sánchez Hernández lo sucedió en la presidencia el coronel Arturo Armando Molina para el periodo 1972-1977. Durante su gestión resurge el movimiento guerrillero encabezado por el Frente de Liberación Farabundo Martí. Carlos Humberto Romero asumió la presidencia en 1977, pero dos años después fue derrocado por una junta militar. En 1980 José Napoleón Duarte es nombrado presidente y en 1984 fue reelecto para el mismo cargo. En 1989 Alfredo Cristiani, candidato de la Alianza Republicana Nacionalista (ARENA), es designado presidente de la república.

En 1990, Cristiani acuerda reanudar las pláticas de paz con los principales dirigentes rebeldes, sin llegar a ningún acuerdo. En 1991, el gobierno salvadoreño acuerda integrar gradualmente la economía nacional con la de México, Guatemala, Honduras, Nicaragua y Costa Rica durante los siguientes seis años.

El 22 de marzo de 1991 se inician en México las conversaciones de paz y, en septiembre, representantres del gobierno salvadoreño y del Frente Farabundo Martí llegan a un acuerdo firmado en la ONU que crea las condiciones para acabar con la guerra que devasta a El Salvador, y poco antes de la medianoche del 31 de diciembre se anuncia el acuerdo que pone fin a doce años de guerra civil. En 1992, una serie de incidentes ponen en peligro la paz decretada, pero al desmovilizar el primer contingente de la guerrilla, se dio un paso firme hacia el desarme establecido en los acuerdo de paz. Luego, en julio, se inician reuniones para resolver los problemas que entorpecen la movilización del segundo contingente de unos 1,700 rebeldes. En septiembre, el Frente Farabundo Martí se constituye en partido político legal anunciando que su línea ideológica será social-demócrata. El 6 de febrero de 1993, quedó disuelto el batallón Arce, con lo que se terminó la desmovilización de los cinco batallones contra insurgentes que habían combatido al Frente Farabundo Martí en la guerra civil.

En marzo de 1993, la Asamblea Nacional aprueba una amnistía para los que hayan cometido crímenes durante la guerra civil. En abril de 1994, Armando Calderón Sol, candidato a la presidencia de la ARENA, gana las elecciones y toma posesión del cargo el 12 de junio. En las elecciones para miembros de la Asamblea Nacional de 1997, ningún partido obtuvo mayoría.

Desarrollo cultural. La constante agitación política ha perjudicado el progreso cultural, pues la lucha partidista absorbe a muchos intelectuales, y otros prefieren radicar en el extranjero. Este fue el caso del eminente José Batres (1809-1844), que muchos han tenido por guatemalteco, siendo salvadoreño; poeta y escritor notabilísimo, parlamentario, autor en verso de *Las tradiciones de Guatemela*. Entre las figuras notables de las letras nacionales se destacan: los poetas Juan José Bernal (autor de *Melodías románticas*), Miguel Álvarez Castro, José Joaquín Palma, Vicente Acosta, Joaquín Méndez, Juan José Cañas, Calixto Velado, Francisco Gavidia, de quien se dice influyó en Rubén Darío, F. Herrera Velado, heredero de Batres a ttravés de sus leyendas *Mentiras y verdades*, y Raúl Contreras. Escritores: Enrique Hoyes, también notable jurisconsulto; Ignacio Gómez, filósofo y educador; Francisco Galindo, orador y periodista; Rafael Reyes, historiador; el cronista Alberto Luna; el satírico Antonio Guevara Valdés; Arturo Ambrogi, autor de *Libros del trópico*; Luis Lagos, Martínez Figueroa; Rodríguez González; Francisco Castañeda; Alberto Masferrer, autor de las incomparables *Niñerías*; los costumbristas Mayora Castillo y Salvador Cerezo; Alfredo Espino, el mayor poeta bucólico de El Salvador; Oswaldo Escobar Velado, poeta de gran sensibilidad social; Napoleón Viera Altamirano, periodista de fama continental; Pedro Geoffroy Rivas, escritor, poeta e investigador de las culturas precolombinas; Claudia Lars (Carmen Branon), inspirada poetisa, una de las grandes figuras en la lírica americana.

En 1950 aparece un grupo de poetas que proclaman una rebeldía de posguerra, entre los que destacaron: Italo López Vallecillos (1932), poeta e historiador; Eugenio Martínez Orantes (1932), poeta; Mercedes Durand (1933), poetisa y cuentista; Irma Lanzas (1933), poetisa. En cierto momento, se les llamó la *Generación comprometida*.

Salvavidas de un barco mercante.

Corel Stock Photo Library

Un poco más adelante, hacia mediados de los años sesenta surgen nuevos valores: Rafael Góchez Sosa (1927), Alfonso Quijada Urías (1940), José María Cuéllar (1942), David Escobar Galindo (1943), Rafael Mendoza (1943), Mauricio Marquina (1946), Ricardo Jesurum (1947), etcétera. Cuéllar ganó el premio de poesía de la revista *Imagen*, y Escobar Galindo ganó el primer premio en los Juegos Florales Hispanoamericanos de Archidona (España), el premio Carabela de Oro de Barcelona (España) y el premio Pedro Bargueño de Granada (España). Todos estos poetas, que cultivan también el género narrativo, mantienen la temática social.

Luchan por darse a conocer en los años setenta: Salvador Juárez (1946), Jaime Suárez (1950), Carlos Balaguer (1952), David Hernández (1955), Mayamérica Cortez (1947), Sonia Miriam Kury (1948) y Claudia Herodier (1950). A toda esta labor hay que añadir la de diversas editoriales, como por ejemplo la Dirección de Publicaciones del Ministerio de Educación, la Editorial Universitaria, etcétera.

Pintores salvadoreños de renombre son: Noé Canjura, José Mejía Vides, Julioa Díaz, Raúl Elas y Carlos Cañas.

Salvador. *Véase* BAHÍA.

salvamento. Acción de librar de un riesgo o peligro a personas o cosas. Este término se aplica preferentemente a aquellos casos en que se acude en auxilio de personas en peligro inminente, a causa de incendios, explosiones, inundaciones, hundimientos, etcétera. Es frecuente el caso de salvar a personas en trance de ahogarse. El modo más seguro de auxiliar a una persona que se ahoga es valerse de un bote, o si las circunstancias lo permiten arrojarle un salvavidas. Sólo en último caso el auxilio debe ser prestado por un nadador, ya que es sumamente peligroso, pues la víctima, en su desesperación, se aferra con tal fuerza a la persona que lucha por salvarlo, que a menudo le impide todo movimiento y lo arrastra a su vez al fondo. En un caso así, el salvador aproximándose por detrás tomará a la víctima por los cabellos o por debajo de los sobacos y, asiéndola de una mano, tirará con violencia de ella, al tiempo que se vuelve de espaldas. El tirón hará que el náufrago quede también de espaldas, facilitando su flotamiento y transporte. Esto es fácil cuando la víctima está desvanecida, no así cuando conserva el conocimiento y se agarra desesperadamente al cuello de quien trata de salvarlo. Para librarse, el nadador aplicará su diestra al mentón del auxiliado y lo echará hacia atrás hasta hacerle abrir las manos.

salvavidas. Aparato que mantiene a flote el cuerpo de un náufrago o de cualquier persona en el agua. El salvavidas típico, usado en todos los buques, es un anillo de corcho, recubierto de lona y provisto de cuerdas para asirse. Se aplica también este nombre al chaleco y a los botes salvavidas. El primero está formado por trozos de corcho dispuestos de manera que el conjunto se adapte y fije al cuerpo del náufrago. Los botes salvavidas plegables usados en los aeroplanos son de caucho o material plástico, y al poner en acción un mecanismo, se despliegan en toda su extensión y se inflan automáticamente.

salve. Oración que se reza a la Virgen. Se cree que fue compuesta a mediados del siglo XI. Es una de las oraciones preferidas de los católicos para invocar y rogar a la Virgen María. Fue incluida por León XIII en las oraciones que deben recitar los sacerdotes al concluir la misa.

salvia. Planta herbácea, de la familia de las labiadas, que crece en los terrenos áridos e incultos del sur de Europa. Tiene tallos duros, cuadrangulares y cubiertos de vello verde blanquecino, que alcanzan unos 80 cm, aunque hay especies como la purpúrea de Brasil, que son arbustos de 2 m. Las hojas son muy aromáticas y de sabor amargo. Las flores, de corola labiada, se agrupan en espigas, con colores que van desde el blanco y azulado hasta el púrpura. Se cultivan en huertas, plantándolas, por semillas o por esquejes en terrenos ricos y bien soleados. Las hojas y tallos se emplean en condimentos, salsas, y para aromatizar quesos, carnes y en infusión.

Salzburgo. Ciudad del oeste de Austria, sobre ambas orillas del río Salzach. Es capital de la provincia de su nombre y de importancia histórica y cultural. Sus principales templos datan del siglo XVII y constituyen joyas arquitectónicas. Su universidad fue fundada en 1623. Patria de Wolfgang Amadeus Mozart, sus festivales teatrales y musicales son famosos por la universalidad de su repertorio. Cuando era la Juvavia de los romanos, fue destruida por Atila en 448 y reedificada a principios del siglo VIII por los duques de Baviera, con su nombre actual. Carlomagno residió en ella en 803. Sus arzobispos fueron primados y príncipes del imperio desde 1278. Tiene 143,978 habitantes.

Salzillo, Francisco (1707-1783). Escultor español, considerado "el último de los grandes imagineros" de su país. Nació y murió en Murcia, y era hijo del escultor italiano Vincenzo Nicolás Salzillo, natural de Capua y avecindado en aquella ciudad. Francisco Salzillo adquirió las primeras nociones de su arte en el taller paterno y en el del pintor Manuel Sánchez; pero imbuido de un fuerte sentimiento religioso, que después expresaría en sus obras, ingresó como novicio en el convento dominicano de su ciudad. Al enviudar su madre y quedar en precaria situación económica, abandonó los estudios religiosos y se hizo cargo del taller heredado de su padre, iniciando su portentosa e ingente producción, que en breve plazo le granjearía la celebridad. Realizó sus primeras obras (1727-1730) para el convento de Santo Domingo, en el que se había propuesto profesar, a ellas siguieron diferentes grupos procesionales –*para pasos* de las procesiones de Semana Santa– en los que se destacaron sus aciertos de composición, elegancia de factura y emotiva expresividad. Entre estos pasos sobresalen los del *Prendimiento* (1736), también denominado *El beso de Judas, Las angustias* (1741) y, posteriormente, *La oración del Huerto* (1754), con el popularísimo *ángel mancebo* confortando a Cristo, quizá su obra maestra; la *Dolorosa, San Juan, La Verónica* (1756) y el paso de *Los azotes* (1757), con el que dio fin a la espléndida serie que esculpió para la iglesia de Jesús, hoy museo de Murcia. Otro singular y destacado aspecto de su vasta producción, que se calcula en cerca de 1,800 obras, son sus figuras de barro policromado, casi todas para belenes, en las que su amor a lo natural y su inclinación al pintoresquismo anecdótico le llevaron a crear escenas y personajes llenos de animación, alegría y gracejo popular. En el museo de Murcia se puede admirar su célebre *Nacimiento,* compuesto de 595 figuras.

Samaná. Provincia costera de República Dominicana situada en la parte noreste del país en la Península de Samaná. De clima tropical húmedo, su temperatura media anual es de unos 20 °C y tiene más de 2,000 mm de precipitación pluvial al año. La provincia se asienta sobre una sierra de poca altura, con dos montañas de unos 500 m, Pan de Azúcar y Monte Mesa. Su economía se basa en la producción de copra, sobre todo, y de mármol. La pesca tiene también cierta importancia. Se crían frutales y animales domésticos, en menor escala. La extensión de la provincia es de 989 km^2 y su población, de 76,026 habitantes. La capital es Samaná, con 3,685 habitantes (1995).

Samaniego, Félix María (1745-1801). Escritor español. Nació y murió en Laguardia (Alava). Recibió una esmerada educación, estudió leyes en Valladolid y viajó por Francia. Residió muchos años en Bilbao y disfrutó de las simpatías de la sociedad de aquella población. Era muy estimado en los salones por su conversación amena y llena de gracia. Escribió entonces buena parte de sus fábulas, inspiradas en las de Esopo, Fedro y el francés Jean de la Fontaine. Empero, la envidia de algunos lo acusó ante la inquisición de Logroño de haber adoptado las opiniones de los filósofos franceses de aquella época. La influencia de un amigo lo salvó de aquel trance. Hombre sencillo, rechazó los ofrecimientos que le hizo el conde de Floridablanca, y prefirió los goces y la tranquilidad de la vida hogareña al cargo público. La paz y el bienestar domésticos fueron su más cara ambición, y de ellos sólo lo apartó en alguna ocasión la disputa con Tomás de Iriarte, a propósito de sus fábulas. Era aficionado a la música y menospreciaba la fama literaria. Escribió *Fábulas en verso castellano* o *Fábulas morales* (1781-1784), *Observaciones sobre las Fábulas literarias de don Tomás de Iriarte* (1782) y *El jardín de Venus* (publicada en 1976).

Samaniego y Jaramillo, Manuel (1767-1824). Pintor ecuatoriano. Se inició como paisajista y miniaturista, abarcando posteriormente todo tipo de pinturas. En la catedral de Quito se conservan escenas murales de la vida de Cristo: cuadros como la *Asunción de la virgen, Nacimiento del Niño Dios, Sacrificio de Justo y Pastor.* Decoró la celda provincialicia de la Merced (actualmente convertida en museo).

samario. Elemento químico, sexto de la familia de los lantánidos, perteneciente a la tabla periódica de los elementos. Su número atómico es 62. Su masa atómica es 150.36 y su símbolo es Sn. Metal de transición interna, escaso en la naturaleza. Es un metal duro y quebradizo que en contacto con el aire desarrolla rápidamente una película de óxido. El metal fundido posee una extraordinaria tensión de vapor, lo que permite su separación de otros elementos del grupo por destilación al vacío. Se extrae mezclado con otros elementos del grupo, de los que se separa en estado de ion trivalente por medio de resinas cambiadoras de iones.

Procede principalmente de Australia, Brasil, el sureste de Estados Unidos y África del sur. Se emplea para la absorción de neutrones en reactores atómicos, como contaminante de cristales láser, en investigación metalúrgica y en la fabricación de magnetos permanentes.

El samario fue descubierto en 1879 por Jecoq de Boisbaudran que describió sus espectros de absorción y emisión y comprobó que correspondían a un nuevo elemento. Eugène Demarcay obtuvo sus sales y estudió sus propiedades químicas.

samaritano. Natural de Samaria, región de Palestina. El pueblo samaritano se formó por la mezcla de israelitas con asirios después de la toma de la ciudad de Samaria (721 a. C.). Entre samaritanos y judíos se despertó el odio, ahondado cuando los segundos rechazaron la oferta de sus vecinos de ayudar en la reconstrucción del templo. En religión, no aceptaron algu-

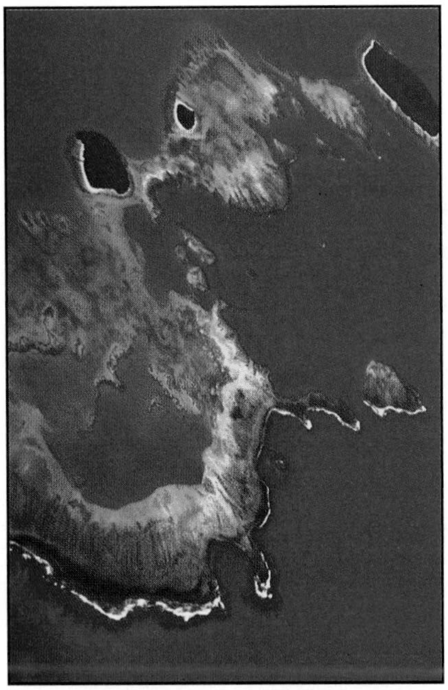

Corel Stock Photo Library

Vista aérea de la costa de Samoa.

nas prácticas y doctrinas de los judíos y fueron considerados heréticos por éstos.

Samoa. Archipiélago de Oceanía, en la Polinesia, que comprende 14 islas situadas al noreste del archipiélago de Fidji. Fueron descubiertas por el marino holandés Jacob Roggeveen en 1722. Se inició su ocupación hacia 1878, cuando Gran Bretaña, Alemania y Estados Unidos instalaron estaciones carboneras y obtuvieron privilegios comerciales. En 1889 se llegó a un arreglo entre los tres países para la administración tripartita de las islas; Gran Bretaña renunció a sus derechos en 1899, y alemanes y estadounidenses se dividieron el archipiélago. Con la derrota de Alemania en la Primera Guerra Mundial, su sector quedó en manos de Inglaterra y después administrado en fideicomiso por Nueva Zelanda. El archipiélago tiene unos 3,036 km² y se halla poblado por 212,770 habitantes.

Las islas que gobernó Nueva Zelanda se designan con el nombre de Samoa Occidental y se constituyeron en Estado independiente. Las dos principales son Savaii y Upolu. En esta última vivió Robert Louis Stevenson, el autor de *La isla del tesoro*; su tumba se encuentra en la cumbre del monte Vala.

Casa de paja en Samoa.

Corel Stock Photo Library

Samoa Occidental. Estado independiente que comprende las islas de Savaii y Upolu, además de cinco menos importantes de las cuales sólo Manono y Apofina están habitadas. Forman parte del archipiélago de Samoa, situado en el Pacífico, al noreste de las islas Fidji. Tiene una superficie de 2,831 km² y su población es de 166,000 habitantes, la mayoría polinesios. La capital del país es Apia, con 34,100 habitantes, en la costa septentrional de Upolu. Sus lenguas oficiales son el samuano y el inglés. En cuanto a religión sobresalen los congrecionistas (47.2%), católicos (22.3%), metodistas (15.1%) y mormones (8.6%). Su composición étnica está formada por polinesios (88%), euronesios (10%) y europeos (2%). Su unidad monetaria es el tala. El país produce cacao, bananas, copra, cocos, taro, trigo, judías, guisantes, sandías, tomates, lechugas, piñas, papayas y árbol del pan. La ganadería y la pesca tiene escasa importancia. Carece de recursos minerales. Su economía se reduce a algunas actividades artesanales y a la elaboración de productos agropecuarios. Su industria produce cerveza, cigarros, crema de coco, aceite de copra, carne en conserva, pintura, jabón, atún, ebanistería, fábricas de ropa, y otras.

Los holandeses llegaron al archipiélago en 1722, y el francés Louis Antoine de Bougainville lo visitó en 1768. Los misioneros católicos, que llegaron a las islas en 1828, encontraron a la población enzarzada en una guerra entre las tribus taimuna y puleta. En 1856 se inició la influencia alemana, y durante el siglo XX Alemania, Gran Bretaña y Estados Unidos se disputaron la posesión de las islas, creando dichos países un protectorado conjunto en 1889. En 1899 se decidió dividir las islas entre Alemania y Estados Unidos, a la vez que los samoanos recibían la autonomía administrativa. Samoa Occidental (las dos islas mayores) estuvo bajo protectorado alemán hasta que durante la Primera Guerra Mundial, fue invadida por tropas australianas y neozelandesas y situada bajo la tutela de Nueva Zelanda desde 1920, primero como mandato de la Sociedad de Naciones y desde 1946 como territorio bajo la tutela de la ONU.

En el plebiscito de mayo de 1961, bajo la supervisión de la ONU la mayoría votó en favor de la independencia, y el 1 de enero de 1962, el país se convirtió en el primer Estado indígena polinesio soberano. La jefatura de Estado fue ocupada por los dos representantes de las dos dinastías reales samoanas, los tuiaana/tuitua y los malietos (correspondientes a los dos pueblos samoanos), hasta la muerte de Tupua Tamasese Mea'ole (5 abril 1963), en que Malietoa Tanumafili 11 se convirtió en único jefe de Estado. Fiame Mata'afa Mulinutu, que era primer ministro desde 1959, perdió su cargo tras las elecciones de 1970 y el gobierno fue encabezado por Tupua Tamasese Lealofi. En agosto de este mismo año Samoa se integró en la Commonwealth. Las elecciones de 1973 dieron de nuevo el cargo de primer ministro a Mata'afa, que lo ocupó hasta su muerte (1975). En 1976, Tupuola Taisi Efi es elegido primer ministro; en ese mismo año Samoa Occidental entra en la ONU. En febrero de 1982 le sucede Va'ai Kolone del Partido para la Protección de los Derechos Humanos (HRPP). Renuncia a fin de año y lo sustituye Tupuola Efi y posteriormente Tofilou Eti, mismo que gana las elecciones de 1985 y de 1988. En 1995, Samoa se une al Foro de Naciones del Pacífico Sur para protestar por las pruebas nucleares francesas en la región. En 1996, gana el HRPP, partido de oposición. Las islas de Samoa, según la tradición, fueron la cuna de la raza polinesia, que pobló las demás islas del Pacífico.

La Constitución fue promulgada el 28 de octubre de 1960. Malietoa Tanumafili II es jefe de Estado vitalicio. Los futuros jefes de Estado serán elegidos por la Asamblea Legislativa por períodos de cinco años. El gobierno esta formado por un primer ministro y ocho ministros designados por éste. La Asamblea Legislativa esta formada por 47 miembros elegidos cada tres años por sufragio universal. El derecho al sufragio, antes reservado a los matais o jefes, fue extendido a todos los ciudadanos en 1991, pero el derecho de elección sigue restringido a aquellos.

Las principales organizaciones políticas son el Partido pare la Protección de los Derechos Humanos (Human Rights Protection Party, HRPP) y el Partido del Deber Nacional.

Samoa Oriental. Las islas que pertenecen a estados Unidos integran la Samoa Oriental Americana. En la más importante, llamada Tutuila, está la capital, Pago Pago, excelente base naval. La Samoa Oriental o Americana tiene 194.8 km^2 y 46,770 habitantes. Tanto las islas occidentales como las estadunidenses son de origen volcánico y se hallan rodeadas por barreras de arrecifes.

Samotracia. Isla griega, en el norte del Mar Egeo, frente a la desembocadura del Maritza y a la entrada de los Dardanelos. Tiene 178 km^2 y cerca de 4,200 habitantes. Su capital es Khora. La ciudad nueva, Kastro (2,700 h.) se halla en la región norte de la isla algo más al sur que la antigua, a corta distancia del mar. No lejos hay fuentes sulfurosas muy frecuentadas. Es una isla montuosa; Homero nos presenta a Neptuno contemplando desde su más alta cumbre, el pico de Saoce, de 1,675 m de altura, los famosos combates del Llano de Troya. Sus más antiguos habitantes fueron los pelasgos, de quienes parecen proceder los célebres misterios en honor de los dioses Cabiros, así como las murallas ciclópeas. Los tracios, los carios, los fenicios, llegaron más tarde. Su pobreza y falta de importancia política, debida a su ausencia de puertos y unidas a su carácter sagrado, le valieron la autonomía, que aún duraba en tiempos de Plinio. Se la menciona en la historia, a propósito de la expedición de Jerjes, en que uno de sus navíos tomó parte importante. San Pablo la visitó en su segunda misión. En ella se han descubierto templos, uno de ellos dedicado a los Cabiros, y en 1863 la admirable estatua de la *Victoria* que se conserva en el museo del Louvre. En el curso de la Segunda Guerra Mundial, Alemania la ocupó en 1941. Actualmente la isla produce trigo, maderas, aceite y cera, y tiene pesquerías de esponjas.

samoyedo. Individuo perteneciente a un grupo étnico uraloaltaico establecido en el noroeste de Siberia, a orillas del Ártico, y en el extremo noreste de la Rusia europea. Los samoyedos hablan un lenguaje parecido al finés y viven en su mayor parte entre los ríos Yenisei y Obi, y sobre las costas del océano Glacial Ártico. Son nómadas y se alimentan de la pesca, la caza y la carne del reno. Se calcula su número en unos 15,000 individuos.

Corel Stock Photo Library

Atolón entre Samoa y Tonga.

sampán. Embarcación ligera que se usa en China, Japón y otros países asiáticos, para navegar en ríos, bahías y aguas costeras. Suele tener un espacio cerrado a modo de camarote. Su propulsión se efectúa por medio de uno o varios remos, y algunos sampanes llevan mástiles para velas. Sirven, también, como viviendas flotantes.

Samuel (X a. C.). Profeta y juez de Israel, hijo de Elcana y Ana. Su nombre significa obtenido de Dios, ya que su madre lo concibió después de haber rogado al Señor tener un hijo con la promesa de consagrárselo. Se le atribuyen los libros de los Jueces, el de Rut y una gran parte del primero de los Reyes, perteneciente al Antiguo Testamento. Todas sus profecías, como la muerte del sacerdote Heli, la toma del Arca, la victoria de Israel sobre los filisteos, la muerte de Saúl, etcétera, se cumplieron, por lo que los judíos lo veneraban y lo distinguían, dándole el nombre de *profeta de Jehová*. Como juez se mostró imparcial, equitativo y magnánimo, haciendo respetar la autoridad del Consejo de los Ancianos.

Samuelson, Paul Anthony (1915-). Economista estadounidense. Estudió en la Universidad de Chicago y se doctoró en economía en la Universidad de Harvard, en 1941, donde recibió la influencia de las teorías de John Maynard Keynes. Profesor de economía en el Instituto Tecnológico de Massachusetts desde 1940. Su trabajo se ha orientado a conseguir lo que él denominó la síntesis neoclásica, es decir, la integración de la teoría keynesiana en el pensamiento económico de Alfred Marshall. Samuelson formó parte de diversos comités gubernamentales y fue miembro del comité de asesores económicos de los presidentes John F. Kennedy y Lyndon B. Johnson. Su obra más conocida es *Economics: An Introductory Analysis* (*Curso de economía moderna*, 1948), la cual ha sido repetidamente editada y traducida a los principales idiomas. En 1958 editó, en colaboración con R. Dorfman y R. M. Solow, *Linear Programming and Economic Analysis* (*Programación y análisis económico*). Fue presidente de la Sociedad de Econometría, de la Asociación Económica Estadounidense y la Asociación Económica Internacional. Recibió el Premio Nobel de Economía en 1970.

Samuelsson, Bengt I. (1934-). Bioquímico sueco. Estudió en el Instituto Karolinska de Estocolmo, en el que luego trabajó como profesor e investigador. Profesor de la Universidad de Harvard (1961-1962), de la Escuela de Veterinaria de Estocolmo (1967-1972) y del Instituto Karolinska desde 1973. Premio Nobel de Medicina o Fisiología en 1982, con su compatriota y maestro Sune K. Bergström y el británico John R. Vane, por sus descubrimientos relacionados con las protaglandinas y substancias biológicas activas de la misma familia.

samurai. Guerrero de una casta militar japonesa durante la época feudal. Sus miembros pertenecen al *buke*, especie de nobleza que los antiguos daimios habían constituido para oponerla al *kuge*, o nobleza palatina de la corte. Los samurais tenían el privilegio de usar dos sables y únicamente contraían matrimonio con personas de su clase. Los daimios les pagaban una pensión en dinero o en arroz. Cuando fallecía un samurai, su cualidad se trasmitía a sus hijos, pero sólo el heredero conservaba el derecho a la referida pensión. En 1868 al sobrevenir la abolición del *shogunado* o régimen de gobierno en que los jefes militares ejercían el poder efectivo y el emperador era sólo el jefe nominal del Estado, muchos samurais abrazaron la causa del Mikado. La nación adoptó rápidamente los métodos y sistemas occidentales. En 1873, un decreto imperial estableció el servicio militar obligatorio y poco después los *samurais* desaparecieron como casta militar hereditaria.

San Agustín. Población colombiana en el departamento de Huila. Tiene 4,532 habitantes (1994). En sus cercanías existen ruinas de una cultura precolombina llamada cultura de San Agustín cuya manifestación más notable consiste en estatuas de piedra, de más de 2 m de altura, que representan figuras de hombres y animales. Son monolitos tallados con instrumentos de granito. Algunas de estas estatuas, al parecer de grandes jefes, han sido encontradas dentro de sepulturas de piedra. Las ruinas fueron visitadas, a fines del siglo XVIII, por el sabio colombiano Francisco José de Caldás y, posteriormente, por otros investigadores y viajeros en el siglo XIX, su importancia para el estudio de las culturas andinas adquirió mayor relieve a partir de las investigaciones arqueológicas efectuadas en la primera mitad del siglo XX, principalmente los trabajos de Preuss (1929) y de Lunardi (1935). Según su estilo, se clasifica en: a) arcaico, cuyas obras están sin terminar y son muy rígidas; b) clásico, con esculturas sobrias y estilizadas tanto en la figura como en su vestuario y ornamentación; c) barroco, con gran cantidad de detalles en la expresión y en la ornamentación; elementos de felinos, como colmillos, asociados a seres humanos; rasgos negroides. En cerámica, la forma característica es la globular, para entierro de infantes, o con tres soportes cónicos, o con doble vertedera o asa puente; la decoración es incisa, y bicroma en positivo y negativo. En arquitectura solamente se conocen pequeños adoratorios sobre montículos artificiales y una necrópolis con tumbas dolménicas y sarcófagos monolíticos, así como galerías subterráneas a varios metros de profundidad. Una de las incógnitas de esta cultura es el Lavaplatas, obra hidráulica basada en canales, piscinas y

Corel Stock Photo Library

Cuadro de un Samurai de Utagawa Toyokuni.

caídas de agua con relieves de elementos simbólicos, al parecer de fines religiosos.

San Andrés y Providencia. Departamento insular de Colombia, formado por un grupo de islas y cayos, que tienen, en conjunto, 44 km^2 y 44,088 habitantes (1995). Estas islas son: Santa Catalina, San Bernardo, El Rosario, Providencia, Isla

San Bernardo con su dueño.

Corel Stock Photo Library

Fuerte y la más poblada, San Andrés. Se encuentra en el Mar de las Antillas, frente a la costa de Nicaragua. El clima es ardiente, pero sano y refrescado por las brisas marinas. La isla de San Andrés es la principal y su capital, homónima, tiene 23,325 habitantes. La topografía de San Andrés presenta un pequeño sistema montañoso, lo mismo que la de Providencia. Los cayos son pequeños arrecifes coralinos y de arena, a veces con pequeñas colinas de contornos irregulares. La ganadería es muy pobre y tan sólo alcanza para el consumo; la base de la economía insular es la pesca, especialmente de tortugas de carey, la copra y las naranjas. Las islas son visitadas por turistas atraídos por sus bellezas naturales y por la abundante pesca. En el siglo XVII fue ocupada por navegantes españoles, bucaneros y piratas. Hasta el siglo XVIII llegaron inmigrantes ha establecerse y hacer florecer la industria algodonera.

San Bartolomé, matanza del día de. En la noche del 23 al 24 de agosto de 1572, tuvo lugar en Francia una horrible matanza de protestantes ordenada por Carlos IX, aconsejado e influido por su madre Catalina de Médici, y los Guisas. Aprovechó para este crimen el hallarse en París crecido número de nobles hugonotes, venidos a la capital para asistir a la boda de Enrique de Navarra, más tarde Enrique IV, con Margarita de Valois, hermana del rey. El creciente poderío del partido protestante alarmaba a Catalina, y no cejó hasta arrancar al débil Carlos la orden de asesinar al almirante Gaspard de Châtillon, conde de Coligny, a quien el monarca dispensaba cierta confianza, acusándolo de conspirar contra el trono. Cuenta la tradición que Carlos dijo: "Está bien, matadlo, pero que con él mueran todos sus partidarios; que no quede nadie para acusarme". La matanza fue espantosa y continuó durante varios días. Entre sus víctimas ilustres figuran Coligny, el historiador Laplace y el filósofo Ramas. El príncipe de Conde y el rey de Navarra salvaron con dificultad sus vidas. No se respetó a las mujeres ni a los niños.

San Bernardo, Gran. Paso de los Alpes Occidentales, situado al este del macizo del Mont Blanc, entre el cantón suizo de Valais y el valle de Aosta (Italia). Es muy frecuentado desde la antigüedad, pero muy peligroso en invierno por las bajas temperaturas y en primavera por los desprendimientos de nieve. Una de las proezas de Napoleón fue el haberlo atravesado en mayo de 1800 con 40,000 hombres y 150 cañones. Atraviesa el desfiladero una carretera que alcanza una altitud de 2,472 m sobre el nivel del mar, y que va desde Martigny, cerca del Ródano (Suiza), hasta Aosta, en el Dora Baltea (Italia).

Pequeño San Bernardo. Paso a 2,188 m de altura, al suroeste del anterior entre el valle del Isere (Saboya francesa) y el de Aosta (Italia). Discurre por él un cómodo paso alpino, identificado por los historiadores como el camino que siguió Aníbal en su marcha sobre Italia.

Los albergues. Antiguamente existió en el Gran San Bernardo un templo en que los veragros (antiguos habitantes del Valais) adoraban al dios Pennino; más tarde los romanos erigieron un templo a Júpiter, destruido luego por Constantino, que erigió una capilla cristiana, arrasada a su vez por los bárbaros. Su actual nombre se debe a San Bernardo de Mentón, noble saboyano que en el año 962 fundó un hospicio, sobre las ruinas de la capilla citada, para albergar a viajeros y caminantes. El vasto edificio actual (convento con iglesia, biblioteca, museo científico, correos, telégrafo y teléfono) data del siglo XVI. Tiene, además, estación meteorológica. El hospicio está a cargo de monjes agustinos, que auxilian a los viajeros extraviados por los escarpados pasos de los Alpes. En el hospicio del Gran San Bernardo, que ha sido ampliado, caben más de 300 personas, que reciben albergue en forma gratuita. Curiosidad digna de ser citada es la Casa de los muertos, separada del resto del edificio, donde se conservan los cadáveres hallados entre la nieve de los ventisqueros, los cuales, gracias al aire puro y frío al que están expuestos, se secan a modo de momias. El hospicio del Pequeño San Bernardo, administrado en idéntica forma por los mismos monjes, está situado a 15 km del Mont Blanc, el pico más elevado de la cordillera alpina.

Los perros de San Bernardo. Son de una variedad canina que los monjes usaron durante siglos para auxiliar a los caminantes. Dotados de un admirable sentido de orientación y de un olfato penetrante, descubrían a los caminantes extraviados que yacían bajo la nieve, avisaban con sus ladridos a los monjes que se apresuraban a socorrer al viajero. Desaparecidos los caminantes solitarios en las alturas alpinas, debido a los modernos medios de transporte, los nobles perros ya no cumplen la misión que los popularizó, pero se han reproducido en otras tierras, donde prestan excelentes servicios como guardianes.

Corel Stock Photo Library

San Bernardo.

San Cristóbal. Ciudad de Venezuela, capital del estado de Táchira, fundada en 1561 por el capitán español Juan de Maldonado a orillas del río Torbes, en una planicie cercana a la cordillera de Mérida. Población: 238,670 habitantes (1995). Es centro activo del comercio que proviene principalmente de Caracas, Maracaibo y la parte norte de Colombia. Está comunicada por carretera con las poblaciones principales de su estado, y otras ciudades de la república. Entre sus construcciones modernas se destaca el palacio de Gobierno; y de los edificios antiguos, los templos de San Sebastián y San Juan Bautista, que contienen valiosas reliquias. Sus principales industrias son el jabón, los cigarrillos, la alfarería, los sombreros de paja, la cerámica y los bordados y tejidos hechos a mano. Está situada en una fértil región en la que se cultiva tabaco, caña de azúcar, café, cacao y cereales.

Vista del famoso puente de San Francisco.

Corel Stock Photo Library

San Diego. Ciudad y puerto en la bahía de su nombre en el estado de California, en Estados Unidos. Es base naval y aérea de gran importancia. Población: 1.151,977 habitantes (1995) que unidos a los de su área metropolitana, pasan de 2.632,078. Clima templado y sano. Depósitos de petróleo y carbón. Industrias de construcción de aviones, motores, maquinarias, etcétera. Grandes talleres y arsenales. Edificación moderna, amplios paseos y hermosos alrededores con variados cultivos. Observatorio de Monte Palomar. Fundada en 1769 por fray Junípero Serra, franciscano español. Perteneció a México hasta 1846, cuando fue ocupada por tropas estadounidenses.

San Fernando. Ciudad de la provincia de Buenos Aires, en la República Argentina. Fue fundada en 1805 por el virrey Rafael de Sobremonte, y en 1909 se le confirmó la categoría de ciudad. Su población alcanza los 132,626 habitantes. Está situada sobre las márgenes del Río de la Plata y posee varios astilleros que fabrican embarcaciones deportivas y de cabotaje.

San Fernando. Ciudad de la provincia española de Cádiz. Cabeza de partido judicial y capital del departamento marítimo meridional de España. Posee arsenal, observatorio y el Panteón de Marinos Ilustres. Entre sus producciones destacan la agricultura, pesca y ganado vacuno y porcino. Está emplazada en la isla de León, separada de tierra firme por el Canal de Sancti-Petri, a la cual la une el puente de Zuazo, en donde se encuentra el castillo de su nombre. En su teatro se reunieron las Cortes de Cádiz (1810). Tiene 78,845 habitantes.

San Francisco. Ciudad y puerto de Estados Unidos en el estado de California. Es una de las grandes ciudades estadounideses y su principal puerto en la costa del Pacífico. Está situada en la entrada de la gran bahía de San Francisco, en una península al oeste de la bahía. La ciudad tiene 734,676 habitantes; es el núcleo de una gran área metropolitana que se extiende, principalmente, al lado este de la bahía donde se levanta la ciudad de Oakland, con 366,926 habitantes, y otros centros urbanos, cuya población sumada a la de San Francisco, representa una gran concentración de población (6,513,322 habitantes).

La bahía de San Francisco, que tiene unos 1,100 km², es una de las más abrigadas y amplias del mundo. Se comunica con el océano Pacífico a través del estrecho llamado de la Puerta de Oro (*Golden Gate*). Son notables los dos grandes puentes colgantes, maravillas de la ingeniería moderna, uno el *Golden Gate* que cruza la entrada de la bahía y otro, el de San Francisco-Oakland, que comunica las dos ciudades a través de la bahía y tiene más de 13 km de longitud.

El puerto de San Francisco es de importancia excepcional para el transporte y comercio marítimo con puertos de América del Sur, Asia y Australia. Es además centro activo de comunicaciones aéreas y terrestres con Canadá, al norte; con el resto de la nación estadounidense, al este, y con México, al sur. Es también, un gran centro industrial con astilleros y construcciones marítimas, industrias gráficas, fábricas de pinturas y productos químicos; industrias frigoríficas, de conservas y de diversos productos alimenticios. El sector económico más importante es el de los servicios.

Entre sus principales instituciones culturales se destacan la Universidad de San Francisco y varias facultades de las universidades de California y de Stanford, notables institutos científicos, museos, teatros y auditorios. Tiene bellos y extensos parques, grandes avenidas, modernos y suntuosos edificios públicos y comerciales. El lugar que ocupa la ciudad fue explorado por los españoles en 1769, los cuales en 1776 establecieron una guarnición, y en 1777 el padre Junípero Serra fundó una misión. Pasó a formar parte de México al independizarse esta nación de España hasta que, en 1848 fue vendida a Estados Unidos como parte de California. La ciudad creció rápidamente después de haberse descubierto oro en la región. En 1906, cuando tenía ya cerca de 400,000 habitantes, un violento terremoto seguido de un incendio devastador destruyó más de 28,000 edificios; pero, la ciudad fue reconstruida rápidamente y creció en importancia y en población. En 1989 otro terremoto dañó el distrito Marina y provocó la demolición de la autopista llamada Embarcadero.

San Francisco. Río de Brasil. Nace en la sierra de Canastra en el estado de Minas Gerais, y sus 2,900 km de longitud, de los que 1,500 son navegables, lo colocan entre los primeros ríos de América. Su curso superior (800 km) es torrencial en gran parte. Va recogiendo afluentes que aumentan su caudal y pasa a su curso medio en las cascadas de Piraporá. Su cuenca hidrográfica cubre 700,000 km^2. Sus principales afluentes, en su curso medio e inferior, son los ríos Verde Grande, Paramirim, Paracatú, Carinhenha, Correntes y Grande, navegables en largas extensiones, por lo que constituye una importante vía de comunicación en regiones carentes de otro medio de transporte. Corre en dirección sur a norte y atraviesa los estados de Minas Gerais y Bahía. Después tuerce hacia el este y forma la mayor parte del límite entre los estados de Bahía y Pernambuco. Desvía su curso hacia el sureste y sirve de límite entre los estados de Sesgipe y Alagoas, y, finalmente, desemboca en el océano Atlántico. Las tribus del interior lo llaman *Pará*, que equivale a mar o agua grande.

San Gotardo. Macizo central de los Alpes Suizos, cuyo pico más alto es el Pizzo Rotondo (3,197 m). En este macizo nacen el Rin y el Ródano. El célebre paso de San Gotardo es utilizado desde la antigüedad. En el siglo XIV se fundó un convento y hospicio que hoy alberga una estación meteorológica. El camino, peligroso a causa de los aludes, ha perdido importancia desde la apertura del túnel de 15 km de largo, inaugurado en 1882, por el cual pasa uno de los ferrocarriles que unen Suiza con Italia.

Iglesia en San José de Costa Rica.

Corel Stock Photo Library

San Isidro. Ciudad de la provincia de Buenos Aires, en la República Argentina, cabecera del partido homónimo. Fundada en 1719. Cuenta con 299,022 habitantes (1995). Está situada a 21 km de la capital federal formando parte de la Gran Buenos Aires. Posee uno de los hipódromos más hermosos de América Latina.

San José. Ciudad capital de la República de Costa Rica y de la provincia de su nombre. Situada a 1,200 m de altura en el centro del país, a 164 Km de Puerto Limón, en el Atlántico, y 114 km de Puntarenas, en el Pacífico, a los que está unida por ferrocarril. Clima templado con marcado descenso de temperatura en las noches. Centro de una fértil zona productora de café, cacao y caña de azúcar. Población: 1.186,417 habitantes en su área metropolitana. Industrias textiles, de artículos de cuero, maderas y otras menores. Ciudad moderna, bien diseñada, con calles y paseos amplios y hermosos alrededores. Sobresalen sus parques Central, Morazán y España; de sus edificios: la catedral, Biblioteca Nacional, Escuela de Derecho, museo Nacional, los teatros Raventós y Palace, Banco Nacional y particularmente su Teatro Nacional, que es uno de los más hermosos de su clase por sus comodidades y artísticas decoraciones. La ciudad ha sido parcialmente destruida por varios terremotos en 1879, 1888 y 1924, pero rápidamente se han reconstruido las zonas afectadas con enormes progresos. Fue fundada a mediados del siglo XVIII, aprovechándose el lugar en que se hallaba una pequeña aldea denominada La Villita, en el valle del Abra, pero no fue capital del país hasta 1823 al producirse el movimiento de la independencia centroamericana. En 1921 fue sede de la conferencia de plenipotenciarios de la que surgió el pacto de Unión Centroamericana. En 1960 se realizaron las reuniones de ministros de Relaciones Exteriores de la OEA donde se condenó implícitamente el apoyo de la Unión Soviética a Cuba, provocando que ésta se retirara antes de la firma de la Declaración de San José. En 1988, se reúnen en la ciudad los cinco presidentes de Centroamérica e inician la evaluación del plan Esquipulas II. Cruza por ella la Carretera Panamericana, y su vecino aeródromo llamado Juan Santamaría mantiene servicios internos e internacionales diarios, estos últimos hacia New York por la vía de México, en el norte, y hacia Panamá en el sur.

San José. Departamento de Uruguay, situado en la parte meridional de la nación. Colinda con los de Montevideo, Canelones,

Florida, Flores, Soriano y Colonia, y con el Río de la Plata. Ocupa un área de 4,992 km^2, con 91,874 habitantes (1995). Sus principales ríos son el San José y el Santa Lucía. La capital es San José de Mayo y otras ciudades importantes son las de Libertad, Rodríguez, Santa Ecilda e Ituzaingó. Sus actividades económicas principales son la ganadería y los cereales. Produce ropa, muebles, artículos de piel y partes de automóvil.

San José. Provincia de la República de Costa Rica que corresponde a una parte de la meseta central del país, situada a unos 1,200 m de altura y rodeada de elevadas montañas. La riegan numerosos ríos de los que el Grande de Tárcoles y el Pirris, son los principales. Superficie: 4,960 km^2. Población: 1.209,045 habitantes (1995). Capital: San José, que también lo es de la república. Producción de café, caña de azúcar, tabaco, cereales, legumbres, plátanos, etcétera, e importante ganadería; estas actividades giran en torno a la capital, San José.

Nova Development

Vista panorámica de San Juan, Puerto Rico.

San José de Mayo. Ciudad uruguaya, capital del departamento de San José. Está situada en la confluencia del río San José y el arroyo Carreta Quemada, a 93 km de Montevideo. Se halla en el centro de una zona esencialmente agrícola y ganadera. De 1825 a 1826 fue sede del gobierno provisional de Uruguay. Su población alcanza 31,732 habitantes.

San Juan. Ciudad argentina, capital de la provincia de su nombre, situada al pie de la cordillera de los Andes, a 636 m de altura. Población: 352,691 habitantes. Clima seco y saludable, frío en invierno y caluroso en verano. Importante centro agrícola, de una región cuyos viñedos son famosos, siendo su producción la mayor fuente de la economía local y de la provincia. Destruida en numerosas ocasiones, la última en enero de 1944, por terremotos que la han devastado, se ha reconstruido con ejemplar esfuerzo, y sus características coloniales se van perdiendo en su transformación moderna. Se encuentra enlazada por ferrocarril a Mendoza y resto del país, así como por carreteras que se consideran de las mejores. También tiene vías terrestres a Chile y es muy visitada por viajeros y comerciantes de esa república. Fue fundada en 1562 por Juan Jufré, con el nombre de San Juan de la Frontera, encontrándose allí una colonia de indios huarpes. Su importancia creció rápidamente en los días que precedieron al cruce de los Andes por el Ejército Libertador de San Martín. Fue cuna de Domingo Faustino Sarmiento del que se conservan importantes recuerdos históricos. Sus edificios públicos modernos figuran entre los mejores del país, así como sus paseos y avenidas, en los que se alzan estatuas de Sarmiento, Santa María de Oro, Aberestain y José María del Carril, el autor de la famosa *Carta de Mayo*. En el parque San Martín se alza un monumento ecuestre del prócer. Posee notables colegios e institutos: nacional, normal, de minas, de agricultura, de artes y oficios y un hogar agrícola. Son importantes sus comercios de ganados y frutas y está próxima a famosas aguas termales que atraen visitantes en los meses de verano. Es la ciudad argentina de mayor importancia que se encuentra más próxima a dos de las mayores alturas de la cordillera de los Andes: el cerro Mercedario (6,670 m) y el Toro (6,382 m), que corresponden a su provincia, por lo que de allí parten o cruzan muchas de las expediciones que en el país y el exterior se organizan para ascender a dicha cordillera.

San Juan. Capital y ciudad principal de Puerto Rico, situada en la bahía de su nombre, en la costa noreste de la isla. Es el centro industrial, comercial y político más importante del Estado Libre Asociado. Su gran bahía natural, su dique seco y sus servicios de astilleros para la reparación de buques hacen de San Juan uno de los

Crucero Nordic Prince *llegando a la bahía de San Juan en Puerto Rico.*

Corel Stock Photo Library

mejores y más activos puertos marítimos de las Antillas. Es, además, un popular lugar de recreo adonde llegan todos los años más de un millón de turistas, por mar o al aeropuerto internacional de San Juan, para disfrutar de su agradable clima y de las playas de los alrededores.

La ciudad fue fundada en 1509, cuando Juan Ponce de León trasladó su colonia desde Cáparra hasta la isleta coralífera de la punta de la península, al otro lado de la bahía. La denominó Puerto Rico por su excelente puerto; más tarde, la denominación se extendió a toda la colonia y la ciudad fue bautizada de nuevo como San Juan Bautista, que originalmente, fue el nombre español de la isla.

Según el programa del Instituto de Cultura Puertorriqueña y como recuerdo de lo que fue la ciudad durante la época colonial han sido restaurados muchos lugares del Viejo San Juan: el castillo del Morro, maciza fortificación comenzada en 1539 y situada en la entrada de la bahía, que resistió numerosos ataques y asedios de ingleses, franceses y holandeses, partes de la vieja muralla de la ciudad, incluyendo la famosa puerta de San Juan; la catedral de San Juan Bautista, del siglo XVI, donde se encuentra la tumba de Ponce de León; la Fortaleza, palacio de los gobernadores españoles; el teatro Tapia y numerosas calles, casas y patios de la época colonial.

A partir de su fundación y hasta principios del siglo XIX, la ciudad se convirtió en un poderoso centro de distribución de esclavos. Para contrarrestar los ataques de los corsarios ingleses, franceses y holandeses, en 1533 se inició la conversión de la ciudad en un potente baluarte que defendiera la entrada del Caribe. En 1595 fue rechazado el ataque de Francis Drake, pero en junio de 1598 fue tomada por George Clifford, conde de Cumberland, y John Berkeley. En septiembre de 1625 entraron en ella los holandeses, quienes la incendiaron. Su sistema de defensas fue perfeccionado de nuevo en 1765 por orden de Carlos III. Al estallar en 1898 la guerra hispano-americana, fue bombardeada por la escuadra del almirante William Thomas Sampson (12 de mayo de 1898) y ocupada por las tropas estadounidenses.

Durante el siglo XX, la ciudad ha crecido rápidamente, extendiéndose desde la isleta original hasta el barrio moderno y residencial de Santurce, en tierra firme, y el centro turístico y de convenciones de El Condado, sobre el océano. La región metropolitana comprende actualmente el complejo industrial de Hato Rey, la ciudad universitaria de Río Piedras, Carolina, Guaynabo, Cataño y otros tres municipios. Esta región es la zona industrial más importante de Puerto Rico; tiene refinería de petróleo y produce azúcar, ron, cristal, papel y muchos otros productos. En la capital están varios edificios gubernamentales del Estado Libre Asociado, excelentes museos, la Universidad de Puerto Rico y dos colegios de enseñanza superior. Entre los edificios modernos destacan el Ayuntamiento, la Diputación y el teatro.

La población del municipio de San Juan es de 437,745 habitantes. El área metropolitana, sin embargo, tiene 1.222,316 habitantes (1995).

San Juan. Provincia argentina situada en el oeste del país. Limita al norte y al este con la provincia de La Rioja, al sur con San Luis y Mendoza, y al oeste con Chile. Tiene una superficie de 89,651 km^2 y una población de 550,641 habitantes. Su capital es San Juan, 352,691 habitantes. Su suelo, montañoso al oeste y llano al este, es árido o semiárido por la escasez de lluvias. Se explotan minerales, como sulfato de magnesio, cobre, alumbre, sulfato de hierro y plomo. San Juan es famosa por su producción vinícola que es su principal actividad agrícola. Produce alrededor de 300,000 ton de uva y 7.693,517 hectolitros anuales de vino, cantidad sólo superada por la provincia de Mendoza. Los constantes perfeccionamientos han permitido producir vinos finos de excelente calidad y de renombre nacional e internacional. También produce excelente brandy. Importantes comunicaciones ferroviarias unen la provincia con las zonas vecinas y con la capital federal. Fue colonizada por españoles provenientes de Chile. Perteneciente a la provincia de Cuyo, en 1776 fue traspasada de la capitanía general de Chile al virreinato del Río de la Plata, convirtiéndose en provincia durante la independencia argentina.

San Juan. Río de América Central, llamado también Desaguadero, que nace en el extremo sureste del lago de Nicaragua del cual es emisario. Corre en dirección sureste y constituye parte de la frontera entre Nicaragua y Costa Rica. Tiene una longitud total de 174 km y desemboca en el Mar Caribe. Cuenta con numerosos afluentes (Ochoa, San Francisco, Deseado, San Carlos, Sarapiqui, etcétera), y varias pequeñas islas se alzan en sus partes más anchas. Es navegable en distintas secciones de su curso. Se han hecho importantes estudios y trazado proyectos de ingeniería relacionados con la posibilidad de aprovechar este río en la construcción de un canal interoceánico.

San Juan o Saint John. *Véase* TERRANOVA.

San Justo. Localidad de la provincia de Buenos Aires, en la República Argentina, cabecera del partido de Matanzas. La población del casco urbano asciende a 32,720 habitantes y la de todo el partido a 99,100. Dista 23 km del centro de la capital federal. Posee numerosas fábricas textiles y metalúrgicas.

San Lorenzo, río. El mayor río de Canadá y uno de los más importantes del mundo por su significación hidrográfica, económica y política a lo largo de sus 3,050 km de recorrido desde su nacimiento, que se sitúa en el noreste del estado de Minnesota, en Estados Unidos, con el nombre de San Luis, hasta su desagüe en el golfo de San Lorenzo en el océano Atlántico. Constituye parte de la frontera entre Estados Unidos y Canadá. Corre de oeste a este y cruza los lagos Superior, Hurón, Erie y Ontario, de los que es emisario. Navegable desde el océano Atlántico al lago Superior. Cuenca: 1.400,000 km^2. Anchura máxima: 16 km; mínima, 1,600 m. Fue descubierto por Jacques Cartier (1535), pero quien lo reconoció y exploró fue el fundador de Canadá (1603), Samuel Champlain, ambos franceses. En su desembocadura forma un gran estuario de cerca de 200 km de ancho, al que se penetra por amplios canales. Recibe gran número de afluentes de Estados Unidos y Canadá. *Véase* CANADÁ.

San Luis. Ciudad de la República Argentina, capital de la provincia del mismo nombre. Fue fundada en 1596 por Martín García de Loyola y recibió el nombre de San Luis Nueva Palmira del Río Seco. Tiene una población de 121,146 habitantes (1995), y una superficie de 13,120 km^2. Está situada a orillas del arroyo Chorrillo y en el extremo sur de la sierra Punta de Venados, de donde proviene el apodo de *puntanos* que se aplica a sus pobladores. Su función más importante es la administrativa; es además centro comercial de un área agropecuaria y sede de algunas industrias (ramas de la alimentación, calzado, textil, cerámica). Tiene ferrocarril y carretera a Buenos Aires y a Mendoza, aeropuerto y obispado.

San Luis. Principal ciudad del estado de Missouri, en Estados Unidos sobre la margen occidental del río Mississippi, 16 km al sur de la unión del río Missouri con el Mississippi. Población: 396,685 habitantes, que unidos a los de su área metropolitana ascienden a 2.444,099 habitantes (1995). Gran centro industrial, ferroviario y aéreo. Posee dos grandes universidades e importantes museos, bibliotecas, institutos y otros grandes centros culturales. Fundada en 1764 por el tratante de pieles francés, Pierre Laclède.

San Luis. Provincia argentina situada en la región central, que cubre una superficie de 76,748 km^2 y tiene una población de 286,379 habitantes (1995), 52% de la población vive en ciudades entre las cuales San Luis, la capital, y Mercedes son las de mayor importancia. La parte norte está cubierta de sierras, cuyas alturas no pasan los 1,000 m, en tanto que en el sur predomina la llanura pampeana. La falta de lluvias hace que esta zona sea árida y poco apta para la agricultura, si bien se intensifican las obras de riego. La ganadería más desarrollada está representada por ganado bovino, ovino, caprino, asnal y mular. La explotación del tungsteno constituye la principal riqueza minera de la provincia, produciendo las dos terceras partes de la producción nacional. Ocupan lugar importante la explotación del cuarzo –el primer lugar en el país–, mineral de berilio, calizas, mármoles, sal común, mica, feldespato, yeso y bismuto. La industria está poco desarrollada, y se concentra en la rama de la alimentación. Cuenta con importantes comunicaciones ferroviarias y camineras que la unen al resto del país.

San Luis Potosí. Ciudad del centro de México, capital del estado de su nombre: tiene 488,238 habitantes (1996) y está situada a 1,877 m sobre el nivel del mar, en un hermoso y extenso valle. Es ciudad agradable y bella, gran centro mercantil, industrial y ferroviario de su estado, y una de las ciudades más importantes de la nación. Tiene fundiciones, plantas metalúrgicas, fábricas de hilados y tejidos, de ropa y de muebles, y otras muchas industrias. Entre sus edificios más notables figuran el palacio de Gobierno, el instituto, el teatro de la Paz, la catedral y los templos de San Agustín, San Francisco, El Carmen, San José y Nuestra Señora de Guadalupe. Es sede de la Universidad de San Luis Potosí.

Historia. Fue fundada en 1576 por Luis de Lieja y trasladada a su emplazamiento actual en 1592, añadiéndosele el nombre de Potosí para destacar que la enorme riqueza de la mina de oro cercana a la ciudad era comparable a la del Potosí boliviano.

San Luis Potosí. Estado del centro de México. Tiene 63,068 km^2 y 2.191,712 habitantes (1996). Limita con los estados de Zacatecas, Nuevo León, Tamaulipas, Veracruz, Hidalgo, Querétaro, Guanajuato y Jalisco. Sus principales centros de población son San Luis Potosí, capital del estado (488,238 h.), Ciudad Valles (89,300 h.), Matehuala (49,245 h.), Río Verde (18,804 h.), Charcas, Cerritos, Cárdenas y Tamazunchale.

Atraviesa el estado la Sierra Madre Oriental, y numerosas estribaciones que salen de ella, entre otras las sierras de San Luis, Guadalcázar, y parte de la Sierra Gorda y de la de Zacatecas. Al norte se extiende parte de las áridas llanuras boreales, que reciben el nombre de Valle del Salado; al sureste, fértiles valles y llanuras bien regadas en la llamada Huasteca Potosina. El terreno presenta gran diversidad de alturas, de menos de 100 m a 3,000 m, con montañas y valles, barrancas y cañones. Entre los ríos principales se cuentan el Moctezuma, Santa María, Tamuín, Valles y Verde. Existen numerosas lagunas y manantiales de aguas termales. El clima es variado: cálido y húmedo al sureste, templado al suroeste, cálido y seco al centro, frío en las sierras, y seco y estepario al norte y al oeste.

Se explotan numerosos y ricos yacimientos de oro, plata, cobre, mercurio, plomo, cinc, antimonio, cadmio, manganeso, petróleo, sal, etcétera. Se cultiva maíz, frijol, trigo, caña de azúcar, café, arroz, patatas, alfalfa, maguey, guayule, nopal, frutas y otros productos agrícolas. Hay gran riqueza forestal y la ganadería es muy importante. En los grandes centros mineros existen fundiciones, plantas metalúrgicas y de beneficios de metales. Hay fábricas de hilados y tejidos, de fibras textiles de yute, henequén y palma, ingenios de azúcar, destilerías de alcohol, fábricas de cerveza, harinas, queso y diversos productos alimentarios, cerámica, vidrio, curtidurías, muebles, etcétera. La red de vías de comunicación es excelente y cuenta con varias líneas de ferrocarril, buenas carreteras y servicios aéreos, que enlazan las principales poblaciones del estado con el resto de la nación.

Historia. Habitaban el territorio en tiempos prehispánicos, chichimecas, huastecas y huachichiles. A mediados del siglo XVI, el conquistador Juan de Oñate exploró la región y abnegados misioneros establecieron numerosas misiones.

Catedral de San Luis Potosí, México.

Corel Stock Photo Library

Durante la dominación española perteneció a la Intendencia de San Luis Potosí, y después de independizarse México, se constituyó en estado, en 1824.

San Marcos. Departamento del suroeste de Guatemala, limítrofe con México y el océano Pacífico. Superficie: 3,791 km^2. Población: 723,075 habitantes (1995). Lo atraviesa en su centro una sección de la Sierra Madre, con importantes cimas volcánicas como el Tajumulco y el Tacaná. El clima es cálido en la costa del Pacífico y templado en las tierras altas. Ambas zonas son muy fértiles, y producen café, plátanos, zarzaparrilla, maíz, azúcar, cacao, tabaco, algodón, arroz, hule, avena, cebada, patatas y frijol. Dividido en 30 municipios, su capital es la ciudad de San Marcos, con 29,899 habitantes (1994).

San Marino. Estado republicano de Europa. Está situado a 13 km de la costa del Adriático, entre las provincias de Forli y Pésaro-Urbino, en Italia central. Superficie: 60.57 km^2. Población: 23,687 habitantes (1995), 3,250 de los cuales residen en la capital, San Marino, situada en el monte Titán (739 m de altura), y cuyo centro comercial es Borgo Maggiore. Otra ciudad importante es Serravalle-Dogano. Su forma de gobierno es la república. Su lengua oficial es el italiano. La principal religión es la católica (95.2%), los no religiosos son escasos (3%). Su composición étnica se divide en sanmarineses (77.7%), italianos (21.1%) y otros (1.2%). Su unidad monetaria es la lira. Es miembro de la ONU, OSCE y el Consejo de Europa. Su clima es suave y templado. La economía es principalmente agrícola y ganadera. Se cultiva trigo, maíz, vid, heno y fruta. La ganadería comprende vacunos y porcinos. Se cría el gusano de seda y se fomentan los colmenares. La industria consiste principalmente en la elaboración de vino, tejidos de lana, pieles, cerámica y piedra de construcción.

Con todo, la mayor fuente de ingresos del país es el turismo (3.500,000 visitantes anuales) y sus actividades derivadas. También se obtienen recursos de la venta de sellos postales pare coleccionistas. Existe además un convenio con el Estado italiano pare no vender tabaco, sal o cerillas que no sean de fabricación italiana o que no estén sujetos a impuestos italianos. Italia da a San Marino una compensación monetaria por este concepto. A diferencia de otros minúsculos Estados europeos como Mónaco o Andorra, los ciudadanos de San Marino no disfrutan de ninguna ventaja fiscal en relación con los italianos. Su renta per cápita, superior en 10 % a la italiana le sitúa en el grupo de países desarrollados.

San Marino está conectada a italia, además de por carreteras, por una autopista de 12 km que se une a la autopista italiana Mi-

Corel Stock Photo Library

Vista panorámica de un castillo en San Marino.

lán-Rímini, por un funicular y por helicóptero. El sistema de telecomunicaciones se encuentra integrado en el italiano.

Historia. Según la tradición, un dálmata de nombre Marino se estableció en el monte Titano en el siglo IV, huyendo de las persecuciones contra los cristianos. Hizo allí vida de santo, y con leñadores y pastores que lo acompañaron organizó la comunidad que a fines del siglo XIII se transformó en Estado independiente. Durante el feudalismo se disputaron su posesión las familias de los Rímini y los Montefeltro, y tras las luchas entre güelfos y gibelinos quedó bajo el dominio de los duques de Urbino. Actuando como República independiente, en 1463 se alió con el papa Pío II y con Federico de Urbino pare enfrentarse a la familia de los Malatesta. A consecuencia de esta lucha aumentó su pequeño territorio con los castillos de Fiorentino, Montegiardino Serravalle y Faetano. A mediados del siglo XV se estabilizó su forma de gobierno mediante la creación del Gran Consejo, integrado por 60 ciudadanos: 20 nobles, 20 burgueses y otros tantos campesinos. Durante el siglo XVI perdió su independencia, por poco tiempo, al caer bajo el dominio de César Borgia. Terminado éste, la corrupción y la discordia entre los miembros del Gran Consejo, cuyos , *Estatutos*, datan de 1600, ocasionaron un periodo de decadencia que terminó con su incorporación a los Estados Pontífices en 1739. En 1797, Napoleón Bonaparte reconoció su independencia, y, terminadas las guerras napoleónicas lo hizo asimismo Metternich en el congreso de Viena. Durante el siglo XIX San Marino se distinguió por conceder refugio a los liberales italianos partidarios de la unificación, lo cual valió a la República la enemistad de los pontífices. En 1851 sufrió una invasión de tropas austriacas y pontificias por haber concedido asilo político a varios ex diputados de la República Romana. Alcanzada la unificación italiana, la República firmó un tratado de paz con el nuevo Estado (1897), que ratificaba los de 1862 y 1872 y posteriormente se confirió carácter electivo al Gran Consejo (1906). Participó al lado de italia en la Primera Guerra Mundial, y en 1923 se implantó el fascismo en el país. Durante la Segunda Guerra Mundial sufrió diversas vicisitudes, como el bombardeo británico y la invasión de tropas alemanas. Terminada la contienda, se restauró el gobierno democrático, de acuerdo con la forma tradicional, y se renovó el tratado con italia (1953). Una coalición de socialistas y comunistas gobernó el país hasta 1957, en que se abrió una crisis política, resuelta con el acceso al poder de los democristianos, que siguieron gobernando pese a la grave crisis de 1966. En marzo de 1973 se constituyó un gobierno de coalición formado por democristianos, socialistas y miembros del Movimiento para la Libertad Estatuaria. Las elecciones de septiembre de 1974 dieron el triunfo a la Democracia Cristiana, que formó un gobierno de coalición. La retirada de los socialistas del gobierno en 1977 provocó elecciones anticipadas (mayo 1978), que permitieron la formación de un gobierno de izquierdas y la elección de un comunista y un socialista como regentes. El gobierno de izquierdas (coalición de comunistas, socialistas y socialistas unitarios) se mantuvo después de las elecciones de mayo de 1983, pero hubo de convocar elecciones anticipadas en 1986, de las que surgió un gobierno de compromiso entre democristianos y comunistas, coalición que volvió a repetirse como resultado de las elecciones de mayo de 1988. El 16 de diciembre de 1991, San Marino firmó un acuerdo de cooperación con la CE, y el 2 de marzo de 1992 ingresó en la ONU. De las elecciones legislativas de 1993 se desprendió una vez mas un gobierno de cristianodemócratas (26 escaños) y socialistas (14); los comunistas del PPDS obtuvieron 11 escaños.

Forma de gobierno. Es la República más antigua del mundo. El poder Legislativo lo ejerce el Gran Consejo General (Consiglio Grande e Generale), de 60 miembros, elegidos por un periodo de cinco años por sufragio universal (las mujeres obtuvieron el derecho de voto en 1958). El Gran Consejo elige en su seno a dos regentes (capitani reggenti) con funciones de jefe de Estado, para un periodo de seis meses, los cuales ejercen el poder ejecutivo conjuntamente con el gobierno o Consejo de Estado (Congresso di Stato), de 10 miembros.

Arte. La capital conserve su aspecto medieval, accediéndose a la misma por la puerta de San Francisco (s. XIV). Sus principales monumentos son las tres fortalezas medievales: la Rocca (s. X), restaurada en el siglo XV; la Cesta (s. XIII), restaurada en el siglo XIV, y la Montale (s. XIV). La iglesia gótica de San Francisco (s. XIV) fue transformada en el siglo XVII. Basílica neoclásica de San Marino (s. XIX). Palacio gótico del Gobierno. Museo de pintura (Guercino, Ribera, Palma *el Joven*, etcétera), objetos artísticos y antigüedades. Museo de armas. *Véase* ITALIA. *(Mapa)*

San Martín.

Departamento de Perú, situado entre los de Loreto, Huánuco, La Libertad y Amazonas. Tiene una población de 460,000 habitantes. Se halla dividido en siete provincias, siendo su capital la ciudad de Moyobamba, que cuenta con 15,138 habitantes y se encuentra a orillas del río Mayo, uno de los numerosos afluentes del río Huallaga, que baña esta región. Es una zona cruzada por dos cordilleras, la Central y la Oriental. Tiene 51,253 km^2 y posee escasas vías de comunicación. Los cultivos constituyen su principal riqueza; se destacan los de caña de azúcar, tabaco, bananos, yuca, maíz, frijol, arroz, café. Su ganadería es vacuna, porcina y equina.

San Martín, José de (1778-1850).

Prócer de la independencia sudamericana, que comparte con Simón Bolívar el glorioso título de Libertador de América. Hijo de Juan de San Martín, militar español. San Martín nació en Yapeyú (Argentina), pueblo de las antiguas misiones jesuitas. En 1784 sus padres se trasladaron a España donde había de transcurrir gran parte de su infancia y juventud. Estudió en el Real Seminario de Nobles de Madrid para seguir luego, muy joven, la carrera de las armas. Ingresó en 1789 en el regimiento de infantería de Murcia, prestando servicios en Melilla y Orán (África). Iniciada la guerra contra la Francia revolucionaria, San Martín realizó la campaña del Rosellón, y tomó parte en numerosos encuentros. En 1801, durante la campaña de Portugal, participó en el asedio y rendición de la plaza fuerte de Olivenza. En 1808, al levantarse el pueblo español contra los franceses, San Martín se destacó por su acción personal en el combate de Arjonilla, motivando que la *Gaceta* de Sevilla le dedicase un suelto especial. Se batió asimismo en Andújar, Bailén y Albuera.

Al producirse en Buenos Aires el grito emancipador de 1810, San Martín llevaba más de 20 años al servicio de España y había alcanzado el grado de teniente coronel. Para entonces ya estaba iniciado en los grupos o logias de americanos que se reunían preferentemente en Cádiz para tratar de la independencia de América. Dispuesto a servir a su patria de origen, San Martín solicitó su retiro militar, renunciando a su carrera y a su porvenir para entregarse a los azares de la guerra americana. En 1811 salió de Cádiz con destino a Londres, donde trabó conocimiento con otros americanos que se reunían en una logia fundada por el precursor Francisco de Miranda. En marzo de 1812 San Martín arribó a Buenos Aires y ofreció sus servicios al gobierno revolucionario, quien le encargó la formación de un cuerpo de caballería. Bartolomé Mitre escribió a este propósito: "El primer escuadrón de granaderos a caballo fue la escuela rudimentaria en que se educó una generación de héroes. En este molde se vació un nuevo tipo de soldado, animado de un nuevo espíritu, como hizo Oliver Cromwell en la Revolución de Inglaterra, empezando por un regimiento para crear el tipo de un ejército y el nervio de una situación. Bajo una disciplina austera, que no anonadaba la energía individual, y más bien la retemplaba, formó San Martín, soldado por soldado, oficial por oficial, apasionándolos por el deber, y les inculcó el fanatismo frío de coraje, que se considera invencible y es el secreto de vencer. Los medios sencillos y originales de que se valió para alcanzar ese resultado demuestran que sabía gobernar, con igual pulso y maestría, espadas y voluntades". Con este escuadrón, San Martín, derrotó en febrero de 1813 en San Lorenzo, a orillas del Paraná, a una fuerza naval de desembarco realista. Esta victoria fue consagratoria para el jefe y su regimiento.

La Revolución Argentina pasaba por momentos muy difíciles en aquellos días. Las derrotas en Vilcapugio y Ayohuma dieron a los realistas el dominio de todo el Alto Perú, abriendo el camino para la invasión por las provincias del norte. En aquel instante San Martín es nombrado general en jefe del Ejército del Norte, y llega a Tucumán, en enero de 1814, para hacerse cargo de la situación. Fue allí donde su visión militar le advirtió que el camino del Alto Perú era largo y difícil. Era preciso desalojar al enemigo de su más importante reducto, que era Lima. Concibió el plan, que guardó algún tiempo en secreto y que muy raramente reveló. Ese plan consistía en atravesar la cordillera de los Andes, penetrar en territorio chileno con un ejército bien disciplinado y después de derrotar a los realistas, dirigirse por mar a Perú para tomar Lima. Poco tiempo después, renunció al mando del ejército y se trasladó, enfermo, a Córdoba. Allí le alcanzó su nombramiento de gobernador de la intendencia de Cuyo, que él había solicitado. Se le nombraba en circunstancias en que la revolución chilena atravesaba una crisis muy difícil y era menester reforzar la región de Cuyo. En agosto de 1814 se hizo cargo del mando y poco más tarde debió dictar medidas para proteger a más de 2,000 patriotas chilenos que emigraban de su patria después que la revolución había sucumbido en la batalla de Rancagua. Era necesario ahora la reconquista de Chile como el primer paso para el cumplimiento del plan sanmartiniano de utilizar la vía del Pacífico para herir el poder realista en su corazón, Lima. Aquí comienza una intensa labor de San Martín para convencer al gobierno de Buenos Aires de apoyar su plan estratégico. La tarea era difícil porque el gobierno insistía en utilizar el camino ya tradicional del Alto Perú.

San Martín contó en Buenos Aires con la ayuda de Tomás Guido, que lo secundó en el esfuerzo de persuadir al gobierno a cambiar la estrategia revolucionaria. También lo secundó en el restablecimiento de la Logia Lautaro, que a la caída de Carlos de Alvear en 1815 había sido disuelta y que ahora se reorganizaba para servir a los planes de San Martín. Éste fue tejiendo los hilos y moviendo los resortes que convenía para imponer su idea, muy resistida al principio, hasta el extremo que varias veces el gobierno le expresó oficialmente su oposi-

Art Today

José de San Martín.

José de San Martín y Simón Bolívar cruzando los Andes.

Art Today

Corel Stock Photo Library

Vista panorámica de la cordillera de los Andes, por donde tuvo que atravesar el ejército de San Martín.

ción al proyecto. Pero, San Martín insistía una y otra vez, aprovechando toda circunstancia favorable y captando a través de la Logia Lautaro a muchas voluntades que le habían de ser muy útiles.

En este lapso se celebró el Congreso de Tucumán, al que San Martín prestó su más caluroso apoyo, instando a sus diputados a declarar decididamente la independencia del país, la que finalmente se proclamó el 9 de julio de 1816. El nuevo director supremo electo por el Congreso, Juan Martín de Pueyrredón, se decidió enteramente por los planes de San Martín, después que tuvo una entrevista con éste en Córdoba, en este mismo mes de julio. A partir de entonces, todo el poder de la nación se puso al servicio de la organización del Ejército de los Andes, que San Martín venía realizando cuidadosamente. En esta tarea nada quedó librado al azar: personalmente dirigía todos los trabajos a la vez que inspeccionaba los desfiladeros de los Andes que habría de atravesar con su ejército y se informaba detalladamente de la situación del país vecino que se proponía invadir, por medio de una ingeniosa guerra de zapa y hábil espionaje. Cuidaba hasta el último detalle de la instrucción y aprovisionamiento del ejército en su campamento del Plumerillo, y a ello se debió que a principios de 1817 se encontrase pronto a cruzar la cordillera. Todo ello fue posible por la solidaridad absoluta del pueblo cuyano con la empresa libertadora de San Martín quien se había ganado el afecto de aquél persuadiéndolo de la grandeza de la empresa y gobernando con ecuanimidad.

El gobierno argentino le dio instrucciones precisas, sugeridas por el mismo San Martín, en el sentido de que la expedición no tenía otro objeto que dar la libertad a Chile, sin ánimo de conquista, y como una etapa para ulteriores empresas de liberación americana. En enero de 1817, el Ejército de los Andes, de unos 5,000 hombres dio comienzo al cruce de la cordillera por cinco partes simultáneamente. El grueso lo hizo por los pasos de los Patos y Uspallata, cumpliéndose matemáticamente todas las etapas previstas por San Martín.

El mérito fundamental de esta operación reside en que aparte del cruce en sí mismo de una cordillera de extraordinaria magnitud, con pasos a 4,000 m de altura, éste fuese realizado en forma tal que el ejército estaba en condiciones de dar una batalla en cualquier momento. Esta operación ha sido estudiada y enaltecida por los técnicos del arte militar. El 12 de febrero de 1817 San Martín libró con éxito una batalla en la cuesta de Chacabuco, que le abrió las puertas de la capital chilena, la cual ocupó algunos días después.

Una asamblea de notables le designó por aclamación como director supremo, pero San Martín renunció a este cargo y en su lugar fue elegido el general chileno Bernardo O'Higgins, que le había acompañado en la empresa y se había distinguido particularmente en Chacabuco.

Después de este triunfo, que aseguró la libertad de Chile, San Martín se trasladó a Buenos Aires con el fin de acordar con este gobierno los medios para la organización de una escuadra que debía dominar el Pacífico y posibilitar el embarque de la expedición libertadora de Perú. Una vez en Buenos Aires, San Martín puso en juego su prestigio y movió los hilos de la Logia Lautaro, que había dejado establecida igualmente en Chile. Finalmente se convino que los estados de Chile y Argentina solventarían la creación de esta escuadra, despachándose sendos comisionados a Inglaterra y a Estados Unidos con objeto de contratar barcos y marinos.

De regreso en Chile, San Martín tomó el mando del ejército que ahora se llamó Ejército Unido de los Andes y de Chile, por habérsele incorporado el Ejército Nacional chileno recientemente creado. Entretanto, la batalla de Chacabuco no había sido suficiente para desalojar a los realistas de todo el territorio chileno. Éstos se habían retirado hacia el sur y aunque habían sufrido varias derrotas parciales, se habían encerrado finalmente en la plaza fuerte de Talcahuano, cuyo asalto final por parte de O'Higgins terminó con un fracaso. Simultáneamente desembarcaba en este punto un nuevo Ejército Realista enviado por el virrey de Perú, al mando del general Mariano Osorio, quien de inmediato tomó la ofensiva. Hubo marchas y contramarchas de carácter estratégico, hasta que los ejércitos de Osorio y San Martín se encontraron en el campo de Cancha Rayada, cerca de la ciudad de Talca, ocupando el último una situación favorable. En esas condiciones Osorio atacó imprevistamente en la noche del 19 de marzo de 1818, sorprendiendo y desorganizando la fuerza de San Martín, de la que sólo pudo salvarse una división al mando de Las Heras. Esta derrota provocó el pánico en la capital chilena, pero la presencia en ella de San Martín, a quien se creyó muerto en el encuentro, reanimó los espíritus y todos se dispusieron a jugar en una nueva batalla la defensa de la capital y la suerte de toda la campaña. Valido de su influjo en la tropa, San Martín reorganizó el ejército y dos semanas después se encontraba en condiciones de librar la batalla definitiva. Ambos ejércitos se encontraban en los llanos de Maipo, el 5 de abril de 1818, y después de seis horas de lucha los realistas fueron completamente batidos. Esta batalla, que consolidó definitivamente la libertad de Chile, tuvo una importancia extraordinaria para la causa de América. Desde entonces el virrey de Lima pasó a la defensiva, y a los ojos de Bolívar, en el otro extremo de América del Sur, no escapó la significación de esta victoria para la causa de la emancipación.

Pocos días habían pasado desde su triunfo en Maipo, cuando San Martín se puso en viaje nuevamente hacia Buenos Aires con objeto de recabar fondos para la organización de la campaña libertadora de Perú. En la capital porteña se le recibió con alborozo, pero hubo titubeos del gobierno para financiar la empresa, debido a las dificultades de orden interno por las que estaba atravesando. Se abre aquí un periodo de dos años, sumamente difícil para San

Martín, que también encontró resistencia en el gobierno chileno para colaborar en el costo de la expedición. San Martín libró una verdadera batalla con los hombres públicos de ambos países para convencerlos de la necesidad impostergable de realizar la campaña. Renunció en varias oportunidades al comando del ejército, pero los gobiernos no quisieron tratar esas renuncias. La angustia que sufría San Martín por el retardo en obtener un apoyo categórico, se combinaba con sus padecimientos físicos, que le mantuvieron inmovilizado en cama durante algunos periodos. Su correspondencia de esta época muestra a su espíritu sufriendo las alternativas de la euforia o la depresión, según eran las noticias que recibía referentes a su idea fija de realizar la expedición a Perú. Como el gobierno de Buenos Aires se decidiera finalmente en 1819 por utilizar el ejército de San Martín en la guerra civil que sostenía con los pueblos de las provincias de Entre Ríos, Santa Fe y Banda Oriental, San Martín no titubeó en desobedecer el llamado de su gobierno, desobediencia ratificada por todos los jefes superiores del Ejército, quienes se negaron a abandonar la empresa de libertar Perú a cambio de participar en la guerra civil. Éste fue un acto decisivo que motivó que la expedición tuviese el apoyo necesario y pudiera embarcar en Valparaíso, el 20 de agosto de 1820.

Acompañaba a San Martín en esta empresa el almirante Thomas Cochrane, décimo conde de Dundonald, al frente de la escuadra, formada en su mayor parte con presas tomadas al enemigo. La fuerza embarcada constaba de 4,500 hombres para invadir un territorio defendido por 23,000 soldados. El desembarco se produjo en Pisco, tras de lo cual San Martín desprendió una parte del ejército al mando del general Arenales en dirección a las sierras de Perú. Declaró el bloqueo de El Callao y reembarcó el resto del ejército para efectuar un nuevo desembarco en Huaura. Sin presentar batalla, desarrollando una serie de movimientos tácticos, San Martín obligó finalmente al virrey de Lima a abandonar la ciudad en julio de 1821, sin disparar un tiro. El 28 de este mismo mes, San Martín proclamó en la plaza mayor de Lima la independencia de Perú, expresando, mientras flameaba la bandera peruana por él creada: "Desde este momento Perú es libre e independiente por la voluntad del pueblo y por la justicia de la causa que Dios defiende".

Durante su gobierno en Perú, que ejerció con el título de Protector, San Martín fundó las bases del ejército nacional peruano y creó el poder Judicial independiente, además de fundar la biblioteca nacional y una escuela normal. Su gobierno en Perú duró un año, tras de lo cual se trasladó a Guayaquil a entrevistarse con Bolívar para tratar lo referente a la mejor forma de poner término a la guerra de la independencia. El 26 y 27 de julio de 1822 tuvo diversas conferencias con Bolívar, en las cuales ambos hombres públicos trataron las cuestiones que tenían relación con la causa de la independencia de Sudamérica. Al concluir las mismas, San Martín regresó a Lima dispuesto a dar término a su vida pública, dejando todo el campo a Bolívar por creer que esto era lo mejor para el destino de América. Una vez en Lima instaló el Congreso General, ante el cual renunció al poder de que estaba investido, con lo cual también cerraba el ciclo de su vida pública. Escribió con este motivo un Manifiesto al pueblo peruano, en el que expresaba que después de alcanzada la independencia de Chile y Perú, se consideraba recompensado de 10 años de guerra y penalidades, y no deseaba ejercer cargos públicos, y declaraba: "Mis promesas para con los pueblos en que he hecho la guerra están cumplidas: hacer su independencias y dejar a su voluntad la elección de sus gobiernos".

Este renunciamiento de San Martín ha sido consagratorio para mostrarnos las aristas de una personalidad moral por encima del nivel común.

Retirado de la vida pública, San Martín regresó a Mendoza por la vía de Valparaíso. En su chacra de Los Barriales, residió hasta 1823, sorprendiéndole aquí la noticia de la muerte de su esposa, Remedios Escalada de San Martín, ocurrida en Buenos Aires, donde se encontraba enferma desde tiempo atrás. En diciembre de este año se trasladó a Buenos Aires y poco después se embarcaba para Europa, acompañado de Mercedes, su hija única. De este modo San Martín daba comienzo a un exilio voluntario que se extendería por casi 30 años.

Este exilio de San Martín tiene dos etapas. En la primera, San Martín tocó en El Havre, y de allí pasó a Inglaterra y Escocia, designándole la ciudad de Banff con el título de ciudadano honorario. Después se radicó en Bruselas durante algunos años, pasando por grandes penurias económicas. Al estallar la guerra entre Argentina y Brasil, San Martín quiso trasladarse a prestar servicios a su patria; su mala salud retardó el viaje, de modo que cuando pudo hacerlo, en 1828, y arribó a Río de Janeiro, tuvo noticias de la firma de la paz. Continuó su viaje hasta la rada de Buenos Aires, pero no quiso desembarcar, dado que ambos partidos políticos, el unitario y el federal, solicitaban sus servicios, prontos a embarcarse en una guerra civil. San Martín se negó a utilizar su espada para una lucha entre compatriotas y prefirió alejarse nuevamente. Después de vivir unos meses en Montevideo, frustrados sus deseos de vivir en su país de origen, retornó a Europa.

De este modo daba comienzo a la segunda etapa de su exilio voluntario. Después de una breve estancia en Bélgica e Inglaterra, se radicó en Francia, donde residiría hasta su muerte. Instaló su casa en Grand-Bourg, donde vivió en compañía de su hija, yerno y dos nietas. Aquí recibió la visita de varios ilustres americanos que iban a rendirle homenaje y a recibir de sus labios sus impresiones sobre el proceso de la emancipación sudamericana.

San Mateo, Capitulación del. Rendición firmada el 24 de julio de 1812 por Francisco de Miranda y el capitán español Juan Domingo Monteverde que restablecía la autoridad española en Venezuela y la inmunidad a los patriotas que hubieran participado en la lucha. En cuanto se hizo efectiva la capitulación los españoles violaron el pacto.

San Miguel. Ciudad de la República de El Salvador, capital del departamento del mismo nombre. Está situada en un hermoso valle, a 14 km del volcán San Miguel y a 150 km de la capital del país. Es activo centro comercial de textiles, alimentarios, tenerías, cordelerías y materiales para construcción. Son famosas sus ferias periódicas. Los edificios modernos se alternan con los de estilo colonial. La población es de 182,817 habitantes (1992).

San Miguel. Departamento de El Salvador. De forma irregular, se extiende de norte a sur y colinda con Honduras y el Océano Pacífico y los departamentos de Morazán, La Unión, Usulután, San Vicente y Cabañas. Ocupa un área de 2,077 km^2, con 502,113 habitantes (1995). El clima es cálido y el territorio con gran parte montuosa. Produce café, arroz, maíz, azúcar, tabaco, etcétera. La capital es San Miguel.

San Nicolás de los Arroyos. Ciudad de la provincia de Buenos Aires (Argentina) y cabecera del partido del mismo nombre. Está situada a orillas del río Paraná y a 225 km de la ciudad de Buenos Aires. Cuenta con excelentes instalaciones portuarias. Su población es de 114,752 habitantes (1995). Tiene importantes industrias, pero sus principales riquezas son el ganado y la agricultura. Produce acero y tiene una importante planta termoeléctrica. Fue fundada el 14 de abril de 1748 por Rafael de Aguilar, con el nombre de San Nicolás de Bari y de los Arroyos. En esta ciudad se firmó en 1852 un acuerdo que lleva su nombre.

San Pablo. *Véase* SÃO PAULO.

San Pedro. Departamento de Paraguay, limítrofe con los de Caaguazú, Amambay, Concepción, Presidente Hayes y Cordillera. Ocupa una superficie de 20,002 km^2, con 284,000 habitantes

(1995). Clima tropical húmedo, con temperaturas medias anuales que oscilan entre los 22 y 25 °C y precipitaciones entre 1,350 y 1,500 mm. Además del río Paraguay lo recorre, entre otros, por sus afluentes Ypané (norte) y Jejuí-Guazú (centro). Un extenso sector pantanoso cubre el suroeste. Más de 80% es población rural. Su producción es principalmente agrícola y se cultiva yerba mate, naranjas, tabaco, maíz, maní, mandioca. Además de la capital, San Pedro (26,293 h.), los principales núcleos de población Rosario, puerto en Paraguay, y San Estanislao.

San Pedro de Macorís. Provincia en el sureste de la República Dominicana con litoral al Caribe. Superficie: 1,166 km^2 y 212,886 habitantes (1995). Es uno de los principales centros de la industria azucarera y cuenta con importante ganadería vacuna. Administrativamente se divide en tres municipios; la capital, San Pedro de Macorís (212,886 h.), es sede universitaria.

San Pedro de Roma. Suntuosa basílica en la ciudad del Vaticano, en el sector oeste de Roma, capital de Italia. Se levanta en la falda oriental de la colina del Vaticano, y es conocida también con el nombre de San Pedro del Vaticano. Es el templo más grande de la cristiandad y una de las más bellas creaciones del Renacimiento. Según la tradición, en el sitio que ocupa la basílica fue martirizado el apóstol san Pedro, el año 67. Allí también fueron martirizados muchos de los cristianos acusados por Nerón de haber incendiado Roma. Debido a ello, y a que los sucesores de san Pedro deseaban ser sepultados en ese lugar, el papa san Anacleto edificó sobre él un santuario. El año 324, el emperador Constantino *el Grande* decidió la erección de una basílica, que no pudo ver terminada y que fue consagrada bajo el reinado de Constancio en el año 349. La basílica fue dotada de ricos ornamentos y entre sus tesoros se contaba una gran cruz de oro. Tenía cinco naves a las que daban acceso cinco puertas; el gran atrio estaba rodeado de una columnata en que fueron enterrados monarcas, personajes de la nobleza y altas dignidades eclesiásticas. Posteriormente se agregó un mausoleo para Honorio y Teodosio. Siglos más tarde, se observó que las paredes de la basílica estaban considerablemente desviadas. El papa Nicolás V dispuso demolerla y construir otra. Había servido al culto durante 12 siglos.

Corel Stock Photo Library

La Basílica de San Pedro en Roma.

La primera piedra de la nueva basílica de San Pedro de Roma fue colocada por el papa Julio II en 1506. El plano y la dirección de la obra se confiaron al célebre arquitecto, Donato d'Agnolo, llamado *el Bramante*. En 1521 León X nombró a Rafael director de los trabajos, y tuvo como colaboradores a Julián de Sangallo y Fra Giocondo de Verona. Poco a poco la actividad con que se había venido trabajando disminuyó hasta llegar casi al abandono; pero al ascender a la silla pontificia Paulo III, nombró a Miguel Angel Buonarroti jefe de la obra (1547), quien diseñó la gran cúpula a imitación de la que Filippo Brunelleschi hizo para la catedral de Florencia. Giacomo della Porta terminó la cúpula, haciéndole algunas modificaciones entre 1588 y 1590. El 18 de noviembre de 1626, la nueva basílica de San Pedro fue solemnemente consagrada por el papa Urbano VIII.

La plaza de San Pedro que da acceso a la basílica es una grandiosa concepción arquitectónica cuyos planos y construcción, que se efectuó de 1656 a 1667, fueron debidos a Bernini. Forma una gran elipse de 339 m por 240 m, limitada por una columnata cuádruple, que tiene 88 pilastras y 284 columnas del orden dórico. En el cornisamento que corona la columnata se alzan 162 estatuas de santos. En el centro de la plaza se levanta un obelisco egipcio de 25 m de altura, y a los lados dos fuentes monumentales. Por su lado oeste, el óvalo de la plaza se une a un gran espacio cuadrangular, cuyo lado oeste lo forma la fachada principal de la basílica.

Las dimensiones principales de la basílica son: largo total exterior, 211 m, e interior, 187 m, el ancho máximo, a través de los brazos del crucero central, es de 137.5 m. El diámetro interior de la cúpula es de 42 m y su altura, hasta la cruz, es de 132 m. La fachada de la basílica corresponde al estilo barroco y fue construida por Carlo Maderno; tiene 114 m de ancho y 45 m de alto. Está coronada por estatuas de 5.7 m de altura, que representan a Cristo, a san Juan Bautista y a 11 de los 12 apóstoles, debido a que la estatua de san Pedro está en el interior de la basílica. Un pórtico monumental, con cinco grandes puertas, da acceso al interior del templo. La puerta central, de bronce, tiene notables bajorrelieves, obra de Antonio Arelino Filarete, con escenas de la vida de Cristo. La puerta de la extrema derecha es la llamada *Puerta Santa*, que abre solamente el papa, una vez cada 25 años, en ocasión del Jubileo o Año Santo.

Vista exterior de la Basílica de San Pedro en el Vaticano.

Corel Stock Photo Library

El interior de la basílica es de proporciones majestuosas y está decorado con mármoles, pórfidos y maravillosas obras de arte. La nave central tiene pilastras corintias que sirven de soporte a arcos que alcanzan 23 m de altura.

En el interior del templo se admiran 30 suntuosos altares. Bajo la gran cúpula, en el centro del crucero se levanta el altar mayor en el que sólo el pontífice puede celebrar la misa. Sobre el altar se eleva el baldaquino de bronce, de 29 m de altura, obra de Bernini, que se considera el mayor exponente del estilo barroco.

En el primer gran pilar de la derecha, de los cuatro que sostienen la cúpula, está la gran estatua de bronce de san Pedro sentado sobre un trono de mármol. El pie derecho de la estatua ha sido desgastado por los besos de millones de peregrinos.

En las naves, brazos del crucero, capillas y altares, se admiran incomparables tesoros de arte religioso entre los que se destacan el célebre grupo escultórico de La Piedad, labrado por Miguel Ángel en 1498, y el colosal trono de bronce, obra de Bernini, que guarda la silla de marfil y madera que fue la cátedra de san Pedro.

Al costado izquierdo de la basílica, en edificios adjuntos, están la sacristía y el museo Petriano, en los que se conservan estatuas, cuadros, frescos y objetos de arte religioso de inapreciable valor. En el tesoro, anexo a la sacristía, entre otras obras de arte se admiran ornamentos y candelabros de Benvenuto Cellini y el célebre cáliz de platino que el rey de España, Carlos III, envió al papa Pío VI, cáliz que es considerado como el primer caso de que se tiene noticia del empleo del platino en trabajos ornamentales.

De gran importancia religiosa, arqueológica e histórica son las llamadas grutas del Vaticano, o criptas de San Pedro, excavadas entre los cimientos de la basílica.

San Pedro Sula. Ciudad de Honduras, capital del departamento de Cortés. Está situada a orillas del río Chamalecón, en el noroeste del país. Ciudad moderna, con hermosos alrededores. Sus comunicaciones por ferrocarril y carretera con la capital (Tegucigalpa), Puerto Cortés sobre el Atlántico, y Amapala, en el Pacífico, la han convertido en importante centro comercial. Extensa producción agrícola y abundante ganadería. Su población: 368,500 habitantes (1994). En sus cercanías hay yacimientos de oro y plata. Prosperan numerosas industrias domésticas y es lugar muy visitado por los turistas que llegan al país.

San Petersburgo. Ciudad del noroeste de Rusia. Es el segundo centro urbano del país. Su población: 4.466,800 habitantes. Fundada en 1703 por el zar Pedro *el Grande*, recibió en los primeros tiempos el nombre de San Petersburgo y llegó a convertirse en el centro intelectual y administrativo del imperio ruso. Rebautizada en 1914 con el nombre de Petrogrado, fue escenario de cruentas luchas durante la revolución de 1917. En años sucesivos perdió buena parte de su antiguo esplendor y la capital fue trasladada a Moscú. En 1924, poco después de la muerte de Lenin, el gobierno soviético decidió dar a la ciudad el nombre del jefe de la revolución. La invasión alemana en 1941 arrasó barrios enteros de San Petersburgo, que resistió el asedio durante 15 meses.

Situada en las márgenes del río Neva, a casi 800 km de Moscú, San Petersburgo domina la porción oriental del Golfo de Finlandia, en el Mar Báltico. Es un gran centro industrial, con fundiciones y fábricas de maquinaria, industrias químicas, manufacturas de aparatos eléctricos, fábricas de tejidos, bienes de consumo e importantes industrias gráficas. El Canal de Kronstadt, construido a fines del siglo XIX, facilita las comunicaciones con el Mar Báltico. El Canal Stalin, atravesando bosques y estepas, llega hasta el Mar Blanco,

Corel Stock Photo Library

Plaza del Palacio en San Petersburgo, Rusia.

Iglesia Ortodoxa en San Petesburgo, Rusia.

Corel Stock Photo Library

en tierras árticas, y permite establecer contacto con las regiones nórdicas. El hielo obstruye en invierno los accesos de la ciudad, exigiendo grandes esfuerzos y costosos equipos rompehielos.

El río Neva forma una serie de islas que dan particular fisonomía a la ciudad. Más de un centenar de puentes, entre los que se destacan los antiguos de Nicolás y Alejandro, unen los distintos fragmentos de tierra. Tres grandes avenidas atraviesan el centro de San Petersburgo, facilitando las comunicaciones. La más importante, llamada Avenida 25 de Octubre, tiene 40 m de ancho y casi 7 km de longitud. Toda la zona céntrica se halla cubierta de grandes palacios de la época zarista. El palacio de Invierno, la residencia real más grande del mundo, ha sido convertido en el museo de la Revolución. Esta gigantesca estructura, que era la residencia oficial de los zares, podía albergar a más de 6 mil personas, y poseía un número asombroso de obras de arte adquiridas en toda Europa. Dos edificios anexos, el museo Ruso y el famoso Ermitage, han sido convertidos en galerías de arte, y el palacio de la Duma o asamblea zarista alberga hoy la Universidad de San Petersburgo. A corta distancia se halla la Biblioteca Pública del Estado (Antigua Biblioteca Imperial), que contiene una de las colecciones más valiosas y nutridas del mundo entero. Entre los grandes monumentos religiosos de la época imperial, la catedral de Nuestra Señora de Kazán, la iglesia de San Isaac, la de la Resurrección y la catedral de Pedro y Pablo, que contiene las tumbas de los gobernantes imperiales, son las más importantes, y cerca de ellos se alza la fortaleza en que vivió Pedro *el Grande*.

San Petersburgo es, desde la época imperial, gran centro artístico y cultural, con numerosas y renombradas instituciones, museos y academias en los que se enseñan y cultivan todas las ciencias y las artes. Cerca de la ciudad se levanta el gran observatorio astronómico de Pulkova que, desde su fundación, es uno de los más importantes. En 1992 recuperó su nombre original.

San Quintín, batalla de. En la guerra entre Felipe II de España y Enrique II de Francia, el Ejército español, mandado por el duque de Saboya, sitió la ciudad francesa de San Quintín. El Ejército francés, a las órdenes de Ann, duque de Montmorency, acudió en auxilio de la ciudad. La batalla entre los dos ejércitos (10 de agosto de 1557) se resolvió con la derrota de los franceses; y Montmorency, herido, cayó prisionero. Felipe II, en conmemoración de tan importante victoria, construyó en España el monasterio de El Escorial.

San Rafael. Ciudad de la República Argentina. Es capital del departamento homónimo en la provincia de Mendoza, situada a 688 m de altura. Población: 70,477 habitantes (1995). Importante centro agrícola y ganadero, considerado como uno de los mejores para el cultivo de los frutales. Cuenta con varios establecimientos modernos para la industrialización de la fruta. Vecino a Chile, posee comunicaciones con este país.

San Salvador. Capital de la República de El Salvador y del departamento de su nombre, situada en el rico valle de las Hamacas, a orillas del río Acelguate, rodeada de montañas y cimas volcánicas, a 650 m de altura; y al sureste del volcán también llamado San Salvador o Quezaltepec. Ha sufrido los efectos de violentos terremotos que la han destruido varias veces, y han sido causa de que al ser reconstruida fuera cambiada de lugar. Centro político, comercial y cultural del país. Debido a la intensa actividad sísmica de la zona, no quedan edificios antiguos, las construcciones actuales atienden a las modernas técnicas antisísmicas. Son notables el palacio presidencial, el palacio Nacional, la universidad, la Escuela Politécnica, el hospital Rosaleo; destaca la catedral con pórtico y dos campanarios. Población: 422,570 habitantes (1995). Ferrocarril a los puertos de la Unión y Acajutla, ambos sobre el Pacífico, y a Guatemala. Fue fundada por Diego de Alvarado en 1524.

San Salvador. Departamento de la República de El Salvador en el centro del país, cruzado en su parte sur por la cordillera de la Costa, que lo separa del litoral del Pacífico, y en la del norte por el importante río Lempa. Comprende la famosa laguna de Ilopango y, entre otros, los volcanes de Ilopango y San Salvador. Superficie: 886 km^2. Población: 1.477,766 habitantes (1995). Capital: San Salvador, que lo es también de la República. La principal producción agrícola consiste en café, caña de azúcar, tabaco, tintas y arroz, de la que dependen numerosas industrias. Se practica extensamente la ganadería y existen yacimientos mineros.

San Vicente. Departamento marítimo de la República de El Salvador, en la zona central. Ocupa un área de 1,184 km^2, con 226,524 habitantes (1995). Su territorio es montañoso, levantándose en él varios volcanes. El suelo regado por varios ríos es muy fértil, y produce café, maíz, caña de azúcar, arroz, frijoles, canela, tabaco, añil y yuca. Administrativamente comprende 13 municipios, la capital es San Vicente, con 34,320 habitantes.

San Vicente y las Granadinas. Estado parlamentario miembro de la Commonwealth (Comunidad Británica de Naciones), localizado en el grupo de las islas Windward en las Pequeñas Antillas, en el Mar Caribe. Incluye las Granadinas del norte y la isla de San Vicente, isla volcánica con una densa población forestal y cuya mayor altura es el volcán Soufrière (1,234 m), cuya última erupción fue en 1979. El país se divide en seis provincias y cuenta con una población de 114,562 habitantes (1993), de los cuales 24.6% habita en zonas urbanas y 75.4% en rurales. Su capital es Kingstown (15,924 h., 1993). La lengua oficial es el inglés y las religiones más difundidas son la protestante (80.5%) y la católica (11.6%). El clima es tropical, con una temperatura media de 27 °C y una precipitación pluvial anual de 2,540 milímetros.

Los primeros habitantes de las islas fueron los indios arahuacos, que más tarde fueron expulsados por los indios caribes. Cristóbal Colón fue el primer europeo que puso pie en San Vicente, en 1498. Posteriormente, durante los siglos XVII y XVIII, Gran Bretaña y Francia se disputaron el territorio, hasta que en 1763 la isla fue cedida a los ingleses. En 1885 las islas Windward se convirtieron en una colonia británica. San Vicente se constituyó en un Estado Asociado a Gran Bretaña en 1969 y alcanzó su total independencia el 27 de octubre de 1979.

El gobierno se basa en la Constitución de 1960 y el poder Legislativo se deposita en una Asamblea de Representantes. De 1969 a 1984 el país fue dirigido por el entonces líder del Partido Laborista, F. Milton Cato, exceptuando un breve periodo en los años setenta en el que James F. Mitchell, líder del Partido Demócrata, encabezó un gobierno de coalición. A partir de 1984, la nación ha estado en manos del Partido Demócrata, que ganó las elecciones de nuevo en 1994.

La educación primaria es gratuita aunque no obligatoria, el país cuenta con escuelas técnicas y para la educación de maestros, pero no existen universidades. Hay aproximadamente 18% de analfabetismo.

La agricultura, ocupa alrededor del 60% de la población, ha tenido una lenta recuperación después de la erupción volcánica de 1979 y las tormentas tropicales de los ochenta. El plátano y la maranta son sus principales cultivos, así como el turismo y los alimentos procesados son industrias importantes.

El producto nacional bruto ascendió a 217 millones de dólares en 1992, lo que representó 1,990 dólares per cápita. Su población económicamente activa ascendió a 42,030 personas en 1991 y el desempleo era de 19%. Sus importaciones en ese mismo año ascendieron a 110.7 millones de dólares, y sus exportaciones a 65.7 millones de dólares. Sus principales socios comerciales son Estados Unidos, Reino

Unido y los países pertenecientes a la Comunidad del Caribe (CARICOM).

sanatorio. Establecimiento convenientemente dispuesto para que en él residan los enfermos sometidos a cierto régimen curativo. Los progresos de las ciencias médicas han dado origen a diversos tipos de sanatorios cada uno de ellos situado y construido de acuerdo con las condiciones más apropiadas para tratar una enfermedad o un grupo determinado de enfermedades. Debido a ello, hay sanatorios dedicados al tratamiento de enfermos de tuberculosis pulmonar; otros, al de los que padecen enfermedades infecciosas, nerviosas, artríticas, etcétera. Los sanatorios para tuberculosos, por ejemplo, se construyen en regiones de cierta altura y de clima seco, orientados al mediodía, para proporcionar al paciente abundante luz solar, aire puro, descanso, tranquilidad, alimentación y tratamiento médico adecuado.

Sancti Spiritus. Provincia y ciudad de Cuba. Limita: al norte con el océano Atlántico; al sur con el Mar Caribe; al este con la provincia de Ciego de Ávila; al oeste con la de Villa Clara. La caña de azúcar sigue siendo un factor económico decisivo, aunque la ganadería ocupa el primer lugar en extensión agrícola. Le sigue en orden de importancia el arroz y el tabaco. Produce petróleo, magneso y serpentina. La Villa de Sancti Spiritus, hoy capital de la provincia, fue fundada en 1514 en las márgenes del río Tuinicú, y trasladada, en 1522, a las del río Yayabo, donde hoy se encuentra. La superficie de la provincia es de 6,737 km^2. La población total es de 420,000 habitantes. El 51% de la población es urbano y los núcleos urbanos más destacados, además de la capital, son Trinidad y Cabaiguán.

Sánchez, Florencio (1875-1910). Dramaturgo uruguayo nacido en Montevideo y considerado como máximo exponente del teatro rioplatense. Su obra literaria, de gran fuerza dramática, se caracteriza por su maestría en el diálogo y en la fiel pintura del ambiente. Su teatro es sombrío, pero fuerte y real. En 1903 se dio a conocer con la representación de su primera obra *M'hijo el dotor*, que mereció los más cálidos elogios de la crítica, a la que siguieron 20 obras más que obtuvieron igual éxito. En 1909 marchó a Europa y el gobierno uruguayo lo designó para desempeñar una modesta comisión oficial. Un año después se trasladó a Milán, donde falleció. Sus restos fueron enviados a su patria en 1921. Entre sus principales obras figuran: *La gringa* (1904), *Barranca abajo* (1905), *En familia* (1905), *Los muertos* (1905), *Nuestros hijos* (1907), *Los derechos de la salud* (1907). De sus esbozos de dramas, recios aguafuertes de la gente pobre, quizá sea *Canillita* el que goce de mayor popularidad. Pinturas de ambiente son, entre otras: *La tigra*, *Moneda falsa*, *Marta Gruni*, *El pasado* y su última producción, *Un buen negocio*. Su época creadora transcurrió principalmente, en Buenos Aires y en Montevideo, ciudades en las que ejerció el periodismo, y en medio de una vida agitada y en las condiciones económicas mas adversas, desarrolló una trascendental obra dramática. En sus comedias y dramas reveló su originalidad y su vigorosa personalidad creadora. Ocasionalmente utilizó el seudónimo Jack Hie Ripper.

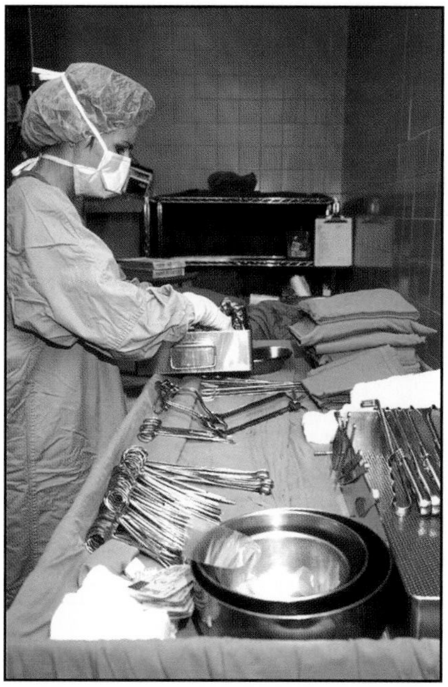

Corel Stock Photo Library

Cuarto de preparación quirúrgica en un sanatorio.

Sánchez Albornoz y Menduiña, Claudio (1893-1984). Historiador español nacido en Madrid. A los 19 años escribió su primera obra, *Instituciones políticas y sociales del señorío de Asturias*, con la que inició su larga y fecunda trayectoria como estudioso de la Edad Media española. En 1918 obtuvo la cátedra de historia de España en la Universidad de Barcelona, y en 1925 ingresó en la Real Academia de la Historia. De inquebrantable convicción demócrata, Sánchez Albornoz, quien alguna vez se definió como "católico, liberal, socializante", se unió a la causa republicana a raíz de la dictadura de Primo de Rivera. Fue diputado a las cortes constituyentes en 1931, rector de la Universidad Central de Madrid en 1932, y en 1933 desempeñó la cartera de Relaciones Exteriores. Posteriormente fue embajador en Lisboa, de donde partió al exilio al estallar la Guerra Civil Española. Desde 1940 radicó en la Argentina, donde formó, como en España, toda una generación de medievalistas. En la Universidad de Buenos Aires dirigió el Instituto de Historia de la Cultura Española. En 1983 regresó en forma definitiva a su país natal.

Dos son los temas recurrentes en la vasta obra del historiador: la España anterior a la reconquista y el asentamiento islámico en la Península Ibérica. Sostuvo una célebre y prolongada polémica con Américo Castro, quien atribuye a la influencia judía y musulmana un papel decisivo en la formación del carácter nacional español. Sánchez Albornoz rebatió esta tesis en su obra *España, un enigma histórico*, en la que sostiene que el pueblo hispano había adquirido ya sus rasgos distintivos desde antes de la llegada de los romanos. Su cuantiosa obra incluye, además, títulos como *Estampas de la vida en León hace mil años*, *León y Castilla durante los siglos VIII al XIII*, *Un feudo castellano en el siglo XIII*, *En torno a los orígenes del feudalismo*; *La España musulmana*, y *Mi testimonio histórico-político*.

Sánchez Coello, Alonso (1531?-1588). Pintor español nacido en Benifayó (Valencia), de padres españoles al servicio de Portugal. Antes de cumplir los 10 años fue llevado a Lisboa y allí aprendió las primeras nociones de su arte. En dicha ciudad o en Flandes trabó amistad con el famoso pintor holandés Antonio Moro, del que se advierte gran influencia en su obra, particularmente en la pintura de retratos, a la que debe su celebridad. En el círculo cortesano portugués y, más tarde, a partir de 1557, en el de la corte española de Madrid, desplegó intensa actividad como pintor de cuadros de temas religiosos y, sobre todo, como retratista de personajes reales y de la nobleza. Estuvo al servicio de Felipe II, quien le manifestó gran estima. Entre sus cuadros de tema religioso, figuran *Los desposorios de Santa Catalina*, en el museo del Prado, *Santo Tomás incrédulo*, en la catedral de Segovia, y varias efigies de santos en El Escorial. En cuanto a los retratos, por su concepción sobria y serena y sus atisbos de la intimidad de los modelos, Sánchez Coello inicia una línea que, pasando por su continuador Juan Pantoja de la Cruz, llega hasta Diego Rodríguez de Silva Velázquez. Entre sus obras más notables se encuentran los retratos de los archiduques Rodolfo y Ernesto, en el palacio de Buckingham (Londres); el de Alejandro Farnesio Joven, en la galería Nacional de Dublín; los de la reina Ana, esposa de Felipe II, y de la infanta Isabel Clara Eugenia, en el museo del Prado, y el de doña Ana de Mendoza, princesa de Éboli, en el palacio del duque del Infantado, en Madrid.

Sánchez de las Brozas, Francisco (1523-1600). Humanista español llamado el Brocense por haber nacido en el pueblo de las Brozas, provincia de Cáceres. Estudió en la Universidad de Salamanca, donde recibió el título de doctor y más tarde desempeñó las cátedras de griego y retórica. Fue acusado ante la Inquisición por haber expresado que al examinar los textos originales había encontrado algunos errores en la traducción de la Biblia. Escribió numerosas obras de gramática, filología y crítica literaria, en latín y en castellano entre ellas un famoso *Tratado de los errores de Porfirio* y una edición, con abundantes notas explicativas, de las poesías de Garcilaso de la Vega. Fue uno de los hombres de más vastos conocimientos de su época.

Sánchez Mejías, Ignacio (1891-1934). Torero y escritor español nacido en Sevilla y fallecido en Madrid a consecuencia de la cornada que sufrió toreando en la plaza de Manzanares, pueblo de la provincia de Ciudad Real. Fue autor de tres obras teatrales: *Sin razón* (1928), *Zayas* (1928) y *Ni más ni menos*.

Sánchez Vilella, Roberto (1913-1997). Político puertorriqueño. En 1934 se graduó de ingeniero civil en la Universidad de Ohio. De 1952 a 1954 ocupó los cargos de secretario de Estado, secretario de Obras Públicas, secretario ejecutivo de

Corel Stock Photo Library

Estatua de Don Quijote con Sancho Panza. Momumento a Cervantes en Madrid, España.

Puerto Rico, administrador de la capital, director de la Autoridad de Transporte y subcomisionado del Interior. De 1965 a 1969 fue gobernador de la isla.

En 1968 renunció al Partido Popular Democrático para fundar el Partido del Pueblo, que obtuvo más de 100,000 votos en las elecciones de ese año. A su lado militaron varios intelectuales distinguidos como Luis F. Camacho, quien fuera representante de la Cámara y Alfredo Nazario, ex secretario de Trabajo.

George Sand fue el soudónimo de Amandina Aurore Lucía Dupín.

Art Today

Sancho IV, *el Bravo* (1258-1295). Rey de Castilla (1284-1295). Era hijo segundo de Alfonso X *el Sabio*, contra quien se rebeló, tomando el título de rey de Aragón. Sin embargo, a la muerte de su padre fue proclamado rey (1284), en detrimento del mayor derecho de sus sobrinos, los infantes de la Cerda, lo que provocó el pase de varios nobles castellanos al partido de los infantes, a quienes ayudaba el rey de Aragón. A la tremenda energía que desplegó en tan difíciles circunstancias debe su sobrenombre. Orientó bien la política exterior e interior y prosiguió la obra de la reconquista apoderándose de Tarifa, cuya defensa confió a Guzmán el Bueno. Cultivó las letras siguiendo el ejemplo de su progenitor, el *Rey Sabio*, escribió varias obras y fundó los estudios generales de Alcalá de Henares.

Sancho Panza. Personaje de la inmortal novela de Miguel de Cervantes Saavedra, *Don Quijote de la Mancha.* En calidad de escudero acompaña al famoso hidalgo protagonista de la obra, y con él suele compartir los malos sucesos, burlas crueles, palos y pedradas. A lo largo del libro resulta verdaderamente conmovedor el diálogo de amo y escudero sobre todo cuando don Quijote, enternecido por la estima que le tiene y viéndolo tan leal aunque medroso, le llama "Sancho, hijo". En general, Sancho Panza, junto al caballero andante, es la voz del sentido común, real y vulgar, de la socarronería poco gustosa de riesgos desinteresados, junto al altruismo e idealismo de su señor, al que en vano trata de hacerle ver la mera realidad. Para Sancho, los molinos son molinos; para don Quijote, gigantes. Para el escudero las ovejas son ovejas, para el hidalgo ejércitos en fiera pugna. Para el primero, la venta es venta; para el segundo, castillo. Y así en toda la famosa historia. Tal vez donde culmina el papel de Sancho es en la aventura de la Ínsula Barataria, en la segunda parte, donde recibe de manos de unos duques, que agasajan a su señor, el gobierno de cierto lugar perteneciente a sus dominios, y que tanto don Quijote como su criado toman por la ínsula que muchas veces le ofreció el primero en pago de ajetreos y aventuras. Finalmente, el práctico y refranero Sancho acaba contagiándose no poco de la locura y la quimera de su señor, rasgo éste que es uno de los más conmovedores y significativos del famosísimo libro.

Sand, George (1804-1876). Seudónimo de Amandina Aurore Lucía Dupin, baronesa de Dudevant. Novelista francesa de la escuela romántica, en sus obras se unen el amor a la naturaleza y ciertas ideas sociales y humanitarias con temas sentimentales e idealistas. Inteligente e imaginativa fue célebre por su compleja vida sentimental y su indumentaria, pues vestía comúnmente ropas de hombre. Separada de su marido, se vinculó con el novelista Julio Sandeau; realizó un famoso viaje a Italia con el poeta Alfred de Musset y compartió los últimos años de Frédéric Chopin, el músico polaco. Entre sus obras se destacan *Indiana* (1832), *El compañero de la vuelta de Francia, La charca del diablo* (1846), *Lélia* (1833), *Consuelo* (1842), *La condesa de Rudolstadt* y *El marqués de Viliemer.*

sándalo. Arbol perteneciente al género *Santalum*, de la familia de las santaláceas. Crece en las regiones tropicales de Asia y del Archipiélago Malayo; el más importante y que constituye la mayor fuente comercial es el sándalo blanco *(Santalum album)*. Su madera es muy apreciada por su calidad y por su aroma, mezcla de almizcle y rosa, que los pueblos orientales utilizan desde hace muchos siglos. De fibra muy fina, dura y compacta, se presta para un buen pulimento, y con ella se hacen delicados trabajos de talla: cajas, abanicos y objetos de adorno.

Pulverizada, o en pasta, los brahmanes de la India la emplean para marcarse la piel y distinguirse de otras castas, y los chinos la queman en sus templos durante las ceremonias religiosas y ritos fúnebres. La esencia se usa para hacer perfumes, cosméticos y como medicamento.

Sandeau, Jules (1811-1883). Novelista y dramaturgo francés, de estilo cuidado y elegante. Se inició en las letras con una novela escrita en colaboración con George Sand, *Rosa y Blanca*, obra de escaso mérito. En *Cartas de un viajero*, reseña sus amores con la escritora. Publicó luego *Madame de Sommerville, Mariana, El castillo de Montsabrey, La casa de Penarvan, Magdalena*, etcétera. *Mademoiselle la Seigliere* lo consagró como autor dramático.

Sandi, Luis (1905-1995). Compositor y arreglista mexicano. En 1938 fundó el Coro de Madrigalistas de México. Realizó muchas transcripciones y arreglos para coros. En sus composiciones más importantes, *Norte* (suite) y *Feria* (poema sinfónico), se aprecia un marcado tono folclórico y nacionalista.

Sandía. Complejo cultural prehistórico de Estados Unidos, considerado por algunos especialistas como el más antiguo ejemplo de cazadores del pleistoceno. Se han encontrado entre otras herramientas líticas, puntas de flecha, navajas, raspadores y objetos de hueso, los cuales han servido para reconstruir el modo de vida de estos paleoamericanos cuyo principal sustento fue la caza. El nombre de este complejo proviene de una cueva ubicada en el centro-norte de New Mexico. Allí, y bajo capas de yacimientos de cultura Clovis, se hallaron por vez primera puntas de flecha sandía. Más tarde se descubrieron ejemplares similares en Lucy, New Mexico, en el oeste de Texas, en el norte de Oklahoma, al sur de Iowa, al este de Colorado y al sur y al oeste de Missouri.

Corel Stock Photo Library

Sandía rebanada.

sandía. Planta anual, herbácea, que produce uno de los mayores frutos del reino vegetal. Es oriunda de África, siendo cultivada desde los tiempos del imperio egipcio. Se ramifica en varios tallos de 3 a 4 m de largo que se arrastran en todas direcciones, y tiene hojas alternas, grandes y flores amarillas. El fruto, ovoide o casi esférico, contiene una pulpa roja, acuosa, donde se encuentran las semillas, que pueden ser blancas, rojizas o negras; y está recubierto por una corteza dura y lisa, de color verde unido, rayado o moteado. Su peso alcanza entre 8 y 15 kg, y a veces llega a 20 o 25. Se cultiva en terrenos sustanciosos y arenosos.

Sandino, Augusto César (1893-1934). Político nicaragüense. Abandonó sus labores agrícolas para sumarse a la revolución que en 1926 rechazaba toda ingerencia extraña en el país, y combatió contra la intervención estadounidense en Nicaragua. Durante varios años mantuvo una constante lucha de guerrillas, sin que pudieran capturarlo las fuerzas enviadas en su persecución. En 1933, cuando las fuerzas extranjeras se dispusieron a salir del país, Sandino accedió a deponer las armas, y cumplió los términos que para ello había pactado con el gobierno. Sin embargo, cuando salía de celebrar una conferencia con Juan Bautista Sacasa, presidente de Nicaragua, fue asesinado. La muerte de Sandino se atribuyó a fuerzas de la Guardia Nacional, a las órdenes de Anastasio Somoza y a instancias del embajador estadounidense Arthur Bliss Lane.

Sandoval, Gonzalo de (1497-1527). Conquistador español. Acompañó a Hernán Cortés a la conquista de México (1519). Quedó a cargo de la custodia de Veracruz con 70 hombres mientras Cortés marchaba sobre México. Cuando Pánfilo de Narváez llegó a Veracruz para capturar a Cortés (1520), Sandoval resistió el primer choque de Narváez, prendió a los comisionados que éste le envió, y después combatió en la batalla de Cempoala, dirigida por Hernán Cortés, en la que Narváez fue hecho prisionero. En el asedio de la ciudad de México, mandó el cuerpo de asalto que tomó la calzada de Ixtapalapa y el fuerte de Xoloc, y, después, la calzada de Tepeyácac. Formó parte de la expedición de Cortés a Honduras para castigar la rebelión de Cristóbal de Olid, y en una operación de descubierta, Sandoval se enteró por unos prisioneros que Olid había sido degollado, lo que se apresuró a comunicar a Cortés, quien le encargó la pacificación de la región de Naco.

Sandoval Vallarta, Manuel (1899-1977). Científico mexicano. Estudió en el

Instituto Tecnológico de Massachusetts (MIT) donde obtuvo los grados de bachiller y doctor en ciencias, especializado en física teórica (1924). Becado por la Fundación Guggenheim (1927-1928) llevó cursos adicionales de física en Berlín y Leipzig bajo la guía de Albert Einstein, Max Planck, Schodinger, Werner Heisenberg y Peter Debye. De 1923 a 1946 ocupó los cargos de profesor asociado, adjunto y titular en el MIT, y de profesor visitante en la Universidad de Lovaina, en Bélgica. A partir de 1943 distribuyó su tiempo entre la Universidad Nacional Autónoma de México y el MIT. Publicó cerca de 60 trabajos, principalmente sobre métodos matemáticos, mecánica cuántica, relatividad general y de rayos cósmicos. Logró desarrollar la teoría de la radiación cósmica primaria y aplicarla a las investigaciones como el campo magnético solar y los efectos de la rotación de la galaxia. Ocupó varios puestos importantes en su país, entre ellos el de director del Instituto Politécnico Nacional. Se le otorgaron varios doctorados *Honoris Causa* y recibió el Premio Nacional de Ciencias Exactas en 1961. Fue miembro de varias sociedades científicas y extranjeras.

sandunga. Una de las más bellas manifestaciones del arte musical popular de México, es la sandunga, baile, música y canción, a la vez. Es el baile popular del istmo de Tehuantepec, principalmente de los estados mexicanos de Oaxaca y Chiapas.

saneamiento. Rama de la higiene que combate las enfermedades eliminando los focos de infección. Ya en la antigüedad se sospechaba la existencia de cierta relación

Corel Stock Photo Library

Algunas ciudades prehispánicas en mesoamérica como Teotihuacán y Tenochtitlan (foto), contaban ya con instalaciones de saneamiento.

entre las enfermedades y la falta de higiene, por eso muchos pueblos poseían métodos y reglamentos sanitarios, pero no fue sino hasta el descubrimiento de los agentes patógenos y la demostración de que éstos pululaban en los lugares sucios y mal ventilados, cuando empezó a intensificarse el saneamiento, llegando a convertirse, a partir de 1900, en uno de los medios más eficaces en la lucha contra las enfermedades infecciosas.

Máquina para desasolve del drenaje.

Corel Stock Photo Library

Uno de los problemas del saneamiento son los desagües cloacales de los grandes centros urbanos. El método más común consiste en arrojar todas las materias orgánicas, deyecciones, aguas sucias y desechos en general, en grandes masas de agua capaces de absorberlas, tales como lagos, ríos y mares. Los sistemas de cloacas constan de tres partes: las cloacas domiciliarias, las cloacas externas y las máximas. Las primeras son las instalaciones sanitarias existentes en cada casa para la evacuación rápida e higiénica de los residuos líquidos y sólidos. Ésta se realiza por medio de cañerías, con ayuda de un servicio de agua corriente abundante. Las cañerías descargan en la cloaca, que tiene la inclinación requerida para regular la velocidad de los líquidos que conducen. Las cloacas poseen, además, un sistema especial de ventilación para dar salida a los gases resultantes de la descomposición de las sustancias orgánicas de desecho. Las cloacas externas o colectoras constituyen una red de cañerías situadas bajo tierra, que reciben todos los desagües domiciliarios y los llevan a conductos de mayor diámetro, denominados cloacas máximas o caños maestros.

Otro problema sanitario es la provisión de agua potable a la población. El agua contaminada es un vehículo poderoso para la propagación de muchas enfermedades. En las grandes ciudades existen plantas especiales para la sedimentación, filtración y purificación del agua, extraída de ríos, lagos o manantiales.

En relación al saneamiento de los alimentos que consume la población, la leche debe ser pasteurizada para su expendio. Esto consiste en calentar la leche a una temperatura de 63 °C y enfriarla luego bruscamente, con lo cual se destruyen las bacterias que contiene. Dadas sus cualidades nutritivas, la leche constituye un caldo de cultivo particularmente apto para el desarrollo de los gérmenes. Un cm^3 de leche de vaca contiene, normalmente, al llegar al laboratorio de análisis, 9,000 bacterias. Un día después esta cifra aumenta a 5 o 6 millones. En general si no está pasteurizada y fresca es aconsejable darle dos o tres hervores antes de beberla.

Los insectos, en especial las moscas y mosquitos, son activos propagadores de enfermedades. El mejor sistema para exterminarlos es eliminar las fuentes en donde se desarrollan, drenando las aguas estancadas y los pantanos. En el hogar se les combate con la ayuda de insecticidas e impidiéndoles el acceso a la basura, mediante el uso de recipientes cerrados. Algunas enfermedades tales como la psitacosis, la rabia y la peste bubónica, son transmitidas por animales. La peste se ataca exterminando las ratas. Una de las principales medidas preventivas contra la rabia es la vacunación obligatoria de los perros, que se suministra gratuitamente.

Tratándose de enfermedades infecto-contagiosas, es de fundamental importancia evitar las epidemias. Una de las medidas más antiguas y eficaces para ello, es la cuarentena, que consiste en el aislamiento del enfermo hasta que haya pasado el periodo de contagio. Declarada una epidemia, tanto la cuarentena como la vacunación y desinfección se hacen obligatorias. *Véanse* SALUD; HIGIENE.

Sanedrín. Consejo supremo del pueblo israelita, constituido por 70 miembros más su presidente, el sumo sacerdote. Poseía la más alta autoridad religiosa, además de facultades legislativas, judiciales y administrativas propias del Estado. Según algunos investigadores tenía sus orígenes en el Consejo de los Setenta de Moisés, mencionado en el Antiguo Testamento. Al producirse la dispersión del pueblo judío, el Sanedrín fue trasladado a Tiberíades, pero poco después desapareció completamente.

Sanger, Frederick (1918-). Bioquímico británico. Estudió en el John´s College de la Universidad de Cambridge y trabajó en el departamento de bioquímica de la misma. Desde 1962 dirige el departamento de química proteica del Laboratorio del Consejo de Investigación Médica en biología molecular de dicha universidad. En 1945 introdujo el 1-fluoro-2, 3-dinitrobenceno (DNFB) como reactivo para la identificación del grupo α-amínico libre de una cadena peptídica (una proteína). En 1954 logró esclarecer la estructura completa de la hormona llamada insulina mediante el empleo del DNFB y enzimas proteolíticas. También desarrolló un método para la separación de productos de degradación obtenidos del ácido ribonucleico (ARN). Obtuvo en dos ocasiones el Premio Nobel de Química, la primera en 1958 por sus investigaciones sobre la insulina, y la segunda en 1980 junto con Paul Berg y Walter Gilbert, por sus contribuciones a la determinación de las secuencias de base de los ácidos nucleicos.

sangre. Fluido que circula por el sistema vascular, es de color rojo en los vertebrados, transparente en los insectos y crustáceos, y blanco azulado en los moluscos. Cada latido de nuestro corazón proyecta, con fuerte impulso, un torrente de sangre que recorre las arterias, las arteriolas y los capilares hasta alcanzar los últimos rincones de nuestro cuerpo; la sangre enrojece las mejillas y asoma por cualquier herida. Si la piel fuera transparente, veríamos nuestro cuerpo como una esponja surcada por una red de conductos llenos de sangre. En la respiración la sangre capta oxígeno en los pulmones para llevarlo a todos los tejidos del organismo; en la nutrición, la sangre es la encargada de recoger nutrientes; al ingerir una tableta de aspirina, es la sangre la que transporta el medicamento para combatir el dolor que nos aqueja. Es el torrente de la vida, mas si transporta el bien, también puede distribuir el mal y, si aumenta la urea, la sangre es la encargada de transportar este desequilibrio a todo el organismo, que se verá entonces atacado de uremia.

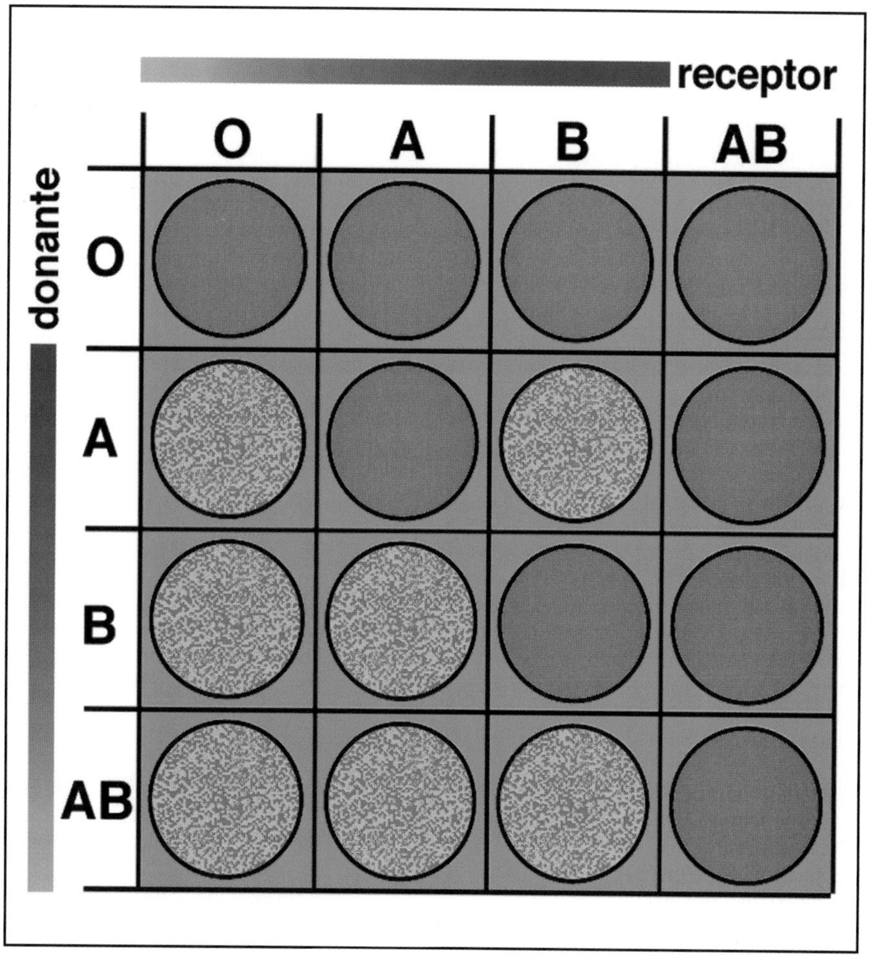

Del Ángel Diseño y Publicidad

Esquema presentando el sistema de tipificación de la sangre ABO, ilustrando la compatibilidad de la sangre entre donantes y receptores mediante células rojas sólidas y la incompatibilidad mediante células rojas fragmentadas. La compatibilidad de tipos de sangre se basa en la ausencia o presencia de antígenos específicos en la superficie de las células rojas y en la ausencia o presencia de anticuerpos en el plasma.

La sangre ha ejercido una poderosa influencia sobre las razas antiguas, que la hicieron objeto de elaborados ritos, de los cuales algunos subsisten todavía. El lenguaje de todos los pueblos ha recogido muchos de estos símbolos y hoy hablamos aún de *la sangre azul*, o de *dar nuestra sangre por la patria*. Algunas religiones acostumbraban celebrar ritos sangrientos, desempeñados por augures y sacerdotes. Hoy perduran esos ritos, practicados con animales, entre algunos grupos humanos en el interior de África principalmente. La sangre significaba la fuente de la vida, el valor físico, la fuerza moral, y hasta servía para sellar la amistad. El intercambio de sangre, entre individuos, haciéndose un corte en la muñeca y dejando correr juntas ambas sangres, ha servido como rito de amistad indestructible.

Hay dos clases de sangre: la arterial o roja que, oxigenada en los pulmones, se distribuye por todo el organismo para nutrirlo; es roja brillante y en ella la proporción entre el oxígeno y el ácido carbónico es de 39%, y la venosa o negra, cargada con productos de secreción y desgaste, que pasa al corazón y de allí a los pulmones para su transformación en sangre arterial; es roja azulada y oscura y la proporción citada sólo es de 20% de oxígeno. La sangre en circulación constituye una treceava parte del peso corporal. Su densidad o peso específico oscila entre 1.05 y 1.06 gramos/mililitro.

Si examinamos una gota de sangre al microscopio, veremos que se compone de pequeñas partículas redondeadas llamadas glóbulos que son bañados en un líquido claro, el plasma, que contiene 80% de agua. La sangre, en contacto con el aire, se divide en una parte densa, roja, de consistencia pastosa y blanda, que se llama coágulo, y otra parte, de volumen 10% mayor que el del coágulo, líquida, de color amarillento, que se llama suero, que es el plasma sanguíneo privado, total o parcialmente, de fibrinógeno. Para formarse el coágulo, el plasma va produciendo una red cada vez más espesa de filamentos, llamada fibrina, que aglomera, sujeta y retiene los glóbulos.

El plasma lleva proteínas (albúmina; fibrinógeno, mediante la fibrina, factor básico de la coagulación; globulina, que mantiene la viscosidad de la sangre y posee principios inmunizantes; y protrombina, que colabora en la coagulación). El plasma también tiene anticuerpos que ayudan a exterminar los gérmenes nocivos en la lucha contra las enfermedades, hormonas, aminoácidos, enzimas, glucosa, colesterol, creatina, urea y otros productos orgánicos. En el plasma existen diversas sustancias inorgánicas entre las que se cuentan sodio, potasio, calcio, magnesio y fósforo. Los principales glóbulos que contiene la sangre son los glóbulos rojos, llamados también hematíes o eritrocitos; y los glóbulos blancos o leucocitos, que pueden ser, linfocitos, células mononucleares, neutrófilos, monocitos, eosinófilos, etcétera, y las plaquetas o trombocitos.

Los glóbulos rojos son discos que tienen disminuido el volumen de su cuerpo en el centro y carentes de núcleo, con diámetro de 6 a 7 micras y 2 micras de espesor, la cantidad normal es entre 4.5 y 5 millones por mm^3. Cada hematíe vive unas cuantas semanas, ya que algunos millones son diariamente destruidos y repuestos por la médula roja de los huesos, que los produce incesantemente. En la cabeza de un alfiler, bien apretados, caben más de 60,000. Abundan más en la sangre del hombre que en la de la mujer. La cantidad de glóbulos rojos en la sangre puede verse alterada por ciertas enfermedades y, además, por otros factores como la altura.

Una persona que al nivel del mar tiene 4.5 millones por mm^3, a 2,000 m de altura tendrá 6.5 millones y 7.5 a los 4,000 m. Para contarlos se diluye la sangre en una solución salina de un volumen 200 veces mayor, a fin de que aumente el espacio entre los glóbulos, entonces se extiende la solución sobre una cámara de cristal finamente cuadriculado que se coloca en el microscopio. Se cuentan los glóbulos que aparecen en unas cuantas celdillas, se halla el promedio, y como cada celdilla equivale a 0.0025 mm^3, se multiplica dicho promedio hasta hallar los correspondientes a 1 mm^3. El cristal preparado para dicha medida con su cuadriculado microscópico, se llama hematímetro. La tercera parte de cada hematíe la constituye la hemoglobina que es de color muy rojo, compuesta de hierro y proteínas, relacionada químicamente con la clorofila. En el acto respiratorio se combina en los pulmones la hemoglobina con el oxígeno del aire y constituye la oxihemoglobina, que al llegar a los tejidos libera el oxígeno y absorbe el anhídrido carbónico, convirtiéndose en hemoglobina reducida. Si en los pulmones hay monóxido de carbono es captado por la hemoglobina, dando lugar a la carboxihemoglobina, que produce la muerte.

Pruebas de sangre en un laboratorio.

Corel Stock Photo Library

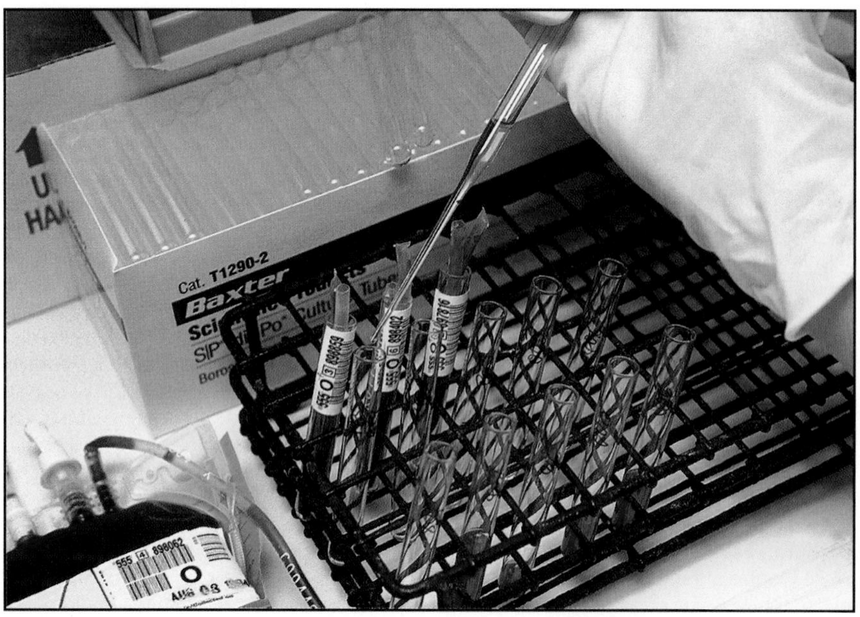

Los glóbulos blancos, también llamados leucocitos, son entre 5,000 y 10,000 por mm^3 en un adulto normal. Tienen movimiento propio y pueden trasladarse adonde se produce alguna anormalidad en el organismo. Su tamaño oscila entre las 7 micras del pequeño linfocito hasta las 15 micras del gran mononuclear; colaboran en el transporte de alimento, segregan sustancias líticas o destructoras, y realizan la función fagocitaria mediante la cual rodean con los seudópodos que emiten a los detritos, organismos o bacterias invasoras. Para ello pueden llegar a salir de los capilares en virtud de una propiedad llamada diapédesis, que les permite una extraordinaria movilidad. Cuando la lucha se localiza en un punto, se presenta la inflamación, susceptible de producir pus, que es una masa de leucocitos, bacterias, secreciones y restos de tejidos destruidos en la lucha. Entre las distintas clases de glóbulos blancos citaremos los linfocitos, procedentes de los órganos linfáticos y que tienen a su cargo tareas protectoras; los granulocitos, procedentes de la médula ósea, de tamaño mayor que los hematíes, susceptibles de cambios de forma y de filtrarse por las paredes vasculares, capaces de envolver y destruir los elementos extraños que penetren en el organismo; se denominan también neutrófilos y constituyen 70% de la cantidad total de glóbulos blancos, siendo capaces de aumentar o disminuir en número de acuerdo con los requerimientos del organismo (en la neumonía llegan a alcanzar hasta 20,000 por mm^3). Hay además otros de mayor tamaño, llamados monocitos y los redondos eosinófilos, que constituyen apenas 4 por ciento.

Las plaquetas o trombocitos son de forma irregular y de 2 a 3 micras de tamaño; su número normal es de 150,000 a 300,000 por mm^3; si hay menos de 50,000 la sangre coagula con dificultad, ya que su función se halla relacionada con la coagulación. Además de estos elementos globulares, la sangre tiene 80% de agua, y diversas hormonas segregadas por las glándulas endocrinas.

La sangre experimenta alteraciones durante las enfermedades graves (tifoidea, cólera, etcétera), que pueden recaer sobre sus propiedades de coagulación o sobre sus principios cristalizables de origen orgánico, como sucede con la uremia. Algunas enfermedades no son propiamente de la sangre, sino enfermedades en las cuales la sangre sirve de vehículo para microbios o cuerpos tóxicos que afectan el organismo en general: tales son la septicemia, enfermedades infecciosas, paludismo, sífilis, filaria, y envenenamientos a través del tubo digestivo; introducidos por la piel, como mordeduras de serpientes, o por vía respiratoria, como el óxido de carbono que destruye los glóbulos rojos.

Después están las denominadas enfermedades de la sangre, que pueden afectar los glóbulos rojos, como las anemias y la eritroblastosis, que se da en los recién nacidos; enfermedades de los glóbulos blancos, como la leucemia con aumento incesante de dichos glóbulos; la leucopenia, con disminución excesiva de los mismos, y las enfermedades del plasma como la hipocoagulabilidad, o disminución de la coagulabilidad de la sangre, llamada también hemofilia, en la cual no pueden detenerse las hemorragias; la hipercoagulabilidad, o excesiva coagulación del plasma, y la púrpura, fragilidad de los capilares sanguíneos, acompañada de hipocoagulabilidad. La embolia no es propiamente una enfermedad de la sangre; consiste en la formación de un coágulo en una vena o arteria, que transportado por la circulación puede dar lugar a consecuencias gravísimas en cualquier órgano; pero es la sangre la que interviene transportándolo.

En el proceso de coagulación, que es sumamente complicado, las plaquetas liberan la tromboplastina, que se combina con protrombina y calcio para formar la trombina. A su vez, la trombina se une al fibrinógeno para formar la fibrina que constituye el coágulo, especie de tapón que detiene la salida de la sangre y corta la hemorragia. En las personas que padecen de hemofilia, el proceso de coagulación sufre alteraciones, no se realiza con normalidad y la coagulación de la sangre, que regularmente debe efectuarse entre 5 y 8 minutos, tarda una o varias horas, por lo que es difícil y con frecuencia imposible, detener la hemorragia y el paciente se desangra. La hemofilia es una enfermedad hereditaria, que sólo transmiten las mujeres y la padecen los varones.

También la hipertensión y la hipotensión son trastornos que, si bien no se deben a la sangre directamente, obedecen a la mayor o menor presión que ésta ejerce sobre las arterias.

Los diversos análisis y exámenes practicados en la sangre proporcionan información valiosa al médico. Sobre la sangre, en su totalidad, se hacen los exámenes de tiempo de coagulación, útiles en enfermedades del corazón, ante hemorragias frecuentes y antes de las intervenciones quirúrgicas, y que sirven para diagnóstico de la tendencia a la embolia y de la hemofilia; el tiempo de coagulación se toma antes de toda operación quirúrgica, indicando el mayor o menor peligro de hemorragia, y la velocidad de sedimentación que sirve en el diagnóstico de la tuberculosis y reumatismos, ya que su aceleración es signo de posible presencia de dichas enfermedades. Los principales análisis químicos son los de urea para los casos de uremia; de ácido úrico, para la gota y la nefritis; de glucosa, para la diabetes y algunas enfermedades de la piel; de colesterol, para arterioesclerosis; de calcio, para enfermedades de paratiroides; de fósforo, para el raquitismo, y los de albúmina, globulina, potasio, etcétera, útiles para enfermedades de la sangre, renales o hepáticas, y para otras observaciones comparativas. Los recuentos de glóbulos rojos sirven para diagnóstico de la anemia; los de glóbulos blancos para señalar la presencia de infecciones diversas, como la apendicitis; la fórmula sanguínea, o sea el porcentaje comparativo de los diversos glóbulos, es útil en infecciones, parasitosis y leucemia, y el recuento de las plaquetas sirve para control de posibles hemorragias. El principal de los exámenes biológicos sobre el suero es el serodiagnóstico, que se practica cuando hay presunción de tifoidea o de fiebre de Malta. Los exámenes en busca de parásitos o microbios son interesantes ante la posibilidad de septicemias, paludismo, enfermedad del sueño y otras enfermedades parasitarias.

Cuando hay intensas hemorragias internas o externas, o enfermedades de la sangre, es preciso reemplazar la sangre perdi-

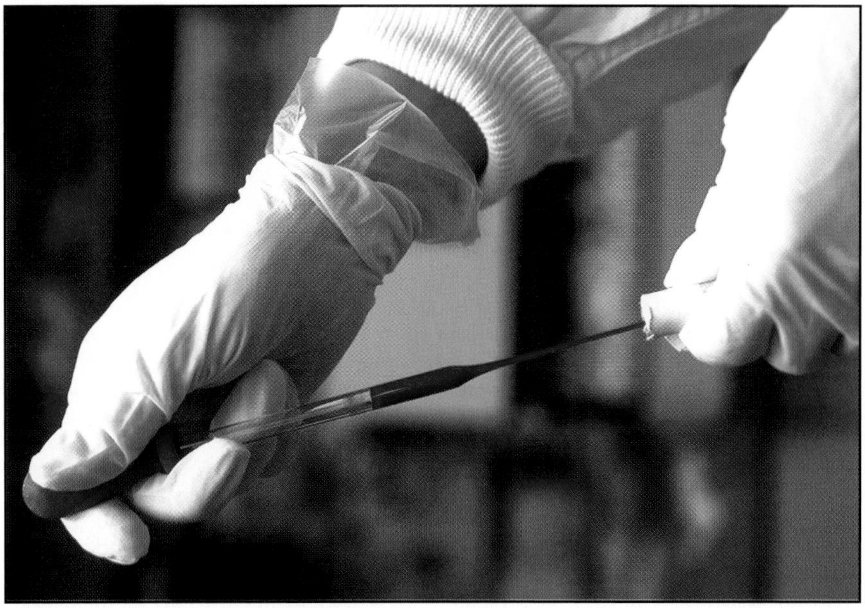

Corel Stock Photo Library

Médico extrayendo una muestra de sangre.

La circulación de la sangre ocurre a través de las venas y las arterias.

Corel Gallery / Ediciones Calíope

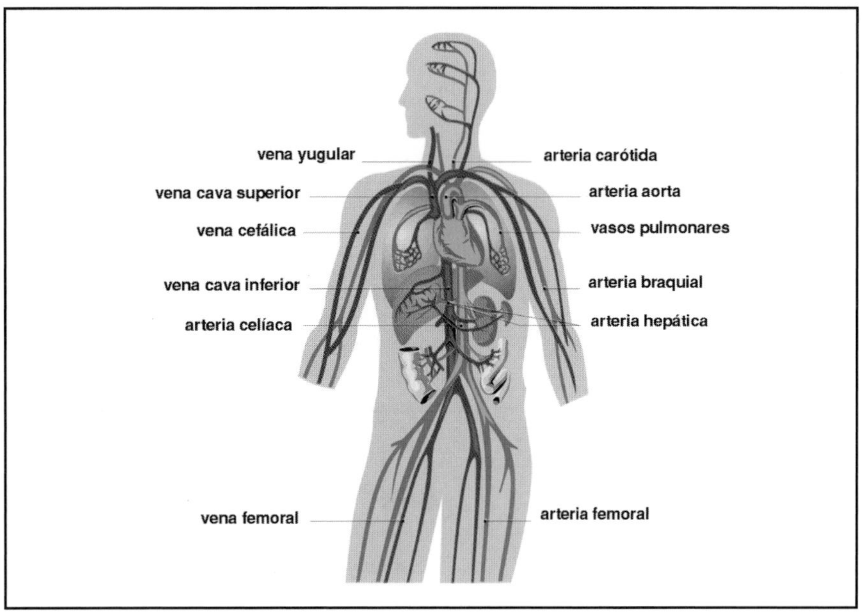

da mediante transfusiones. Las primeras transfusiones en animales fueron realizadas por el médico de Florencia (Italia) Francisco de Folli (1654), y entre seres humanos por el francés Denys (1667). Karl Landsteiner (laureado en 1930 con el Premio Nobel) descubrió los cuatro principales grupos sanguíneos, que son los usados internacionalmente. Se denominan O, A, B y AB, cuyas relaciones mutuas quedan explicadas en la figura. Existen numerosos subgrupos y ciertos factores como los denominados Rh, M y N, mediante los cuales puede determinarse cuando un hombre no es padre de un niño. Un hombre puede donar sangre para transfusiones cada 60 días y una mujer cada 90, sin peligro para su salud. Si se realiza transfusión con sangre de tipo indebido, se bloquean los capilares por aglutinación, produciéndose accidentes muy peligrosos por destrucción intensa de hematíes. Las transfusiones primero se hacían directamente de donador a receptor, luego se logró conservar la sangre durante un tiempo cada vez mayor, extrayéndola de los donantes, clasificándola, añadiéndole anticoagulantes y, tras una escrupulosa exclusión de posibles enfermedades y contaminaciones, conservarla en recipientes especiales. Cuando se emplea plasma no es precisa la clasificación en grupos, ya que los caracteres distintivos de éstos parecen residir en los hematíes. Las organizaciones sanitarias encargadas de proveer sangre y plasma para transfusiones, se llaman bancos de sangre.

El primero que parece haber visto los glóbulos sanguíneos fue el holandés Anton van Leeuwenhoek con su microscopio, aunque antes había sido supuesta su existencia por Jan Swammerdam y Marcello Malpighi.

En nuestra época los progresos en el estudio y conocimiento de la sangre son enormes. Se puede extraer la sustancia llamada gammaglobulina que se aplica para la inmunización contra enfermedades infectocontagiosas y para aumentar las defensas orgánicas. Existen bancos de venas y arterias para emplearlas en operaciones quirúrgicas, y se puede determinar, por el estudio de las manchas de sangre, si ésta es humana o animal, así como otros datos que pueden permitir individualizar a la persona de quien proviene.

Los huevos, la carne y los vegetales verdes son alimentos que enriquecen la sangre, por su contenido en proteínas y hierro respectivamente. El alcohol apresura la circulación, por lo que no debe ingerirse jamás en casos de envenenamiento. *Véanse* AGLUTINACIÓN; GLÓBULO; GRUPO SANGUÍNEO; HEMATOPOYESIS; HEMORRAGIA; PLASMA; TRANSFUSIÓN.

sanguijuela. Gusano anélido, de la clase de los hirudíneos. Su nombre viene del latín *sanguisuga*, palabra formada de *sanguis*, sangre, y *sugere*, chupar, pues se caracteriza por alimentarse de la sangre de otros animales. Tiene cuerpo alargado, compuesto de anillos. Posee una ventosa en cada extremo, siendo la anterior más pequeña y hendida, y en cuyo fondo se encuentra la boca. La posterior le sirve para fijarse a la piel de sus víctimas o a diversos objetos. Llega a medir hasta 15 cm de largo, y puede llegar a tener hasta 10 pares de ojos. Sus sistemas nervioso y digestivo son en extremo simples, ambos sexos se hallan en cada animal. Las sanguijuelas perforan con sus mandíbulas la piel de sus víctimas, aspirando la sangre por medio de su faringe. Como tienen tres mandíbulas, dejan una herida en forma de Y. La sangre succionada no se coagula en su estómago y tardan varios meses en digerirla. Generalmente se las encuentra en el fondo de charcos y pantanos, fijadas a las piedras por su ventosa posterior. Durante mucho tiempo se usó cierta especie de sanguijuela en medicina para practicar sangrías, las cuales eran consideradas un remedio eficaz para gran número de enfermedades.

Sanguily, Manuel (1848-1925). Político, escritor y abogado cubano. En su juventud participó en las luchas de la independencia y se graduó como abogado en Madrid. Durante la actividad revolucionaria de 1895 se hizo famoso por su oratoria. Perseguido por los españoles, buscó refugio en Estados Unidos. Alcanzada la independencia cubana, fue delegado de la Asamblea Constituyente de 1901, senador y miembro del Tribunal Permanente de Arbitraje de La Haya (1907). Entre sus obras destacan *Discursos y conferencias* (1918) y *Un insurrecto cubano en la corte* (1888).

Sanin Cano, Baldomero (1861-1957). Maestro, abogado y escritor colombiano. Después de actuar en el magisterio, el foro, la política y el periodismo de su patria, representó a Colombia en el extranjero en diversos cargos diplomáticos, debido a lo cual residió en las capitales más importantes de Europa y América. También desarrolló actividades como corresponsal de diarios y revistas. En 1942 fue designado rector de la Universidad del Cauca. Entre sus obras principales se destacan *Indagaciones e imágenes* (1926), *El quinquenio* y *Divagaciones filosóficas y apólogos literarios* (1934). Su estilo es claro y elegante. Su libro *La civilización manual y otros ensayos* (1925) ganó rápidamente la popularidad, así como el titulado *Crítica y arte* (1932), una de sus obras más profundas. Gran parte de su vasta labor se halla en artículos y ensayos repartidos en las columnas de diarios y revistas.

Sanguijuela común.

Salvat Universal

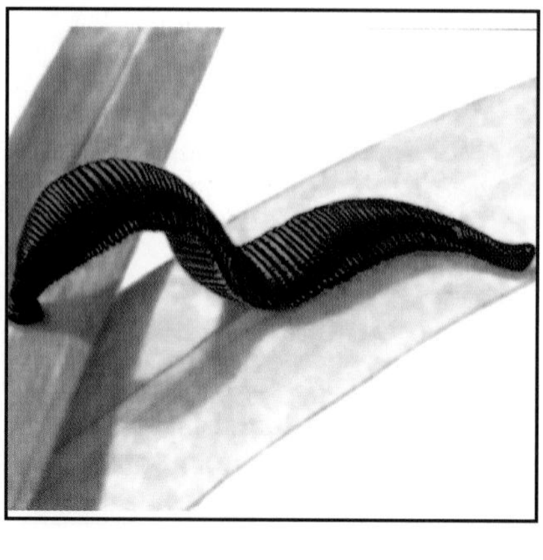

Sanlúcar de Barrameda. Ciudad de España, en la provincia de Cádiz. Tiene 57,044 habitantes (1995). Está situada a orillas del río Guadalquivir, a 2.5 km de su desembocadura en el océano Atlántico, y a un kilómetro de su puerto, Bonanza, en el abra de Sanlúcar. Es centro de una comarca notable por su industria vinícola, especialmente, el llamado vino de manzanilla. El origen de la ciudad se remonta a la época romana. Entre sus edificios principales se destacan los templos de San Francisco y Santo Domingo, la iglesia de Nuestra Señora de la O, construida en el siglo XIV, y el palacio de los duques de Medinasidonia. De su puerto salió en 1498 Cristóbal Colón para su tercer viaje de descubrimiento, y en 1519 los navegantes Fernando de Magallanes y Juan Sebastián Elcano, para efectuar el histórico viaje en que se circunnavegó el globo por primera vez.

sánscrito. Lengua de la India que pertenece a la familia de las lenguas indoeuropeas. El vocablo *sánscrito* se emplea en dos sentidos, uno general y otro restringido. Según el primero, el origen del idioma sánscrito se remonta a más de 1,500 años a. C., por lo tanto, se habla en la India desde hace más de 3,500 años. En tan largo tiempo ha experimentado profundos cambios y modificaciones que, para su estudio, suelen dividirse en tres grandes grupos: el védico, el sánscrito y el prácrito.

El védico. Se le llama también sánscrito védico o sánscrito arcaico y pertenecía al grupo de dialectos *prácritos primarios* que se hablaban en la región central de la India hace más de 35 siglos. Se le asigna una duración que abarca desde el año 1500 al 200 a. C. El védico fue evolucionando lentamente, de manera empírica, hasta convertirse en el dialecto hablado por la gente culta de la India central. A este periodo corresponden los cuatro libros sagrados llamados *Vedas*, el más antiguo de los cuales es el *Rig-Veda*. Los otros tres son el *Sama-Veda*, el *Yajur Veda* y el *Atharva-Veda*. Existen otras obras complementarias de los *Vedas* que también corresponden a este periodo.

El sánscrito. Hacia los siglos IV y III a. C., el védico, lengua en la que ya existían importantes monumentos literarios, fue objeto del estudio de diferentes gramáticos, principalmente de Panini, quienes la perfeccionaron gramaticalmente y le dieron el nombre de sánscrito, que quiere decir *purificado*, y se convirtió en el lenguaje culto de las clases superiores de la India. A este idioma, así perfeccionado, es al que se le aplica con propiedad el nombre de sánscrito, de acuerdo con el sentido restringido ya mencionado. El principio de este periodo coincide con las postrimerías del védico, por lo que se le asigna una duración que empieza del año 500 a. C. al 1000 de la era cristiana. Al lenguaje de este periodo se le da el nombre de sánscrito clásico y sus monumentos literarios más importantes son el *Mahabharata*, el *Ramayana* y los *Puranas*. Con posterioridad a este periodo, el sánscrito se siguió usando en la India por las clases cultas, y en la actualidad es uno de los idiomas reconocidos oficialmente en la moderna República de la India.

El prácrito. En la época de Panini, en que se perfeccionaba gramaticalmente el dialecto de la India central para formar el sánscrito clásico, se hablaban en la periferia de la India otros varios dialectos que eran el medio vulgar de comunicación y que se conocen con el nombre conjunto de prácrito, que significa *natural* o sin *purificar*, por contraposición al sánscrito o purificado. De esos dialectos prácritos y de sus distintas mezclas y diversos grados de perfección gramatical y literaria, surgió la mayor parte de las lenguas modernas de la India. Entre ellas, la principal es el hindi, lengua nacional de la República de la India, aunque también se reconocen oficialmente otras trece lenguas, entre ellas, además del sánscrito ya citado, al gujarati, punjabí, kashmiri, marathi, oriya, assamese y bengalí.

El védico, el sánscrito y el prácrito tienen su origen en los diversos grupos de dialectos prácritos primarios que se hablaban en la India hace miles de años y que, lingüísticamente, se clasifican en la subfamilia indoaria que, a su vez, forma parte de la gran familia indoeuropea, de la cual el sánscrito, considerado en su sentido más amplio, es la lengua de mayor antigüedad. *Véase* LENGUAS.

PITAR	significa "padre" en sánscrito, es una palabra muy cercana a pater (latín), y a Vater (alemán), a father (inglés) y a padre y paternal
AYAS	significa "metal" en sánscrito, viene de la misma raíz que aes (bronce en latín) y que eisen y iron (hierro en alemán e inglés)
IRAS	significa "ira" en sánscrito, tiene gran parecido con ira latín o con la voz inglésa "ire"; de esta palabra viene irritable e iracundo en español
PETS	palabra indoeuropea se transformó en pat en sánscrito, pes en latín y pie en nuestro idioma español. También aparece en pedal
SATAM	voz sánscrita que quiere decir cien, es muy parecida a centum (latín), de la cual derivan century y centennial (inglés), y ciento y centena

Ediciones Calíope

Ejemplos de caracteres en sánscrito, que es el idioma clásico de la India, el cual está emparentado con todos los idiomas europeos.

Sansón (s. XII a. C.). Juez del antiguo Israel, cuya vida refieren las Santas Escrituras. Era nazareno, esto es, consagrado a Dios desde antes de nacer, y estaba dotado de una fuerza sobrenatural cuyo origen residía en sus largos cabellos. Su lucha contra los filisteos provocó buen número de sucesos, magnificados por la leyenda hebrea. Se cuenta que cierta vez mató a mil filisteos con la quijada de un asno. Había sido elegido juez de Israel, cuando se enamoró de Dalila, que con gran astucia supo arrancarle el secreto de su extraordinaria fuerza. Mientras Sansón dormía, Dalila le cortó los cabellos. Perdidas sus fuerzas, los filisteos se apoderaron de Sansón, le sacaron los ojos y lo llevaron a Gaza, como esclavo. Pasado un tiempo, su cabello creció y con él las fuerzas. En los festejos de Dagón, los filisteos lo llevaron al lugar del festín para burlarse de él; pero, al tropezar con las columnas que sostenían el palacio, las derribó con sus poderosos brazos y al desplomarse el edificio con terrible estruendo, pereció Sansón con todos sus enemigos.

Sansovino, Andrea Contucci, llamado il (1467-1529). Escultor y arquitecto italiano. Fue discípulo de Antonio Pollaiolo. Entre sus obras principales se destacan *El Bautismo de Jesús*, en Florencia; las tumbas de los cardenales Ascasio Sforza y Girolamo Basso della Rovere en Roma; el grupo escultórico de *La Virgen con el Niño y Santa Ana*, también en Roma, y los bellos bajorrelieves de *La Anunciación* y *La Natividad*, en Loreto.

Sansovino, Jacopo Tatti, llamado il (1486-1570). Escultor y arquitecto italiano. Fue discípulo de Andrés Contucci, con cuyo apelativo también se le designa. El papa León X lo contó en el número de los artistas que gozaron de su protección. Entre las obras más importantes de Tatti se cuentan las estatuas colosales de Marte y Neptuno, en el palacio de los Dux en Venecia. Como arquitecto, planeó y dirigió la construcción de muchos notables edificios, principalmente en Venecia, entre ellos el palacio Cornaro.

Santa Alianza. Pacto firmado en París en 1815 por el zar de Rusia, el rey de Prusia y el emperador de Austria. Tenía el propósito de mantener la paz instaurada por el Congreso de Viena, luchar contra los movimientos liberales europeos y reconstruir la organización política social anterior a la Revolución Francesa. La liquidación del periodo napoleónico, que dio origen a la Santa Alianza, motivó también otros pactos y tratados, entre ellos los que establecieron la Gran Alianza de las potencias europeas.

Los efectos conjuntos de esos tratados se atribuyen, general aunque indebidamente, a la Santa Alianza cuya acción principal se reflejó en la represión de toda insurrección producida en cualquier país cuando el gobierno local no lograba sofocarla por sus propios medios. Así fueron dominadas la agitación de los estudiantes alemanes, la insurrección de los carbonarios de Nápoles y la rebelión del Piamonte.

La Santa Alianza tuvo intervención en la política hispanoamericana. El 19 de enero de 1820, el comandante Rafael de Riego sublevó en Cádiz a un ejército que debía partir para sofocar la revolución de los países americanos. El movimiento, de carácter liberal, se extendió rápidamente, y Fernando VII tuvo que restablecer la Constitución. La Santa Alianza resolvió, a moción de François René de Chateaubriand, ministro plenipotenciario de Francia –país que se había incorporado a la coalición–, restablecer el absolutismo en España.

Corel Stock Photo Library

La Santa Alianza entre Rusia, Prusia y Austria, se inició tras la derrota de Napoleón.

Un ejército francés, al mando de Luis Antonio de Borbón, duque de Angulema, penetró en España y restableció el poder absoluto de Fernando VII. La Santa Alianza decidió entonces ayudar a España a recuperar sus colonias del Nuevo Mundo. Esta propuesta engendró la viva oposición de Gran Bretaña, cuyo primer ministro, George Canning, declaró que se opondría a toda injerencia de la Santa Alianza en asuntos americanos, y amenazó con emplear su flota contra cualquier ejército que se hiciera al mar rumbo al Nuevo Mundo. Con gran habilidad sugirió al gobierno norteamericano la conveniencia de una acción conjunta ante la Santa Alianza, idea que fue aceptada por el presidente James Monroe. El ministro de Relaciones Exteriores de éste, John Quincy Adams, convenció al presidente de que el país no debía "marchar como una chalupa a la zaga de la flota británica", y Estados Unidos formuló una declaración por separado. Fue la famosa doctrina de Monroe, en 1823, que afirmó la decisión de no permitir el establecimiento de nuevas colonias europeas en América ni la extensión del sistema político de la Santa Alianza al Nuevo Mundo. Francia, que intentó violar la doctrina con su intervención en México y en el Río de la Plata, sufrió un desastre de funestas consecuencias. El fracaso de su política americana fue un rudo golpe para la Santa Alianza. La llamada *Cuestión de Oriente* apresuró su muerte. Los griegos, que eran cristianos, habían iniciado una heroica sublevación contra los turcos, de religión musulmana. Klemens, príncipe de Metternich-Winneburg se encontró ante un dilema: desde el punto de vista religioso, la coalición debía intervenir en favor de un pueblo cristiano que luchaba contra infieles, mas desde el punto de vista político, el principio del mantenimiento del orden le impedía proteger a un grupo de rebeldes. Ante la indecisión de la Santa Alianza, una flota combinada de Francia, Inglaterra y Rusia atacó de improviso la flota turcoegipcia y la aniquiló en la batalla de Navarino. Los franceses ocuparon el Peloponeso y los rusos llegaron hasta las puertas de Constantinopla, obligando al sultán a reconocer la independencia griega. Desobedecida así por sus principales integrantes, la Santa Alianza quedó reducida a Prusia y Austria y prácticamente cesó de existir. *Véanse* MONROE; CONGRESO DE VIENA.

Santa Ana. Ciudad de la República de El Salvador, a 645 m de altura, a 80 km de la capital del país y en un valle rodeado de volcanes, entre los que se encuentra el que le da su nombre. Población: 232,210 habitantes (1995). Hay hermosos edificios y paseos, incluyendo el bello barrio de El Calvario. Estación del ferrocarril San Salvador-Guatemala y al puerto de Acajutla, sobre el Pacífico. Importante producción de café, caña de azúcar y algodón. Industrias: tabaco, azúcar, textiles y licores. Se fundó en un lugar llamado, a la llegada de los españoles, Siguateguacán.

Santa Ana. Departamento en el extremo noroeste de la República de El Salvador, que allí limita con Guatemala y Honduras. Terreno montañoso accidentado al norte por la sierra Montepeque-Metapán y al sur por la cadena costera, comprende una región meseteña central avenada por ríos afluentes del Lempa. Tiene una gran cantidad de lagunas, entre ellas Güisa –frontera con Guatemala– y Coatopeque. Su clima es cálido, suavizado por la altura, con precipitaciones entre 1,600 y 1,800 mm anuales. Su superficie es de 2,023 km^2 y una población de 510,565 habitantes (1995). Se cultivan cereales y hortalizas, hay plantaciones de café y caña de azúcar. Hay ganado vacuno y lanar. Existen yacimientos mineros de carbón, hierro y plata. Posee industrias metalúrgica y alimentaria. Comprende tres distritos y 13 municipios, su capital es Santa Ana.

Santa Bárbara. Departamento de la República de Honduras en la parte oeste del país, limítrofe con Guatemala. Tiene una superficie de 5,115 km^2 con 291,000 habitantes (1995). Es bastante montuoso y en él se encuentran varios volcanes y ríos. Su economía es principalmente agrícola (café, caña de azúcar, arroz, cacao, tabaco, bananas, maderas, etcétera). Hay yacimientos de oro, plata, cobre, hierro, plomo y antimonio. La ganadería es importante. La capital es Santa Bárbara con 22,902 habitantes.

Santa Catarina. Estado de Brasil situado en la región meridional; limita con los de Paraná, Río Grande del Sur, la República Argentina y el Atlántico. Ocupa un área de 95,985 km^2, con 4.536,433 habitantes (1995). El territorio se divide en dos zonas desiguales y de distinta morfología separadas por la Sierra del Mar: una la costera, y otra, la meseta interior. Produce café, yerba mate, algodón, tabaco, bananas, té, ramio y caña de azúcar, habiendo en su subsuelo yacimientos de hulla. La ganadería, la industria textil y la de procesamiento de alimentos son importantes. La capital es Florianópolis, con 266,858 habitantes.

Santa Clara. *Véase* VILLA CLARA.

Santa Claus. Personaje legendario, al que en ciertos países, principalmente en Estados Unidos, se le asigna la condición de ser el benefactor y protector de los niños. Su nombre se deriva del de san Nicolás, que la pronunciación imperfecta de los niños pequeños en los países sajones transformó en *Santa Claus.*

Según la versión más divulgada, *Santa Claus*, viejecito de grandes barbas, afable y risueño, vestido de rojo, va por los aires, guiando un trineo tirado por renos, repartiendo juguetes, golosinas y otros regalos a los niños. El origen de Santa Claus se remonta a san Nicolás, cuya fiesta se celebra el 6 de diciembre. La vida de este santo, aunque gran parte sumida en la leyenda, transcurrió por el siglo IV. Después de muerto, fue trasladado por unos devotos desde Asia Menor hasta Bari (Italia), y desde entonces grandes peregrinaciones se dirigen a Bari a venerar sus restos. Son varios los países del Viejo Continente que han levantado templos cristianos en honor del santo. Uno de los muchos episodios que la tradición popularizó, es el del padre desesperado porque la pobreza no le permitía dotar a ninguna de sus tres hijas, a quienes le era ya imposible continuar manteniendo. Una noche, sentado, con la cabeza entre las manos y entregado al desconsuelo, oyó un tintineo a sus pies, y con gran sorpresa descubrió en el suelo una pequeña bolsa repleta de monedas de oro; la noche siguiente, volvió a encontrar otra similar, y en la tercera logró descubrir que su dadivoso benefactor era san Nicolás. Basada en ese hecho, surgió la costumbre en Holanda y otros países de cambiar obsequios con familiares y amigos en la Nochebuena, inspirada en la figura de san Nicolás, desplegando bondad y repartiendo presentes. Los holandeses llevaron consigo su devoción por el santo a América del Norte. En Francia se le llama Papá Noel, como en algunos países americanos. Con el correr del tiempo la conmemoración de *Santa Claus* se unió a la fiesta de Navidad. Y en esa noche, los niños de muchos países ponen sus zapatos cerca de la ventana, para que *Santa Claus* pueda dejar en ellos el regalo tradicional.

Corel Stock Photo Library

Santa Claus.

Santa Cruz. Departamento oriental de Bolivia, limítrofe con Brasil y Paraguay. Ocupa un área de 370,621 km^2, con 1.216,000 habitantes (1995). Gran parte de su territorio pertenece a la cuenca del Amazonas. Los recursos económicos se basan en una variada agricultura en fase de desarrollo, que produce principalmente caña de azúcar, café, algodón, tabaco, yuca, arroz y frutas tropicales; en la ganadería vacuna de carne, en la explotación forestal y en los yacimientos de petróleo (Camiri, Saipurú, Guarirí, Caranda). El crudo se refina en parte en Camiri y el resto se transporta por oleoducto a las refinerías de Sucre y Cochabamba. Las principales vías de comunicación las constituyen los ferrocarriles Santa Cruz de la Sierra-Puerto Suárez, en el río Paraguay. Santa Cruz de la Sierra-Yacuiba, en la frontera argentina y la carretera Santa Cruz de la Sierra-Cochabamba. Se divide en 13 provincias, la capital es Santa Cruz de la Sierra.

Santa Cruz. Provincia de la República Argentina: 243,943 km^2; población: 159,964 habitantes. Limita al norte con la provincia de Chubut, al sur y al oeste con la República de Chile; al este, baña sus costas el océano Atlántico. Su superficie está integrada por parte de las áreas territoriales de la antigua provincia de Patagonia y de la desaparecida zona militar de Comodoro Rivadavia. El relieve degrada paulatinamente desde los altos niveles de la cordillera patagónica hasta el litoral atlántico: una sucesión de terrazas y altiplanicies ocupa la región central. Ríos importantes como el Deseado, Chico, Santa Cruz, Coile y Gallegos recorren la provincia de oeste a este y dan origen a la formación de valles encajonados donde crecen hierbas blandas que posibilitan la cría de ovinos. En la región andina, realzan la belleza del magnífico paisaje los más grandes lagos de origen glaciar del sur argentino: San Martín Buenos Aires, Argentino y Viedma. Inviernos rigurosos, con abundante nieve en la zona cordillerana, singularizan el clima regional; la zona central de la provincia sufre un frío seco, este rasgo se atenúa en la costa atlántica. La capital provisional es la ciudad de Río Gallegos, con 43,727 habitantes. Otros centros urbanos importantes son Deseado, Santa Cruz y Colonia Las Heras. Entre las principales fuentes de riqueza provincial destaca por su alto valor económico la cuenca carbonífera de Río Turbio; extensos yacimientos de caolín sustentan una activa explotación calculada en 2,000 ton anuales aproximadamente. La cría de ovinos ha alcanzado

Santa Cruz, Argentina.

Secretaría de Turismo, Presidencia de la Nación Argentina

Corel Stock Photo Library

Puerto de la Cruz Lido en Tenerife, España.

singular relieve; el número de cabezas sobrepasa los ocho millones. La agricultura no encuentra mayores posibilidades para su desarrollo en medio de condiciones poco propicias, las áreas sembradas, corresponden a cultivos de alfalfa, principalmente. Un ramal ferroviario comunica la comarca minera del Río Turbio con el puerto de Río Gallegos; numerosos caminos vinculan las localidades del oeste con la capital y puertos atlánticos, y una línea aérea relaciona la provincia con la capital de la República.

Santa Cruz de La Sierra. Ciudad capital del departamento de su nombre en Bolivia en las márgenes del río Piray y al pie de la sierra de San José de Chiquitos. Población: 694,616 habitantes (1994). En sus vecindades se han descubierto yacimientos petrolíferos (Camiri). Fundada en 1557 por el español Ñuflo de Chaves, fue pronto una de las ciudades de la Audiencia de Charcas. Particular relieve alcanzó durante la época colonial en el aspecto religioso, al convertirla los jesuitas en el centro de evangelización. El 24 de septiembre de 1811 proclamó su independencia y constituyó, bajo el mando del coronel Warnes, una de las más poderosas republiquetas, que desafió durante tres años al poder realista. Ocupada alternativamente por patriotas y realistas, en 1825 fue abandonada por los realistas definitivamente tras sus derrotas en Junín y Ayacucho.

Santa Cruz de Tenerife. Ciudad española, capital de la provincia canaria de su nombre, con 202,674 habitantes (1995). Se halla situada en el noreste de la isla de Tenerife, en una tranquila bahía orlada de montañas. Presenta aspecto moderno y limpio y cuenta con buenos edificios (capitanía, ayuntamiento, iglesia de la Concepción), parques y paseos. En sus alrededores hay numerosos caseríos. Goza de un clima muy benigno durante todo el año. Su valor económico depende de su importante refinería de petróleo, de pequeñas industrias y de su puerto, seguro y abrigado, que es muy visitado, exporta gran cantidad de tomates y plátanos. Tiene, también, importancia como nudo de comunicaciones, pues de ella parten los cables telegráficos para América del Sur.

Santa Cruz de Tenerife. Provincia de España que abarca las islas del grupo occidental de las Canarias: Palma, Tenerife, Gomera y Hierro. Es una de las dos divisiones administrativas del archipiélago de las Canarias y se subdivide en varios partidos judiciales: Granadilla de Abona, Icod, La Laguna, La Orotava y Santa Cruz de Tenerife, en la isla de Tenerife; Los Llanos y Santa Cruz de la Palma, en la isla de Palma; Valverde, en la de Hierro, y San Sebastián de la Gomera, en la isla de Gomera. Tiene una superficie total de 3,170 km^2 y una población de 784,013 habitantes. La capital es Santa Cruz de Tenerife. Produce cereales, hortalizas, frutas, tabaco, vino.

Santa Cruz, Andrés (1792-1865). Militar y político peruano. Servía en el ejército español con el rango de coronel, cuando en 1820 se pasó a los partidarios de la independencia americana.

Estuvo en la batalla de Pichincha (1822), donde mandó una división. Simón Bolívar lo llamó a Lima y lo nombró jefe del estado mayor general. Cuando en 1826 Bolívar se dirigió a Colombia, quedó él como presidente interino de Perú. En 1829 fue presidente de Bolivia, y al cabo de cuatro años fue reelegido. Su gobierno fue iniciado con una ley de amnistía; suprimió la presidencia vitalicia; reorganizó la administración; inauguró las universidades de La Paz y Cochanamba, promulgó códigos e impulsó y fomentó la minería y la ganadería. Su iniciativa principal fue la creación de la

Playa de las Américas en Tenerife, Canarias.

Corel Stock Photo Library

Confederación Peruano-Boliviana, proclamada en 1836 y de la cual fue Supremo Protector. Hizo la guerra a Chile y a Argentina, pero la suerte le fue adversa. En 1839 fue derrotado en Yungay y se retiró a Ecuador. La confederación se deshizo al desaparecer su protector. En 1843 intentó un desembarco, pero fue detenido y enviado a Europa, en honroso destierro, como representante de Bolivia ante los gobiernos de Francia, España, Italia, Inglaterra y Bélgica. Regresó en 1864 llamado por sus partidarios que querían elegirlo presidente de Bolivia, pero antes de las elecciones volvió a su retiro de Francia, donde murió.

Santa Cruz, Domingo (1899-1990). Músico chileno. Reorganizó la enseñanza de la música en su patria, y realizó numerosos viajes de estudio por Europa y América. Sus obras se caracterizan generalmente por sus complejidades armónicas y su sobriedad expresiva. Las más importantes son: *Cinco piezas breves*, para orquesta de cuerdas; *Tres piezas*, para violín y piano; *Cantata de los ríos de Chile*, para coro mixto y orquesta y sobre poemas del mismo compositor, y *Variaciones en tres movimientos*, para piano y orquesta.

Santa Cruz y Espejo, Francisco Eugenio (1747-1795). Escritor y político ecuatoriano. Su vida puede presentarse como modelo de voluntad y estoicismo. Con singular perseverancia y gran sacrificio aprendió a leer y escribir y fue adquiriendo conocimientos en todas las ciencias. Es autor de varios ensayos, discursos y obras científicas y médicas, así como de una obra de verdadera trascendencia: *El nuevo Luciano, o despertador de ingenios*. Cuando en 1767 los jesuitas fueron expulsados de Ecuador, Santa Cruz y Espejo, con los elementos que los sacerdotes dejaron abandonados, organizó una biblioteca pública que fue de las primeras del continente. Le corresponde también el honroso título de primer periodista ecuatoriano, pues publicó en su ciudad natal un periódico titulado *Primicias de la cultura de Quito*, cuya primera entrega lleva la fecha del 5 de enero de 1792. Profesaba ideas avanzadas, adquiridas en las obras de los filósofos europeos que llegaban a sus manos. Ello lo incitó a trabajar para el logro de la independencia de su patria, lo que le valió persecuciones incesantes y pasar largas temporadas en la cárcel, en donde murió. Fundó la sociedad patriótica Escuela de la Concordia y concibió un plan de independencia y organización de los países latinoamericanos.

Santa Elena. Isla situada en el océano Atlántico del Sur: 1,800 km la separan de África y 3,500 de Brasil. De origen volcánico, es en general árida y montañosa, pero el buen clima y las lluvias frecuentes permiten algunas actividades agrícolas; los principales cultivos son los de lino y patatas. Los abruptos acantilados la hacen prácticamente inaccesible, salvo en un punto, al suroeste, donde se halla el puerto y la ciu-

Napoleón hacia el exilio en Santa Elena.

Art Today

dad de Jamestown (1,700 h.). La superficie total de la isla es de 122 km^2. Tiene 7.000 habitantes, entre cuyas actividades se destacan una reducida cría de ganado, el cultivo de lino y la manufactura de cordelería y encajes. Su pico más alto, el Diana, alcanza a 820 m. Descubierta en 1502 por el marino portugués Jõao de Nova, fue pronto abandonada, y pasó a manos holandesas, pero desde 1673 es posesión británica. Santa Elena es célebre por el cautiverio que sufrió allí Napoleón Bonaparte, de 1815 a 1821, año de su muerte.

Santa Fe. Ciudad capital de la provincia de su nombre, en Argentina, sobre las márgenes del río Paraná y a 18 m de altura. Puerto fluvial de gran actividad. Población: 442,214 habitantes. Situada al norte de Rosario, ciudad a la que la une, a más del ferrocarril a Buenos Aires, excelente carretera pavimentada de unos 170 km. Otras vías terrestres se dirigen al Chaco, Córdoba y Mendoza. Ciudad moderna y de constante progreso, conserva valiosos recuerdos de la época colonial, entre los que se destacan la Casa de Gobierno y los templos de San Francisco y de la Merced. Facultades universitarias de derecho y farmacia. Colegio Nacional (liceo), Escuela Normal y Escuela Industrial Nacional; tribunales de la jurisdicción del Norte y un juzgado federal. Vecina a la ciudad se halla la gran laguna de Guadalupe. Fue fundada en sitio próximo al que hoy ocupa por don Juan de Garay, en 1573, con el nombre de Santa Fe de Veracruz, efectuándose su traslado en el año 1660. Se halla a 480 km de Buenos Aires.

Santa Fe. Provincia de la República Argentina, cuyo territorio, perteneciente a la llanura chaco-pampeana, es uno de los más fértiles del continente americano. Con una superficie de 133,007 km^2 y una población de 2.797,293 habitantes, es la segunda de las provincias argentinas, por el numero de sus habitantes y su poderío económico. Cerca de 5 millones de ha se hallan sembradas con maíz, trigo, alfalfa y lino en las regiones del sur donde la tierra está dividida entre grandes núcleos de colonos, en su mayoría de origen italiano. Una tupida red ferroviaria, cuya longitud asciende a 5,100 km, conecta esta fértil región con los puertos de Rosario, Santa Fe y Buenos Aires, que absorben su producción equivalente a 7% del valor anual de los productos elaborados en el país.

En contraste con estas llanuras templadas –donde también pacen 6 millones de cabezas de ganado–, la región del norte se halla cubierta por enormes bosques pertenecientes a la formación chaqueña; el quebracho colorado, árbol de múltiples aplicaciones, es explotado en gran escala para atender las necesidades de los mercados europeos. También abundan los bosques de talas, algarrobos y ñandubayes, cuyas incalculables riquezas han sido explotadas durante mucho tiempo en forma destructiva, sin criterio racional. En las márgenes del Paraná, aprovechando las óptimas facilidades para el transporte económico que ofrece este gran río, se han instalado numerosas fábricas: la destilería del petróleo situada en San Lorenzo, la fábrica de papel de Juan Ortiz, los molinos y elevadores de Rosario y varias plantas químicas y siderúrgicas.

La capital es la ciudad de Santa Fe, frente a la capital de Entre Ríos, con la que se comunica por un sistema de balsas automóviles. Más importante que la capital es la ciudad de Rosario, segundo centro urbano del país. Favorecidas por la riqueza de las praderas, en el interior de la provincia han surgido ciudades que hasta hace poco eran pequeñas colonias de inmigrantes: Rufino, Casilda, Rafaela, Venado Tuerto, San Justo, Villa Constitución y Coronda son las principales.

Más de 1,600 escuelas primarias y 60 colegios secundarios y especiales forman el panorama educativo de la provincia. La Universidad Nacional del Litoral, cuyos institutos y facultades funcionan en la capital y en Rosario, tiene más de 15,000 alumnos. En su capital fue elaborada y promulgada la Constitución de 1853, que selló la unidad democrática de la nueva nación.

Santa Hermandad. Institución de vigilancia y castigo fundada en España en 1476, bajo los Reyes Católicos. Su función principal era la guarda de los caminos y de los campos, para evitar los crímenes en despoblado. La vigilancia se encomendaba a grupos de cuatro soldados –los famosos *cuadrilleros* del *Quijote*– y llegó a constituir una milicia considerable que incluso tomó parte en las guerras; su número se redujo desde 1498, cuando así lo aconsejaron las circunstancias de mayor seguridad en que se desarrolló la vida al final de aquel reinado.

Santa Lucía. Estado del Caribe, construido por la isla homónima de las Pequeñas Antillas. Tiene una superficie de 616 km^2 y 151,000 habitantes. Su capital es Castries (53,883 h.), su lengua oficial es el inglés y su principal religión es la católica (79%) y los protestantes (15.5%). la composición étnica se divide en negros (87%), mulatos (9.1%), asiaticos (2.6%) y blancos (1.3%). Su unidad monetaria es el dólar del Caribe oriental. Es un estado unitario miembro de la Commonwealth.

La isla está situada entre la de Martinica al norte, y la de San Vicente, al sur, de las que se halla separada por los canales de Santa Lucía y San Vicente, respectivamente. Tiene forma alargada, con 43 km de longitud entre los cabos Cap al norte y Moule à Chique al sur y una anchura máxima de 23 km. Es de origen volcánico y montañosa, principalmente en el sector meridional, donde alcanza la máxima altura en la cima del Gimie (958 m), al suroeste del cual se encuentran los conos volcánicos de Gros Piton (798 m) y Petit Piton (750 m), que se levantan bruscamente junto a la costa y constituyen la característica principal del paisaje de la isla. El clima es tropical atemperado por los alisios del noreste; su temperatura media oscila entre los 21 y 32 °C; la pluviosidad va de los 1,300 mm de la costa a casi los 3,000 en el interior.

Como en otras islas del Caribe, la agricultura exportadora, la industrialización orientada a la exportación y el turismo constituyen los factores clave en el desarrollo económico de la isla. El sector agroexportador –principalmente bananas y cocos, y, en menor medida, frutas tropicales– se encuentra en pleno crecimiento y asegura el grueso de las ventas exteriores del país así como un saludable excedente de la balanza comercial agraria. Las actividades pecuarias y pesqueras tienen una relevancia limitada. Desde inicios de los años setenta, se ha registrado una rápida expansión de algunos sectores industriales ligeros (plásticos, jabones, aceites, bebidas, fertilizantes, etcétera) aumentando su participación en las exportaciones totales. El proceso de industrialización emprendido por el Estado se basa en la atracción de inversiones extranjeras y la urbanización y promoción en el exterior de polígonos industriales, algunos de ellos en régimen de zona franca como el de Cul-de-Sac. El turismo ocupa el tercer lugar en la actividad económica, tras la agricultura y la industria. Su desarrollo se inició en 1966 y su ritmo de crecimiento ha sido superior al de los otros sectores. Desde su independencia, Santa Lucía ha mantenido un crecimiento económico sostenido. Por su renta per cápita forma parte del grupo de países de ingresos medios. El país cuenta con mejores infraestructuras de transporte que las islas vecinas. Dispone de 760 km de carreteras (500 km asfaltados). Sus principales puertos son los de Castries y Vieux Fort y hay un aeropuerto en Hewanorra.

Santa Lucía es miembro de los organismos de cooperación e integración económica del Caribe: Comunidad y Mercado Común del Caribe (Caricom), Organización de Estados del Caribe Oriental y Asociación de Estados del Caribe y del grupo de países de Africa, Caribe y Pacifico (ACP) asociados a la CE a través de la convención de Lomé. Participa también en la Iniciativa de la Cuenca del Caribe (ICC) y es miembro del FMI y el Banco Mundial.

Historia. Cristóbal Colón llegó a la isla en junio de 1502, en el curso de cuarto viaje, momento en que estaba habitada por indígenas caribes. En 1639 los ingleses iniciaron la colonización de la isla, pero tres años después debieron evacuarla tras una rebelión de los indígenas. Ese mismo año se establecieron en la isla colonizadores franceses, que la dominaron durante mas de 20 años, hasta que, en 1663, la isla volvió a poder de los ingleses, iniciándose una larga disputa por su posesión. En 1667 volvió a manos francesas. Pese a que varios tratados posteriores la declararon territorio neutral, la lucha por su posesión continuó, hasta que en 1814 paste definitivamente a poder británico. La población y la economía de la isla se vio gravemente afectada por un terrible huracán que en 1838 la devastó casi por completo. A partir de la colonización inglesa se introdujeron importantes contingentes de esclavos negros, que pronto se constituyeron en la población mas numerosa de la isla. La vida económica giró desde un principio en la producción agrícola, basada fundamentalmente en la caña de azúcar, el cacao, las bananas y el coco. Durante la Segunda Guerra Mundial se estableció en la bahía de Gros Islet una base naval estadounidense (1940). La isla formó parte de la Federación de las Indias Occidentales (1958-1962), y en 1967 se integró en los Estados Asociados de las Indias Occidentales. El Partido de los Trabajadores Unidos (UWP), que llegó al poder en 1964, triunfó en las elecciones de 1969 y 1974 y logró de Gran Bretaña la independencia el 22 de febrero de 1979. En las elecciones de julio de 1979 triunfó el Partido Laborista de Santa Lucía (SLLP), y su principal dirigente, Allan Louisy, fue designado primer ministro, y en las de mayo de 1982 venció el UWP y su líder, John G. M. Compton, sucedió a Louisy. En las elecciones de 1987 y abril de 1992 volvió a triunfar el UWP y Compton siguió como primer ministro. En 1995, una investigación promovida por la oposición reveló la financiación ilegal electoral del partido en el Gobierno con fondos procedentes de las aportaciones a la ONU. Envuelto en el cave, Compton dimitió y fue sustituido al frente del partido por Vaughan Lewis en enero de 1996, quien le sustituyó también como primer ministro (2 de abril).

La Constitución, promulgada el 22 de febrero de 1979, establece una monarquía constitucional. El jefe del Estado es la soberana de Gran Bretaña, representada por un gobernador general. El poder legislativo reside en la Asamblea Legislativa, de 17 miembros, elegidos por sufragio universal pare un período de cinco años. El senado lo integran 11 miembros designados por el gobierno, la oposición y el gobernador. El primer ministro y el gabinete son responsables ante la Asamblea.

Corel Stock Photo Library

Playa de Santa Lucía en el mar Caribe.

Santa María la Antigua del Darién. Es el primer establecimiento fundado por los españoles en la costa colombiana de las Antillas, en la orilla oeste del Golfo de Urabá, en 1510, y que sirvió de punto de partida para el reconocimiento de sitios vecinos, y de las expediciones que luego se internaban hacia el istmo de Panamá. Allí recibió Balboa su título de adelantado y organizó la marcha que le llevaría al descubrimiento del océano Pacífico. El progreso y prosperidad de este establecimiento le llevó a ostentar el honor de ser el primer obispado que se instituyó en América, y que posteriormente fue trasladado a Panamá. La situación geográfica de la ciudad, sin embargo, no era oportuna, y paulatinamente fue desapareciendo, absorbida por las poblaciones del istmo a las que dio vida, precisamente. Al caserío que subsiste allí, se le llama Antigua del Darién.

Santa María, Andrés de (1860-1945). Pintor colombiano, nacido en Bogotá. A los dos años fue conducido a Europa, donde cursó sus estudios, primero en Inglaterra y más tarde en la Escuela de Bellas Artes de París (1882). Allí fue discípulo de Ferdinand Humbert y de Henri Gervex. En 1893 regresó a Colombia y el gobierno lo nombró director de la Escuela de Bellas Artes, cargo que ocupó durante siete años. Fue quizás el primero en introducir el impresionismo pictórico en su país. Pero, el nuevo estilo obtuvo poco éxito en el ambiente local en que se desenvolvía, por lo que regresó a Europa (1900) para radicarse definitivamente en Bruselas. Fue seguramente el más universal de los pintores colombianos de su tiempo, por haber sabido captar y aprovechar para su propia obra las distintas corrientes modernas de la pintura europea. Sus obras más conocidas son *El lavadero del Sena*, *Piedad* y *Retrato de Monseñor Carrasquilla.*

Santa Marta. Ciudad colombiana, capital del departamento del Magdalena. Es la más antigua de las ciudades colombianas ya que fue fundada por Rodrigo Gutiérrez de Bastidas el 29 de julio de 1525. Su población es de 304,900 habitantes y su posición de puerto marítimo le ha facilitado el comercio de bananos, que se producen en la región. Tiene paseos interesantes, y se puede ir hasta la Sierra Nevada por magnífica carretera. En sus cercanías está la hacienda de San Pedro Alejandrino, donde murió el Libertador Simón Bolívar el 17 de diciembre de 1830.

Santa Rosa. Departamento de Guatemala, en la parte meridional. Ocupa un área de 2,955 km^2, con 267,790 habitantes. El territorio es montuoso en la zona norte mientras que en la zona sur es bajo. El río más caudaloso es el de los Esclavos, sobre el cual hay un célebre puente construido por los españoles en 1592, que consta de 10 arcos. Las tierras bajas son de clima tropical y producen caña de azúcar, plátanos, arroz y café. La capital es Cuilapa, con 25,975 habitantes. Está dividido en 14 municipios.

Santa Sede. *Véanse* PAPADO; ROMA; VATICANO, CIUDAD DEL.

Santa Sofía de Constantinopla. En el año 138 de nuestra era, santa Sofía murió en el martirio juntamente con sus hijas Fe, Esperanza y Caridad, por orden del emperador Adriano. Justiniano I para

Corel Stock Photo Library

Vista exterior de Santa Sofía en Estambul, Turquía.

honrar su memoria, la hizo patrona de un templo fundado por él en 532 en la ciudad de Constantinopla, hoy Estambul (Turquía). La iglesia de Santa Sofía, consagrada en 537 es una construcción majestuosa y una maravilia arquitectónica. Este templo se llamó también de la Divina Sabiduría. La cúpula central, de 36 m de diámetro, está rodeada por cuatro minaretes y coronada por una enorme medialuna. El interior del templo tiene la forma de una gran cruz latina de 82 m de largo por 73 y medio de ancho. La techumbre está sostenida por 107 columnas, ocho de las cuales son de pórfido y pertenecieron, según la tradición, al templo del Sol de Heliópolis. Cuatro son de jaspe verde, y también quiere la tradición que hayan pertenecido al templo de Diana de Éfeso. En 1453, cuando Constantinopla cayó en poder de los turcos, Mohamed II la transformó en mezquita árabe, y se efectuaron en su interior reformas que destruyeron buena parte de la primitiva belleza arquitectónica y artística de este templo. Los magníficos y vistosos mosaicos de las paredes y de las bóvedas han desaparecido bajo una capa de yeso, sobre la cual se grabaron máximas del Corán. La iglesia de Santa Sofía de Constantinopla es el monumento más majestuoso del arte bizantino de todos los tiempos. Es obra de los arquitectos Artemio de Tralles e Isidoro de Mileto.

Interior de la cúpula de Santa Sofía en Estambul, Turquía.

Corel Stock Photo Library

santabárbara. Lugar o pañol donde se guarda la pólvora y los proyectiles en los barcos. En los veleros era el punto más vulnerable; a veces, perdida ya toda esperanza, el capitán del buque a punto de ser vencido, abordaba el navío enemigo y, aferrándose a él, ponía fuego a la santabárbara, con lo que volaban ambos buques. En los barcos modernos el pañol de municiones, como también se la llama, se sitúa bajo la línea de flotación, lo más lejos posible de las máquinas y se divide en numerosos compartimientos. Poderosas bombas están listas a inundarlos en caso de riesgo. El nombre proviene de una imagen de santa Bárbara, que generalmente se colocaba en ese lugar.

Santana, Pedro (1801-1864). Militar y político dominicano. Participó en el movimiento insurreccional que proclamó la independencia de la República Dominicana (26 de febrero de 1844). A la cabeza del ejército libertador, entró en la ciudad de Santo Domingo, disolvió la Junta Central Gubernativa, se proclamó jefe supremo del Ejército y redujo a prisión a los principales líderes de la independencia (Juan Pablo Duarte, Sánchez, Francisco del Rosario Mella y otros). Se hizo nombrar presidente y desempeñó el cargo hasta 1848, aunque, al frente del ejército continuó siendo el árbitro dictatorial de la política dominicana. Asumió de nuevo el poder de 1853 a 1856 y de 1859 a 1861. Durante estos periodos continuó su política represiva y fue rechazada la nueva invasión haitiana del emperador Faustin Soulouque (1855-1856). El 18 de marzo de 1861, a fin de perpetuarse en el poder, proclamó la anexión a España, cuyo gobierno le compensó designándole capitán general y concediéndole el título de marqués de las Carreras. Ante la disminución de su poder renunció a sus cargos y se incorporó a la lucha contra la restauración de la República, pero murió durante la campaña.

Santander. Antigüo nombre de la actual Cantabria, provincia de España y comunidad autónoma uniprovincial que tiene como capital la ciudad de Santander.

Santander. Ciudad marítima situada al norte de España, capital de la Comunidad Autónoma de Cantabria (antigua provincia de Santander). Emplazada en una amplia bahía de la costa cantábrica, tiene un gran puerto que mantiene activo tráfico con otros puertos españoles y de América. Su población es de 194,221 habitantes, que se ve considerablemente aumentada durante el verano, pues el clima suave y sus hermosas playas atraen a numerosos veraneantes y turistas. Ha sido construida sobre dos pequeñas colinas, en una de las cuales se asienta la ciudad vieja y, en otra, que baja hacia el mar, la ciudad nueva con anchas avenidas y jardines. Entre sus edificios merecen citarse la Casa de Salud de Valdecilla, la biblioteca de Menéndez Pelayo, uno de los más ilustres hijos de la ciudad, y el palacio de la Magdalena, antigua residencia real, hoy dedicada a universidad de verano.

Santander. Departamento en el centro-norte de Colombia, cruzado por la cordillera de los Andes en sus zonas este y central. Hacia el oeste se extienden selvas tropicales junto a las márgenes del río Magdalena. Su superficie es de 30,537 km^2 y la población de 1.438,226 habitantes. Capital, Bucaramanga, enlazada a Bogotá por la carretera central y por el ferrocarril a Puerto Wilches con la ruta del Magdalena. Importante agricultura: café, tabaco, azúcar, fique, etcétera, que impulsan ricas industrias. Creciente producción de petróleo, que lleva a Cartagena un oleoducto de 585 km de largo. Ganadería. Minas de oro, caliza, carbón y cobre. Las ciudades más notables son Bucamaranga, la capital, San Gil, Socorro, Puente Nacional, Barrancabermeja, Málaga y Charalá.

Santander, Francisco de Paula (1792-1840). Militar y político colombiano. Estudiaba leyes en Bogotá cuando se produjo la guerra de emancipación (1810), incorporándose inmediatamente al ejército. Se afilió a la causa federal que sostenía Antonio Baraya, fue herido y hecho prisionero en 1812, pero recuperó su libertad al año siguiente y volvió a las filas, junto a las expediciones que salían a sumarse a Simón Bolívar en Venezuela. Combatió en La Grita y Lomapelada, y en 1817 se encontró en la ciudad venezolana de Barcelona con el libertador Bolívar. Participó en la campaña de los Llanos y de Caracas y combatió en Calabozo, El Sombrero y La Puerta. General y subjefe de estado mayor, venció las vacilaciones de Bolívar para cruzar los Andes y seguir a Colombia. Peleó en Pantano de Vargas, y en la história batalla de Boyacá (1819), siendo ascendido en el mismo campo de esta última acción a general de división. Elegido vicepresidente de Cundinamarca (Santa Fe de Bogotá) ese año, y de Colombia en l821, se encargó del poder ejecutivo en ausencia del presidente hasta 1828. Era en esa fecha diputado a la convención de Ocaña cuando se descubrió una conspiración para asesinar a Bolívar. Se afirmó que formaba parte de ella, fue procesado y se le condenó a muerte, pero luego se le desterró. Viajó entonces por Estados Unidos y Europa, hasta ser llamado, muerto Bolívar (1830), para ocupar la presidencia de la República (1832-1837). Cuando dejó el poder fue elegido senador por su provincia nativa (Cúcuta), cargo en el que le sorprendió la muerte. Fue el incitador de la organización civil y administrativa de su patria. Su carácter extremadamente respetuoso de las disposiciones legales y constitucionales, de que dio repetidas muestras como gobernante, le ha merecido el título de *el hombre de las leyes*, que le dio el propio Bolívar. Como administrador, primero de la Gran Colombia y, luego de la Nueva Granada, fue notable por el impulso que dio a la instrucción pública y al progreso del país. Su mejor elogio está en estas palabras de Bolívar: "Santander en la administración, y el ejército en el campo son los autores de la grandeza y la prosperidad de Colombia".

Santángel, Luis de (?-1498). Caballero aragonés descendiente de una familia de judíos conversos de Calatayud y uno de los más firmes apoyos con que contó Cristóbal Colón en la corte española para la realización de su magna empresa. En 1481 entró Luis de Santángel al servicio del rey don Fernando, quien lo nombró escribano de ración. Más tarde, en 1490, en unión del rico comerciante genovés Francesco Pinelo, arrendó por diez años las rentas de la caja de la Santa Hermandad. De estas rentas procedía el dinero que prestó Santángel cuando la reina Isabel ofreció sus joyas para que sobre ellas le adelantase el dinero necesario para la expedición, ofrecimiento al que respondió Santángel que no era necesario, pues él "estaba dispuesto al pequeño servicio de prestar el cuarto de su casa". Del dinero adelantado por el caballero aragonés ha quedado constancia en un documento del Archivo de la Tesorería de Aragón, en el que se dice: "En el mes de abril de 1492, estando los Reyes Católicos en la Villa de Santa Fe, capitularon con don Cristóbal Colón para el primer viaje de las Indias, y por los Reyes lo trató su secretario Juan de Coloma y para el gasto de la Armada prestó Luis Santángel, escribano de raciones de Aragón, 17,000 florines". Este dinero le fue devuelto al año siguiente, con el obsequio de 500 florines y el nombramiento de consejero. Al pie del monumento que se levanta en Barcelona a la memoria de Colón, figura una estatua de Santángel.

Corel Stock Photo Library

Muelle pesquero en Santander, España.

Santayana, George Ruíz de (1863-1952). Filósofo, poeta y escritor norteamericano, nacido en Madrid. Se educó en Estados Unidos, adonde se trasladó su familia cuando él tenía nueve años de edad, y allí adoptó el idioma inglés para la expresión literaria. De 1889 a 1912 desempeñó una cátedra de filosofía en la Universidad de Harvard. A partir de 1915 residió casi siempre fuera de Estados Unidos, y los últimos diez años de su vida los pasó recluido en un convento de Roma, donde falleció. Su talento filosófico fue siempre excepcional y en sus obras dejó hondo testimonio de una filosofía fundada en el escepticismo, ecléctica y ajena a todas las ortodoxias. Sus obras, traducidas a los principales idiomas modernos, le dieron renombre universal. Entre sus obras más importantes se cuentan *El sentido de la belleza*, *La vida de la razón*, *El platonismo y la vida espiritual*, *Modalidades del pensamiento en la filosofía moderna*, *Ensayos sobre el realismo crítico*, *El idealismo en la filosofía alemana* y la obra en que se expone con mayor extensión su filosofía, *Los dominios del ser*. Santayana escribió sobre diversos aspectos con honda penetración sociológica y filosófica.

Santiago. Provincia mediterránea del noroeste de la República Dominicana que integra la fértil región del Cibao. Superficie: 3,122 km^2. Población: 704,835 habitantes. Su capital es Santiago de los Caballeros (308,400 h.). Es importante zona agropecuaria e industrial (tabaco, café, arroz, cacao, maní, construcción, alimentos, productos químicos, etcétera), y sede universitaria.

Santiago. Región Metropolitana de la República de Chile, situada en el centro del país. Limita al norte y al oeste con la Región de Valparaíso (Región V), al este con Argentina y al sur con la Región del

Libertador General Bernardo O'Higgins (Región VI). Superficie: 15,782 km^2; población: 5.236,300 habitantes. Su capital, y la de la nación, es la ciudad de Gran Santiago (5.236,321 h.). La Región Metropolitana comprende el área metropolitana de Santiago y otras cinco provincias: Chacabuco, Cordillera, Maipo, Talagante y Melipilla. En su configuración orográfica se destacan la Cordillera de la Costa, el Valle Central y la Cordillera de los Andes. El río principal es el Maipo (hoya de 14,600 km^2). Posee un rico sector agropecuario y es la zona manufacturera más importante del país, eje de sus comunicaciones y de su vida cultural.

Santiago, Miguel de (1630-1673). Pintor ecuatoriano. De estilo muy personal y colorido. Dejó unos 16 cuadros, entre ellos uno monumental que representa el árbol genealógico de la Orden de San Agustín, que pintó para el convento de este nombre en Quito, entre los años 1653 y 1657. Se le considera el primer gran paisajista ecuatoriano.

Santiago Apóstol. Uno de los 12 discípulos que acompañaron a Jesús, y santo patrón de España. Se le da también el nombre de el Mayor para diferenciarlo de su homónimo Santiago el Menor, primer obispo de Jerusalén. Los datos que de su vida se conocen, a través de los Evangelios y de los Hechos de los Apóstoles, son que nació, probablemente, en Cafarnaum, siendo su padre Zebedeo y su madre María Salomé.

Iglesia de Santiago Apóstol en Inglaterra.

Corel Stock Photo Library

Fue de oficio pescador, como su padre, y según refieren san Mateo y san Marcos, "andando un día Jesús, al principio de su vida pública junto al Mar de Galilea, le vio a él y a su hermano Juan, que con su padre estaban en una barca remendando las redes, y los llamó a los dos para hacerlos pescadores de hombres". Ambos hermanos abandonaron inmediatamente las redes y a su padre en la barca con los jornaleros, y se fueron en pos de Él. El divino Maestro les cambió el nombre, y los apellidó Boanerges, que quiere decir Hijos del Trueno, sin duda para significar la naturaleza intrépida y ardiente de aquellos dos jóvenes que con tanta prontitud acudieron a su llamamiento. Su franqueza de carácter, su resolución y su celo los hicieron acreedores a la especial predilección de Jesús, quien los honró manteniéndolos cerca de él en varios de sus milagros y de los acontecimientos más trascendentales de su ministerio. Santiago vivió diez o doce años después de la Ascensión del Señor, entregado a propagar la fe conjuntamente con los otros apóstoles. Fue el primero de éstos que sufrió martirio, hecho que acaeció entre los años 42 y 44 de nuestra era, por mandato de Herodes Agripa.

Muy debatida ha sido la cuestión de la probable visita de Santiago Apóstol a España para predicar el Evangelio en ella. La Congregación de Ritos de Roma puso término a la cuestión en 1631, declarando expresamente, en frases que se incorporaron al *Breviario*, tal como éste aparece redactado hoy, que Santiago "después de la Ascensión del Señor a los cielos, predicó su divinidad en Judea y Samaria, donde condujo muchos a la fe. Luego, marchando a España, convirtió allí algunos a Cristo, de entre los cuales siete, ordenados más tarde obispos por san Pedro, fueron los primeros que se dirigieron a España".

Este aserto estaba tradicionalmente admitido en España, donde la veneración al Apóstol había ido aumentando con el correr de los siglos, hasta ser colocada la península bajo su advocación. Según dicha tradición, estando el apóstol orando una noche con sus discípulos a orillas del Ebro, en Zaragoza, se le apareció sobre un pilar de mármol la Virgen María y le encargó que construyera en aquel sitio un templo, petición que cumplió Santiago inmediatamente. Desde tiempo inmemorial se venera allí dicha imagen, bajo la advocación del Pilar, hoy en la gran basílica de aquella ciudad que constituye uno de los centros principales de las peregrinaciones marianas. A principios del siglo IX, siendo Teodomiro obispo de Iria Flavia, un ermitaño le anunció que había visto extraños resplandores en cierto lugar inmediato al monte Libredón. El 25 de julio del año 812 el obispo y un gran séquito se trasladaron al lugar indicado y allí encontraron la tumba del Apóstol. Comunicado el hallazgo al rey Alfonso II el Casto, el soberano mandó construir en aquel lugar una iglesia, que fue el núcleo en torno al cual se formó la ciudad de Santiago de Compostela, nombre que proviene de *Campus Stellas* por la estrella que guió al obispo en dirección al sepulcro del apóstol. Pronto desapareció la primitiva y modesta iglesia y en su lugar se fundó otra, que los soldados de Almanzor destruyeron hacia el 999. El templo fue reedificado con donativos y limosnas de toda la cristiandad. El culto del apóstol ya era entonces popular en España y de allí se propagó a toda Europa. Durante la Edad Media Santiago de Compostela fue uno de los centros de peregrinaje del orbe católico más famoso del mundo, y la Vía Láctea fue llamada por los peregrinos el *Camino de Santiago*, prueba de la popularidad de que gozaba la figura del patrón de España. La catedral donde hoy se guarda la tumba del Apóstol tiene en el Pórtico de la Gloria una de las más admirables expresiones del arte románico. La Iglesia católica celebra la fiesta de Santiago el 25 de julio.

Santiago de Compostela. Ciudad española de la provincia de La Coruña, con 64,386 habitantes. Emplazada en una colina al sureste del monte Pedroso, no lejos del río Tambre y a orillas del Sar, yergue sus soberbias estructuras arquitectónicas en la zona de contacto entre la Galicia montañosa y pastoral y la ribereña que afluye a las rías bajas. Es sede arzobispal y su renombre secular y mundial se basa en importantes antecedentes históricos y religiosos. Fundada en el año 812 por Alfonso II, junto al lugar en que se descubrió el sepulcro del apóstol Santiago *el Mayor*, fue durante la Edad Media un centro concurridísimo de peregrinaciones, sólo superado por Roma y Jerusalén. Hoy sigue siendo uno de los centros religiosos y turísticos más interesantes de España por constituir una verdadera ciudad museo con sus grandes plazas, sus pintorescas calles (roa del Villar), sus inmensas edificaciones monásticas (San Martín, Santo Domingo, Santa María del Sar), sus colegios universitarios (Fonseca) y sobre todo con su catedral, en cuya cripta se guardan los restos del apóstol Santiago dentro de una arqueta de plata; el soberbio edificio se empezó a construir a finales del siglo XI, perteneciendo a la centuria siguiente el famoso Pórtico de la Gloria, vestíbulo interior de la fachada principal, ornamentado con 135 figuras de profundo simbolismo teológico. Es, además, ciudad universitaria. En sus alrededores se producen cereales, legumbres, patatas, pastos y maderas. Abunda el ganado, la caza y la pesca. Cuenta con cierta actividad industrial.

Santiago de Chile. Ciudad capital de la República de Chile y de la región metropolitana, situada a orillas del río Mapocho y en el valle que éste cruza entre las cordilleras de los Andes y de la Costa, a 535 m de altura. Señalada como una de las ciudades más hermosas y pintorescas de América por su proximidad al cordón andino, del que sólo la separan 15 km, ofrece al visitante su bella perspectiva de cumbres coronadas de nieves perpetuas. El marco natural que la rodea es impresionante. La cordillera de los Andes destaca al oriente cumbres de más de 5,000 m de altura y la cordillera de la Costa, al poniente, cerros de 2,000 m de altura. El valle, regado por el Mapocho, afluente del Maipo, es de gran fertilidad y en él se realizan toda clase de cultivos, especialmente la vid. De esa zona son los mejores vinos chilenos. El clima es seco y suave de tipo mediterráneo, y no hay temperaturas rigurosas: máxima de 21 grados en enero (verano) y mínima de 5 en julio (invierno). No hay pluviosidad excesiva en la temporada invernal, durante la cual suelen caer breves nevazones. Su población es de 5.236,321 habitantes con la de su área metropolitana. Centro de la intensa actividad agrícola y comercial que abarca la hoya del Maipo, tiene un movimiento inusitado como punto de intercambio.

Corel Stock Photo Library

Vista del centro de la ciudad de Santiago de Chile.

Posee varias de las más importantes industrias del país, siendo las principales las de calzado, vestuario, maderas e imprentas, y los talleres y maestranzas de la primera zona de los ferrocarriles del Estado y talleres y fábricas del ejército. Es nudo de carreteras y ferrocarriles que llevan a todos los puntos del país, siendo su comunicación más importante la que le une con Valparaíso, a 187 km, el primer puerto y segunda ciudad de la república. La línea ferroviaria Santiago-Valparaíso y ramal trasandino a los Andes es uno de los mejores servicios de su clase en América y el primero que se electrificó en América Latina (1915-1917). Servicio aéreo permanente nacional e internacional.

En pleno centro de la capital se levanta uno de sus detalles más característicos: el cerro Santa Lucía (antes Huemul), convertido en un hermoso paseo con jardines, avenidas, cine, terrazas de baile, restaurantes, etcétera, y desde cuya altura máxima se domina toda la capital y se extiende la perspectiva sobre el amplio valle cerrado por las cordilleras. En otro extremo de la capital, y después de cruzar el Mapocho, que corta su centro, se alza también el cerro de San Cristóbal, de mayor altura que el Santa Lucía y que cuenta con iguales atractivos, un funicular para subir a su cima.

Los alrededores de la ciudad se han convertido hacia el norte en elegantes barrios residenciales que se extienden hasta los contrafuertes de la cordillera vecina, abundando los sitios de paseos, hospederías y canchas deportivas. Entre éstas se destacan el Estadio Nacional y el Deportivo Francés, con gran capacidad y dependencias para la práctica de todos los deportes. En los suburbios de Nuñoa, El Golf, Las Condes y Avenida Cristóbal Colón se alzan grandes chalets y mansiones rodeadas de jardines. Al otro extremo de la ciudad se encuentran la Quinta Normal, enorme parque en que funcionan cursos experimentales de agricultura y centro de las exposiciones nacionales desde fines del siglo XIX.

Cercano al Club Hípico (institución modelo y la más antigua de su clase en América, fundada en 1867), se halla el Parque Cousiño, amplio y tradicional centro de celebración de las fiestas patrias (18 de septiembre) y de las revistas militares y aéreas. Paralela a las márgenes del río Mapocho se extiende la hermosa avenida de la Costanera, cuyas arboledas se confunden con los jardines públicos del Parque Forestal, que tiene en su centro el museo de Bellas Artes. Hay gran número de plazas, destacándose la histórica Plaza de Armas, en pleno corazón de la capital, enmarcada por la catedral, palacio Arzobispal, Correo Central, Intendencia, Municipalidad y los antiguos *Portales* Bulnes y Fernández Concha, sobre los cuales se levantaron las primeras grandes construcciones (1872).

Aún se conservan edificios coloniales, como los palacios Urmeneta y Cousiño, y otros que atraen la curiosa atención del visitante. Merecen mención los cines y salas de espectáculos de la capital chilena.

Historia. La ciudad fue fundada el 12 de febrero de 1541 por Pedro de Valdivia con el nombre de Santiago del Nuevo Extremo, fijándose su centro junto al cerro Huelen (o Huemul, hoy Santa Lucía), y entre éste, el río Mapocho y las actualmente denominadas Avenidas Bernardo O'Higgins y Brasil. Poco después, el 11 de septiembre, cayó sobre Santiago y lo destruyó el cacique Michimalonco, *señor del valle de Aconcagua*, estando ausente Pedro de Valdivia; y ocasión en que se inmortalizó por su heroísmo e inteligencia Inés de Suárez, la única mujer llegada con el conquistador. De allí en adelante la población fue creciendo y progresando gradualmente, imponiéndose a las contingencias que se presentaban. El 13 de mayo de 1647 la ciudad fue destruida por el más espantoso terremoto que la haya azotado, del que nació la tradición del Señor de Mayo que hasta hoy se evoca con ceremonias en cada aniversario. Uno de los hechos más notables de la época de la colonia fue la fundación de la Casa de la Moneda (1747), por haber dado al país señalada importancia. El 8 de diciembre de 1863 ocurrió el espantoso incendio de la iglesia de la Compañía, en que perecieron miles de personas, y que motivó la inmediata fundación del ejemplar cuerpo de bomberos voluntarios que es hoy una de las más respetables instituciones nacionales. La historia de la capital de Chile es consustancial con la de la república, y de ello dejan constancia los monumentos, estatuas y placas conmemorativas que adornan sus avenidas.

Santiago de Cuba. Provincia y ciudad en el sureste de la isla de Cuba. Limita al norte con la provincia de Holguín; al sur con el Mar Caribe; al este con la de

Guantánamo, y al oeste con la de Granma. Siete zonas naturales se distinguen en la provincia, entre ellas las que comprenden los grupos montañosos más prominentes de toda la isla: Sierra del Turquino, Sierra Boniato, Sierra de la Gran Piedra y el Grupo Baire. Se destacan también la Cuenca de Santiago, las Mesetas litorales, el Valle Central y la mayor altura de Cuba, el Pico Turquino (2,005 m sobre el nivel del mar). Varios ríos importantes cruzan el territorio de la provincia: el Guanicún, el San Juan, el Contramaestre y el Baconao. Los pastos y forrajes ocupan, por un amplio margen, el primer lugar en cuanto a superficie agrícola cultivada. Pero, la caña de azúcar sigue siendo la primera fuente de ingresos. Antes de la actual división político administrativa de la isla, Santiago de Cuba era la capital de la provincia de Oriente y la segunda ciudad en importancia de la isla. Fue fundada en 1514 por Diego Velázquez y figuró por varios años como capital del país. La nueva provincia cuenta con una superficie de 6,343 km^2 y una población de 980,002 habitantes.

Santiago de Cuba, combate naval de. Derrota española frente a la escuadra estadounidense durante la guerra hispano-americana (3 de julio de 1898). Tras el desastre de Cavite en mayo, la escuadra española bajo el mando del almirante Cervera, se dirigió a las Antillas, donde quedó bloqueada a la altura de Santiago de Cuba por la escuadra estadunidense del almirante Sampson. El combate fue desigual a favor de Estados Unidos (los barcos estadounidenses quedaban fuera del alcance de la obsoleta artillería española) y se perdieron los cruceros *Colón, Vizcaya Almirante Oquendo e Infanta María Teresa* y murieron más de 600 hombres. Todo terminó con la capitulación de Santiago de Cuba el 16 de julio de 1898.

Santiago del Estero. Ciudad de la República Argentina; capital de la provincia y departamento de su nombre: situada en la margen derecha del río Dulce, a 187 metros sobre el nivel del mar, tiene 201,709 habitantes. Sus calles se cortan en ángulo recto, teniendo por centro natural la Plaza de la Libertad, en la cual se levantan el palacio de Gobierno y la catedral, construida en 1750. Tiene, además, otros edificios interesantes de la época colonial. Sede episcopal, su jurisdicción coincide con el área de la provincia. Posee Colegio Nacional y Escuela Normal. Es una de las poblaciones más antiguas de la República.

Santiago del Estero. Provincia de la República Argentina, situada al norte de la región central del país. A pesar de su gran extensión que se eleva a 136,351 km^2, su población sólo asciende a 672,301 habitantes, con una densidad de 4.8 personas por km^2. Ello obedece a los rigores del clima, muy cálido y seco, y a la pobreza del suelo, poco apto para las faenas agrícolas por la escasez de agua. La zona norte de la provincia está cubierta por extensos bosques, cuya explotación es la principal fuente de recursos; cerca de 300,000 ton de sus maderas son transportadas todos los años a las grandes refinerías azucareras de Tucumán, donde sirven como combustible; las maderas de algarrobo, espinillo y quebracho se utilizan para elaborar carbón vegetal, consumido en gran escala por las provincias del litoral. El río Salado, importante tributario del Paraná, penetra en la provincia desde el noroeste y la atraviesa hacia el sureste y forma pequeños valles donde prosperan algunos cereales. Dos millones de cabezas de ganado viven en las tierras de pastoreo. Santiago del Estero posee el mayor número de personas centenarias que existen en Argentina. Las apacibles existencias de los pobladores se deslizan con la ayuda de un mínimo de bienes materiales y sin los múltiples incentivos de la civilización industrial. En Río Hondo, a orillas del río Dulce, existe una estación termal cuya fama ha traspuesto las fronteras del país. La capital de la provincia es la ciudad de Santiago del Estero y las poblaciones de mayor importancia son La Banda, Añatuya y Frías.

Santiago de los Caballeros. Ciudad de la República Dominicana, capital de la provincia de Santiago. Dista 190 km de la capital de la República, y es la segunda ciudad del país. Fundada en 1497 por Bartolomé Colón durante la conquista de la región de Cibao; fue destruida por un terremoto en 1564, incendiada varias veces por los haitianos y destruida nuevamente por un terremoto en 1842. Es un centro comercial de importancia. Población: 310,320 habitantes.

Santiago Delpin, Eduardo A. (1941-). Nació en Santurce, Puerto Rico, el 18 de septiembre de 1941 de padres puertorriqueños. Estudió ciencias y luego medicina en la Universidad de Puerto Rico, cirugía en el Hospital Universitario, y trasplante renal e inmunología en la Universidad de Minnesota. Dirigió el Laboratorio de Cirugía Experimental, Decanato Asociado de Ciencias Biomédicas y el Departamento de Cirugía de la Universidad de Puerto Rico. Fundó y dirigió el Laboratorio de Histocompatibilidad. Ayudó a fundar varias *sociedades* locales e internacionales sobre trasplante e inmunología, y el Registro Latinoamericano de Trasplante. Ha presidido y co-dirigido numerosas sociedades locales e internacionales, participo de más de 15 juntas editoriales, científicas y literarias. Como investigador ha publicado 140 artículos científicos, en adición a sobre 60 ensayos sociales y literarios, y tres poemarios. Coeditó el único libro en español sobre trasplante de órganos, la inmunología, la bioética y la investigación científica. Su influencia internacional ha sido primordialmente en la promoción de los trasplantes en América Latina y otros países en desarrollo, y en la organización de los grupos colaborativos y de información.

Santiago el menor. *Véase* APÓSTOLES.

Santillana, Íñigo López de Mendoza, marqués de (1398-1458). Humanista, poeta y político español, figura descollante del reinado de Juan II de Castilla. Nació en Carrión de los Condes (Palencia), y era hijo del almirante de Castilla, Diego Hurtado de Mendoza. Desde muy joven participó Íñigo en las luchas de su tiempo, mostrándose siempre tan esforzado guerrero como hábil político. Fue enconado enemigo de don Álvaro de Luna, contra el cual peleó unido al bando de los infantes de Aragón. En algún caso llegó a combatir contra el propio monarca, si bien volvió a reconciliarse con él, obteniendo precisamente los títulos de marqués de Santillana y conde del Real de Manzanares tras su participación en la batalla de Olmedo defendiendo la causa real. Fue un gran bibliófilo, y según Marcelino Menéndez Pelayo personificó como nadie la cultura literaria de la época. Su obra de escritor es extensa y variada y podría dividirse, en tres grupos: obras de tendencia doctrinal y moralizadora, poemas de tendencia italianizante y obras de diversión y amorosas. Donde el poeta se destaca más especialmente es en sus canciones, decires y serranillas, siendo la más popularizada de éstas *La vaquera de la Finojosa,* que han recogido todas las antologías poéticas castellanas. La prosa de Santillana es también muy interesante y cabe mencionar especialmente la *Carta-proemio dirigida al condestable de Portugal,* precediendo al envío de su *Cancionero.* A él se atribuye también la primera recopilación de refranes, hecha a instancias de don Juan II, conocida como *Refranes que dicen las viejas tras el fuego,* y que puede considerarse precursora de los refraneros que tanto auge habían de alcanzar en el siglo XVI.

santo. Ser perfecto y, como tal, libre de toda culpa. En rigor, este adjetivo de santo sólo podría aplicarse a Dios; pero, cuando el afán de perfección alcanza en los hombres un grado heroico se dice que éstos se hallan en estado de santidad. En los primeros tiempos del cristianismo, se reconocía como santo a todo aquel que había padecido martirio por mantener la doctrina de Jesús, mas a partir del siglo X sólo se consideraron tales las personas beatificadas o canonizadas por la Sede Apostólica. Con gran cautela procede actualmente la Iglesia católica cuando se trata de conferir esta suprema dignidad. No basta que el candidato se haya dedicado por entero a las buenas obras, ni siquiera que haya sacrificado su vida por la religión. Es menester una prueba irrefutable de que la gracia divina habitó en él en grado superlativo, y se considera que dicha prueba la constituye el don de hacer milagros. Mas, antes de aceptar un hecho como milagroso, se estudian cuidadosamente los antecedentes del mismo, y sólo se tiene en cuenta esa posibilidad cuando la ciencia profana se declara incapaz de hallar solución.

La veneración (jamás adoración) de los santos se practica en las iglesias católica, rusa, ortodoxa y anglicana. Se considera que sus almas oyen la plegaria de los hombres y que pueden interceder por ellos ante Dios. Como los santos jamás podrían querer sino lo que Dios quiere, sus súplicas son escuchadas por él. Tal doctrina fue violentamente atacada por la Reforma, que basó sus acusaciones en los abusos cometidos en la venta de indulgencias, y en el culto fetichista de que se hizo objeto a determinadas imágenes. Mas la veneración de los santos tiene su base en las Sagradas Escrituras, según las cuales es fácil y conveniente camino por el cual muchos seres logran acercarse a la divinidad.

Santo Domingo. Ciudad capital de la República Dominicana. Está situada en el Distrito Nacional, en el litoral sureste del país, en la desembocadura del río Ozama, y es uno de los principales puertos dominicanos en el Mar de las Antillas. Tiene 1.600,000 habitantes con los de su área metropolitana. Sus calles son rectas y anchas y cuenta con importantes edificios públicos en los que se alojan los órganos de gobierno de la nación. Es la ciudad más antigua erigida por los españoles en el Nuevo Mundo. Fue fundada por Bartolomé Colón, hermano del descubridor de América, en 1496. Posee restos de murallas y fortalezas de gran valor histórico, entre ellos la Torre del Homenaje (1503) y las ruinas de la casa de Diego Colón. En 1538 se fundó la célebre Universidad de Santo Tomás. Entre sus edificios religiosos sobresale la catedral, Primada de América, en la que fue enterrado Cristóbal Colón. La ciudad fue punto de partida de importantes expediciones para el descubrimiento y conquista de otras regiones del Nuevo Mundo. Sufrió depredaciones de piratas y filibusteros y fue devastada por ciclones tropicales, entre ellos el de 1930, que causó enormes estragos, pero fue prontamente reconstruida y modernizada.

En 1936 se le cambió el nombre por el de Ciudad Trujillo, pero en 1961 recuperó el original.

Corel Stock Photo Library

San Francisco de Asís pintado sobre mosaico.

Santo Domingo, isla de. También llamada La Española. Situada en el Mar de las Antillas a 85 km al este de Cuba, a 190 km al noreste de Jamaica y a 120 km al oeste de Puerto Rico. Al norte se hallan las islas Iguana Grande y Las Turcas, del grupo de las Bahamas. De Cuba la separa el Canal del Viento, y de Puerto Rico el de la Mona. La superficie de Santo Domingo es de 76,058 km^2 repartidos entre las dos repúblicas en que, políticamente, se divide la isla: Haití (27,750 km) y Dominicana (48,308). El contorno isleño es muy irregular, con salientes tan caprichosas como las penínsulas de Samaná al nordeste y la que al suroeste remata en los cabos Santa María e Irois. Al oeste se abre el maravilloso Golfo de la Gonave, uno de los más hermosos del mundo, con la isla del mismo nombre en su centro.

La población es de 13'656,000 habitantes, de los cuales 6'486,000 corresponden a Haití, con predominio de negros y mulatos. Clima tropical en las costas y tierras bajas, en donde las lluvias son abundantes. En los terrenos altos el clima es sano y

Ruinas de un monasterio franciscano en Santo Domingo.

Corel Stock Photo Library

Corel Stock Photo Library

Durante la colonización francesa y española se importaron a la isla de Santo Domingo gran número de esclavos negros que ahora forman un núcleo muy importante en su población.

agradable. El suelo es fértil y produce maderas riquísimas, café, cacao, algodón, tabaco, caña de azúcar, frutas tropicales, etcétera. Hay yacimientos de diversos minerales (oro, plata, hierro, estaño, cobre, carbón, etcétera); manantiales salinos ferruginosos y sulfurosos, y se han descubierto yacimientos petrolíferos. En cuanto a su composición geológica, hay formaciones de sedimento terciario y depósitos cuaternarios que cubren las planicies y el fondo de los valles. La mayor altura es el Pico Duarte (3,175 m), también el más alto de las Antillas.

Historia. El propio descubridor de América, Cristóbal Colón, fue el primero en llegar a esta isla y reconocerla dándole el nombre de La Española, el 6 de diciembre de 1492. El descubridor designó luego a su hermano Bartolomé gobernador y éste fundó la antigua ciudad de Santo Domingo que dio nombre definitivo a la isla. A principios del siglo XVII se establecieron en el oeste piratas y filibusteros franceses, y esto dio a Francia los derechos que luego reconoció España en los tratados de cesión de Ryswick (1697) y Basilea (1795). En 1805 reaparecieron los españoles y posteriormente se produjo la división entre los estados de Haití y República Dominicana. *Véanse* ANTILLAS; HAITÍ; CUBA *(Mapa);* DOMINICANA, REPÚBLICA.

Mapa de la isla de Santo Domingo.

Corel Stock Photo Library

Santo Tomé y Príncipe. Estado de África occidental constituido por dos islas principales Santo Tomé (*São Tomé*) y Príncipe situadas en el Golfo de Guinea, muy cerca de la línea ecuatorial. Su área es de 964 km^2 y su población de 121,000 habitantes. Su capital es Santo Tomé (43,420 h.) y sus ciudades principales son Trindade, Santana, Neves y Santo Amaro. Su lengua oficial es el portugués; sus principales religiones son la católica (80.8%) y la protestante (19.2%). Su composición étnica se divide en mestizos, angoleños y europeos; su unidad monetaria es el dobra. De origen volcánico y muy montuosa e intrincada, tiene clima ecuatorial muy húmedo y caluroso. El suelo es muy fértil y la vegetación, exuberante. Produce: cacao, café, caña de azúcar, aceite de palma, quina, nuez de cola, etcétera. La economía del país presenta los rasgos típicos de una estructura productiva colonial especializada en la producción de unos pocos bienes pare su exportación, mientras que el resto de actividades apenas están desarrolladas. El país presenta uno de los niveles de desarrollo mas bajos del mundo.

Las islas fueron descubiertas en 1470 o 1471 por los marinos portugueses Pedro de Escobar y João de Santarém, que, al servicio de Fernão Gomes, continuaban las exploraciones al sur de São Jorge de Mina. Tras una tentativa fracasada (1486), la conquista y repoblación de la isla de Santo Tome se inició en 1496 bajo la dirección de Alvaro Caminha, seguida después de la repoblación de Príncipe. En 1534 se creó el obispado de Santo Tome y las islas se convirtieron en el principal mercado de esclavos negros de los dominios portugueses y en centro de numerosos colonos deportados. En el siglo XVI prosperaron gracias al cultivo de la caña de azúcar, pero los ataques de neerlandeses y franceses arruinaron su economía, que no se rehízo hasta fines del siglo XIX merced a la producción de cacao. A partir de 1951 estuvo considerado como provincia de ultramar, pero tras el golpe de Estado de abril de 1974 en Portugal, obtuvo el derecho a la independencia. En diciembre de 1974 se formó un gobierno provisional integrado por miembros del MLSTP, y el 12 de julio de 1975 se proclamó la independencia. Manuel Pinto da Costa, secretario general del MLSTP, fue nombrado presidente de la nueva república y Miguel Trovoada primer ministro. Ingresó en la ONU el 16 de septiembre de 1975. Da Costa visitó Pekín (diciembre de 1975) y anunció una política de no alineamiento, aunque mantuvo relaciones privilegiadas con Angola y la URSS. El descubrimiento de una conspiración (febrero de 1978) permitió reforzar el poder del presidente, que en 1979 aceptó también el cargo de primer ministro. Da Costa fue reelegido presidente, como candidato único, en las elecciones de 1985. Tres años después, emprendió una política de reformas, y en diciembre de 1989 abogó por el pluralismo y por la redacción de una Constitución que garantizara los derechos individuales, aprobada en referéndum (22 de agosto de 1990). La reforma política se complementó con la privatización de varias empresas publicas y el cese de la influencia soviética. Exilado Da Costa en Angola (1991-1993), el socialdemócrata del PSD Miguel Trovoada fue elegido presidente de la República el 3 de abril de 1991. En las elecciones legislativas (2 de octubre de 1994) triunfó también el PSD, y Carlos da Graça fue elegido primer ministro. El 15 de agosto de 1995 fracasó un intento de golpe de Estado militar. En 1996 M. Trovoada fue reelegido presidente.

Santoro, Claudio (1919-1989). Compositor brasileño. Estudió composición con Johann Joachim Koellreuter en Rio de Janeiro y amplió sus conocimientos musicales en París con Nadia Boulanger y con E. Bigot. Fue profesor de música de la Universidad de Brasilia (1962-1965) donde fundó el departamento de música. Compuso dos sinfonías, tres conciertos para piano, dos para violín, uno para violonchelo, 25 preludios para piano y el oratorio para narrador, coro y orquesta, Berlin (1962).

Santos. Ciudad y puerto de Brasil en el estado de São Paulo, situado en la isla de San Vicente a 62 km de la ciudad de São Paulo y 300 de Río de Janeiro. Es la puerta de salida del comercio del estado de São Paulo. Tiene una población de 472,325 habitantes. Ciudad moderna, cuenta con grandes edificios y calles amplias y bordeadas de árboles. Sus instalaciones portuarias son de primer orden. Entre las exportaciones figuran principalmente café, y después cueros, cacao, tabaco, carne congelada, bananas y varios otros productos.

Santos, Antonia (1782-1819). Heroína colombiana de la guerra de Independencia. Durante la reconquista española de 1816 a 1819 fue una fiel servidora de las ideas republicanas y actuó de enlace entre los patriotas escondidos en las ciudades y las tropas revolucionarias que actuaban en los llanos. Descubierta, fue fusilada por orden del virrey don Juan de Sámano.

Santos, Eduardo (1888-1974). Periodista y político colombiano. Director y propietario del periódico *El Tiempo* desde 1913. Su labor periodística es una de las más dilatadas y constantes que ofrece la historia de las letras colombianas. Hombre de gran cultura, fue además un orador brillante y ocupó cargos en congresos nacionales y extranjeros. Fue representante de Colombia ante la Sociedad de las Naciones cuando el conflicto con Perú. Nombrado presidente para el periodo constitucional de 1938 a 1942, su gobierno hizo frente a difíciles situaciones derivadas de la Segunda Guerra Mundial.

Santos, Los. Provincia de Panamá que ocupa parte de la Península de Azuero y limita con las de Herrera y Veraguas, el océano Pacífico y el Golfo de Panamá. Tiene 3,867 km^2, 76,947 habitantes, y su capital es Las Tablas, con 4,500 habitantes. Produce caña de azúcar, maíz, arroz, madera, ganadería y minerales. Se divide en siete distritos.

Santos Chocano, José (1875-1934). Poeta peruano. En 1912 llegó a México comisionado por Manuel Estrada Cabrera, presidente de Guatemala, para tratar con Francisco I. Madero el problema de las relaciones entre los dos países. Fue testigo de los acontecimientos de la Decena Trágica. Victoriano Huerta lo expulsó del país en junio de 1913, pero regresó en enero del año siguiente para unirse a Venustiano Carranza, quien le encargó difundir los principios del movimiento constitucionalista en Estados Unidos. Al suscitarse la lucha de facciones prefirió la amistad de Francisco Villa. En 1925 polemizó con José Vasconcelos y a consecuencia de esta disputa Santos Chocano mató en Lima al escritor Edwin Elmore Letts, que había tomado el partido de Vasconcelos. En 1934 el poeta peruano murió asesinado en Santiago de Chile.

Santos Dumont, Alberto (1873-1932). Inventor y aeronauta brasileño. Nació en el estado de Minas Gerais. En su juventud se trasladó a Francia y se interesó por el estudio de los motores de explosión y los globos aerostáticos. En 1897, efectuó su primer vuelo en un globo dirigible de cuerpo cilíndrico, en el que instaló un motor de gasolina de 3.5 caballos de fuerza. Después de numerosas pruebas, experimentos y fracasos, construyó dos dirigibles más, uno de los cuales medía 20 m de largo y tenía un motor de 4.5 caballos de fuerza. Con este dirigible dio varias vueltas alrededor de la torre Eiffel en 1899. En 1901, ganó los premios Henri Deutsch y del gobierno de Brasil por su vuelo en dirigible, de Saint Cloud a la torre Eiffel y regreso al punto de partida, en 29 minutos y 30 segundos. Estableció en Neuilly, en 1903, la primera estación y campo de aerostación, donde guardaba y probaba sus globos dirigibles. En 1905 empezó a experimentar con aparatos más pesados que el aire, construyó dos aeroplanos y efectuó los primeros vuelos de esta clase en Europa. Al año siguiente voló 220 m en 21 segundos y ganó los premios Archdeacon y del Aero Club de Francia por los primeros vuelos de aeroplano verificados bajo supervisión oficial. En 1909 construyó su célebre monoplano tipo *demoiselle*, de unos 300 kg de peso. Por su contribución al progreso de las ciencias aeronáuticas recibió numerosas distinciones y el gobierno de Francia lo nombró oficial de la Legión de Honor. Regresó a su patria en 1928, donde murió cuatro años después.

Santos Vega. Payador criollo, o versificador espontáneo de la pampa argentina, héroe de toda una abundante literatura gauchesca. Algunos autores pretenden que no existió y que se trata de un personaje legendario. En general se considera como figura histórica, aunque sin gran precisión en la biografía. En cuanto a su manera de vivir, autores como Juan María Gutiérrez le presentan peleador, listo para abatir al contrario, sobresaliendo además por su dominio del canto, el verso y la guitarra. Hay muchos motivos para creer, con Guerrero Carpena y otros, cuyos padres y abuelos hablan del personaje, que Santos Vega era un hombre de bien, de la hechura del gaucho leal, ganadero y agricultor, descendiente de la familia de un don Feliciano Santos, llegado de Cádiz en 1776 con otras familias de vaqueros andaluces. Su abuela fue doña María Vega y su padre José Santos Vega, guitarrista a lo típico andaluz como don Feliciano; y casado en 1796 con la hija de uno de los grandes estancieros de Azul. El payador célebre se hizo llamar Santos Vega debiendo llamarse realmente Santos Castro. Su fama como improvisador en las payadas o torneos de cantores se hizo inigualable en una gran amplitud de los campos y ciudades del contorno. Según una versión, falleció en Ajó en 1871. Según otra versión, cayó cautivo de los indios y después de casarse con una hija del cacique murió tuberculoso entre los indígenas. Y según otra, la más legendaria, habiéndole desafiado el diablo a payar, éste, para evitar su derrota, se precipitó sobre él en forma de serpiente desde un ombú y se lo llevó al infierno. Rafael Obligado entre otros, le ha tratado literariamente. *Véase* PAYADOR.

Santovenia, Emeterio (1889-1969). Historiador, abogado y periodista cubano. Publicó muchos trabajos de carácter histórico siendo su obra más importante la *Historia de Cuba*, en varios volúmenes. Senador en 1940 y ministro de Estado en 1943. Fue nombrado presidente del Consejo Director Permanente de los Archivos de la

Corel Stock Photo Library

Santuario de las mariposas monarca en Michoacán, México.

República de Cuba. Perteneció a las academias de la Historia de Cuba, Argentina y Santo Domingo. Escribió entre otras obras: *Prim, el caudillo estadista*; *Bolívar* y *Martí*, y *Raíz y altura* de *Antonio Maceo*.

santuario. Templo en que se venera la imagen o reliquia de una Virgen o santo de especial devoción, y que casi siempre tienen su origen en milagros o apariciones a ellos atribuidos. Con ocasión de la festividad del santuario suelen organizarse romerías, en las que participan los enfermos que acuden allí para impetrar su curación. Son famosos entre otros los santuarios de Lourdes (Francia) y de Fátima (Portugal). En la antigüedad eran depósito de figurillas de bronce, exvotos ofrecidos a las divinidades primitivas, que eran objeto de culto en aquellos lugares. En España se han descubierto algunos santuarios de esta índole como los de Despeñaperros, Castellar de Santiesteban y la Luz.

Sanz del Río, Julián (1814-1869). Filósofo español nacido en Torrearévalo (Soria) y fallecido en Madrid. Se formó en las universidades de Granada y Madrid; más tarde siguió en Heidelberg las enseñanzas de Karl Krause, cuyas doctrinas introdujo y difundió en España, especialmente desde su cátedra de historia de la filosofía en la Universidad Central. Las circunstancias políticas lo separaron de la labor docente oficial y no se reincorporó a ella hasta un año antes de su muerte. Su más destacado discípulo y continuador, dentro de una línea krausista transformada, fue Francisco Giner de los Ríos. El pensamiento de Sanz del Río gira en torno a la noción krausista de humanidad, como unión de naturaleza y espíritu que, mediante la filosofía, se eleva a la racionalidad pura, que es, al propio tiempo, ley y libertad. Entre sus obras principales figuran *Lecciones sobre el sistema de filosofía analítica de K. Ch. F. Krause*, *Ideal de la humanidad para la vida* y *Metafísica*.

São Paulo. Estado federado de Brasil que limita al norte y noreste con el de Minas Gerais; al sur y suroeste, con el de Paraná, al oeste con Mato Grosso –del que lo separa el río Paraná–, al sureste con el océano Atlántico, y al extremo este con Río de Janeiro. Su litoral es una estrecha faja de tierra tropical, junto a la cual se alza la Sierra del Mar, sobre la que se extiende la templada meseta interior, con altitud media de 500 a 800 m, cubierta por los más intensos cultivos mundiales de café. Son éstos la base de la economía regional y la más importante del país. También se cultivan arroz, tabaco, caña de azúcar, algodón, bananos, etcétera. Tiene yacimiento de uranio, tungsteno y circonio. Es el primer estado industrial de Brasil, posee una fuerte industria textil, mecánica, siderúrgica, automotriz, alimentaria, de papel y de calzado. Superficie: 247,898 km^2. Población: 32.684,260 habitantes (1995). Capital: São Paulo, importante centro comercial e industrial. Su puerto principal es Santos, uno de los más activos de América del Sur. Económicamente, es el estado más importante de Brasil. Tiene un buen sistema de comunicaciones terrestres, marítimas y aéreas. La red de ferrocarriles tiene unos 8,000 km de extensión.

A pesar del desarrollo urbano, cerca de São Paulo todavía existen rincones paradisíacos.

Corel Stock Photo Library

São Paulo. Gran ciudad de la región sureste de Brasil, capital del estado de su nombre. Situada a orillas del río Tiete, a 850 m de altura, junto a una gran llanura que se extiende hacia el norte. Centro de los ferrocarriles que llevan hacia Río de Janeiro, al vecino puerto de Santos y al interior del país. Población: 16.417,000 habitantes (1995) en su área metropolitana. Construcción monumental y moderna, obras públicas de excepcional importancia, tales como la canalización y control del caudaloso río Tiete; y paseos espléndidos. Centro de la región cafetalera mayor del mundo, se le considera la capital mundial del café. Es también centro de gran producción de algodón. Industrias textiles, refinerías, industria farmacéutica, hierro, acero, cemento, productos químicos, instrumentos eléctricos y mecánicos, y tabaco. Asimismo, abundante comercio y exportación de frutas tropicales y arroz. A su privilegiada situación geográfica en el corazón de una riquísima zona agrícola, se une la bondad de su clima. Desde el primer núcleo urbano, denominado El triángulo, la ciudad se extendió a partir del siglo XIX. Su aspecto es de gran metrópoli, con edificios notables de los arquitectos P. de Azevedo, I. Pilon, Materazzo, R. Levi, R. Rudosky y M. Roberto. Oscar Niemayer realizó el Palacio de la Exposición. El centro urbano, que hasta hace tan sólo 25 años correspondía a la antigua ciudad colonial, se ha extendido en la actualidad más allá del barroco de Anhangaban, y presenta, debido a los numerosos rascacielos construidos últimamente, el aspecto de las ciudades estadounidenses. Entre los conjuntos urbanísticos y edificios representativos destacan la amplia y moderna Ciudad Universitaria y los museos: Diocesano (arte antiguo y religioso), de la facultad de Arquitectura, Paulista (histórico-etnográfico), de Arte (pintura antigua y moderna) y de Arte Moderno, así como la Pinacoteca del Estado. Tiene un activo movimiento intelectual, con grandes bibliotecas, museos e institutos de alta cultura. Fue fundada por dos sacerdotes jesuitas (Manuel de Nóbrega y José de Anchieta) en 1554. Ha sido factor importante en los movimientos de emancipación nacional, y en sus cercanías, en Ipiranga, el príncipe regente don Pedro proclamó la independencia de Brasil el 7 de septiembre de 1822. *Véanse* ANCHIETA, JOSÉ DE; BRASIL. *Véase* SAN PABLO.

sapo. Anfibio del orden de los anuros, familia de los bufónidos. Se caracteriza por la presencia de dos parótidas, semejantes a dos verrugas, detrás de los ojos, a la altura del cuello. La boca, notablemente ancha, está desprovista de dientes, y la lengua, muy pegajosa, tiene la particularidad de estar fijada en la parte anterior de la boca, de modo que el sapo puede arrojarla a considerable distancia y con tal rapidez que fácilmente da caza a los insectos que constituyen su alimento habitual. El sapo es un animal pesado y fuerte que puede tener de 7 a 10 cm de longitud, de miembros robustos, sobre todo el macho. Las patas anteriores son bastante más largas que las posteriores y alcanzan casi la misma longitud que el tronco. Su piel rugosa de color pardo verdusco, parece estar cubierta de verrugas. Tiene ciertas glándulas que segregan una sustancia en extremo desagradable para algunos animales, llegando a ser en algunos casos, mortal para los perros. Constituye un medio de defensa contra sus enemigos, pero no causa daño al hombre, aunque puede resultar muy desagradable si se pone en contacto con los ojos o las membranas mucosas. El sapo es, quizá, comparado con su pariente la rana, un poco torpe. Mientras ésta da largos y rápidos saltos, el sapo se traslada andando con ligereza sobre sus patas.

Los insectos, gusanos y moluscos pequeños constituyen su principal alimento. Con el tiempo húmedo o al alba y al anochecer, sale en busca de sus presas. Si encuentra alimentos en abundancia come hasta hincharse. Soporta la cautividad, siendo muy útil en los jardines, pues devora muchos de los insectos perjudiciales a las plantas. Vive en campos y bosques, a los costados de los caminos y a veces en sótanos y cuevas, prefiriendo siempre los parajes húmedos. Suele esconderse debajo de las piedras o cavar galerías poco profundas en la tierra.

Los sapos mudan la piel y, por lo común después de desprendida se la comen. Tienen la facultad de absorber el agua a través de la piel y pueden hincharse hasta aumentar considerablemente de tamaño.

Corel Stock Photo Library

Sapo de la costa del golfo de México.

Al llegar la primavera tiene lugar la reproducción entre los sapos comunes. Los machos se llegan hasta las charcas donde dejan oír su prolongado y agudo llamado. Las hembras depositan sus huevos semejando dos largos rosarios que pueden llegar a medir hasta 1.15 m. Una sola hembra puede depositar hasta 7,000 huevos. En condiciones favorables, no tardan más de 3 a 12 días en aparecer los pequeños y negros renacuajos. A los 40 o 60 días, su tamaño no alcanza a 2 cm. En los días de lluvia, se les ve salir del estanque por millares, iniciando así su vida sobre la tierra. A los dos o tres años alcanzan el estado adulto, pudiendo reproducirse a su vez. Aunque una pareja de sapos puede producir miles de huevos por año, son muchos los peligros a que están expuestos tanto los huevos como los pequeños renacuajos, y por eso sólo una reducida cantidad de ellos llegan al estado adulto. Pese a sus innumerables enemigos y en contraste con su rápido desarrollo en el huevo, los sapos pueden llegar a vivir más de 30 años.

Sara o Sãray. Según la Biblia, mujer de Abraham. Acompañó a éste a Egipto y a otras regiones. Ambos se establecieron luego en Canaán. Como ella se creyera estéril, permitió a su marido que se uniera con la esclava Agar, de la cual tuvo éste a Ismael, pero, 13 años más tarde, Sara dio a luz a Isaac, y la esclava y su hijo fueron expulsados.

Sarajevo. Ciudad de Bosnia-Herzegovina, capital de la República situada en el valle del río Miljacka. Tiene una población de 525,980 habitantes. Importante centro agrícola y ganadero, posee producción de madera, textiles, harina y artículos de cobre y latón. Fundada por los húngaros en el siglo XIII, pasó después a manos de los turcos. En 1878, pasó a poder de Austria Hungría. El 28 de junio de 1914, fueron asesinados en esta ciudad el archiduque Francisco Fernando de Habsburgo y su esposa Sofía Chotek por obra de un nacionalista servio, hecho que desencadenó la Pri-

Competencias olímpicas en Sarajevo.

Corel Stock Photo Library

Corel Stock Photo Library

Esquí olímpico en Sarajevo.

mera Guerra Mundial. Incorporada a Yugoslavia en 1918, en 1945 se convirtió en capital de la República de Bosnia-Herzegovina. En 1984 fue sede de los Juegos Olímpicos de Invierno. Durante la guerra civil (1992-1995) en el antiguo espacio yugoslavo, asediada por los serbiobosnios y dividida étnicamente, sufrió numerosos bombardeos que causaron la destrucción de gran parte de la ciudad. El acuerdo de paz (1995) previó su reunificación. En marzo de 1996 la ciudad se reunificó nuevamente.

A pesar de haber sido modernizada, el núcleo primitivo de la ciudad, conserva típicos aspectos turcos y tiene numerosas mezquitas. *Véase* GUERRA MUNDIAL I.

Saramago, José (1922-). Novelista y poeta portugués. Nacido en el seno de una familia humilde y mecánico de primera profesión, ingresó a las filas comunistas en 1969, durante la dictadura portuguesa. Como escritor ha sido merecedor del Premio Camoes, el más importante de su país y equivalente al Premio Cervantes de la lengua española. Además de numerosos galardones y doctorados *honoris causa* por la universidades de Turín, Sevilla, Manchester, Castilla-La Mancha y Brasilia. Su obra está orientada hacia la crítica en los campos de la moral y la ética. Dentro de su producción literaria destacan *Baltasar y Blimunda* (1936), *Tierra del pecado* (1947), *El año de la muerte de reis* (1984), *La balsa de piedra* (1986), *Todos los nombres* (1997); en el campo de la poesía *Os poemas possiveis, Provavelmente alegría* y *O* (1993). Premio Nobel de Literatura en 1998.

sarampión. Enfermedad infecciosa que se presenta principalmente en los niños, y, debido a que es muy contagiosa, aparece por lo general en forma epidémica. Tiene un periodo de incubación de más o menos 10 días, durante los cuales el enfermo no siente ningún síntoma. Luego se establece un estado febril con las características de un fuerte resfrío: escalofríos, dolor de cabeza, coriza y a menudo bronquitis. A los tres o cuatro días aparece la erupción característica que comienza por la frente, mejillas y cuello, en forma de pequeñas manchas de color rojo vivo, extendiéndose al segundo o tercer día por todo el cuerpo, mientras que los primeros eritemas van palideciendo; la fiebre aumenta y disminuye la erupción. Hay notable sensibilidad ocular a la luz. Hacia el quinto día, la erupción desaparece; comienza entonces el periodo de la descamación, en que la piel cae en forma de escamas, siendo el periodo más contagioso de la enfermedad y en el cual el niño comienza la convalecencia. El sarampión no es en sí una enfermedad grave, pero existen frecuentes y serias complicaciones, de las cuales una de las peores es la encefalitis, que afortunadamente no es común; aparece dos o tres días después de la erupción y aunque se manifiesta por aumento de fiebre, delirio, etcétera, puede pasar inadvertida, debiendo después sufrirse las secuelas de las cuales las broncopulmonares son muchas veces fatales, la otitis media y la adenitis cervical.

Es relativamente fácil prevenir esta enfermedad, sobre todo cuando hay epidemias, mediante la aplicación de globulina gamma, componente del plasma sanguíneo, que actúa como vacuna, al igual que el suero de convalecientes y el extracto de placenta, pues contiene anticuerpos, que inmunizan el organismo.

Sarapes artesanales de Oaxaca, México.

Corel Stock Photo Library

sarape. En México, especie de manta o frazada. Se distingue por sus dibujos típicos de vivos y atrayentes colores. Los sarapes de algodón se usan como colchas. Los de lana tienen dos usos principales: como mantas o cobijas y como capa o capote de monte, y en este caso, suelen tener la abertura en el centro para pasar la cabeza. Son muy renombrados los hermosos sarapes de Saltillo, por sus bellos colores y su calidad y finura excepcionales. Se escribe también, zarape.

sarapia. Árbol de América meridional, conocido también por *cumarú*. Pertenece a la familia de las leguminosas y tiene un tronco liso y blanquecino de unos 20 m de altura y 1 m de diámetro. Las hojas son alternas y coriáceas, las flores tienen ocho estambres y la semilla es muy útil para preservar la ropa de la polilla. También su madera se utiliza en labores de carpintería.

Sarasate y Navascués, Martín, llamado Pablo de (1855-1908). Violinista y compositor español nacido en Pamplona y fallecido en Biarritz. Su padre era músico y de él recibió las primeras lecciones, que luego prosiguió en Santiago de Compostela dedicándose plenamente al violín, del que llegaría a ser uno de los mejores virtuosos de todos los tiempos, equiparado por algunos a Niccolò Paganini. Se presentó por primera vez en público en La Coruña, donde tomó parte en un concierto cuando sólo tenía seis años; a partir de entonces, protegido por la condesa de Espoz y Mina, que le otorgó una pensión, pudo continuar sus estudios con mayor holgura económica. Pasó primero a Madrid, y luego a París, alternando en ambas ciudades dichos estudios con sus actuaciones en conciertos que le hicieron rápidamente famoso. Recorrió toda Europa dando recitales que cimentaron internacionalmente su prestigio. En 1889 realizó una excursión artística a México, única visita que efectuó a América. Muy devoto de su ciudad natal, a ella acudía todos los años durante las fiestas de San Fermín, en las que actuaba para sus paisanos.

Como compositor dejó algunas obras originales y notables transcripciones para violín, en especial de aires populares españoles, entre ellas *Jota aragonesa, Aires navarros* y el internacionalmente famoso *Zapateado.*

Sarawak. Estado de Malasia, situado en el noroeste de la isla de Borneo. Tiene una superficie de 124,449 km^2 y una población de 1.648,217 habitantes (1995), en su mayor parte malayos, chinos y dayaks. La capital es Kuching. Zona montañosa y de clima tropical, produce caucho, maderas, arroz, maíz, canela, pimienta, cocos y alcanfor. Se explotan yacimientos importantes de petróleo, carbón y metales preciosos. En 1841 el sultán de Brunei otorgó parte de Sarawak al inglés sir James Brooke, y en 1888 fue colocado bajo la protección británica. Los sucesores de Brooke continuaron gobernando con el título de rajá hasta 1941, cuando la región fue ocupada por los japoneses. Después de la guerra, Sarawak pasó a ser colonia de la corona británica. En 1963 foró parte de la Federación de Malasia. *Véanse* BORNEO; INDONESIA *(Mapa)*; MALASIA.

sarcófago. Obra, por lo general de piedra, dentro de la cual se coloca el cadáver de una persona, cuya memoria se pretende honrar. Los egipcios se destacaron en el arte de construir y adornar sarcófagos. Los primeros eran cajas con tapa, desprovistos de ornamentaciones, pero pronto aparecen en sus costados elaboradas escenas de la vida del difunto o simbólicas representaciones de la inmortalidad. Misión del sarcófago era contener el ataúd de madera, de forma humana, que albergaba la momia. Caldeos, asirios y persas utilizaron también sarcófagos, pero sólo restos han llegado hasta nosotros. Se conservan, en cambio, interesantes ejemplares fenicios. Los etruscos, que en un principio quemaban sus cadáveres, fabricaron luego sepulcros de barro cocido, que representaban la figura del muerto. Los romanos siguieron la costumbre, labrando ricos sarcófagos de mármol, y lo mismo hicieron los cristianos. Los sarcófagos modernos

Corel Stock Photo Library

Sarcófago romano en el Museo de Roma, Italia.

más famosos son los de la tumba de Napoleón, en París, y del mausoleo de Lenin, en Moscú. *Véanse* SEPULCRO; TUMBA.

sarcoidosis. Granulomatosis (aparición de inflamación granulada, sobre todo en la piel) de origen infeccioso, benigna. Ataca la piel, los ganglios linfáticos y los pulmones. Se detecta por los nódulos lisos azulosos que aparecen en mejillas, nariz, brazos y espalda, y por la inflamación de las articulaciones de los dedos. El diagnóstico se confirma con la prueba llamada de Nickerson-Kvein. Se le conoce también como sarcoide múltiple benigno.

sarcoma. Cáncer que surge del tejido conjuntivo. Los sarcomas se suelen presentar en los huesos, los ganglios linfáticos y la piel. En algunos sarcomas las células tienen un aspecto tan raro que es muy difícil, si no imposible, determinar el tipo de tejido conjuntivo del cual surgieron. En otros casos las células de los sarcomas conservan suficiente parecido con sus células maternas como para permitir que el tumor sea clasificado de acuerdo con el tejido de origen. Son de naturaleza maligna.

Sardá, José (? -1834). Militar español, nació en Cataluña (España) a fines del siglo XVIII y murió en Bogotá. Cuando España fue invadida, combatió heroicamente contra los franceses, pero desilusionado por la ingratitud de Fernando VII se puso al servicio de Napoleón y luchó en varios frentes hasta la caída del imperio. En 1815 se embarcó con Mina en la expedición a México y allí combatió contra los españoles. Hecho prisionero fue encerrado en Ceuta, mas consiguió escapar arrojándose al mar. Recogido por un velero se trasladó a Francia y después a Colombia, en donde sirvió a las órdenes de Simón Bolívar, quien lo distinguió por sus notables dotes. Aunque a la muerte de éste era ya general, se le dejó cesante. Esta injusticia le incitó a conspirar contra Francisco de Paula Santander y por ello murió asesinado.

sardana. Danza y canción, la más característica de Cataluña, que procede probablemente de Cerdaña. Desde tiempo inmemorial se bailó en el Ampurdán la sardana corta, que ha sido sustituida por la larga, la más generalizada en el país. La diferencia entre ambas es la extensión, pues mientras la primera tiene un número de compases fijos e invariables, la segunda tiene la extensión que la maestría y facultades creadoras del compositor le confieren, respetando sus naturales proporciones. El estilo más generalizado es el ampurdanés; el bailarín tiene que estar atento para fijarse y recordar la melodía inicial que corresponde a los compases cortos y que se repite para que capte bien su extensión; luego aparece otra melodía más extensa y de distinto colorido para los pasos largos, que también se repite.

Mientras baila, el sardanista va contando los compases y pasos de baile, los cortos de dos en dos a izquierda y derecha, alternando, y los largos de cuatro en cuatro de igual modo; luego el caramillo toca dos compases que no se bailan y que se llaman contrapunto, tornando a ser ejecutada la música de los largos, los cuales se bailan en dirección a la izquierda. La orquesta que ejecuta la sardana se llama

Corel Stock Photo Library

Sardinas recién pescadas.

cobla. El compositor que elevó a singular nivel artístico la sardana fue José Ventura, andaluz avecindado en Figueras, la capital del Alto Ampurdán. El maestro Clavé la llevó a las agrupaciones corales formadas por él y los maestros Pedrell, Morera, Pahissa, Millet y Garreta la enriquecieron con los primores de la técnica moderna.

sardanápalo. *Véase* ASURBANIPAL.

La sardina es uno de los más exquisitos platillos del mar.

Corel Stock Photo Library

sardina. Pez pequeño de la familia de los cupleidos parecido al arenque. Se le encuentra formando bancos muy numerosos que habitan el océano Atlántico, el Mar del Norte, el Báltico y el Mediterráneo. Mide de 12 a 15 cm de largo, pudiendo alcanzar hasta 25 cm y un peso de más de 100 gr; la cabeza es puntiaguda y más bien pequeña y el cuerpo fusiforme con el dorso casi recto y el vientre curvo y de borde afilado. La parte superior del cuerpo es color azul oscuro y la inferior plateada. Sus escamas, grandes y transparentes, se caen con gran facilidad. La sardina se alimenta de pequeñísimos crustáceos, plantas unicelulares, restos orgánicos que flotan en el agua, de gusanos y de los huevos de otros peces. No siempre abunda su pesca en los mismos lugares, sino que sufre grandes variaciones, pues la sardina se mueve constantemente de un lugar a otro o de la superficie al fondo, huyendo de los fríos y calores excesivos. En el invierno, la sardina puede llegar incluso a enterrarse en el fango, en busca de abrigo.

La pesca de este pez da lugar a una importantísima industria, y son muchas las poblaciones marítimas que viven casi exclusivamente de ella. Cuando los pescadores llegan a los lugares más frecuentados por la sardina, inmediatamente conocen su presencia, porque forma manchas características determinadas por el cabrilleo producido por los individuos al nadar. Si la sardina se halla a algunos metros de profundidad, se le hace subir por medio de un cebo, la rava, hecho con restos y vísceras salados y triturados de varios peces, principalmente de bacalao. Al arrojarse la rava, las sardinas suben en tropel y las aguas se agitan, irisándose con los reflejos que despiden sus escamas. Los pescadores tienden entonces sus grandes redes, y no es raro que en una sola redada lleguen a recoger millares de sardinas.

La sardina es doblemente útil, pues constituye un valioso alimento y además puede usarse en la industria para la fabricación de aceite. En el primer caso pueden venderse frescas o bien se preparan en conserva. El aceite se usa para hacer barnices, pintura, margarina y diversos preparados de tocador. También pueden ser desecadas, reducidas a polvo y envasadas. Esta preparación se usa como alimento para las aves de corral y como abono. En el sur de Francia se las conserva en vino y constituyen un manjar exquisito. En este país y en España, la pesca y la industria de la sardina tienen gran importancia.

sardónice. Variedad de ágata de color amarillento, surcada por zonas o vetas oscuras y rojizas, que alternan con otras blancas. Es dura y está formada por una mezcla de sílice amorfa y sílice cristalizada, dispuesta en capas concéntricas. Se emplea en joyería como una de las piedras preciosas de menor valor, engarzándola en metales finos para adornar anillos, pendientes, broches, etcétera. Se encuentra, entre otros muchos países, en la India, Palestina, Arabia, Brasil y Uruguay.

Sardou, Victorien (1831-1908). Autor dramático francés. Por falta de recursos abandonó los estudios de medicina y en 1854 estrenó la comedia *La taberna de los estudiantes*, que fue un fracaso. Pero pocos años después, triunfaba con *Las patas de mosca* (1860). Se manifestó como uno de los más hábiles constructores de intrigas y el mejor discípulo de Eugène Scribe. Plantea, enlaza y desenlaza, a la vez, y con extraordinaria facilidad, los asuntos más complejos y los más simples. Su diálogo es ágil, espiritual, fácil y punzante. Triunfó con obras de intriga y costumbres, como *La familia Benoîton* y *Nuestros buenos aldeanos*. Son notables sus obras *Madame Sans-Gêne* y *La Tosca*. Produjo también dramas intensos entre los que se destacan *Patria*, *Odio* y *Fedora*. Perteneció a la Academia Francesa.

Sarduy, Severo (1937-1993). Escritor cubano. Publicó sus primeros poemas en su ciudad natal. Se trasladó a La Habana en 1956; participó en la revista *Ciclón* y, al triunfar la revolución, en *Diario libre* y en *Lunes de la Revolución*, con crítica literaria y de arte. Se estableció después en París (1960), donde asistió a la Escuela de Altos Estudios y se vinculó al equipo de la revista *Tel Quel*. El rigor de un lenguaje lujoso y metafórico (que halla sus más directos antecedentes en Luis de Góngora y Argote y en Lezama Lima), el erotismo tropical y oriental (fruto éste, en parte, de sus viajes a la India) y su agresivo placer por la parodia son aspectos de una obra que ha hallado un puesto en la literatura castellana (y francesa) de vanguardia. A su primera novela, *Gestos* (1962), inspirada en la pintura de Franz Kline, sucedieron *De donde son los cantantes* (1967); *Cobra* (1972), novela de trasvestismo e incesante metamorfosis, que fue traducida al francés por Philippe Sollers; *Maitreya* (1978), múltiples variaciones en torno a los temas del Buda Futuro y del doble; *Colibrí* (1983), textos en los que el placer de la lectura proviene de la prodigiosa inventiva lingüística y del juego barroco y alucinante con el que transforma continuamente la realidad; *El Cristo de la Rue Jacob* (1987); *Cocuyo* (1990), y *Pájaros de la playa* (1993), que apareció después de su muerte. Escribió además varios ensayos, como *Escrito sobre un cuerpo* (1969); *Barroco* (1974) y *La simulación,* (1982); y poesía, *Overdose* (1972); *Big Bang* (1974); *Daiquiri* (1980); *Un testigo fugaz y disfrazado* (1985) y *Un testigo perenne y delatado* (1993).

Sargazos, Mar de los. Vasta extensión del océano Atlántico septentrional en la que flotan grandes masas o islotes de algas marinas llamadas sargazos, de la familia de las fucáceas. Cubre una superficie de varios millones de kilómetros cuadrados y aunque no tiene límites definidos, se sitúa al oeste de las islas de Cabo Verde hasta llegar cerca de las Antillas. Por el norte se extiende hasta la proximidad de las islas Bermudas. Cristóbal Colón, en sus viajes de descubrimiento, lo llamó Mar de los Sargazos, nombre éste que los navegantes portugueses habían dado a las algas.

Sargent, John Singer (1856-1925). Pintor nacido en Florencia, de padres estadounidenses. A los 18 años fue a París, donde estudió con Carolus Durán. Un viaje a España le inspiró *Carmencita*, obra expuesta en el museo del Luxemburgo. En momentos de adversidad, estuvo a punto de abandonar la pintura, mas, en Londres se impuso como retratista, y alcanzó rápida fama. Acudieron a su estudio personalidades destacadas en la sociedad y en los negocios, y lo mismo ocurrió en Estados Unidos. El pintor Claude Monet, los presidentes Franklin Delano Roosevelt, Thomas Woodrow Wilson, lady Chamberlain, lady Churchill y otras personalidades posaron para él. Rico ya volvió a Italia, donde se especializó en la acuarela y cultivó también la litografía. De esta época son los paisajes *La cascada* y *Barcos blancos*.

sargento. Militar de jerarquía superior a la de cabo. Se halla bajo la inmediata

Corel Stock Photo Library

Insignia utilizada en varios paises para identificar el rango de sargento.

dependencia de los oficiales y tiene a su cargo el orden, administración y disciplina de una compañía o de parte de ella. En los antiguos ejércitos, era un oficial subalterno que cuidaba de instruir y alojar a los soldados, llevaba la contabilidad y velaba por el mantenimiento de la disciplina.

sargo. Pez marino de la familia de los espáridos, de cuerpo oval y comprimido, que mide entre 25 y 35 cm de largo, según las especies. La cabeza presenta un hocico puntiagudo, con mandíbulas rectas, armadas de fuertes incisivos en la parte anterior, y lateralmente de molares, con los que tritura las conchas de los moluscos de que se alimenta. Tiene una sola aleta dorsal con espinas, dos pectorales redondeados y cola ahorquillada. El cuerpo es plateado, con líneas transversales doradas y negras. Su carne es comestible, aunque poco apreciada; abunda en el Mediterráneo.

Sarmiento, Domingo Faustino (1811-1888). Educador, político y escritor argentino. Uno de los grandes presidentes argentinos que más contribuyeron a la estructuración definitiva del país. Su amor al progreso estaba impulsado en él por una formidable energía espiritual. Nació al pie de los Andes, en San Juan, capital de la provincia del mismo nombre, en plena guerra de la Independencia, casi al tiempo que se enviaban los ejércitos libertadores al Alto Perú y a Paraguay. La vida en su hogar fue bastante accidentada, como consecuencia de la lucha por la libertad primero, y de las contiendas civiles después. Estudió latín con su tío, fray Justo Santa María de Oro; con él vivió durante un año en una aldea de San Luis. A los 17 años sufrió la primera persecución, originada por su altivez indómita y su extrema dignidad, al enfrentarse con el gobernador de San Juan. Sobre su infancia y su genealogía, nada mejor que la lectura de su libro *Recuerdos de provincia* (1850), uno de los más bellos que escribió y que puede figurar entre los mejores de la literatura hispanoamericana. Allí se esclarecen los nombres de sus antepasados, Sarmientos y Albarracines, familias tradicionales de San Juan, de origen español. Su madre fue Paula Albarracín, y su padre José Clemente Sarmiento.

Otro gran libro es *Facundo* (1845), mucho más divulgado por su carácter nacional, y escrito, como el anterior, en Chile, en 1845, donde se refugió, con su familia, no sin antes haber combatido contra el gobierno de Juan Manuel de Rosas, cuya aparición en la política argentina había de ser decisiva para el futuro de Domingo Faustino Sarmiento. En la lucha contra este gobernante, desde el destierro, su figura se agiganta. El ambiente de libertad en que se movía en Chile, permitió el completo desarrollo de su personalidad. Su pasión por el estudio revelada desde sus primeros años se acentuó pero a la vez se manifestó con enorme pujanza su carácter de propagandista ideológico y educador, con absoluta fe en las ideas, en las que veía el origen de la libertad y del progreso. De ahí su genio de educador, que se traducía en su ansia por la fundación de escuelas. Su labor de periodista y pedagogo es muy fecunda en Chile, donde encuentra la ayuda que le permite completar su formación de estadista. A ello contribuyen sus viajes a Estados Unidos y a Europa. A su regreso del Viejo Mundo, en 1848, cuando el poderío de Juan Manuel de Rosas parecía más afianzado, envió desde Chile, una circular a los gobernadores argentinos en la que se declaraba sin ambages "futuro presidente de la República Argentina".

Al saberse en Chile el pronunciamiento de Juan José Urquiza contra Rosas, Sarmiento sólo pensó en embarcarse para Montevideo, con objeto de reunirse a las fuerzas que lucharían contra el dictador, y hacia fines de septiembre de 1851 embarcó en Valparaíso junto con otros compatriotas exiliados, entre los que se encontraba el sargento mayor Bartolomé Mitre, y Sarmiento se da a sí mismo el grado que tiene Mitre. Incorporado al ejército de Urquiza, es el encargado de redactar los boletines. Participó en la batalla de Caseros. Llegó, incorporado al Estado Mayor, hasta la mansión que ocupaba Rosas en Palermo. Y puede decirse que allí dio por terminada su campaña, la terrible lucha que comenzó con la pluma y acabó en el campo de batalla. Se desvinculó del ejército, y se aprestó para comenzar al día siguiente su vida civil. Su permanencia en Buenos Aires, donde entró con el ejército vencedor, fue breve. Pasó a Montavideo, después a Río de Janeiro y por último volvió a Chile, donde polemizó con Juan Bautista Alberdi. Aquella polémica entre el autor de las *Bases* y el autor de *Argirópolis*, queda recogida en las *Cartas quillotanas* del primero y *Las ciento y una* de Sarmiento.

En 1855, regresó a Buenos Aires. Entró de redactor en *El Nacional*, en el que pronto destacó como gran periodista y se manifestó ampliamente su genio polémico. Al año siguiente fue elegido miembro del Consejo Municipal y jefe del Departamento de Escuelas. En 1857 es elegido senador. En 1860, cuando la legislatura de Buenos Aires elevó a la jefatura del gobierno al general Bartolomé Mitre, éste se apresuró a nombrar ministro a Sarmiento. Se hallaba en Estados Unidos, en misión diplomática, cuando fue elegido –el 12 de junio de 1868–, por gran mayoría de votos, presidente de la República. Llegó a Buenos Aires con la alegría del triunfo, pero también con el dolor de haber perdido a su hijo en la guerra de Paraguay a cuya memoria dedica un bello y emocionado libro: *Vida de Dominguito* (1886), donde se vuelca la ternura de un padre.

Terminado su periodo presidencial, Sarmiento siguió luchando incansablemente por la grandeza del país, cuya representación parecía haber asumido, infatigable como propulsor de toda obra de progreso. Hasta la hora de su muerte, en Paraguay, donde había ido a vivir por prescripción facultativa, no dejó de trabajar por el bien de su patria. Sus últimas palabras, pronunciadas el 11 de septiembre de 1888, poco antes de expirar, se refirieron a su plan para el segundo tomo de su obra *Conflicto y armonía de las razas*.

sarna. Afección de la piel producida por el parásito *Sarcoptes scabiei*. La hembra de este ácaro abre túneles, más finos que el espesor de un cabello, debajo de la piel donde deposita los huevos que darán nacimiento a nuevos parásitos. Las huellas de esa labor subcutánea se llaman *miasis linear*, que es un síntoma característico de la sarna. Tales surcos se observan más en las personas sucias que en las limpias, principalmente entre los dedos de las manos y pies en la piel del vientre y genitales. No son frecuentes en la cara ni la cabeza. La afección produce intenso picor, sobre todo por la noche. El rascado origina lesiones y reinfecciones, ya que la sarna es muy contagiosa. Se dan epidemias durante las guerras, en las trincheras, en los campos de concentración y entre gente hacinada que carece de higiene. El tratamiento eficaz es a base de pomadas y lociones de azufre; debe hervirse la ropa infectada. En la Segunda Guerra Mundial se previno esta plaga espolvoreando con D.D.T. las ropas interiores. *Véase* ÁCARO.

Sarney, José (1930-). Político brasileño. Abogado de profesión, trabajó como reportero antes de convertirse en gobernador de Maranhao. Fue también senador en 1970 y 1978. Elegido vicepresidente de la República tras la muerte repentina del presidente electo Tancredo Neves, asumió la presidencia de Brasil (1985). Su política se caracterizó por los intentos de abatir la inflación y la deuda externa. No figuró como candidato en las elecciones de 1989. En marzo de 1990 traspasó el poder a Fernando Collor de Mello.

Saroyan, William (1908-1981). Escritor y autor teatral estadounidense, de padres armenios. En su infancia recibió una educación muy somera, pero orientado intuitivamente hacia el cultivo de las letras, obtuvo un señalado éxito a los 26 años, con su relato *El audaz muchacho del trapecio volante* (1934). Luego escribió cuentos y obras teatrales muy discutidas por la originalidad de sus temas y de su estructura. En 1940 le fue otorgado el Premio Pulitzer, por su comedia *El momento de tu vida* (1939), pero no lo aceptó. La adaptación cinematográfica de su libro *La comedia humana* (1942) popularizó aún más su nombre. *Las aventuras de Wesley Jackson* es su autobiografía de soldado en la Segunda Guerra Mundial.

sarracenos. La palabra sarraceno fue aplicada por los romanos a los árabes nómadas del desierto sirio-arábigo. Durante la Edad Media, se llamó sarracenos a los musulmanes, árabes y moros. Después, esta denominación se extendió y fue usada por los historiadores para designar a los mahometanos, en general. El término deriva de la palabra *scharkiín*, que quiere decir orientales, utilizada por los escritores y los guerreros de Occidente. La historia de los sarracenos, vista desde el ángulo occidental, se confunde con la historia del islam, la poderosa fuerza religiosa, racial y guerrera de los árabes, que tuvo un papel de principal importancia en el mundo hasta fines de la Edad Media. Los islamitas, bajo el califato de los omeyas, dominaron desde la India hasta el Atlántico por el África septentrional, conquistaron a casi toda España y llegaron a Poitiers (Francia), como una poderosa amenaza para el mundo cristiano. Después de la batalla de Lepanto (1571), los sarracenos dejaron de constituir una amenaza para Europa.

Un sarraceno sostiene la brida al caballo del Cid en un mosaico español.

Corel Stock Photo Library

Sarratea, Manuel de (1774-1849). Político y diplomático argentino. Intervino en los trabajos preparatorios del movimiento revolucionario de 1810. En este año desempeñó una delicada misión diplomática ante el gobierno de Río de Janeiro y poco después fue electo miembro del primer Triunvirato de gobierno (1811). De allí pasó a ejercer el comando en jefe de las operaciones militares en la Banda Oriental (1812), cargo al que renunció por disidencias con Artigas. En 1814 el director Gervasco Antonio de Posadas lo envió a Europa con objeto de gestionar el reconocimiento de la independencia del país sobre la base del establecimiento de una monarquía en el Plata. A su regreso de esta misión, que fracasó, Sarratea se mantuvo alejado de los negocios públicos hasta 1819, en que estableció contacto con los caudillos federales que luchaban contra el régimen directorial. Al producirse la disolución de este sistema, después de la batalla de Cepeda, Sarratea fue electo, el 16 de febrero de 1820, gobernador de la provincia de

Buenos Aires, cargo que desempeñó por espacio de menos de tres meses. En este carácter firmó con los caudillos federales el Tratado del Pilar, en el que se reconocía como valedero el sistema republicano federal de gobierno. Posteriormente, desempeñó misiones diplomáticas ante los gobiernos de Inglaterra (1825), Río de Janeiro (1838) y Francia (1841).

Sarre o Saar, Territorio del. Región europea que se extiende al sureste de Luxemburgo y al noreste de Francia. Tiene 2,570 km^2 y 1.072,963 habitantes. Su capital es Sarrebruck con 190,466 habitantes (1995). Es una gran región industrial y minera. La principal industria es la extracción de carbón, de la que se produce anualmente unas 17 millones de ton. Las reservas calculadas de sus yacimientos carboníferos se estiman en 9,000 millones de ton. Las industrias metalúrgicas siguen en importancia y la producción anual de hierro es de unos 3 millones de toneladas y otro tanto de acero. Las minas principales de carbón están situadas entre Sarrebruck y Neunkirchen, y las grandes fundiciones, altos hornos y acerías, en la vecindad de esas dos ciudades y además en Völklingen, Bürbach y Dillingen.

El Sarre formó parte de Alemania hasta 1918. Al terminar la Primera Guerra Mundial, por disposiciones del Tratado de Versalles, se le concedió a Francia (1919) la explotación de las minas de carbón como compensación de la destrucción sufrida por las minas francesas durante la guerra y como parte del pago de reparaciones. Se creó el Territorio del Sarre bajo la administración, durante 15 años, de una comisión internacional dependiente de la Sociedad de las Naciones. Al término del plazo, en 1935, se celebró un plebiscito en que los habitantes del Sarre votaron por su reincorporación a Alemania, a cuyo poder pasó en ese año.

Bajo el régimen de Adolfo Hitler se construyeron grandes fortificaciones y la región del Sarre formó parte de la Línea Sigfrido. En la Segunda Guerra Mundial, los bombardeos aéreos destruyeron las grandes concentraciones industriales, y al ser derrotada Alemania el Sarre pasó a formar parte de la zona francesa de ocupación.

En 1947 se le concedió *status* internacional dentro de su unión económica con Francia. En 1956 se firmó en Luxemburgo un acuerdo franco-alemán por el cual el Sarre pasó de nuevo a pertenecer a Alemania, el 1 de enero de 1957, como uno de los estados que integran la República Federal Alemana, aunque, según se estipuló en el convenio, su unión monetaria y aduanera con Francia continuaría hasta el 31 de diciembre de 1959.

Para compensar a Francia por la reincorporación del Sarre a Alemania, se convino en concederle a Francia 90 millones de ton de carbón del Sarre en un periodo de 25 años, y otras ventajas económicas.

Art Today

Jean-Paul Sartre.

Sarto, Andrea del (1486-1531). Pintor italiano del Renacimiento, famoso por su técnica impécable, dominio del claroscuro y frescura del colorido. Su verdadero nombre era Andrea d' Angiolo; hijo de un sastre, abandonó pronto esta profesión para entrar en un taller de orfebrería, pero su destreza en el dibujo interesó al pintor Piero di Cosimo, quien lo llevó a su estudio. Notables son sus frescos sobre temas religiosos, sus vírgenes y sus santos. Enamorado de su esposa, Lucrezia, le hizo un retrato admirable. Murió víctima de la peste que asolaba a Florencia, en donde él se encontraba trabajando. Su primera obra conocida es *Noli me tangeres.* Son importantes *Bautismo de Cristo, Nacimiento de san Juan Bautista, Madona de las Arpías, La caridad, Tributo de César, Descenso de la cruz, Madona del saco, Asunción, Autorretrato* y *Retrato de un escultor.*

Sartre, Jean-Paul (1905-1980). Filósofo, ensayista, novelista y dramaturgo francés. Después de haberse graduado como profesor en la Escuela Normal Superior (1924), enseñó filosofía en el Liceo de Le Havre (1931-1933); en 1933 realizó estudios en Berlín. En 1934 volvió a su puesto de profesor en Le Havre. Profesor de filosofía en Laon (1936) y en el Liceo Pasteur de París (1937). Durante la Segunda Guerra Mundial fue encarcelado por los alemanes (1940-1941), pero logró escapar y colaboró muy activamente en el movimiento de la Resistencia. Se reincorporó al Liceo Pasteur (1941) y en 1942 colaboró en el Liceo Condorcet. En su obra filosófica más importante, *El ser y la nada,* 1943 (influida por George Wilhem Hegel y Edmund Husserl, y los existencialistas Søren Kierkegaard y martin Heidegger), sostiene que el hombre es enteramente libre y a la vez enteramente responsable de todos sus actos. Sus obras literarias son la ilustración, desde diversos puntos de vista, de esta idea y de otras similares. Los dramas *Las moscas* (1943), *Puerta cerrada* (1945), *Muertos sin sepultura* (1946), *La mujerzuela respetuosa, Las manos sucias* (1948) y *El diablo y el buen Dios* (1951) plantean, por ejemplo, los problemas de la libertad, del destino, de la muerte, de los prejuicios raciales, de la acción política y de la práctica de la moral. Sartre fue autor, además, de un breve estudio sobre Charles Baudelaire y de otro muy extenso sobre el escritor Jean Genet (en los que trata de probar que el hombre tiene el destino que se merece); de varios volúmenes de ensayos titulados *Situaciones* (1947-1976), algunos de los cuales presentan una síntesis del Marxismo y Existencialismo; de un tomo de cuentos, *El muro,* y de dos novelas *La náusea* (1938) y *Los caminos de la libertad.* Dirigió también la revista *Los tiempos modernos* (1945), en la que abundan, junto a los artículos literarios, los de economía y política. Rehusó el Premio Nobel de Literatura que le fue concedido en 1964.

Sas, Andrés (1900-1968). Músico peruano nacido en París. A partir de 1919 se dedicó a los estudios musicales. En 1923 fue solista de la Sociedad Nacional de Compositores belgas y profesor de violín en la escuela de música de Forest-Bruselas. En 1924 fue contratado por el gobierno de Perú para dirigir las clases de violín y dirigir los conciertos de música de cámara de la Academia Nacional de Música y Declamación. Se nacionalizó peruano y fundó la Academia Sas-Rosay, dedicándose a componer música folclórica peruana. Entre sus obras se destacan: *Rapsodia peruana, Recuerdos, Danzas y aires del Perú, Curso de gramática musical, Ensayo sobre la música inca, Tres estampas del Perú, Melodía y quenas, Suite peruana* y *Cantos del Perú.*

sasafrás. Árbol lauráceo, originario de América del Norte, que llega a alcanzar tallas de 15 m o más. Tiene un tronco recio, de madera blanda y liviana, cubierto por corteza gruesa y rojiza, que al igual que el resto de la planta desprende un fuerte aroma. La capa, redondeada, está compuesta por hojas verdes, el limbo de algunas es entero y oval, y el de otras partido en dos o tres lóbulos, siendo frecuente que en una misma rama se den las tres formas. Las flores son pequeñas, tienen color amarillo y

Corel Stock Photo Library

Hoja de sasafrás.

forman racimos colgantes, dando origen a frutos en baya, de color rojizo o azulado oscuro, que contienen una sola semilla. En algunas regiones, las partes leñosas y las raíces se emplean para preparar infusiones que se toman como tónico y como sudorífico. Las hojas y tallos jóvenes se usan para aromatizar ciertos platos, al igual que las del laurel.

Sassoferrato, Giovanni Battista Salvi, llamado (1609-1685). Pintor italiano. Muy joven aún recorrió varias ciudades de Italia para estudiar las principales obras de arte. Es autor de numerosas Madonas, que se caracterizan por la expresión a la vez de humildad y de nobleza, muchas de las cuales figuran en los principales museos de Europa. Su idea predilecta para cuadros de tipo religioso fue la Sagrada Familia en el seno del hogar doméstico. Empleó con mucha habilidad el claroscuro.

Sassone, Felipe (1884-1959). Dramaturgo, poeta y novelista peruano. En 1903 se trasladó a España, donde se entregó de lleno a las letras. Escribió numerosas obras teatrales, de crítica, viajes, novelas cortas, cuentos, obras de tauromaquia, conferencias y versos. Su colaboración en los principales diarios peninsulares fue extensa. Sus comedias más notables son: *Paradoja, Preludio de invierno, Lo que llevan las horas, La noche en el alma, Calla, Corazón* y *Tres cadenas perpetuas*. Entre sus novelas más famosas figuran *La espuma de Afrodita, La señorita está loca* y *En carne viva*.

Los alfileres se utilizan en la sastrería.

Corel Stock Photo Library

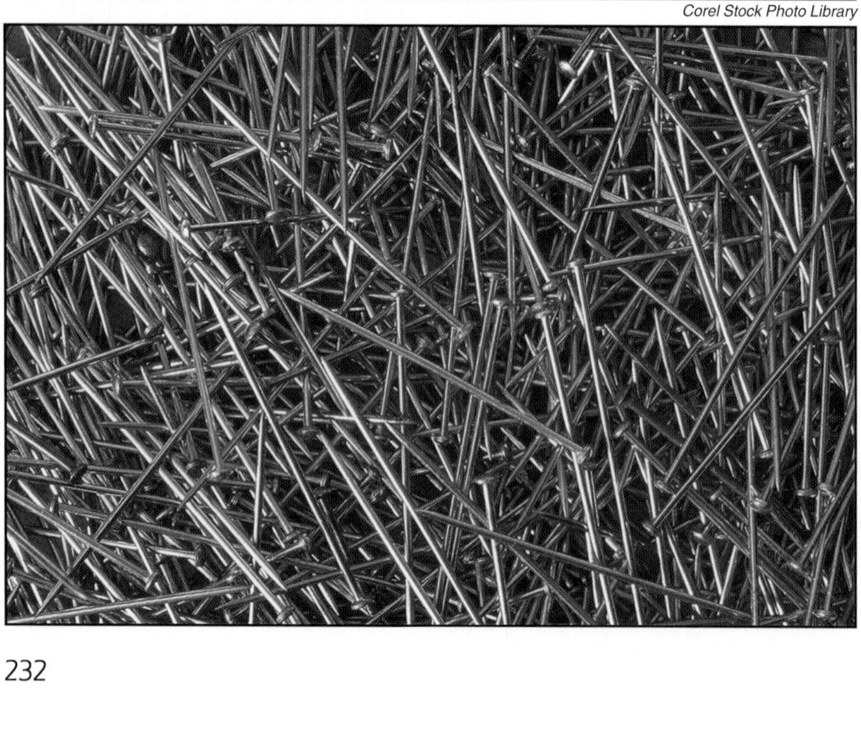

Sastre, Marcos (1809-1887). Literato, periodista y educador uruguayo, que se radicó en Argentina. Estudió en La Universidad de Córdoba, donde fundó una escuela y publicó su famosa *Anagnosia*, en la que aprendieron a leer varias generaciones. En 1832 se estableció en Buenos Aires con la Librería Argentina, en cuyo salón anexo se reunía la juventud literaria de la época: Esteban Echeverría, Juan María Gutiérrez, Juan Bautista Alberdi, Lucio Vicente López y otros, quienes allí fundaron la histórica Asociación Nueva Argentina. El dictador Juan Manuel de Rosas lo obligó a abandonar la ciudad a la que regresó después de la caída de aquél. En 1849 fue nombrado director general de Escuelas, y en 1851 redactor jefe de *El Federal*. Notable obra suya es *Temple argentino* (1858) abundante en bellas y fieles descripciones del suelo, la flora y la fauna de la región del delta, formado por los ríos Paraná y Uruguay, donde empieza el de la Plata. También escribió *Sistema de enseñanza primaria, Guía del preceptor, Educación popular*, etcétera. Su nombre está unido a la historia de la cultura argentina.

sastrería e industria de la confección. Sastrería es el arte de cortar y confeccionar las ropas. En otros tiempos los sastres hacían tanto las prendas de uso externo como las interiores, y para hombres y mujeres por igual. Actualmente se entiende por sastre sólo aquél que confecciona la ropa exterior, preferentemente de hombre, aunque ocasionalmente también hace prendas femeninas. El sastre confecciona los trajes por encargo y a la medida del cliente, y en este sentido se suele usar el término de sastrería en oposición al de ropa hecha o de confección, expresión esta última usada para significar las prendas de vestir que se fabrican en gran escala con una serie de tamaños o tallas establecidos para cada una, a fin de que cualquier comprador pueda encontrar entre ellos el adecuado a sus medidas.

Corte y confección. Son las dos ramas principales en que se halla dividido el arte de la sastrería. Se entiende por corte el de la tela o paño en las partes necesarias para hacer una prenda de vestir. La confección es el conjunto de operaciones por medio de las cuales se unen esas partes y se forma la prenda deseada. Como al hacer las ropas lo que se persigue es que éstas se amolden bien a la forma del cuerpo y caigan siguiendo sus líneas, sin dificultar los movimientos, al realizar el corte de las piezas se tiene especial cuidado en el estudio de las medidas del cliente, así como de la conformación peculiar de su cuerpo que en el oficio se llama estructura. Por encima de las inevitables diferencias que hay de un individuo a otro, existen ciertas características de conformación comunes a muchos individuos, lo cual hace posible la agrupación de las distintas estructuras individuales dentro de categorías más generales. Al estudio de las estructuras sigue el de las medidas. De éstas depende el perfecto ajuste de las prendas, pues constituyen la única guía segura para el corte acertado de las piezas. Las principales medidas que interesan al sastre son: largo de talle, que se mide desde el punto medio de la unión del cuello con la espalda hasta la entalladura largo de la prenda, desde el punto de origen hasta el extremo de la prenda; largo de espalda, hasta la unión inferior de la manga; encuentro o ancho de espaldas. En el cuarto delantero se toman: caída de sisa, entrada de sisa y las circunferencias de pecho y cintura. Los largos se miden por entero y los anchos por la mitad doblando la cinta.

Una vez en conocimiento de las medidas, el sastre construye patrones de papel que deberá colocar sobre el paño al efectuar los cortes. Queda terminada así, la primera serie de operaciones para la hechura de la prenda restando ahora las correspondientes a la confección.

La primera es el hilvanado, que es el cosido a puntadas largas de sus distintas partes y tiene por objeto el armado de la prenda. Una vez hilvanada debe procederse a la prueba. Probada y corregida una prenda se cosen las distintas piezas de manera definitiva, planchando luego las costuras. El planchado se puede realizar a mano o a máquina, aunque ésta última forma es cada vez más frecuente.

Historia. La palabra sastre procede del latín *sarcinator o sartor*, nombre dado al operario encargado de coser y reparar las ropas. Por entonces el sastre no cortaba las prendas, que se usaban sueltas, sin ajustar al cuerpo. La indumentaria de los romanos consistía en una pieza rectangular de tela en la cual se envolvían, dependiendo la elegancia del vestido de la forma de llevarlo de cada uno.

Si no el origen de la sastrería, sí por lo menos el de la confección de prendas de vestir, puede remontarse hasta las épocas prehistóricas. Los primeros vestidos fueron pieles de animales, rudimentariamente sujetas al cuerpo. En la era neolítica ya se curtían las pieles convirtiéndolas en un suave cordobán que constituía el vestido de las

Corel Stock Photo Library

Taller de sastrería en Shanghai.

mujeres. En la Edad de Bronce se pasó de las pieles y el trenzado de hierbas u otras hebras vegetales, al hilado del lino, con lo cual ya no se estaba distante del nacimiento de las túnicas, que habrían de culminar más tarde con la túnica griega, de sobria y delicada belleza.

El arte de la sastrería ya empieza a existir como arte manual por el tiempo en que surgen las primeras ciudades.

Los egipcios de hace 6,000 años ya usaban finísima ropa blanca, tan fina que casi era transparente, y hacia la misma época, las mujeres de Creta vestían faldas fruncidas y armadas, muy semejantes a las de los actuales trajes de noche. En la época del florecimiento de Atenas, el vestido era confeccionado en pequeños talleres especializados, y mientras algunas ciudades eran célebres por sus tejidos de lana, otras lo eran por sus bordados, por sus estampados de algodón, o por su ropa blanca. Después de la caída del imperio romano el arte de la sastrería desaparece temporalmente para volver a resurgir en la Edad Media merced al sistema de las corporaciones o

Carretes de hilo de algodón para la sastrería.

Corel Stock Photo Library

Corel Stock Photo Library

Botones azules para sastrería

gremios de artesanos. Éstos trabajaban en sus pequeños talleres y, para poder hacerlo, debían pertenecer al gremio.

En los tiempos modernos, el arte de la sastrería deriva hacia la producción en gran escala de ropa de confección; en Estados Unidos la mayor parte de la ropa de hombre se compra hecha. En otros países, sin embargo, sobre todo en aquellos lugares donde no es grande la variedad de tallas en la ropa de confección, si se desea un buen traje y la seguridad de que ha de caer bien, entonces se acude al sastre.

Industria de confección. En un principio se limitaba a la mercadería de la inferior calidad y tuvo su origen, probablemente, en las ciudades marítimas, donde era necesario abastecer rápidamente de ropa a los marinos que volvían de largos viajes y debían embarcar en breve. No hizo grandes progresos, sin embargo, hasta mediados del siglo XIX, en que empezó a usarse la máquina de coser, lo cual permitió la producción en gran escala.

La elección y colocación correcta de los botones de una prenda, es una de las tareas de la sastrería.

Corel Stock Photo Library

El maquinismo en la industria. La primera ropa hecha o de confección, fue fabricada en París por un sastre de nombre Barthélemy Thimonnier. Éste había inventado, en 1830, la máquina de coser, y aplicarla a la confección en gran escala de ropa para el Ejército, le significó un rotundo éxito. Sin embargo su fábrica fue destruida en 1841, en una revuelta contra el maquinismo. En 1848 Thimonnier patentó en Inglaterra un nuevo modelo más perfecto, pero su enorme valor industrial no fue reconocido hasta la introducción, en 1851, de la máquina de coser inventada por un estadounidense, Isaac Merritt Singer. La velocidad en el ritmo de producción alcanzada merced al cosido mecánico exigió un aumento de velocidad en el corte de moldes, y en 1860 se inventó una máquina cortadora que resolvió el problema de suplir el material con el mismo ritmo de trabajo que la máquina de coser. La cortadora mecánica fue inventada en Leeds (Inglaterra), por Greenwood y Batley. Las máquinas modernas pueden cortar 50 piezas de tela a la vez. Se emplean, también, cortadoras eléctricas portátiles.

Otros inventos se relacionaron con el cosido de modo que en poco tiempo el cosido a mano fue reemplazado por el mecánico. Las nuevas máquinas tenían funciones específicas: mientras unas realizaban sobrecosturas (las costuras que se hacen doblando los bordes de la ropa para evitar que se deshilachen), el objeto de otras era coser las mangas, hacer ojales, pegar botones, etcétera. A ellas deben sumarse las máquinas de planchar, todas las cuales han contribuido a reducir a un mínimo la mano de obra. Si a esto se agrega que las máquinas de coser de pedal o de mano fueron sustituidas por las máquinas de coser automáticas y la notable división del trabajo en las fábricas, no es de extrañar el gran aumento en la producción, así como el abaratamiento del costo.

División del trabajo. Hasta cierto punto, la producción está acondicionada, en la industria moderna, por el grado de subdivisión del trabajo. Y esta subdivisión ha llegado a tal extremo en la industria de confección, que un saco debe pasar por no menos de 50 manos distintas hasta ser terminado. Los resultados son inmediatos: bajo costo de producción. La posibilidad de prescindir de operarios especialmente hábiles o expertos, y de necesitarse peritos sólo para un corto número de tareas.

Este sistema tiene su origen en la necesidad de fabricar para cada prenda una serie de tallas distintas, única manera de que cada comprador encuentre el traje adecuado a sus medidas. Los moldes tienen tal tamaño, que una vez en la fábrica, las ropas pueden ser acortadas o alargadas según se quiera adaptarlas para personas bajas o muy altas, pero conservando las mismas medidas de caderas, hombros y cintura. *Véanse* MODISTERÍA; VESTIDO.

satanás. *Véanse* DEMONIOS Y DIABLOS.

satélite. Cuerpo celeste que gira alrededor de un planeta primario. Como éstos, es opaco, y su brillo se debe al reflejo de la luz del Sol. La Luna, satélite de nuestro planeta, es el único que podemos ver a simple vista. Siete de los planetas de nuestro sistema solar tienen satélites. Estos planetas con el número de satélites que cada uno tiene, son los siguientes: la Tierra, l; Marte, 2; Júpiter, 16; Saturno, 18; Urano, 18 (posiblemente 21); Neptuno, 8, y Plutón, 1 satélite. *Véanse* LUNA; PLANETA.

satélite artificial. Cuerpo que el hombre lanza al espacio, por medio de un proyectil cohete, para que gire alrededor de la Tierra o de otro cuerpo celeste. Al llegar a la altura previamente determinada, la fuerza centrífuga equilibra la atracción ejercida por la fuerza de gravedad de la Tierra. El satélite sigue entonces una trayectoria que le hace describir una órbita alrededor de nuestro planeta. Separado de la última sección del proyectil que sirvió para lanzarlo al espacio, el satélite, debido al impulso adquirido, y sin energía interna que lo impulse, girará alrededor de la Tierra indefinidamente; pero, si en la altura a que ha sido elevado experimenta la fricción causada por la tenue capa de la atmósfera superior enrarecida, sufrirá los efectos de esa fricción, la fuerza de la gravedad lo obligará a perder altitud y a penetrar gradualmente en las capas más densas de la atmósfera, donde el enorme calor desarrollado por la fricción llegará a la incandescencia, fundirá el satélite y lo desintegrará.

Los satélites llevan en su interior instrumentos científicos para registrar las características del espacio en el que giran, y equipos de radioemisión para transmitir esos datos a los centros de observación en la superficie de la Tierra.

La construcción y la elevación en el espacio del satélite artificial hasta lograr que describa una órbita alrededor de la Tierra, han sido posibles gracias al progreso experimentado en el perfeccionamiento de los proyectiles cohetes teleguiados. Estos cohetes, que tienen trayectorias de miles de kilómetros, pueden ser equipados con instrumentos científicos y utilizados directamente para obtener observaciones del espacio y de la atmósfera superior; la duración de su trayectoria es muy breve por lo que su utilidad para esa clase de trabajo es limitada. Por lo tanto, se planeó utilizar los cohetes como vehículos portadores de un satélite artificial, que transportarían a una altura determinada y, por medio de mecanismos apropiados, dejarían libre el satélite que giraría en una órbita en el espacio.

Corel Stock Photo Library

La sastrería se encarga de la elaboración de prendas de vestir.

El proyectil cohete se compone, generalmente, de tres o cuatro etapas o secciones propulsoras que entran a funcionar sucesivamente. En la última sección o etapa superior, que constituye la nariz del proyectil, va alojado el satélite, que puede ser esférico, cilindrocónico o de otra forma. En un cohete de tres etapas, por ejemplo, el funcionamiento típico, en líneas generales es el siguiente:

1. En la plataforma de lanzamiento se ponen en acción los mecanismos que hacen funcionar los dispositivos de la primera sección (inferior) del cohete, que es la de mayor potencia, pues ha de atravesar las capas inferiores de la atmósfera, que son las más densas. El cohete se eleva verticalmente durante unos 1,600 m y después sus mecanismos giroscópicos le hacen adoptar una desviación de 45° en su trayectoria. Su velocidad es de unos 7,500 km/h. Prosigue en esa trayectoria durante unos dos minutos y alcanza una altitud de

La luna es el satélite natural de la Tierra.

Corel Stock Photo Library

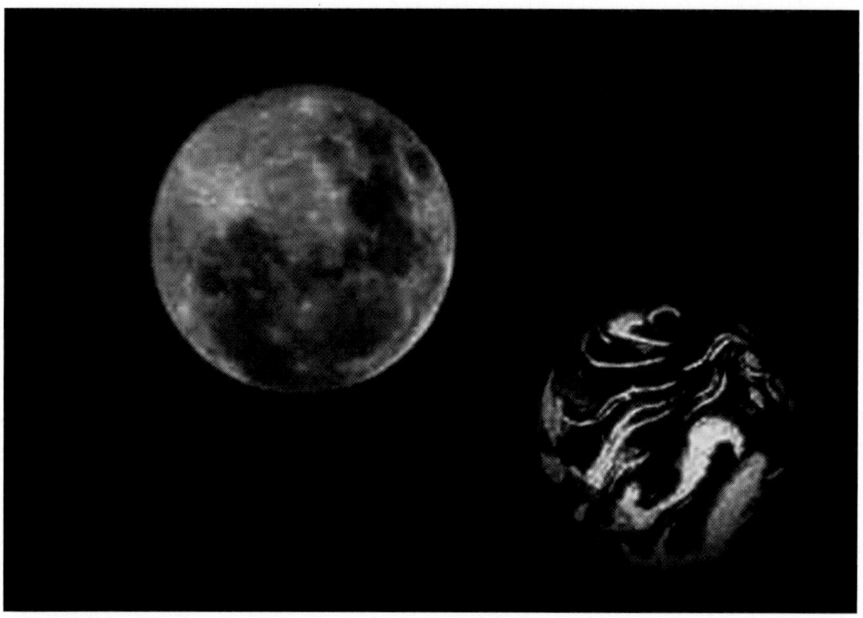

Corel Stock Photo Library

Satélite de telecomunicaciones en la órbita terrestre.

unos 70 km. La primera sección ha cumplido su misión durante esta primera etapa, se desprende automáticamente del cuerpo del cohete y cae a tierra.

2. Entran a funcionar los dispositivos de la segunda sección, en una capa de aire de menor densidad. La velocidad aumenta a unos 20,000 km/h. El cohete se ha elevado a unos 350 km de la superficie de la Tierra. Se agota el combustible de la segunda sección, que se desprende del cohete mientras éste a causa del impulso adquirido se eleva a unos 500 km de altura. El cohete cambia de trayectoria automáticamente y vuela en dirección paralela a la superficie de la tierra, hasta que su distancia horizontal del punto de lanzamiento es de unos 1,000 kilómetros.

3. Mientras tanto, los dispositivos de la tercera y última sección (superior) empiezan a funcionar. La velocidad aumenta a unos 30,000 km/h. La tercera sección se divide en tres partes, que se separan unas de otras en el espacio: el cuerpo de la sección, el satélite alojado en ella y el cono que resguarda el satélite. Si no ha habido falla mecánica o técnica, el satélite penetra en su órbita e inicia su primer giro alrededor de la Tierra.

En la práctica se observó, desde el lanzamiento del primer satélite, que el cono terminal y la última sección del proyectil seguían, también, durante cierto tiempo, trayectorias orbitales en la proximidad del satélite. Pero, debido a su forma y dimensiones, el cono y la sección del proyectil presentan mayor superficie de fricción que el satélite. A causa de ello y por estar su órbita en contacto con las capas más altas de la atmósfera superior, la resistencia aerodinámica que se origina retarda gradualmente el impulso adquirido, produce en ambos objetos una degradación orbital mucho mayor que en el satélite, y los obliga a aproximarse en cada vuelta con mayor rapidez a la tierra, hasta que al penetrar en capas atmosféricas de mucha mayor densidad, la fricción los desintegra y desaparecen.

El tiempo transcurrido entre el lanzamiento del satélite y su entrada en la posición orbital, es de 7 a 10 minutos. Como ya se explicó, una vez dentro de su órbita, el satélite no necesita fuerza interior que lo siga impulsando, ya que a la altura a que se encuentra, la atmósfera de la Tierra es tan enrarecida y tenue, que la fricción que ocasiona es mínima, y aunque tiene un efecto retardador sobre el satélite, éste, debido al impulso adquirido, puede continuar girando a una velocidad de unos 30,000 km/h durante tiempo considerable, que en el caso de satélites del tipo *Vanguard I*, estadounidense, se ha calculado que puede pasar de 100 años. Durante ese tiempo, el satélite continúa preso en su órbita, debido a la fuerza de gravitación de la Tierra, que le impide soltarse y perderse en el espacio sideral.

Los satélites pueden lanzarse para que recorran órbitas en cualquier dirección alrededor de Tierra. Para sus primeros satélites, Estados Unidos planeó órbitas de oeste a este, cercanas al plano del Ecuador terrestre, y colocando sus puestos de observación y equipos de radio de acuerdo con esas trayectorias. Por su parte la Unión Soviética lanzó sus satélites en órbitas casi de norte a sur, en direcciones que dificultaban su observación por las estaciones norteamericanas, pero la rotación de la Tierra tuvo el efecto de desviar hacia el oeste las trayectorias de los satélites soviéticos y hacer más fácil su observación por las estaciones norteamericanas. Un satélite esférico de 50 cm de diámetro, que se desplaza a gran velocidad, a 350 km de altitud, es difícilmente perceptible a simple vista y debe ser observado mediante instrumentos ópticos.

Con motivo de la celebración del Año Geofísico Internacional, que se señaló para los 18 meses comprendidos del 1o de ju-

El transbordador espacial Atlantis *colocando en órbita un satélite.*

Corel Stock Photo Library

lio de 1957 al 31 de diciembre de 1958, en el que participaron los hombres de ciencia de 64 países y se establecieron unas 2,000 estaciones de observación científica en todo el globo, Estados Unidos y Unión Soviética anunciaron desde 1955 que como parte de su programa científico lanzarían al espacio satélites o lunas artificiales.

De acuerdo con ese programa, la Unión Soviética y Estados Unidos lanzaron al espacio sus primeros satélites. En octubre de 1957, la Unión Soviética lanzó el llamado *Sputnik I*, al cual siguieron otros satélites en meses posteriores. Estados Unidos lanzó el llamado *Explorer I*, en enero de 1958, y que, también, fue seguido de otros. La descripción del primer satélite soviético y del primero estadounidense es la siguiente:

Sputnik I. Primer satélite soviético, lanzado el 4 de octubre de 1957. De forma esférica, con un diámetro de 57 cm y peso de 84 kg. La altura máxima de su órbita era de 900 km y la mínima de 240. Recorría su órbita en 96 minutos a una velocidad de 28,800 km/h. Lo acompañaron en su trayectoria la última sección y el cono protector. La sección cayó a tierra el 19 de diciembre. La órbita tenía una inclinación de 65° con respecto al Ecuador, y estaba orientada para favorecer su observación en el territorio de la Unión Soviética.

El satélite tenía cuatro antenas de unos 2.5 m de longitud. En su interior, lleno de nitrógeno gaseoso, llevaba dos equipos radioemisores que transmitían en frecuencias de 20 y 40 megaciclos en mensajes cifrados. En los primeros cuatro días las señales trasmitidas consistían en sonidos parecidos a *bip-bip*, de un tercio de segundo de duración. Después, el equipo emisor pareció que había sufrido un desperfecto y la señal se transformó en un zumbido continuo. Quedó en silencio durante varias horas y volvió a trasmitir hasta el 26 de octubre en que se silenció definitivamente. Moscú anunció que se habían agotado los acumuladores. Se siguió observando la trayectoria del satélite por medios visuales, fotográficos y electrónicos. La Unión Soviética informó que ese satélite era solamente un modelo experimental, al que seguiria otro que emitiría información de interés para los observadores del Año Geofísico Internacional. El *Sputnik I* se desintegró el 4 de enero de 1958, por fricción al penetrar en capas más densas de la atmósfera.

Explorer I. Primer satélite estadounidense, lanzado el 31 de enero de 1958. Se le dio la forma de un cilindro alargado con el extremo anterior cónico. Tenía 2 m de largo, 15 cm de diámetro y 14 kg de peso. La altura máxima de su órbita era de 2,520 km y la mínima de 350. Recorría la órbita en 114 minutos a una velocidad de 30,000 km/h. Llevaba dos equipos de radio que trasmitían en 108 y 108.3 megaciclos, e instrumentos científicos para medir temperaturas, intensidad de rayos cósmicos y frecuencia del impacto de los micrometeoritos. Estaciones de observación en tierra establecieron contacto con el satélite y recibían sus señales por medio de los sistemas de radiorrecepción *Minitrack* y *Microlock*. Por ellas se tuvo conocimiento que su temperatura interior era de 10 °C a 30 °C y la exterior de 300 °C a la luz solar, y de -100 °C en la sombra. La parte exterior del satélite estaba protegida por capas de sustancias químicas que disminuían la absorción del calor solar.

Corel Stock Photo Library

Satélite artificial de comunicaciones.

Para el lanzamiento del satélite se utilizó un proyectil cohete tipo *Júpiter-C* del ejército estadounidense. El proyectil, de 21 m de largo, tenía cuatro secciones o etapas. La primera era una modificación del proyectil *Redstone*. Las otras secciones estaban formadas por grupos de provectiles cohetes en la siguiente forma: segunda sección, 11 proyectiles; tercera sección, 5 proyectiles; cuarta sección, 1 proyectil. El satélite entró en órbita siete minutos después del lanzamiento, y se le calculó una vida orbital que podría durar de dos a cinco años.

Los satélites que se lanzaron posteriormente fueron de mayores dimensiones, dotados con aparatos y dispositivos de mayor perfeccionamiento y a veces contenían animales vivos. Entre esos satélites figuraron los soviéticos *Sputnik II* –que llevó en su interior una perra viva– y *Sputnik III*, y los satélites estadounidenses *Vanguard I* y II, *Explorer III* y *IV*, y *Discoverer I.* El satélite estadounidense *Atlas*, lanzado el 18 de diciembre de 1958, se destacó por haber sido equipado con un sistema electrónico para radiocomunicación espacial. Entró en órbita a 1,500 km de altitud máxima, que recorría en 100 minutos, y trasmitió un mensaje de Navidad del presidente Eisenhower, que fue captado por los aparatos receptores de radio en millones de hogares en todo el mundo. El *Atlas* recibía

Satélite Syncom IV-3 *siendo revisado por un astronauta.*

Corel Stock Photo Library

Corel Stock Photo Library

Cápsula de un satélite espacial soviético.

órdenes y mensajes, tanto verbales como en clave, que se le enviaban desde tierra, y, a su vez, los retransmitía a tierra en la forma en que se le ordenaba. Demostró así, experimentalmente, la posibilidad de la radiocomunicación espacial. Se desintegró el 21 de enero de 1959. Quince meses después del lanzamiento, en 1957, del primer satélite artificial se produjo otro acontecimiento de gran trascendencia científica cuando, el 2 de enero de 1959, la Unión Soviética lanzo al espacio el *Lunik I*, también llamado *Mechta*. Este proyectil rebasó el campo gravitacional de la Tierra, penetró en el espacio, pasó próximo a la Luna, y se colocó en órbita elíptica alrededor del Sol, a una distancia media de éste de 170 millones de km aproximadamente. Recorre esa órbita en unos 15 meses, y girará en ella indefinidamente como un planetoide o asteroide artificial.

El 3 de marzo de 1959, Estados Unidos lanzó el *Pioneer IV*, que también rebasó el campo gravitacional de la Tierra, pasó a 59,500 km de distancia de la Luna y entró en órbita alrededor del Sol, a una distancia media de 155 millones de kilómetros aproximadamente, órbita que recorre en unos 13 meses.

El 12 de septiembre de 1959, la Unión Soviética lanzó al espacio el *Lunik II*, cuya última sección, con la cápsula esférica, pesaba 1,510 kg, de los cuales 390 correspondían a diversos instrumentos científicos y equipos de radiotransmisión. Estaba dotado, además, de un dispositivo para lanzar una nube de sodio que hacía observable su trayectoria. A los 2 minutos y 24 segundos (hora de Moscú) del día 14 de septiembre, poco después de medianoche, cesó de transmitir las señales de radio y la Unión Soviética anunció que el proyectil había descendido en la superficie de la Luna y completado su recorrido de más de 384,000 kilómetros.

El 4 de octubre de 1959, la Unión Soviética lanzó el *Lunik III*, satélite de 280 kg de peso, dotado con dos cámaras fotográficas y dos radiotransmisores que utilizaban baterías solares y de energía química. En su trayectoria, el satélite artificial rodeó la Luna y fotografió su parte invisible en película de 35 mm. Los dispositivos fotográficos automáticos del *Lunik III* revelaron la película y transmitieron electrónicamente la fotografía de esa cara de la Luna a las estaciones de observación soviéticas en la Tierra a más de 400,000 km de distancia.

Un planetoide estadounidense, el *Pioneer V*, lanzado el 11 de marzo de 1960, se colocó en órbita alrededor del Sol, entre Venus y la Tierra con perihelio de 120 millones de km y afelio de 147 millones. Órbita que recorre en unos 10 meses. El *Pioneer V* es de forma casi esférica y tiene dispositivos exteriores en forma de paletas, dotados de 4,800 células solares. Su misión era observar las radiaciones en el espacio, los campos magnéticos y los micrometeoritos. Mantuvo contacto por radio con la Tierra durante tres meses y medio y hasta una distancia de 36 millones de kilómetros.

En 1961 se registraron nuevos hechos de importancia trascendental en los esfuerzos del hombre para conquistar el espacio exterior. El 12 de abril de ese año, la Unión Soviética lanzó al espacio el primer satélite *Vostok I* (Oriente I) tripulado por un ser humano, el aviador militar soviético Yuri A. Gagarin. Consistía en un cohete perfeccionado multifásico, que impulsaba a una nave espacial de 4.7 ton de peso. La nave se colocó en órbita a una altura máxima de 300 km y mínima de 175. Dio una vuelta a la Tierra en 89,1 minutos a una velocidad de unos 28,000 km/h y después descendió a Tierra. Desde el momento del disparo al del aterrizaje transcurrieron 108 minutos. Gagarin se convirtió, así, en el primer astronauta que voló en un vehículo sideral alrededor del globo.

La hazaña de Gagarin fue emulada y superada el 6 de agosto de 1961 por Gherman S. Titov, otro aviador militar soviético. Titov se elevó en la nave espacial *Vostok II*, de casi 5 ton. Se colocó en órbita a una altura máxima de 257 km y mínima de 178. Permaneció en el espacio 25 horas y 18 minutos. Dio 17 vueltas a la Tierra, con un recorrido total de unos 700,000 km, en revoluciones orbitales de 88,6 minutos cada una, a 28,400 km/h. Durante el vuelo se mantuvo en comunicación constante, por radio y televisión, con las estaciones soviéticas de observación en tierra, e intercambió mensajes y salutaciones. Comió y durmió a bordo de la nave espacial. En la operación de aterrizaje, Titov, con su asiento, fue expulsado automáticamente de la nave y descendió en paracaídas en el área señalada, en territorio sovietico.

En referencia a satélites tripulados, lanzados por Estados Unidos, señalaremos las tres primeras pruebas siguientes. En la primera, efectuada el 5 de mayo de 1961, se elevó en la base de Cabo Cañaveral (Florida), el aviador estadounidense Alan B. Shepard, en una cápsula espacial *Freedom*

Satélite ruso Soyutz.

Corel Stock Photo Library

7, de 1.5 ton de peso impulsada por un cohete *Redstone* multifásico. Efectuó un vuelo de 15 minutos de duración, en el que se elevó a 186 km de altura y recorrió una distancia de 486 km. Descendió en el área prevista, en el océano Atlántico y fue recogido inmediatamente por un helicóptero. Fue el primer aviador de Estados Unidos que efectuó un vuelo espacial de este tipo.

La prueba siguiente se efectuó el 21 de julio de 1961, en la cual el aviador estadounidense Virgil Grissam realizó un vuelo parecido al de Shepard, en una cápsula espacial *Mercury Liberty Bell* 7, impulsada por un cohete *Redstone*, en la que recorrió 488 km y se elevó a 190 km, en un vuelo de 16 minutos. Descendió en el Atlántico y fue recogido por un helicóptero.

El 20 de febrero de 1962, el aviador estadounidense John H. Gleen, se elevó en Cabo Cañaveral, en una cápsula espacial *Mercury Friendship 7,* de 1.4 ton de peso, impulsada por un cohete *Atlas.* Dio tres vueltas alrededor de la Tierra en 4 horas y 56 minutos, en vuelo orbital de 256 km de altura máxima y mínima de 160. Descendió en el Atlántico y fue recogido por un destructor.

A esos primeros vuelos siguieron los de otros astronautas soviéticos y estadounidenses.

Pero, también se construyen y lanzan al espacio otras clases de satélites que obedecen a propósitos diferentes. Entre esas clases deben mencionarse los satélites de investigación y observación científica, los de telecomunicaciones y los de observación militar. Entre esas clases, algunos de los puestos en órbita por Estados Unidos, se detallan a continuación.

Entre los de investigación científica figuran los del tipo *Tiros*, cuyos dos primeros satélites, *Tiros I* y *II*, se lanzaron en 1960. *El Tiros III,* puesto en órbita el 12 de julio de 1961, a una altura máxima de 800 km y mínima de 730, emplea 100 minutos en su revolución orbital. Es un satélite de observación meteorológica. Pesa 130 kg, y su equipo comprende dos cámaras de televisión para tomar fotografías de las formaciones de nubes, que transmite a estaciones receptoras en tierra. Su misión es localizar huracanes y otras perturbaciones atmosféricas. Presta valiosos servicios en el pronóstico del tiempo. Lo mismo que los dos satélites *Tiros* que le precedieron, ha transmitido miles de imágenes televisadas y avisado sobre la formación de tormentas y suministra otros datos también de gran utilidad. Forma parte de un sistema de satélites meteorológicos que cubrirá y observará las regiones atmosféricas de todo el globo.

El 28 de junio de 1961, Estados Unidos, mediante un cohete *Thor Able Star* de 25 m, lanzó simultáneamente tres satélites que se colocaron en órbita al mismo tiempo, a 925 km de altura. Esos satélites fueron: 1. El *Transit 4-A*, de forma de tambor y 80 kg de peso. Su misión es informar, con precisión mayor que la alcanzada anteriormente, la posición exacta a los buques en el mar y a los aviones en vuelo, con cualquier clase de tiempo. Las fuentes de energía para el funcionamiento de sus instrumentos, consisten en baterías solares y en la primera batería atómica que se haya instalado en un satélite artificial. 2. El *Greb-B*, en forma de bola y 20 kg de peso, para estudiar las radiaciones solares y las propiedades de la ionosfera. 3. El *Injun*, de forma de tambor y 18 kg de peso, para observar las radiaciones Van Allen y fenómenos de las auroras boreales y australes.

Corel Stock Photo Library

Acercamiento a un satélite meteorológico.

Otros satélites estadounidenses de investigación y observación científica, lanzados en 1961, han sido: el *Explorer XII* que consiste en una cápsula octagonal de unos 40 kg, que lleva un laboratorio espacial para estudiar las radiaciones cósmicas y los campos magnéticos interplanetarios; describe una órbita que recorre en 24 horas y cuyo apogeo es de 78,000 km y su perigeo de 288 km. El *Explorer XIII* es de forma cilíndrica y 60 kg de peso. Su misión es estudiar los meteoritos de pequeñas dimensiones y los daños que sus impactos pueden causar a naves espaciales y astronautas que carezcan de protección suficiente.

La misión de los satélites estadounidenses de telecomunicaciones consiste en facilitar el envío y recepción de señales y mensajes por sistemas electrónicos en todo el mundo. Los satélites de esta clase pueden dividirse en dos grupos: el de los de función pasiva, simplemente reflectora, y el de los que cuentan con sistemas de función activa. Ejemplo del primer grupo es el satélite *Echo I*, y del segundo, el *Courier I-B*, ambos puestos en órbita en 1960.

El satélite *Echo I* es portador de un globo desinflado y plegado, hecho de poliéster milar, recubierto de aluminio vaporizado. Al entrar en órbita, el globo se infla automáticamente con aire residual y la acción química de ácido benzoico pulverizado y antraquinona. Se convierte así, en una esfera de 30 m de diámetro que gira alrededor de la Tierra en 118,3 minutos, a unos 1,500 km de altitud. Su función es simplemente reflectora, de revelador pasivo, ya que se limita a propagar las señales de radio reflejadas en su superficie. En cambio, el satélite *Courier I-B* es un sistema activo de telecomunicación. Pesa unos 230 kg, emplea 108 minutos en su revolución orbital, a una altura máxima de 1,230 km y mínima de 940. Es de forma esférica y su complicado equipo electrónico comprende cuatro transmisores, cuatro receptores y cinco registradores de cinta grabadora, que le permiten recibir, amplificar y retransmitir mensajes radiados a razón de 372,500 palabras cada cinco minutos. La energía para su funcionamiento la obtiene de 19,200 células solares, que cubren la mayor parte de su superficie esférica y alimentan las baterías de níquel-cadmio que lleva en su interior. Estos tipos de satélites inician la red espacial de elementos de esta clase que establece Estados Unidos para facilitar las telecomunicaciones en todo el mundo.

En enero de 1964 se lanzó el *Echo II*, satélite pasivo, consistente en una esfera que al ser inflada en el espacio alcanzó 45 m de diámetro. Está dotado de pequeños radiotransmisores que lanzan señales para que desde tierra se le pueda localizar en su órbita, que recorre en dos horas. Por acuerdo entre Estados Unidos y la Unión Soviética, se utiliza para establecer comunicación radiotelefónica y radiotelegráfica entre ambas naciones.

El 19 de agosto de 1964 se lanzó el satélite activo *Syncom III*. Su posición, velocidad y órbita se calcularon de acuerdo con la velocidad de rotación de la Tierra, para que, una vez situado en el espacio pareciera como una estrella aparentemente inmóvil, a unos 35,800 km sobre la intersección del Ecuador y el meridiano 180°, en el océano Pacífico. Durante 24 días, la trayectoria del *Syncom III* fue dirigida y modificada desde tierra hasta colocarlo en la posición deseada. La primera misión importante del *Syncom* fue retransmitir en televisión los Juegos Olímpicos celebrados en Tokio en octubre de 1964. Recibida en la estación de Point Muga (California), la retransmisión se difundió en las redes de televisión de Estados Unidos, de otros países americanos y de Europa.

El 6 de abril de 1965, se puso en órbita circular, también a 35,800 km de altitud, el satélite *Early Bird* (Pájaro Madrugador), primer satélite comercial de comunicaciones, propiedad de un consorcio internacional en el que participan 47 países. Lo mismo que el *Syncom III*, el *Early Bird*, colocado en órbita sincrónica alrededor de la Tierra, parece estar fijo en un punto del espacio. Sus dispositivos y mecanismos comprenden cientos de canales dobles de radiotransmisión telefónica, telegráfica y de televisión, para telecomunicación entre América y Europa. El 2 de mayo siguiente, el *Early Bird* retransmitió el primer programa intercontinental de televisión de la serie *Mundovisión*, visto por millones de personas en Europa y América.

De los vehículos o sondas espaciales estadounidenses de la serie *Mariner*, dos merecen mención especial. *El Mariner II*, lanzado el 27 de agosto de 1962, se aproximó hasta unos 34,600 km del planeta Venus el 14 de diciembre de 1962 y obtuvo valiosos datos sobre la superficie, atmósfera y temperatura del planeta, que registró en 422 °C y transmitió por radio a la Tierra. El *Mariner II* continuó su curso en el espacio interplanetario y el 3 de enero de 1963 cuando se hallaba a unos 86,5 millones de km de distancia, cesó de comunicarse por radio con la Tierra y se constituyó en planetoide solar en órbita alrededor del Sol, la que recorre en 346 días con perihelio de 100 millones de km y afelio de 183 millones.

El *Mariner IV* fue lanzado el 28 de noviembre de 1964 con el propósito de aproximarse al planeta Marte y obtener datos científicos y fotografías del planeta. El 14 de julio de 1965, después de recorrer millones de km, se acercó a unos 9,600 km de Marte y tomó 21 fotografías que transmitió a la Tierra. Finalmente se colocó en órbita alrededor del Sol, que recorre en 567 días.

Para la exploración de la Luna, Estados Unidos utilizó principalmente los vehículos espaciales o sondas lunares del programa *Ranger* y *Survegor*. Entre los lanzamientos más notables está el del *Ranger VII* (28 de julio de 1964), que después de 68 horas y 35 minutos de vuelo, tomó 4,316 fotografías de la superficie lunar, que transmtió a la Tierra, en los 16 últimos minutos antes de estrellarse en la Luna. El *Ranger VIII* repitió la hazaña anterior (17 de febrero de 1965) y tomó 7,137 fotografías; y lo mismo hizo el *Ranger IX* (21 de marzo 1965) que transmitió 5,814 fotografías. En mayo de 1966 Estados Unidos lanzaron el *Survegor I*, que alunizó en la parte oscura de la Luna y envió 11,000 fotografías a la Tierra; la serie continuó hasta el *Survegor VII*, enviado al espacio el 9 de enero de 1968 cuya misión era ayudar a escoger el lugar adecuado para el descenso de los astronautas en la Luna.

En 1965, la Unión Soviética efectuó varios intentos para lograr un descenso lento en la Luna con vehículos espaciales de la serie *Lunik*. Finalmente pudo lograrlo con el *Lunik IX*, que lanzó el 31 de enero de 1966, y descendió el 3 de febrero en una región del llamado océano de las Tempestades. El *Lunik IX*, que pesaba 1.5 ton, equipado con instrumentos de gran precisión que constituían la estación lunar automática, efectuó un descenso lento controlado y pocos minutos después empezó a transmitir a la Tierra información científica y sus cámaras, a unos 2 m de altura sobre el suelo, a enviar las primeras fotografías del paisaje lunar tomadas desde su superficie.

Dos meses después, el 3 de abril de 1966, la Unión Soviética puso en órbita alrededor de la Luna, el *Lunik X*, que pasó a ser el primer satélite artificial de la Luna; describe una órbita de unos 1,000 km de altura máxima y 350 mínima sobre la superficie lunar. Los instrumentos del *Lunik X* transmiten información sobre los aspectos físicos de la Luna y su campo de gravitación y datos sobre micrometeoritos y radiaciones.

En 1965, la Unión Soviética lanzó dos vehículos espaciales hacia el planeta Venus. Uno, el *Venusik II*, el 12 de noviembre, que meses después, el 27 de febrero de 1966, pasó a unos 24,000 km de distancia del planeta y continuó a ponerse en órbita alrededor del Sol. Otro, el *Venusik III*, fue lanzado el 16 de noviembre, y después de 104 días de vuelo, el 1 de marzo de 1966, hizo impacto en la superficie de Venus y plantó un banderín con el emblema sovié -

La ruta que sigue un satélite alrededor de la Tierra, depende de la velocidad en que fue colocado en órbita. Las rutas elípticas que intersectan la Tierra (1) resultan de velocidades menores a los 8 km/seg. y las órbitas circulares (2) resultan de velocidades exactas de 8 km/seg. Las órbitas se tornan mas elípticas (3) a más altas velocidades hasta convertirse en parabólicas (4) a 11 km/seg. e hiperbólicas (5) a los 30 km/seg.

Del Ángel Diseño y Publicidad

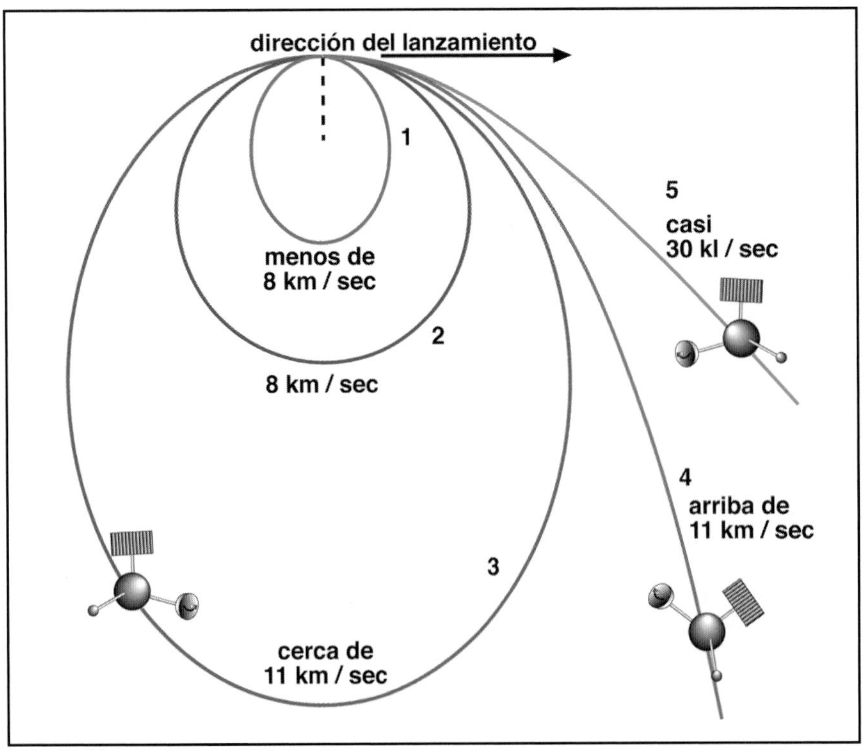

tico. En 1969 hubo otros dos lanzamientos importantes de esta serie, el *Venusik V* y el *Venusik VI* que analizaron conjuntamente la atmósfera de Venus.

En septiembre de 1968 la Unión Soviética lanzó una cápsula espacial destinada a explorar la luna, el *Zonda V*. Este vehículo fue colocado en órbita estacionaria en torno a la Tierra y desde allí fue dirigido hacia la Luna. Dio una vuelta al satélite terrestre a unos 1,950 km de distancia, tomando fotografías y recabando datos. Cumplida su misión, el *Zonda V* regresó a la Tierra y fue recuperado en aguas del océano Índico. Para evitar su destrucción al penetrar de nuevo en la atmósfera de nuestro planeta el vehículo espacial estaba dotado de un escudo contra el calor que lo protegía contra la enorme elevación de temperatura causada por la fricción atmosférica.

La Unión Soviética continuó lanzando naves de la serie *Lunik*, así como de las series *Zonda*, *Cosmos* y *Soyuz*, con diversas misiones científicas. En octubre del año 1969 inauguró una nueva serie de lanzamientos con el envío del *Intercosmos I*.

En cuanto a satélites estadounidenses de observación militar se destacan los de los tipos *Samos* y *Midas*. El *Samos II*, colocado en órbita el 31 de enero de 1961, da una vuelta a la Tierra cada 95 minutos, a una altura máxima de 550 km y mínima de 480. Es un explorador sideral electrónico cuya misión consiste en fotografiar la superficie del globo. Transmite a tierra fotografías que equivalen a la visión y percepción por el ojo humano de objetos e imágenes situadas a 30 m de distancia del observador. Su gran valor militar radica en que permite descubrir y observar los movimientos de tropas enemigas, por lo que se la ha llamado el *espía celeste*.

El satélite *Midas III* entró en órbita el 12 de julio de 1961, a una altura de casi 3,000 km, superior a la de todos los satélites artificiales terrestres, soviéticos o norteamericanos, existentes en esa fecha. Fue lanzado por un cohete *Atlas-Agena B*, de 30 metros de largo. Es el primer vehículo espacial, de observación militar que cruza sobre la Unión Soviética. Pesa 1.6 ton y emplea 2 horas y 40 minutos en su revolución orbital. Está provisto de mecanismos y dispositivos detectores de gran precisión y sensibilidad, que pueden registrar el calor de un cigarrillo encendido, a más de 15 km de distancia. Su misión es localizar explosiones nucleares, lanzamientos y trayectorias de proyectiles intercontinentales enemigos, y transmitir por radio la alarma y los datos pertinentes a las estaciones de recepción y observación en Estados Unidos. Los satélites que hemos mencionado forman parte de la red de observación y vigilancia militar que establecen Estados Unidos en el espacio.

Corel Stock Photo Library

Vista de la Tierra desde un satélite.

Quizá una de las aplicaciones tecnológicas más importantes sea la de los satélites destinados a las comunicaciones. Los satélites experimentales de este tipo fueron lanzados al espacio por Estados Unidos entre 1958 y 1963. Los más importantes fueron *SCORE, Echo, Telstar, Relay* y *Syncom*. Actualmente, los del sistema Intelsat cubren toda la superficie de nuestro planeta. Empleando una combinación de

Satélite ruso en órbita.

Corel Stock Photo Library

radiorreceptores, amplificadores y transmisores, así como la nueva tecnología del multiplexal, este tipo de satélite puede retransmitir simultáneamente muchas señales telefónicas y telegráficas.

La reseña precedente presenta una visión panorámica del gran progreso alcanzado en los pocos años transcurridos desde que se lanzó el primer satélite artificial en 1957. Es evidente que las fechas de lanzamiento de los primeros satélites y planetoides artificiales señalan el inicio de una nueva era.

Finalmente, la estación espacial Mir, que lleva más de 10 años en órbita alrededor de la Tierra, fue visitada por dos naves espaciales. Una misión rusa alcanzó al Mir en 1996 para llevar a dos astronautas rusos y la primer cosmonauta francesa Claudie Andre-Deshays, quien permaneció 16 días en el espacio realizando estudios de medicina y biología. Mir también fue visitada por la nave estadounidense Atlantis.

El satélite estadounidense Hubble, lanzado en 1990, es un telescopio con una cámara WFPC-2 que monitorea los lanetas del Sistema Solar; su cámara infrarroja NICMOS permite penetrar en las zonas oscurecidas por el polvo interestelar y estudiar, por ejemplo, zonas de formación estelar.

Sato, Eisaku (1901-1975). Político japonés. Secretario general del partido liberal-conservador (1946), ministro en diversas ocasiones entre 1952 y 1964. Fue elegido jefe del partido y primer ministro de Japón (1964). Triunfó en las elecciones de 1967 y 1969 y dimitió en 1972. En 1974 compartió con Sean MacBride el Premio Nobel de la Paz por sus esfuerzos contra la proliferación de armas nucleares.

saturnismo. Intoxicación causada por el plomo, frecuente en obreros que trabajan con productos que contienen plomo o sus sales. Las manifestaciones clínicas iniciales de la intoxicación crónica son inespecíficas, es decir, pueden ser de varios tipos y no son siempre las mismas, pero cuando la acumulación de plomo es alta, aparecen los signos y síntomas característicos: anemia (de tipo hemolítico regenerativo), cólicos saturninos (espasmos muy dolorosos del intestino delgado, sin diarrea), vasculopatías (arteritis, hipertensión diastólica y sus complicaciones), neuropatías (enfermedad nerviosa caracterizada por debilidad muscular de las piernas y los pies) y el característico ribete gingival de Burton (banda gris azulada que bordea las encías).

Para evitarla es necesario poner en práctica las normas higiénicas laborales para evitar el contacto directo y prolongado con el metal. El tratamiento consiste en la administración de quelatos cálcicos (sal cálcica del ácido etilenodiminotetracético), además de las necesarias medidas sintomáticas que hayan de aplicarse.

Saturno. Saturno y su mujer Ops se cuentan entre las deidades latinas más antiguas. Era el dios de la Tierra, especialmente de la agricultura. Cuenta la leyenda que cuando su hijo Júpiter lo expulsó del cielo, se refugió en el Lacio donde reinó y enseñó la agricultura al pueblo. Su reinado fue tan próspero que a una parte de Italia se le dio el nombre de Saturnia, y en Roma hubo un templo dedicado a él, al pie de la colina del Capitolio. Se identifica a Saturno (para los romanos) con Cronos (para los griegos), dios del tiempo en la mitología griega, hijo de Urano (el Cielo) y de Gea (la Tierra), que se casó con su hermana Rea, y tuvo varios hijos: Hestia, Démeter, Hera, Poseidón, Hades y Zeus. Cronos los devoraba a medida que nacían, pues había leído en el libro del destino que sería destronado por uno de sus hijos. Pero al nacer el último, Zeus (Júpiter para los romanos), su madre lo escondió, dando a Cronos una piedra envuelta en pañales, sin que éste notara la diferencia. Cuando Zeus creció, mediante un ardid, dio un brebaje a su padre, haciéndole devolver todos los hijos que había devorado, y junto con sus hermanos, vueltos a la vida, le declaró la guerra. Lo venció después de espantosas luchas, y quedó dueño del Universo.

Fotografía de Saturno, tomada por una sonda Voyager y coloreada artificialmente.

Corel Stock Photo Library

Saturno. Uno de los mayores planetas del sistema solar, segundo en tamaño después de Júpiter, y sexto en distancia al Sol. Refleja la luz de este astro, y resplandece en el cielo con el brillo de una estrella de primera magnitud, de luz amarillenta. Es una enorme esfera, 734 veces más grande que la Tierra, con un diámetro ecuatorial de 120,800 km; pero, su densidad es muy pequeña, inferior a la del agua.

Como todos los planetas, describe una órbita elíptica alrededor del Sol, y tarda 29 años y 46 días en recorrerla. La distancia media que lo separa del mismo es de 1,425 millones de kilómetros, por lo que recibe tan poco calor que la temperatura de su superficie se calcula en unos -114 °C. Esta baja temperatura y la falta de oxígeno en la atmósfera del planeta indican la imposibilidad de que exista vida. Por su rápida rotación sus días sólo duran 30 horas y 14 minutos aproximadamente.

Lo más extraordinario de Saturno es el anillo circular, ancho y delgado, situado en el plano ecuatorial, que lo rodea completamente como una gigantesca circunferencia luminosa, particularidad única en nuestro sistema solar. Galileo Galilei fue quien lo vio por primera vez, en 1610, advirtiendo una extraña forma triple, pero no pudo explicar de qué se trataba, y hasta 1655 en que Christiaan Huygens pudo observarlo con un telescopio inventado por él, no se llegó a descubrir que era un anillo.

Actualmente sabemos que está formado por inmenso número de partículas que giran en torno al planeta a gran velocidad, y está dividido en tres zonas principales: la exterior, de brillo muy tenue, la del medio, de gran luminosidad, y la interior, bastante oscura.

Saturno es también notable por los 23 satélites que forman su cortejo, y que constituyen como un pequeño sistema planetario. Todos ellos son de difícil observación, excepto el mayor de todos, llamado *Titán.*

La misión del *Voyager I* permitió observar en su mayor acercamiento (123,910 km)que cientos de anillos y miles de anillos más pequeños conforman el sistema anular de Saturno. En tres de los clásicos anillos originales, el intermedio, llamado "B", contiene unos segmentos radiales de color oscuro que parecen girar alrededor del planeta junto con el anillo. Las partículas del primer anillo, el "UA", miden unos 7 m de diámetro. Además, *el Voyager* detectó tormentas ovales en la atmósfera saturnina.

Corel Stock Photo Library

Acercamiento a los anillos de Saturno.

sauce. Nombre de los árboles o arbustos del género *Salix*, de la familia de las salicáceas, que crecen con preferencia en los países templados y fríos, y por lo general a orillas del agua o en terrenos muy húmedos.

En la primavera nacen las flores, en pequeños amentos, y antes de que se desarrollen completamente las hojas, se abren los frutos para dar salida a las semillas. Unos amentos contienen estambres y otros pistilos, y se producen en árboles separados, efectuándose la polinización tanto por el viento como por los insectos.

Este género comprende unas 170 especies, y entre las más importantes se cuentan el sauce blanco *(Salix alba)*, uno de los más altos y del que se han desarrollado muchas variedades; el sauce llorón *(Salix babilónica)*, originario de Oriente, muy estimado como adorno en los parques.

saúco. Árbol pequeño o arbusto de la familia de las caprifoliáceas, de 3 a 5 m de altura, muy ramoso, de corteza parda y rugosa y médula blanca abundante. Se da en los sitios húmedos, prados y montes. Sus hojas, de punta aguda, aserradas por el margen, de color verde oscuro, tienen olor desagradable y espantan a las bestias. Da unos frutos en baya negruzca. La madera tiene la veta muy marcada y poco porosa; es dura y compacta, de difícil desecación y susceptible de alabearse y agrietarse. La infusión de sus flores blancas se emplea en medicina como sudorífico y resolutivo. Las hojas también son utilizadas con fines medicinales, lo mismo frescas que desecadas, contienen ácido málico y otros ácidos, glucosa, resina, tanino y una materia amarga. El sabor es mucilaginoso y aromático. En Chile se llama *saúco falso* a un árbol como de 5 m de alto, de hojas largamente pecioladas, compuestas de cinco hojuelas lanceoladas, aserradas, y umbelas formadas con tres o cinco flores.

Sa'ud Ibn 'Abd Al 'Aziz (1902-1969). Rey de Arabia Saudita (1935-1964), hijo y sucesor de Ibn Sa'ud, reinó hasta l964 en que el gobierno del reino quedó enteramente en manos de su hermano Faysal. Comandante en jeje de las fuerzas armadas y virrey de Hedjaz (1939), dirigió las tropas que derrocaron a los yeremitas. Viajó por Europa y Estados Unidos. Asistió a la conferencia de jefes musulmanes celebrada en El Cairo. En su país extendió el plan de modernización iniciado por su padre e incrementó la educación y los medios sanitarios. En cuanto a la política exterior continuó también la del rey Ibn Sa'ud: mantuvo la amistad con Estados Unidos y todos los países árabes, y una firme oposición hacia Israel. Derrocado por un golpe palaciego dirigido por Faysal (1964), a petición de Garmal Abdel Nasser, su antiguo enemigo, se instaló en el Cairo.

Saúl. Primer rey de los hebreos, (1020 a. C.). Gobernó bajo la tutela de Samuel, pero pronto se liberó de él. Derrotó a los filisteos y sabedor de que Samuel había ungido rey a David para sustituirlo, inició una tenaz persecución contra éste para darle muerte, pero no consiguió sus propósitos. El último periodo del reinado de Saúl fue una verdadera tiranía. Pereció en la lucha con los filisteos, que habían renovado la antigua guerra contra los hebreos. La atormentada vida de

Sauce joven.

Corel Stock Photo Library

Corel Stock Photo Library

De arriba abajo y de der. a izq: iguana exótica en Costa Rica, iguana negra de la costa de México, lagartija del territorio del norte en Australia (basilisco) y dragón barbado de Australia.

este rey está registrada en el primer libro de los Reyes del Antiguo Testamento.

saurio. Reptil que tiene generalmente cuatro extremidades cortas, mandíbulas con dientes, cuerpo largo con cola también larga y piel escamosa o cubierta de tubérculos, como el lagarto y el cocodrilo. Presenta muchas características de los ofidios de los que difiere por tener párpados y extremidades bien conformadas. El saurio es ovíparo; se alimenta de insectos, gusanos y otros animalillos, y en invierno, los que viven en climas templados, se aletargan ocultándose en cavidades del terreno. Suelen ser inofensivos y muchos de ellos son beneficiosos para la agricultura.

Saussure, Ferdinand de (1857-1913). Lingüista suizo. Hijo del naturalista Henri de Saussure, comenzó sus estudios (1875-1876) dedicándose a las ciencias naturales, químicas y exactas, pero pronto cambió su vocación; marchó a Leipzig (1876- 1878), donde estudió lingüística comparada bajo la dirección de los neogramáticos, y de allí a Berlín (1878-1879) pare continuar los estudios. En 1880 fue a París con Breal, y allí enseño hasta 1891 gramática comparada de las lenguas germánicas. Los últimos anos de su vida transcurrieron en Ginebra, donde ocupó una cátedra de sánscrito y –desde 1907 hasta 1911– también enseñó lingüística general. Su primera publicación importante fue la *Mémoire sur le système primitif des voyelles dans les langues indoeuropéennes* (1879); se doctoró en 1880 con una tesis titulada *De l'emploi du génitif absolu en sanskrit* (1881). A su muerte sus discípulos Charles Bally y Albert Sechehaye recogieron las notes de sus últimos cursos y redactaron el famoso *Cours de linguistique générale* (1916), que muy pronto se convirtió en la obra teórica mas importante de los investigadores europeos.

Parte Saussure en sus explicaciones del carácter social del lenguaje, en lo que se advierte una fuerte influencia de Émile Durkheim, así como en la enunciación de su famosa dicotomía lengua/habla (langue/ parole); la lengua es un sistema, la parte social del lenguaje, exterior al individuo, que solo no puede crearlo ni modificarlo, mientras que el habla es la realización de este sistema, acto individual y voluntario. La parte mas apasionante de este planteamiento es el concepto de lengua como sistema, pues aun cuando en Saussure no aparece la palabra estructura, no hay duda que ha sido este concepto del lenguaje como conjunto sistemático el punto de partida de los estructuralismos posteriores; este sistema, en el que cada elemento depende de los demás, esta definido como un conjunto de relaciones, de valores negativos relativos, donde cada pieza, cada unidad lingüística, no tiene valor en si misma, sino que el valor viene dado por definición negativa, gracias al que los otros elementos no tienen. Este principio fundamental aparece a la vez como axioma y como algo inherente al objeto de estudio, unido íntimamente a la afirmación de que *la lengua es forma, no sustancia*; pero forma en el sentido de conjunto de relaciones, que son las que el lingüista, a través de la parole. tiene que descubrir pare llegar a una perfecta descripción del sistema de cada lengua en particular. Otra dicotomía importantísima es la de diacronía/sincronía, que –como ha quedado largamente demostrado– ha sido mal entendida, incluso traicionando el espíritu del lingüista ginebrino. En el *Cours* aparecen como conceptos antinómicos, con la recomendación expresa de que el lingüista tiene que dedicarse a la investigación sincrónica (estudio sobre un sistema lingüístico sin tener en cuenta los valores de la evolución lingüística); ya Godel demostró, a través del análisis de las notes de clase, que había habido algún error en la exposición publicada, mientras que E. Coseriu ha notado certeramente que esta dicotomía no pertenece al lenguaje en sí mismo sino al punto de vista que el investigador tome frente a la lengua. Otro aspecto importante del *Cours* es la concepción de signo lingüístico, concepto de base psicologista, signo de tipo biplánico, formado por dos elementos inseparables: significante y significado, y caracterizado por la existencia de unas reglas generales: relación arbitraria entre los dos elementos, carácter lineal del significante y la aparente paradoja de la inmutabilidad y mutabilidad del signo. En el *Cours* se tratan, además, otros problemas fundamentales para la ciencia lingüística: el fonema, la sílaba, la diferenciación entre lingüística interna y lingüística externa. En Saussure, además del influjo de Durkheim, hubo posiblemente también, como sospechaba Amado Alonso, traductor del *Cours* al español, influencia del lingüista hegeliano Victor Henry en la concepción de las dicotomías. La obra de Saussure fue fundamental para la creación y desarrollo de los estructuralismos europeos, y gran parte de los métodos mas fecundos de investigación nacen del *Cours*, como los trabajos de Praga y Copenhague, aunque el grupo de lingüistas ginebrino es el que ha permanecido mas fiel a la ortodoxia del maestro. Físico y geólogo suizo.

Saussure, Horace Bénedict de (1740-1799). Físico y geólogo suizo. Fue profesor de la Academia de Ginebra (1762) y uno de los primeros que llegó a la cima del Monte Blanco (1787), guiado por el primero que logró escalarla, Santiago Balmat. Atravesó 14 veces los Alpes en excursiones científicas, descubriendo varias especies minerales y realizando investigaciones sobre los glaciares. Aumentó su aportación a la ciencia con la invención y perfeccionamiento de muchos instrumentos de física. Escribió entre otras obras *Viajes a los Alpes* (1779-1796).

Savater, Fernando (1947-). Filósofo y escritor español. Catedrático de ética en la Universidad. del País Vasco, es autor de numerosas obras, entre las que cabe destacar: *La filosofía tachada* (1972); *Ensayos sobre Cioran* (1974); *Apóstatas razo-*

nables (1976); *Ética como amor propio* (1988); *Humanismo impenitente* (1990); *Ética para Amador* (1991); *La escuela de Platón* (1991), *Política para Amador* (1992); *Sin contemplaciones* (1993); *Adiós a Nietzsche* (1995). También es autor de novelas (*Caronte aguarda*, 1981; *Diario de Job*, 1983; *Episodios pasionales*, 1986, *El jardín de las dudes*, 1993); *Malos y malditos* (1996), libro para jóvenes, y obras teatrales (*Vente a Sinapia*, 1983, *Guerrero en casa*, 1992). En 1995 publico un *Diccionario filosófico.*

savia. Líquido acuoso, incoloro con el que se nutren las plantas. Circula por el tallo. Se llama savia bruta o ascendente al agua con sales en suspensión, absorbidas de la tierra, que asciende desde la raíz hasta las hojas, verdaderos laboratorios de la planta. En las hojas, por un procedimiento de asimilación clorofiliana o fotosíntesis esta savia se combina con el gas carbónico del aire para transformarse en sustancias orgánicas por la acción de un pigmento verde, la clorofila y la luz solar. Los productos de la fotosíntesis constituyen la savia elaborada o descendente, que se distribuye por toda la planta, proveyendo a cada parte de las sustancias que necesita para su nutrición. Nuevos conocimientos sobre la fotosíntesis se están logrando con la aplicación de isótopos radiactivos. La savia bruta circula por unos conductos llamados vasos leñosos, que se reúnen en haces formando el xilema; la savia elaborada circula por los tubos cribosos cuyos haces forman el floema.

La ascensión de la savia bruta se debe a tres fuerzas combinadas: la presión, que hace que el agua con sales sea absorbida por pelos radiculares de la raíz y llegue a los vasos leñosos, por los cuales asciende debido a la acción de la capilaridad; el reducido diámetro de los vasos leñosos permite que actúe la capilaridad, pero esta fuerza no es suficiente para que la savia se eleve, por ejemplo, hasta la copa de un eucalipto de 80 m de altura; el ascenso es facilitado por la transpiración de las hojas que, al perder su líquido por evaporación, se tornan ávidas de agua y succionan la savia de los vasos leñosos.

La circulación de la savia elaborada es un fenómeno complejo. Hay una verdadera distribución que da a cada parte de la planta sólo las sustancias que ella precisa. Este reparto es realizado por un sistema circulatorio compuesto de tubos cribosos que, a diferencia de los vasos leñosos, que son órganos sencillos e inertes, están integrados por células vivientes. Cuando por cualquier circunstancia mueren estas células, la absorción se extingue al instante.

Savonarola, Girolamo (1452-1498). Predicador y reformador italiano, natural de Ferrara. Mostró desde su niñez afición a la poesía. A los 23 años, después de haber oído un sermón de un agustino, abandonó el hogar, dejando sobre su mesa un tratado, *Del desprecio del mundo*, para entrar en la casa de los dominicos de Bolonia, donde profesó en 1476. Después de recorrer varias ciudades italianas, fue trasladado al convento de San Marcos de Florencia, del que llegó a ser prior. Aunque sus primeros pasos como orador sagrado no fueron felices, pronto la elocuencia de sus palabras, la energía de sus gestos y el carácter apocalíptico de sus temas, en una época en que triunfaban en Florencia la corrupción de las costumbres, la incredulidad y el despotismo de los Médici, todo lo cual combatió en sus prédicas, le dieron gran ascendiente sobre los florentinos. Su influencia creció extraordinariamente cuando la invasión de Italia por Carlos VIII de Francia (hecho que parecía dar cumplimiento a las profecías de Savonarola) hizo que el pueblo se volviera airado contra Pedro de Médici y lo expulsara de Florencia, acusándolo de haber vendido su patria. Entonces la población, agitada por el movimiento místico, se dejó conducir por el dominico, que ocupó el poder y dio al Estado una estructura casi democrática inspirada por el sentimiento religioso, quiso reformar las costumbres e imponer la más severa austeridad. La extrema rigurosidad de estas medidas dividió a la población en dos bandos: blancos y grises, estos últimos partidarios de los Médici, y atrajo la atención del papa Alejandro VI, que estaba, además, irritado porque Savonarola había censurado las costumbres que prevalecían en Roma. El papa ordenó al dominico que se presentara en Roma. Savonarola no obedeció la orden, lo que provocó que le fuesen retiradas las licencias de predicar y más tarde fue excomulgado. Savonarola hizo caso omiso de todo ello y arreció los ataques contra la jerarquía eclesiástica, y hasta pretendió reunir un concilio para deponer a Alejandro VI. Mientras contó con el apoyo de sus adictos, se mantuvo fuerte contra el papa y los Médici, pero cuando los vaivenes de los acontecimientos minaron su prestigio y sus partidarios perdieron la fe en él, el pueblo que antes lo seguía, asaltó el convento de San Marcos y Savonarola fue puesto en prisión. Se le formó proceso y fue sometido al tormento. Condenado a muerte, fue ahorcado y después quemado junto con dos de sus discípulos. Entre sus escritos figuran: *De la oración mental, De la sencillez de la vida cristiana* y *Compendio de la revelación.*

Saxofón.

Corel Stock Photo Library

saxífraga. Planta herbácea, vivaz, propia de los lugares rocosos y elevados del hemisferio boreal. Su tallo es ramoso, rojizo y alcanza unos 40 cm, brotando de él hojas carnosas, opuestas, divididas en tres lóbulos estrechos mientras las que nacen en la parte inferior tienen limbo redondeado, con borde festoneado. Flores grandes de pétalos blancos, que se agrupan formando corimbos y producen frutos capsulares de numerosas semillas. Crece en los lugares frescos y necesita poca tierra para prosperar. Su nombre, derivado del latín, significa *quebranta piedras*, debido a que sus raíces se introducen por las grietas y fisuras de las rocas, despedazándolas por la acción de cuña que ejercen al crecer.

saxofón. Instrumento musical de viento inventado por el fabricante belga Adophe Sax, a mediados del siglo XIX, combinando el tubo curvo de las trompas con el recto y las llaves y la boquilla del clarinete. Se usa en las bandas militares y ocupa destacado lugar en la instrumentación sinfónica moderna, a partir de Georges Bizet, y en la música de jazz.

Scarlatti, Alessandro (1660-1725). Compositor italiano. Fundó la escuela napolitana de composición y fue maestro de capilla en Nápoles, Florencia y Roma. Estrenó su primera ópera a los 20 años, produciendo desde entonces con tan asombrosa fecundidad que dejó escritas 115 óperas, de las cuales se ha preservado la música de unas 50, además de numerosos oratorios, misas, más de 600 cantatas y varias obras orquestales y de cámara.

Scarlatti, Domingo (1685-1757). Compositor y clavicordista italiano. Aunque escribió algunas óperas y varios conciertos instrumentales, su actividad se redujo casi exclusivamente a la música para clavicordio, sobre todo en la forma de sonata, que ha tenido gran influencia en la moderna ejecución pianística. Es autor de 550 sonatas para clave. Publicó la colección de 30 sonatas *Essercizi per gravicembalo.* Escribió ademas 17 sinfonías, numerosas óperas, oratorios, cantatas y obras religiosas.

Scarron, Paul (1610-1660). Poeta, novelista y dramaturgo francés que cultivó todas las formas de lo burlesco y a quien se considera como el fundador del teatro cómico francés. Fue célebre por sus enfermedades (el reumatismo empezó a atacarlo a los 26 años y lo martirizó y deformó), por su casamiento por conmiseración con Francisca de Aubigné, que después llegó a ser la famosa marquesa de Maintenon, y por su buen humor un tanto afectado. Sus obras son numerosas y de ellas merecen ser destacadas: *Virgilio disfrazado* (parodia de la *Eneida*), *La novela cómica, Poesías diversas* (sonetos, epístolas, sátiras, etcétera), y las comedias *Jodelet o el criado mayor, Don Jalet de Armenia,* imitación de Tirso de Molina, y *El estudiante de Salamanca o los generosos enemigos.* Fue ingenio de gran fuerza satírica con un perfecto dominio del lenguaje.

Schacht, Horace Gree Hjalmar (1877-1970). Financiero y economista alemán. Estudió en las universidades de Munich, Leipzig, Berlín y Kiel y se destacó rápidamente por su clara visión de los más complicados problemas económicos y acertadas medidas para solucionarlos. Comenzó su carrera como funcionario del Banco de Dresde. Fue subdirector del Banco Alemán (1908). Ejerció después los cargos de gobernador general de Bélgica (1914-1918) durante la ocupación alemana, presidente del Banco de Alemania y director de la estabilización monetaria (1923-1930), y miembro de la comisión internacional de reparaciones (1929-1930). En 1934, ya bajo el gobierno nazi, fue ministro de Economía; ministro sin cartera (1937-1944), y arrestado (1944-1945) como sospechoso de haber participado en una conspiración contra Adolfo Hitler. Acusado ante el tribunal de Nüremberg (1945) fue absuelto, aunque fue condenado a ocho años de cárcel por un tribunal de desnazificación. Libre en 1950, recuperó su fortuna su propia banca. Fue asesor económico de los gobiernos de Irán, Indonesia y Egipto.

Schally, Andrew Victor (1926-). Bioquímico estadounidense de origen lituano. Enseñó fisiología y bioquímica en la Universidad Baylor de Houston. Fue director de los laboratorios de Endocrinología y Polipéptidos del Hospital de la Administración de Veteranos de New Orleans desde 1962, y enseñó medicina en la Universidad Tulane, también de New Orleans, de la que fue nombrado profesor en 1967. Demostró que el hipotálamo controla la glándula pituitaria, considerada desde hace mucho como la *glándula maestra,* por medio de la secreción de hormonas proteínicas. En 1969, Schally y Roger Guillemin descubrieron, por separado, la primera hormona hipotalámica, la liberadora de titotrofina. En 1977, ambos científicos compartieron el Premio Nobel de Medicina o Fisiología con Rosalyn Yalow.

Schawlow, Arthur L. (1921-). Físico estadounidense. Investigador en los laboratorios de la *Bell Telephone* (1951-1961) y profesor de la Universidad de Stanford (California). Colaboró con su hermano político Charles Hard Townes en la invención del láser y destacó también por sus trabajos sobre superconductividad, electrónica cuántica y espectrometría de absorción de alta resolución mediante haces láser. Recibió el Premio Nobel de Física en 1981, que compartió con el sueco Kai Siegbahn y con Nicolaas Bloembergen.

Scheele, Carl Wilhelm (1742-1786). Químico sueco. Estudió química mientras trabajaba de ayudante de farmacia. En 1775, dueño ya de una farmacia, se dedicó a investigaciones químicas. Entre otras importantes contribuciones al progreso de las ciencias químicas se le debe el descubrimiento del cloro, la barita, el ácido tartárico, la glicerina, la arsina, el ácido prúsico, la arsenito cúprica y el ácido útico, que encontró en los cálculos vesicales. Descubrió, también, el oxígeno independientemente de Joseph Priestley. Fue profesor agregado a la cátedra de química de la Universidad de Upsala y miembro de la Academia de Ciencias de Estocolmo.

Scheler, Max (1874-1928). Filósofo alemán discípulo de Rudolf Eucken y colaborador del grupo fenomenológico encabezado por Edmund Husserl. Realizó profundos estudios sobre problemas éticos –el amor, la virtud, el resentimiento, la humildad– y abrió nuevos caminos a la sociología de la cultura. Entre sus obras destacan *El resentimiento en la moral, El lugar del hombre en el cosmos, El formalismo en la ética* y *Ética material de los valores.*

Schelling, Friedrich Wilhelm Joseph von (1775-1854). Filósofo alemán, que ocupó en Berlín la cátedra que habían explicado Johann Gottlieb Fichte y Georg Wilhelm Friedrich Hegel y fundó el sistema de la identidad. Publicó con Hegel la *Revista crítica de la filosofía,* y mediante su teoría de lo absoluto, pretendió resolver la antinomia del yo y del *no yo.* En sus obras *Filosofía de la naturaleza* (1797) y *El alma del mundo* (1798) expuso sus ideas saturadas de panteísmo. Otro trabajo suyo muy leído es el titulado *Filosofía y religión.* Las doctrinas idealistas de Schelling tienden a un panteísmo sutil, un tanto mezclado con ciertas nociones cristianas, aunque próximo al de Baruch Spinoza. La literatura y el pensamiento alemanes vieron así ensanchada su concepción del universo y del espíritu humano. En esta filosofía se inspiraron los jóvenes poetas de comienzos del siglo XIX e influyó grandemente en el naciente romanticismo.

Scherazada. Legendaria sultana de *Las mil y una noches,* libro de cuentos árabes. Según esta obra, el sultán Shahriyar, para vengar la infidelidad de su primera mujer, tomaba todas las noches nueva esposa y la hacía estrangular a la mañana siguiente. Casada con él, Scherazada logró terminar con esa costumbre, pues poseía un raro don para contar historias y, con mucha habilidad, interrumpía el cuento en el momento más interesante, con la promesa de terminarlo al día siguiente. El sultán nunca se decidía a hacerla matar, y cuando nació el primer hijo le perdonó definitivamente la vida. Con el nombre de *Scherezada* y con este tema, el músico ruso Nicolai Rimsky-Korsakov escribió un conocido poema sinfónico.

scherzo. Composición instrumental de ritmo animado y constante. Puede constituir un tiempo de sonata, suite, cuarteto, sinfonía, etcétera, o bien presentarse como obra independiente para uno o varios instrumentos. La transformación del *minué* en *scherzo,* del que no difiere fundamentalmente en su forma, se debe a Ludwig van Beethoven. El espíritu de ambos es sin embargo muy distinto, como puede observarse si se compara cualquier minué con el famoso scherzo de la *Tercera Sinfonía* (Heroica) de Beethoven o con los scherzos para piano de Frèdèric Chopin.

Schick, Bela (1877-1967). Médico húngaro. Se graduó en la Universidad de Graz. Se especializó en el tratamiento de las enfermedades de los niños. Descubrió en Viena en 1913, la llamada prueba de Schick, para determinar la susceptibilidad a contraer la difteria. Se trasladó a Estados Unidos en 1923 y fue designado jefe de los servicios de Pediatría en el Hospital Monte Sinaí de la ciudad de New York.

Schiller, Johann Cristoph Friedrich von (1759-1805). Poeta, autor dramático, historiador y filósofo alemán. Fue hijo de un cirujano del Ejército; el duque de Württemberg lo tomó bajo su protección y lo hizo educar en la escuela militar donde también estudió medicina. Llegó a cirujano, pero la estricta disciplina militar le inspiró la rebeldía que anima *Los bandidos* (1781), su primer drama, estrenado en Mannheim. Después estrenó sus obras: *La conjuración de Fiesco* (1783), *Intriga y amor* (1784) *y Don Carlos infante de españa* (1787). Este primer momento romántico terminó cuando visitó Leipzig y Dresde, y se interesó por cuestiones filosóficas junto a su nuevo amigo Korner y la sombra de Immanuel Kant dominaría en adelante su teatro. Durante una visita a Weimar contrajo matrimonio y conoció a Johann Wolfgang Goethe. Gracias a éste y por haber escrito la *Historia de la rebelión de los Países Bajos*, lo nombraron profesor de historia en Jena. En sucesivos ensayos expresó sus doctrinas estéticas, concebidas en largas discusiones epistolares con Goethe y emanadas de su común admiración por los griegos, y escribió *De la dignidad y la gracia, Educación estética del hombre* y *Poesía ingenua y poesía sentimental.* Padeciendo de tuberculosis y siempre en dificultades pecuniarias, editó el *Almanaque de las musas*, en el que publicó algunas de sus célebres baladas: *El anillo de Polícrates, Las grullas de Ibico, La campana.* Escribió, después, una serie de dramas memorables, *Wallenstein, María Estuardo, La doncella de Orleáns* y *Guillermo Tell.* La muerte lo sorprendió en Weimar, cuando escribía su tragedia *Demetrio,* que quedó inconclusa.

Schipa, Tito (1890-1965). Tenor italiano. Estudió música en el conservatorio de su ciudad natal, Lecce, para dedicarse a compositor, pero sus maestros descubrieron su hermosa voz, suave, extensa y bien timbrada, y se dedicó al canto. Debutó en Milán con gran éxito cantando la ópera *La Traviata.* En 1919 repitió sus triunfos en la ópera de Chicago a cuya compañía titular perteneció hasta 1932 en que pasó al Metropolitan Opera House de New York. Cultivó intensamente las canciones españolas y escribió muchas composiciones ligeras y una ópera, *La princesa Liana*, de factura delicada y armoniosa.

Schirra, Walter M. (1923-) Aviador naval estadounidense. El 3 de octubre de 1962 se elevó en una astronave *Mercury Sigma* 7 y entró en órbita con 281 km de apogeo y 160 de perigeo y describió seis órbitas alrededor de la Tierra en 9 horas y 14 minutos. Descendió en el océano Pacífico al noreste de la isla de Midway y fue recogido por un buque de guerra.

Schlegel, August Wilhelm von (1767-1845). Escritor y orientalista alemán, paladín del movimiento romántico europeo que –junto a su hermano Friedrich– como crítico literario, profesor y filólogo, fue al Romanticismo lo que Desiderio Erasmo al Renacimiento. Enseñó historia del arte y lenguas orientales en la Universidad de Bonn, y tradujo a Pedro Calderón de la Barca, Luis vaz de Camoens, Dante Alighieri y William Shakespeare. Su adhesión al romanticismo no excluyó la admiración de los clásicos, cuya lectura aconsejaba a sus alumnos. Entre sus obras principales sobresalen *Curso de arte y de literatura dramática, Reflexiones sobre el estudio de las lenguas asiáticas* y *Ensayo sobre el origen de los indios.* Sus páginas sobre el teatro español son imperecederas.

Schlegel, Friedrich von (1772-1829). Hermano de August Wilhelm, y como él, crítico, escritor y orientalista alemán; su influencia en el Romanticismo fue aún mayor. También admiró y estudió el clasicismo griego y el arte medieval, posición que lo llevó a la fe católica, junto con Dorotea Mendelsshon, su esposa. Figuran entre sus obras más importantes la *Historia de la literatura antigua y moderna, Filosofía de la historia, Filosofía de la vida* y *Ensayo sobre la lengua y la filosofía de los indios.* Sus más famosos ensayos estéticos aparecieron en la revista *Athenueum.*

Schleswig-Holstein. Estado del norte de la República de Alemania, situado entre el Mar Báltico, Dinamarca, el Mar del Norte, Hamburgo y el río Elba.

Ocupa una superficie de 15,696 km^2, en la que están incluidas las islas adyacentes, entre ellas Heligoland.

Su suelo bajo y llano se inunda fácilmente en la zona del Mar del Norte, por lo que han construido diques. Entre sus ríos, además del Elba, merece señalarse el Eider. Las costas son muy recortadas y las del Mar del Norte muy tempestuosas. En las del Báltico se hallan los principales puertos, Kiel y Lübeck. Parte del terreno está cubierto de prados y bosques de hayas. En el resto se producen cereales (avena, cebada, centeno), patatas, remolacha, pero la principal fuente de riqueza es la ganadería, que proporciona leche, queso y manteca, y huevos. Industrialmente tiene importancia por las fábricas de azúcar y sobre todo por los astilleros. Su población es de 2.626,100 habitantes (1995). Su capital es Kiel (246,586 h.) a la entrada del Canal de su nombre, y entre otras ciudades principales se cuenta Lübeck, con 216,854 habitantes. Hasta 1864 formaba parte de Dinamarca. Anexada posteriormente por Prusia pasó a ser una provincia prusiana. Después de la Primera Guerra Mundial un plebiscito devolvió a Dinamarca la zona norte de Schleswig.

Schliemann, Heinrich (1822-1890). Arqueólogo alemán que descubrió importantes aspectos del pasado helénico. Se dedicó primeramente al comercio y a la banca y amasó una inmensa fortuna. Fue notable lingüista y hablaba muchos idiomas, tanto modernos como antiguos. Efectuó excavaciones en Hissarlik, donde presumía la existencia de la antigua Troya. Allí sorprendió al mundo con el descubrimiento de los restos de cuatro ciudades superpuestas, conjuntamente con los tesoros de Príamo. En Micenas, Orcomenes y Tirinto realizó otros hallazgos consistentes en armas, coronas, cetros, collares, enseres y atributos pertenecientes a los príncipes de la dinastía atrida. De Micenas rescató la Acrópolis y la puerta de los Leones. Escribió *Ítica, el Peleponeso y Troya* (1869), *Antigüedades troyanas* (1874), *Micenas* (1877), *Orcómeno* (1881), *Viaje a Troya en mayo* (1881) y *Tirinto* (1886).

Schmid, Johann Christoph (1768-1854). Literato alemán, más conocido como el *canónigo Schmid*, pues a su condición de escritor unía la de eclesiástico. Su popularidad la debe a sus trabajos literarios. Casi todas sus obras están escritas para los niños y los adolescentes; muestra en ellas singulares y atrayentes características con que conquistó difusión mundial, pues se le tradujo y adaptó a todos los idiomas cultos. Entre sus libros más conocidos figuran *Genoveva de Brabante, Historias bíblicas para los niños, Cuentos para la infancia* y *los amigos de la infancia Los huevos de Pascua, El buen Fridolín* y *el pícaro Thierry* y *La paloma.*

Schmidel, Ulrich (1510-1581). Viajero alemán al que se considera primer cronista del Río de la Plata. Expedicionario con Pedro de Mendoza (1534), asistió a la primera fundación de Buenos Aires. Estuvo en América del Sur hasta 1554, y en Alemania se publicó de manera postuma *Verdadera historia de una navegación maravillosa* (1599). Los originales se conservan en la Biblioteca Wurtemberg, en Stuttgart.

Schmidt, Bernhard Voldemar (1879-1935). Óptico alemán. Estudió ingeniería en Mittweida y luego instaló allí un pequeño taller para la construcción de espejos astronómicos. En 1926 se trasladó a Bergerdorf para trabajar en el Observatorio de Hamburgo, donde ideó y puso a punto en 1931 un nuevo sistema óptico, denominado *cámara de Schmidt,* que posibilitó la obtención de imágenes bien definidas de un campo de gran extensión.

Cámara de Schmidt. Tipo especial de instrumento astronómico que permite obtener imágenes de gran nitidez en un extenso campo angular. Está constituida, fundamentalmente, por un *espejo de Schmidt.* Su superficie focal no es un plano, sino una esfera sobre la que se dispone una placa fotográfica, en la que se forma la imagen de la región del firmamento observada. Estos instrumentos se emplean principalmente para la obtención de mapas fotográficos del firmamento y para la observación de asteroides, satélites artificiales y otros objetos de poca luminosidad, para cuya localización sea necesaria la vigilancia de un extenso campo angular.

Espejo de Schmidt. Sistema óptico consistente en un espejo esférico en cuya pupila de entrada se dispone una placa de material transparente con una de sus caras modeladas de forma que compense la aberración de esfericidad; si la pupila está situada en el centro de curvatura, el sistema está asimismo desprovisto de las aberraciones de estigmatismo y coma. Se utiliza en los telescopios de gran campo y luminosidad y para proyectar sobre pantallas planas las imágenes videoelectrónicas producidas en un tubo de rayos catódicos.

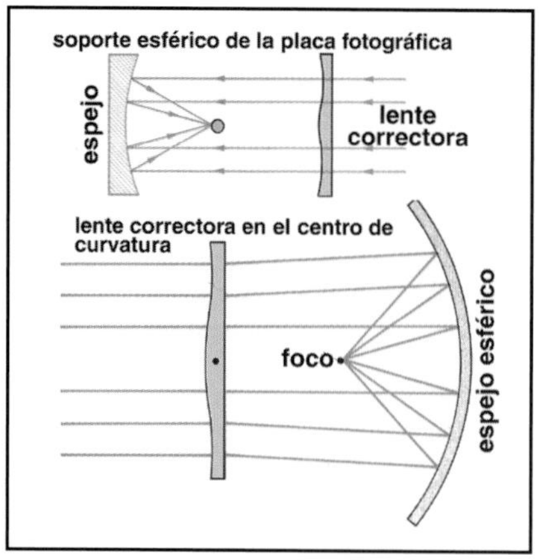

Salvat Universal

Arriba: cámara de Schmidt; abajo espejo de Schmidt.

Schnitzler, Arthur (1862-1931). Novelista y comediógrafo austriaco. Fue doctor en medicina y se inició como escritor con un estudio sobre los trastornos nerviosos en la voz. Sus primeras obras fueron *El cuento* (para teatro) y *Anatolio* en 1893, una serie de relatos amorosos. Su verdadero éxito escénico fue *Amoríos* que, como otras obras suyas, se estrenó inmediatamente en inglés en New York. Entre sus obras se cuentan *Idilios vieneses, Rapsodias* y *Amanecer* (novelas) e *Intermedio* y *El profesor Bernhardi* (teatro). Su producción leteraria está dotada de aguda observación y gran habilidad expositiva.

schnorkel. *Véase* SUBMARINO.

Schönberg, Arnold (1874-1951). Compositor austriaco. Vivió en Viena hasta 1925, después en Berlín, y desde 1933 en Estados Unidos. En su obra se distinguen comúnmente tres periodos. El primero, que comprende páginas como *Noche transfigurada* (1899) y *Gurrelieder* (1901), se caracteriza por la influencia de algunos compositores del posromanticismo alemán: Anton Bruckner, Richard Strauss y Gustav Mahler. En la segunda época *(Pierrot Lunaire)* usa los 12 tonos de la escala cromática como si fuesen del mismo valor. El tercer periodo se inicia con *Opus 23*, y en él los 12 tonos se organizan en series o escalas en las que cada uno de los tonos es usado una vez. El desenvolvimiento de la obra nacerá de las variaciones a que se someta la serie inicial. Obras características de este último periodo son *Oda a Napoleón Bonaparte, Concierto para piano y orquesta* y cuatro cuartetos de cuerdas. Estas obras rompen inusitadamente con la tradición musical europea. Schönberg ha tenido notables discípulos: Alban Berg, Anton von Webern y Ernesto Krenek entre otros.

Schopenhauer, Arthur (1788-1860). Filósofo alemán. Nació en Danzig, hijo de un rico comerciante, rígido y austero, y de una madre espiritual, voluble y vanidosa, con ribetes de literata. Destinado al comercio, hizo estudios en Holanda, Francia e Inglaterra, y se colocó como meritorio en una casa comercial de Hamburgo. La muerte de su padre le proporcionó la ocasión de cambiar de orientación y en Weimar, adonde se trasladó con su madre, pudo entregarse a estudios clásicos. En 1809, se matriculó en la Universidad de Gottinga y pronto se inclinó a la filosofía. Sus autores favoritos fueron Platón, Immanuel Kant y los filósofos indios. Asistió en Berlín a las clases de Johann Gottlieb Fichte, quien le desilusionó por su *falta de profundidad.* En 1813, se doctoró en Jena, con la tesis *Sobre la cuádruple raíz del principio de la razón suficiente.* De regreso en Weimar, frecuentó y sufrió la influencia espiritual de Johann Wolfgang Goethe. Enemistado con su madre, se fue de Dresde, y en esta ciudad elaboró la parte principal de su sistema y escribió su obra maestra *El mundo como voluntad y como representación* (1819). Un año después era admitido como profesor libre en la Universidad de Berlín. Su actuación docente constituyó un rotundo fracaso, pues a sus explicaciones asistían poquísimos oyentes. Esto y una terrible epidemia de cólera lo impulsaron a abandonar la capital prusiana y a domiciliarse en Frankfurt (1831), donde vivió consagrado a sus lucubraciones hasta la muerte.

Schopenhauer.

Pintura de F. Lunteschütz

La filosofía de Schopenhauer, a pesar de estar expresada en forma literaria y asequible a gran número de lectores, tardó 30 años en imponerse, pero entonces obtuvo un éxito y una popularidad sin precedentes. Basó su doctrina sobre la representación y sobre el concepto de voluntad y de fuerza. El mundo como representación sólo existe por el sujeto y para el sujeto. *El mundo es mi idea.* Rechaza toda concepción materialista del mundo y de las cosas. No se puede explicar el pensamiento como material si la materia no se conoce sino a través del pensamiento. La esencia del mundo radica en la voluntad, que se manifiesta por la tendencia a querer vivir. El mundo es una objetivación de esta voluntad primaria, ciega e irresistible, que engendra sin cesar, para sostener sus ilusiones, nuevas necesidades y nuevos dolores. La *lucha por la existencia* no es otra cosa que la batalla de la voluntad consigo misma. La naturaleza, dice, es una madrastra que nos induce a perpetuar la vida, esto es, el mal, buscando el placer en la satisfacción del egoísmo. Sólo el sabio y el santo están más allá de estas leyes fatales; por ello, propone la castidad y el ascetismo que inducen al nirvana indio. Abomina de la mujer y siente profunda admiración por las artes, pues el supremo goce consiste en la creación y contemplación de lo bello. Su moral está fundada en la piedad, que proviene de la conciencia de la identidad esencial de los seres. No deja de llamar la atención el contraste entre el pesimismo de este escritor, cáustico y atormentado, y su vida *dulzona, de burgués aburrido*, con muestras repetidas de su apego a la existencia. Además de las obras citadas, dio a la luz: *Ensayo sobre el libre albedrío, La voluntad de la naturaleza, La libertad de la voluntad, El fundamento de la moral, Pensamientos, Parerga* y *Paralipómena* y otras.

Schrieffer, John Robert (1931-). Físico estadounidense. Doctor por la Universidad de Illinois, en Urbana (1957). Coautor, en 1957, con John Bardeen y Leon N. Cooper de la teoría BCS (iniciales de los nombres de los tres autores), la cual suministra un modelo para la interpretación del fenómeno de la superconductividad. Profesor de física en diferentes universidades de Estados Unidos, en 1972 compartió el Premio Nobel de Física con Leon Cooper y John Bardeen.

Schröidinger, Erwin (1887-1961). Físico austriaco. Estudió en la Universidad de Viena y enseñó en Zurich (1921), Berlín (1927), Oxford (1933) y, posteriormente, en Dublín (1941). Creó la ecuación matemática que lleva su nombre y que ha ayudado a resolver muchos problemas difíciles de la estructura atómica y constituye la base de la teoría de la mecánica ondulatoria. En 1933 se le otorgó el Premio Nobel de Física junto con Paul Adrien Maurice Dirac. Efectuó también colaboraciones importantes sobre la teoría de los colores, e investigó las radiaciones electromagnéticas (radio, luz y rayos X). Entre sus obras se destaca *Teoría atómica moderna* (1934), *¿Que es la vida?* (1944) y *Termodinámica estadística* (1946).

Schubert, Franz (1797-1828). Músico austriaco. Recibió las primeras lecciones musicales de su padre, maestro de escuela y aficionado al violonchelo, quien pronto advirtió que su hijo aprendía con demasiada rapidez y necesitaba de otros profesores más competentes. Ingresó entonces en una escuela donde se preparaban cantantes y músicos para la capilla de la corte y allí, a los diez años de edad, compuso sus primeras obras. Más tarde, para evitar el servicio militar (su carácter tímido y reservado se oponía a la disciplina colectiva) comenzó a trabajar como maestro, al lado de su padre. Tres años después, su vida era completamente desordenada. Vivió alternativamente con tres de sus amigos, tan pobres como él; pasaba largas horas en las tabernas o vagando por los campos y se alimentaba, apenas, con el poco dinero que le entregaban por unas lecciones de piano. Los editores de música, por otra parte, se resistían a imprimir sus obras. Esta vida fue inclinando progresivamente a Schubert hacia la melancolía, como puede advertirse en la evolución de su propia música. Débil y enfermo, no pudo resistir un ataque de tifus y murió a los 31 años de edad.

No todas sus canciones (más de 600) son de igual valor, pero hay entre ellas algunas obras maestras, por las que ha sido justamente considerado como el verdadero creador del *lied*, género musical donde el acompañamiento y el canto están unidos. Son famosos sus dos ciclos de canciones o *lieder* titulados *La bella molinera* y *El viaje de invierno*. En el primero, compuesto por veinte canciones, se narran las desventuras de un joven molinero enamorado de una hermosa molinera. Desesperado, al creer que la muchacha prefiere a un cazador, el joven se suicida, ahogándose en un río. En el segundo ciclo, de veinticuatro canciones, no hay apenas argumento, el único tema parece ser la inmensa tristeza que dominó los últimos años de la vida de Schubert. De sus nueve sinfonías son notables la octava, conocida popularmente como *Inconclusa*, y la novena en do mayor. Sus óperas (trece en total) tienen también muy hermosos momentos, pero los libretos son de escaso valor. Se afirma comúnmente que el encanto principal de las obras de Schubert es la espontaneidad y belleza de las melodías, pero sus audacias armónicas, sus violentos contrastes y sus voluntarias repeticiones, son también de una extraordinaria eficacia expresiva. Es, además, tan feliz en los momentos líricos como en los dramáticos. Su tumba está muy cerca de la de Beethoven, músico a quien admiraba y amaba profundamente.

Schulten, Adolf (1870-1960). Arqueólogo alemán. Fue uno de los directores de las excavaciones arqueológicas de Numancia y realizó viajes de investigación por todas las regiones de la cuenca del Mediterráneo. Entre sus principales obras se cuentan *Mis excavaciones en Numancia, Hispania* (*geografía, etnología, historia*) y *La historia de Numancia*.

Schultz, Theodore W. (1902-). Economista estadounidense. Fue profesor en el Iowa State College (1930-1943) y en la Universidad de Chicago (1943-1972), y se distinguió como investigador en el campo de la economía y la política agraria. En *Transforming Traditional Agriculture (Modernización de la agricultura*, 1964), recoge sus principales tesis en defensa de los sistemas agrícolas tradicionales y de su eficiencia en la asignación de recursos. Son también notables sus aportaciones al estudio del papel del factor humano en el desarrollo económico, y con su artículo *Investment in Man: an Economist's View* (*Inversión en recursos humanos: la opinión de un economista*, 1959) ha inspirado numerosos trabajos sobre el tema. En 1981 publicó *Investing in People: The Economics of Population Quality (Invirtiendo en la gente: economía de la calidad de la población)*, y en 1993 *Restoring Economic Equilibrium. Human capital (Restableciendo el equilibrio económico. Capital humano)*. Fundador de la Asociación Estadounidense de Economía Agrícola(1957), fue nombrado en 1961 presidente de la Asociación Estadounidense de Economía. En 1979 obtuvo el Premio Nobel de Economía, compartido con sir Arthur Lewis, por su contribución a la economía del desarrollo.

Schumann, Robert (1810-1856). Compositor, pianista y crítico musical alemán, uno de los grandes músicos del. siglo XIX. De espíritu romántico e inclinado al ensueño, se entregó al arte para expresar sus sentimientos, y sus obras, llenas de personalidad, ofrecen grandes contrastes, siendo tanto fogosas como sentimentales. Nació en Zwickau, y fue hijo de un literato y editor, quien le inculcó el amor a la poesía y lo alentó en su desarrollo artístico. Pero, al quedar huérfano cuando tenía 16 años, y a instancias de su madre, ingresó en la Universidad de Leipzig para estudiar jurisprudencia. Durante algunos años estudió simultáneamente leyes y música, pero pronto abandonó aquéllas para dedicarse exclusivamente a su verdadera vocación. Fue alumno de Friedrich Wieck, y bajo su dirección hubiera sido un gran pianista, de no habérsele paralizado un dedo, accidente que le obligó a dejar el piano y orientar su vida en el campo de la composición. Por entonces fundó una revista de crítica musical, que pronto se hizo famosa, y tuvo gran influencia en el movimiento artístico de su tiempo, y en la que dio a conocer a los jóvenes músicos que comenzaban a surgir: Fédéric Chopin, Johannes Brahms, Héctor Berlioz y otros. Ya tenía publicadas varias obras, especialmente para piano, su instrumento favorito, con las que su fama fue en aumento.

En 1840, y a pesar de tenaz oposición, se casó con Clara Wieck, excelente pianista, hija de su antiguo maestro, que difundió sus obras interpretándolas por toda Europa. Durante ese año, e inspirado por Clara, compuso unos 150 *lieder*, conmovedoras canciones con letras de famosos poetas, y dio a conocer su primera sinfonía. Los años siguientes fueron fecundos: trabajó incansablemente, produciendo varias sinfonías y conciertos para piano, violín y violonchelo, música de cámara y numerosas composiciones para piano. Pero, el exceso de trabajo le causó un desequilibrio nervioso; se tornó taciturno y melancólico, dejó de componer y, en un ataque de locura, intentó quitarse la vida arrojándose al Rin. Fue salvado, mas no recobró la razón, y tuvo que ser internado en un manicomio, donde murió dos años más tarde. Entre sus obras más conocidas figuran la tercera sinfonía *(Renana)*, el oratorio *El Paraíso y la Peri*, las variaciones para piano *Estudios sinfónicos*, las *Escenas infantiles* y el *Carnaval*.

Schuschnigg, Kurt von (1897-1977). Estadista austriaco. Después de luchar en la Primera Guerra Mundial y de estudiar leyes en la Universidad de Viena, inició su carrera política en el partido socialcristiano, bajo la dirección de monseñor Ignacio Seipel. Era ministro de Justicia y Educación cuando el canciller Engelbert Dollfus fue asesinado en la rebelión nacionalsocialista de 1934, y asumió la jefatura del gobierno. Intentó proseguir con la política que había iniciado su predecesor, al tiempo que combatía con vigor la presión del nazismo. Derrotado y encarcelado por orden de Adolfo Hitler, sólo recobró la libertad cuando los aliados ocuparon Alemania en 1945. Recogió sus experiencias en dos volúmenes titulados *Mi Austria* y *Réquiem austriaco*, y se radicó en Estados Unidos, dedicándose a enseñar ciencia política en la Universidad de Saint Louis.

Schwann, Teodoro (1810-1882). Naturalista, biólogo y anatomista alemán. Fue profesor en las universidades de Lovaina y Lieja (Bélgica), y efectuó importantes estudios que lo condujeron a formular la teoría de las células; descubrió la pepsina e investigó la conducción de los impulsos nerviosos, la contracción muscular y sentó las bases que facilitaron después las investigaciones y descubrimientos efectuados por Louis Pasteur y Joseph Lister. Su obra principal fue *Investigaciones sobre la estructura y el desarrollo de los animales y las plantas* (1839). Se le considera uno de los fundadores de la biología.

Schwartz, Melvin (1932-). Físico y empresario estadounidense. Doctor en física por la Universidad de Columbia en 1958, fue profesor de dicha institución de 1958 a 1966, y posteriormente en Stanford (1966-1983). En 1970 fundó una compañía dedicada al diseño de sistemas de seguridad por computadora y a partir de 1983 se dedicó por completo a ella. Entre 1960 y 1962 realizó, junto con Leon Max Lederman y Jack Steinberger, una serie de experimentos en el Laboratorio Nacional de Brookhaven que les llevaron a obtener un haz de neutrinos por primera vez y a descubrir la existencia de dos tipos de estas partículas: los neutrinos electrónicos y los muónicos. Por estos descubrimientos, los tres investigadores recibieron el Premio Nobel de Física en 1988.

Schweitzer, Albert (1875-1965). Misionero, teólogo, médico, filósofo, organista, escritor y musicólogo alsaciano, una de las personalidades más notables de nuestra época. Después de estudiar filosofía en la Universidad de Estrasburgo, se dedicó a enseñar teología en un seminario protestante y a estudiar música. En los primeros años del siglo XX, ya era el mejor organista del mundo y acababa de escribir el monumental libro *Johann Sebastian Bach, el músico poeta*, modelo de investigación musicológica. El éxito internacional que obtuvo su obra siguiente, *La búsqueda del Jesús histórico*, no fue obstáculo para que decidiera acceder al llamado de una vocación apostólica extraordinaria: estudió medicina, obtuvo el título de doctor y se estableció en Lambarené, un mísero villorio de indígenas, perdido en las selvas de Gabón, entonces parte del África ecuatorial francesa. Al tiempo que atendía las necesidades materiales y espirituales de los nativos continuaba produciendo obras de exégesis religiosa, filosofía y música. Entre ellas cabe citar: *Pablo y sus intérpretes*, *Memorias de infancia y juventud* y *Autorretrato*. Periódicamente, este hombre admirable regresaba a París para recoger, mediante conciertos y conferencias, el dinero que necesitaban sus obras misionales. En 1952, le fue otorgado el Premio Nobel de la Paz.

Schwinger, Julian Seymour (1918-1994). Físico estadounidense. Realizó contribuciones importantes a la mecánica cuántica. Después de graduarse de la Universidad de Columbia, trabajó una breve temporada con J. Robert Oppenheimer. Ingresó al cuerpo de profesores de la Universidad de Harvard en 1947. Ahí desarrolló la base teórica de la electrodinámica cuántica. Fue profesor de física en la Universidad de California, en Los Angeles, desde 1972 hasta su muerte. Autor de *Partículas y fuentes* (1969) y *Partículas, fuentes y campos* (1970-1973), edición de dos volúmenes. Compartió el Premio Nobel de Física con Sin-itiro Tomonaga y Richard Phillips Feynman en 1965.

Scotland Yard. Nombre que se da a la jefatura de la policía metropolitana de Londres, en recuerdo del edificio en Whitehall donde tuvo sus carteles desde 1829. Ese edificio debía su nombre al hecho de haber sido la residencia de los reyes de Escocia cuando visitaban Londres. En 1890 se trasladó la jefatura a los edificios que ocupa en el malecón del Támesis y se le designa como New Scotland Yard. Llegó a ser una de las policías más sagaces y mejor dotadas del mundo. Sus pesquisas, muchas de las cuales alcanzaron gran notoriedad, sirvieron de tema a escritores de novelas policiales. Todo cuanto la criminología científica ha logrado, se halla en sus gabinetes: galerías de retratos, pantallas en las que se proyectan ampliadas impresiones digitales para su exhibición, laboratorios de medicina legal, toxicología, química analítica, etcétera. Bajo la supervisión de un alto comisionado y las órdenes directas de un superintendente, actúan 20 mil hombres cuyas jerarquías se escalonan desde el simple grado de agente hasta el de comisario. A toda hora del día y de la noche brigadas volantes recorren la ciudad en automóviles provistos de trasmisores y receptores de radio, manteniendo constante comunicación con los cuarteles, donde en mapas murales se registra su posición de cada instante.

Scott, Robert Falcon (1868-1912). Explorador inglés. Fue capitán de navío de la marina inglesa, y en 1901-1904, bajo los auspicios de la Real Sociedad Geográfica, de Londres, realizó una expedición antártica, a bordo del *Discovery*, en el curso de la cual descubrió y dio nombre a la Tierra del Rey Eduardo VII y a los montes de Victoria. Después de haber llegado hasta los 82° 17' de latitud sur, regresó a su patria, convencido de haber encontrado el camino del Polo Sur. En julio de 1910 emprendió una segunda expedición a bordo del *Terra Nova*, encontrándose en el camino con el explorador noruego Roald Engebrecht Amundsen. Esto acució su entusiasmo y resolvió adelantársele. Con cuatro compañeros de expedición, el doctor E. A. Wilson, el teniente H. Bowers, el capitán L. E. G. Oates y el suboficial Evans, se lanzó en trineo a través de los hielos en dirección al Polo Sur, al cual llegó el 18 de enero de 1912; pero, encontró en el Polo, la tienda, la bandera y la carta para el rey de Noruega, dejadas por Amundsen, testimonios de que este explorador había logrado descubrir el polo varias semanas antes. En el viaje de retorno, Scott y sus compañeros perecieron de hambre y frío a fines de marzo. Una expedición enviada en su busca encontró, meses después, los cadáveres y el diario en que Scott relató su llegada al polo y las penalidades sufridas por la desgraciada expedición.

Scott, sir Walter (1771-1832). Poeta y novelista inglés, nacido en Edimburgo (Escocia). Era hijo de un abogado, y siendo aún niño sufrió un ataque de parálisis que lo dejó cojo de la pierna derecha. Este acontecimiento favoreció su vocación literaria, pues el tiempo que otros niños empleaban en distracciones él lo utilizó en prolongadas lecturas. Estudió en la Universidad de Edimburgo y llegó a recibirse de abogado, profesión que desempeñó algún tiempo sin mostrar por ella mayor entusiasmo. Pero, el mundo en que desarrollaba sus actividades le suministró experiencia directa para luego llevar una serie de tipos a sus novelas. Se apasionó por las obras literarias en que se narraban acontecimientos del pasado de Gran Bretaña, y después estudió detenidamente las literaturas extranjeras, particularmente la alemana y la francesa y tradujo al inglés una obra de Johann Wolfgang Goethe. Se casó en 1799 con Charlotte Charpentier con la que tuvo cuatro hijos. En 1799 fue nombrado oficial de justicia del condado de Selkirk y después archivero oficial de Edimburgo, empleo que le dejaba tiempo libre para el cultivo de la literatura. Escribió folletines para diarios y revistas de Escocia, y pronto la popularidad de su autor adquirió relieves de gran acontecimiento literario. Después escribió con ritmo y métodos precisos una novela tras otra. Sus obras llegaron a producirle grandes ingresos anuales que utilizó en gran parte en embellecer el palacio de Abootsford, donde murió. Allí llegaban personas de toda Europa para verlo, cuando ya sus libros habían sido traducidos a los principales idiomas y la fama de su autor había dado la vuelta al mundo. Quizá ningún escritor de su tiempo gozó en vida de tanta popularidad, tan extraordinaria difusión y tan inmensa admiración por parte de sus lectores. Popularizó el género que luego se denominó novela histórica. Personajes, costumbres y ambientes del pasado surgieron de su pluma fecunda, presentados en episodios de gran interés dramático, sin olvidar la fidelidad histórica. De sus obras destacan Waverley (1805), Ivanhoe (1819), Old Mortality (1816), The bride of Lammermoor (1818), Rob Roy (1818), The heart of Midlothian (1818), Quentin Durward (1823) y Redgauntlet (1824).

Corel Stock Photo Library

Vista panorámica nocturna de la ciudad de Seattle.

Scott, Winfield (1786-1866). Militar y político estadounidense. General en jefe del ejército (1841) dirigió las operaciones militares durante la guerra con México (1847) que condujeron a la ocupación de Veracruz (27 de marzo) y de la capital mexicana (15 de septiembre) y obtuvo la firma del tratado de Guadalupe Hidalgo (2 de febrero de 1848). Posteriormente fue candidato por el Partido Liberal a las elecciones presidenciales de 1852 y fue derrotado.

Scriabin, Aleksandr Nicolaievich (1872-1915). Compositor y pianista ruso. Comenzó a estudiar la carrera militar, mas como su vocación fuera la música, la abandonó para ingresar en el Conservatorio de Moscú (1882). Finalizados sus estudios hizo una gira por Europa y América, en la que adquirió fama como pianista, y de regreso en Moscú lo nombraron profesor del conservatorio, cargo que desempeñó hasta 1903 en que renunció para dedicarse solamente a la composición. Escribió numerosas obras para piano, las primeras de las cuales acusan la influencia de Fréderic Chopin, pero después destacó su personalidad, con cierto carácter místico, principalmente en sus obras orquestales, entre las que sobresalen los poemas sinfónicos *Prometeo* o *El poema del fuego* (1910), *El poema del éxtasis* (1905-1908) y su *Tercera sinfonía*.

Scribe, Agustín Eugène (1791-1861). Autor dramático francés. Sus obras se caracterizan por la claridad del argumento y el desarrollo lógico de las situaciones. Escribió más de 300 obras; muchas de ellas tienen como tema las costumbres de la burguesía francesa de la época. Entre sus obras, se destacan *La heredera*, *El independiente*, *El vaso de agua* y *Adriana de Lecouvreur*. Escribió notables libretos para las óperas de Jakob Liebmann Meyerbeer, Daniel Auber y otros grandes compositores entre los que figuran los de *Los hugonotes*, *El profeta*, *Fra Diávolo*, *La judía*, *Roberto el Diablo* y *Los diamantes de la corona*. En 1834 fue elegido miembro de la Academia Francesa.

Seaborg, Glenn Theodore (1912-). Químico estadounidense, profesor de la Universidad de California y miembro de la Comisión de Energía Atómica de su país. En 1942 identificó el U-233, posible combustible nuclear, obtenido por bombardeo neutrónico de núcleos de torio. Estableció el concepto de actínido para normalizar la colocación en la tabla periódica de los elementos transuránicos (1944). Con Edwin Mattison McMillan y otros investigadores, descubrió cinco elementos químicos transuranianos: plutonio (1940), americio y cucio (1945), berkelio (1949) y californio (1950). En 1951 compartió con McMillan el Premio Nobel de Química.

seaborgio. Elemento artificial radiactivo de número atómico 106. Símbolo: Sg. Fue obtenido en septiembre de 1974 por el equipo del laboratorio Lawrence en Berkeley, bombardeando californio 249 con iones de oxígeno 18. Dos meses antes, un equipo de científicos del Instituto de Investigación Nuclear de Dubna (Rusia) afirmó haberlo obtenido bombardeando plomo 207 y 208 con iones de cromo 54, pero sus resultados no fueron claramente concluyentes. El semiperíodo de desintegración del isótopo más estable del seaborgio, el 253, es de sólo 0.9 segundos.

Seattle. Ciudad y puerto del noroeste de Estados Unidos en la región del Pacífico, capital del estado de Washington; tiene 516.259 habitantes y 2.559,164 en el área metropolitana de Seattle-Tacoma. Es el centro comercial, industrial y financiero más importante del estado. Por su situación, es vía de acceso a Canadá y Alaska. Cuenta con industrias químicas, papeleras, de la madera, de la construcción naval, aeronáuticas, alimentarias; y refinería de petróleo. Cuenta con aeropuerto internacional, y su universidad fue fundada en 1895.

Sebastián, san (250-305). Mártir cristiano. Nacido en las Galias, joven aún se trasladó a Roma y figuró en el Ejército imperial. El emperador Diocleciano lo nombró capitán de la guardia pretoriana, cargo reservado para hombres de la alta nobleza. Convirtió a varias personas al cristianismo, entre ellas al prefecto de Roma, y alentó a los condenados a muerte a perseverar en la fe de Cristo. Descubierto como cristiano, fue saeteado vivo. Lo abandonaron por muerto en el campo y la viuda de un mártir cristiano lo recogió. Le curó las heridas y él siguió viviendo. No se cuidó de ocultarse, y entonces el emperador ordenó de nuevo su muerte y que arrojasen su cuerpo en el lugar de los desperdicios de la ciudad. La Iglesia católica honra a este santo el 20 de enero.

Sebastopol. Ciudad y puerto de la región de Crimea, perteneciente a Ucrania situado en una bahía que penetra cerca de

8 km en la costa de la Península de Crimea sobre el Mar Negro. Población: 366,000 habitantes (1995). Estación naval con importantes astilleros y arsenales. Puerto de intenso movimiento, pero cuya principal importancia reside en su valor estratégico. Éste ha privado a lo largo de su accidentada historia, principalmente desde que el príncipe Grigorij Aleksandrovic Potemkin la convirtió en plaza fuerte y base naval. Es históricamente célebre desde el sitio (1854-1855), que sufrió durante la guerra de Crimea, cuando franceses, ingleses, turcos y piamonteses la tomaron a los rusos, a cuyo poder volvió más tarde. Durante la Segunda Guerra Mundial, después de una tenaz resistencia de ocho meses, fue tomada por los alemanes (1942) y recobrada por los rusos (1944).

sebo. Sustancia sólida y grasosa, de color blanco amarillento que se funde entre 43 °C y 50 °C, procedente del tejido adiposo de los animales herbívoros, en especial el buey y el carnero. Se obtiene sometiendo dichos tejidos de los animales muertos a una moderada temperatura en un recipiente o caldera, del que se recoge después de haberlo depurado de su residuo acuoso. Ciertos vegetales y semillas contienen una materia grasa muy semejante al sebo animal (sebo de China, de Borneo, etcétera). En medicina sirve de base para confeccionar ungüentos y pomadas; en la industria, para fabricar velas, jabones y lubricantes. Protege la piel de las bajas temperaturas e impermeabiliza los cueros haciéndolos suaves. Del sebo de buena calidad se extrae la oleomargarina.

SECAM. Sistema de transmisión de señales de televisión en color, en el que se envía simultáneamente la señal de luminancia por la onda portadora y la de crominancia por la subportadora. Se llama SECAM por las siglas de la expresión en francés *séquentiel à memoire*. El rojo y el azul se transmiten secuencialmente, uno después de otro, y uno solo cada vez. La señal transmitida se coloca en la memoria y emerge en el momento en que llega la señal siguiente. De esta manera permite que el receptor posea, ante cada barrido de una línea de pantalla, las informaciones necesarias para que los electrones exciten los tres grupos de fósforos luminosos.

El sistema SECAM fue inventado en 1959 por el ingeniero francés H. de France y promocionado por Francia en oposición al sistema PAL, adoptado inicialmente por Alemania y Gran Bretaña. La Unión Soviética y sus países satélites adoptaron en 1965 el sistema SECAM.

secano. Tierra de labor que no tiene riego y sólo participa del agua llovediza. En las zonas de escasa lluvia debe practicarse un

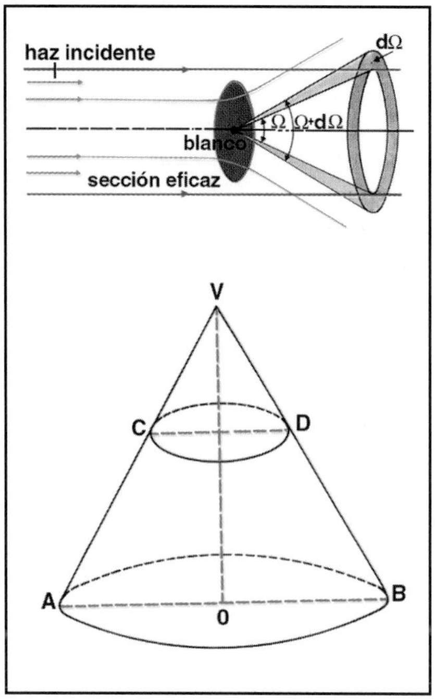

Salvat Universal

Arriba: sección eficaz de un haz de partículas; abajo sección paralela de un cono.

sistema de cultivo basado en el aprovechamiento racional de las aguas pluviales. Existen vastas regiones en que las lluvias no llegan a proporcionar al terreno una capa acuosa de 500 mm, humedad mínima que precisan muchas plantas para crecer y desarrollarse. De otra parte, la poca agua pluvial que cae es absorbida inmediatamente por el subsuelo, se mezcla con las materias fertilizantes de éste y al llegar la época del calor, asciende a la superficie por la fuerza de la capilaridad, evaporándose rápidamente junto con las referidas sustancias nutritivas que lleva en disolución como consecuencia del tiempo que estuvo en contacto con ellas. Todo eso produce un empobrecimiento paulatino de las cualidades que requiere una tierra labrantía, hasta el punto de hacer imposible en ella cualquier género de cultivo. Es, precisamente, para evitar esos inconvenientes naturales que el hombre ideó el cultivo de secano, conocido ya desde la antigüedad, pero limitado casi siempre a las regiones fértiles donde las lluvias se producían con relativa regularidad, intensidad y frecuencia.

En la época moderna, el aumento creciente de la población y su distribución progresiva en todas las zonas, ha dado lugar al estudio del modo de hacer productiva la mayor extensión de tierra posible, para poder satisfacer las crecientes necesidades de la población. El cultivo de secano requiere, en síntesis, las operaciones que se detallan a continuación. Al iniciarse la época de las lluvias, se trabajará la tierra labrantía elegida con surcos de gran profundidad, para evitar que el líquido resbale en su superficie y deje de penetrar en el suelo. Terminada esa época, el terreno quedará en barbecho, esto es, preparado y sin sembrar. Las siembras se efectuarán alternativamente, un año sí y otro no. Durante el periodo de barbecho se tratará de que la tierra conserve la humedad adquirida. Para conservar la humedad se ara la tierra con surcos profundos. A continuación del arado se pasa el implemento agrícola llamado apisonador del subsuelo, que comprime la tierra del fondo, pero que deja suelta la tierra de la capa superficial necesaria para preservar la humedad del subsuelo.

sección. Separación que se hace en un cuerpo sólido con un instrumento u objeto cortante. También es cada una de las partes en que se divide o considera dividido un todo continuo o un conjunto de cosas, así como los grupos en que se divide un conjunto de personas que constituyen una organización, como sucede en una empresa o asamblea.

Secesión, guerra de. Conflicto civil que opuso una Confederación de estados del sur a los del norte de Estados Unidos (1861-1865). La causa inmediata del conflicto fue la elección del antiesclavista Abraham Lincoln (1860) como presidente de la República. Carolina del Sur reaccionó retirando del Congreso a sus representantes y, junto con otros 10 estados, se apartó de la Unión para formar una confederación independiente con sede en Richmond. Se hacía así inevitable el choque entre los estados del norte, que habían alcanzado ya un importante desarrollo industrial capitalista, con los del sur, cuya economía –basada en la producción de algodón y otros productos comerciales– necesitaban imperiosamente disponer de la mano de obra barata suministrada por el sistema esclavista.

La guerra entre los federales (norteños) y los confederales (sureños) incluyó más de 2 mil combates (un centenar de ellos fueron grandes batallas) y causó al país la pérdida de 617,000 hombres. Terminó con la capitulación de los sureños en abril de 1865.

secoya. Árbol conífero gigantesco, de la familia de las taxodiáceas, cuyos fósiles milenarios indican que formó parte de extensos y apretados bosques, en el periodo terciario. En esa época geológica parece haber cubierto el norte de Europa, Norteamérica y Asia, además de medrar en Groenlandia y Alaska. Aunque se presume que llegaron a integrar 15 especies, hoy sólo comprenden dos: la *Sequoia gigantea* o californiana y la *Sequoia sempervirens* o roja de la costa. Ambas son nativas de California (Estados Unidos); la primera, de la falda occidental de la Sierra Nevada, y de la costa del Pacífico, la segunda. Los indios cherokees les dieron ese nombre, en honor de uno de sus jefes, Sequoya, que creó un alfabeto para su tribu.

Árbol singular, no sólo por sus gigantescas proporciones, sino por tener relativamente poco follaje; está constituido casi enteramente por un inmenso tronco cubierto de gruesa corteza rojiza, que puede alcanzar 60 cm de espesor. El tronco se eleva limpio sin ramas, hasta unos 40 m de altura. Las ramas son cortas, con hojas puntiagudas. Los frutos consisten en piñas pequeñas, ovoides, con escamas leñosas.

La *Sequoia gigantea* tiene sus mejores y más viejos representantes en el Parque Nacional de las Secoyas, en la Sierra Nevada, a una elevación que oscila entre los 1,500 y 2,400 m sobre el nivel del mar. En él se encuentra el árbol llamado *General Sherman*, coloso que ha cumplido más de 3,000 años; es el árbol más corpulento aunque no el más alto de su especie, pues los hay que llegan a los 100 m. Mide 83 m de altura, 10 m de diámetro, 31 m de circunferencia y su peso se calcula en 2,150 ton. Otro parque que conserva esta famosísima especie es el Yosemite, donde en un bosquecillo llamado Mariposa se eleva el *Wawona* que tiene una abertura en su tronco a manera de puerta gigantesca, que pueden atravesar los vehículos. Los arbolillos jóvenes son graciosos y su follaje, verde azulado, se transforma con los años en cobrizo. Estos gigantes de los bosques, que están considerados como los de más larga vida entre todos los seres vivientes, atraen anualmente buen número de turistas. Desde 1890, están protegidos por el gobierno. La especie *sempervirens* es abundante y alcanza mayor altura, aunque no mayor corpulencia que la *gigantea*. Algunos de sus árboles llegan a tener más de 110 m y crecen a lo largo de la costa norte californiana hasta Oregon. Con ciertas restricciones se permite el aprovechamiento industrial de la madera de este árbol, que se utiliza para trabajos de carpintería gruesa y en la construcción de vigas, postes telegráficos y de cercas y traviesas de ferrocarril. *Véanse* ÁRBOL; CONÍFERA.

secreción. Sustancia que producen ciertas glándulas, membranas y células, y que sirve para facilitar o regular funciones vitales. La saliva, el jugo gástrico, las lágrimas, el sudor, la insulina, son secreciones, que se vierten unas al exterior del cuerpo, como el sudor y las lágrimas; otras en cavidades internas como la boca, el estómago, etcétera; y algunas, como la insulina y la adrenalina, pasan directamente a la sangre, distribuyéndolas ésta por todo el cuerpo. Este tipo de secreciones recibe el nombre de secreciones internas, las glándulas que las producen se denominan glándulas endocrinas y las sustancias segregadas se conocen con el nombre de hormonas.

Corel Stock Photo Library

Secoyas en el parque nacional de Yellowstone en EE.UU.

secretaría. Así se llama al destino o cargo de un secretario o ministro. La secretaría es la sección administrativa adjunta a un jefe de administración o de empresa, con la misión de descongestionar a la dirección de operaciones de carácter más usual, sin que por ello pueda asumir decisión alguna, pues éstas corresponden a la dirección. La actuación de una secretaría supone un procedimiento previsto por las leyes, reglamentos y estatutos, a los cuales debe restringirse. Corresponden a ella el servicio de reclamaciones y pedidos, los archivos, el servicio contencioso, el registro de personal, la recopilación de información y conservación de reportes. También se refiere a la denominación que reciben los ministerios de algunos Estados; aunque en muchas ocasiones se emplea como sinónimo de ministro, hay ciertas diferencias, pues los secretarios de Gobierno son los responsables ante el jefe de Estado o del Ejecutivo, y no ante el parlamento. Por ello,

Secoya del General Sherman en el parque nacional de la Secoya, EE.UU.

Corel Stock Photo Library

en los regímenes presidencialistas los ministros se denominan secretarios y tienen características distintas.

secretario (a). Es la persona a quien se confía algún secreto que no debe divulgar. El términono viene del latín secretarius. En el ámbito laboral, se trata de la persona encargada de extender actas, dar fe de los acuerdos, escribir actas y correspondencia y custodiar los documentos de una oficina, asamblea o corporación. Tradicionalmente, se refiere a quien redacta la correspondencia de la persona a quien sirve para este fin, responsabilizándose también de los asuntos de una oficina o despacho. En una época se le llamó escribiente o amanuense, debido al oficio público de dar fe de escritos y actos. En el terreno político, se refiere a la persona que se encuentra al frente de una secretaría o departamento ministerial, así como al máximo dirigente de algunas instituciones y de algunos partidos políticos.

Este cargo ya existía entre los romanos, según se desprende de los *Libertus ex secretarius ministeriis*, citado por Tácito. En la corona de Aragón, se denominaron secretarios a algunos escribanos a quienes incumbía la redacción y sellado de la correspondencia secreta, el puesto de secretario era confiado a personas con amplios conocimientos culturales.

secretario. *Véase* SERPENTARIO.

sector privado. En las economías de régimen capitalista, el sector privado comprende la mayor parte de las unidades de producción, mientras que en los países socialistas constituye un sector marginal que comprende, total o parcialmente, el sector agrario y algunas actividades del sector de servicios. Los diferentes tipos de organizaciones que componen el sector privado en las economías de mercado son las empresas capitalistas, la explotación agrícola individual, las empresas artesanas y las cooperativas de producción. Las empresas capitalistas se caracterizan por la separación entre la propiedad y el trabajo, su orientación hacia el mercado y por su objetivo (la obtención de un beneficio). Si bien se encuentran en numerosos sectores de actividad empresas capitalistas de propiedad individual, la forma predominante es la sociedad por acciones. En las explotaciones agrícolas individuales o familiares los factores propiedad y trabajo se confunden. La figura más frecuente es la del propietario individual que explota sus tierras ayudado por su familia y que contrata ocasionalmente trabajadores asalariados. La empresa artesana es una supervivencia de las formas precapitalistas de producción. En ellas, el propietario de los medios de producción es el mismo trabajador que, a lo sumo, cuenta con alguna ayuda, frecuentemente sus familiares. Las sociedades cooperativas industriales se diferencian de los correspondientes tipos de empresa capitalista en que la propiedad de la empresa reside en los propios trabajadores.

sectores económicos. La división de la economía en sectores fue introducida por el economista Colin Clark y ampliada más tarde por Jean Fourastié. Clark distingue tres sectores económicos: el primario, que comprende la agricultura, la ganadería, las explotaciones forestales, la pesca y la caza; el secundario, que abarca la minería, la industria de la construcción, la industria manufacturera y la producción de energía eléctrica; y el terciario, que agrupa a las restantes actividades remuneradas, entre las cuales las principales son el comercio, los transportes y los servicios. También se han empleado las denominaciones de sector agrario, o agrícola (primario), sector industrial (secundario) y sector de servicios (terciario). La inclusión de algunas actividades tradicionales en uno u otro sector ha sido fuente de diversas interpretaciones paralelas. Así, la minería es considerada en ocasiones parte del sector primario debido a su carácter de actividad extractiva primaria; del mismo modo, aunque no de forma habitual, algunas fuentes incluyen la construcción en el sector terciario, siendo en ocasiones presentada incluso como actividad independiente.

Tanto las condiciones técnicas de la producción como la evolución de la demanda, imponen un tipo determinado de evolución en las proporciones de la población activa que trabaja en los diferentes sectores. Así, la agricultura se caracteriza, en principio, por una baja productividad, que aumenta enormemente al dotarla de medios de producción más eficaces. Esta superior productividad implica un desplazamiento de población hacia la industria. El proceso se repite en ésta cuando al verse satisfecha la demanda de productos industriales se hace mayor la demanda de servicios. La población empleada en el sector de estos últimos tiende a aumentar, empujada por el hecho de que sus incrementos de productividad son menores, puesto que la utilización de bienes de capital para reducir la utilización de mano de obra es más difícil, y por la demanda incrementada de sus productos. En consecuencia, las proporciones relativas de los sectores constituyen una media del progreso económico, al desplazarse la población activa hacia sectores cada vez más productivos. Esta concepción representa una generalización de las condiciones en que se ha producido el desarrollo económico en los países más avanzados, como Estados Unidos. Sin embargo, su aplicación en otros contextos parece muy problemática. En efecto, en la mayoría de los países subdesarrollados, el sector terciario ocupa proporciones de la población activa muy superiores a las de la industria. Esto se debe fundamentalmente a la configuración de este sector como un sector residual, de características específicas muy difíciles de identificar. Lo mismo ocurre con su supuestamente mayor productividad, que sólo se sostiene si se identifica productividad con ingreso. En realidad, en muchos casos, especialmente en los países subdesarrollados, la elevada proporción de la población ocupada en el sector terciario revela la existencia de un subempleo, similar al que existe en la agricultura y cuya eliminación es precisamente una de las condiciones del desarrollo económico. Por otra parte, la mayor remuneración relativa del trabajo en los servicios proviene precisamente de su retraso tecnológico en relación con el sector industrial, lo que provoca que el producto del sector terciario se vea encarecido en relación con el de los otros sectores, al requerir la utilización de mucho mayor cantidad de mano de obra. A ello hay que añadir el desmesurado crecimiento de determinadas actividades de los servicios, como la distribución, que acompañan el desarrollo económico y son consecuencia no del progreso técnico, sino más bien de las condiciones sociales de la producción en las economías capitalistas.

Para todos los animales es necesario saciar su sed.

Corel Stock Photo Library

sed. Gana y necesidad de beber, sensación que se debe a la pérdida de agua por el organismo. Si durante muchas horas no se ingieren líquidos o alimentos hídricos, sobreviene sequedad en las membranas de la boca y faringe y un deseo angustioso de beber. Es curioso conocer que el agua representa alrededor de 70% del peso del cuerpo. La fisiología humana nos enseña que las glándulas regulan el agua en el organismo. La disminución de la saliva contribuye a que aparezca la sequedad y la sensación natural de la sed. La deshidratación se presenta cuando el gasto de agua es mayor que el ingreso; entonces el ansia por beber es muy grande. Los niños se deshidratan con más facilidad que los adultos. El organismo pierde agua cada día por las heces fecales, la orina, la saliva, por la evaporación a nivel de los pulmones y la piel. Se ha observado en los países tropicales, que, en días calurosos, llegan a perderse varios litros de agua por la piel. Un hombre puede resistir mucho más tiempo sin comer que sin beber. El alcalde de Cork (Irlanda) se mantuvo sin comer, sólo con agua, en un ayuno voluntario durante 74 días hasta que murió. En cambio hubiera podido resistir muy pocos días sin bebida alguna. *Véase* DESHIDRATACIÓN.

Corel Stock Photo Library

Izq: bombero saciando su sed después de su trabajo; der: danzante en Nueva Guinea saciando su sed.

seda. Hebra muy fina, brillante, suave y flexible, que segregan las orugas o larvas de algunas mariposas y, en particular, la especie *Bombyx mori*, conocida vulgarmente con el nombre de mariposa de la seda, y su larva, como gusano de seda. A pesar de su finura, esta hebra es tan resistente y absorbe tan bien las tinturas que hacen de ella una de las fibras textiles más apreciadas, y ha dado origen a una gran industria, la sericicultura, cuyo objeto es el cultivo de la morera y del gusano de seda en gran escala, el devanado de los capullos y la elaboración del hilado.

La mariposa de la seda. Es un lepidóptero nocturno, blanco, de cuerpo grueso y corto con grandes alas, que miden unos 5 cm de envergadura. Al comenzar el verano pone de 300 a 500 huevos tan minúsculos que se necesitan 1,300 para que pesen 1 gr, y muere cuatro o cinco días después de la postura. Los huevos permanecen inactivos hasta la primavera siguiente en que se desarrolla una oruguita peluda de color negruzco, que se tornará blanca y lisa en las cuatro sucesivas mudas que habrá de sufrir. Muy débil y pequeña al nacer, ya que apenas mide 2 mm de largo, crece rápidamente porque tiene un apetito voraz, y durante cuatro o cinco semanas come una cantidad diaria igual a su peso de hojas de morera. Al cabo de este tiempo alcanza su máxima talla –unos 8 cm de largo y uno de grueso– y se dispone a convertirse en crisálida, por lo que ayuna durante algunos días, en los que muestra una gran inquietud que la obliga a errar de un lado a otro hasta que encuentra el sitio donde hace la transformación. En los criaderos se les coloca en bastidores de tela metálica sostenidos por ramas secas, allí cada gusano comienza entonces a segregar dos hilos de una materia viscosa procedente de las glándulas llamadas sericíparas que, al salir al exterior por un orificio del labio inferior, se solidifican al contacto con el aire y se unen formando un hilo continuo de seda. Primero el gusano tiende algunas hebras de un lado a otro, haciendo una especie de malla, hasta que logra cierta sujeción y luego, balanceando la cabeza de derecha a izquierda, va envolviéndose con el hilo hasta concluir el capullo, en el que queda encerrado. En su interior, sufre una serie de transformaciones: se le cae la piel por quinta vez, se convierte en crisálida y, al cabo de 16 o 17 días, experimenta la sexta muda y, segregando un líquido que reblandece la seda para perforar el capullo, sale al exterior convertido en mariposa.

Proceso industrial. Cuando se quiere utilizar la seda, los capullos tienen otro destino. Se someten a una temperatura elevada poniéndolos en agua caliente, en cámaras de vapor o al sol bajo un techo de

Gusano de la seda.

Corel Stock Photo Library

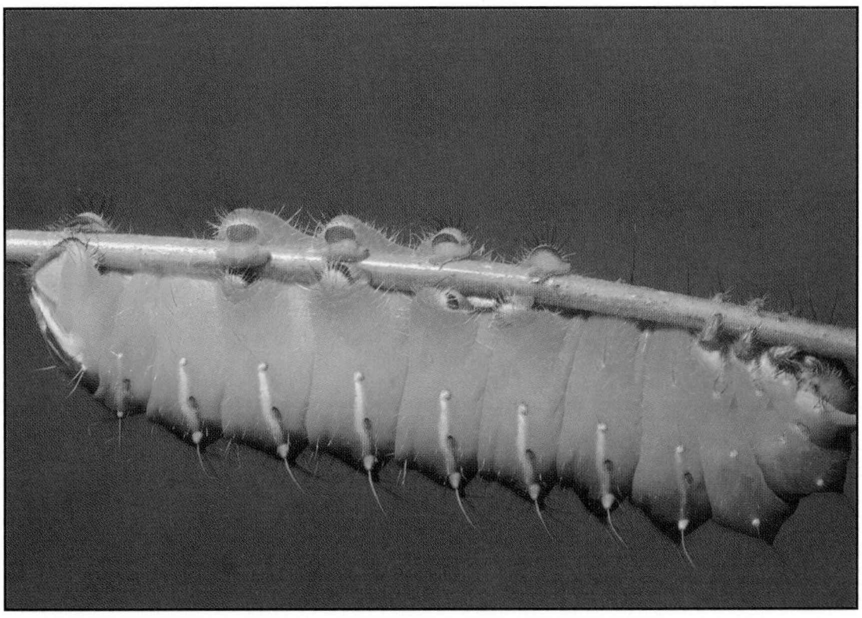

Corel Stock Photo Library

Indutrialización de la seda.

vidrio, a fin de matar la crisálida para impedir que continúe el ciclo vital y que al salir el adulto, se desgarre el capullo inutilizando la seda. Sólo se permite el normal desarrollo de la cantidad correspondiente a la de mariposas que se necesiten para la reproducción. Los capullos son de forma ovoidal, con un estrechamiento en el centro; de color generalmente blanco o dorado, aunque también pueden ser verdosos, y de tamaño variable según la raza del gusano. Se apartan los defectuosos y, luego de clasificarlos por su tamaño y calidad, se procede a devanarlos, para lo cual hay que hacer diversas operaciones. Primero se echan en calderas de agua caliente para que se ablande la gres (especie de goma natural que une los hilos) y, batiendo con unas escobillas o pinceles, se quita la borra, esto es, los filamentos con que el gusano los sujetó a las ramas, y se buscan los cabos; éstos, reunidos en número de cuatro o cinco, para que tengan mayor consistencia y no se rompan, se hacen pasar por una hilera muy fina que permite su torsión y se van arrollando en tornos de aspas que,

Paño de seda roja.

Corel Stock Photo Library

al girar, hacen que se desenrollen gradualmente los capullos. Se forman así las torcidas, con las cuales se hacen las madejas de seda cruda. Cada capullo da por término medio 300 m de seda utilizable (la que se encuentra en contacto con la crisálida no se aprovecha), y se necesitan unos 5,000 para obtener 1 kg de seda cruda. Este tipo de seda es algo gruesa y áspera por la gres que contiene y antes de poderla tejer hay que lavarla, sumergiéndola en agua jabonosa caliente, de donde sale con el brillo y la suavidad que la caracterizan. Después se devana en carretes y, por último, uniendo las hebras de varios carretes y pasándolas por las cardadoras, que la peinan y deshacen cualquier nudo, se forma un hilado más consistente que queda ya en condiciones de ser teñido y enviado a las tejedurías.

Historia. El arte textil de la elaboración de la seda se remonta a épocas imprecisas para la historia. Oriundo de China, su producción cuenta en dicho país con una tradición milenaria y su origen se refiere a una vieja leyenda, que supone habría comenzado unos 3,000 años a. C. Esta leyenda dice que un día, una joven princesa que tomaba el té en el jardín imperial, vio en una morera varios gusanos tejiendo sus capullos y, maravillada con el brillo y color de los mismos, pensó qué hermosa estaría con un vestido hecho de tan precioso material. Tomó uno de los capullos, lo echó en la taza del té y, viendo que el hilo se soltaba, lo desenrolló cuidadosamente. Al regresar al palacio pidió al emperador que plantase muchas moreras donde criar tales insectos, y al cabo de varios años consiguió tejer una tela tan maravillosa como jamás se había visto. Aunque no se pueda dar crédito a esta leyenda, lo cierto es que desde mucho antes de nuestra era, los chinos eran los únicos que sabían elaborar la seda. La llevaron a Occidente y se convirtió en uno de los más valiosos artículos comerciales; pero el secreto de su producción lo guardaron con tanto rigor que si alguien era sorprendido llevando huevos o gusanos fuera de China se le condenaba a muerte, y hasta el siglo VI no pudo traspasar las fronteras. Dos monjes persas que habían vivido mucho tiempo en China y conocían el modo de criar los gusanos, sacaron varios de éstos y algunos huevos, escondidos en sus báculos de peregrinos, y los llevaron a Bizancio, donde el emperador Justiniano emprendió la elaboración del codiciado producto. Posteriormente, fue introducido en España, de donde pasó a Italia y Francia, difundiéndose por todos los países donde se cría la morera.

Producción mundial y utilización. El mayor productor de seda cruda es China, al que le sigue la India. Después, por orden de importancia figuran Corea del Norte, Japón, Brasil, Uzbekistán, India, Italia, y

Tailandia. Otros países, con menor producción, son Corea del Sur, Vietnam, Irán, Rumania y Bulgaria. El total de la producción mundial es de unas 104,553 ton anuales. Japón es también el mayor consumidor de seda cruda, que utiliza su industria textil para la fabricación de tejidos con destino a la exportación. Los principales países consumidores de seda cruda son los países asiáticos, que consumen dos tercios de la producción mundial.

La seda tiene muchas aplicaciones. La mayor parte se utiliza en telas para vestidos, pero también se hacen otros tejidos, desde las medias más finas, paraguas y paracaídas, hasta los terciopelos y brocados de tapicería. Para cada fabricación se emplea una determinada calidad de hilo, que producen las diferentes variedades que el hombre ha conseguido obtener del insecto.

También se aprovechan los desperdicios, los capullos defectuosos y la borra, todo lo cual se desmenuza y carda para hacer un hilado de segunda calidad.

Además del *Bombyx mori* hay otros lepidópteros que producen seda, pero de clase inferior y de poco valor comercial. Son todas especies salvajes, como la *Antherea yamamai* de Japón, de la que se obtiene la seda *tussor*, o la *Antherea mylitta*, que hace un capullo del tamaño de un huevo de paloma.

En cuanto a la llamada seda artificial, o rayón, es una fibra preparada sintéticamente a base de compuestos de celulosa. Por su aspecto brillante y tacto suave, es parecida a la natural.

seda, ruta de la. Vía comercial que atravesaba Asia desde el Mediterráneo a la región oriental de China a partir de los primeros siglos de la era actual. La seda ocupaba un lugar preponderante, desde el punto de vista económico, entre las mercancías que se transportaban por dicha ruta, que se convirtió en la principal vía de comunicación económica, cultural y religiosa entre Oriente y Occidente. Su importancia decayó a partir del siglo XV con los grandes descubrimientos geográficos.

Sedaine, Michel Jean (1719-1797). Autor dramático francés, a quien se debe la comedia *Filósofo sin saberlo* (1765), considerada obra maestra. Era hijo de un arquitecto, y para sostener a los suyos, llegó en su mocedad a trabajar de picapedrero. Más tarde se asoció con su patrono el arquitecto Buron, y fue preceptor de su nieto, el que llegaría a ser el famoso pintor Luis David. Se inició en el teatro con el juguete cómico *La tentación de San Antonio*, al que siguieron muchas comedias y dramas históricos.

sedativo. Remedio que produce un efecto calmante en el organismo. Los sedativos, o sedantes, ejercen su acción

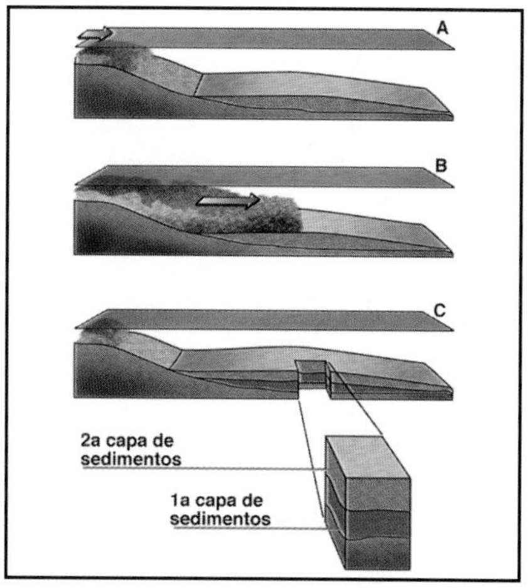

Del Ángel Diseño y Publicidad

Sedimentación. (A) Las piedras calizas resultan del depósito de sustancias erosionadas y de los restos de organismos muertos. (B) La evaporación del agua del mar, y los movimientos de las mareas, reconstituyen las sustancias que se van acumulando en el fondo del mar. (C) La mayoría de las rocas sedimentarias de los ríos se forman por los depósitos de materiales que llegan a las desembocaduras y se mezclan con las ya existentes.

beneficiosa, actuando sobre el sistema nervioso central y a veces sobre otras partes del cuerpo. Existe un grupo de medicamentos que alivian o quitan el dolor por su acción sobre los nervios sensorios, como los analgésicos, hipnóticos y anestésicos, que producen también efecto sedativo. Un resultado parecido se consigue con las compresas de agua helada sobre la frente, cuando se padece dolor de cabeza. El subnitrato de bismuto es sedativo del estómago. Hay sedativos de acción general, como los bromuros y barbitúricos, que calman y producen sueño. Algunos sedativos son peligrosos, porque causan hábito, especialmente cuando se emplean durante largos periodos, como el opio y la morfina. Los sedativos sólo deben administrarse por prescripción facultativa.

sedimentación. Fenómeno mediante el cual las sustancias en estado de suspensión en un líquido se depositan en el fondo por la acción de la gravedad; es necesario que el líquido esté en reposo y empiezan por posarse las partículas más pesadas. Las aguas de los ríos y mares arrastran grandes cantidades de sustancias en suspensión, que al sedimentarse en los fondos, habrán de dar origen a rocas y terrenos sedimentarios. En los laboratorios, se acelera la sedimentación de las sustancias suspendidas en un líquido, colocando éste en tubos de fondo cónico, que se someten a la acción de la fuerza centrífuga.

sedimentaria, roca. La que se ha formado por sedimentación de materiales procedentes de rocas preexistentes o de restos de organismos, o por precipitación química de sales en una disolución acuosa (mares, lagos). Las rocas sedimentarias se dividen tradicionalmente en tres grandes grupos: clásticas o detríticas, químicas y bioquímicas u organógenas. Las primeras están formadas por materiales transportados en forma sólida hasta el lugar de sedimentación, y proceden de la erosión de rocas preexistentes. Estas rocas se dividen, a su vez, en tres grupos: conglomerados, areniscas y arcilla, a las que corresponden tres tipos de sedimentos: gravas, arenas y limos detríticos. Las rocas químicas se originan a partir de materiales en disolución que se precipitan por diversas causas. Estas rocas se dividen en calizas, dolomías, rocas silíceas no detríticas ni organógenas y evaporitas. Las rocas organógenas o bioquímicas se forman a partir de restos (silíceos o calcáreos) de organismos, animales o vegetales, depositados en los ambientes donde viven.

seducción. Acción y efecto de seducir. Acción sugestiva ejercida por una persona en el ánimo de otra para determinar su conducta en la dirección que propone. La seducción, como forma penal, se aplica de ordinario a los delitos contra la honestidad que determinan el estupro, la corrupción y el rapto consentido. Existe también en terminología penal el término corrupción como seducción de tropas armadas que da lugar a traición, sedición o rebelión.

sefardíes o sefarditas. Judíos oriundos de la Península Ibérica o que siguen las prácticas religiosas que mantienen los judíos de dicho origen. Su nombre viene de *Sefard* o *Sepharad* denominación de dicha península en hebreo. Proceden de la expulsión de judíos no conversos decretada por los Reyes Católicos el 31 de marzo de 1492. Se calcula que se vieron obligadas a emigrar más de 35,000 familias. Se refugiaron en el norte y noroeste de África, centro y oeste de Europa y en la región oriental de la península de los Balcanes, donde se conservan los grupos más nutridos de sus descendientes, cuyo número se calcula en unos 2 millones. Muchos de ellos utilizan como lenguaje usual el castellano de la época de la expulsión que, según la región, hablan con mayor o menor grado de pureza, y conservan su ritual, liturgia y costumbres. Las comunidades judías de España y Portugal se distinguieron por su riqueza y cultura. Los sefarditas se muestran orgullosos de su estirpe, que procuran conservar casándose entre sí y raramente con judíos de otra procedencia. En el siglo XVI hubo judíos sefardíes que se trasladaron a la Nueva España.

Seferis, Giorgios (1900-1971). Seudónimo de Georgios Stylianou Seferiades.

Seferis, Giorgios

Poeta griego. Descendiente de una familia de tradición liberal, cursó sus primeros estudios en Atenas y en 1918 se trasladó a París, donde estudió leyes. En 1926 ingresó en el servicio diplomático y durante la guerra se mostró activo partidario del gobierno griego en el exilio. Fue embajador en Londres de 1957 a 1962. Profundamente preocupado por los acontecimientos políticos de su país, se negó a publicar en Grecia tras el golpe de Estado de 1967.

Su primera colección de poemas, *Estrofas* (1931), le muestra como seguidor de la poesía pura y el simbolismo, si bien en *Mitología* (1934) se mantiene el acento trágico de la antigua Grecia. En sus obras posteriores, *Diario de a bordo I* (1940), *Cuadernos de ejercicios* (1940), *Diario de a bordo II* (1944), *Poemas* (1950) y *Diario de a bordo III* (1945), evoluciona hacia nuevas formas en una investigación del presente de la lengua demótica. Su labor poética en este periodo no es ajena a la influencia de Thomas Stearns Eliot, de quien fue amigo y traductor. Seferis es considerado el poeta más distinguido de la generación griega de la década de los treinta. En 1963 le fue otorgado el Premio Nobel de Literatura.

segadora. Máquina que efectúa la faena de la recolección de las plantas que, como los cereales y hierbas forrajeras, deben ser cortados por el tallo, al ras del suelo. Esta clase de aparatos fueron ya conocidos desde muy antiguo pues, según testimonio de Plinio, los galos, durante la época del imperio romano, empleaban una suerte de carromatos provistos de cuchillos laterales que arrastraban por el suelo y segaban las mieses. Sin embargo, no existe ninguna referencia posterior de la cual pueda deducirse que tales artefactos continuaran después siendo empleados; su uso se generalizó hasta los comienzos del siglo XIX, en que los ingleses Smith y Bell, y poco después el estadounidense Cyrus Hall MacCormick, construyeron las primeras máquinas perfeccionadas de ese tipo. El uso de la segadora se halla indicado, muy especialmente, para los cultivos de gran extensión superficial, pues ahorra mano de obra, hace menos penosas las labores y las realiza con enorme rapidez y precisión. Hay infinidad de modelos y muchos de ellos, al propio tiempo que siegan, agrupan las gavillas, las atan y forman haces, que van depositando a intervalos regulares a medida que avanzan en el terreno, facilitando así su recogida y traslado a los lugares de depósito. Funcionan con tracción animal o mecánica, acoplándolos en este último caso a un tractor. Tanto el mecanismo de la segadora simple como el de la segadora-atadora-agavilladora funcionan automáticamente, aprovechando la rotación de sus ruedas en marcha.

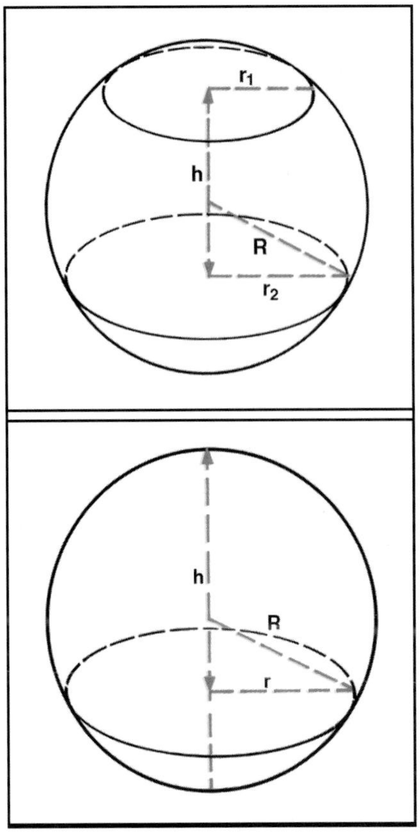

Salvat Universal

Arriba: segmento esférico de una base; abajo: segmento esférico de dos bases.

Estas ruedas van provistas de anchas llantas con muescas transversales, que se adhieren a la tierra labrantía, y van montadas sobre un bastidor de hierro sobre el que se halla dispuesto el asiento del conductor y las diferentes palancas de mando. En uno de sus lados, y al nivel del terreno, se extiende el tren de cuchillas que son accionadas por medio de un brazo adecuado con movimiento de excéntrica que comunica un movimiento de oscilación o vaivén que produce los cortes. Estos trenes son articulados y pueden ser levantados hasta la línea vertical para hacer posible el traslado de la máquina cuando no debe funcionar. Unas púas convenientemente dispuestas sujetan los tallos antes de ser cortados por las cuchillas. Después de cortados, los tallos caen hacia atrás sobre el terreno, y en las agavilladoras-atadoras, sobre una plancha o plataforma, de la que son recogidos por una banda sinfín o tambor de paletas, que los dispone en haces, los ata con alambre o hilo sisal y los deposita en el suelo. Este dispositivo suele funcionar con un aplanador de tallos, para que las gavillas queden apretadas y no se deshagan con el transporte, y un igualador para que todas sean de la misma medida. El conductor puede regular, con sólo manejar los mecanismos apropiados, el tamaño y grosor de las gavillas. El rendimiento de estas máquinas varía, según el estado de la mies y las horas útiles de jornada, entre 2 y 4 ha por día. Las segadoras-rastrilladoras que se emplean en las grandes explotaciones agrícolas llegan a las 50 ha diarias. Para el cuidado del césped se han construido ingeniosas segadoras que pueden ser manejadas a mano. Sus cuchillas son graduables, se hallan montadas transversalmente entre sus ruedas y dejan cortada la hierba a la altura que se desea. Otros tipos de segadoras funcionan con cuchillas circulares o con movimiento de tijeras. También se fabrican segadoras especiales como las empleadas en el corte de la caña de azúcar. *Véase* MAQUINARIA AGRÍCOLA.

Segismundo (1368-1437). Emperador del sacro imperio romano y rey de Hungría y de Bohemia. Sostuvo largas campañas contra los turcos. La derrota de Nicópolis, que le infligieron los turcos, le deparó la pérdida del trono, que más tarde recuperó. Sus ambiciones al trono de Bohemia fueron causa de la muerte en la hoguera del reformador Juan Huss.

segmento. Porción o parte cortada o separada de una cosa, de un elemento geométrico o de un todo. Para la tecnología mecánica es un aro de fundición, de sección rectangular, que se aloja en una ranura periférica del émbolo o pistón y hace resorte contra la pared del cilindro para evitar las fugas. Está cortado en un punto a fin de aumentar su elasticidad y permitir su colocación. En lingüística es un signo o conjunto de signos que pueden aislarse en la cadena oral mediante una operación del análisis.

Segovia. Ciudad española, capital de la provincia homónima. Su casco antiguo, que estuvo amurallado, se asienta sobre una altura rocosa en la confluencia de las cuencas profundas de los ríos Eresma y Clamores, dominada por el Alcázar de los reyes de Castilla, hermoso ejemplo de arquitectura militar medieval. Cuenta con una población de 57,617 habitantes (1995). Conserva gran número de monumentos que atestiguan la importancia histórica de la ciudad, desde la época romana, en que fue puesto militar de gran valor estratégico, hasta la de los reyes de Castilla, que en ella celebraron cortes con frecuencia. Entre los hechos más señalados de los anales de la ciudad figuran la proclamación, en 1474, de Isabel *la Católica* como reina de Castilla, y el popular levantamiento de los Comuneros, que acaudilló el segoviano Juan Bravo, contra las demasías del poder real en los primeros tiempos de Carlos I. De sus monumentos cabe señalar el famoso acueducto romano, de 728 m de longitud y un total de 163 arcos, 44 de ellos dobles; la catedral, de estilo gótico-renacentista, obra del siglo XVI; el ya citado Alcázar, del siglo XII, y gran número de iglesias, palacios y casas solariegas de notable belleza arquitectónica. Como restos de su antiguo esplendor económico, que empezó a decaer en el siglo XVII, conserva sus industrias de paños, cerámica, metalúrgica, alimentaria, curtidos y harinas. Su comercio es bastante activo.

Segovia. Provincia española situada en la meseta central de la Península Ibérica, forma perte de la comunidad autónoma de Castilla-León. Su extensión es de 6,949 km^2 y cuenta con una población de 149,286 habitantes (1995). El límite con Madrid es natural y lo forman las alineaciones del Sistema Central denominadas sierras de Ayllón, Somosierra, Guadarrama y Malagón. La mayor parte de la provincia está integrada por llanuras cruzadas por ríos (Riaza, Duratón, Cega, Eresma) que se dirigen al Duero. El clima es continental, con inviernos largos y fríos y pocas lluvias. Además de la capital, cuenta con importantes localidades de rancio sabor histórico, como Sepúlveda, Cuéllar, Riaza, Santa María la Real de Nieva, Villacastín, Ayllón y La Granja o Real Sitio de San Ildefonso, al que dan justa celebridad la belleza de sus jardines y la suntuosidad de sus fuentes. De gran interés turístico es la llamada *ruta de los castillos*, que comprende los de Sepúlveda, Pedraza, Castilnovo y Turégano, de soberbia construcción y fuerte carácter. Su economía se basa en la explotación forestal, la agricultura (cereales) y la ganadería (ovina y bovina). Su industria tradicional son los paños. Fabrica loza, queso, mantequilla y cueros.

Segovia, Andrés (1894-1987). Guitarrista español, nacido en Linares (Jaen). De formación en gran parte autodidacta, sólo contaba 14 años cuando dio su primer recital en Granada; más tarde actuó en las principales salas de Barcelona, Madrid y otras ciudades españolas. Recorrió diversos países de Hispanoamérica, y en 1924 obtuvo un gran éxito con su presentación ante el público de París, comienzo de una gira por toda Europa y por Estados Unidos, en la que cosechó triunfos resonantes. En 1925 inició una colaboración en pro de la música hispanoamericana con el gran compositor mexicano Manuel María Ponce, y desde entonces prestó especial atención a la misma. Justa celebridad han conquistado sus interpretaciones de Isaac Albéniz, Enrique Granados, Francisco Tárrega, etcétera, así como sus meritísimas transcripciones para guitarra de obras de los grandes maestros. Se le considera el renovador de la gran tradición de guitarristas españoles, y a él se debe en gran parte el prestigio internacional de la guitarra en los últimos años. Miembro de la Real Academia de Bellas Artes desde 1977, obtuvo el premio Nacional de Música de 1980. En 1981 el rey Juan Carlos le otorgó el título de marqués de Salobreña.

Corel Stock Photo Library

El acueducto romano de Segovia.

Segrè, Emilio (1905-1989). Físico italiano nacido en Tívoli y doctorado en la Universidad de Roma, donde fue profesor adjunto. Dirigió el Instituto de Física de la Universidad de Palermo (1936-1938) y fue profesor de la Universidad de California, en Berkeley (1946-1972). En 1944 adquirió la nacionalidad estadounidense. Obtuvo, junto con Owen Chamberlain el Premio Nobel de Física de 1959 por el descubrimiento del antiprotón. Dirigió un grupo de investigaciones en el laboratorio de Los Álamos durante la fase de desarrollo del arma nuclear, colaboró en las experiencias sobre bombardeo neutrónico de núcleos atómicos dirigidas por Fermi (1934-36) y participó en el descubrimiento del tecnecio (1936) y el astato (1940). Estudió también los productos de fisión del Pu-239 y descubrió la frecuencia de la escisión espontánea del Pu-240.

Segrelles Albert, José (1885-1969). Pintor y dibujante español, nacido en Albaida (Valencia). Fue discípulo, entre otros, del gran pintor valenciano también, Joaquín Sorolla. En posesión de una técnica de múltiples y variados recursos, se distinguió principalmente como ilustrador de libros y como cartelista, actividades en las que desplegó un depurado buen gusto y una fantasía excepcional. Dentro de su copiosa producción se destacan sus ilustraciones para *Las florecillas de San Francisco*, *La Divina Comedia*, *La Atlántida*, *Don Quijote* y algunas novelas de Vicente Blasco Ibáñez. Fue galardonado en muchas ocasiones y colaboró en importantes revistas estadounidenses e inglesas, especialmente en los números de Navidad de *The Illustrated London News*. En el palacio del duque de Borja de los jesuitas, en Gandia (España), se encuentran varias obras suyas.

seguidilla. Composición métrica, aire popular español y baile correspondiente a este aire. Su origen es bastante antiguo; la primera de que se tiene constancia es una imitada por Juan Álvarez Gato, poeta del siglo XV:

> Quita allá, que no quiero
> falso enemigo,
> quita allá, que no quiero
> que huelgues conmigo.

Los nombres de seguida y seguidilla son del siglo XVI y, según el maestro Correas, proceden del uso que de esta copla hicieron las gentes llamadas entonces *de la vida seguida*, esto es las que vivían fuera del orden social, en gran parte perseguidas por la justicia. Julio Cejador la define: "Una clase particular de cuarteta, cuya particularidad consiste en que los dos versos pares son más cortos que los impares, lo que le da cierta ligereza y aire brincador". Existen múltiples variedades de seguidilla, la forma más frecuente desde el siglo XIX es la de una estrofa de cuatro versos, que constituyen la copla propiamente dicha, seguidos

ESAN

Seguidilla. Izq: Pastora Pavón, la Niña de los peines *la más grande cantaora de todos los tiempos; der: Antonio Mairena, cantaor e investigador, rescató al cante de sus momentos de decadencia.*

de otros tres a modo de estribillo; de estos siete versos suelen ser heptasílabos (de siete sílabas) el primero, tercero y sexto, y pentasílabos (de cinco sílabas) los restantes:

Las ilusiones, niña,
que el amor fragua,
son, ay, como la espuma
que forma el agua
nacen y crecen,
y como espuma vana
desaparecen.
(Selgas)

Entre las seguidillas de baile figuran las manchegas, picantes y alegres; las boleras, pausadas y señoriales; las *seguiripas gitanas,* las jaleadas, etcétera. El compás empleado para su notación musical es el de tres por cuatro o el de tres por ocho.

seguridad. Ausencia de todo riesgo. En todas las épocas el hombre ha buscado la seguridad. Desde el hombre prehistórico que se guarecía en cavernas para precaverse del ataque de las fieras, hasta el habitante de la ciudad moderna con sus medios de protección, un largo proceso de conquistas paulatinas marca la historia de la seguridad. Las victorias iniciales del ingenio humano contra la naturaleza hostil se produjeron cuando se idearon las primeras armas y herramientas. A medida que la civilización fue progresando, surgieron las viviendas estables, los caminos, etcétera. Pero, la civilización, al eliminar muchos riesgos de la vida primitiva, creó nuevas inseguridades: la máquina, ideada para servir al hombre, se convirtió con frecuencia en su verdugo; las ciudades no tardaron en exigir un pesado tributo con los accidentes callejeros.

En las grandes aglomeraciones de las urbes modernas un error individual puede repercutir trágicamente sobre las vidas ajenas: un conductor distraído, un obrero inepto, un aviador somnoliento o un empleado ferroviario fatigado pueden engendrar catástrofes de enormes proporciones. Por eso se efectúan campañas de seguridad. Buscar la seguridad no equivale a encerrarse en la monotonía de una existencia timorata: los hombres que mayores riesgos corren en sus actividades –exploradores, pilotos de pruebas, corredores de automóviles– son quienes toman mayores precauciones para evitar que la imprudencia o el descuido frustren sus hazañas.

Seguridad en la calle. El automóvil es el principal causante de accidentes. Pero, con frecuencia el culpable de los accidentes es un peatón distraído, que no adopta precauciones tan simples como éstas: 1) cruzar la calle en la esquina o en lugares especialmente marcados; 2) mirar hacia ambos lados antes de cruzar; 3) obedecer las indicaciones de los agentes de policía o las señales luminosas; 4) atravesar la calle en ángulo recto, no en diagonal; 5) al quedar retenido en medio de una calle de tránsito intenso, permanecer inmóvil y no efectuar movimientos bruscos que confundan a los automovilistas; 6) al pasar entre dos coches estacionados, hacerlo con rapidez y mirando hacia ambos lados.

A su vez, el automovilista debe conocer los reglamentos de tránsito y obedecerlos. La velocidad con que marche su automóvil será factor decisivo en la prevención de accidentes. Supongamos que un conductor divisa súbitamente un obstáculo en su camino; el tiempo que necesite para detener el coche dependerá de dos factores: su reacción psicológica y el espacio que necesiten los frenos para actuar sobre el auto.

El automovilista debe conocer, además de los reglamentos de tránsito, sus propias posibilidades físicas y mentales, y los rudimentos de la mecánica.

El ciclista, por su parte, debe revisar el estado de sus frenos, tener luces delanteras y posteriores aunque no piense viajar de noche y obedecer siempre las señales de tránsito. No es conveniente practicar el ci-

Las seguidillas son parte integral de la cultura andaluza en el sur de España.

Corel Stock Photo Library

clismo en avenidas de intenso movimiento y es reprobable la costumbre de asirse a la parte posterior de un vehículo para ir remolcado. El ciclista que lleva un *pasajero* sobre el marco de su vehículo o practica supuestas acrobacias en medio de una calle, actúa como un irresponsable. Los niños que disponen de juguetes tales como patines, triciclos o pequeños autos deben transitar en las aceras, tratando de no molestar a los peatones y sólo usarán aquellas calles en las que las ordenanzas de tránsito prohiban el paso de vehículos. Los patinadores, en especial, deben quitarse los patines al cruzar una calle ancha o al tratar de ascender por una escalera, y nunca deben transportar objetos de vidrio.

Seguridad en el hogar. Desde los tiempos más remotos, el hogar ha sido el refugio del hombre. Sin embargo, la mitad de las heridas y la tercera parte de las muertes provocadas por accidentes tienen lugar en la vivienda familiar. La principal causa de los percances domésticos reside en las caídas; sus víctimas son de todas las edades, pero especialmente niños y ancianos. Las estadísticas muestran que las caídas obedecen a estas causas básicas: alfombras mal colocadas o con agujeros, manchas de grasa, charcos de agua, pisos resbalosos y pequeñas alfombras puestas al pie de escaleras, en lugares encerados. La responsable de estos hechos es frecuentemente el ama de casa; a veces por desidia y a veces por excesivo celo, utiliza en el hogar objetos y enseres que, sin que ella lo sospeche, amenazan la seguridad de la familia. En los baños conviene utilizar alfombrillas de caucho u otro material no deslizante; las pequeñas alfombras colocadas al pie de las escaleras o en los umbrales deben tener, en su parte inferior, trocitos de goma que impidan el deslizamiento. Utensilios domésticos, juguetes y ropas deben permanecer guardados en lugares donde no molesten. Los escalones y peldaños que pueda tener la casa deben hallarse en buen estado de conservación y poseer iluminación adecuada. Las precauciones se extremarán cuando haya niños pequeños en el hogar; lo más práctico es mantener a éstos en corralitos o recintos donde puedan jugar a sus anchas y sin mayores riesgos.

Después de las caídas, las causas más comunes de accidentes domésticos son las quemaduras. He aquí algunas normas elementales para reducir al mínimo el riesgo de las quemaduras: 1) al encender un fósforo, hacerlo siempre en dirección opuesta al propio cuerpo; si la cabeza del fósforo llega a desprenderse, desaparece el riesgo de que prenda fuego a las ropas; 2) nunca llevar velas, bujías o fósforos encendidos al interior de lugares que contengan materiales fácilmente inflamables; 3) tratar de no emplear líquidos de limpieza que sean inflamables; es preferible acudir a los servicios de un limpiador profesional; 4) nunca utilizar petróleo para encender fuego con carbón o leña; 5) al encender el horno de una cocina de gas, abrir primero las puertas del compartimiento del horno, antes de encender el fósforo, así se evitará la acumulación de gas y el peligro de explosión; 6) cuando surjan llamaradas provocadas por grasa o aceite hirviendo, nada mejor que apagarlas con arena o colocando una tapa de metal sobre el fuego.

El envenenamiento es de menor frecuencia, aunque no por ello menos importante, en los accidentes domésticos. En ese sentido, la primera norma consiste en colocar los botiquines fuera del alcance de los niños. En segundo término, hay que marcar claramente el contenido de cada recipiente, colocando un signo bien visible en los que contengan productos venenosos. Conviene revisar periódicamente el contenido de botiquines, renovando los rótulos y tirando los frascos inútiles. En todo hogar debe haber una lista de antídotos y normas de primeros auxilios contra las formas más comunes y frecuentes de envenenamiento.

Corel Stock Photo Library

Equipo de seguridad de un camión de bomberos.

Las medidas de seguridad en los automóviles se han incrementado en los últimos años.

Corel Stock Photo Library

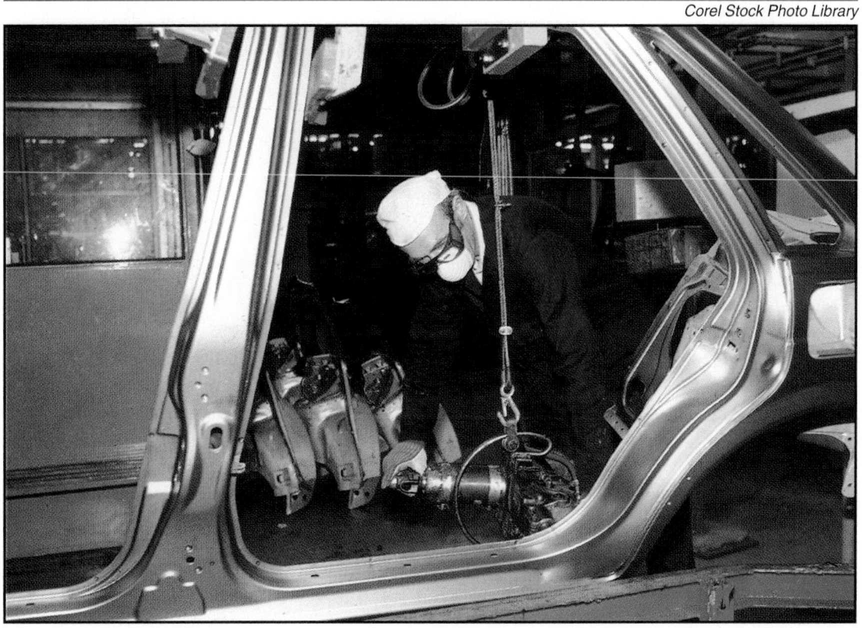

Corel Stock Photo Library

Para el manejo de energía nuclear, la seguridad es un elemento básico.

Los escapes de gas son otra causa de inseguridad hogareña. La norma básica es ésta: asegurarse de que haya buena ventilación en el lugar. Todas las conexiones de gas deben ser metálicas y no de caucho. En cuanto se produzca un escape, por mínimo que sea, debe procederse a obturarlo rápidamente. Los braseros de carbón son peligrosos; al quemarse, el carbón produce óxido de carbono, cuya acumulación engendra la muerte por asfixia en pocas horas. La asfixia también puede ser provocada por causas mecánicas: una moneda o una bolita de las usadas por los niños en sus juegos, si la introducen en la boca y la tragan, puede quedar detenida en la tráquea, impidiendo por completo la respiración.

Las cortaduras y los raspones superficiales obedecen, por lo general, a la distracción de la víctima. En sí mismas suelen carecer de importancia, pero pueden provocar infecciones graves si no son tratadas en seguida. Nada mejor que aplicar una *curita* con sulfatiazol o espolvorear la herida con esta sustancia. La electricidad, a su vez, provoca incendios y produce conmociones que a menudo son fatales. Conviene reemplazar los cables, conexiones y enchufes gastados. Nadie debe tocar un artefacto eléctrico con las manos húmedas o mientras se halla en el baño. Cuando está fuera de uso, todo accesorio eléctrico debe estar desconectado. Los riesgos del hogar son innumerables, y no quedan agotados con esta enumeración. Todos los años aparecen nuevos accesorios y artefactos a los que el hombre moderno debe habituarse. Algunas normas de aplicación general son las siguientes: 1) seguir al pie de la letra las instrucciones para el manejo del aparato; 2) nunca aceitar una maquinaria mientras el motor está funcionando; 3) desconectar y cubrir todo accesorio que no sea usado.

Casco de seguridad para motociclismo profesional.

Corel Stock Photo Library

Seguridad en las diversiones. Las recreaciones son agradables y convenientes, pero pueden conllevar riesgo para el individuo que no las practica en forma asidua. Las caminatas y excursiones nunca deben ser emprendidas sin el asesoramiento y la presencia de una persona experta, capaz de asumir la dirección. Las ropas serán apropiadas al clima del lugar y se llevará un equipo completo de primeros auxilios. Se deben adoptar precauciones especiales con cuchillos y hachas. Al emprender una marcha, lo mejor es situarse junto al borde del camino y avanzar en fila india, haciendo frente al tránsito que avanza y no dándole la espalda. Es muy peligroso realizar paseos y caminatas por las vías férreas y continuar por la noche una excursión iniciada durante el día. Si esta última medida resulta inevitable, todos los excursionistas deben llevar ropas blancas para ser más visibles, y el primero y el último de la columna portarán luces de color rojo o amarillo, las más visibles en la oscuridad. Nunca se han de establecer campamentos en sitios muy bajos o muy húmedos, ni en lugares muy próximos a lagos o precipicios.

El agua exige un pesado tributo de vidas humanas todos los años. En las congestionadas playas veraniegas mueren muchos bañistas imprudentes; casi todos son nadadores que se internan en lugares peligrosos. He aquí algunas normas que debería respetar todo veraneante: 1) bañarse únicamente en playas oficiales o autorizadas que tengan salvavidas, expertos y equipos de salvamento; 2) no penetrar en el agua hasta dos horas después de haber comido; 3) nunca nadar a solas, sino acompañado; 4) antes de zambullirse, averiguar la profundidad exacta del agua en el lugar. El uso de canoas y botes pequeños debería quedar limitado a las personas que saben nadar bien. Aún estas personas deben observar las siguientes reglas: 1) no iniciar un paseo si se acerca una tormenta o si hay niebla; 2) no cambiar asientos o puestos en aguas profundas; 3) verificar con detenimiento el estado del bote. Si la embarcación zozobra,

Corel Stock Photo Library

Las normas de seguridad permiten un desempeño laboral más digno.

lo mejor es asirse a ella hasta que llegue el auxilio, en vez de tratar de subirse a ella o ponerse a nadar hacia la costa.

Las quemaduras de sol es otro de los riesgos que tienen los excursionistas y veraneantes. En casos extremos pueden llegar a producir la muerte. La acción de los rayos solares se intensifica en el agua. porque ésta actúa como un gigantesco espejo que refleja y multiplica la luz del sol. Para evitar las quemaduras, nada mejor que habituar la piel a los efectos del sol, aumentando paulatinamente el tiempo que se les expone a sus rayos. La primera exposición no debe ser superior a 10 o 15 minutos.

Así como el verano presenta los riesgos del sol y el agua, el invierno acecha con los peligros del hielo y la nieve. En los países donde el agua de ríos y lagos se hiela, surge el deporte del patinaje; en tales países es preferible patinar únicamente en sitios cuya seguridad ha sido verificada por las autoridades, y en los que haya sogas y elementos para auxiliar a las personas que caigan por una fractura del hielo. Las mismas normas pueden aplicarse al deporte del esquí.

Es sorprendente el número de personas víctimas de disparos accidentales de armas de fuego. Al igual que las ahogadas, las víctimas de estos accidentes son por lo general adolescentes que olvidan las normas de la prudencia más elemental. La lamentación tradicional: "¡No sabía que estaba cargada!", es una excusa que apenas logra ocultar el olvido de estos preceptos: 1) jamás apuntar a alguien con una arma de fuego, ni siquiera a sabiendas de que está descargada, "las armas las carga el diablo", dice la sabiduría popular; 2) antes de guardar una pistola, una escopeta, etcétera, cerciorarse de que está descargada; 3) para guardarla, elegir un sitio inaccesible para los niños; 4) al transportar un arma de fuego, tenerla siempre con el cañón hacia arriba o hacia abajo, jamás horizontalmente; 5) al atravesar un obstáculo –alambrada, cerca, etcétera– con una escopeta o fusil hacer pasar primero el arma con el cañón hacia adelante, y después pasará el que la lleva; 6) al apuntar, cerciorarse de que no hay seres humanos en la dirección que seguirá el proyectil; 7) al ir a cazar, llevar siempre un gorro o una señal bien visible de color rojo.

El juego de los niños también presenta riesgos. Los niños deben jugar en lugares apropiados, convenientemente protegidos y vigilados. Los aparatos usados en parques, plazas y jardines deben ser inspeccionados constantemente: una astilla en un tobogán y una cadena gastada en un columpio son algunos de los riesgos que deben evitarse. Los deportes infantiles también exigen precauciones, la principal consiste en someterlos a un método riguroso, impidiendo excesos que perjudicarían a los organismos débiles. Se debe prohibir estrictamente la práctica del béisbol y del fútbol en calles y avenidas; naturalmente, es necesario proveer a los niños de campos de deportes en sustitución del improvisado y riesgoso *campo* de la calle. Conviene utilizar pelotas blandas para el béisbol y pelotas de pequeñas dimensiones para la práctica del fútbol, en reemplazo de la pelota llamada *olímpica* que es excesivamente grande y podría provocar lesiones graves. El pasatiempo de los barriletes o cometas, favorito de todos los niños, debe ser practicado en terrenos abiertos, no en calles ni azoteas. Nunca se debe tratar de recuperar una cometa enredada en un cable eléctrico, pues existe el peligro de recibir una descarga eléctrica.

Seguridad en locales cerrados. Allí donde se congregan núcleos numerosos de personas, las medidas de seguridad deben extremarse. Por eso las leyes y los reglamentos municipales exigen que los teatros, cines, estadios y escuelas sean construidos de acuerdo con ciertas normas e inspeccionados con frecuencia. Casi todos los edificios modernos se construyen a prue-

En las obras públicas, es indispensable cubrir los requisitos de seguridad.

Corel Stock Photo Library

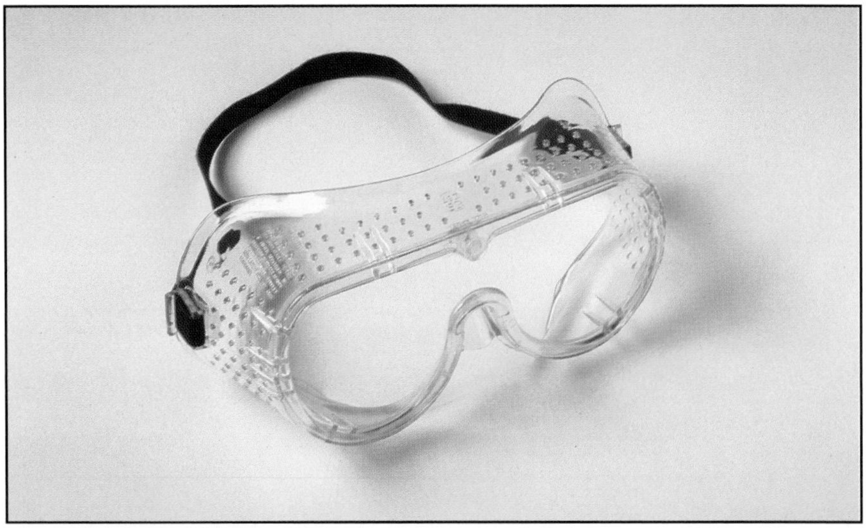

Corel Stock Photo Library

En la ivestigación de laboratorio, la seguridad de los ojos es primordial.

ba de incendios, o dotados de recursos especiales de protección. Los edificios antiguos son protegidos con escaleras exteriores que permiten salir rápidamente en caso de siniestro.

A pesar de todas las precauciones, la escuela es una fuente constante de accidentes. De cada 10 accidentes escolares, tres ocurren en los gimnasios y dos en los campos de deportes al aire libre. Ello no significa que la educación física haya de ser disminuida, pero es necesario reducir este margen de inseguridad. En primer lugar, los pisos de los gimnasios no deben ser resbaladizos y las columnas deben estar revestidas con cualquier elemento que amortigüe el efecto de los golpes. El terreno de los campos de atletismo debe estar libre de vidrios, envases de hojalata y cualquier objeto similar. Es indispensable que la persona que practica cualquier deporte se someta a revisiones médicas periódicas; una enfermedad del corazón, por ejemplo, puede existir sin que el deportista lo advierta. En el interior de las escuelas conviene observar estas normas de seguridad; 1) no correr por los pasillos; 2) avanzar por corredores y pasillos llevando la derecha; 3) ascender y descender por las escaleras con cuidado y sin apresuramiento, cediendo la izquierda al que avanza en sentido contrario; 4) las puertas y salidas de emergencia de los salones de clase han de estar libres de todo obstáculo; 5) las sillas, mesas y bancos rotos serán retirados; 6) los compases, tijeras, punzones y objetos similares deben ser llevados siempre con sus puntas protegidas por un pequeño corcho o una cubierta de material plástico.

En la industria de la construcción existen medidas de seguridad obligatorias como el uso del casco y de botas con protección.

Corel Stock Photo Library

En los laboratorios, donde los alumnos manejan productos químicos, aparatos delicados y mecheros de gas, las medidas de seguridad deben ser extremadas. Una medida práctica es nombrar a dos alumnos como inspectores de seguridad; a ellos corresponde cuidar de que sus compañeros lleven guardapolvos protectores, sujeten sus corbatas para que no se enreden en ningún engranaje y manejen con cuidado el fuego, los microscopios y las sustancias químicas. Otra medida práctica consiste en crear, en todas las escuelas, patrullas de seguridad encargadas de vigilar a los compañeros cuando abandonen el establecimiento, para que respeten los reglamentos del tránsito.

Seguridad industrial. Uno de los triunfos mayores de la seguridad moderna se ha producido en el ámbito de la industria. En las primeras etapas de la Revolución Industrial, las máquinas exigieron un pesado tributo de vidas humanas. La seguridad industrial ha reducido en gran medida los riesgos en las fábricas. En ciertos trabajos los obreros usan yelmos de aspecto extraño, máscaras contra gases, ropas de amianto, guantes incombustibles, calzado de seguridad y otros aditamentos similares. Los mineros, ayudados por máquinas eléctricas, trabajan iluminados por la lámpara de seguridad que inventara sir Humphry Davy en 1815. Todas las máquinas están equipadas con dispositivos de seguridad que las detienen en caso de peligro, o rodeadas por barandillas y pasarelas de protección. La iluminación se realiza con criterio científico y la ventilación se planea con la finalidad de eliminar rápidamente todo rastro de gases o polvos venenosos. El viejo lema "Un lugar para cada cosa y cada cosa en su lugar", adquiere nueva vigencia en la fábrica moderna. Carteles, volantes, folletos, películas y conferencias ilustran a los trabajadores sobre los principios de la seguridad industrial.

Seguridad en el transporte. Las comunicaciones actuales han aumentado también ciertos riesgos. Para obviarlos no se repara en gastos. Los ferrocarriles, que iniciaron sus esfuerzos de seguridad hace más de cien años, llevan la delantera en esta materia: su porcentaje de accidentes es inferior al de todos los restantes medios de transporte. Casi todos los accidentes ferroviarios obedecen a dos causas: la imprudencia de los automovilistas en los pasos a nivel y la distracción de algún conductor o de un encargado del funcionamiento de las señales. Las dos soluciones lógicas para estos riesgos son, naturalmente, la supresión paulatina de los pasos a nivel y el establecimiento de sistemas automáticos de cambios y señales. Los buques siguen al ferrocarril en cuanto a seguridad, sometidos a constantes revisiones y equipados con radar y medios perfectos de comunicación, disponen además de personal eficiente y especializado. La aviación, por su parte, no es tan peligrosa como lo supone la imaginación popular; en América Latina existen líneas aéreas que han recorrido millones de kilómetros sin tener un solo accidente. Los dos medios más inseguros de transporte son el autobús y el automóvil. La causa principal de sus accidentes es la mala calidad de los caminos, el segundo factor es la imprudencia o distracción del conductor; el último, y también el menos frecuente, es alguna falla atribuible al vehículo mismo. *Véanse* AUTOMÓVIL; CAMPAMENTO; EXCURSIONISMO; PRIMEROS AUXILIOS; QUEMADURA; VENENO Y ENVENENAMIENTO.

seguro. Contrato convencional y oneroso, en virtud del cual una persona (el asegurador) se obliga a indemnizar a otra persona (el asegurado) de una pérdida o un daño de cualquier naturaleza que pueda sufrir. El asegurado debe pagar, para tener derecho a los beneficios del seguro, una prima que se estipula por anticipado. El seguro es un contrato que reúne estas características: 1) es sinalagmático o bilateral, porque crea derechos y deberes recíprocos para ambas partes; 2) es consensual, porque su vigencia depende del consentimiento de ambas partes; 3) y es oneroso, porque hay prestaciones en dinero; el asegurado paga la prima y el asegurador abona la suma fijada como monto del seguro.

Aunque en nuestro tiempo ha adquirido importancia inusitada, el seguro es tan antiguo como la civilización. En Roma existían gremios o asociaciones de artesanos, que pagaban una suma a los deudos de los afiliados que morían. A partir del siglo XIV, cuando se iniciaron los grandes viajes marítimos, comenzó el auge del seguro de la navegación, que protegía buques y cargamentos contra los azares del mar. A mediados del siglo XIX, estas formas arcaicas del seguro se subdividieron en otras muchas, dando origen a los seguros contra incendios, accidentes, huelgas, etcétera.

Diversas formas. La acción de los seguros se extiende sobre los más variados aspectos de la vida del hombre y de sus actividades. Una clasificación primaria los separa en dos grandes divisiones: seguros sobre los riesgos de la vida y las personas, y seguros sobre los riesgos de las cosas y la propiedad. Los primeros cubren los riesgos de muerte, accidente, enfermedad, invalidez permanente, desempleo y vejez.

Los seguros sobre la propiedad se ejercen sobre los bienes que puede poseer el hombre: inmuebles, muebles, maquinaria,

Corel Stock Photo Library

Las ciudades tienen una serie de medidas de seguridad como los pasos peatonales.

mercaderías (en almacén y en tránsito), efectos personales, vehículos, transportes, cosechas, ganados, etcétera. La protección de esta clase de seguros puede extenderse, según los casos, contra los daños causados por incendios, explosiones, motines y otros disturbios, daños y deterioros accidentales, robos, etcétera. También existen seguros contra riesgos provenientes de agentes físicos y fuerzas de la naturaleza como tormentas, inundaciones, terremotos, etcétera.

En la práctica, las actividades del seguro se dividen en grupos de características definidas y, así, existen las ramas de seguros de vida, contra incendios, marítimos, de automóviles, agrícolas, etcétera.

Aparte de estas formas practicadas por las empresas privadas existen los seguros sociales contra los riesgos de desocupación, muerte, invalidez, vejez, maternidad, etcétera. Son tratados en el artículo siguiente.

Actividad en una empresa de seguros. La organización de una compañía de seguros abarca múltiples elementos, y posee una administración interna y una estructura externa. La administración interna posee cuatro grupos de órganos: 1) la Dirección General es ejercida por el Consejo de Administración o Directorio y por el gerente general; estos funcionarios se ocupan de la buena marcha de la empresa y son asesorados por el actuario, el servicio médico, el contador general y el asesor letrado; 2) la Sección Administrativa se encarga de las tareas secundarias, del control del personal y de todas las labores de oficina; 3) existen luego diversas secciones especializadas, que dependen de los ramos de seguros que explote la empresa: vida, incendios, marítimos, automóviles, granizo, etcétera; 4) por último hallamos la Contaduría, que en las compañías de seguros desempeña funciones complejas y muy importantes. Junto a esta administración interna aparece la estructura externa, que desenvuelve sus actividades fuera de la sede central, en las casas y oficinas de los clientes.

He aquí la clave de la empresa de seguros. Reposa sobre una base matemática y estadística: la ley de los grandes números. Expuesta por Bernouilli y desarrollada por Poisson, esta ley nos dice que la probabilidad de que ocurra un hecho puede determinarse en forma muy aproximada siempre que se observe un gran número de fenómenos similares. Supongamos que un asegurador se dedica a proteger contra el riesgo de incendio; observando durante muchos años los técnicos han llegado a la conclusión de que por cada 1,000 edificios se incendian cuatro por año, en término medio. El asegurador ya cuenta con un elemento valioso (la relación cuatro por mil), pero le falta saber cuánto valen esos cuatro edificios. Nuevas investigaciones establecen que valen 3 millones de pesos, y que el valor de los mil edificios tomados como base de la observación asciende a 400 millones de pesos; una simple división le dirá que por cada mil pesos de valor se dañan 7,50. Por tanto, la prima mínima que deberá exigir al cliente será de 7,50 por cada mil pesos asegurados. Pero, para que se cumpla la ley de los grandes números deberá contar con numerosos seguros contratados (si tiene pocos, puede ocurrir que el azar le juega una mala pasada y se incendien los edificios de la mayoría, llevándolo a la ruina). Aquí es donde entra a actuar la organización externa.

Para no jugar a ganar o aperder, el asegurador debe formar y mantener una cartera que posea el mayor número posible de seguros. Se sirve para ello de una organización de agentes muy bien remunerados, que funciona en la siguiente forma: 1) los agentes generales tienen asignada una zona, distrito o provincia en la que actúan con relativa independencia; solventan sus propios gastos y mantienen contacto directo con la gerencia de la empresa; 2) los agentes actúan en zonas más pequeñas, generalmente ciudades o departamentos; 3) los subagentes colaboran con los agentes, desarrollando sus tareas en pueblos o villas de poca importancia; 4) los agentes viajeros visitan periódicamente a todos los anteriores en busca de nuevas operaciones, cuyo beneficio comparten luego con los mismos. El agente viajero es una persona de gran experiencia y habilidad, que logra influir sobre los presuntos clientes utilizando métodos sutiles. Los agentes generales, agentes y subagentes perciben comisiones, sueldos y viáticos. Junto a ellos

Corel Stock Photo Library

Plaza de la compañía de seguros Pacific *en Los Angeles.*

actúan los liquidadores de siniestros o ajustadores, que inspeccionan los daños causados por un siniestro, los evalúan, averiguan las causas del hecho y asesoran a la Dirección General sobre el monto que deberá pagar al asegurado.

Operaciones. Si deseamos obtener un seguro, debemos presentar una solicitud o propuesta con todos los datos de la operación. Las compañías preparan formularios que contienen diversos datos y preguntas, los cuales deben ser especificados sin reticencias ni falsedades. La solicitud contiene a veces un croquis o esquema de la propiedad (edificio, campo, etcétera) que deseamos asegurar. Una vez recibida la solicitud, el asegurador estudia el problema; si se trata de un seguro sobre cosas envía a un inspector para que revise el objeto, y si se trata de un seguro sobre la vida hace que un médico revise detenidamente al solicitante. Después de estudiar la solicitud y los informes, la compañía acepta o rechaza la operación, si la acepta, emite un documento llamado póliza.

¿Qué ocurre cuando el monto de un seguro es demasiado elevado para las posibilidades de la empresa? Se acude entonces al reaseguro, que consiste en ceder una parte del seguro a otra empresa similar. Supongamos que una compañía naviera desea asegurar un gran transatlántico por 80 millones de dólares; acude a una compañía aseguradora, para la cual esta operación sería un brillante negocio. Pero, 80 millones de dólares es una cantidad muy superior a la suma por la que la compañía puede obligarse sin que peligre su estabilidad. Entonces acude al reaseguro pasivo: se desprende de una parte de la prima del seguro, 30 millones, por ejemplo. Dos compañías se hacen cargo de la misma, practicando así el reaseguro activo; si el buque se hunde, estas dos compañías pagarán la cantidad cedida; si no se hunde, seguirán percibiendo una parte proporcional de las sumas que abone la compañía naviera. Puede ocurrir que una de las empresas reaseguradoras sea demasiado pequeña y no pueda soportar por sí sola todo el riesgo asumido; entonces realiza una retrocesión, que es un nuevo reaseguro con otra empresa. La cadena de reaseguros activos y pasivos puede continuar indefinidamente, sujeta a la inspección del gobierno. El principio general es que los reaseguradores corren la suerte del asegurador, sea ésta próspera o desdichada.

Supongamos que el siniestro se produce: el auto se estrella, el edificio se incendia, el cristal es destrozado, el granizo aniquila la cosecha o el buque se hunde. El asegurado tiene la obligación de comunicar el hecho inmediatamente. El asegurador toma entonces una serie de medidas para establecer el daño real producido a la cosa (peritajes, inspecciones, exámenes, declaraciones, etcétera) y para fijar el monto a pagar. En los seguros sobre la vida, este monto es casi siempre el que indica la póliza, en los casos restantes suele variar la cantidad. Supongamos que se ha incendiado un pequeño negocio; el asegurado comunica el hecho por telegrama antes de 15 días, y remite una nómina detallada de las cosas averiadas, destruidas y salvadas, indicando el valor de cada una. La compañía envía un liquidador de siniestros, que estudia las causas y analiza el valor de los daños; si se llega a un acuerdo con el asegurado, la compañía paga el importe. Este procedimiento se aplica en los siniestros reducidos, cuando es fácil determinar las causas. Pero, supongamos que se ha incendiado, en circunstancias misteriosas, una gran fábrica. En este caso la compañía nombra un perito, el asegurado designa otro, y ambos se ponen de acuerdo para nombrar un tercero; mientras los peritos elaboran su informe, el liquidador de siniestros despliega gran actividad: interroga a diversas personas, revisa los libros de la fábrica, conversa con los acreedores de la misma, copia el sumario policial y calcula el monto de los daños producidos. A modo de conclusión, propone una liquidación que por lo general se basa en la llamada *regla proporcional.* Supongamos que el objeto asegurado valía 1.300,000 pesos el día del siniestro, pero el seguro se había contratado por 1 millón, la compañía responderá hasta esta suma, y el asegurado se convertirá en asegurador de sí mismo por el excedente de 300,000 pesos.

Seguros sobre la vida. Por su naturaleza especial, estos seguros merecen análisis por separado. Se dividen en dos grandes grupos:

1. En el seguro en caso de vida la compañía se compromete a pagar una suma de dinero si el asegurado se halla con vida dentro de 10, 15, 20 o 30 años; a su vez, el asegurado se compromete a pagar una prima única o periódica. Una variante de este seguro es la renta vitalicia que consiste en pagar una suma periódica al asegurado (anual, semestral, trimestral o mensualmente) mientras esté con vida.

2. En el seguro en caso de muerte la empresa paga una suma de dinero, cuando ocurre el fallecimiento del asegurado, a la persona que éste haya indicado, llamada *beneficiario* del seguro.

Las dos clases de seguros sobre la vida humana tienen bases matemáticas muy precisas. Un incendio puede producirse o no, pero la muerte es inevitable; el problema consiste en prever cuántas muertes se producirán en un periodo.

Las compañías de seguros se sirven de las tablas de mortalidad, que son tablas numéricas en las que constan las personas fallecidas y sobrevivientes de todas las edades, junto con las probabilidades de vida y muerte. He aquí un pequeño fragmento de una tabla de mortalidad, ajustada según el método de Makeham:

Edad en años	No. de sobrevivientes	No. de muertes por año	Probabilidad de vida por mil	Probabilidad de muerte por mil
10	100.000	408	995,91	4,09
26	92.386	664	992,80	7,20
27	91.722	673	992,68	7,32
28	91.049	678	992,54	7,46
29	90.371	686	992,41	7,59
30	89.685	691	992,29	7,71

Hemos elegido, en forma arbitraria, la edad de 10 años. Partiendo de ella podremos conocer las probabilidades de vida o de muerte a diversas edades. Por ejemplo: ¿qué probabilidades tiene un individuo de 26 años de llegar a cumplir 30? Tenemos que dividir 89,685 (número de sobrevivientes a los 30 años) por 92,386 (número de sobrevivientes a los 26 años). El cociente, igual a 0,97076, se multiplica por mil, y hallamos que un individuo de 26 años tiene 970,76 probabilidades entre mil de llegar a los 30 años. Otro caso: ¿qué probabilidades tiene una persona de 29 años de fallecer antes de cumplir 30? Dividamos 686 (número de muertes producidas en ese año) por 90,371 (total de sobrevivientes a los 29 años) y tendremos 0,00759; multipliquemos por mil y hallaremos que tiene 7,59 probabilidades entre mil de fallecer antes de cumplir 30 años. Con la ayuda de estas tablas, el asegurador conoce por anticipado las probabilidades de mortalidad de sus clientes y puede calcular sus primas y riesgos.

seguros sociales. Fórmula de previsión ideada para satisfacer las necesidades del hombre impedido de trabajar, sea por accidente, paro forzoso, enfermedad o vejez. Estos seguros representan una conquista social, pues reafirman los derechos y la dignidad del hombre que trabaja, al darle los medios económicos de asistencia y evitar que la carencia, momentánea o definitiva, del jornal o salario puedan colocarlo en una situación angustiosa. Los seguros sociales son obligatorios en muchos países, y todo patrono se halla obligado a suscribirlos en beneficio de los obreros que tome a su servicio. Según el derecho laboral el patrono es responsable civilmente (esto es, económicamente) de los accidentes que sufran sus obreros durante las horas de trabajo.

Los gobiernos han advertido que muchos de los malestares y desórdenes de la población obedecen a la falta de seguridad económica de la clase trabajadora. Tal consideración ha culminado en la estructuración de grandes planes y proyectos que establecen seguros sociales para todos los ciudadanos, sean o no productores. A finales del siglo XIX, se promulgaron en Alemania leyes de compensación y protección obligatoria del obrero en casos de accidentes, enfermedad e invalidez. Posteriormente, en gran parte de las naciones se comprendió tanto la necesidad de adoptar un régimen semejante como la de ampliarlo. Esa concepción se extendió rápidamente, Inglaterra y Estados Unidos reformaron su plan de seguros sociales. Lo mismo hicieron la mayor parte de las naciones europeas y americanas.

Los seguros sociales abarcan los siguientes riesgos genéricos: accidentes (muerte e incapacidad), maternidad (embarazo y alumbramiento), enfermedad (a veces no profesional), jubilación y vejez (pensiones) y desocupación (paro forzoso). Los seguros sociales son establecidos y regulados por el Estado. Las cuotas o primas que deben satisfacerse para cubrir cada clase de riesgo son uniformes y regulares. Al pago de las referidas cuotas contribuyen simultáneamente (en porcentajes que señala la ley), el obrero, el patrono y el Estado. Las indemnizaciones pueden consistir en dinero, en especies o en servicios. Sin embargo, la tendencia general consiste en indemnizar en dinero al perjudicado.

El seguro social contra accidentes indemniza la muerte y las lesiones del obrero ocurridas durante y como consecuencia de su trabajo habitual. Cuando la ley exige el uso de aparatos o mecanismos protectores para realizar el trabajo, debe justificarse el uso de los mismos en el momento del accidente. Es preciso además que se denuncie, en la forma y términos previstos por la ley, el hecho que originó el accidente, y que se aporten testigos presenciales, si los hubiere. El seguro paga los gastos de curación, asistencia médica y quirúrgica, medicamentos, prótesis, etcétera. Si a consecuencia de las lesiones recibidas el obrero quedase incapacitado, percibirá una renta o indemnización con arreglo a la naturaleza del daño recibido y mientras dure el mismo. A tal efecto se distinguen cuatro clases de incapacidad: total permanente, parcial permanente, total temporal y parcial temporal. Como es de suponer en estos dos últimos casos en el instante que el lesionado queda restablecido cesa de pagarse la indemnización-renta.

La indemnización por fallecimiento se paga a la viuda, hijos, padres o abuelos del

Corel Stock Photo Library

Compañía de seguros Lloyd's *en Inglaterra.*

fallecido que dependieron de él, variando la cuantía según la relación del parentesco. Si la viuda contrae nuevo matrimonio o los hijos alcanzan la edad de valerse por sí mismos cesa el pago. El seguro de enfermedad cubre el costo de curación, asistencia y gastos ocasionados por las enfermedades profesionales, o sea las provocadas por materias tóxicas en los lugares de trabajo, pero en la actualidad se tiende a declarar indemnizable toda enfermedad. Los seguros sociales contra la vejez y el de la jubilación tienen por objeto combatir la indigencia e impedir que el obrero, cuyo salario no le ha permitido ahorrar, sea una

Edificio de seguros en Los Angeles.

Corel Stock Photo Library

carga para la sociedad o para su familia. El monto de las pensiones de vejez es independiente del salario. El de jubilación, por el contrario, guarda relación con las rentas de trabajo y se constituye, precisamente, con una parte de éstas.

El seguro de maternidad cubre los gastos que tal estado ocasiona, comprendida la asistencia de la madre y el niño y pago a la interesada mientras se halle imposibilitada de dedicarse a sus ocupaciones habituales. Una de las formas más típicas del seguro social es la que ampara contra la desocupación. El obrero que ha sido despedido por una causa no imputable a su conducta (paro forzoso) tiene derecho a percibir una indemnización que le permita vivir con decoro hasta hallar un nuevo empleo. En algunos países el obrero o empleado queda a disposición de ciertos organismos del trabajo. Si no acepta el empleo que éstos le ofrecen, puede perder el derecho a la referida indemnización. Aparte de los seguros que acabamos de mencionar, existen muchos otros de carácter obligatorio que son asimismo, sociales. Las compañías de ferrocarriles y transportes se hallan en algunas naciones obligadas a asegurar a sus viajeros. El importe del seguro se paga con un impuesto sumado al precio del billete. *Véanse* PENSIÓN; PREVISIÓN SOCIAL.

Seibo, El. Provincia nororiental de la República Dominicana, situada al sur de la Bahía de Samaná. Tiene 1,659 km^2 y 96,900 habitantes (1995). La capital es Santa Cruz de El Seibo. La cordillera Oriental, en el norte, constituye la división de aguas entre el Atlántico y el Caribe. La región meridional, es ocupada por una fértil llanura, está avenada por el río Soco, entre otros. La mayor parte de su población es rural. Tiene cultivos de café, caña de azúcar, maíz y frijoles; una gran variedad de frutas tropicales y una amplia riqueza forestal. Es una de las más importantes provincias productoras de ganado vacuno.

Seifert, Jaroslav (1901-1986). Poeta checoslovaco. Miembro del Partido Comunista. Opuesto al estalinismo, tras la muerte de José Stalin fue declarado *artista nacional* (1966). Se sumó al movimiento llamado la *primavera de Praga* (1968). Autor de una vasta obra poética, destacan sus volúmenes *Ciudad en lágrimas* (1921), *Vestida de luz* (1940) y *Libro sobre Praga* (1968). En 1983 publicó *Toda la bondad del mundo,* libro de memorias. Recibió el Premio Nobel de Literatura en 1984.

Seignobos, Charles (1854-1942). Historiador francés. Formado en la Escuela Normal Superior de París y en varias universidades alemanas, publicó en 1882 un trabajo sobre historia medieval, *Régimen feudal en Borgoña hasta 1360,* y pocos años después la *Historia de los pueblos antiguos de Oriente.* Escribió también sobre historia contemporánea, y su obra capital es la *Historia política de la Europa contemporánea.* En colaboración con Charles Victor Langlois publicó *Introducción a los estudios históricos.* En los últimos años de su vida dio a luz varios manuales de *Historia de la civilización* y su original *Historia sincera de la nación francesa.* Seignobos enfocó la historia en relación con los fenómenos sociales y económicos, y realizó magnificas síntesis.

seis, grupo de los. Se llama así al conjunto de músicos franceses que, hacia 1920, se reunieron alrededor de François Poulenc, guiados por su común admiración hacia Erik Satie. Poulenc, Arthur Honegger y Darius Milhaud fueron sus portaestandartes, junto con Georges Auric, Durey y Germana Tailleferre. Opuestos al refinamiento impresionista de Maurice Ravel y Claude Debussy, afectan en su orquestación un desenfado casi circense.

SELA. *Véase* SISTEMA ECONÓMICO LATINOAMERICANO.

selección artificial. Elección de los reproductores de alguna especie de animal o vegetal, que presentan los caracteres adecuados para la obtención de una descendencia mejor, en cuanto a las necesidades humanas se refiere.

A pesar de que se desconoció su fundamento científico hasta el desarrollo de la genética, es un proceso que el hombre ha venido realizando desde hace mucho tiempo, cuando se transformó en agricultor y pastor. Consciente o inconscientemente, a veces de modo intuitivo, el hombre se ha ido esforzando en mejorar la calidad de sus productos agrícolas y ganaderos.

Los métodos que se utilizan más corrientemente para la selección artificial de animales son: la selección en masa o fenotípica, en la que se escogen los reproductores tras analizar los caracteres externos; la selección genealógica o de pedigri, en la que se escogen los reproductores tras estudiar de modo crítico sus antecesores o colaterales. Otro método consiste en analizar previamente la descendencia de un futuro reproductor antes de su definitiva explotación comercial.

En el caso de los vegetales, los métodos no difieren, en general, de los que se aplican para los animales. La selección en masa a nivel de las semillas consigue resultados más bien lentos e incompletos. También pueden obtenerse líneas puras por aislamiento de descendientes de individuos (selección individual), lo que equivale al pedigri. En este caso, es interesante estudiar las adaptaciones locales de la descendencia a los distintos climas, pues este factor, en general, está más íntimamente correlacionado con el fenotipo en los vegetales que en los animales. Otra selección consiste en obtener líneas puras que al ser cruzadas produzcan fenómenos de heterosis en los híbridos. También puede usarse el aislamiento de cultivos puros de microorganismos con la ayuda de medios selectivos. Se han realizado experiencias de selección artificial en organismos no específicamente útiles al hombre, a fin de aclarar los mecanismos de la selección natural.

selección natural. Las distintas especies animales y vegetales están en continua lucha con las adversidades climáticas, así como con los animales y plantas que con ellas compiten en el mismo medio. En esta lucha por la existencia, sucumben los individuos peor adaptados al medio, sobreviviendo los mejor dotados, realizándose así lo que se llama *selección natural.* De esta manera, se van acentuando los caracteres extremos de los individuos de una especie, por la desaparición de los que tienen caracteres intermedios. Basándose en estos hechos, el naturalista inglés Charles Darwin formuló la teoría de la selección natural para explicar la evolución de las especies. Según esta teoría, los individuos mejor adaptados a las condiciones de vida tienen mayor probabilidad de subsistir y transmitir sus caracteres por medio de la herencia a sus descendientes, lo que, en largos periodos, determinaría la diferenciación de nuevas especies por la desaparición de los individuos menos aptos para resistir en la lucha por la vida. Sin embargo, actualmente el hombre está modificando la selección natural por medio de la ingeniería genética, ante la cual, las consecuencias son inimaginables. *Véanse* DARWIN, C.; EVOLUCIÓN, TEORÍA DE LA.

selenio. Elemento químico, tercero del grupo VI A (o del oxígeno) de la tabla periódica de los elementos. Su número atómico es 34, su masa atómica es 78.96 y su simbolo es Se. Es parecido al azufre, de color pardo rojizo, fue descubierto por Jöns Jacob Berzellus, en 1817, entre los residuos de las cámaras de plomo en una fábrica de ácido sulfúrico. Igual que el azufre se presenta en varios estados alotrópicos; amorfo (vítreo, coloidal o rojo), cristalino y metálico o gris. Es muy frágil, insípido, inodoro en frío y mal conductor del calor y la electricidad. Funde a 217 °C si es amorfo y a 180 °C si está cristalizado. Hierve a 688 °C. Arde formando anhídrido selenioso, de olor desagradable. Se encuentra en pequeñas cantidades, especialmente como seleniuro de plomo, en el Harz (Alemania), en algunas piritas de Suecia y asociado con azufre, cobre, plomo, mercurio y plata. Su reducida conductibilidad aumenta en relación directa con las radiaciones que recibe, especialmente las luminosas, por lo que se emplea en ciertos tipos de células fotoeléctricas para convertir las variaciones luminosas en oscilaciones eléctricas, como en fotometría y televisión. Se utiliza también en la fabricación de cerámica y de cristal, para rectificar ciertos colores y dar al cristal un hermoso color rubí.

seléucida. Dinastía de Macedonia, fundada por Seleuco I Nicátor, general de Alejandro Magno, en el año 312 a. C. Al morir Alejandro, Seleuco tomó bajo su mando el reino de Siria y su imperio se extendió desde el Mediterráneo hasta la India. Antíoco XIII, el último de los Seléucidas varones, pretendió recuperar el trono cuando Pompeyo conquistó Siria, pero el general romano no lo consintió y convirtió este reino en una provincia. Los seléucidas reinaron desde el 312 a. C. hasta el 65 de nuestra era.

Selkirk, Alexander (1676-1721). Marino escocés cuya celebridad se debe a una disputa que tuvo con el capitán del barco en el cual servía cuando navegaba por el océano Pacífico. A causa de ello fue desembarcado en la isla entonces llamada *Más a Tierra* (hoy Robinson Crusoe), del Archipiélago Juan Fernández, perteneciente a Chile. Ahí permaneció alrededor de cinco años, hasta que lo recogió un navío de la armada inglesa.

De regreso en Londres, relató su experiencia vivida en una isla solitaria, y de ella sacó Daniel Defoe los motivos para su novela *Robinson Crusoe* (1719). La aventurera vida de Selkirk también fue relatada por el capitán Woodes Rogers, que lo recogió en la citada isla, en su libro *Viaje alrededor del mundo* (1712), y por el capitán Edward Cook en *Viaje al mar del sur y alrededor del mundo* (1712).

El inspirador de *Robinson Crusoe* murió en el mar, y en la isla que ostenta hoy su nombre se erigió una placa de bronce que recuerda su permanencia y su historia.

sello. Utensilio en que están grabados armas, nombres, cifras o títulos, y con el cual se estampan o sellan ciertos documentos y servir, así, de testimonio de su legitimidad. Las materias en que se estampaban los sellos antiguos eran la cera y el plomo. Los de cera se aplicaron al pergamino y al papiro, y fueron los primeros en ser usados; después aparecieron los discos de plomo o de cera que, estampados con un sello, se unían, pendientes de hilos, cintas o correas a ciertos documentos de importancia. La sortija que el faraón regaló a José al conferirle la autoridad suprema era un anillo con el sello del Estado. Los egipcios sellaban sus papiros o el cordón con que los ataban, y los árabes ponían a sus documentos un sello en vez de una firma. La forma de los sellos en la Edad Media era circular, y los de las reinas, obispos y otros eclesiásticos de forma oval. Los de plomo ofrecían anverso y reverso con una figura en el centro y alrededor una leyenda, y los de cera una sola cara. Los sellos tienen gran valor como medio de autenticación y revalidación de los documentos. Siglos más tarde los Estados establecieron la obligación de utilizar papel sellado, emitido por ellos, para extender determinados contratos y documentos, lo cual tiene el carácter de un impuesto indirecto. En España se implantó el gravamen del papel sellado, en 1636, hallando en él una fuente de ingresos para el erario público. A partir de 1840, en que empezaron a usarse en Gran Bretaña para franquear la correspondencia, se utilizaron sellos impresos en pequeños rectángulos de papel, engomados por el reverso, para poder adherirlos a las cartas e indicar que el precio del porte de las mismas había sido pagado de antemano. *Véase* FILATELIA.

sello de salomón. Planta herbácea, de tallo subterráneo o rizoma macizo y de unos 2 cm de grosor, del que todos los años nacen en la parte superior tallos erguidos, estriados de unos 50 cm de altura, con hojas dentadas, ovales, enteras y alternas. Las flores son blancas y axilares.

Selten, Reinhard (1930-). Economista y matemático alemán, nacido en Polonia. Estudió matemáticas en la Universidad de Frankfurt am Main (1957). Fue profesor en las universidades Libre de Berlín (1969) y de Bielefield; profesor de teoría económica en la Universidad Friedrich-Wilheim de Bonn desde 1984, adaptó las aportaciones de John Forbes Nash Jr. sobre teoría de los juegos a la interacción estratégica, analizando las situaciones de competencia entre un pequeño número de vendedores. Hizo un análisis fundamental del equilibrio en la teoría de los juegos no cooperativos, trabajo por el cual recibió el Premio Nobel de Economía, compartido con J. F. Nash y John Charles Harsanyi, en 1994. Obras: *Modelos de racionalidad estratégica* (1988), y *Teoría general del equilibrio en los juegos* (1988), y en colaboración con Harsanyi.

selva. Terreno extenso, inculto y despoblado en el que crecen grandes masas de árboles y otras plantas y por el que pululan variadas especies de animales (insectos, reptiles, mamíferos, pájaros, etcétera). El enorme desarrollo de su vegetación se debe a las condiciones favorables del clima y del terreno, frecuentemente regado por ríos, pantanos o aguas subterráneas y abonado continuamente con los residuos vegetales y animales que se descomponen sobre su superficie y le ceden las sustancias nutritivas. Muchas selvas son vírgenes o sin

Corel Stock Photo Library

Cascada en la selva tropical de Hawaii.

explorar, como las grandes selvas ecuatoriales del Amazonas, en América, del Congo, en África, y de Borneo y Nueva Guinea, en el Archipiélago Malayo. En las ecuatoriales, que gozan de un régimen regular y abundante de lluvias, la vegetación es de tal espesura y gigantismo que los rayos del sol no penetran en muchos de sus lugares, debido a la tupida red que forman los follajes, lianas y enredaderas. Países americanos con grandes extensiones de valiosas

Selva tropical de El Yunque *en Puerto Rico.*

Corel Stock Photo Library

Corel Stock Photo Library

Selva tropical en Hot Springs, EE.UU.

selvas tropicales son Brasil, Colombia, Perú, Ecuador, Venezuela, Bolivia, Paraguay, México, y los países de América Central y las Antillas. En las zonas templadas de América del Sur, son de gran importancia las selvas de Argentina, Uruguay y Chile. América del Norte tiene enormes extensiones de selvas, principalmente de coníferas, en Estados Unidos, Canadá y Alaska.

En las zonas templadas de Europa y Asia existen selvas principalmente de coníferas. Son notables las grandes selvas de Siberia. En Europa aunque de menor extensión, se destacan las selvas de Finlandia, Suecia, Alemania y la Unión Soviética. *Véanse* BOSQUE; JUNGLA.

selva negra. Cadena montañosa, situada en el suroeste de Alemania. Se alza frente al Jura en línea paralela a los Vosgos. Con longitud de 218 km desde aquel punto, en las cercanías del Rin, hasta Heidelberg. Numerosos lagos y corrientes de agua se encuentran en las vertientes de su región que comprende un área de 7,000 km cuadrados aproximadamente. El color oscuro que ofrecen sus densos bosques, en los que sobresale el abeto, ha sido el origen de su nombre. En sus laderas nacen varios ríos (Danubio, Neckar y Kinzig). El Feldberg, la mayor altura de la Selva Negra, sólo tiene 1,500 m de altitud. La zona de la Selva Negra tiene balnearios y estaciones termales de gran renombre entre las que se encuentra Baden-Baden. Los habitantes de la región mantienen sus costumbres tradicionales en gran parte, y en la literatura alemana y universal se han repetido sus leyendas de hadas y brujas. Apreciable actividad agrícola, especialmente viñedos. Se explotan ricos bosques con cuya madera se fabrican juguetes, cajas para relojes e instrumentos musicales, que se exportan en cantidad.

Selye, Hans (1907-1982). Fisiólogo y endocrinólogo canadiense. Fue profesor ayudante de bioquímica (1934-1941) y agregado de histología (1941-1945) en la McGill University de Montreal. En 1945 fue nombrado profesor y director del Instituto de medicina y cirugía experimental de la Universidad de Montreal. Se le deben investigaciones fundamentales sobre el síndrome del estrés, cuyo primeros resultados hizo públicos en 1936 en la revista *Nature.* Sus estudios pusieron de manifiesto la existencia de un síndrome general no específico de adaptación, con lo que demostró que el organismo responde siempre de un modo unitario, incluso a los estímulos altamente diferenciados, a través de la mediación humoral. Entre sus obras cabe destacar la autobiografía *The Stress of My LIfe* (*El estrés de mi vida*), publicada en 1977.

Selyúcidas. Dinastías turcas, cuyo fundador fue Selyuq b Duqāq, en el siglo X. Fueron poderosas bajo los emires y dominaron Asia occidental hasta el siglo XIII. Constituyeron cinco ramas o dinastías principales, que tomaron el nombre de las regiones que dominaban: Selyúcidas de Irán o Bagdad; de Kerman; de Alepo; de Damasco, y de Iconia. Su decadencia se inició a principios del siglo XIII, a fines del cual desapareció su poderío y los territorios que dominaban pasaron a poder de los mongoles y de los turcos otomanos.

semáforo. Aparato por medio del cual se transmiten señales ópticas que pueden ser observadas a distancia, para advertir un peligro o comunicar un mensaje. Los semáforos de los ferrocarriles funcionan, muchas veces, en forma automática; se hallan conectados a una red eléctrica que divide la vía en sectores. Basta el paso del tren por uno de ellos para abrir y cerrar los respectivos circuitos, que accionan las luces o palancas de los semáforos situados en los sectores anterior y posterior.

semana santa. Última semana de la Cuaresma, que va desde el Domingo de Ramos hasta el de Resurrección. Se celebran con ella los Misterios de la Pasión, Muerte y Resurrección de Jesucristo. Se la conoce también con los nombres de Semana Mayor, Penosa, de los Lamentos, de las Vigilias, de la Indulgencia, etcétera. Con esa celebración se da a conocer a los fieles esa parte tan emotiva de la vida de Cristo.

semántica. Parte de la filología que tiene como fin el estudio del exacto significado de las palabras y de los cambios de sentido sufridos por las mismas. La palabra como signo está sujeta a las leyes psicológicas que regulan las relaciones mutuas entre el signo y lo significado. Cualquier alteración de uno y otro modifica el contenido de esta relación y por ello el significado no es un valor permanente, sino variable. La semántica se halla, pues, en íntimo contacto con la psicología, al considerar la lengua como un artificio psicológico y social, influido por la imaginación, por la necesidad de claridad y precisión y hasta por factores culturales, históricos y religiosos.

Jaguar en la selva tropical de México.

Corel Stock Photo Library

Refleja las diversas fases y los matices más delicados del pensamiento a través del lenguaje, llegando hasta el estudio de la intención que el juicio del pueblo da a ciertas palabras, las que además de su contenido representativo están rodeadas de una atmósfera afectiva, social, alusiva a calidades distintas de toda significación tabulable. De la actitud del sujeto parlante, del tono con que se pronuncian, del contexto o circunstancia con que se emplean, las voces pueden resultar respetuosas, amables, despectivas, atenuadoras, pedantes, etcétera. El filólogo francés Michel Bréal en su *Ensayo de semántica* (1897) fue el primero que utilizó esta palabra para distinguir esta rama de la filología, de la fonética, que considera la palabra en su aspecto exterior como sonido o conjunto de sonidos. La semántica surgió en el momento en que el estudio científico del lenguaje llegaba a su madurez, pues la investigación histórica del lenguaje demostró la importancia extraordinaria del estudio de la evolución del significado de los vocablos. Donde realmente se acentúa esa necesidad es en el dominio de la palabra técnica y en la terminología filosófica, pues cada época y cada movimiento filosófico han traído consigo una alteración, a veces radical, en el significado de los términos.

semejanza. Calidad de semejante. Símil retórico. Transformación geométrica que conserva la alineación y los ángulos, alterando la distancia según un factor de proporcionalidad. En el caso del plano, se trata de una correspondencia biyectiva entre puntos del mismo que transforma una configuración geométrica en otra homóloga suya, cumpliéndose las siguientes condiciones: 1) los transformados de puntos alineados en la primera configuración son puntos alineados en el mismo orden; 2) dos segmentos homólogos cualesquiera son proporcionales según una constante de proporcionalidad, que es la misma en cada caso; 3) dos ángulos homólogos son iguales (la transformación es isogonal). Dos configuraciones homólogas en esta transformación se dicen *semejantes,* y la constante de proporcionalidad entre segmentos homólogos se llama *razón de semejanza.* La semejanza directa o inversa según que conserve o no el sentido. El conjunto de todas las semejanzas del plano forma un grupo, del cual las semejanzas directas constituyen un subgrupo.

En el caso de configuraciones geométricas espaciales, la semejanza se define de manera análoga, añadiéndose entonces las siguientes condiciones; a)puntos coplanarios tienen homólogos que también son coplanarios, y b) los ángulos diedros homólogos son iguales.

Dada una semejanza en el plano, las condiciones 1) y 2) implican el cumplimiento de la condición 3); recíprocamente, dada la condición 3), también se cumple 2). De aquí resulta que una semejanza queda determinada al dar dos segmentos orientados homólogos y el tipo de la semejanza (directa o inversa). En espacio, las condiciones 1), a) y 2) implican el cumplimiento de 3) y b); recíprocamente, si se cumplen 1), a) y 3), también se cumple 2). Análogamente, si se cumplen 1), a) y b), se cumplirá 2).

semen. Sustancia que segregan los órganos reproductores masculinos, en la cual están los espermatozoos. El semen tiene consistencia mucosa, es de color blanquecino y olor característico. Se eyacula durante el orgasmo en cantidad de unos 3 a 5 cm3 y está constituído por las secreciones del conducto deferente, las vesículas seminales, las glándulas prostáticas y las glándulas mucosas bulbouretrales. Su pH es de 7.8 y contiene aminoácidos, proteínas, fructosa, sorbitol, hidroxiácidos y enzimas, junto con los espermatozoos elaborados en los testículos, que están presentes en gran cantidad (superior a 40 millones/cm3). En los mamíferos superiores los espermatozoos están desprovistos de reservas glucogénicas, y utilizan como fuente de energía para moverse un glúcido del plasma seminal, la fructosa. El volumen y la composición química del semen varía según las especies y los individuos. Su análisis químico y metabólico es un buen indicador de la actividad androgénica. Actualmente existen procedimientos que permiten su conservación y utilización posterior para inseminación artificial. Sinónimo de esperma.

Semenov, Nikolaj Nikolaevic (1896-1986). Químico físico ruso. Fue profesor del Instituto Politécnico de San Petersburgo de 1920 a 1931 y fue nombrado profesor titular de tiempo completo en 1928. A partir de 1931 fue director del Instituto de Fisicoquímica de San Petersburgo, que se trasladó a Moscú en 1943. En 1944 fue nombrado director del Instituto de Físico-química de la Academia de Ciencias de la URSS. Descubrió la reacción en cadena ramificada (1920) y estudió sus características cinético-químicas. Realizó notables trabajos sobre el mecanismo de las reacciones de explosión térmica. Su obra ha tenido aplicaciones prácticas en el diseño de motores para cohetes y jets. En 1956 compartió el Premio Nobel de Química con sir Cyril Norman Hinshelwood.

semiconductor. Material cuya capacidad para conducir la corriente eléctrica es inferior a la de un conductor y superior a la de un aislante. La facilidad de un material para conducir corriente (conductividad) es directamente proporcional al número de electrones libres (poco retenidos) existentes en el mismo.

Los buenos conductores como la plata, el cobre y el aluminio tienen gran concentración de tales electrones por unidad de volumen (del orden de 10^{28} electrones/m^3); sus resistividades son del orden de unas millonésimas de ohm por centímetro. Los aislantes, como el vidrio, la mica y el caucho que cuentan con muy pocos electrones libres (del orden de 10^7 electrones/m^3) presentan resistividades que alcanzan a varios millones de ohms por centímetro.

Los semiconductores se utlizan en la costrucción de microchips.

Corel Stock Photo Library

Corel Stock Photo Library

Los semiconductores tienen menor flujo de energía que los conductores.

Los materiales semiconductores están comprendidos entre extremos; el germanio puro tiene una resistividad de 60 ohm/cm, mientras que el silicio puro 60,000 ohm/cm. No obstante, en la forma en que se les utiliza para construir dispositivos electrónicos estos materiales (germanio, silicio) contienen cantidades cuidadosamente controladas de ciertas impurezas (adición al cristal semiconductor puro de cantidades pequeñísimas de otros elementos con estructura atómica diferente a valencia 3 o 5, como arsénico o antimonio, aluminio, galio o indio) que reducen sus resitividades a unos 2 ohm/cm a temperatura ambiente (esta resitividad decrece rápidamente a medida que aumenta la temperatura).

El germanio se emplea en dispositivos diseñados para aplicaciones que requieren de poca caída de tensión y en algunos transistores para señales débiles. El silicio resulta más adecuado que el germanio para dispositivos de alta potencia debido a que tolera temperaturas mucho más elevadas. En general se prefiere el silicio al germanio porque resulta más barato y por su mejor comportamiento ante la temperatura.

semilla. Parte de la planta destinada a su reproducción. La semilla perpetúa la especie; la planta desaparece, pero sus semillas, que son capaces de formar plantas nuevas, se originan en las flores después de un proceso de fecundación de los óvulos, elementos femeninos de la planta, por los granos de polen, sus elementos masculinos. El óvulo fecundado constituye el embrión, que comienza a desarrollarse hasta convertirse, después de ciertas transformaciones, en la semilla madura. En toda semilla se encuentra una parte viva y esencial, el embrión o plántula, que puede estar provisto o no de sustancias de reserva, y dos capas o tegumentos que lo envuelven.

Embrión. Es la planta rudimentaria, en la que se esboza su forma, y varía según las semillas. En general consta de un cuerpo pequeño, delgado y en forma de huso, y una o varias dilataciones, a veces muy grandes y gruesas en comparación con el tamaño del embrión, llamadas cotiledones. En un extremo se halla una yema apenas diferenciada, la gémula o plúmula, de la que han de surgir el tallo y las hojas. A continuación se insertan los cotiledones, cuyo número es variable: uno en las monocotiledóneas, dos en las dicotiledóneas, y varios hasta doce, en las gimnospermas. A veces, los cotiledones están cargados de sustancias alimenticias, pero pueden reducirse a simples láminas delgadas. Por debajo de ellos se encuentran el hipocotilo y la radícula de la que se formará la raíz. La parte del embrión comprendida entre la gémula y la radícula, que corresponde al tallo en la planta desarrollada, se llama talluelo.

El embrión puede estar derecho o encorvado, hallarse en posición horizontal o vertical, central o lateral. En la semilla de orquídea el embrión no tiene sus partes diferenciadas; éstas sólo se perciben cuando, en la germinación, la planta comienza a desarrollarse.

Reservas. Son indispensables a la planta para que pueda desarrollar, en los primeros días de su vida, los órganos, raíz y hojas, que le permitirán subsistir por sus propios medios. Pueden encontrarse formando una especie de embrión accesorio, el albumen, donde las reservas permanecen intactas hasta el momento de la germinación, para ser entonces disueltas por la acción de sustancias apropiadas, las zimasas, y penetrar en el embrión por la superficie de los cotiledones, que están siempre en contacto con el albumen. Éste es generalmente de consistencia dura, a veces tan dura como en la semilla de palmera de Brasil, pero puede ser, en algunos casos, blanda y oleosa como en la nuez de coco. Cuando las reservas forman albumen las semillas se denominan *albuminadas*. Cuando en la semilla madura todo el albumen ha sido asimilado por el embrión, las reservas se almacenan en los cotiledones, entonces muy desarrollados y carnosos. Este tipo de semillas se llaman *exalbuminadas*. En general, las albuminadas son propias de las monocotiledóneas y las exalbuminadas de las dicotiledóneas como el haba, la nuez,

Semillas de chícharo.

Corel Stock Photo Library

el lino, la almendra, etcétera. A veces la absorción del albumen no es total, lo que constituye semillas de tipo intermedio. Cuando el núcleo del óvulo se transforma en tejido de reserva, las semillas se llaman perispermadas, como las de piperina.

Composición de los reservas. Pueden ser de varias clases: hidratos de carbono, como el almidón, la hemicelulosa, los azúcares, las grasas y las proteínas. El almidón es la reserva más frecuente y abundante. Se almacena en el albumen y en el embrión. Las semillas en las cuales predomina el almidón se llaman amiláceas, como el trigo, las habas y, sobre todo, el arroz. La hemicelulosa es un hidrato de carbono que se acumula en las paredes de las células del albumen. Abunda en las semillas del dátil, el espárrago, el café, el marfil vegetal, etcétera. En la germinación se transforma en azúcar. El azúcar es una reserva soluble, abundante en algunas semillas como la castaña. Las grasas, según su consistencia, se distinguen en aceites y mantecas. Las semillas en las que predominan las sustancias grasas se llaman oleaginosas, como el lino, que tiene 35% de aceite, la almendra, el maní, la colza, etcétera, de donde se extraen aceites; y la nuez moscada, el cacao, el coco, etcétera, de donde se obtienen mantecas vegetales. Las *proteínas* se encuentran en abundancia en las leguminosas, como el haba, la arveja, la lenteja, el frijol, etcétera; puede estar en estado amorfo o constituirse en pequeños granos esféricos, llamándose entonces aleurona, que abunda en semillas oleaginosas como el ricino, y, en especial, en gramíneas, como el trigo, la avena, el maíz, etcétera. La aleurona es sumamente nutritiva. Cuando se descascara el trigo para extraer la harina, la capa de aleurona queda unida a los tegumentos. Por eso es más alimenticio el pan integral, hecho con todo el grano, que el pan blanco, que no contiene aleurona. La abundancia de esta sustancia en las semillas oleaginosas es la causa del valor nutritivo de los residuos (tortas) de la extracción del aceite de dichas semillas; las tortas de maní tienen hasta 47% de sustancias proteínicas. En general, las reservas de las semillas son los más importantes productos del reino vegetal que el hombre extrae para su alimentación y sus industrias.

Tegumentos. Son capas, generalmente en número de dos, que recubren la semilla. Se derivan de las envolturas protectoras del óvulo; de la exterior llamada *primina* surge el tegumento externo, la *testa*; y de la interior, denominada secundina, se origina el tegumento interno, el *tegmen*. En la mayoría de los casos el tegumento es delgado y más o menos resistente, como en las semillas de manzana, sandía, habas, maní, tabaco, etcétera; pero en los frutos con pericarpio carnoso (se llama pericarpio a la parte exterior que envuelve las semillas), la testa y el tegmen son muy duros y gruesos, como en las semillas de uva y de dátil; cuando el pericarpio es entera o parcialmente leñoso, como en la nuez y la almendra, el tegumento es membranoso y débil; y rara vez, como en la semilla de granada, es carnoso.

La testa presenta, a menudo, dibujos o colores que suelen ser muy vivos, como en la semilla del ricino y la de la magnolia; otras veces se extiende en una o varias alas, más o menos anchas, que dan una vuelta completa alrededor de la semilla, como en la del quebracho blanco y en la del jacarandá; aparece también cubierta de pelos, como en la semilla de sauce y de tasi, en ciertos casos tan largos y abundantes, que de ellos se pueden extraer fibras que se utilizan en la industria textil, como las que proporciona la semilla de algodón. Muchas de estas modificaciones del tegumento corresponden a especiales adaptaciones de la semilla para su mejor diseminación. Las alas, como las de las semillas de arce, tipa, fresno, quebracho blanco, peine de mono, etcétera, y los penachos, como en la semi-

Corel Stock Photo Library

*Semillas de Litchi (*Litchi chinensis*).*

Semillas de cardo.

Corel Stock Photo Library

lla de tasi, diente de león, cardo, etcétera, facilitan el arrastre por el viento. Algunos de los frutos o las semillas que son arrastrados por el agua, como los del camalote, la mimosa, algunas palmeras, etcétera, poseen dispositivos especiales que les permiten flotar por largo tiempo.

En el tegumento persiste frecuentemente una cicatriz formada al desprenderse la placenta, que son unas hojas que envuelven los óvulos, cicatriz que recibe el nombre de *hilo*. A veces el funículo, piececillo por medio del cual se inserta el óvulo en la placenta, se desarrolla formando una envoltura suplementaria, en forma de cúpula y a menudo carnosa, el *arilo*, que aparece en la semilla de tuna, de nenúfar, de pasionaria, de nuez moscada, etcétera.

Adaptación de las semillas. Consiste, en primer lugar, en una disposición especial para defender el embrión que conserva su vida en latencia, contra las influencias perjudiciales de la temperatura y humedad inadecuadas y contra los golpes o malos tratos, los cuales son evitados por la estructura de la testa y también por la protección del albumen.

La semilla cuenta, además, con dispositivos especiales que favorecen su fijación en el terreno y su diseminación. La diseminación de la semilla o de los frutos que naturalmente no se deshacen y la llevan dentro, puede ser: 1) anemófila, de diseminación por el viento, ya sea porque las semillas son muy pequeñas y livianas como las de amapola, tabaco, orquídea, etcétera, o porque cuenta con alas o penachos que facilitan su arrastre. Las alas pueden formarse en el tegumento, como en la semilla de pino, o en el pericarpio como en

Del Ángel Diseño y Publicidad

Proceso de germinación de dos tipos de semillas.

la semilla de olmo; 2) hidrófila, de diseminación por el agua, propia de ciertas plantas acuáticas o de otras que viven a la orilla de los ríos como ocurre con algunas palmeras; 3) zoófila de diseminación por los animales. Muchos frutos adherentes están provistos de ganchitos que se fijan a los pelos de los animales. Los ganchos pueden pertenecer al pericarpio como en el trébol de carretilla, al carozo como en el cuerno del diablo, o pueden estar en una cubierta persistente como la del abrojo. Los frutos carnosos son comidos por los animales –mamíferos y aves– que digieren el pericarpio y evacuan luego las semillas, cuya germinación parece ser facilitada por este pasaje a través del tubo digestivo. En otros casos las semillas se clavan en la piel de los animales como las saetillas o se pegan por medio de sustancias gomosas; 4) *elástica* de diseminación por proyección de las semillas en el momento en que el fruto se abre violentamente arrojándolas a cierta distancia, como ocurre con el fruto del brinco.

Las semillas de maíz se encuentran en los elotes.

Corel Stock Photo Library

Germinación de la semilla. Cuando ésta se halla en condiciones favorables, el embrión prosigue su desarrollo hasta formar la planta. Este proceso se llama germinación. Las condiciones necesarias para la germinación son: internas y externas. 1) Internas: ante todo, la semilla debe estar madura, es decir, su embrión tiene que estar bien desarrollado, debe contar con las reservas necesarias y, con frecuencia, es conveniente que haya sido estacionada por un cierto periodo de descanso o vida latente. Además debe estar en la plenitud de su poder germinativo, pues transcurrido un cierto tiempo, variable para cada especie, el embrión muere y la semilla se torna estéril. La avena conserva su poder germinativo uno o dos años, pero la alfalfa puede retenerlo por un espacio de ocho a diez años. El ambiente seco favorece la conservación de este poder. 2) Externas: la semilla necesita para poder germinar: a) una suficiente cantidad de agua, porque el agua reblandece los tegumentos facilitando su rotura al embrión. Al ser absorbida por el albumen la semilla se hincha hasta vencer la resistencia de la testa. Además de facilitar la entrada del oxígeno para que la plántula respire, el agua disuelve las sustancias del albumen con las que el embrión se nutre durante la germinación. b) Temperatura: todas las semillas requieren una temperatura mínima y una máxima entre las cuales germinan, pero la germinación es más rápida a la temperatura óptima. Plantas microtérmicas son aquéllas cuyas semillas germinan normalmente a bajas temperaturas de 10 °C a 16 °C como el trigo, las arvejas etcétera, en los países fríos. Plantas megatérmicas son aquellas, como el maíz, la calabaza, los frijoles, etcétera, que germinan bien a temperaturas de 21 °C a 27 °C, propio de los países cálidos. Las plantas de regiones templadas se llaman mesotérmicas.

Colocada la semilla en condiciones favorables, comienza a absorber el agua que necesita para que las células del embrión entren en actividad. Entonces éstas segregan unas sustancias llamadas diastasas, que disuelven las sustancias de reserva hasta tornarlas digeribles por el embrión. Al mismo tiempo que éste comienza a respirar activamente, sus células se multiplican y la plántula crece por el alargamiento de la gémula y la radícula. La planta aparece ya formada. Una raíz penetra verticalmente en la tierra y un tallo asciende en dirección opuesta.

A veces los cotiledones no se separan de la base del tallo, hasta que se secan una vez que sus reservas han sido absorbidas por la planta. En algunas plantas, como en el frijol, los cotiledones quedan enterrados y se llaman hipogeos (que significa bajo tierra). En otras, éstos salen al exterior y se desarrollan en hojas verdes, son los cotiledones epigeos (sobre tierra), como los de la calabaza.

semiótica. Históricamente, el término semiótica se empleó en la medicina antigua, por ejemplo en Galeno, para designar la parte de la medicina que se ocupaba de los síntomas de la enfermedad. Fue entre los filósofos griegos cuando adquirió un valor filosófico (sofistas, Platón, Aristóteles, estoicos, epicúreos y escépticos). En la Edad Media la semiótica preocupó a lógicos y gramáticos, y en figuras modernas tan importantes como Gottfried Leibniz y John Locke se detecta un marcado interés por el tema. Para el filósofo inglés, la semiótica, en tanto que teoría de los signos verbales, pertenece al dominio de la lógica.

Sin embargo, es en la época actual cuando el tema de la semiótica ha despertado mayor interés entre los filósofos: Charles Sanders Peirce, Charles Kay Ogden, Richards y, especialmente Charles Morris, al cual se debe la teoría de que la semiótica más que una investigación sobre los signos, constituye propiamente una teoría de la *semiosis* o análisis del proceso de funcionalidad de los signos, a la que denomina *comportamiento sígnico*, a Morris se debe también la división de la semiótica en semántica, síntaxis, y pragmática, si bien Haskell Brooks Curry no acepta, por ambigua tal división puesto que ninguna de tales ramas se adentra realmente en el problema básico de la dimensión descriptiva de los signos o símbolos utilizados en el lenguaje.

Semíramis. Reina legendaria de Asiria, hija de Ascalón de Siria y de la diosa Atargatis, que la abandonó en el desierto. Se supone que vivió en el siglo IX a. C. Se casó con Omnes, oficial del rey asirio Nino, pero prendado el soberano de su valor y belleza se la arrebató a Omnes y se casó con ella, por lo que éste se colgó de un árbol. A la muerte de Nino, dueña absoluta del imperio asirio fundó la ciudad de Babilonia, conquistó Persia, Media, Armenia, Arabia, Egipto, Libia y Asia hasta el Indo.

semita. Individuo de una familia de pueblos que parecen ser oriundos de Arabia o, más precisamente, del norte del desierto arábigo, de donde se extendieron por el su-

Corel Stock Photo Library

Semillas de girasol.

roeste de Asia y el este y norte de África. Su nombre proviene del Génesis, que considera a dichos pueblos como descendientes de Sem, hijo de Noé. En general son dolicocéfalos, la cara elíptica, cutis blanco mate, cabello y ojos negros y nariz prominente, aguileña o recta. Su primitivo nomadismo se transformó en sedentarismo al entrar en la vida histórica, dedicándose con preferencia a la agricultura, al comercio y al artesanado. Sin embargo, aún restan

En algunos países se acostumbra comer las semillas de calabaza tostadas.

Corel Stock Photo Library

núcleos nómadas, como los beduinos. Hicieron su aparición histórica en la región meridional de la cordillera de Zagro y de la del Tauro, entre el Golfo Pérsico y el Mediterráneo. Han ejercido influencia positiva en el curso de la historia. A ellos se debe la antigua civilización de Mesopotamia y Siria y uno de sus pueblos tiene el mérito de haber encarnado la religión del Antiguo Testamento, de la que deriva el cristianismo. En la Edad Media brillaron con gran esplendor con los árabes. Su organización familiar y patriarcal se manifestó en lo político en la autoridad del jefe de la tribu y en la omnipotencia del Estado. Los semitas, desde su centro geográfico originario, se extendieron en oleadas étnicas y culturales sucesivas. La primera la formaron los acadios (4000 a. C.) de Mesopotamia, que fundaron el imperio de Sargón; la segunda los ameritas, hebreos y cananeos. Los primeros crearon el imperio de Hammurabi (2000 a. C.), en la misma época en que los hebreos comienzan su vida histórica. Los cananeos ocuparon Siria y de ellos salieron más tarde los fenicios. Viene después la tercera oleada, integrada por los arameos (1000 a. C.) y los caldeos, que llenan el último periodo de la historia de Babilonia (siglo VII a. C.). Hacia este periodo florecen los asirios. La última oleada estaba constituida por los árabes, principales pobladores actuales de la zona de Arabia y de los territorios vecinos, que en otro tiempo lo fueron de Siria, Persia, Asia Central, Egipto, Norte de África, España y de otros países del sur de Europa. En el siglo I d. C., bajo la dominación romana, los hebreos se dispersaron y grandes núcleos se establecieron en distintas naciones. En varias ocasio-

Corel Stock Photo Library

Comerciantes semitas en Jerusalén.

nes padecieron persecuciones y en muchas ciudades han sido obligados a vivir en barrios apartados (getos). Después de la Segunda Guerra Mundial, la victoria de las Naciones Unidas hizo posible la reunión de los judíos en el Estado de Israel. Sin embargo, quedan muchos israelitas dispersos. En Estados Unidos viven unos 5 millones.

Las lenguas semíticas. Presentan bastante uniformidad –pues el área de dispersión de los semitas no fue tan grande como la de los indogermanos y mongoles– y tienen desde su principio caracteres de expresión muy desarrollados, aptos para expresar toda clase de conceptos y sentimientos. Las lenguas semíticas se dividen en cuatro grandes ramas: 1) Oriental, que comprende las lenguas (extintas) que se hablaban en los antiguos imperios de Babilonia, Asiria y Caldea. 2) Septentrional o aramea, que se divide en oriental, representada por el arameo moderno y el siríaco; y occidental, que comprende lenguas muertas, entre ellas el arameo bíblico. 3) Occidental, que abarca el canaanítico, el fenicio y el hebreo bíblico, que son grupos de lenguas muertas, y el hebreo moderno. 4) Meridional, con los grupos lingüísticos arábigo y etiópico. El primero comprende el arábigo clásico (lengua muerta) y el importante arábigo moderno. El segundo, las lenguas que se hablan en Etiopía, de las que el amhárico es la principal. *Véanse* ÁRABES; HEBREOS; ISLAM; JUDAÍSMO; LENGUAS; RAZAS HUMANAS.

Semita en el desierto del Sinaí.

Corel Stock Photo Library

Semmelweiss, Ignác Fülöp (1818-1865). Médico húngaro y uno de los primeros en luchar por implantación de la antisepsia. Estudió y trabajó en Viena y descubrió que la gran mortalidad que afectaba a las pacientes en las salas de maternidad en el hospital donde él prestaba sus servicios, se debía a que los médicos y cirujanos no desinfectaban debidamente los instrumentos y las manos. Sacrificó su carrera y puso en peligro su razón por predicar la doctrina, de que el operador debía acercarse a su paciente en condiciones asépticas. Se reían de él y se vio obligado a abandonar la ciudad. En el mismo año en que moría Semmelweiss enfermo y olvidado, realizaba Joseph Lister su primera operación utilizando métodos antisépticos, y el mundo científico comenzaba a comprender la razón que había asistido al modesto médico húngaro. La posteridad ha revalorizado su vida y sus descubrimientos y consagrado la verdad de sus afirmaciones. Su ciudad natal le dedicó un hermoso monumento.

sen. Arbusto perteneciente a la familia de las leguminosas, parecido a la casia, cuyas hojas se emplean en infusión como purgante. Este empleo es conocido de muy antiguo, pues los médicos griegos y árabes lo utilizaron en su farmacopea. Fue introducido en Europa en el siglo XVI. Sus hojas contienen ácido crisofánico y emodina libre y en forma de glucósido, ácido mático y ácido tartárico. Solo o asociado con otras sustancias se emplea como infusión laxante, e incluso entra en varios preparados farmacéuticos como la tisana laxante, la poción angalica, etcétera.

Sena. Río de Francia que nace en el monte Tasselot (Côte d'Or) y que después de recorrer 776 km, desemboca en el Canal de la Mancha. Su cuenca abarca 78,650 km. Riega entre otras, las ciudades de Troyes, Nogent, Melun, París, Mantes, Elbeuf y Ruán. Es navegable desde Mery y en Quillebeuf se inicia el estuario, en cuyo extremo septentrional se encuentra el puerto de El Havre. En París, su cauce se ensancha hasta 180 m. Su régimen es bastante regular aunque suele experimentar grandes crecidas, que en 1658 y en 1910 adquirieron caracteres catastróficos. El Sena, con sus afluentes (Aube, Marne

Catedral de Notre Dame junto al río Sena.

Corel Stock Photo Library

y Oise, por la derecha; Yonne, Loing, Essonne y Eure, por la izquierda) navegables, y sus canales, forma la red fluvial más densa de Francia, con tráfico intenso entre El Havre, Ruan y París.

senado. Cámara legislativa establecida por precepto constitucional en los estados modernos, como parte del sistema parlamentario. Se deriva de las antiguas asambleas que reunieron la representación del pueblo y el ejercicio de la autoridad suprema. El Senado era la asamblea de ancianos que representaba tanto la experiencia como el mérito personal, y cuya consulta en los asuntos de la comunidad fue una de las características de las primeras civilizaciones. En los Estados republicanos sus miembros son elegidos por voto directo o indirecto, para periodos que no suelen exceder de 6 años, aunque cabe la reelección y sus funciones legisladoras son principalmente de revisión y supervisión; suele poseer derecho de veto, y en algunos países también actúa como tribunal superior único en caso de ser acusados políticamente el presidente de la República, los ministros de Estado y otros altos funcionarios y sus propios miembros. Hay corporaciones más o menos similares, en cuanto a su apariencia parlamentaria, como la Cámara de los lores (o pares) en Inglaterra y la Primera Cámara en Suecia y Holanda, entre otras.

Historia. El sanedrin de los judíos, compuesto por 70 ancianos, aparece como una de las más antiguas instituciones senatoriales designada por la voluntad popular para el manejo de las leyes de una comunidad, ya que puede admitirse que era el propio Consejo de los Setenta de Moisés, puesto que resultan iguales el número de sus miembros y su condición de *consejo supremo para decidir los asuntos del Estado y de la religión.* Creta, bajo el reinado de Minos, contó con un Senado para cada ciudad. Esparta recibió del legislador Licurgo, quien vivió en el siglo IX a. C., la constitución que instituyó el Senado de 28 miembros de 60 años, ante el cual concurrían los dos soberanos y allí discutían sus leyes y resoluciones. Atenas, que tuvo el Areópago anterior a Solón, contó con un Senado con 400 ciudadanos, que eran los padres de la patria. En cuanto a la antigua Roma, Cicerón y Tito Livio sitúan la formación de la entidad senatorial en los tiempos de su fundación por Rómulo, compuesta por los jefes de las principales familias, y su evolución fue paulatina hasta constituir un cuerpo al que posteriormente ingresaron los plebeyos y cuyas funciones eran legislativas, ejecutivas, judiciales y religiosas en algunos casos.

En tiempos de la monarquía romana, el Senado designaba al nuevo soberano a la muerte del rey y hacía la entrega del mando y sus insignias, y durante la república representó el máximo de autoridad: decidía la declaración de guerra, señalaba los términos de paz y era su voto el que decidía los tratados internacionales. Las transformaciones que sufrieron todos los pueblos durante la Edad Media, afectaron los poderes del Senado, pero su concepto clásico de reflejo de la voluntad popular fue resucitando con el Renacimiento y la ampliación del principio democrático de gobierno. España tuvo una corporación vagamente aproximada con el Estamento de Próceres, establecido en 1834, con la participación de nobles que eran sus miembros por derecho nato y de otros que lo eran vitalicios: prelados y títulos de Castilla, allí nació el Senado que apareció en la Constitución de 1837 como cámara colegisladora y que suprimió la Segunda República en su carta magna de 9 de diciembre de 1931.

El Senado en Estados Unidos, tuvo su origen en la Asamblea Constitucional de 1787, en la que los delegados de los estados que entonces tenían escasa población hicieron presente la necesidad de una cá-

Corel Stock Photo Library

La cultura romana fue la primera que contó con un Senado.

Edificio del Senado en Washington, EE.UU.

Corel Stock Photo Library

Corel Stock Photo Library

Séneca fue uno de los más importantes filósofos griegos que enseñaban públicamente.

mara legisladora superior en que hubiera cierto equilibrio representativo, puesto que en la Cámara de Representantes, ya acordada, ellos se encontrarían siempre en inferioridad de condiciones, debido a que la elección de sus miembros se practicaría de acuerdo con la proporción de los habitantes de cada región. Haciendo justicia a esta demanda se creó la Cámara alta, o Senado, que se compone de dos senadores por cada estado. En un principio, éstos fueron elegidos por las legislaturas de los estados, hasta que en 1913 se resolvió que las designaciones fueran por voto directo en el estado respectivo. El Senado estadounidense ratifica o rechaza las leyes propuestas por el Ejecutivo o la Cámara de Representantes, los nombramientos de jefes de misiones diplomáticas, secretarios del gabinete ejecutivo, etcétera. Y con los dos tercios de sus votos puede rechazar definitivamente cualquier acuerdo internacional, como ocurrió en 1919 con el Tratado de Versalles, que el presidente Thomas Woodrow Wilson sometió a la ratificación del Senado después de la Primera Guerra Mundial. Allí se creaba la Sociedad de las Naciones proyectada por este mandatario, y a la que Estados Unidos no pudo pertenecer en virtud de tal negativa. El Senado de Francia, que contaba también con alta autoridad, desapareció con la Constitución aprobada en 1946, en la que no pasa de ser un cuerpo consultivo al que se llama Consejo de la República. En la mayoría de las repúblicas americanas, el Senado es uno de los dos cuerpos que integran el poder legislativo. Su organización y sus funciones, semejantes, en líneas generales, a las del Senado de Estados Unidos, son las propias de los cuerpos colegisladores en el sistema representativo de gobierno.

Senaquerib (? -681 a. C.). Rey de Asiria (705-681 a. C.), hijo de Sargón II al que sucedió en el trono. Sostuvo guerras con los fenicios a los que tomó muchas ciudades, entre ellas Sidón. Dominó a los israelitas, que tuvieron que rendirle tributo. Peleó contra el usurpador Merodak Baladán. En la guerra contra los elamitas y babilonios obtuvo una gran victoria y penetró en Babilonia (689) la que saqueó y arrasó. Embelleció Nínive, la capital de su reino, en la que construyó grandes palacios. Halló la muerte a manos de sus hijos, los que se apoderaron de Nínive y, después, huyeron a Armenia.

Portada de una edición de los Anales *con la retórica de Séneca.*

American Heritage

Sender, Ramón José (1902-1982). Escritor español, nacido en Aragón y formado en Zaragoza y Madrid. Participó en la campaña de Marruecos en 1923-1925, y a su regreso se dedicó plenamente a la literatura y el periodismo, en Madrid. En 1935 obtuvo el Premio Nacional de Literatura por su novela *Mister Witt en el cantón*. Al finalizar la guerra Civil española pasó a México, y después se trasladó a Estados Unidos; en 1945 adquirió la ciudadanía de este país y fijó su residencia en Albuquerque como profesor de literatura española de la Universidad de New Mexico. Entre sus obras más conocidas cabe citar: *Imán*, sobre el desastre de Annual; *El verbo se hizo sexo*, biografía novelada de santa Teresa de Jesús; *Siete domingos rojos* y *El rey y la reina*. Con su Novela *En la vida de Ignacio Morel* ganó el Premio Planeta 1964.

Sendero Luminoso. Organización guerrillera peruana. De orientación maoísta, surgió como una escisión del Partido Comunista Peruano y bajo la dirección de Abimael Guzmán preconizó la lucha armada. A partir de 1980 comenzó su actuación guerrillera en el departamento de Ayacucho y posteriormente se extendió por todo el país. Hasta diciembre de 1990 había cometido unos 20,000 atentados y organizado diversas huelgas armadas, además de imponer a los campesinos su visión de la sociedad, que implica el retorno a las comunidades indígenas primitivas, el empleo del quechua y la prohibición de producir excedentes alimenticios. Llegó a contar con 25,000 militantes (1992). Este movimiento sufrió un duro golpe con la detención de su máximo dirigente, A. Guzmán, alias *presidente Gonzalo* (13 de septiembre de1992), quien fue condenado a cadena perpetua. Despueé de que Cuzmán instara a sus partidarios a deponer las armas (1993), coincidiendo con la detención de los principales dirigentes, la organización entró en decadencia.

Séneca, Lucio Anneo (4 a. C.-65 d. C.). Filósofo y escritor hispanolatino. Nació en Córdoba (España) y adolescente todavía, su padre (Marco Anneo Séneca, *el Retórico*) lo llevó a Roma para que cultivara la poesía y la elocuencia. A pesar de las prédicas de Demetrio *el Cínico*, su organismo, minado por la tuberculosis, lo inclinó al ascetismo, a lo que contribuyó Soción, discípulo de Pitágoras, al convencerlo de que no debía comer carne. Gracias al ayuno, "mi alma adquiere mayor limpieza y agilidad ... Lo que me permite mantenerme tranquilo, como el aire de la región situada encima de las nubes". Se sabe que viajó por Egipto, donde un tío suyo ejercía el cargo de prefecto, y de lo que el naturalista Plinio dice de él se infiere que también estuvo en la India. La gravedad del mal que lo afligía lo induce a pensar en la muerte. La fiebre lo extenúa. "Más de una vez –confiesa– tuve la tentación de poner fin a mis días. Lo único que me lo impidió fue el considerar que mi padre no podría soportar tamaño dolor". Su debilidad física aquieta su espíritu, lo llena de mansedumbre y lo persuade de que la impasibilidad, propugnada por los estoicos, es nuestro gesto más noble. En una prosa enérgica y sobria –de una sobriedad que la hace transparente– condena la esclavitud, califica de inhumanas las fiestas circenses en que los hombres se mataban o eran entregados a la voracidad de las fieras y clama contra la ley que autorizaba al agraviado a vengarse de su enemigo. Entiende que en la sociedad no hay clases y dice: "Portaos con vuestros inferiores como quisierais que vuestros superiores se comportasen con vosotros".

Séneca presenta dos aspectos: el de filósofo austero y frugal, y el de personaje ganoso de honores y de riquezas, aspecto éste que se manifestó cuando Agripina (la esposa del emperador Claudio) empezó a protegerlo, nombrándolo pretor y más tarde cónsul. Fue maestro de Nerón, y el afecto que éste demostraba tenerle le atrajo el odio de los que envidiaban el fausto con que vivía. No sabiendo como infamarlo, sus enemigos lanzaron la especie de que había sido él quien indujo a Nerón a matar a su madre, y más adelante dijeron que formaba parte del complot que Pisón había organizado para asesinar al emperador. Esta vez la calumnia cobró visos de verdad, y Nerón lo condenó a morir.

Séneca acató la orden serenamente, y como el tirano lo autorizaba a suicidarse, eligió cortarse las venas. Su esposa, Pompeya Paulina, aunque bella y muy joven, quiso imitarlo y se infligió varias heridas, pero él consiguió disuadirla de su empeño. La vejez y el estado de consunción en que se hallaba, prolongaron su agonía. Entre sus ensayos filosóficos y morales se destacan *De la consolación, De la providencia, De la tranquilidad del alma, De la brevedad de la vida* y *Cuestiones naturales.* Escribió varias tragedias, siguiendo modelos griegos, entre ellas *Medea, Tebaida, Edipo, Hécuba* y *Hércules furioso.* Su muerte ejemplar ha inspirado varios cuadros entre los más famosos se cuentan uno de Lucas Jordán y otro de Peter Paul Rubens.

Séneca, Marco Anneo (55 a. C.-39 d. C.). Orador y escritor hispanolatino, llamado *el Retórico*, nacido en Córdoba (España) de familia ilustre. A los 16 años se trasladó a Roma, donde estudió elocuencia y retórica, y donde permaneció más de 30 años. De regreso en su tierra natal, contrajo matrimonio con una dama ilustre que le dio hijos, entre ellos el que más tarde habría de ser el célebre filósofo Lucio Anneo. Fue un gran orador y sus escritos están reunidos en dos títulos: *Controversias* y *Suasorias*, colecciones de discursos políticos y forenses muy utilizados en las escuelas de elocuencia.

Senefelder, Aloys (1771-1834). Inventor de origen alemán, nacido en Praga. Dramaturgo aplaudido, pero falto de recursos, ideó sustituir la tipografía por el grabado para poder imprimir sus obras e inventó la litografía. En unión del músico de la Corte, Gleissner, montó una imprenta en Munich. En 1809, Senefelder fue nombrado inspector de la Real Litografía de Munich, destinada a la impresión de los mapas del reino. En 1826, y después de haber ensayado diversas modalidades de litografía, inventó la litografía policroma. Escribió un tratado completo sobre litografía (1818).

Corel Stock Photo Library

Hombre maduro de Senegal.

Senegal. Estado de África occidental. Tiene 196,722 km^2 y 8.532,000 habitantes (1996), en su mayor parte de raza negra, pertenecientes a diversos grupos étnicos (yolof, fulbe, serere, tukolor, diola, mandingo y otros) y variedad de lenguas y dialectos, aunque su lengua oficial es el francés. Limita al norte con Mauritania; al sur con Guinea y Guinea-Bissau; al este, con Malí, y al oeste con el océano Atlántico. El estado independiente de Gambia, forma un enclave al suroeste.

El país es en su mayor parte una sucesión de sabanas y llanuras bajas y arenosas; se eleva hacia el sur formando una meseta con alturas que pasan de 400 m. Los ríos principales son el Senegal, en la frontera norte; el Gambia, el Casamance y el Saloum, que riegan fértiles valles. El clima es tropical y húmedo. La economía es principalmente agrícola y ganadera. Los cultivos de mantenimiento comprenden arroz,

Pescadores en Senegal, África.

Corel Stock Photo Library

maíz, mandioca y mijo, los de valor industrial y de exportación: maní (más de 790,617 ton anuales), caña de azúcar, sorgo, nueces de palma, ricino, goma arábiga, tabaco y sisal. La explotación minera comprende fosfatos, titanio, ilmenita y circonio. Se exporta principalmente pescado, maní, aceite de maní, fosfatos y otros minerales. Se inicia el fomento industrial en la región de Dakar, con fábricas de cemento, productos químicos, aceite de maní, calzado, conservas de pescado, etcétera.

Las ciudades principales son: la capital, Dakar (1.869,323 h.), puerto de gran actividad, aeropuerto internacional, puerto de tránsito para el comercio exterior de las repúblicas del Malí y Mauritania, y estación de enlaces cablegráficos con importantes conexiones a Europa, América del Sur y a diversas partes del continente africano; Thiès (216,381), Kaolack (193,115) y Saint Louis (132,444). La red de comunicaciones comprende unos 904 km de ferrocarril, con línea principal de Dakar a la frontera con Malí y ramales a Saint Louis y otras ciudades; 14,280 km de carreteras (28% transitables en todo tiempo) y 897 km de vías fluviales.

La religión es principalmente musulmana sunníes (94%), con minorías cristianas (4.9%) y animistas. La instrucción comprende la Universidad de Dakar, con diversos liceos, institutos y escuelas técnicas (casi 16,733 estudiantes en conjunto). En 1990 se creó una Universidad en Saint-Louis. La instrucción primaria tiene escuelas misionales y escuelas públicas a las que asisten unos 738,550 alumnos.

La Constitución de 1963, varias veces revisada, introdujo un régimen presidencialista. El presidente de la república es elegido para siete años por sufragio universal y directo, y puede presentarse sólo a una reelección. El primer ministro es nombrado por el presidente de la República. La Asamblea Nacional, que ejerce el poder legislativo, consta de 120 escaños y es elegida para cinco años por sufragio universal y directo.

Gobierno. Se rige por la Constitución de 1963. El presidente de la República es elegido para un periodo de cuatro años, por un cuerpo electoral integrado por la Asamblea Nacional y representantes de las regiones y municipios. El Consejo de Ministros, encabezado por el primer ministro, es responsable ante la Asamblea. El poder Legislativo corresponde a la Asamblea Nacional, de 80 miembros, elegidos por sufragio universal.

El reino de Ghana (siglos VIII-XI) debió de extenderse por el oeste hasta la zona de Bakel, en el Senegal (donde subsiste población sarakole o soninke, etnia predominante en Ghana). El oro de Ghana venía probablemente de los placeres de Bambou (alto Falémé). El reino de Tekrur (Tokoror, de donde proviene el nombre étnico tukulor) es mencionado por los cronistas árabes. Ocupaba el valle del Senegal y su rey se convirtió al Islam en el siglo XI. A partir del siglo XIII o del XIV el conjunto del Senegal entró en la esfera de dependencia del imperio de Malí. Los conquistadores malinkes colonizaron los valles del Gambia y del Casamance. En el siglo XIV se constituyó el reino yolof, cuyo rey tenía bajo su soberanía a los jefes de las provincias de Oualo (bajo Senegal), Cayor (costa entre la desembocadura del Senegal y Cabo Verde), Baol, Sine y Saloum, los cuales se convirtieron muy pronto en reyes independientes. A principios del siglo XVI un jefe fulbe procedente de Futa Djalón, Koli Tenguella, erigió un reino en el emplazamiento del antiguo Tekrur. La dinastía que fundó, los deniankes, reinó hasta 1776.

A mediados del siglo XV los portugueses descubrieron la desembocadura del Senegal y Cabo Verde; el veneciano Cadamosto, al servicio del príncipe portugués Enrique *el Navegante*, dio la primera descripción del país yolof y descubrió el Casamance. El monopolio portugués cesó a mediados del siglo XVI y holandeses, británicos y franceses se disputaron su lugar y las factorías de la costa durante ese siglo y a lo largo de los siglos XVII y XVIII. Los franceses, instalados en 1638 en la desembocadura del Senegal, fundaron en una isla del río el fuerte de Saint Louis (1659) y arrebataron a los holandeses (establecidos en 1588) la isle de Gorée, junto a Cabo Verde (1677). Los británicos ocuparon las posesiones francesas (Gorée y Saint Louis) en dos ocasiones (1763-1783 y 1809-1817) y se instalaron en la segunda mitad del siglo XVII en Gambia (Fort James).

Las compañías de comercio privilegiadas francesas y británicas que administraban los fuertes, practicaron la trata de esclavos y el comercio del oro (en Gambia) y, sobre todo, de la goma (en el Senegal). La historia de los reinos yolof (aparte de las querellas entre pretendientes y las guerras entre vecinos) esta senalada en este periodo (siglos XVI-XVII) por el empuje de los moros, que se establecieron en la villa derecha del Senegal, y las rivalidades que opusieron en Cayor la turbulenta aristocracia militar de los tiedos a los marabuts propagandistas del Islam. Estos últimos fracasaron durante el siglo XVII en una tentativa para hacerse dueños del poder (guerra de los marabuts), pero a finales del siglo XVIII consiguieron crear en la península de Cabo Verde, con el apoyo de los autóctonos lebus, una pequeña república independiente.

El empuje islámico se manifestó en 1776 por la revolución que puso fin al poder de los deniarkes en el valle del río (Futa Toro), reemplazándolo por una monarquía teocrática y electiva dirigida por un almamy (al-Imãm). Poco después, el jefe tukulor de Bundu también tomó el título de almamy (pero en este caso se trataba de una monarquía hereditaria de poder fuerte). El naturalista francés Michel Adanson ya había explorado el interior del Senegal de 1749 a 1753, interesado principalmente por los recursos naturales. Pero fue sobre todo a finales de ese siglo cuando las exploraciones se dirigieron hacia el interior de África, donde los ríos Senegal y Gambia constituían los accesos más fáciles. El escocés Mungo Park, en el curso de varios viajes entre 1795 y 1805, alcanzó por primera vez y reconoció parcialmente el curso del Níger; el f rancés Mollien (1818) alcanzó las fuentes del Senegal y del Gambia. Raffenel (1843-1847) completó la exploración del interior del Senegal.

Los gobernadores Schmaltz y Roger (1817-1827) intentaron reemplazar la trata de esclavos por una colonización agrícola, que fracasó. El único recurso que quedó fue el comercio de la goma, lo que condujo a los franceses a volver a instalarse en el río (fuerte de Bakel, 1818). Faidherbe, comandante militar y más tarde gobernador del Senegal (1854-1861 y 1863-1865), inauguró la conquista territorial: anexionó Oualo, rechazó a los moros, obligó a éstos a renunciar a los *derechos* (impuestos) que exigían a los comerciantes y derrotó al conquistador musulmán al-Hayy 'Umar y lo obligó a renunciar al Senegal (1860). La península de Cabo Verde y el paraje de Dakar fueron ocupados en 1857. Faidherbe creó las bases del sistema administrativo y militar del África negra francesa, inspirándose en el modelo de Argelia, donde hizo sus primeras armas (círculos dirigidos por administradores franceses; tropas indígenas: los *tiradores senegaleses*). Sus sucesores terminaron su obra: eliminación de Lat-Dior, último rey de Cayor, que se oponía a la construcción del ferrocarril Dakar-Saint Louis, eliminación del marabut Mamadou Lamine, que había creado un Estado entre el alto Senegal y el alto Gambia (1887); anexión de Yolof (1890). Futa Toro fue anexionado en 1890. Sine y Saloum fueron puestos bajo protectorado en 1891; Baol fue anexionado en 1894. En adelante, las autoridades francesas sólo tuvieron que sofocar revueltas locales.

Limitado al sur por la Guinea Portuguesa (acuerdo de 1886), Senegal cedió a los británicos, por acuerdo del 10 de agosto de 1889, el enclave de Gambia (de 12 a 20 km de amplitud en los 300 km del curso inferior del Gambia). La penetración francesa en dirección al Níger, preparada por Faidherbe, y la instalación de los franceses en Guinea, Costa de Marfil y Dahomey hicieron del gobernador del Senegal, a partir de 1895, el jefe del conjunto de posesiones francesas en África del oeste con el título de gobernador general del África

Occidental Francesa (AOF). Hasta 1902 no se separaron las funciones: el gobernador general se instaló en Dakar, mientras que el gobernador del Senegal permaneció en Saint Louis.

Desde mediados del siglo XI las casas comerciales de Burdeos que controlaban el comercio del Senegal comenzaron a interesarse por el cacahuate, único producto exportable, bien adaptado al suelo arenoso y al clima relativamente árido del Senegal. La construcción de los ferrocarriles Dakar-Saint Louis (terminado en 1896), Kayes-Níger (terminado en 1906) y, por último, Dakar-Thiès-Niger (1907-1923) dio poderoso impulso al cultivo del cacahuate, primero en Cayor y más tarde en Sine-Saloum. El movimiento islámico representó un importante papel en la extensión del cultivo del cacahua te. La exportación pasó de 15,000 TM (1898) a 225,000 TM (1910) y a 500,000 TM (1926); las grandes sociedades comerciales de Burdeos y Marsella que controlaban esa exportación y estaban ligadas a las sociedades aceiteras francesas se opusieron hasta la Segunda Guerra Mundial a la creación de una industria de oleaginosas en el mismo Senegal. El dinero del cacahuate servía para pagar los impuestos, los productos elaborados importados (tejidos, quincalleria) y una parte de la alimentación (80,000 TM de arroz de Indochina, para compensar la insuficiencia del cultivo de víveres)

Senegal (reducido entonces a las plazas de Saint Louis y Gorée) recibió en 1848, y de nuevo en 1871, el derecho de elegir un diputado para la Cámara francesa. Pero ese derecho de elegir el diputado, las municipalidades y después un Consejo General (1879) en un marco copiado de las instituciones francesas, estaba reservado a la minoría de los habitantes de las cuatro comunidades en pleno ejercicio. Saint Louis, Gorée, Rufisque y Dakar. El primer diputado negro, Blaise Diagne, hizo reconocer sin equívoco a sus electores la ciudadanía francesa (1916) con el privilegio de no aplicación del código civil francés a los musulmanes polígamos. Los habitantes del resto de la colonia eran súbditos franceses, sometidos a la autoridad absoluta de los administradores franceses, al impuesto de capitación, a las prestaciones de trabajo y al indigenismo (sujeto a penas de multas o de prisión por decisión administrativa).

Durante la Segunda Guerra Mundial, el AOF permaneció fiel al mariscal Pétain desde 1940 hasta 1942. Una tentativa de desembarco anglo- gaullista en Dakar (23 de septiembre de 1940) fracasó. La posterior adhesión a la Francia Libre dejó al AOF aislado de la metrópoli hasta la liberación de ésta en 1944 e impuso el desarrollo de algunas industrias (aceiteras principalmente). En las primeras elecciones (1945), que coincidieron con un período de agitación social, fueron elegidos dos diputados del Bloque Africano, Lamine Gueye y L. S. Senghor, quienes se inscribieron en el partido socialista francés y rehusaron asociarse al *Rassemblement Démocratique Africain* (RDA). En 1948 Senghor rompió con L. Gueye y ei partido socialista, y creó el Bloque Democrático Senegalés, que triunfó en las elecciones de 1951. La Unión Democrática Senegalesa, de extrema izquierda, minoritaria, fue excluída del RDA en 1955 y se fusionó con el partido de Senghor (1956). El nuevo partido triunfó en las elecciones de 1957, y su secretario general, Mamadou Dia, constituyó el gobierno autónomo.

Senegal fue un territorio de África occidental francesa hasta 1958 en que se erigió en república autónoma dentro de la Comunidad Francesa. En abril de 1959 se unió a la República Sudanesa para formar la Federación del Malí, la que obtuvo su completa independencia, dentro de la Comunidad, en junio de 1960. Pero surgieron diferencias en la federación sobre el carácter centralista o autónomo que debía tener, y el 20 de agosto de ese año, Senegal se separó de la federación, que se disolvió, se proclamó en nación independiente y adoptó su propia Constitución. En las elecciones de septiembre de 1960 fue designado primer presidente del Senegal Leopold Sedar Senghor, secretario general del Partido Unión Progresista Senegalesa, quien fue reelegido sucesivamente en los años de 1963, 1968, 1973 y 1978 para continuar en la presidencia. Finalmente, en 1981 renunció y lo sustituyó en el cargo Abdou Diouf.

En febrero de 1982, Senegal y el vecino país de Gambia acordaron formar la Confederación de Senegambia, a fin de preservar sus intereses comunes. Se fusionaron las fuerzas armadas de ambas naciones que, sin embargo, conservaron sus respectivas soberanías y acordaron coordinar sus políticas en materia económica, monetaria y en otros campos. La Confederación de Senegambia está regida por un Consejo de Ministros encabezado por el presidente de Senegal, y cuyo vicepresidente es el primer mandatario de Gambia.

En las elecciones de febrero de 1983, Abdu Diuf fue elegido presidente de la república y el partido socialista obtuvo 109 de los 120 escaños en disputa. En diciembre de 1983 se registraron violentos enfrentamientos en la región del río Casamance, al sur del país, entre los independentistas y la policía, causando la muerte de 15 personas. El Partido Socialista (PS) revalidó la mayoría en las elecciones de febrero de 1988, aunque el líder del opositor Partido Democrático (PDS), Abdoulaye Wade, impugnó el resultado y fue detenido. Abdu Diuf fue reelegido presidente. En abril de 1989 estallaron los enfrentamientos entre mauritanos y senegaleses en Dakar, Nuakchott y Nuadhibu, que causaron centenares de muertos y la repatriación forzosa de miles de mauritanos de Senegal hacia Mauritania y de otros tantos miles de negroafricanos de Mauritania a Senegal. En 1989 fue disuelta la Confederación de Senegambia. Reelegido en 1993, Diuf volvió a impulsar una coalición entre el PS y el PDS, aunque el primero obtuvo la mayoría absoluta en la Asamblea Nacional (84 escaños) en las elecciones legislativas (9 de mayo de 1993). Pese a la tregua entre el Gobierno y los secesionistas (8 de julio de 1993), la situación se agravó en 1995 en Casamance. *Véase* ÁFRICA *(Mapa).*

Senegal. Río del oeste de África, que nace a 275 km del océano Atlántico en la región de Futa Djalon y cuyas aguas forman primero dos brazos, el Bafing y el Bahkoy, que se unen cerca de Bafoulabé para constituir una sola corriente, que fluye en dirección noroeste por un cauce accidentado por rápidos y saltos, hasta Kayes. A partir de este punto es navegable y, después de pasar por Matam y Podor, se vierte en el Atlántico por Saint Louis. Recibe entre otros afluentes el Faleme. Este río tropical traza en la estepa una cinta de tierras cultivables y sufre crecidas muy irregulares. Su curso es de 1,700 kilómetros.

senilidad. Periodo de la vida humana durante el cual se observa una disminución general de las condiciones físicas y psíquicas que surge al término de la madurez. No puede señalarse una edad determinada para su aparición, aunque ordinariamente oscila entre los 60 y 70 años. Los progresos realizados en higiene y dietética han reducido considerablemente los efectos de esa última fase de la vida humana. *Véase* ANCIANIDAD.

senior. Término utilizado para designar a los miembros de la aristocracia goda, descendientes de los linajes más antiguos y que disfrutan de una categoría superior, derivada del prestigio de su estirpe. En la actualidad este término se utiliza para designar a la persona de más edad, autoridad, experiencia o suficiencia en un cierto lugar o situación.

Los seniores godos se rodeaban de un séquito de clientes (*saiones*), hombres libres de inferior categoría, que estaban unidos a ellos por vínculos personales de fidelidad y obligados a prestarles ayuda militar o servicios. En los Estados hispanoamericanos de la Reconquista los *seniores,* también llamados magnates, optimates, próceres, ricoshombres, etcétera, eran los nobles de primera categoría. En numerosas ciudades y villas de Castilla, Aragón y Navarra hubo durante la Edad Media un oficial público, llamado *senior villae* o *senior civitatis,* delegado del rey en las localidades de realengo y del señor en las de señorío.

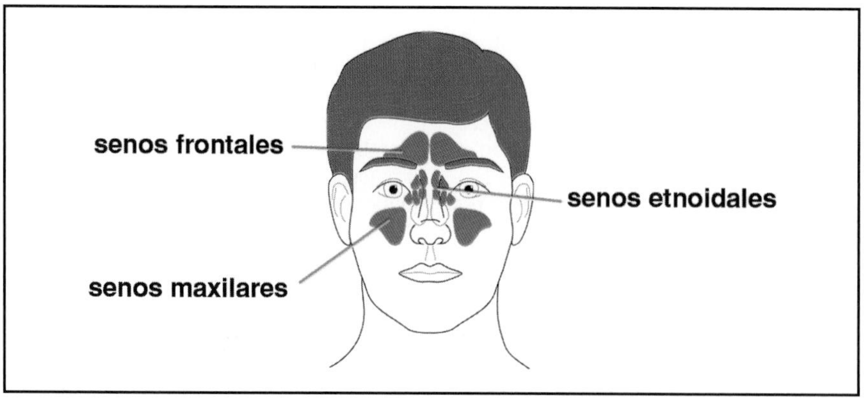

Corel Gallery / Ediciones Calíope

Ubicación en la cabeza de los senos de la cabeza.

Como representante de uno u otro en los municipios tenía atribuciones militares, financieras y policiacas.

seno. Cavidad o hueco. En anatomía es la cavidad existente en el espesor de un hueso o formada por la reunión de varios huesos. En la cabeza humana son notables cuatro pares de cavidades llamadas senos. Los frontales, situados encima de los ojos, en la frente. Los maxilares, a cada lado de la nariz, en las mejillas. Los etmoidales, en la parte superior de la cavidad nasal. Y los esfenoidales, colocados por detrás de los etmoidales. Los senos contribuyen a que sea menos pesado el esqueleto del cráneo, sin reducir su fortaleza. Tienen alguna influencia en la respiración y en la resonancia de la voz. Las membranas que tapizan los senos son de la misma estructura que las de la nariz. Cuando se acatarran o se inflaman, se denomina sinusitis con producción de moco o pus. Puede ser inflamación aguda o crónica y los atacados se quejan de dolores, que pueden ser muy intensos. La radiografía de los senos es un buen medio de diagnóstico. El tratamiento se realiza a base de antibióticos, punciones y otros medios quirúrgicos.

sensación. En su acepción más amplia es la impresión que las cosas producen en la conciencia por medio de los sentidos. Es conveniente distinguir entre sensación y percepción, asignando a la sensación el estímulo que de las cosas reciben los órganos de los sentidos y a la percepción la impresión que esos estímulos producen en la conciencia. Para recibir, por ejemplo, la sensación de una luz o de un color, se necesita un órgano especializado, el ojo, conectado por nervios a un centro óptico cerebral que, a través de ellos, recibe los impulsos nerviosos que le envía el aparato ocular. Los procesos cerebrales elaboran esos impulsos y se produce el fenómeno fisiológico y psíquico, a la vez, de la percepción sensorial.

Esas sensaciones y percepciones, recibidas por el cerebro y registradas por la conciencia, se unen y combinan en infinitas formas, y preservadas en los mecanismos de la memoria y utilizadas por la imaginación, suministran los elementos con que construimos nuestro concepto de la realidad y de la fantasía. De esa manera, las sensaciones sirven de base a nuestras ideas y son los cimientos sobre los que descansa la complicada estructura de nuestro conocimiento.

sensibilidad. Facultad de sentir propia de los seres vivos. En filosofía y según el sensualismo, es la fuente primera de todo conocimiento cuyo contenido se reduce íntegramente al material aportado por ella. También se refiere a la facultad (pasiva) de recibir intuiciones sensibles, en tanto que entendimiento y razón son espontáneos (activos), según Immanuel Kant y el racionalismo moderno. Por otro lado, es también la propensión natural del ser humano a dejarse llevar por los efectos de la compasión, humanidad y ternura.

Para las distintas ciencias la sensibilidad es el grado o medida de la eficacia de ciertos aparatos científicos, ópticos, etcétera, y la capacidad de respuesta a muy pequeñas excitaciones, estímulos o causas. Asimismo, es el grado de reacción de un explosivo frente a diferentes excitaciones, tales como choques, rozamientos y calor. En física es el cociente entre el desplazamiento del índice, o fracción apreciable de la escala, de un instrumento de medida y la variación de la magnitud medida que produce tal desviación.

En fotografía el término sensibilidad se refiere a las propiedades de las placas y películas fotográficas de formar con mayor o menor rapidez la imagen latente, por la acción de los rayos luminosos, y que condiciona el tiempo de exposición de las mismas. En tanto, en radiotecnología es la propiedad de los radiorreceptores que define la posibilidad de recibir señales de débil amplitud. La sensibilidad de un receptor de radio se expresa mediante la mínima señal que puede recibir para una relación señal/ruido determinada.

sensibilización. Acción y efecto de sensibilizar o hacer algo o a alguien sensible. Para la fisiología es la modificación de la reactividad inmunológica del organismo, causada bien por la inyección repetida de una sustancia con poder antigénico (sensibilización activa) o bien mediante la inyección de un suero que contiene anticuerpos reagínicos (sensibilización pasiva).

En fotografía se llama sensibilización cromática a la capacidad de las emulsiones sensibles para captar los colores con diferentes intensidades, tal y como el ojo humano percibe mejor ciertos colores.

sensitiva. *Véase* MIMOSA.

sensitometría. Determinación y estudio de las principales características de las capas sensibles utilizadas en las películas fotográficas. Los procesos actuales de fabricación de placas y películas sensibles han quedado reducidos al procedimiento de coloidón húmedo y al de gelatina-bromuro, siendo este último el de mayor importancia industrial. Los grandes avances en la tecnología química han permitido alcanzar una gran selección en la elaboración de los elementos propiamente sensibles, pero no ha sucedido lo mismo con las gelatinas que los soportan sobre las películas, ya que las propiedades de dichas gelatinas presentan variaciones aún en las preparadas con un solo procedimiento por el mismo fabricante. La sensitometría surgió por esas diferencias entre películas, pues en ciertos trabajos fotográficos resulta indispensable conocer *a priori* las propiedades reales de sensibilidad de la película que será utilizada, tales como ennegrecimiento, densidad, granulación, granularidad, irradiación, poder resolutivo y precisión de las imágenes, para así obtener resultados óptimos.

sensualismo. Doctrina filosófica que hace de la sensación el elemento primario, no sólo del conocimiento, sino de la realidad, definiendo las cosas como conjuntos o sistemas de sensaciones que sostiene que la vida psíquica tiene su origen en los sentidos y todo conocimiento puede reducirse en último término a sensaciones, sin necesidad de añadir elementos activos del sujeto o condicionameintos por *formas* inherentes a éste. El epicureísmo era puramente sensista. El fundador del sensualismo moderno fue Thomas Hobbes (*De corpore*, 1655) y su principal representante fue Étienne Bonnot de Condillac (*Traité des sensations*, 1754).

sentencia. Resolución solemne de jueces y tribunales por la que se pone fin a pleitos y recursos e incidentes de los mismos. Constan de encabezamiento (fecha, tribunal que la dicta, asunto o negocio que la motiva, etcétera); cuerpo (exposición de hechos y principios de derecho aplicables) y fallo (o parte dispositiva en la que se absuelve, se condena, o se declaran los derechos y obligaciones que corresponden a las partes). La sentencia puede ser firme, cuando no admite recurso alguno, y ejecutoria si implica su cumplimiento inmediato.

Corel Stock Photo Library

El sentido del tacto nos permite percibir sensaciones físicas en el cuerpo (izq.), mientras que el sentido de la vista nos permite admirar un atardecer (der.).

sentidos. Órganos por los cuales nos comunicamos con el mundo exterior. Los sentidos más conocidos son cinco: vista, oído, olfato, gusto y tacto. Algunos fisiólogos hablan de otros sentidos, también muy importantes. El sentido del equilibrio y del movimiento (localizado en el oído interno) nos permite estar de pie o sentados, caminar o correr, etcétera. El hambre y la sed también pueden ser consideradas como nacidas de ciertos sentidos, que reaccionan tanto ante estimulos internos (falta de agua o de alimento; estómago vacío, garganta seca) como ante otros externos (la percepción por el olfato o la vista de determinado manjar). Los sentidos están además formados por un conjunto de órganos independientes: cada uno de ellos percibe una sola sensación. La mente une luego estas diversas impresiones y las percibe como una sola. Así, por ejemplo, no hay sentido del tacto propiamente dicho; ciertos órganos de la piel reaccionan ante la temperatura, otros ante la presión, otros ante el dolor, etcétera. Si tocamos con una aguja fría uno de los puntos de la piel sensibles al calor tendremos la sensación de una quemadura. En ciertos organismos inferiores no hay generalmente órganos especiales para cada una de las sensaciones. Todo el cuerpo reacciona a la vez ante los estímulos del mundo exterior. Sin embargo, en algunos de estos seres determinados pigmentos en ciertas áreas de la piel reaccionan a la luz de un modo similar al ojo humano.

No se conoce con precisión por qué los sentidos reaccionan ante ciertos fenómenos del mundo exterior, cómo transforman esas impresiones en una corriente nerviosa que recoge el cerebro y el funcionamiento de éste al recibir esas impresiones y proceder en consecuencia. Algunos explican las sensaciones visuales comparándolas con las reacciones químicas de ciertos cuerpos ante determinadas fuentes de energía (en este caso, los rayos de la luz). Los estímulos nerviosos recibidos por el cerebro serían transmitidos a los músculos y de ese modo acomodaríamos nuestro ser a la realidad. El ruido de un automóvil que se acerca a nosotros es sólo una sensación auditiva; los movimientos que hacemos para apartarnos de su camino, están dirigidos por el cerebro, que ha respondido adecuadamente a la sensación.

Cada uno de los sentidos percibe solamente ciertos fenómenos y de éstos un número limitado. Hay, por ejemplo en el universo, ciertos sonidos que no son recogidos por el oído humano, aunque sí por ciertos animales. La intensidad mínima que un estímulo exterior necesita para ser sentido por el hombre se llama umbral del estímulo. *Véanse* CEREBRO; GUSTO; OÍDO; OJO; OLFATO; NERVIOS Y SISTEMA NERVIOSO; SENSACIÓN; TACTO.

sentimiento. Estado de conciencia, independizado del conocimiento y de la voluntad, por estar sujeto a nuestra naturaleza y a nuestros hábitos. Es un concepto que suele aplicarse para designar fenómenos afectivos de muy diversas causas. Así, si predomina la concepción psicofisiológica, se le considera como un hecho originario, al lado de la voluntad y del conocimiento; pero, si se considera objetivamente la conciencia, entonces se evidencia como algo que cae dentro de lo biológico y lo lógico. No falta quien lo supone como una mani-

El sentido del gusto nos permite percibir los sabores (izq.) y el del olfato, los olores (der.).

Corel Stock Photo Library

festación simple del instinto. En un estudio amplio son objeto de su contenido el placer y el dolor, las emociones y las pasiones; el desarrollo de la vida afectiva y sus leyes. Para la filosofía sigue formando parte de la estimación de los valores.

señal de la Cruz. Cruz formada con dos dedos de la mano o con el movimiento de ésta. La liturgia usa este signo en muchas ceremonias (misas, bendiciones, extremaunción, etcétera) y le atribuye una significación derivada del símbolo de la Cruz y su importancia en la pasión de Jesucristo.

señales. Signos o indicaciones utilizados para comunicarse a distancia. Pueden ser visuales o auditivas. Es indispensable que la persona a quien van dirigidas conozca su significado de antemano. Cuando la comunicación verbal o escrita es imposible o no resulta conveniente, las señales adquieren toda su importancia. Los sistemas de señales son de gran aplicación, principalmente en los buques y en los ferrocarriles.

Señales auditivas. Los sonidos que el hombre emplea para transmitir mensajes son de dos clases: o muy agudos o muy graves. En pocas ocasiones se utiliza la voz humana, los indios norteamericanos, por ejemplo, lanzaban gritos especiales para comunicarse con las tribus vecinas, aprovechando la circunstancia de que el sonido repercutía en montañas y precipicios y sus ecos eran transmitidos a gran distancia. Método parecido utilizan los guías de los Alpes, cuyo canto, llamado *yodel*, consiste en modular la voz pasando rápidamente del tono natural al falsete, y viceversa; durante muchos siglos este sonido sirvió para comunicar mensajes en caso de peligro. El silbido también puede ser una señal, como cuando lo utilizamos para llamar a un perro. El cuerno de caza, usado por los antiguos griegos, romanos y en la Edad Media, estuvo en manos de muchos héroes, unos legendarios y otros reales. Rolando, uno de los capitanes del gran emperador Carlomagno, que vivió en el siglo VIII, tenía una trompa mágica llamada *Olifante*, con la cual pidió auxilio cuando lo hirieron de muerte en los desfiladeros de los Pirineos.

Corel Stock Photo Library

Los niños tienen una gran capacidad de expresar sus sentimientos.

Existen señales internacionales, como la de ALTO, *las cuales son códigos simbólicos independientes del idioma en que se escriban.*

Corel Stock Photo Library

En la Edad Media los leprosos marchaban por las calles haciendo sonar unas tablillas para que nadie se les acercara. Las campanas de las iglesias, típicas señales de la vida religiosa, han servido también para otros propósitos. El toque de somatén, por ejemplo, servía para advertir al pueblo de un peligro. En la Edad Media, las campanas tañían al anochecer para indicar el toque de queda, que era el momento en que campesinos y aldeanos debían retirarse a descansar. La costumbre subsistió en muchos países hispanoamericanos hasta el siglo XIX. La enorme campana de la Universidad de Oxford, llamada *Great Tom,* todavía suena a las nueve de la noche en que da 101 campanadas.

La del tambor es una de las señales más antiguas. Usada en rituales mágicos del hombre primitivo, también sirvió para comunicar mensajes. El *tom-tom* y el *tam-tam* de los pueblos asiáticos y africanos suelen tener dos notas, una muy grave y otra más aguda, y se hacen sonar junto al cauce de los ríos, lo que favorece la propagación del sonido. Algunas tribus los colocan junto a la entrada de un hormiguero de termitas, porque éste actúa como gigantesca caja de resonancia y amplifica las vibraciones. Los mayores tambores del Congo pueden ser oídos a más de 30 km de distancia. Otros indígenas y tambores, colocados a intervalos apropiados, recogen el mensaje y lo retransmiten con rapidez a enormes distancias. Cada tribu tiene su código de señales, que se transmite de generación en generación, dando origen a un verdadero telégrafo de la selva.

Signos visuales. Las hogueras son las más antiguas de todas las señales visibles. La noticia de la caída de Troya fue transmitida desde la ciudad sitiada hasta Argos, en Grecia, (una distancia de 650 km), por una cadena de fuegos encendidos en lo alto de las montañas. Siglos más tarde, los romanos construyeron faros en sitios estratégicos y por este medio enviaban mensajes desde la capital del imperio a los sitios más remotos. En las fronteras fortificadas siempre había señaleros que comunicaban la presencia de tropas hostiles. Una famosa línea de faros iba a través de Asia Menor durante el siglo VIII d. C., servía para informar al emperador bizantino acerca del riesgo de una invasión sarracena. Sólo ocho faros eran necesarios para enviar un mensaje desde la frontera hasta Constantinopla, distante casi 800 km. Una cadena de hogueras, que iba desde el Canal de la Mancha hasta la frontera escocesa, advirtió a los ingleses de la proximidad de la Armada Invencible enviada por España, en 1588.

Las señales de humo, todavía practicadas por los exploradores en regiones poco accesibles, fueron empleadas en gran escala por los indios americanos. Éstos hacían una hoguera con pasto no muy seco y la cubrían a intervalos con un trapo mojado; cada vez que levantaban el trapo se elevaba una columna de humo. Combinando columnas cortas y largas y dejando intervalos variables entre una y otra, disponían de un código comparable al Morse.

Banderas y gallardetes han sido utilizados en todos los tiempos para enviar mensajes. Existe el Código Internacional de Señales con banderas, usado por las marinas de todos los países. El código posee una bandera para cada letra y cada número, así como emblemas para comunicar noticias importantes: "necesitamos piloto", "buque en cuarentena", "motín a bordo", etcétera. Además, se pueden transmitir mensajes con un par de banderas, una en cada mano, correspondiendo una letra o número a cada posición de ellas.

Los destellos y las luces también son recursos antiguos. Los ejércitos romanos se comunicaban por medio de grandes espejos que reflejaban los rayos del sol a enormes distancias. Hoy se utiliza el código Morse para enviar señales por medio de proyectores y reflectores, especialmente de noche; un destello corto equivale a un punto y uno largo representa una raya. Se emplean también cohetes de señales y luces de Bengala, blancas, verdes y rojas. Todos los aviones que vuelan de noche deben llevar una luz roja encendida en el extremo del ala izquierda, y una luz verde en el extremo del ala derecha. Todo buque debe llevar luces similares, así como faroles blancos en los mástiles.

En los bombardeos nocturnos se suele iluminar los blancos por medio de cohetes luminosos que caen lentamente, suspendidos de pequeños paracaídas. Algunos pilotos aéreos se comunican entre sí utilizando el código Morse: el puño cerrado equivale a un punto y la mano abierta representa una raya.

Señales radioeléctricas. Son de gran utilidad en las comunicaciones de todas clases. Por radiotelefonía se transmiten señales y órdenes mediante la voz humana. Por radiotelegrafía se utiliza el código Morse para enviar mensajes, cifrados si es necesario.

Las diversas convenciones internacionales de telecomunicaciones se celebran periódicamente para regular esta compleja red de señales y mensajes que hoy surcan los aires. Todas las naciones participan en estas reuniones que han creado un código internacional de señales. Cada señal tiene el mismo significado en todos los idiomas: por ejemplo, CQ es la señal empleada para atraer la atención de todas las estaciones. Cuando un buque o avión se encuentra en peligro, pide auxilio por medio de diversas señales.

Un buque anuncia mediante detonaciones, que está a punto de zozobrar. Para las detonaciones emplea cohetes o cañonazos, que dispara cada minuto. Hace sonar, también, la sirena, de manera continua. Iza en un mástil las banderas que corresponden a la señal NC del código internacional, y que significa: "Estamos en peligro y necesitamos ayuda inmediata". Por radiotelegrafía lanza la señal SOS. Una leyenda afirma que esta sigla es la abreviatura de la expresión inglesa *Save our souls* (*Salvad nuestras almas*); la opinión es errónea: las tres letras fueron elegidos porque en el alfabeto Morse están representadas por tres puntos, tres rayas y tres puntos (...-...), señal muy fácil de captar y transmitir.

El piloto de un avión lanza una sucesión de luces blancas al aire, separadas por breves intervalos, y repite continuamente ante su radioteléfono la expresión *M'aider* (*Ayudadme*, en francés), que los pilotos ingleses y estadounidenses convierten en la palabra *mayday*.

De noche se pueden utilizar otras señales como prender fuego a un tambor de alquitrán o petróleo sobre la cubierta del buque; y lanzar cohetes o fuegos de artificio de cualquier color, a intervalos regulares, y usar cualquiera de las señales acústicas.

Todos los ejércitos modernos tienen cuerpos de señaleros, que transmiten mensajes durante el combate. Desde complicados aparatos de radiotelefonía y radiotelegrafía hasta recursos tan simples como la bicicleta y las palomas mensajeras, todo se emplea en las comunicaciones bélicas. La radio presenta dos graves inconvenientes: su clave puede ser descifrada por los servicios criptográficos del enemigo, y los destacamentos de ingenieros pueden localizar el sitio en que está el transmisor. En los aviones y tanques, que deben dar primacía a la velocidad sobre la seguridad, la radio es el medio ideal para enviar órdenes y señales. *Véanse* COMUNICACIONES; FARO; HELIÓGRAFO; LENGUAJE POR SIGNOS; RADIOTELEGRAFÍA Y RADIOTELEFONÍA; RADIOGRAMA; SEMÁFORO; SIRENA; TELÉGRAFO.

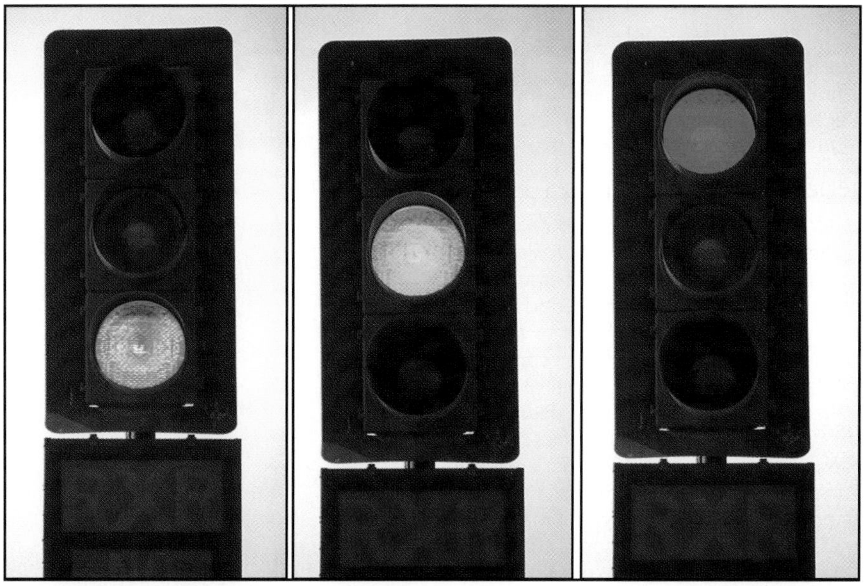

Corel Stock Photo Library

De izq. a der: en un semáforo la luz verde significa vía libre, *la ámbar significa* precaución *y la luz roja* alto total.

separación de bienes. Sistema o régimen de bienes en matrimonio en virtud de los cuales cada uno de los cónyuges conserva sus bienes propios, usándolos y administrándolos sin intervención del otro, o reteniendo el marido la administración y disfrute de ellos.

separación matrimonial o divorcio. Cesación por decisión judicial del deber de vida en común de los cónyuges; dicha decisión produce además otros efectos eventuales en el régimen económico y paterno-filial de los cónyuges, como la persona a cuyo cuidado deberán quedar los hijos, el ejercicio de la patria potestad, el régimen de visitas, el uso de la vivienda y ajuar familiar y otros aspectos económicos.

septicemia. Estado patológico debido a la invasión y multiplicación de los microbios patógenos en la sangre, a la que llegan desde muchos puntos: dientes cariados, garganta, nariz, abscesos, heridas o desde cualquier órgano difundiéndose así a todo el organismo. En la septicemia las defensas naturales del organismo están disminuidas y los leucocitos no son suficientes para destruir las bacterias patógenas. El pulso es rápido, la fiebre alta y el estado muy grave. El médico trata esta infección general según su causa y los síntomas.

septiembre. Noveno mes del calendario occidental llamado gregoriano, pero que se hallaba en séptimo lugar en el calendario romano hasta que Numa y los decenviros resolvieron colocar a enero y febrero en los dos primeros meses del año. Pasó entonces septiembre al noveno puesto, pero le respetaron su primitiva denominación, tal cual lo hicieron con octubre, noviembre y diciembre. Hubo quienes trataron de modificar su título pero fracasaron en sus intentos. En la antigüedad fue un mes importante. En su periodo se verificaban los grandes juegos romanos consagrados a rendir homenaje a Júpiter, Juno y Minerva; estaba íntegramente dedicado a Vulcano y el día 25 era el de *Venus genitrix*. Siempre ha sido mes de 30 días, y entre el 21 y el 22 el Sol pasa del hemisferio celeste boreal al austral, lo que se llama su entrada en el signo de Libra, en el cual días y noches son iguales en todo el orbe. Entonces comienza el otoño en el hemisferio boreal y se inicia la primavera en el austral. A septiembre se le representa como un hombre que sostiene un lagarto, rodeado de racimos de uvas y toneles. En su transcurso han ocurrido dos hechos especialmente notables en la historia humana: Vasco Núñez de Balboa descubrió el océano Pacífico (1513), y el presidente estadounidense Abraham Lincoln anunció la liberación de los esclavos (1862).

Corel Stock Photo Library

Sepulcro dentro de una iglesia católica.

sepulcro y sepultura. Obra de variada forma y tamaño que se construye para dar en ella sepultura al cadáver de una persona. Su variedad guarda estrecha relación con el grado de civilización, el rito dominante (inhumación o incineración) y otras circunstancias. Cronológicamente, el primero de los sepulcros monumentales fue el megalítico, que consistía en unas cuantas losas de piedra de gran tamaño, colocadas en sentido vertical, apoyándose mutuamente hasta formar una cámara poligonal, cubierta por una gran piedra como tapa. Con la incineración, que se extiende en la Edad del Bronce, cambian las formas sepulcrales: las cenizas se colocan dentro de un vaso o urna que se emplaza en un orificio hecho en el suelo y que se reviste o no de piedras.

Sepulcros en un cementerio de Rumania.

Corel Stock Photo Library

En la grandiosidad y magnificencia de los sepulcros ningún país ha superado a Egipto, y las pirámides faraónicas son los mayores monumentos de esa clase jamás construidos. Los hipogeos egipcios, sepulcros abiertos en la roca, abundan en el Valle de los Reyes y en las cercanías de Tebas. El cadáver, embalsamado, iba colocado en el interior de diversos féretros de madera, plomo y piedra, revestidos a veces de metales preciosos. Los judíos usaban desde remotos tiempos dos tipos de sepulcro: vulgares y nobles, aquéllos en tierra y éstos en la roca viva. Cristo fue sepultado en una tumba abierta en la roca, perteneciente a José de Arimatea. Los griegos no prestaron gran importancia a los sepulcros aunque se han encontrado en Creta grandes hipogeos. Lo corriente era un hoyo en el suelo, en el que colocaban directamente el cadáver o un sarcófago de piedra que lo contenía, o bien la urna en caso de incineración, pues coexistían ambos ritos.

La reina Artemisa hizo construir un monumento sepulcral en memoria de su esposo Mausolo, rey de Caria, monumento que fue considerado, como una de las Siete Maravillas del Mundo Antiguo. Merced a esa celebridad, la palabra mausoleo es desde entonces sinónimo de tumba. Los romanos emplearon hipogeos, cámaras subterráneas a la manera etrusca, enterramientos directos en el suelo, tumbas monumentales, tumbas-altares, etcétera. Las grandes sepulturas solían ser colectivas, muy semejantes a las paredes con nichos de algunos cementerios actuales. Los grandes mausoleos los construían frecuentemente a lo largo de la Vía Appia. El más célebre fue el de Adriano, hoy castillo de Santángelo, que puede competir con las Pirámides en cuanto a dimensiones, pues está formado por una base cuadrada de 84 m de lado, sobre la que se levanta una torre circular de 64 m de diámetro, antiguamente coronada por una estatua colosal.

Los cristianos construyeron sus tumbas en el fondo de las cámaras subterráneas llamadas catacumbas. Los musulmanes frecuentemente edificaban grandes sepulcros, algunos con bóveda, uno de los más famosos de éstos es el Taj Mahal en Agra (India). Durante la Edad Media se acostumbraba dar sepultura en el interior de las iglesias, encerrando el ataúd en sarcófagos de piedra. En la imposibilidad de enterrar a todos los feligreses en el interior de las iglesias, se utilizaron para ello los terrenos inmediatos a éstas, y se les dio el nombre de camposantos. A partir del siglo XIX, el crecimiento de las ciudades y las ordenanzas de higiene pública, hicieron necesario reservar terrenos en las afueras de las grandes poblaciones para dedicarlos a cementerios. En ellos existen sepulturas de diversas clases que varían desde humildes fosas con una sencilla cruz de madera, hasta suntuosos mausoleos de mármol con esculturas alegóricas.

sequía. Tiempo seco persistente. Refiriéndose a la agricultura, dícese cuando transcurre aquél sin que la tierra sea beneficiada por las lluvias, dificultando la marcha de los cultivos y comprometiendo las cosechas. En casi todas las partes del mundo la naturaleza proporciona al hombre el agua suficiente para su abastecimiento y para la fructificación del suelo; pero, cuando el promedio de lluvia por área es durante un largo periodo inferior a 15% del abastecimiento considerado normal, entonces se produce la condición que denominamos sequía. En las zonas donde no es posible la irrigación, los cultivos se marchitan y mueren durante esos periodos por la falta de agua. Tales periodos van generalmente acompañados por temperaturas más elevadas de lo corriente, que contribuyen a acrecentar la sequedad en perjuicio de los cultivos. Entonces se producen fácilmente los incendios de bosques, que destruyen millares de árboles de valiosas maderas. El suelo de la zona víctima de la sequía se vuelve árido, y su capa superior o mantillo es arrastrada por el cálido viento seco. Los arroyos, lagunas y manantiales se secan y la vida animal sufre también por la falta de agua. Darwin menciona en una de sus obras la sequía de 1828 en la provincia de Buenos Aires, que provocó la pérdida de un millón de cabezas de ganado.

La sequía que afecta grandes extensiones causa perjuicios a todo un país; durante las sequías en la década de 1930 a 1940, los agricultores del suroeste de Estados Unidos obtuvieron cosechas muy exiguas; muchos agricultores de la zona conocida por Dust Bowl (que comprende más de 20 millones de hectáreas, en las que están incluidas partes de Texas, New Mexico, Colorado, Kansas y Oklahoma) se arruinaron y miles de familias tuvieron que abandonar sus granjas y trasladarse a otras regiones con ayuda del gobierno federal. La obra *Viñas de ira,* de John Steinbeck, está inspirada en la emigración de esos agricultores a California. En el Dust Bowl, en el suroeste de Estados Unidos, la lluvia ha sido siempre muy escasa y dispersa; puede llover con exceso en un punto determinado, mientras que en un lugar próximo no cae ni una gota. También se registran tormentas de polvo cuando el suelo no está protegido por suficiente vegetación para resistir los ataques del viento, que es fortísimo cuando acompaña a la lluvia, agravando el fenómeno de la erosión.

El concepto de sequía no puede definirse con base en la cantidad de agua caída en un tiempo dado, sino que también hay que tomar en cuenta la humedad de la atmósfera y del suelo mismo, el estado de la vegetación, la formación regular del rocío durante las noches, los vientos, etcétera. La sequía es, en general, una de las consecuencias de cierto estado anormal de las corrientes atmosféricas, que trae consigo, para determinada región, una menor frecuencia o hasta desaparición de aquellas situaciones meteorológicas que favorecen las lluvias. La finalidad principal de los notables estudios y experimentos para provocar la lluvia artificial radica en evitar que la sequía se produzca. Los meteorólogos no pueden pronosticar con certidumbre un periodo de sequía, pero es sabido que tiende a alternar con fases de humedad más que normal en ciclos irregulares. Son numerosos los trabajos científicos que demuestran la existencia de relaciones entre las manchas solares y varios fenómenos climáticos, mas no se ha podido sacar gran provecho del ciclo solar de 11 años para la previsión de la sequía.

Corel Stock Photo Library
La sequía extrema puede llegar a erosionar el suelo.

sequoia. *Véase* SECOYA.

ser. Lo que es o existe. Éste es uno de los conceptos más debatidos en filosofía, so-

La sequía provoca el agotamiento de la producción agrícola y ganadera.
Corel Stock Photo Library

bre todo por el hecho de las dificultades que se presentan cuando se trata de separar, pese a que se intente hacerlo abstractamente, el ser del pensar, nociones íntimamente ligadas hasta el punto de llegar a la conclusión positiva de que es sólo por la vía exclusiva del pensamiento como nosotros podemos concebir el ser. En el famoso *Discurso sobre el método,* René Descartes comprobaba ya que puesto que se piensa, se existe (*Cogito, ergo sum.*), y George Berkeley declaraba que ser equivalía a algo que fuera percibido (*Esse est percipi*). Frente a la esencia, como razón propia de todos los seres, hay la existencia, como cualidad que los define como algo real y distinto de la nada. Los idealistas creen en la perennidad de las esencias como nota constitutiva del ser, mientras que los existencialistas se apoyan en la distinción que hay entre la existencia que existe y la existencia actual, para comprenderlo y descubrirlo. Como la concepción de que algo es o existe puede instuirse de distintas maneras, la filosofía suele mencionar a los seres reales, actuales, posibles o en sí (refiriéndose a lo que existe o puede existir fuera de nuestro entendimiento), e ideales, o ser en otros (señalando a lo que existe únicamente en el entendimiento, aunque tal existencia ofrezca una realidad). Los seres de razón son aquellas entidades que no tienen realidad alguna exterior, pues su existencia es puramente mental o propia de nuestro entendimiento.

Serao, Matilde (1856-1927). Escritora italiana. Colaboró desde muy joven en los periódicos italianos de su tiempo. Su estilo, apasionado y fuerte, está indudablemente influido por el habla popular de Nápoles, ciudad donde pasó casi toda su vida. Los críticos distinguen entre sus novelas las que tienen como tema las costumbres napolitanas (*Alerta, centinela*), y las que tratan problemas sociales y políticos (*El país de Cucana, El castigo*).

Serapis. Divinidad egipcia a la que comenzó a rendirse culto en la época de esplendor de Alejandría, adoración que se propagó entre los grecorromanos. Está identificado con Osiris y es, por tanto, el personaje central de un mito solar. En sus relaciones con los hombres estaba considerado como un dios curador de enfermedades, y sus santuarios, serapeos, fueron con frecuencia convertidos en hospitales. *Véase* OSIRIS.

serbal. Planta arbórea de mediana altura, de la familia de las rosáceas, común en regiones montañosas de Europa y Asia. Tiene tronco recto de corteza gris, ramas fuertes y copa abierta con hojas compuestas de 13 a 17 folíolos lanceolados, lampiños, sentados por pares opuestos sobre el raquis, y con los bordes fuertemente dentados hacia la punta. Flores pequeñas, blancas, agrupadas en corimbos axilares, y los frutos, de forma de peras de unos 4 cm, tienen color verde amarillento, rojo en algunas zonas y se llaman *serbas.* Éstas, una vez maduradas entre paja, al sol, son comestibles.

Corel Stock Photo Library

Cuadro de una Serenata en París.

Serbia. *Véase* SERVIA.

Serena, La. Ciudad chilena, capital de la provincia de Coquimbo, en las márgenes del río de este nombre y a menos de 1 km de la costa del océano Pacífico. Centro de importante distrito minero y de intensa producción agrícola. Tiene corte de apelaciones, arzobispado, escuelas de minas y normal y prósperas industrias regionales. Población: 120,245 habitantes (1995). Está unida al puerto de Coquimbo por ferrocarril (11 km) y es también importante estación del ferrocarril longitudinal Iquique-La Calera, donde empalma con la línea central. Carreteras hacia el norte y sur de la república. Fundada en 1543 por Juan Bohó, de la expedición de Pedro de Valdivia, conserva pocas construcciones coloniales y predomina la edificación moderna.

serenata. Música que se toca al aire libre y casi siempre de noche para festejar a una persona, ya como homenaje a la belleza femenina o como público testimonio de admiración a méritos especiales. Tuvo su origen en Italia donde se acompañaba con la mandolina; a partir del siglo XVIII se extendió por Europa. Es esencialmente melódica y de estructura sencilla, y se acompaña con instrumentos de cuerda. Modelo de serenata para voz e instrumentos es la que compuso Wolfgang Amadeus Mozart para su ópera *Don Juan.* Compositores como Franz Joseph Haydn, Ludwing van Beethoven, Franz Schubert, Héctor Berlioz, Johannes Brahms y otros cultivaron la serenata de concierto que consiste en una sucesión de tiempos breves para diversos instrumentos.

Sergipe. Estado de Brasil, limítrofe con los de Alagoas y Bahía, y con el océano Atlántico. Ocupa un área de 21,994 km^2, con 1.428,989 habitantes (1995). Por su extensión es el menor de los estados brasileños, pero uno de los más densamente poblados (68.2 h/km^2). El clima es tropical. Produce caña de azúcar, algodón, tabaco, arroz, mandioca, frijol, maíz y cocos. La capital es Aracaju, a orillas del Atlántico, y otros centros importantes son Laranjeiras, Maroim y Riachuelo. Algunos tramos de sus ríos son navegables (río San Francisco, río Real, río Vaza-Barris).

sericicultura. *Véase* SEDA.

serigrafía. Sistema de impresión que utiliza una pantalla o tamiz de seda de fibras sintéticas o metálicas, como forma de impresora, y que permite la reproducción sobre soportes y objetos de material, forma y tamaño muy diversos.

El origen de la serigrafía o impresión por pantalla de seda se atribuye tanto a los chinos como a los egipcios. Su implantación en Europa es reciente, se introdujo en Gran Bretaña hacia 1890; de allí pasó a Francia, especialmente a la región lionesa, donde se utilizaba exclusivamente para estampar tejidos. Recibió el nombre de estampado a la lionesa. Las primeras aplicaciones gráficas de esta técnica se dieron en Estados Unidos, en la primera década del siglo XX, pasando luego a Gran Bretaña, Escandinavia y al resto de Europa. El nuevo auge de la serigrafía parte de la Segunda Guerra Mundial.

La característica esencial de la serigrafía es que se imprime sobre el material a través del clisé y no, como en otras técnicas, por recorte del clisé sobre el material. Para hacerlo, se utiliza una pantalla o tamiz, constituido por una tela de seda, fibra sintética (nylon, terylene, etcétera) o metálica (acero inoxidable, bronce fosforoso, etcétera), tensada en un marco que actualmente es metálico en la mayoría de los casos, y anteriormente era de madera. Esta pantalla hay que *clisarla* por medio de un procedimiento manual, como, por ejemplo, con película recortada y puesta sobre la pantalla, o por métodos fitomecánicos directos o indirectos, de manera que las mallas de la tela estén obturadas en las zonas que no deben imprimirse y abiertas en las partes del dibujo que deben reproducirse.

Bajo esta pantalla así clisada, se pone el soporte que ha de recibir la impresión. La tinta colocada sobre la parte superior de la pantalla en el interior del marco se presiona a través de las mallas abiertas de la pantalla con la ayuda de un rastrillo. Esta operación, manual o mecánica, debe hacerse tantas veces como soporte haya que imprimir y otras tantas como colores sean necesarios, previo secado de cada uno de los colores precedentes.

La serigrafía, que empezó como procedimiento artesano, ha evolucionado hacia un proceso semiindustrial, con la aparición de máquinas semiautomáticas y automáticas, que realizan de forma sincronizada las distintas operaciones.

sermón. Discurso cristiano u oración evangélica que se predica para la enseñanza de la buena doctrina, instruir a los fieles en los dogmas de la religión e incitarlos a la imitación de las virtudes morales y religiosas.

Corel Stock Photo Library

Sacerdote católico dando un sermón.

serología. Parte de la inmunología que tiene por objeto el estudio de las reacciones inmunológicas del suero. La serología es uno de los principales métodos de estudio que utiliza actualmente la ciencia inmunológica. Hasta hace poco tiempo su campo de aplicación se limitaba básicamente al diagnóstico médico de enfermedades mediante reacciones serológicas, y al tratamiento de procesos patológicos por medio de los sueros correspondientes; también se ha empleado para la tipificación de las especies y cepas microbianas.

El funcionamiento de las reacciones serológicas se basa en el reconocimiento de los mecanismos de autoidentificación, mediante los cuales un organismo es capaz de detectar las sustancias componentes propias y reaccionar contra aquellas que le son extrañas, a través de una serie de procesos. El conocimiento de esta capacidad de la célula viva ha permitido su aprovechamiento para diversos fines, entre los cuales destacan los siguientes: a) identificación de grupos sanguíneos; b) aplicación en medicina legal para reconocimiento de la especificidad de especies o de individuos (paternidad, identificación de muestras de sangre, etcétera); c) estudio etnográfico, gracias al descubrimiento de que determinados grupos étnicos reaccionan serológicamente de manera peculiar; d) diagnóstico de enfermedades mediante el empleo de reacciones serológicas que sólo aparecen cuando existe el proceso patológico en cuestión; e) tratamiento de algunas enfermedades con sueros antitóxicos; y f) identificación de diversos serotipos de microorganismos gracias a sus reacciones específicas, como la clasificación de los estreptococos en grupos A, B, C. Para llevar a cabo todas estas aplicaciones de la serología se utilizan distintas reacciones, que aprovechan la ya citada capacidad de autoidentificación, por parte del organismo vivo, de las sustancias extrañas conocidas como antígenos y actúan en contra de ellas mediante la elaboración de otras sustancias denominadas anticuerpos.

seroterapia. *Véase* VACUNAS y SUEROS.

Serpa Pinto, Alexandre Alberto da Rocha (1846-1900). Explorador portugués que fue destinado como militar a Mozambique. En 1877, se le confió el mando de una expedición de colonización y en su cumplimiento atravesó África, de Benguela a Mozambique, haciendo el trazado del Alto Zambeze. Posteriormente, también le fueron encomendadas las expediciones al lago Nyassa y al Shiré. Sus descubrimientos contribuyeron a abrir vías de importancia comercial. La descripción de su primer viaje: *Cómo atravesé el África* (1880), ha sido traducida a varios idiomas.

serpentario. Ave rapaz, única especie del género *Serpentarius*, que se distingue por sus patas largas, cola estrecha y prolongada y el copete o cresta de largas plumas que le cae sobre la nuca. Tiene ojos grandes y muy vivaces, pico robusto y encorvado, plumaje gris y rameras, piernas y plumas del moño negras. Habita en África Meridional; vuela bien, pero anda por tierra y se echa en el suelo para descansar. De movimientos mesurados y graves, también se le llama *secretario*, porque las plumas de la cresta recuerdan las de los antiguos amanuenses; pero el nombre más apropiado es el de serpentario, por la saña con que persigue a las serpientes. Devora toda clase de animales pequeños, desde insectos hasta ratones, aunque prefiere los reptiles. Ataca a los ofidios más peligrosos utilizando las patas y protegiéndose con las alas, y los mata con unos cuantos golpes de su fuerte pico.

serpentina. Mineral formado por una masa compacta de silicato de magnesia hidratado. Originariamente fue una roca ígnea, pero con el transcurso de las eras geo-

Pájaro serpentario en su hábitat natural.

Corel Stock Photo Library

lógicas se descompuso en varios productos hidratados. El color de la serpentina varía desde el verde hasta el negro, con vetas rojas o azules. Algunas variedades de serpentina, de notable veteado y que adquieren bello pulimento, son muy apreciadas como piedras ornamentales y decorativas. La variedad laminar se llama antigorita; la fibrosa, crisotilo.

serpiente. Reptil del orden de los ofidios. Es de forma alargada y generalmente cilíndrica, carece de patas, y tiene la piel cubierta de escamas, pequeñas en el dorso y mayores en el vientre. Tiene todo el cuerpo recubierto por una delgada película córnea, incluso los ojos, que cambia varias veces al año. Esta película es transparente y comienza a desprenderse por los labios y continúa por la cabeza, cuerpo y cola. Se mueve arrastrándose mediante ondulaciones laterales del cuerpo. No puede aplicarse a todas las serpientes las mismas normas descriptivas. Algunas tienen la cabeza triangular y el cuello notablemente marcado; otras la tienen alargada y el cuello poco marcado, y algunas la tienen casi cilíndrica. Ciertas serpientes, entre ellas los pitones y las boas, poseen rudimentos de patas posteriores, que hacen suponer que derivan de reptiles cuadrúpedos. Tienen el sentido olfativo más desarrollado que el auditivo. Su lengua larga, filiforme y protráctil está siempre húmeda y posee varios corpúsculos sensitivos que el animal utiliza para el tacto y el gusto.

Generalmente se supone que las serpientes poseen cierta sensibilidad para la música, pero esto no está probado, y la obediencia con que responden al *encantador de serpientes* se debe a que siguen amedrentadas todos los movimientos del individuo. Tienen los ojos redondos, con pupilas circulares o verticales, carentes de párpados, y protegidos por una membrana transparente, convexa como el vidrio de un reloj. Una de sus características más comunes es la de poseer la boca muy dilatada que les permite ingerir alimentos de mayor calibre que ellas mismas. Algunas se alimentan de huevos de aves, otras prefieren los mamíferos y las hay que se nutren de otras serpientes.

Corel Stock Photo Library

Boa constrictora de Madagascar.

El tamaño de las serpientes varía desde los 10 m de la anaconda sudamericana y el pitón malayo a 10 cm de la glauconia. Algunas tienen brillantes colores y otras, tonalidades pardas uniformes, pero no varían las manchas de cada especie, que son constantes en cada uno de los animales. La mayoría de las serpientes son ovíparas, o sea que nacen de los huevos que pone la hembra; pero, hay algunas especies que son ovovíparas, o sea que los huevos se van abriendo en el trayecto de las vías uterinas. No se puede precisar con exactitud la vida de las serpientes, pero se sabe que viven largo tiempo. Crecen con lentitud y su vitalidad es notable. Se pueden observar movimientos reflejos en las diversas partes de un cuerpo cortado en pedazos, y la cabeza separada del tronco trata de morder durante algún tiempo hasta que va perdiendo lentamente la vida.

Las familias en que se clasifican los ofidios son las siguientes: tiflópidos, glaucónidos, ilisíidos uropéltidos, boídeos, xenopéltidos, colúbridos, amblicefálidos y vipéridos. Los primeros son propios de las regiones tropicales y subtropicales, tienen el cuerpo cubierto de escamas uniformes y los ojos escondidos bajo la piel. Viven en orificios subterráneos y su boca no puede dilatarse tanto como las de otras serpientes. En Europa se encuentra sólo la llamada *culebra ciega griega*, que se halla en este país y en regiones vecinas. A la familia de los glaucónidos pertenecen unas treinta especies de ofidios. Sus característi-

De arriba abajo y de izq. a der: serpiente ratonera negra con huevos, serpiente gabón en África, pitón de sangre, serpiente de pino de Florida, Pituophis melanoleucus mugitus, *pitón bebé de árbol amarillo y boa constrictor del desierto comiendose a un ratón.*

Corel Stock Photo Library

cas son bastante parecidas a las de los tiflópidos, con la diferencia de que no poseen dientes en el maxilar. Viven en las regiones cálidas de América, en el suroeste de Asia, en África y en las Indias Occidentales.

Los ilisíidos viven en América tropical, en Sri Lanka e Indochina. Hay sólo unas cinco especies de esta familia. Tienen las escamas lisas y pequeñas, la cola corta y roma y la cabeza pequeña y sin cuello determinado. Los ojos son también pequeños y están cubiertos por escamas transparentes. Los uropéltidos se distinguen por tener la cola terminada en una placa truncada y coloraciones muy vistosas. Son de cuerpo rígido y cilíndrico, ojos pequeños, escamas también pequeñas, y habitan en Sri Lanka y en regiones de la India meridional.

En la familia de los boídeos entran los pitones y las boas. Las especies de esta familia viven en las regiones tropicales y subtropicales. Habitan en los bosques, donde trepan a los árboles ayudadas por la cola prensil y corta. El pitón de Australia o serpiente de tapiz mide unos 2 m de largo y es de color generalmente negro con manchas amarillas. El pitón tigrino vive en Indochina, Ceilán y China y hay ejemplares de más de 8 m de longitud. Tiene los ojos pequeños y es de color gris o pardo amarillento, con manchas rojizas en el dorso. El pitón de Seba vive en África Occidental, y en algunas partes los sacerdotes lo veneran en templos primitivos. Mide de 4 a 6 m de largo. En el Sudán, donde le llaman *assala*, los indígenas comen su carne, y los negros de las orillas del Nilo hacen con su piel artículos de ornamentación.

Entre las boas se destaca la llamada boa constrictor, serpiente en torno a la que se han tejido diversas leyendas. Es de color pardo claro y tiene manchas divergentes hacia los costados, unidas por una faja, y manchas pardo oscuro con centros color claro, alternadas con fajes transversales. En la cola las manchas tienen tono rojizo, separadas por espacios amarillos y bordeadas de negro. En la cabeza tiene tres estrías negras marcadas en forma longitudinal. Los ojos son de pupila vertical y la cola es corta y prensil. La boa constrictor vive de noche, y durante el día se la suele encontrar aletargada. *La* anaconda es una boa acuática, la mayor de las serpientes de América tropical, pues alcanza hasta 10 m de longitud. Se la conoce también por los nombres indígenas de *sucuriura y comuti.* Se alimenta de mamíferos o aves que caza de noche. Gracias a un mecanismo que le permite cerrar herméticamente las fosas nasales, puede permanecer largo tiempo sumergida en el agua. Es de color oliváceo oscuro con grandes manchas negras dispuestas en hileras laterales a los costados.

La familia de los xenopéltidos comprende una sola especie que habita en el sureste de Asia y en el Archipiélago Malayo. Tiene cabeza y ojos pequeños, pupila vertical, cuerpo cilíndrico y cola con escamas lisas. Alcanza unos 90 cm de longitud. La familia de los colúbridos que es la más numerosa del orden de los ofidios abarca tres denominaciones: colúbridos aglifos, opistoglifos y proteroglifos. Estas denominaciones se debe a la forma en que tienen los dientes. Los primeros se caracterizan por tenerlos sólidos y desprovistos de ranuras, los segundos tienen uno o más dientes maxilares posteriores acanalados y los terceros tienen los anteriores acanalados. Estos son los ofidios más temibles. Más de mil especies de culebras entran dentro de esta familia, algunas totalmente inofensivas desde el punto de vista venenoso para el hombre.

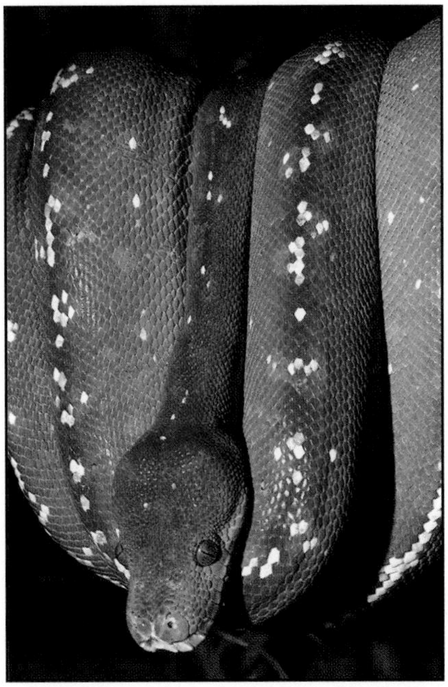

Corel Stock Photo Library

Pitón verde de Nueva Guinea.

Hombre con una cobra en Jaipur, India.

Corel Stock Photo Library

Entre los ofidios aglifos figura la culebra de herradura, propia de España, Cerdeña y África del Norte. Es de color oliváceo, rojizo o amarillento, con manchas dorsales oscuras, y entre los ojos una faja transversal y otra en la parte posterior de la cabeza, también negra y en forma de herradura, de donde proviene su nombre vulgar. Es una especie muy irascible y ataca con fiereza. Como es muy buena trepadora, busca los pichones en los nidos. En España, Francia, Italia y Argelia se encuentra la llamada culebra *bilineata,* que tiene la particularidad de una coloración variable con manchas negras en líneas longitudinales. En Estados Unidos existe la *serpiente toro,* llamada así porque lanza potentes bufidos.

Al grupo de los colúbridos opistoglifos pertenecen numerosos ofidios y aunque algunos son de mordedura venenosa, ésta es inofensiva para el hombre. Entre los proteroglifos figuran diversas series de serpientes de América del Sur y de América Central, de Australia, Malaca, India, Arabia y África. Entre las más conocidas de este grupo figura la serpiente de anteojos, que se caracteriza por la forma como se le dilata el cuello cuando se halla en acecho y que le da aspecto de un disco con anteojos. A este grupo pertenece también el áspid de Egipto, que cuando está excitado segrega veneno en forma de saliva. Es de color variable y casi siempre carece de los anteojos en la parte anterior del dorso.

Treinta especies de ofidios tropicales y orientales forman los colúbridos amblicefálidos, que son serpientes poco interesantes e inofensivas. Tienen la cabeza bastante marcada con respecto al cuello y los ojos con pupila vertical. En cambio la familia de los vipéridos está compuesta por numerosas serpientes venenosas, fáciles de identificar por tener la cabeza triangular muy diferenciada del cuerpo y el cuello corto y rollizo. Los vipéridos se dividen en viperinos y crotalinos; pertenecen a los primeros las víboras propiamente dichas y a los segundos las serpientes de cascabel. Entre las víboras, una de las más notables es la llamada *lataste,* de unos 60 cm de largo. Es de movimientos lentos, pero ataca con ferocidad. Vive en la Península Ibérica y en África del Norte.

Una de las temibles serpientes brasileñas es la llamada *surucucú.* Suele tener unos 2 m de longitud. Es peligrosa por el efecto mortal de su veneno. Vive arrollada en los bosques, pero con la cabeza, en forma de corazón, dispuesta a perseguir rápido a la presa. Los crótalos o serpientes de cascabel se llaman así porque tienen una especie de crótalo en la punta de la cola, que hacen vibrar cuando se encuentran alarmados, mientras la cabeza se dispone para el ataque. La llamada *crótalo diamantino* es la serpiente más hermosa de todas las especies, por sus vistosos colores, que van del verde esmeralda al pardo dorado, y tiene una triple cadena de rombos amarillos en el dorso. Mide cerca de 2.5 m de longitud.

El veneno de las serpientes. Son numerosas las especies de serpientes venenosas. El líquido venenoso es de color amarillo y comienza a actuar por síntomas locales, tales como enrojecimiento de la herida y dolor. Progresivamente va aumentando sus efectos y pronto se advierten síntomas generales caracterizados por dificultad para respirar, que deriva en asfixia, y luego se entra en estado de coma. El aparato que contiene e inyecta el veneno está formado por glándulas que lo segregan y un conducto por el cual es emitido. Las glándulas están situadas a ambos lados de la cabeza y rodeadas por un sistema muscular. El veneno se halla en alvéolos y es enviado al exterior por medio de los colmillos, los que tienen forma acanalada o tubular. Cuando la serpiente muerde comprime la glándula del veneno y entonces el líquido pasa a través de los colmillos y penetra en el lugar donde éstos han sido clavados. *Véanse* CULEBRA; REPTIL; VÍBORA.

Serra, fray Junípero (1713-1784). Religioso franciscano español. Nació en Petra. Su verdadero nombre era Miguel José Serra y Ferrer, que cambió por el de Junípero al profesar en 1731. Se trasladó a Nueva España en 1749, destinado a la misión de Sierra Gorda, entre Nuevo León y la Huasteca. En 1767, pasó a California y efectuó penosísimas exploraciones. Donde las tentativas colonizadoras del gobierno virreinal habían fracasado, triunfó la admirable labor evangelizadora de fray Junípero. Su bondad con los indios y su celo apostólico lo convirtieron en el conquistador espiritual de Alta California. Fundó numerosas misiones donde se trataba a los indios con persuasión y dulzura y se les enseñaban los métodos agrícolas y se les facilitaban aperos de labranza. Entre las principales misiones que fundó figuraron las de San Diego y San Carlos de Monterrey. La acción colonizadora y social del padre Serra, basada en la comprensión humana y el amor cristiano, fue de la mayor importancia.

Corel Stock Photo Library

Serpiente de cascabel Mexicana (Crotaolus durissus).

serrallo. *Véase* HARÉN.

Serrat, Joan Manuel (1943-). Cantante y compositor español. Ingresó en el conjunto de canción catalana *Els Setze Jutges* en 1962 y debutó como solista en 1965 como autor e intérprete de sus propias canciones, entre las que *Ara que tinc 20 anys* y *Cançó de matinada* le dieron amplia popularidad. En 1968 compuso sus primeros temas en castellano y en 1969 publicó el álbum *Dedicado a Antonio Machado, poeta.* Sus recitales en Barcelona y Madrid y sus giras por América Latina lo consagraron como gran figura de la canción. En septiembre de 1975, tras unas declaraciones antifranquistas, hubo de exiliarse en México, de donde regresó a España en 1976. Entre sus numerosas grabaciones destacan los álbumes: *Serrat 4* (1971), *Mediterráneo* (1972), *Per al meu amic* (1973), *Res no és mesquí* (1977), *Tal com raja* (1980), *En tránsito* (1981), *Cada loco con su tema* (1983), *Fa vint anys que tinc vint anys* (1984), *El sur también existe* (1985), *Bienaventurados* (1987), *Material sensible* (1989); *Utopía* (1992), *Nadie es perfecto* (1994), y *Banda sonora d'un temps, d'un país* (1996). Interpretó los filmes *Palabras de amor* (1968), de A. Ribas, *La larga agonía de los peces* (1970), de F. Rovira Beleta, y *Mi profesora particular* (1972), de J. Camino.

Sert y Badía, José María (1876-1945). Pintor español, nacido en Barcelona, donde falleció. Se formó artísticamente en su ciudad natal y en 1900 se estableció en París, si bien realizó frecuentes viajes a Cataluña para preparar sus famosas pinturas murales para la catedral de Vich cuyos bocetos presentó en el Salón de Otoño de París en 1908. De esta obra, que le dio gran prestigio, arranca su dedicación a la pintura de grandes plafones decorativos, en la que empleó una técnica muy personal, dentro de un estilo amplio y vigoroso, de fuertes contrastes, atrevidos escorzos y dramático movimiento de masas. Entre sus obras más importantes figuran: los plafones a todo color de la Sala de Pasos Perdidos del Palacio de Justicia y el decorado del Salón de las Crónicas del Ayuntamiento, en Barcelona, el techo del salón de sesiones del Consejo de la antigua Sociedad de las Naciones, en Ginebra, las pinturas para diversas residencias señoriales de Gran Bretaña, Francia, Estados Unidos, Italia, etcétera, así como para el Museo Nacional de Arte Decorativo de Buenos Ai-

Estructura de la mandíbula flexible de una serpiente en la que se muestra su capacidad de dislocación para tragar objetos muy grandes (arriba), y cómo la serpiente usa el órgano de Jacobson junto con la lengua, para detectar los estímulos químicos (abajo). Cuando la lengua sale de la boca (figura izq.), recolecta las partículas químicas. Cuando retrae su lengua (figura der.) transfiere los químicos al órgano de Jacobson para identificar las partículas.

Del Ángel Diseño y Publicidad

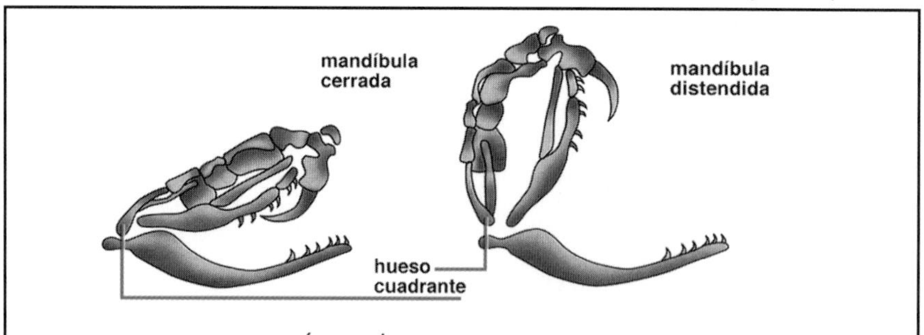

res y para el comedor del hotel Waldorf Astoria de New York. Perteneció a la Real Academia de Bellas Artes de San Fernando.

Sertorio, Quinto (123-72 a. C.). General romano que abrazó la carrera de las armas después de haberse hecho famoso como jurista y orador. Hizo sus primeras armas en la Galia, luchando al lado de Mario. Al estallar la guerra entre Mario y Sila se puso al lado del primero. El triunfo de la dictadura de Sila, le obligó a refugiarse en la Península Ibérica, de donde se vio obligado a huir al norte de África. Pero, llamado por los lusitanos, que ansiaban sacudirse la dominación romana, desembarcó en la Bética y desde España desafió durante ocho años el poder de Roma, derrotando a las legiones de Pompeyo y Metelo y organizando un Estado poderoso. Siempre tuvo como objetivo principal la política de Roma, pues no dejó de ser un *honrado e irreductible romano.* Murió asesinado por su lugarteniente Perpena, que tramó una conjuración contra su jefe.

Corel Stock Photo Library

Bandera de Servia.

Servet o Serveto, Miguel (1511?-1553). Humanista, teólogo y médico español, nacido en Villanueva de Sigena. Estudió humanidades en la Universidad de Zaragoza y leyes en la de Toulouse. En 1531 publicó su obra De *Trinitatis erroribus,* en la que defiende la tesis de la divinidad unitaria, de la que proceden directamente las ideas, y de éstas las cosas. Residió varios años en Lyon, donde los impresores hermanos Trechsel le encomendaron una nueva edición de la *Geografía de Tolomeo* (1535), a la que añadió los eruditos comentarios que le han valido la consideración en que se le tiene de padre de la geografía comparada. En la misma ciudad se aficionó a los estudios médicos, que prosiguió en París hasta obtener el grado de maestro en artes y el título de doctor en medicina, profesión que ejerció con sumo acierto. En la Universidad de París conoció a Calvino, del que pronto empezó a disentir en las más graves cuestiones, cruzándose entre ambos cartas violentísimas, especialmente las de Servet; éste publicó las suyas al final de su libro *Christianismi Restitutio* (*Restitución del cristianismo,* 1546), que es en el que dio a conocer su descubrimiento de la pequeña circulación de la sangre o circulación pulmonar. Calvino denunció el libro a la Inquisición francesa, y Servet se vio obligado a huir; refugiado en Ginebra, fue descubierto y delatado por su inflexible rival, quien logró que fuera condenado a muerte. La sentencia se ejecutó en la colina de Champel, junto al lago de Ginebra, y Servet fue quemado vivo, junto con todos sus libros y papeles.

Servia. Antiguo reino europeo de la Península de los Balcanes, que desde 1945 constituía una de las seis repúblicas federadas de Yugoslavia, pero que en 1992 se declaró República.

Sus límites, establecidos por el tratado de Berlín en 1878, estaban formados por los ríos Drina, Save, Danubio y Timok (línea de separación con Bosnia-Herzegovina, Estonia, Rumania y Bulgaria) y varias montañas que marcaban la frontera con Bosnia, Turquía y Bulgaria.

El territorio tiene aspecto variado. Al sur del Save la Sumadja, vasta llanura, se eleva de norte a sur. De la Sumadja a la frontera griega se suceden una serie de hundimientos tectónicos encuadrados por montañas, algunas de más de 2,000 m. Por las depresiones corren los cursos del Morava y del Vardar. En esta región dislocada convergen los sistemas orográficos de los Cárpatos, Rhodope, Balcanes y Alpes. País bien regado por los ríos citados y otros menos importantes, goza de un clima continental en el norte y mediterráneo en los valles macedónicos. Su economía es fundamentalmente agrícola (viñedos, ciruelos, maíz, cáñamo, trigo, remolacha azucarera, tabaco) y ganadera (ovinos trashumantes y, sobre todo, suidos). Guarda riquezas mine-

En los últimos años, se han suscitado conflictos bélicos en Servia.

Corel Stock Photo Library

rales (hierro, plomo, plata, oro, cinc, mercurio, antimonio), que no son debidamente explotadas. La industria abarca productos farmacéuticos, fibras, sintéticas, vehículos de motor, herramientas, productos eléctricos y electrónicos, tonelería, cordelería, cuchillería, tapices. Tiene una superficie de 102,173 km^2 y una población de 10.480,000 habitantes (1995), considerando Montenegro, Kosovo y Voivodina. Su capital es Belgrado, que lo es asimismo de la República Yugoslava. Centros urbanos importantes son: Leskovac, Nis, Kragujevac.

Los servios integran una rama de la familia eslava y pertenecen al llamado grupo yugoslavo o eslavos del sur. Servia fue vasalla de los emperadores de Oriente, de los griegos, de los búlgaros, etcétera. En 1077, el príncipe servio Miguel obtuvo del papa Gregorio VII el título de rey. El reino llegó a consolidar su independencia en el siglo XII y a ser poderoso en el XIV, bajo el reinado de Stevan Dushan. Los turcos lo subyugaron en 1389 y lo dominaron hasta 1815. En esta fecha, Miloch Obrenovi hizo de Servia un principado independiente, cuya soberanía fue reconocida por la Sublime Puerta en 1830. La sublevación de 1876, ayudada por los rusos, consiguió que, por el tratado de Berlín (1878), se reconociera la completa independencia de Servia. La guerra de los Balcanes (1912-1913) aumentó el reino con los territorios del sur. En 1918, entró a formar el núcleo principal del reino de los servios, croatas y eslovenos, que en 1929 tomó el nombre de reino de Yugoslavia.

En enero de 1992, los habitantes de Servia, que son minoría en la región de Bosnia-Herzegovina, declararon su propia independencia. Tras la desintegración de Yugoslavia, al proclamar su independencia Eslovenia, Croacia y Bosnia-Herzegovina (1991-1992), la República Federada de Servia constituyó con la de Montenegro una nueva República Federal de Yugoslavia (27 de abril de 1992) –no reconocida internacionalmente hasta 1995–, conservando a diferencia de otras regiones una presidencia y un Parlamento federales. Importantes minorías servias quedaron dentro de Bosnia y Croacia. Debido a la guerra en Bosnia-Herzegovina y al apoyo de Belgrado a los rebeldes serviobosnios, la ONU decretó el embargo comercial y petrolero contra Servia y Montenegro (30 de mayo de 1992), aliviado en 1994, y suspendió la participación de la nueva Yugoslavia en las tareas de la Organización. El 4 de agosto de 1994, Belgrado rompió sus relaciones económicas y políticas con la proclamada República Servia de Bosnia, al rechazar ésta el plan de paz de las grandes potencias. S. Milosevic, reelegido presidente de Servia en 1990 y 1992, negoció también en nombre de los serviobosnios el acuerdo de Dayton (Ohio, Estados Unidos), para la paz en Bosnia, y logró que la ONU levantara las sanciones (noviembre-diciembre de 1995). En 1996, Belgrado restableció relaciones con Bosnia-Herzegovina. Milosevic, y su partido ganaron las elecciones al parlamento servio (noviembre de 1996), pero éstas y las municipales fueron contestadas por la oposición, que las consideró fraudulentas. Tras 80 días de protestas callejeras, y el apoyo de la iglesia ortodoxa y de la comunidad internacional a las reivindicaciones de revisión de los resultados electorales, Milosevic, aceptó traspasar 14 alcaldías a los grupos de oposición.

En algunos países el servicio militar es obligatorio.

Corel Stock Photo Library

servicio militar. El que se presta siendo soldado. El alistamiento o ingreso en las fuerzas armadas de una nación puede ser voluntario u obligatorio. En el primer caso, el ingreso suele ser mediante *enganche*, que es la denominación que se emplea cuando hay contrato de por medio y el individuo procede voluntariamente y por tiempo determinado. En España se llama *quinta* la acción de designar por la suerte, entre los jóvenes en edad militar, a los que han de prestar servicio en las fuerzas armadas. Quintar es sacar a la suerte uno de cada cinco, según se hacía en el siglo XVII. Posteriormente varió la proporción, sacándose uno de cada tres, de cada cuatro o de cada seis, pero quedó la palabra quintar como sinónimo de sortear, aunque la expresión original perdió su recta significación. El sistema de quintas data del mencionado siglo, cuando resultaban insuficientes las levas para engrosar las filas del ejército, recurriéndose al procedimiento del sorteo en la proporción citada, en la cual se funda el valor etimológico de esta acepción de la palabra quinta.

La forma actual del servicio militar que puede considerarse como de carácter universal, se estipula en la ley de servicio militar obligatorio, de cada nación, que se ha reglamentado de diversos modos. Consiste en llamar a filas a todos los hombres hábiles entre los 18 y 20 años para un periodo de instrucción militar de nueve meses a dos años al término de los cuales se reintegran a la vida civil como reservas militares y obligados a presentarse a los cuarteles en caso de movilización. Hay excepciones legales, que varían sustancialmente según las naciones y las necesidades de su defensa, pero la tendencia creciente es hacer cada día más estricto el cumplimiento de ese servicio, que permite la preparación de fuerzas militares organizadas e instruidas en sus deberes.

El acto de reclutar procede de los más lejanos tiempos, desde que fue necesario buscar fuentes propias y permanentes para tener soldados. En tiempos de las legiones romanas hubo época en que todo hombre útil perteneció al ejército. En otro periodo histórico, los individuos que se dedicaron a la profesión militar y luego eran licenciados, por haber terminado la necesidad de sus servicios en su patria, partían a otro país y allí se contrataban para luchar por él. Fueron los emperadores romanos los que impulsaron la formación de cuerpos de mercenarios.

En la Edad Media se practicó en otra forma el reclutamiento, cuando los señores feudales organizaron fuerzas con los campesinos que cultivaban sus tierras, para responder a las exigencias del rey, que requería hombres para su defensa. Pero, el mayor alistamiento militar que conoce la historia, y en donde apareció el primer recluta legítimo, ocurrió durante las Cruzadas. El individuo acudió voluntariamente a tomar las armas y participar en una expedición militar, se inscribió en lugares previamente fijados, que no eran cuarteles, reconoció una autoridad y al término de su campaña sabía que debía volver a sus obligaciones ordinarias. Durante ese mismo periodo, y hasta iniciado el moderno y contemporáneo, también existieron en España las milicias concejiles, formadas por los habitantes de ciudades y villas, que así estaban listos para acudir al llamamiento del rey en caso de guerra. Fueron igualmente españolas las milicias provinciales, desde el siglo XVI a 1867, formadas por cuerpos de reserva de infantería, cuyos alistamientos no prosperaron hasta que una ordenanza real dispuso que sus miembros no saldrían en ningún caso a combatir fuera de la península. Después ocurrieron nuevas formaciones, se organizaron ejércitos y aun se establecieron los primeros institutos militares, pero los hombres de tropa fueron alistados siguiendo fórmulas en que prevalecía la idea de la formación de soldados profesionales permanentes; o eran bandas que sólo buscaban la parte del botín que podía corresponderles en alguna nueva conquista proyectada. Ésa era la recompensa ofrecida, a más de la alimentación diaria, casi siempre mala y escasa. En tales condiciones era precario el compromiso que podía unir a las partes interesadas; aun cuando no faltaban los aventureros de buena ley, que buscaban conocer tierras y ganar su parte de gloria y de fortuna, puesto que confiaban en su buena suerte.

A partir de la Revolución Francesa, que a fines del siglo XVIII, debilitó las bases institucionales de la época, tomó cuerpo el principio de *cada soldado un ciudadano, y cada ciudadano un soldado,* que interpreta el motivo del servicio militar obligatorio: que sea institución del pueblo, que debe formar el ejército regular con la participación de todas sus clases sociales. Como fecha histórica de su establecimiento se señala el año de 1792, en que el gobierno de la Comuna de París, formada la primera guardia nacional a las órdenes de Marie Joseph, marqués de Lafayette, instituye la primera conscripción militar. Entonces surge el germen del ejército moderno con bases democráticas cimentado en el servicio militar. En América del Norte se había operado la misma evolución, aunque en forma desorganizada y rudimentaria, desde que sus colonias decidieron proclamar su independencia y soberanía pero George Washington, se quejó en 1778 al Congreso de "la falta de fuerza del sistema voluntario para reclutar soldados". Pero, no se efectuaron alistamientos forzosos durante la revolución estadounidense.

El genio militar de Napoleón sentó las bases del ejército moderno; pero fue

Corel Stock Photo Library

Un extenuante entrenamiento físico, es parte del servicio militar.

Prusia, que derrotada por Napoleón en Jena (1806) tuvo que sufrir la humillante opresión del vencedor, la nación que perfeccionó el servicio militar obligatorio. Las condiciones de paz impuestas por Napoleón reducían la fuerza del ejército prusiano a su menor expresión. Prusia puso en vigor el sistema Krumper mediante el cual los hombres aptos para las armas se dividieron en áreas territoriales y clases de edad. El ejército, muy reducido y sin salirse de los límites impuestos, se componía de regimientos con cuadros permanentes de oficiales expertos, mientras que los soldados eran reclutas que recibían rápidamente instrucción militar, permanecían en activo el menor tiempo posible, pasaban a las reservas y eran sustituidos por otros nuevos reclutas. De esa manera, todos los hombres hábiles en Prusia recibían instrucción militar y quedaban en disponibilidad para ser llamados a filas cuando fuere necesario.

La eficacia de ese sistema se demostró después en la actuación del ejército prusiano en las campañas (1813-1815) que finalmente produjeron la derrota de Napoleón, y en las guerras que posteriormente sostuvo Prusia contra Dinamarca (1864), Austria (1866) y Francia (1870), en las que resultó fácilmente victoriosa. Como consecuencia de esas victorias se constituyó el imperio alemán, con Prusia como su principal integrante, la más formidable y temible potencia militar del continente europeo. Ante la superioridad militar alemana, muchas naciones, velando por su seguridad, tuvieron que reorganizar sus sistemas militares e implantar el servicio militar obligatorio y universal, aunque adaptándolo a sus requerimientos nacionales y al espíritu de sus instituciones de gobierno. *Véanse* ARMADA; EJÉRCITO; SOLDADO.

servicio público. La necesidad de satisfacer una serie de actividades que han ido desbordando las posibilidades de realizarlas de forma individual o por pequeños grupos, lleva a que la Administración Pública adopte dichas tareas para hacerles frente de forma organizada y con mayor amplitud de medios. Los servicios públicos se

La policía es parte del servicio público.

Corel Stock Photo Library

Corel Stock Photo Library

La educación pública es uno de los pilares de un país.

organizan para asegurar la continuidad en la satisfacción social a que provee la empresa (si bien las necesidades individuales se presentan de forma periódica, a nivel colectivo las mismas pueden aparecer de forma periódica o continua y según las circunstancias deben ser atendidas ininterrumpidamente), para que en su organización impere un criterio de uniformidad, imponiéndose la creación de un plan de conjunto (por ejemplo, sistema general de transportes por ferrocarril, correos, telégrafos); también se organizan por razones económicas, como expresión práctica del cumplimiento por el Estado de sus propios fines (los servicios públicos podrán ser: necesarios, que suelen ser gratuitos –policía, justicia–, o voluntarios, que suponen una carga para los usuarios); también se organizan por la necesidad de garantizar su uso en condiciones de igualdad para todos los individuos, de ahí el carácter de interés general atribuido a las empresas de servicios públicos; por último, otra razón de su organización es la mayor comodidad del público. De esta forma, la recolecta de basura, la organización del sistema de transportes, la creación de guarderías infantiles o de instituciones sanitarias, etcétera, son tareas que fueron solucionándose de forma individual hasta que su mismo incremento y su complejidad desbordaron las facultades privadas y las asumió el Estado.

La consideración de servicio público para cada tipo de actividad es consecuencia del grado de desarrollo de cada momento y de cada país, y la adopción por parte del Estado de las tareas organizadas en forma colectiva está en razón directa de su misma madurez. La combinación de una serie de factores tales como el fin que cumple, la persona que la atiende, la manera como la presta y el régimen que lo regula, dan como resultado la naturaleza pública de un servicio. Para que la finalidad propia del servicio público se cumpla debidamente, es necesario que se den una serie de notas determinantes de un régimen jurídico, contrarias a lo que es, en general, un servicio privado, o que si esta diferenciación no se da como contraposición, constituya por lo

El servicio público de los bomberos.

Corel Stock Photo Library

menos una garantía administrativa para el cumplimiento de la finalidad pública. En consecuencia, un servicio público es una ordenación de elementos y actividades para la satisfacción de necesidades públicas, aunque esto se haga a través de un servicio privado, mientras suponga la acción de una personalidad pública, que cristaliza en un régimen jurídico especial. La creación del servicio público no suele poderse imponer al Estado, sin embargo, de su potestad normativa derivan las obligaciones mínimas que pueden exigirse a los entes de la administración local, y en tal sentido sí puede hablarse de un derecho subjetivo por parte del posible usuario a exigir su creación. Su organización está en principio regulada por el poder Legislativo; no obstante, la Administración Pública tiene facultades para establecer los servicios públicos siempre que no afecte los recursos de carácter general, ni que el servicio que trate de organizar coarte las libertades específicas de los ciudadanos. La misma autoridad que tiene facultad para crearlos puede también suprimirlos, si bien sus decisiones nunca deberán oponerse a la existencia de los mismos cuando ésta se hallare garantizada por un tratado internacional vigente.

servicio secreto. Conjunto de actividades dirigidas a obtener y transmitir, por medios ocultos, informaciones que puedan interesar a la seguridad interna o las actividades bélicas de un país. También suele designarse con este nombre a la policía secreta. En relación con las actividades expresadas, se le conoce, además, como servicio de *inteligencia* o de espionaje. En tal sentido, las tareas de información, espionaje y contraespionaje son las principales que deben realizar los hombres dedicados a misión tan difícil y peligrosa.

La historia de los servicios secretos se remonta, como la de muchas otras instituciones políticas y sociales, a la antigüedad. Alejandro Magno tenía cuerpos de espías que le informaban sobre las fuerzas de sus enemigos potenciales, y Julio César creó un cuerpo de *exploratores* que se introducía subrepticiamente en territorio enemigo para obtener informaciones estratégicas. Los *sbirri* de la república de Venecia tuvieron actuación importante en las intrigas políticas de la Edad Media, y el servicio secreto inglés disponía, en pleno siglo XVII, de agentes distribuidos en las principales capitales de Europa. Los agentes del rey francés Luis XIV se hicieron famosos por su habilidad: uno de ellos logró penetrar en la cámara de la reina Ana de Inglaterra y apoderarse de correspondencia valiosa y comprometedora. Federico el Grande, monarca prusiano, y Napoleón Bonaparte llegaron a disponer de una red de informantes que les prestaron valiosos servicios. El servicio secreto en Estados Unidos fue organizado por el detective Allan Pinkerton, durante la guerra de Secesión. El servicio secreto moderno, organizado en forma científica, apareció en la segunda mitad del siglo XIX. Guillermo Stieber, el genial espía de Otto Bismarck, supo crear una red de informantes que actuó en todos los rincones del territorio francés en la época que culminó en la guerra franco-prusiana de 1870.

Los servicios secretos realizan diversas tareas, entre las que se cuentan la obtención de informes militares tanto en épocas de paz como en tiempos de guerra y de informes de carácter político y económico. En los países totalitarios, el servicio secreto se convierte en poderosa arma del partido gobernante. Uno de los problemas más arduos que debe enfrentar todo servicio secreto es el envío de informaciones. Los métodos más comunes son la entrega del material a viajeros aparentemente inofensivos, la transmisión radiofónica clandestina y el envío de mensajes cifrados o escritos con tinta invisible.

servidumbre. Conjunto de personas que realizan las tareas domésticas mediante un salario que, a veces, comprende su alojamiento y manutención. La servidumbre fue ya conocida en tiempos remotos, aunque en forma totalmente distinta a la de ahora, pues se disponía de esclavos y se elegía de entre ellos a los más convenientes para el servicio personal y de la casa. De la multiplicidad de labores surgió también la especialidad en el servicio doméstico, formado por personas de ambos sexos, tales como cocineros, camareras, pajes, amas de llaves, institutrices, ayudas de cámara, niñeras, lacayos, porteros, etcétera. En todas las épocas, este servicio ha dado tono a la mansión, usando muchas veces uniforme o librea, en la cual suelen bordarse, cuando el dueño es noble, emblemas o escudos de armas. Los príncipes y reyes tienen adscrito a su servicio personas de la nobleza, entre las que se reputa como un honor alcanzar cargos como el de caballerizo mayor, camarera.

servomecanismo. Dispositivo de potencia que comunica el movimiento a una máquina. Constituye un sistema en anillo cerrado, cuya variable controlada es la posición mecánica. Por lo general, hace falta cierta amplificación para obtener una señal de mando adecuada a partir de la señal de retrocontrol, mucho más débil. Mecanismo que, dotado de un programa, asegura automáticamente su ejecución y subsana por sí mismo las deficiencias que pudieran producirse durante el funcionamiento de la instalación o máquina por él gobernada.

El servomecanismo es un dispositivo electromagnético que sirve para mantener constante una magnitud (tensión eléctrica, presión de un fluido, nivel, etcétera). Un servomecanismo no es sólo un amplificador capaz de convertir la señal de salida lo bastante energética para poder ejercer acciones potentes, sino también, en muchos casos, un órgano dotado de la capacidad de registrar las variaciones que alteran alguna magnitud o parámetro y de proceder a las oportunas regulaciones para volverlo a la normalidad. *Véase* SERVOMOTOR; SERVOSISTEMA.

servomotor. Aparato mediante el cual se da movimiento al timón de un barco aplicando una fuerza mecánica. También se llama así el sistema electromecánico que amplifica la potencia reguladora, así como el motor utilizado en los servomecanismos para producir movimientos lineales o rotativos.

Para los movimientos lineales se utilizan principalmente los motores hidráulicos y neumáticos (cilindros), o solenoides y bobinas de altavoz, si se trata de pequeños desplazamientos que no requieren mucha potencia. Para los movimientos rotativos se utilizan casi exclusivamente motores eléctricos. Si no se necesita mucha potencia, se emplean motores eléctricos de motor impreso o motores paso a paso. Si se requieren grandes potencias, se emplean generalmente motores de corriente continua, por su facilidad de regulación, aunque actualmente se utilizan también motores de corriente alterna de potencia media. *Véase* SERVOMECANISMO; SERVOSISTEMA.

servosistema. Sistema de control con amplificación de potencia y con uno o más anillos de retrocontrol. Se entiende por sistema con amplificación de potencia aquel en que la potencia disponible a su salida no está suministrada por el elemento de control. Así, por ejemplo, una prensa hidráulica mandada por una válvula de mano constituye un sistema de este tipo, puesto que la escasa fuerza empleada para apretar el pulsador de la válvula puede desencadenar fuerzas de varias toneladas. *Véase* SERVOMECANISMO; SERVOMOTOR.

Sessé y Lacasta, Martín de (1751-1808). Médico y naturalista español que dirigió la misión científica enviada a México en 1795 para estudiar su historia natural y que exploró estos efectos desde California a Costa Rica recorriendo más de 16,000 km. Fundó y dirigió el Real Jardín Botánico de México en 1787. Posteriormente continuó con sus exploraciones y cosechó un magnífico herbario que en 1820 fue trasladado al Jardín Botánico de Madrid. Sus estudios y experiencias están recogidos en *Flora mexicana* (1891-1897) y *Plantas de la Nueva España* (1887-1891).

Sethi I (1313-1292 a. C.). Faraón de la XIX dinastía egipcia. Pacificó pueblos y construyó grandes monumentos, como el templo de Abu-Simbel, excavado en la roca, en Nubia; la sala hipóstila de Karnac, y el templo de Osiris, en Ábidos. Conquistó Tebas, e invadió Siria meridional hasta Líbano y Oronte. Su momia fue descubierta por el egiptólogo Giovanni Battista Belzoni, dentro de un riquísimo sarcófago de alabastro, en un sepulcro casi inviolable, en Deir-el-Bakari.

seudónimo. Nombre empleado por un autor en vez del suyo propio. El seudónimo se extendió a partir del advenimiento de la

La servidumbre se encarga de las labores domésticas, percibiendo un salario.

Corel Stock Photo Library

imprenta, ya que con anterioridad a ella se usaba raramente. Algunos autores han empleado varios a la vez o en distintas épocas de su vida. Su uso suele obedecer a causas diversas, pues mientras unos lo utilizan para despistar a los curiosos, otros se sirven de él para disfrazar nombres y apellidos vulgares; por otra parte, los escritos satíricos violentos y subversivos, que, de conocer a su autor, atraerían sobre él castigos y calamidades, suelen firmarse con seudónimo. Durante el Renacimiento, escribieron con seudónimo muchas egregias figuras, a quienes gustaba latinizar y helenizar sus nombres. A veces llega hasta hacer desaparecer el verdadero nombre del que lo adoptó. Así, muy pocos saben que *Mark Twain* se llamaba Samuel Langhorne Clemens; *Stendhal*, Henry Beyle; *Fernán Caballero*, Cecilia Böhl de Fa-ber; *Anatole France*, François Anatole Thibault; *Volney*, Constantino Chasseboeuf; *Maksim Gorki*, Aleksej Maksimovic Peskov; *Voltaire*, François Marie Arouet, y *Courteline*, Georges Moinaux. Otros seudónimos célebres, además de los mencionados, son los de Tomé de Barquillos, con el que firmó algunas de sus obras Lope de Vega; *fray Gerundio de Campazas*, el José Francisco de Isla; *Tirso de Molina*, fray Gabriel Téllez; *Fígaro* y *El Pobrecito Hablador*, Mariano José de Larra; *Tristán Bernard*, Paul Bernard; *Moliére*, Jean Baptiste Poquelin; *George Sand*, Aurore Dupin; *El Tostado*, Alfonso de Madrigal; *Plácido*, Gabriel de la Concepción Valdés; *Almafuerte*, Pedro Bonifacio Palacios; *Clarín*, Leopoldo Alas; *Trilussa*, Carlos Alberto Salustri; *Fernanflor*, Isidoro Fernández Flórez; *Andrenio*, Eduardo Gómez de Baquero; *Hugo Wast*, Gustavo Martínez Zuviría; *Rubén Darío*, Félix Rubén García Sarmiento; *Azorín*, José Martínez Ruiz y *Gabriela Mistral*, Lucila Godoy. Los elementos revolucionarios se han servido también del seudónimo por motivos obvios, siendo famosos, entre otros los de Josif Vissarionovich Dzugasvili, conocido por *Stalin*; Vladimir Ilich Uliánov, *Lenin*, y Josip Broz, *Tito*. En el campo cinematográfico el seudónimo se cultiva mucho, siendo numerosos los actores y actrices a quienes se conoce por él y no por sus nombres verdaderos, valgan los ejemplos de *Bárbara Stanwyck* que se llama Ruby Stevens; *Mary Pickford*, Gladys M. Smith; *Fred Astaire*, Frederick Austerlitz; *Joan Crawford*, Lucille Le Sueur; *Maureen O'Hara*, Maureen Fitzsimmons; *Ray Milland*, Reginald Truscott-Jones; y *Frederick March*, Frederick McIntyre Bickel.

seudópodo. *Véase* PROTOZOARIOS.

Seúl (Kijo o Kyong-Song). Capital de Corea del Sur, tiene 10.229,262 habitantes (1996). Se halla situada en el oeste de la parte central de la Península de Corea, a orillas del río Han, en un valle rodeado de montañas graníticas. Al suroeste de Seúl, a 30 km, está el puerto de Inchon (Jinsen) en la bahía de Kangha, en el Mar Amarillo. Mediante el puerto de Inchon con el que está unida por ferrocarril, Seúl tiene acceso al mar y por dicho puerto efectúa intenso movimiento de mercancías. Mezcolanza de ciudad china con edificios, vías, parques y servicios modernos, Seúl conserva restos de sus antiguas murallas, el palacio Real y algunos viejos y curiosos templos. Es ciudad universitaria con museos de arte y arqueología autóctonos. El comercio es la actividad económica más importante, aunque tiene algunas industrias entre ellas las de tejidos de seda y algodón, maquinaria, químicos, tabaco y papel. Seúl fue fundada y fortificada por el emperador Yi Taijo, en 1392, y estableció en ella la capital en que residió la dinastía coreana durante siglos, a través de conflictos con China, Japón y Rusia, hasta que Japón ocupó Corea en 1910. La ocupación japonesa cesó al sobrevenir la derrota de esta nación en la Segunda Guerra Mundial, y Seúl pasó a ser la capital de Corea del Sur en 1948. Durante la guerra entre Corea del Norte y Corea del Sur (1950-1953), Seúl fue parcialmente destruida. Al cesar las hostilidades se procedió a su reconstrucción. *Véase* COREA.

Seurat, Georges (1859-1891). Pintor francés creador, con Paul Signac, de la técnica divisionista denominada *puntillismo*, que adoptaron los impresionistas, entre otras, tendientes a aprovechar los recursos ofrecidos por la pequeña pincelada. *Un domingo de verano en la isla de la Grande Jatte* (1886), *Un baño en Asnieres* (1884) y *El circo* (1891) son sus telas más conocidas.

Severo, Lucio Septimio (146-211). Comandante de las legiones romanas de Panonia e Iliria, proclamado emperador a la muerte de Pertinax (193). Se deshizo ante todo de los rivales que le disputaban el dominio de Oriente. Tomó Bizancio y Babilonia y venció a los partos en muchos combates, pacificó las provincias asiáticas y visitó Egipto. De regreso a Roma (202), en honor suyo se erigió, al pie del capitolio, un arco que aún subsiste. En 208 sofocó una rebelión en Gran Bretaña. Bajo su reinado tuvo lugar la quinta persecución contra los cristianos.

Seversky, Alejandro de. *Véase* DE SEVERSKY, ALEJANDRO.

Sévigné, Marie de Rabutin-Chantal, marquesa de (1626-1696). Escritora francesa. Se casó a los 18 años con el marqués Henry de Sévigné, que murió en un duelo y la dejó viuda a los 25 años, con dos hijos. Las cartas a su hija Madame de Grignan, escritas en un periodo de 30 años, son consideradas valiosos documentos de la época; en ellas se cita a los escritores Jean Racine, Pierre Corneille y François, duque de La Rochefoucauld, a diversos personajes de la corte de Luis XIV, a los filósofos Nicolas de Malebranche y Antoine Arnauld, y a muchos otros. Su estilo elegante y ameno y la perspicacia y buen sentido con que trató problemas tan diversos como la religión, la literatura, la vida en el campo, el teatro y las noticias de París, hacen de sus cartas modelos de literatura epistolar que le valieron numerosos admiradores.

Sevilla. Ciudad de España, capital de la provincia del mismo nombre, una de las ocho que componen la región andaluza. Está situada en una dilatada planicie bañada por el río Guadalquivir, a cuya margen derecha queda el barrio de Triana, uno de los más típicos de la ciudad; ésta, en su conjunto, cuenta con una población de 714,148 habitantes (1994). Durante la dominación romana, Sevilla, bajo el nombre de Hispalis, fue cabeza de la Bética. En la época visigótica ostentó el rango de capital, hasta que Atanagildo trasladó la corte a Toledo. Los árabes la tomaron en 712 y la retuvieron en su poder hasta 1248 –año en que fue conquistada por Fernando el Santo–, imprimiéndole el fuerte carácter que aún conserva en muchos de sus aspectos y costumbres. Con el descubrimiento de América adquirió inusitado esplendor, pues su puerto fluvial, a 87 km del océano, se convirtió en el punto de enlace entre España y el Nuevo Mundo. El monopolio comercial conferido a su Casa de Contratación hizo afluir a Sevilla riquezas incontables; con ello, al acervo monumental heredado de las civilizaciones anteriores vino a sumarse el engendrado por su extraordinario desarrollo durante el siglo XVI, en el que, junto a la creación de grandes empresas comerciales y marítimas, asistió a un singular florecimiento de las letras y las artes. Entre sus monumentos más notables figuran: el Alcázar, con sus bellísimos jardines y nobles construcciones, edificado por Pedro I *el Cruel* sobre el emplazamiento de la antigua residencia de los sultanes almohades; la catedral, de estilo gótico, pero con elementos árabes y renacentistas, los primeros representados por la esbelta torre de la Giralda, antiguo alminar islámico, obra del siglo XII; la famosa Torre del Oro, junto al Guadalquivir, en la que el rey don Pedro guardaba sus tesoros; la Casa de Pilatos, notable ejemplar de estilo mudéjar; el museo Provincial de Bellas Artes, en el que se conservan algunos de los mejores lienzos de Murillo, Zurbarán y Valdés Leal, la Casa de Contratación o Lonja, donde está instalado el Archivo de Indias, de extraordinaria riqueza documental en cuanto se refiere a las relaciones de España con el Nuevo Mundo, y el Hospital de la Caridad con su portada que se dice diseñada por Murillo y en cuya capilla, además de excelentes pinturas de este artista sevillano, se conservan los impresionantes lienzos de Valdés Leal denominados *Las postrimerías.* De gran belleza son asimismo los *patios sevillanos,* los espléndidos jardines del Parque de María Luisa y gran número de rincones típicos, en los que reside buena parte de ese encanto inconfundible que le ha valido a Sevilla el sobrenombre de *ciudad de la gracia.* En la actualidad es una de las principales ciudades españolas, a la que da gran movimiento el importante puerto fluvial que, por el Guadalquivir, se comunica con el Atlántico y constituye un punto muy activo de tráfico comercial. Por otra parte, este puerto cuenta con dos importantes líneas férreas que empalman con la directa Sevilla-Madrid. La exportación ocupa un lugar preeminente en las actividades de esta capital andaluza, cuya tierra es muy fértil y produce gran cantidad de frutos naturales, sobre todo aceite y aceituna, que en gran medida se exportan a otros países, donde son muy apreciados. Además de su riqueza artística, Sevilla posee una producción industrial muy variada; sobresalen en ella los hierros artísticos y la cerámica ornamental, especialmente la llamada *de reflejos metálicos,* muy apreciada en todo el mundo. También han dado a Sevilla renombre universal sus tradicionales fiestas de Semana Santa, en las que se sacan en procesión bellas imágenes de los más afamados imagineros, entre las que descuellan las del gran artífice andaluz Juan Martínez Montañés (1568-1649). Las imágenes predilectas de los sevillanos –particularmente el Jesús del Gran Poder y la Virgen de la Macarena– son objeto a su paso por las calles de las más vehementes expresiones de entusiamo y veneración, la más patética de las cuales es la *saeta,* especie de amento cantado que se improvisa en presencia de la imagen preferida. A la suntuosidad y emoción de estas fiestas religiosas, sigue el colorido y la alegría de la feria, momento culminante en la primavera sevillana. Muy concurridas y de gran atractivo también son las fiestas de la Cruz de mayo y las romerías, entre las cuales se destaca la del Rocío, en Pascua de Pentecostés.

Con motivo de la celebración de la Exposición Universal en Sevilla, en 1992, se llevaron a cabo importantes obras nuevas y de remodelación en la ciudad, entre las que destaca la urbanización de la isla de la Cartuja, destinada a ser el recinto de la exposición. Se constituyeron 10 nuevos puentes sobre el Guadalquivir, entre ellos, los llamados puente de la Cartuja y puente de la Barqueta. Entre las obras de infraestructura culturales realizadas destaca el Teatro de la Maestranza. Tras el evento, el recinto de la Cartuja se reconvirtió en Parque Tecnológico Cartuja 93.

Corel Stock Photo Library

Palacio central en Sevilla, España.

Sevilla. Provincia de España que formó parte del antiguo reino de Andalucía, y que hoy es la más importante de la región. Su extensión es de 14,001 km^2. Su población es de 1.638,218 habitantes (1996). En su suelo, regado por el Guadalquivir, y que ofrece sus principales relieves en las montañas de Sierra Morena –guarida en otro tiempo de audaces bandoleros, en torno a los cuales se han tejido románticas leyendas–, dejaron los árabes honda huella en su carácter y eficaces sistemas de cultivo. La navegación del Guadalquivir la convierte en provincia marítima. Produce frutas y granos de toda especie, pues su clima, muy cálido, permite los más variados cultivos. Sus aceitunas, vinos y manzanilla son mundialmente famosos. Su capital es la ciudad de Sevilla y entre sus poblaciones más importantes cabe citar las de Carmona, Cazalla de la Sierra, Écija, Estepa, Lora del Río, Marchena, Morón, Osuna, Sanlúcar la Mayor, Utrera, Alcalá de Guadaira. Su atracción turística es una de las más importantes de Europa.

Mosaico que representa la Torre del Oro, *Sevilla.*

Corel Stock Photo Library

Sévres, Tratado de. Fue firmado el 10 de agosto de 1920 entre los aliados y Turquía que, aliada de Alemania, había sido vencida en la Primera Guerra Mundial. Por él, Turquía renunciaba a Arabia, Siria, Palestina y Mesopotamia, que se transformaron en mandatos confiados a Francia e Inglaterra; concedía la independencia a Armenia; cedía a Grecia la Tracia oriental con Andrinópolis y la administración de smirna (plebiscito a los cinco años) y creaba en las dos costas del Mar de Mármara y de los Estrechos una zona neutral. El imperio otomano, que estuvo a punto de desaparecer, quedaba reducido a Constantinopla y sus alrededores en Europa y a Anatolia en Asia, y su ejército a 50,000 hombres. Los acontecimientos subsecuentes produjeron la completa revisión de este tratado.

sexagesimal. Sistema de contar o dividir de sesenta en sesenta. Se utiliza en geometría para subdividir y medir la circunferencia. Esta comprende 360°, y cada uno

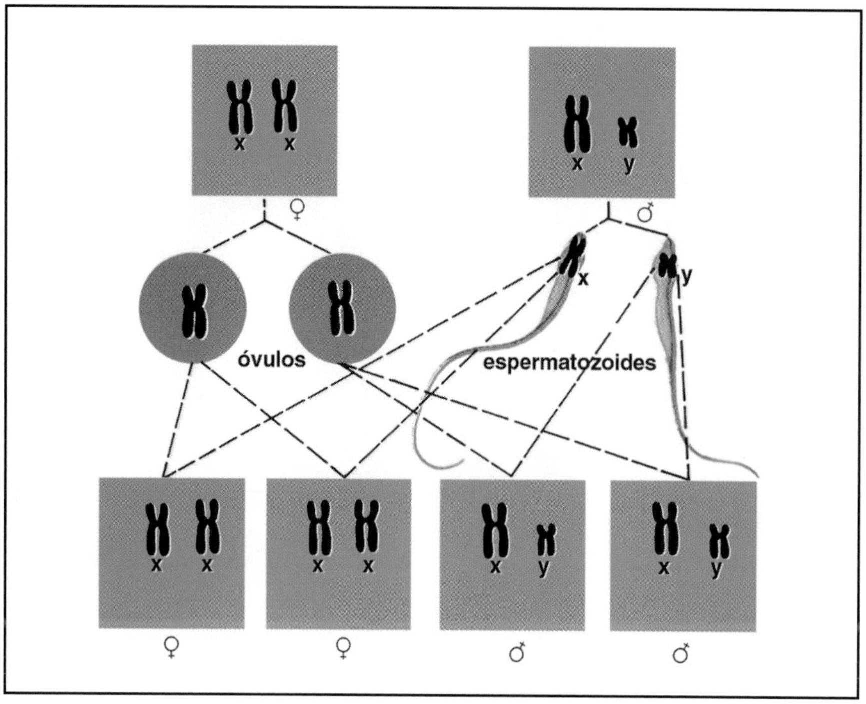

Salvat Universal

Esquema en el que se muestra el mecanismo de transmisión hereditaria de los cromosomas X y Y, que determinan el sexo en la especie humana.

de esos grados se divide a su vez en 60 minutos y éstos en sesenta segundos. El sistema sexagesimal fue ideado por los antiguos babilonios. Se aplica también para medir el tiempo; la hora se divide en 60 minutos y cada uno de estos en 60 segundos.

sexo y educación sexual. Los órganos y sistemas destinados a la reproducción de la especie animal o vegetal forman el sexo. La función de conjunto que desempeña cada ser vivo es doble: la conservación del individuo y la conservación de la especie. El sexo asegura no sólo la perpetuación de los seres vivientes, sino su evolución y adaptación al medio dentro del que debe desenvolverse, así como cierto grado de variación que se explica por la ley de la herencia, según la cual el descendiente siempre asimila algunas de las cualidades de sus progenitores. Los intercambios sexuales o recombinación genética contribuyen a preservar la variabilidad biológica. Todos los animales superiores, así como la mayoría de los vegetales, se reproducen por ese sistema. No obstante, existen algunos tipos de plantas que poseen, a la vez, órganos de ambos sexos y ciertas lombrices provistas de órganos de uno y otro sexo, denominándose hermafroditas.

La educación sexual debe brindarse en las escuelas y en la familia.

Corel Stock Photo Library

Las teorías modernas han llegado a la conclusión de que el sexo se halla determinado por las combinaciones de los cromosomas ocurridas en el momento de la fecundación. Sin embargo, existen algunas excepciones a esta regla. Los caracoles marinos del género Crepidula, asexuales en su juventud, adquieren los caracteres de un elemento macho al principio, para transformarse en hembras más tarde; el sexo de las orugas Bonellia depende de la sociedad que hayan formado, en el estado de larvas, con otro individuo de su especie. Con todo, el ambiente no influye, en general, sobre la formación del sexo; éste crea las diferencias que existen entre los elementos masculinos y femeninos, diferencias que resultan más marcadas cuanto más alto es el grado de la escala en que se halla el organismo respectivo. En el hombre, tales diferencias son profundas y se manifiestan tanto en sus caracteres físicos como psíquicos. Los fisiólogos distinguen entre caracteres sexuales primarios y secundarios. Los primeros se refieren a los órganos propios de la procreación y los otros a los rasgos somáticos específicos, tales como el vello, la conformación ósea y muscular, el timbre de voz, etcétera, que difieren visiblemente entre el varón y la mujer. El aparato nervioso también recibe el influjo del sexo, como un reflejo directo de las secreciones internas (hormonales) que aquél determina en el organismo. Todas esas diferencias terminan por señalar caminos distintos a los dos sexos en las tareas comunes de la existencia; en el hombre predomina la agresividad y en la mujer las actitudes pasivas, actitudes reforzadas socialmente. La maternidad sella ese cuadro definitivamente y sitúa a la mujer como elemento indispensable para la gestación y nutrición de los hijos y al hombre como protector de la familia. La psicología, por su parte, ha puesto claramente de manifiesto la realidad del instinto sexual, y los autores señalan su evolución e importancia directriz de la conducta en sucesivas etapas de la vida. Existe la teoría de que la procreación es un acto derivado de la excesiva acumulación de energías vitales en un momento en que el ser no las precisa (fase adulta) por hallarse en la plenitud de su desarrollo y normalidad funcional, cosa que no sucede en la infancia, donde aquellas se vierten al crecimiento, ni en la decrepitud, en que los órganos debilitados luchan para conservar el equilibrio.

Una de las finalidades del sexo es la reproducción y éste se mueve por el instinto y la razón a la vez; por ello, habrá que establecer, como se hace con todas las actividades humanas, los principios en que se basa su educación. Ella influirá sobre la felicidad de las personas, la prosperidad del Estado, la salud y el poder de la colectividad. Hasta hace muy poco, el aspecto sexual era tratado con grandes reticencias, considerándolo como un profundo misterio que era preferible ignorar antes que conocer prematuramente. Pero, a partir del siglo XVIII algunos autores estudian abiertamente el problema; en Francia el senador Berenger propuso un método progresivo de educación sexual en todas las escuelas. En el siglo XX la educación sexual se generaliza y se acopla a muchos programas docentes de escuelas, institutos y liceos. Los puntos principales en que se basa son los siguientes: *a)* está probado que la ignorancia provoca siempre en la mentalidad infantil un interés malsano; *b)* los errores en el conocimiento de esta materia son de graves consecuencias, por lo que debe evitarse que el niño obtenga su información sólo de otros compañeros de su edad que nada saben, de conversaciones fragmentarias que sorprende a sus mayores, o de la interpretación equivocada de determinadas lecturas; *c)* la curiosidad infantil respecto al sexo es natural, malinformándose cuando no se encauza por medios apropiados; *d)* no siempre los padres están en disposición de facilitar con prudencia y eficacia tales conocimientos, por lo que conviene delegarlos a maestros con experiencia. El plan de esta enseñanza debe ser gradual acorde con la mentalidad y edad del alumno. Como temas preferentes, deben emplearse los que proporcionan la psicología, la biología y la zoología.

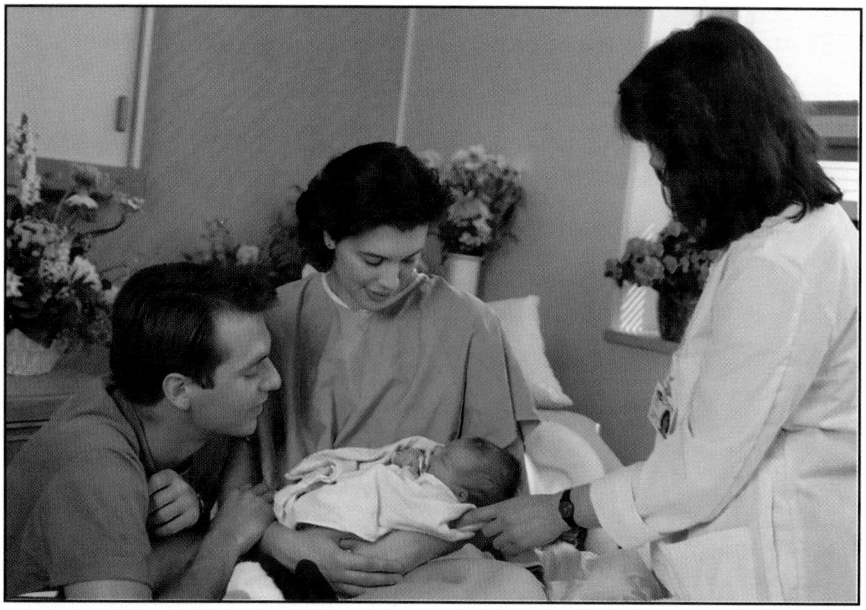

Corel Stock Photo Library

Una correcta educación sexual, ayuda a tener una planificación familiar.

sextante. Instrumento de reflexión que sirve para medir la distancia angular entre dos puntos. Lo utilizan los marinos para establecer la posición de la nave mediante el conocimiento de la altura de un astro sobre el horizonte. Entre los papeles que dejó Isaac Newton se encontró la descripción de un aparato semejante, pero se cree que la descripción que del sextante hizo Thomas Godfrey, de Filadelfia, en 1730, está basada en una idea original. Sin embargo, también se le llama *de Hadley*, por haber sido éste el primero en darlo a conocer en Europa. Lleva el nombre de sextante por comprender en su arco de círculo 60°, o sea la sexta parte de la circunferencia, y con él pueden observarse las distancias angulares hasta 120°. Sus partes principales consisten en un arco de círculo, en el que aparece el índice que mide el ángulo entre los espejos; la alidada, que es un brazo metálico movible sobre cuyo eje ve sentado el *espejo mayor* con el que se refleja el astro), y cuyo extremo se mueve sobre el índice; el espejo menor (en el cual se refleja el horizonte), que está fijo en un radio del instrumento y provisto de un mecanismo que permite rectificar su posición, y un pequeño telescopio por el que se mira el espejo menor. El manejo del aparato consiste en sostenerlo verticalmente, manipular la alidada hasta que la imagen del astro coincida con la línea del horizonte y en el índice puede leerse la altitud del punto de referencia.

Seybold, Cristián Federico (1859-1921). Filólogo y escritor alemán, profesor de lenguas semíticas de la Universidad de Tubinga, y profundo conocedor de la cultura hispano-árabe. Durante algún tiempo fue profesor de Pedro II, emperador de Brasil. Resultado de sus estudios de lingüística sudamericana son: el *Vocabulario de la lengua guaraní* y *Breve noticia de la lengua guaraní*. Escribió también, *Glosario arábigo-latino* y *Aben-Hazan de Córdoba*.

Sextante. Esquema.

Nova Development

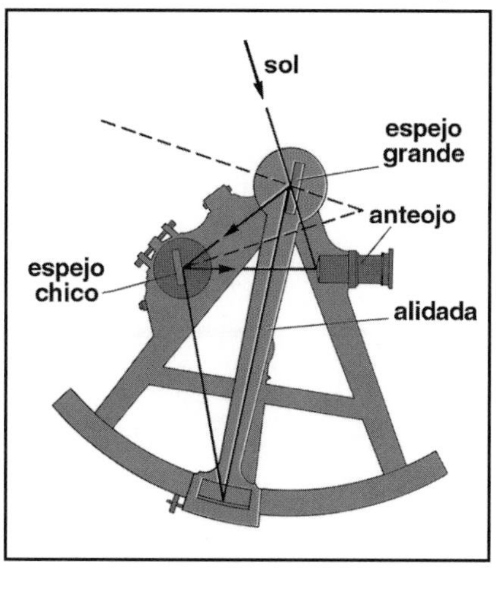

Seychelles. Estado de África, independiente desde 1976, formado por casi 90 islas e islotes (muchos de ellos deshabitados) del océano Índico al noreste de Madagascar, con una superficie total de unos 455 km^2. Son, en parte, de origen volcánico (granito) y en parte coralino. Tienen clima caluroso, húmedo, y producen copra, canela, vainilla, tabaco, té, caña de azúcar, pimienta, algodón. La agricultura, la pesca, y sobre todo el turismo, por sus hermosos bosques y playas, sostienen a su población de 76,100 habitantes (1996), que se compone de criollos (89.1%), indios (4.7%), malgaches (3.1%), chinos (1.6%) e ingleses (1.5%). Se hablan el el *creole* (criollo-francés) el francés y el inglés. La religión de la mayoría es el catolicismo (88.6%), pero también hay protestantes (8.5%), y el régimen de gobierno la república parlamentaria. La isla principal es Mahé, con un área de 145 km^2 aproximadamente, donde se asienta la capital de la república: Victoria (25,000 h.). Otras islas importantes son Praslin y La Digue.

Geografía física. El archipiélago se asienta sobre una plataforma submarina de escasa profundidad. Las islas más importantes presentan, en general, un relieve bastante accidentado, modelado sobre rocas eruptivas; abundan, asimismo, las islas e islotes de formación coralina. La máxima altura, 914 m, se alcanza en la isla de Mahé. El clima es de tipo tropical marítimo, caracterizado por una cierta humedad y temperaturas elevadas.

La vegetación se adapta a las condiciones edáfico-climáticas del archipiélago, con abundancia de palmeras, cocoteros en las islas coralinas, y bambúes.

Geografía económica. La superficie agrícola de las islas Seychelles ocupa unas 6,000 ha. Los cultivos más importantes son la copra y la canela. También se producen pequeñas cantidades de té, batatas, mandioca, ñame, caña de azúcar y plátanos. La producción ganadera es escasa, siendo las principales cabañas la porcina y la vacuna. La avicultura está relativamente desarrollada, y la pesca, aunque todavía modesta, experimenta un rápido crecimiento.

El único recurso mineral destacable es el guano, aunque se han iniciado prospecciones petrolíferas. En el sector manufacturero, muy reducido y en manos de pequeñas empresas familiares, sobresale la elaboración de cerveza y de bebidas no alcohólicas, los productos de la artesanía local, la construcción y los astilleros.

Estructura económica. La apertura de un aeropuerto internacional en 1971 inició una transformación importante de la estructura económica, al favorecer el desarrollo de la industria turística, que desde entonces se transformó en el motor del desarrollo económico del país, hasta el punto que, a mediados de la década de 1990, dicha actividad empleaba a un tercio de la población activa y aportaba casi las tres cuartas partes de los ingresos por divisas.

La balanza comercial es fuertemente deficitaria y se compensa con los ingresos por turismo y, en menor medida, por las inversiones extranjeras y la ayuda exterior. La pesca del atún –existe un acuerdo con la Comunidad Europea– proporciona el principal ingreso externo después del turismo. La copra y la canela son también importantes productos de exportación. Francia y Gran Bretaña son sus principales clientes, mientras que algunos países asiáticos son, junto con Sudáfrica, son sus proveedores más destacados.

Historia. Estas islas, descubiertas por Portugal (1505) y colonizadas por Francia a mediados del siglo XVIII para la plantación de especias, fueron conquistadas por Gran Bretaña (1794), que las puso bajo la dependencia de la colonia británica de la isla Mauricio (1810). Francia renunció a su dominio por el tratado de París (1814).

Los británicos intentaron el cultivo del algodón, pero sin éxito, y la situación económica se degradó en el siglo XIX, provocando un retroceso de la población (7,500 h. en 1825, y unos 5,000 h. en 1850). El relativo impulso económico provino de la

Corel Stock Photo Library

Mujer joven en Seychelles, África.

producción cocotera a fines del siglo XIX. Regidas por un gobernador británico, pasaron a ser colonia separada de la administración de Mauricio (1903). Convertidas en Territorio Británico del Océano Índico (1965), el Partido Democrático de James R. M. Mancham se opuso a la independencia, por considerarla perjudicial pare el nivel de vida de los autóctonos. La Constitución de 1970 otorgó la autonomía interna. Tras varias conferencias constitucionales en Londres (1970, 1975 y 1976), alcanzó la independencia el 28 de junio de 1976,

Timbres postales de Seychelles, África.

Corel Stock Photo Library

después de que Estados Unidos decidiera mantener su importante base para el seguimiento de satèlites en la isla de Mahe. J. R. M. Mancham fue el primer presidente de la república, con F. A. René como primer ministro. Depuesto el presidente por un golpe de Estado incruento (5 de junio de 1977), fue reemplazado por F. A. René. Aunque éste propugnó una política de no alineamiento y visitó China y Corea del Norte (abril de 1978), prometió respetar la base estadounidense. La denuncia de un fallido golpe de Estado (abril de 1978) favoreció la evolución hacia un régimen de partido único, orientado al socialismo, inspirado parcialmente en el marxismo. En marzo de 1982 se aprobó una nueva Constitución y en las elecciones de junio del mismo año René fue elegido presidente para un nuevo mandato de cinco años y el SPPF, partido único, logró sin competencia los 25 escaños de la Asamblea Nacional. En junio de 1984 René fue reelegido presidente y en noviembre de 1985 fue asesinado en Londres el jefe de la oposición, Gerard Hoareau. René, candidato único, fue reelegido presidente (junio de 1989) e inició la apertura hacia Occidente. Autorizado el multipartidismo, en 1991, y elegida una asamblea constituyente (1992), la nueva constitución fue aprobada por referendum (18 de junio de 1993). René fue reelegido presidente, al derrotar a Mancham, y su partido ganó las elecciones legislativas de julio de 1993.

Según la Constitución de marzo de 1993, Seychelles es una república unitaria únicamente de tipo presidencialista, miembro de la Commonwealth. El poder Ejecutivo recae en el presidente de la república –que es, además, jefe de Estado y comandante en jefe del ejército–, elegido por sufragio universal para un periodo de cinco años. El poder Legislativo recae en una Asamblea Popular de 33 escaños, 11 atribuidos de forma proporcional y 22 elegidos de forma directa por sufragio universal cada cinco años.

Sforza, Carlos (1873-1952). Estadista y escritor italiano. Como ministro de Relaciones Exteriores negoció al concluir la Primera Guerra Mundial el tratado de Rapallo con Yugoslavia. Producido el triunfo del fascismo, abandonó el país y se convirtió en preeminente vocero de la oposición a Benito Mussolini. En el Congreso de Montevideo, celebrado en 1942, fue elegido como jefe de los italianos libres. Proclamada la República, actuó como ministro de Relaciones Exteriores en el gobierno de Alcide de Gasperi y se destacó por su labor en pro de la unidad europea.

Shackleton, sir Ernest Henry (1874-1922). Explorador polar irlandés, a quien se deben importantes descubrimientos en la región de la Antártida. Participó en la expedición de Robert Scott (1901). En su viaje siguiente (1907-1909), localizó el polo sur magnético, verificó observaciones no logradas hasta entonces y efectuó la ascensión al volcán Erebus. Murió en la isla de Georgia del Sur, cuando proyectaba un crucero a la Antártida de extraordinario alcance. Dejó varias obras de gran interés, siendo célebre la titulada *El corazón de la Antártida* publicada en 1909.

Shaftesbury, Anthony Ashley Cooper, primer conde de (1621-1683). Estadista inglés, uno de los más destacados dirigentes políticos de su tiempo. En 1643 encabezó la formación de un regimiento de caballería e infantería para apoyar a Carlos I, pero al año siguiente, temiendo que este rey perjudicara a los protestantes, se puso al lado del Parlamento. Partidario de la Restauración, formó parte de la comisión que fue a Breda a pedirle a Carlos II su regreso a Inglaterra. En 1661 recibió el título de barón y en 1672 el de conde y el nombramiento de lord canciller. Fue quien promovió el establecimiento del *Habeas Corpus* en su país. En 1681, acusado de alta traición fue recluido en la Torre de Londres; libertado un año después, se trasladó a Holanda, donde falleció.

Shaftesbury, Anthony Ashley Cooper, tercer conde de (1671-1713). Filósofo inglés. Las ideas de Juan Locke, protegido de su abuelo y supervisor de su educación, tuvieron influencia definitiva en su desenvolvimiento intelectual. Para rebatir la opinión de que el hombre es egoísta y depravado por naturaleza, desarrolló su tesis del sentido moral, refiriéndose a la capacidad humana para distinguir el bien del mal.

Shaftesbury, Anthony Ashley Cooper, séptimo conde de (1801-1885). Estadista y filántropo inglés. Como miembro de la Cámara de los Lores desarrolló una notable labor política y filantrópica. Luchó por la modificación de reglamentos y administración de los asilos para enfermos mentales. Promovió la reducción de la jornada de trabajo en las fábricas, y el mejoramiento de condiciones en las viviendas para obreros. Fue un ardiente evangelista y presidió distintas sociedades religiosas.

Shah-Jahan (1592-1666). Quinto emperador mogol de Delhi, ciudad que él mismo fundó y donde erigió el famoso trono del pavo real. También construyó en Agra el Taj Mahal, maravilloso monumento en mármol que levantó en honor de su esposa favorita. Su reinado alcanzó un extraordinario esplendor y transcurrió entre 1627 y 1658, en que fue depuesto por su hijo Awrangzeb, y desde entonces vivió en prisión hasta su muerte.

Shakespeare, William (1564-1616). Dramaturgo y poeta inglés, el mayor de su patria y uno de los primeros del mundo occidental. La bibliografía shakesperiana es, sin duda, tan grande como la cervantina, si bien el genio español creó dos personajes que son síntesis de humanidad, y el inglés se prodigó en tantos, que ha podido decirse que nadie ha creado más que Shakespeare, después de Dios. Edward Craig anotó, en un estudio de sus obras, más de 800 personajes, en los que se desarrollan todas las gamas de las situaciones escénicas, y las crítica no se cansa de estudiar la magnitud y profundidad de sus creaciones, tan impregnadas de humanidad, como asimismo la riqueza de su estro poético, que se manifiesta no sólo en sus obras teatrales, sino también en sus producciones puramente líricas, en sus poemas, en sus sonetos. Sobre estos últimos, cuya edición *princeps*, evidentemente clandestina, se publicó en 1609, se ha escrito tanto que su recopilación abarcaría varios volúmenes. Bien es cierto que, en el enigma de Shakespeare, los sonetos constituyen por sí mismos un intrincado y particular enigma, desde la propia edición hasta las personas a que fueron dedicados y su cabal sentido.

¡El enigma de Shakespeare! Pocos autores, por no decir ninguno, han apasionado tanto a la crítica, por el misterio en que aparece envuelta su figura humana y la imposibilidad de fijar su verdadera existencia en términos exactos. Hay una antigua disputa, que parece no va a acabarse nunca, entre los que atribuyen el mas grande monumento dramático con que cuenta la humanidad, a un oscuro y humilde autor –nacido en Stratford– y los que insisten en identificarlo con alguno de los más destacados hombres de letras de la corte de la reina Isabel. Hay quien sostiene que el autor de la obra shakesperiana es el conde de Rutland, otros se la atribuyen a William Stanley, sexto conde de Derby, quienes a Edward de Vere, y los más a Francis Bacon, el canciller filósofo. Hubo un eclipse del nombre de Shakespeare a poco de su muerte y a raíz de la prohibición de los espectáculos por el puritanismo, y luego surgió aureolado por la leyenda, en medio del más contradictorio anecdotario, que hacía posible las más extrañas conjeturas.

Monumento a Shakespeare en la abadía de Westminster en Inglaterra.

Corel Stock Photo Library

Ciñéndonos a lo que se sabe del William Shakespeare nacido en Stratford-on-Avon, diremos que vio la luz en un hogar humilde y que desde niño ayudó a su padre en los diversos trabajos a que éste se dedicaba, entre ellos los de guantero, tratante en lonas y carnicero. Muy joven, pues tenía apenas 18 años, se casó con Ana Hathaway, de más edad que él, naciendo de este matrimonio primero una hija y luego dos gemelos. Poco después, a los 21 años, sale de su ciudad natal, abandona la familia y se dirige a Londres. No se saben con exactitud los motivos de su marcha, y las hipótesis tejidas a ese respecto lo dejan bastante mal parado. La versión más difundida es la que atribuye su fuga a una desgraciada aventura de cazador furtivo. Un gran paréntesis de misterio se abre entonces en su vida, podríamos decir que, en el momento de abandonar Stratford para encaminarse a Londres, entra en el reino de la leyenda, donde había de ascender hasta el trono de la gloria.

Llevó al principio una vida oscura y se cree que se dedicó a oficios humildes. Después aparece en el teatro, como actor, desempeñando papeles sin importancia. Al mismo tiempo, el joven actor debió descubrir en sí mismo condiciones de autor dramático, por cuanto se dedicó a modificar y refundir obras ya existentes, familiarizándose así por partida doble con el mundo escénico, en el que había de alzarse como un semidiós. Lo cierto es que, al término de seis años de su arribo a Londres, en 1591, se destacaba ya en la capital como poeta de mérito, afianzándose su reputación al publicar, en 1593, su *Venus y Adonis*, poema que dedica a su protector lord Southampton. Al año siguiente da a la estampa su *Rapto de Lucrecia*, que le otorga un primer puesto en la lírica inglesa. Al mismo tiempo, su genio dramático resplandecía en la escena. Aparte de las obras refundidas por él, en su primera época da a la escena la tragedia *Enrique VI*, *La comedia de las equivocaciones*, *Trabajos de amor perdidos* y *Los hidalgos de Verona.* A su segunda época pertenecen sus dramas históricos *Ricardo II, Enrique IV* y *Enrique V, Julio César* y algunas de sus más famosas comedias, tales como *El sueño de una noche de verano, El mercader de Venecia, Romeo y Julieta, Las alegres comadres de Windsor, Mucho ruido para nada, Como gustéis,* y otras.

Al final de esta segunda época de Shakespeare, que termina con el siglo XVI, aparece una edición en algunas de sus obras, lo que prueba su prestigio de autor dramático para esta fecha. A su tercera época, que llega hasta 1610, año en que deja de dar sus producciones a la escena, época que corresponde a su más granada madurez, pertenecen sus cuatro tragedias magistrales: *Macbeth, Otelo, El rey Lear* y *Hamlet,* más *Coriolano* y *Antonio y Cleopatra,* de asunto romano; *Troilo y Cresida* y *Timón de Atenas,* griegas, y la comedia *Medida por medida.* Hay todavía una última época en la vida del inmenso poeta, en que, ya retirado de la escena, escribe *La tempestad,* broche final y maravilloso de su collar dramático, en el que resplandecen las más valiosas joyas de la dramática universal. El lenguaje de sus personajes, lo mismo en sus tragedias que en sus comedias, suele ajustarse a las situaciones, y Shakespeare emplea unas veces el verso y otras la prosa, alternando en el primero las más diversas formas, si bien usa con preferencia el verso libre, que parece adaptarse mejor a su genio, evitando trabas a su inspiración.

El misterio envuelve el final de la existencia de William Shakespeare, lo mismo que su comienzo. Sin que se hayan dilucidado los motivos que pudieron inducirle a ello, es lo cierto que aquel creador de obras inmortales se eclipsó repentinamente de Londres, después de haber llevado allí, durante 20 años, una vida activa de autor y actor, volviendo a su ciudad natal. En Stratford, donde pasó sus últimos años, llevó una existencia de hombre acomodado. Falleció el 23 de abril de 1616, exactamente el mismo día en que murió Miguel de Cervantes.

Corel Stock Photo Library

Estatua en memoria de Shakespeare en Stratford.

Donald Sinden interpretando Otelo *de Shakespeare.*

Corel Stock Photo Library

De sus últimos días en Stratford ha quedado como recuerdo un testamento de escaso interés. Al morir, Shakespeare dejó su vida envuelta en sombras; pero, en cambio dejó su obra iluminada por la luz de su genio, con resplandores eternos. Obra no sólo fruto de una intuición genial, que podía ser su primordial condición de poeta, y de un conocimiento profundísimo del género humano, que podía ser producto de un privilegiado espíritu de observación, sino que revela, además, grandes estudios y numerosas lecturas, amén de enormes conocimientos científicos, históricos y literarios. Su erudición era tan vasta como sólida, y así lo demuestran sus dramas históricos y las alusiones que abundan en los no históricos. Todo esto ha llevado a un crítico a decir que Shakespeare "conocía todos los libros". A esta conclusión es forzoso llegar rastreando las influencias literarias que se advierten en sus geniales producciones y sus fuentes de inspiración, desde Plauto y Marlowe, hasta *El conde Lucanor y Boccaccio.* Por otra parte, el filólogo Max Müller ha comprobado que el vocabulario de Shakespeare abarca la cantidad enorme de 15 mil palabras, es decir, el doble del vocabulario de Victor Hugo. Es seguro también que dominaba las lenguas clásicas, griego y latín, y que debía conocer bien el italiano, ya que algunas de sus comedias proceden de novelas de Matteo Bandello y Ludovico Ariosto. Si a esto se agrega que en su *Cariolano* alude a la circulación de la sangre y que en otras de sus obras señala síntomas y métodos de curación de enfermedades mentales, como también que no le es desconocido el arte militar, la geografía, el derecho y la astronomía, forzoso es reconocer que ningún conocimiento humano le era ajeno y en su mente había cabida para todas las ramas del saber. Esta antinomia entre su vida y su obra se acentúa aún más a la luz de unos versos que otro gran poeta dramático de su tiempo, Ben Jonson, escribió bajo un retrato bastante malo de Shakespeare. Dicen así: "¡Ah! Si el artista hubiese podido reproducir el espíritu del modelo, el grabado hubiera superado todo lo que hasta ahora ha sido inscripto en el cobre. Pero esto es imposible; por lo tanto, lector, no mires su imagen, sino su libro. Todo, fuera de su libro, es nocturna tiniebla".

Sigamos, pues, el consejo de Ben Jonson. Dejemos la tiniebla de su persona para entrar en la luz deslumbrante de su obra, que tiene dos vertientes, la lírica y la dramática, las dos igualmente inmortales, porque en las dos se mostró su asombrosa fuerza creadora y el vuelo majestuoso de su estro poético. Sus personajes de ficción se nos aparecen con extraordinaria vida, como modelados en carne humana y animados por el soplo del espíritu, hasta el punto de que, si se puede dudar de la existencia del Shakespeare de Stratford, es imposible negar la existencia de sus creaciones, elevadas en ocasiones a arquetipos, como en los casos de *Otelo, Hamlet, Macbeth, El rey Lear*.

En *Otelo* Shakespeare personificó los celos, con tal vigor y con verdad tan grande, que en todos los idiomas del mundo se da ese nombre al hombre torturado por los celos. Muy acertadamente ha dicho Marcelino Menéndez Pelayo que los celos del matador de Desdémona son "unos celos bárbaros, groseros, brutales, pero que no dependen de ninguna convención de tiempo y de lugar, ni son consecuencia de este o del otro estado social, sometido a una ley llamada honor, sino que son tan indestructibles como la misma naturaleza humana, en la cual tienen su raíz. De ahí que el drama tenga un sello de universalidad y de pasión eterna, que le salva y hace admirable".

Si *Otelo* es la personificación de los celos, *Macbeth* encarna la ambición. Shakespeare tomó su argumento de la *Crónica* de Holinshed, del mismo modo que tomó el de Otelo de una novela de Giraldi Cinthio, y lo mismo ocurre con otras de sus grandes obras; pero, el punto de partida, con ser importante, es lo de menos en las creaciones shakesperianas, porque la grandeza de su genio se muestra en el desarrollo de los caracteres y en la forma magistral en que va iluminando los más recónditos pliegues de la naturaleza humana. De ahí la fuerza arrolladora de *Macbeth*. La tragedia en que los caracteres se muestran en toda su primigenia rudeza, y en que la poesía del terror alcanza las más altas cimas. Si bien en este caso, el personaje que da título a la obra no resume en sí mismo la pasión que trasuntan sus escenas pues junto a él se nos ofrece, también como carácter representativo, el de lady Macbeth, su esposa, la instigadora, que desencadena aquel huracán de horrores, y en cuya alma el remordimiento del crimen, como fuerza secreta y activa de la conciencia, llega a las situaciones más patéticas. Es esta acaso la obra en que mejor se pone a prueba el genio trágico de Shakespeare, que salva las más espeluznantes situaciones con la expresión más exacta en la que se percibe siempre el acento de la verdad. Sólo un poeta dramático como él puede dar validez a las palabras de las brujas que predicen en el comienzo el porvenir de Macbeth, cuando exclaman: "¡Lo horrible es bello! ¡Lo horrible es bello!"

Hamlet, como *Otelo*, al dar título a la obra personifica un carácter que Shakespeare ha mostrado a la luz de su genio, iluminando hasta los más profundos repliegues de su alma, dándole universalidad y haciendo de él un arquetipo. Así como Otelo encarna los celos, Hamlet, príncipe de Dinamarca, se nos aparece como el espíritu de la duda, sintetizado en la pregunta de su famoso monólogo: "¿Ser o no ser?", ya que, en realidad, lo sustancial de esta tragedia shakesperiana no reside en que Hamlet vengue el asesinato de su padre, con la muerte de su madre y el hermano de aquél, sino en las vacilaciones del príncipe antes de lanzarse a la acción, en el análisis de los sentimientos, en su afán por traspasar los linderos del mundo real para aventurarse en el trasmundo de la conciencia, bordeando como un sonámbulo los abismos de la duda, hasta castigar la infamia que se esconde en los pechos de quienes más amados debían serle, de su propia madre, como una necesidad ineludible para resolver el problema cuya solución busca y que sólo ha de hallar con la muerte de los demás y la suya. Figura de contraste en el terrible drama es la de la dulce Ofelia, la enamorada de Hamlet, una de las más bellas creaciones femeninas del mundo poético de Shakespeare, que pasa por aquel escenario de horrores, con la razón perdida, juntando flores y cantando, hasta hundirse en las aguas del lago.

Corel Stock Photo Library

Estatua de Lady Macbeth *en Stratford on Avon.*

Estatua de Hamlet *en Stratford on Avon.*

Corel Stock Photo Library

En la galería de sus creaciones inmortales, se destaca, con contornos gigantescos, la figura apocalíptica y delirante del rey Lear, clamando contra la autoridad, la mujer y la justicia. Es, desde luego, esta obra, la más compleja e impresionante de Shakespeare, en la que cala más hondo un desolador pesimismo; su pujanza creadora se muestra en ella magníficamente, como asimismo la universalidad de su acción. Las calamidades que sobrevienen sobre el infortunado rey, los actos criminales de sus hijas sin entrañas como los consuelos piadosos de la dulce Cordelia, tan sinceramente cariñosa con su padre, todo ello adquiere un carácter simbólico, y, siendo muy personal, se presentan a nuestra imaginación como sentimientos humanos que están fuera de lugar o de tiempo, o más exactamente, que pertenecen a todos los lugares y todos los tiempos, y así ha podido hablarse de "el rey Lear de la estepa" o "el rey Lear de la pampa". "Toda esta tragedia –se ha dicho–, en donde el bien y el mal caen y se despeñan indistintamente a tropezones; toda esta explosión de sentimientos, la fuerza de los cuales, como si no pudiesen caber en el corazón del hombre, hace temblar y conmover los elementos todos de la naturaleza, se desarrolla ante nuestros ojos azorados, como en una especie de penumbra. Maldiciones horrendas, actos tan criminales y repugnantes como el quitar la vida a Gloucester, traiciones viles, adulterios y falsedades, ahogan la purísima luz que irradia del amor definitivo del buen padre y de la buena hija".

Y junto a estas figuras que pudiéramos llamar de primer plano, otras de acusado perfil humano, como Shylock, como Falstaff, como el propio Yago; más los personajes históricos a los que comunica tan intensa vida, entre los que se destaca Coriolano, cuyo carácter se prestaría, como ha dicho Montégut, a que un nuevo Montesquieu escribiera en otro *Espíritu de las leyes* un capítulo titulado, "Del orgullo, principio del poder, y de la debilidad de las aristocracias"; y Julio César, maravillosamente estudiado en su condición humana, a la que quiere imponer la fría superioridad de los dioses, y Timón de Atenas, y tantos otros.

Corel Stock Photo Library

Albert Finney interpretando a Macbeth.

Nada concerniente a la naturaleza humana escapó a su conocimiento ni a su sensibilidad. Sus personajes lloran y ríen, en él parecen convivir Esquilo y Aristófanes, oponiendo a los estremecimientos del huracán trágico, las convulsiones de la risa, ofreciéndonos una visión integral del ser humano.

"El verdadero mérito de Shakespeare –ha dicho uno de sus críticos– es que sus dramas son el espejo de la vida, que el que haya extraviado su imaginación siguiendo los fantasmas que otros escritores hacen surgir ante él, pueda curar sus éxtasis delirantes leyendo en los dramas de Shakespeare sentimientos humanos, escritos en lenguaje de hombres, escenas reales en las que un eremita apreciará las andanzas de este mundo y un confesor clasificará y declarará la sucesión de las pasiones humanas".

Estatua de Shakespeare en el Central Park de New York.

Corel Stock Photo Library

Pero, en Shakespeare hay algo más, ya que es condición de su genio el abarcarlo todo. De pronto, entramos de su mano en el reino de la fantasía, donde a los personajes reales se mezclan los imaginarios, el deslumbrante cortejo de las hadas, los duendes, los silfos. Ejemplo de ello es su *Sueño de una noche de verano*, prodigio de imaginación, en el que su espíritu poético despliega sus más sugestivas galas, vistiendo con ellas las antiguas tradiciones de la ciudad de Chester, uno de los dominios del condado de Derby. Hay que tener en cuenta que la escribió para ser representada –en 1595– en el palacio de Greenwich, en presencia de la reina Isabel y de su corte, precisamente con ocasión del casamiento de William Stanley, sexto conde de Derby, con Isabel, hija del conde de Oxford.

Y es curioso que la última obra de Shakespeare fuese un drama poemático: *La tempestad*, obra en la que el genio de su autor llega a las concepciones más sublimes, y en la que parece elevarse en la más armoniosa música de sus versos hacia luminosas esferas del pensamiento humano. En ese cielo de poéticas perfecciones vuela Ariel. "Ariel –ha dicho José Enrique Rodó– genio del aire, representa, en el simbolismo de la obra de Shakespeare, la parte noble y alada del espíritu. Ariel es el imperio de la razón y el sentimiento sobre los bajos estímulos de la irracionalidad; es el entusiasmo generoso, el móvil alto y desinteresado en la acción, la espiritualidad de la cultura, la vivacidad y la gracia de la inteligencia –el término ideal a que asciende la selección humana–, rectificando en el hombre superior los tenaces vestigios de Calibán, símbolo de sensualidad y de torpeza, con el cincel perseverante de la vida". Quien ya al término de su existencia lega a los hombres este símbolo; bien merece de ellos eterna gratitud.

Natural es que se venere su memoria, y que por encima de toda discusión, los hombres se aferren a la idea de un William Shakespeare al que puedan considerar a través de los siglos como un ser de carne y hueso, cuya vida puede reconstruirse y cuyo retrato se puede contemplar, y es natural, también, que se le rinda culto en la ciudad donde nació. ¿Y por qué no admitir lisa y llanamente, que el *Cisne del Avon* fue un autor humilde pero inspirado, oscuro pero genial? El que fuese de origen humilde, no le impediría ser el autor de esa maravillosa constelación dramática que es el asombro de los siglos, y no hay por qué atribuir su paternidad a otros personajes contemporáneos suyos, más dignos, al parecer, por su cultura y por su alcurnia, de haber creado aquellos portentos de la imaginación humana.

Hoy Stratford es una de las mecas universales del arte. La población donde William Shakespeare nació en 1564, es actualmente una ciudad de 15,000 habitantes, a 50 km de Birmingham. Allí se encuentra la casa donde nació el poeta, convertida en museo; allí su tumba, en la iglesia de la Trinidad; allí el monumento levantado por la ciudad a su hijo inmortal; allí el teatro, construido en memoria del dramaturgo genial, donde todos los años van los grandes actores ingleses a encarnar, bajo el cielo natal de Shakespeare, a los hijos de su espíritu desde el enceguecido Otelo hasta la dulce Ofelia, desde el tremendo Macbeth a la tierna Cordelia.

Shamir, Isaac (1915-). Político israelí, militante sionista, no empezó su carrera política sino hasta 1970. En septiembre de 1983, tras la dimisión de Menchem Begin, fue designado primer ministro. Tras las elecciones de 1984, como líder del Likud, fue designado (septiembre de 1984) ministro de Exteriores y viceprimer ministro en el gobierno de coalición con los laboristas. Jefe del gobierno de unidad nacional (1986-1988), tras las elecciones de noviembre de 1988 renovó la coalición. En junio de 1990, mediante una alianza con los partidos religiosos y la extrema derecha nacionalista, constituyó un nuevo gobierno. Derrotado en las elecciones de 1992, abandonó la jefatura del gobierno, criticó el acuerdo de paz con los palestinos y fue reemplazado al frente del Likud (1993). Se retiró de la política en 1995.

Shanghai. Ciudad del este de China. El primer centro urbano de China por su población (7.496,509 h.) y el primer puerto del país. Pertenece a la provincia de Kiangsu y se halla emplazada en una llanura diluvial, a orillas del río Huang-Pu, a 20 km de su desembocadura en el estuario de Yangtsé. Su situación le permite servir de punto de afluencia y distribución de productos de una vastísima zona y recoger 50% del comercio chino. En su aeropuerto entran y salen gran cantidad de aviones. La ciudad se divide en tres distritos: el internacional, que centraliza el comercio, presenta un aspecto moderno, con amplias calles bordeadas de buenos edificios comerciales, hoteles, bancos y rascacielos; la ciudad francesa, residencial en su mayor parte, y la municipalidad del Gran Shanghai que rodea a los anteriores y consta de varias poblaciones suburbanas. En la zona china las calles son angostas, con pequeños edificios de ladrillo o madera. En el puerto, equipado a la moderna, los muelles y almacenes se extienden por ambas orillas en una longitud de 20 km. Existen, además, embarcaderos flotantes y numerosas naves menores cargan y descargan directamente mercancías procedentes o dirigidas hasta 3,000 km río adentro. De este enorme puerto salen en tiempo normal para el mundo entero: seda, té, aceite de nuez, cueros, huevos, volframio, cinc, antimonio, etcétera. Los principales artículos de importación son: algodón, petróleo, trigo, azúcar, vinos, tabaco, madera, material de construcción, maquinaria, productos químicos. Centro industrial muy importante, figura a la cabeza de los del país en la fabricación de tejidos de seda, algodón y lana, así como de numerosos bienes de consumo. Cuenta además, con talleres de maquinaria, astilleros, etcétera. Tiene instituciones de enseñanza superior y diversos centros de actividades culturales (salas de concierto, teatros, etcétera). Hay varias universidades, bibliotecas, museos y colegios especializados. Llaman la atención sus publicaciones periódicas y sus ediciones. Shanghai fue un pueblo sin gran importancia hasta que, en 1842, durante la llamada *guerra del opio* un navío de guerra inglés obligó a los chinos a abrir su puerto al comercio extranjero y se creó allí un establecimiento comercial británico. Francia, Inglaterra y Estados Unidos –éstos no llegaron a ocuparla– obtuvieron concesiones comerciales y Shanghai creció de manera asombrosa. Durante la guerra de los boxers (1900), la ciudad fue ocupada por tropas alemanas, francesas, inglesas y japonesas. En 1932 y 1937 los japoneses entraron en la ciudad china, que destrozaron en gran parte. En 1941, después de declarar Japón la guerra a Estados Unidos e Inglaterra, se apoderó de todo Shanghai y allí se mantuvo hasta su derrota en la Segunda Guerra Mundial. Durante ésta, Inglaterra y Estados Unidos cedieron sus privilegios a China. Francia renunció a su concesión en 1946. Así la ciudad de Shanghai y su régimen administrativo pasaron a poder del gobierno de China.

Corel Stock Photo Library

Casa de té en el jardín Yuyuan de Shanghai.

Shaposhnikov, Boris Michailovich (1882-1945). Militar soviético que, en la Primera Guerra Mundial sirvió como edecán del gran duque Nicolás en el frente del Cáucaso. Ya era coronel en 1917 cuando se produjo la revolución bolchevique y en mayo de 1918 combatió al lado de los soviets contra los enemigos de la revolución. Jefe de Estado Mayor de 1928 a 1931, fue nombrado en 1932 director de la Escuela Militar Frunze. Nuevamente jefe del Estado Mayor entre 1937 y 1940, preparó durante ese periodo la invasión de Finlandia y fue ascendido a mariscal. Designado una vez más jefe del Estado Mayor en 1941, con-

Vista panorámica del malecón en Shangai.

Corel Stock Photo Library

siguió detener la ofensiva alemana e hizo posibles los éxitos de Stalingrado (1943). En ese mismo año lo precario de su salud lo obligó a retirarse del servicio activo. Escribió *La caballería, El cerebro del ejército, Sobre el Vístula*, etcétera. Se le considera como uno de los creadores de la moderna organización militar rusa.

Shapley, Harlow (1885-1972). Astrónomo norteamericano. En 1914 fue nombrado astrónomo del Observatorio de Monte Wilson de California, cargo que desempeñó hasta 1921, en que fue designado profesor de astronomía en la Universidad de Harvard y director del observatorio de la misma (1921-1952). Se distinguió por sus notables estudios espectroscópicos sobre cúmulos globulares de estrellas, que le indujeron a formular una importante teoría sobre la constitución del universo, y también por los realizados sobre la composición de las estrellas y sobre la distancia que media entre la Tierra y la Vía Láctea. Publicó interesantes obras basadas en sus investigaciones científicas.

Sharp, Phillip A. (1944-). Bioquímico estadounidense. En 1969, se doctoró en química en la Universidad de Illinois en Urbana. Entre 1971 y 1974 trabajó como investigador en el laboratorio de Cold Spring Harbor. Allí estudió junto con Richard Roberts la estructura de los genes descubriendo que ésta era discontinua: un gen determinado puede presentarse en la cadena de ADN bajo la forma de varios segmentos bien diferenciados, entre los que se intercalan otros que no forman parte de la información del gen (los llamados *intrones*). Las investigaciones de Roberts y Sharp, concluidas separadamente hacia 1977, les valieron a ambos el Premio Nobel de Medicina o Fisiología en 1993.

Sharp, William F. (1855-1905). Escritor escocés. Contribuyó al resurgimiento celta de finales del siglo XIX con sus cuentos y obras de teatro publicadas bajo el seudónimo de Fiona MacLeod. Estas obras, que reflejan su crianza en las montañas de Escocia, incluyen *Pharais: A romance of the Isles* (*Pharais: un romance isleño*, 1894), *The Mountain Lovers* (*Los amantes de la montaña*, 1895) y *The Immortal Hour* (*La hora inmortal*, 1900). Sharp viajó mucho y publicó novelas, poesía y biografías firmadas con su nombre de verdad.

Sharpe, William (1934-). Economista estadounidense. Experto en temas financieros, es presidente de la Asociación Estadounidense de Finanzas desde 1980. Llevó a cabo innovadores trabajos sobre la teoría económica financiera y el financiamiento de empresas. Formuló la teoría de la formación de precios para activos financieros, conocida como Capital Asset Pricing Model (CAPM, Modelo de precios para activos de capital). Entre sus obras destacan *Investments* (*Inversiones*, 1978) y *Fundamentals of Investments* (*Fundamentos de la inversión*, 1989). Por sus trabajos en materia económica y sobre todo por su teoría de precios, recibió el Premio Nobel de Economía junto con Harry Markowitz y Merton Miller en 1990.

Shaw, George Bernard (1856-1950). Escritor y dramaturgo irlandes. Tanto en lo irónico como en todas las formas de su estilo captó una gran parte de los matices del espíritu humano, y del sentido de lo sutil. Su producción fue abundante, tanto en la novela como en el ensayo, en el teatro y en el artículo. Ejerció el periodismo y como escritor padeció un calvario inicial. Sus extensas novelas escritas entre 1879 y 1883 fueron rechazadas tenazmente. Su primera forma de notoriedad se debió a sus tareas de propagandista del socialismo fabiano. Cultivó la excentricidad, pero con todas las piruetas de frase y de acción, reales y atribuidas, su genio literario es indiscutible. Muchos críticos opinaron que el teatro británico no había recibido impulso de más aliento desde William Shakespeare y que había de buscarse en Aristófanes un antecedente legítimo de la forma más característica de su genialidad. De pocos escritores en el mundo se han hecho tantos comentarios como del dramaturgo irlandés, cuya condición de tal no impide que se le tenga como figura de la historia literaria británica. Contrajo matrimonio en 1898 con Charlotte Paynetownshend. En la lista de sus obras sumamente extensa, se destacan entre las más importantes: *César y Cleopatra* (1901), *Hombre y superhombre* (1903), *Pigmalión, Santa Juana* (1923), *Aventuras de una muchacha negra en busca de Dios, La otra isla de John Bull* (1907), *La comandante Bárbara Cándida* (1907), *Retorno a Matusalén* (1921), *Androcles y el león* y *El carro de las manzanas*, muestras de máxima agudeza del ingenio y la maestría. Cultivó el género políticosocial en su abundante literatura sobre el fabianismo. Usó en una época para la crónica de arte el seudónimo de *Corno di Bassetto*. El sinnúmero de sus anécdotas y de sus frases punzantes e intencionadas, en cada momento de la actualidad mundial, hacen de él uno de los autores más conocidos y a la vez más admirados del siglo XX. Se le concedió el Premio Nobel de Literatura en 1925. Falleció en Ayot St. Lawrence; su muerte se produjo por debilitamiento, a causa de su avanzada edad, y de un modo apacible.

Estatua de George Bernard Shaw en la Galería Nacional de Dublín, Irlanda.

Corel Stock Photo Library

Sheffield. Ciudad de Gran Bretaña, en el norte de Inglaterra, famosa por su industria siderúrgica, especializada en la fabricación de cuchillería, instrumentos quirúrgicos, maquinaria y armas de guerra. Situada en la confluencia de los ríos Sheaf y Don y unida por canales y ferrocarril a Londres, Liverpool, Manchester, etcétera. Población: 538,700 habitantes (1995). Interesante centro histórico y cultural, la Greves Art Gallery posee una importante colección de pinturas británicas de los siglos XVIII y XIX (Gainsborough, Turner), esculturas de Jacob Epstein y obras flamencas. En la Mappin Art Gallery se encuentran lienzos ingleses del siglo XIX, especialmente de los prerrafaelistas.

Shelley, Percy Bysshe (1792-1822). Poeta inglés. Su vida breve, pero agitada e intensa, concuerda perfectamente con su espíritu romántico. Desde muy joven mostró predilección por las humanidades y los estudios científicos. Ingresó en la Universidad de Oxford, pero poco después escribió *La necesidad del ateismo*, lo que le costó la expulsión de la universidad y de la casa paterna. Solo y sin recursos, se trasladó a Londres y allí se dedicó a la política, intervino en reuniones públicas y redactó folletos subversivos. En 1811 se casó con Harriet Westbrook, y dos años más tarde abandonaba su país por el continente acompañado de Mary Godwin, con quien se casó después del suicidio de Harriet. Volvió a Inglaterra, pero al verse privado de la patria potestad de los dos hijos de su primer matrimonio, abandonó definitivamente su patria y se trasladó a Italia, la que recorrió con su amigo lord Byron. En 1822 se retiró a orillas del Golfo de Spezia. Sorprendido en una de sus excursiones por una tempestad, naufragó y se ahogó. Su cadáver, hallado ocho días después, fue quemado a orillas del mar en una hoguera preparada por orden de lord Byron. Como lírico Shelley es no sólo el más grande entre los poetas ingleses, sino uno de los mejores de todos los tiempos. Su lirismo expresa, con belleza inimitable, el idealismo de un alma arrebatada, a través de estrofas impecables y desbordantes de imágenes. Se distingue por su originalidad, riqueza de forma y exuberancia de imágenes, al mismo tiempo que por la elevación de sus ideales. Se destacó además por su sensibilidad en la defensa de los oprimidos y como paladín de la libertad. Vivió imbuido en una melancolía mística y soñando con un mundo en el que reinaran la paz, la pureza, la fraternidad y el amor. En su obra figuran gran número de poesías líricas (*Oda al viento del oeste, A una alondra* y *La nube*); algunos poemas filosóficos como la *Reina Mab, Alastor o el espíritu de la soledad, Adonais, La rebelión del Islam*, y tragedias como *Prometeo liberado*, que simboliza y exalta la liberación del espíritu humano, y *Los Cenci*, de asunto italiano bellamente sombrío, en el que reaparece el tema de la lucha del bien contra el mal.

shenyang. *Véase* MUKDEN.

Shepard, Alan Bartlett Jr. (1923-). Aviador militar estadounidense. El 5 de mayo de 1961, se elevó en la base de Cabo Cañaveral (Florida) en una cápsula espacial *Freedom 7*, impulsada por un cohete *Mercury-Redston 3*, y en un vuelo de 15 minutos alcanzó una altura de 187.4 km, recorrió una distancia de 488.9 km y descendió en el Atlántico. Fue el primer astronauta de Estados Unidos que efectuó un vuelo espacial de esta clase.

sheriff. En Gran Bretaña y Estados Unidos, se designa con este nombre al oficial público que tiene a su cargo las funciones ejecutivas y administrativas en los distritos o jurisdicciones territoriales denominados *shires* o *counties* (*condados*). Entre sus funciones figuran las de ejecutar y hacer cumplir las leyes, entregar citaciones judiciales, custodiar presos, asistir a juicios, mantener el orden y, en ciertos casos, asumir poderes judiciales. En Inglaterra es nombrado por la Corona, y en Estados Unidos designado por elección.

Sherlock Holmes. Detective imaginario, fruto de la fantasía de sir Arthur Conan Doyle. Por la enorme difusión de sus aventuras, por el extraordinario vitalismo de su concepción y por lo original de su mentalidad deductiva eclipsa la fama de su propio autor. En efecto, a Sherlock Holmes se le llega a considerar como si realmente hubiera existido y cuyas aventuras conocemos gracias a su amigo y cronista el doctor Watson –imaginario también como él– y su vida resulta así hasta tal punto independiente que muchas veces lo nombramos sin acordarnos de su creador.

Corel Stock Photo Library

Estatua de Sherlock Holmes en la plaza Picardy de Edimburgo, Escocia.

Desde su nacimiento literario en *Estudio en rojo*, a lo largo de todos sus relatos en *Memorias de Sherlock Holmes, El mastín de los Baskerville, El regreso de Sherlock Holmes* y *La señal del cuatro* ha multiplicado sus lectores en todo el mundo. Esto se explica, entre otras cosas, porque –detective flemático y de infalible perspicacia– nada deja sin explicar y la incesante deducción de causa a efecto parece ser su evangelio.

Alto, huesudo, cenceño, el rostro anguloso, enmarcado por dos largas patillas tiene algo misterioso que lo caracteriza. Sombrero, impermeable y pipa, forman en su atuendo una trilogía inseparable. En un segundo y basándose en el más leve indicio, es capaz de retratar y caracterizar a un desconocido, y por las huellas de unas ruedas sabrá que un coche ha llegado vacío y ha vuelto a partir pesadamente cargado. Pedagogos como Jules Payot observan que tales deducciones, de un sano e ingenuo humorismo, excitan la curiosidad de los niños, contribuyendo a formar en ellos el sentido de la causalidad y el hábito de la deducción. En la casa de la calle Baker, de Londres, donde situó Conan Doyle el domicilio de su personaje existe un curioso museo, muy visitado, que reproduce el ambiente creado por el novelista.

Sherrington, sir Charles Scott (1857-1952). Fisiólogo británico. Conocido por sus estudios del sistema nervioso de los mamíferos. Tras obtener su título de médico en la Universidad de Cambridge en 1885, pasó dos años trabajando en el campo de la patología como discípulo de Rudolph Virchow y Robert Koch en Berlín. Al volver a Inglaterra, empezó la obra de su vida en el campo de la neurofisiología. Entre sus logros está haber determinado las conexiones de las neuronas del bulbo raquídeo y la médula espinal, haber establecido las interrelaciones del sistema muscular y el nervioso y descubierto el papel de los movimientos reflejos para coordinar los movimientos del cuerpo. Fue nombrado caballero en 1922 y en 1932 compartió el Premio Nobel de Fisiología o Medicina con Edgar Douglas Adrian.

Shetland, islas. Archipiélago a 180 km aproximadamente al norte de Escocia, a cuya jurisdicción pertenece, entre el océano Atlántico y el Mar del Norte. Comprende unas 100 islas e islotes, algunos deshabitados. Superficie: 1,429 km^2. Población: 21,400 habitantes. La mayor de las islas es la de Mainland (975 km^2) siguiendo las de Yell, Unst, Fetlar, Whalsey, Bressay y otras. En Mainland se encuentra la capital, Lerwick, pero Unst es la más fértil de las islas. Costas escarpadas y terreno casi estéril; la ganadería es numerosa, sin embargo, criándose especialmente una raza de caballos de poca alzada, muy solicitados para el trabajo en las minas de hulla, y carneros de lana espesa y fina. Clima frío y húmedo con temperatura media de 3 °C en invierno y 11 °C en verano. La principal actividad es la pesca. La población es de origen noruego; después de pertenecer a Escocia y Dinamarca, en 1471 pasaron definitivamente a poder de los escoceses, ingresando posteriormente a la Corona Británica. *Véase* GRAN BRETAÑA *(Mapa).*

Shetland del sur, islas. Archipiélago antártico situado en el cuadrante de Weddell, al norte de la Tierra de Graham. Se halla separado de ésta por el Estrecho de Bransfield y de la Tierra del Fuego por el Pasaje de Hoces. Está integrado por 12 islas de origen volcánico que ocupan una extensión de unos 4,622 km^2. Las más importantes son: Rey Jorge, Nelson, Roberts, Livingston y Decepción. El ballenero inglés Smith lo descubrió en 1819 y 21 años más tarde lo exploró el francés Dumont D'Urville y hacia principios del siglo XX las expediciones de las naves *Bélgica* y *Pourquoi pas?* Su valor económico se basa en las pesquerías. Se considera a estas islas como dependencia de las Malvinas. En 1948, se instaló en la isla Decepción un destacamento naval argentino.

shock o choque. Depresión brusca de los centros nerviosos del organismo con alteraciones variables. Es sinónimo de choque y las causas pueden ser debidas a traumatismos, emociones, intoxicaciones y operaciones quirúrgicas. Los síntomas que sobresalen son palidez, sudor, descenso de temperatura, debilidad del pulso y respiración superficial y rápida. Todo este cuadro se agrava cuando el dolor es grande en el paciente. Por eso los cirujanos se aprestan a aliviarlo con calmantes como la morfina y otros sedativos.

Entre las clases de shock más conocidos se encuentra el choque anafiláctico producido por la inyección de sustancias extrañas al organismo y que se manifiesta por su brusquedad e intensidad. Sucede con algunos sueros y proteinas. En el shock traumático y el operatorio, muy conocido éste por los cirujanos, fallan las funciones importantes de la circulación de la sangre y el corazón peligra. El shock insulínico es el que resulta después de una dosis excesiva de este medicamento, que produce una rápida disminución del azúcar sanguíneo. El tratamiento del shock, en general, consiste en reposo completo, tónicos cardiacos, medicamentos estimulantes y transfusiones de plasma sanguíneo.

Shevardnadze, Eduard (1928-). Político y diplomatico georgiano. Jefe de las Juventudes Comunistas en Georgia (1957). Como ministro del Interior de Georgia (1965), lanzó una gran campaña contra la corrupción del primer secretario del PCUS en la República, V. Mjavanadze, al que sustituyó en 1972. Miembro del Comité Central (1976) y suplente del Politburó del PCUS desde 1978. Tras la llegada de Mihail Gorbachov al poder, fue miembro titular del Politburó y nombrado ministro de Asuntos Exteriores (julio de 1985), en sustitución de Andrei Gromyko. Encargado de aplicar *el nuevo pensamiento*, que resumió los aspectos exteriores de la *perestroika*, negoció la retirada de las tropas soviéticas de Afganistán (1988) y el tratado de desarme nuclear (euromisiles) con Estados Unidos (1987- 1988) Antes de que se produjera la caída del muro de Berlín, incitó a los países del este de Europa a elegir su propio camino y olvidar la *doctrina de la soberanía limitada*. Proclamó el fin de la lucha de clases a escala mundial (1988) y defendió la incorporación de la URSS a una comunidad internacional fundada en los valores universales de los derechos humanos y la seguridad mutua. Su actitud en pro de un nuevo orden mundial resultó decisiva para que el Consejo de Seguridad de la ONU aprobara las resoluciones condenatorias de Iraq (agosto-noviembre de 1990). Elegido diputado en 1989 y miembro del Consejo Presidencial de Gorbachov (1990), renunció a todos sus cargos en el PCUS en el XXVIII congreso (julio de 1990). Dimitió como ministro de Asuntos Exteriores ante el Congreso de los Diputados (20 de diciembre de 1990), advirtiendo de la amenaza de dictadura. En junio de 1991, tras romper con el PCUS, fundó el Movimiento de Reforma Democrática. Ante las dificultades de Gorbachov, aceptó de nuevo el cargo de ministro de Exteriores (noviembre de 1991). Tras la desintegración de la URSS, volvió a Georgia, y fue elegido presidente del parlamento, cargo equivalente al de jefe de Estado. Fue elegido presidente de la República de Georgia por sufragio universal (5 de noviembre de 1995).

Shockley, William Bradford (1910-1989). Físico estadounidense. Trabajó en los Laboratorios de *Bell Telephone* (1936-1955) y, en 1948, con su equipo, encontró una forma de alterar los cristales de los semiconductores, de tal manera que tuvieran capacidad para detectar y amplificar las ondas de radio, lo que derivó en la invención de los transistores. En 1963, ingresó en la Universidad de Stanford como profesor de ciencias de la ingeniería. Desde finales de la década de 1960, despertó muchas polémicas porque apoyó activamente la idea, explorada en la obra de varias personas, como Arthur Jensen, de que la inteligencia en el ser humano es un rasgo genético de las razas. En 1956, compartió el Premio Nobel de Física con John Bardeen y Walter Brattain, por inventar el transistor.

shorthorn. *Véase* VACUNO, GANADO.

Shostakovich, Dimitrij (1906-1975). Músico ruso. Estudió en el conservatorio de la ciudad de San Petersburgo. Llamó mundialmente la atención con su *Primera sinfonía*, que compuso cuando tenía 19 años. Su ópera satírica *Lady Macbeth del distrito de Minsk* (1930-1932) desagradó a las autoridades soviéticas. Los críticos opinaron que la obra estaba demasiado influida por la música europea moderna y era incomprensible para el pueblo. Recuperó la aprobación oficial con su *Quinta sinfonía* (1937), presentada en Leningrado (hoy San Petersburgo) en 1937, en ocasión de celebrarse el vigésimo aniversario de la revolución bolchevique. Durante el asedio de Leningrado por los alemanes, en 1941, compuso la extensa *Séptima sinfonía*. Su popular *Polca* es uno de los números de un ballet titulado *La edad de oro*.

Shull, Clifford G.(1915-). Físico estadounidense. Tras doctorarse por la Universidad de New York en 1941, trabajó como investigador en la Texas Company, y en 1946 pasó a dirigir el Oak Ridge National Laboratory. En 1955, fue nombrado catedrático de física en el Instituto Tecnológico de Massachusetts. Es autor de importantes contribuciones al estudio del estado sólido y a la física de los neutrones. Durante su estancia en el laboratorio de Oak Ridge, Shull construyó, junto con E. O. Wollan, un aparato que permitía obtener figuras de difracción de la materia al bombardearla con neutrones. Gracias a esta técnica se pueden conocer diversas propiedades de la estructura atómica de un material y de las relaciones que se establecen entre sus átomos. Por estos trabajos, Shull compartió el Premio Nobel de Física con Berbram N. Brockhouse en 1994.

shunt. Ramal, derivación o puente de un circuito eléctrico, destinado a regular, graduar o desviar parcialmente el paso de la corriente. Es un conductor que se aplica a los terminales de un aparato o una línea y tiene su uso industrial más importante en el motor o generador de *shunt*, cuyo campo magnético está conectado mediante este sistema.

Siam. *Véase* THAILANDIA.

siameses, hermanos. Gemelos unidos corporalmente mediante carne, hueso u órganos comunes; obra imperfecta de la naturaleza, proceden de un germen que se dividió incompletamente en dos partes. Se les llama *siameses* porque el caso que alcanzó mayor popularidad se registró en Siam, cerca de Bangkok, cuando, en 1811 nacieron los gemelos Chang y Eng, sujetos por una adherencia que los unía por la punta del esternón, prolongándose hacia el abdomen. Se casaron, vivieron 63 años y tuvieron varios hijos cada uno.

Síbaris y sibaritismo. Ciudad de la Magna Grecia, situada en el sur de Italia, en el Golfo de Tarento. Fue fundada hacia el año 720 a. C. por colonos procedentes de Acadia (Grecia). Pronto comenzó a tener importancia como centro comercial entre las colonias griegas del Mediterráneo y el Asia Menor, y en los años de máximo esplendor tenía más de 300,000 habitantes. En 520 a. C. el demagogo Telis expulsó a la mayoría de la aristocracia, que se refugió en Crotona, ciudad rival de Síbaris. La guerra civil primero y la lucha entre ambas ciudades después, derrumbó el esplendor de esta opulenta ciudad. Síbaris fue vencida por Crotona y arrasada en 510 a. C.

Sibaritismo es palabra que proviene de la molicie, el vicio y el lujo desenfrenado en que habían caído la mayoría de los habitantes de Síbaris. Las grandes riquezas contribuyeron a la decadencia de las costumbres y dieron origen al término sibarita, que vino a ser sinónimo de aficionado a los placeres.

Sibelius, Jan (1865-1957). Compositor finlandés. Hijo de un médico, aprendió piano a los nueve años. Terminó sus estudios en Berlín y Viena, donde comenzó sus poemas sinfónicos inspirados en las antiguas sagas finlandesas. Fue profesor en el Instituto Musical de Helsingfors. Su obra musical revela una trayectoria que parte de Eduard Grieg, Piotr Ilich Tchaikovsky y la escuela romántica alemana, para penetrar, con paso firme, en un realismo poético y profundamente nacional. Su consagración la constituyen los poemas sinfónicos *Una saga* y *Finlandia*, la *Sinfonía número uno*, el *Vals triste* y *Carelia*. Organizó la Orquesta Sinfónica de Helsingfors (Helsinki) a cuyo frente recorrió Europa y América. Cultivó también el piano, el órgano y la música coral. Se le considera el músico nacional de Finlandia, cuyo espíritu supo captar, fundando una nueva escala musical.

Corel Stock Photo Library

Paisaje rural en Siberia.

Siberia. Vasta región asiática de Rusia que se extiende al este de los montes Urales. No es un país ni una subdivisión política, sino una región geográfica de límites imprecisos. En general, se admite que abarca Asia con exclusión de las regiones y repúblicas que se consideran agrupadas bajo la denominación general de Turquestán ruso. Sus inmensas planicies ocupan una superficie total de 13.500,000 km^2. Tiene una longitud total de 6,500 km y una anchura máxima de 3,400 km. Durante largos siglos su nombre ha sido sinónimo de opresión y terror: millares de enemigos del régimen de los zares, fueron deportados a sus remotos confines; con el triunfo de la Revolución, surgieron vastos campos de trabajos forzados para los enemigos del régimen. El reverso de la imagen presenta una Siberia en febril desarrollo, con nuevas ciudades de pujante actividad y vastas granjas colectivas.

Aspecto físico. Siberia es una región de clima frío e inhóspito, pero sus tierras son muy fértiles y sus bosques son los mayores del mundo. Las heladas aguas del océano Glacial Ártico la rodean por el norte; los mares de Bering y de Ojotsk marcan su límite oriental, los desiertos de Mogolia y del Turquestán ruso señalan su imprecisa frontera meridional; la cadena de los Urales la separa de Europa. La severidad de los inviernos siberianos es proverbial; pero sus cálidos veranos son menos conocidos; las lluvias, que caen principalmente en verano, sólo son abundantes en la Península de Kamchatka y en el sureste. En las solitarias tierras del noroeste las nieves se acumulan formando capas de gran espesor y cubren la tierra durante 260 días al año, en algunas regiones.

Cuatro regiones se distinguen en el suelo siberiano. La primera es la de la tundra que abarca el extremo norte. Musgos y líquenes crecen en sus pantanos congelados, y los osos, zorros y renos viven en madrigueras durante el durísimo invierno; al llegar la primavera aparecen algunos pájaros, seguidos por lobos y otros animales emigrados de las tierras del sur. Estas tierras reciben el nombre de taiga; forman la segunda región natural y presentan el aspecto de un inmenso bosque de coníferas el más grande del mundo. En la taiga viven animales de pieles finas. Más hacia el sur hallamos una tercera región, prolongación del cinturón fértil de la Rusia europea; el ferrocarril transiberiano atraviesa esta zona, donde se concentra la mayor parte de la población. La cuarta y última región es la legendaria estepa, cuyo suelo, menos fértil que el de la zona anterior, se utiliza para la cría del ganado y algunos cultivos. Por el sur la estepa toma contacto con los áridos desiertos de Asia central.

Las principales cadenas orográficas son la cordillera de !os Urales, que forma el límite occidental , y los montes Cherski, Verkhoyansk, Stanovoi y Sayan. La montaña más elevada es el volcán Klyuchevskaya, de 4,850 m, situado en la Península de Kamchatka. Los montes Altai se yerguen sobre el límite con el Turquestán. Siberia posee varios ríos de gran cauce que desembocan en el océano Glacial Ártico. El Amur es el único curso de agua importan-

Vista del Pico Topografov en Siberia.

Corel Stock Photo Library

te que desemboca en el Pacífico. Los ríos Obi, Yenisei y Lena vierten sus aguas en el Ártico y permanecen congelados durante buena parte del año, lo cual disminuye considerablemente su utilidad práctica. En el sur de la zona central se halla el lago Baikal, que es el más profundo del globo y el más grande de Asia septentrional. Ocupa una superficie de 34,000 kilómetros cuadrados.

La principal riqueza natural del territorio está constituida por sus enormes bosques, que ocupan 40% de la superficie. La explotación de estos inagotables depósitos de maderas tropieza con los obstáculos de las grandes distancias. Los cazadores recorren los bosques, colocando trampas para cazar animales salvajes. Aunque las estadísticas no son conocidas fuera de Rusia, se supone que las reservas mineras de Siberia son muy importantes: hay carbón, oro, hierro y petróleo, junto con muchos minerales secundarios. Se calcula que en la cuenca de Kuznetsk hay reservas de hulla que ascienden a 1,000 millones de ton. El petróleo abunda en la isla de Sajalín. En Kuznetsk y en Transbaikalia hay grandes yacimientos de mineral de hierro.

Pueblo y gobierno. En Siberia viven aproximadamente 30.000,000 de habitantes, la densidad de población es, por consiguiente, de 2.2 habitantes por km^2. Aunque ha aumentado considerablemente desde la Revolución de 1917, la cantidad de gente continúa siendo muy reducida dada tan vasta extensión de tierra. Buena parte de los habitantes son hijos de los campesinos de Rusia europea, enviados a Siberia por el régimen zarista. Otros fueron llevados a la región en cumplimiento de los planes quinquenales del entonces gobierno soviético. Estos colonos viven en ciudades pequeñas que han surgido en las cercanías de los caminos y de las vías férreas, en las zonas desérticas viven tribus de raza mongoloide. En el cinturón de tierra negra se practica una agricultura intensiva y en gran parte mecanizada, bajo la fiscalización estricta del gobierno. Los principales cultivos son trigo, cebada y centeno, seguidos por los de patatas, remolacha y lino. Existen vastas extensiones con abundantes pastos. Los pobladores de las estepas se dedican a la ganadería; tienen caballos, vacas, cabras, renos y camellos, según las regiones. Las granjas colectivas producen también grandes cantidades de manteca y queso, que son llevadas en ferrocarril a Europa oriental.

Antes del advenimiento del régimen soviético, las industrias eran pocas y rudimentarias. Hoy existen vastas fábricas en algunas regiones, en especial en la zona de los Urales y Kuznetsk. Aprovechando la favorable circunstancia de que las minas de carbón y los yacimientos de mineral de hierro se hallaban separados por distancias relativamente cortas, el gobierno ha construido un importante sistema de altos hornos. Siberia es, después de África del sur, el principal productor de oro del mundo. Las principales minas, situada junto al cauce de los ríos Yenisei, Kolyma y Aldan, utilizan dragas eléctricas y cuentan con ferrocarriles especiales. Las mayores pesquerías se hallan en las costas del Pacífico, donde los siberianos deben competir con los hábiles pescadores japoneses.

Siberia carece de un gobierno común a todas sus vastas regiones. Pertenece a la Federación Rusa administrativamente, Siberia occidental comprende las regiones de Kurgan, Tyumen, Omsk, Novosibirsk, Tomsk, Kemerovo y Gorno-Altai; Siberia oriental, las de Irkutsk, Chita, Magadan, Tuva, Krasnoyarsk, y las repúblicas de Buriat-Mogol y Yakut.

Granjero siberiano.

Corel Stock Photo Library

Transporte y comercio. El principal medio de comunicación es el ferrocarril transiberiano, que une el puerto de Vladivostok con las ciudades de Moscú y San Petersburgo. Todo el tráfico de los grandes ríos del norte y de las caravanas que llegan de China es llevado hasta las estaciones de este gran ferrocarril, verdadera hazaña de la ingeniería moderna. La segunda vía férrea es la que llega hasta Turquestán, tiene 1,500 km de longitud y fue inaugurada en 1930. Antes de la construcción de estos ferrocarriles, los ríos eran el principal medio de transporte. Pero su curso avanza hacia el norte, mientras que las rutas comerciales deben ir de este a oeste. Tal circunstancia retrasó en forma considerable el progreso de Siberia. Hay también comunicaciones por carretera y líneas aéreas de transporte. Las aguas árticas son navegables durante dos meses: agosto y septiembre. En este breve periodo los buques surcan las remotas aguas del Círculo Polar. La Administración de la Ruta de los Mares del Norte tiene un sistema de estaciones meteorológicas, aviones de exploración y buques rompehielos que facilita la azarosa navegación ártica.

Historia. Es posible que los primeros pobladores de Siberia fueran tribus que huyeron de la presión ejercida por los mongoles y los tártaros. El temible Gengis Khan sentó sus reales en la zona meridional del territorio siberiano, a fines de la Edad Media, destruyendo los pequeños principados autónomos de los antiguos pobladores. Un aventurero cosaco llamado Yermak invadió Siberia, a mediados del siglo XVI; después de varios lustros de campañas sangrientas, logró dominar el Khanato tártaro de Sibir (que dio su nombre a Siberia) y las inmensas estepas quedaron en poder ruso. Yermak murió ahogado en 1586, pero sus sucesores guardaron fidelidad a los zares. Los rusos del oeste siguieron avanzando hacia el Pacífico, a cuyas costas arribaron medio siglo después de la muerte del conquistador. Durante el siglo XVI trataron de abrirse camino hacia el sureste, pero los emperadores manchúes lograron rechazarlos. El valle del Amur fue ocupado en forma temporal por los rusos, pero los chinos lo reconquistaron en 1689; dos siglos más tarde, en 1858, el gobierno de los zares logró conquistar nuevamente las márgenes del río Amur. Sobre la costa del Pacífico construyó de inmediato la base naval de Vladivostok. Según lo exigieran las vicisitudes políticas y económicas, los zares utilizaron Siberia como inmensa factoría colonial o como vasta cárcel para sus enemigos. El departamento Siberiano, con sede en Moscú, exigía un pesado tributo a los cazadores de los bosques e imponía impuestos gravosos a todas las mercancías llegadas del otro lado de los Urales. Se calcula que durante el siglo XIX fueron enviados a Siberia más de 800,000 exiliados. Delincuentes de toda laya se mezclaban en las áreas penales con disidentes religiosos y opositores políticos. Hacia fines del siglo pasado comenzaron a llegar algunos colonos que aspiraban a explotar las riquísimas minas de oro.

La construcción del ferrocarril transiberiano comenzó en 1891, con el propósito declarado de asegurar la unidad del imperio zarista. Los rusos planeaban convertir a Puerto Arturo, ciudad de Manchuria, en la estación terminal del ferrocarril; pero perdieron esta región durante la guerra con Japón, en 1904.

Al producirse la Revolución de 1917, los bolcheviques contaron con la ayuda de varios contingentes de desterrados políticos que habían vivido en Siberia. Las fuerzas antibolcheviques lograron replegarse hacia Siberia, donde hallaron la inesperada ayuda de la Legión Checoslovaca, formada por un grupo de desertores del ejército austriaco; estos hombres habían esperado contar con la ayuda bolchevique para lograr la independencia checa y desengañados, decidieron plegarse a las fuerzas antisoviéticas. La Legión Checa y los antibolcheviques fueron avanzando por la línea del transiberiano, aniquilando la resistencia de los diversos soviets locales. En agosto de 1917, toda Siberia estaba en poder de los antibolcheviques. En su avance, éstos lograron llegar a Vladivostok, donde los esperaba una fuerza expedicionaria compuesta por regimientos británicos, japoneses, franceses y estadounidenses. El almirante Alexander Kolchak fue proclamado jefe supremo de Siberia. Los aliados trataban, con esta operación, que los alemanes no se adueñaran de los inmensos recursos naturales de Siberia. Concluida la guerra mundial, los checos abandonaron Siberia, pero el almirante Kolchak estableció su capital en Omsk. Atacado por las tropas de Moscú, fue vencido y ajusticiado en febrero de 1920. Las tropas aliadas abandonaron el país, que quedó incorporado definitivamente a la Unión Soviética. La región occidental pasó a formar parte de la República Soviética Federada de Rusia y la oriental fue transformada en territorio autónomo. Como estallaran pequeños conatos de rebelión, esta zona también quedó incorporada a la República de Rusia en 1922.

Durante la Segunda Guerra Mundial, el territorio siberiano adquirió insospechada importancia. Las principales fábricas de la Unión Soviética fueron trasladadas a los Urales o a zonas más remotas. Los mayores progresos se produjeron en la región

Corel Stock Photo Library

Perro de raza husky *en Siberia.*

del suroeste; alejada de las fronteras vulnerables, esta zona se constituyó en la principal área agrícola y la segunda concentración industrial de la Unión Soviética. En los Urales progresaron de modo asombroso las zonas de Magnitogorsk y Nizhniy-Tagil, que producen hierro y acero utilizando el carbón de Karaganda. En Chelyabinsk y Sverdlovsk han surgido grandes fábricas de maquinaria pesada, y en Kuznetsk y Minusinsk se han construido importantes establecimientos siderúrgicos.

El ferrocarril transiberiano fue ampliado en 1950 con el tendido de una nueva línea, que parte de Magnitogorsk, pasa por Stalinsk, llega a Thayshet, donde cruza las vías del transiberiano, y continúa por el norte del lago Baikal hasta el puerto de Sovetskaya Gavan, situado sobre el Pacífico. Este nuevo ferrocarril acelerará el progreso de vastas regiones.

Desaparecida la URSS, los 19 territorios que forman la región rusa de Siberia, reunidos en congreso regional (Tomsk, febrero de 1993), reclamaron una mayor autonomía económica. *Véase* UNIÓN SOVIÉTICA.

sibila. Mujer sabia a la que se atribuía el don de predecir el futuro en las antiguas religiones de Grecia y Roma. Las sibilas habitaban cavernas y grutas y, según la leyenda, recibían inspiración de los dioses. Una de ellas, Herófila, la más antigua de las sibilas, profetizó la guerra de Troya; pero la más famosa, que aparece también en la *Eneida*, fue la de Cumas. De ella se prendó Apolo y le concedió tantos años de vida como granos de arena encerrara su mano; mas como tratara de burlarlo, no le brindó juventud perenne y de ese modo, la sibila de Cumas volvióse más y más pequeña y rugosa. Logró vender tres de los libros de las profetisas, llamados *Libros Sibilinos*, al rey Tarquino el Soberbio, y a ellos recurrieron los romanos para entenderse con los dioses y revelar el futuro.

Sica, Vittorio de (1908-1974). Director y actor cinematográfico italiano. Antes de la Segunda Guerra Mundial fue un actor de relativa popularidad. Concluida la contienda, se convirtió en uno de los principales cultores del llamado *neorrealismo cinematográfico*. Entre las películas por él dirigidas se hallan: *Limpiabotas*, *Ladrones de bicicletas*, *Los niños nos miran*, *La puerta del cielo*, *Otros tiempos*, *Pan, amor y fantasia* y *Umberto D.*

Sicilia. Gran isla triangular del Mediterráneo, situada al suroeste de Italia, de la que forma parte geográfica y políticamente. Ambas están separadas por un estrecho de poca profundidad denominado de Mesina. Un canal de 145 km de anchura y 200 m de profundidad se extiende entre Sicilia y África. Esta isla mide 25,708 km^2 y en su suelo montañoso y volcánico abundan los llanos ondulados de fondo pedregoso. Por su zona septentrional, que es la más accidentada, corre, paralela a la costa del Mar Tirreno, una cadena de montañas de unos 150 km, en la que se encuentran los montes Peloritani, Nebrodi (2,000 m) y el macizo de Madonie. A lo largo de la costa mediterránea que mira a África, el terreno árido se levanta y forma una meseta en la que hay numerosos yacimientos de yeso y de azufre. La única llanura aluvial es la de Catania, de suelo fértil. En ella se yergue el volcán Etna (3,242 m) cuyo cono está constituido por la acumulación de lavas sucesivas. El Etna es el mayor de los volcanes europeos, y entre sus erupciones se recuerda la de 1669, año en que el río de lava llegó hasta el puerto de Catania, destruyendo a su paso ciudades y pueblos. Los terremotos devastadores son relativamente frecuentes.

El río siciliano más importante es el Simeto (130 km) al que siguen el Salso, Belice, Platani, Pollina y otros. La costa más asequible y articulada es la del norte o del Mar Tirreno, en la que se forman los golfos de Palermo y Castellamare. La oriental se presenta uniforme al norte y recortada al sur. La mediterránea es la más monótona y la menos frecuentada. El clima se caracteriza por su suavidad y la escasez de lluvias, que, además, se distribuyen irregularmente, cayendo principalmente en otoño e invierno. El viento *siroco* azota con frecuencia la isla. País de economía esencialmente agrícola, produce cereales, olivos, almendros, naranjas, legumbres, hortalizas, frutas, etcétera. Son famosos sus limones y sus vinos y entre éstos los de Marsala. La ganadería es importante. Entre los recursos mineros, se destacan el azufre, los hidrocarburos y las sales potásicas. Principales industrias: las mecánicas y alimentarias. La red ferroviaria posee una extensión de unos 1,700 km, y la vial unos 4,000. Cuenta con cuatro aeropuertos y magníficos enlaces marítimos. Población: 4.966,386 habitantes (1995).

Administrativamente comprende nueve provincias: Palermo, Catania, Mesina, Agrigento, Trapani, Siracusa, Enna, Ragusa y Catanissetta. La capital es Palermo (694,749 h.). Puerto importante y centro de industria y comercio activos. Posee una hermosa catedral. Otros centros urbanos son: Mesina, Catania, Siracusa, Trapani, Agrigento, puertos y ciudades históricas.

En muchos lugares se conservan restos y monumentos que testimonian la antigua importancia de Sicilia. Efectivamente, desempeñó en otros tiempos un gran papel histórico. Colonizada por los fenicios y después por los griegos, fue el objetivo de los atenienses al fin de la Guerra del Peloponeso y la causa de la primera guerra púnica entre Cartago y Roma. Ésta, en el año 241 a. C., se apoderó de ella y la convirtió durante siglos en su granero. A la caída del gran imperio fue ocupada por los godos, vándalos, sarracenos y por fin, por los normandos. Después pasó sucesivamente a poder de los emperadores, de la casa de Anjou y de la casa de Aragón. En el siglo XVIII, formó parte del Reino de las Dos Sicilias, bajo el gobierno de los Borbones. La expedición de Giuseppe Garibaldi, en 1860, la incorporó a Italia. En julio de 1943, durante la Segunda Guerra Mundial, los aliados la conquistaron, iniciando así la campaña de Italia. En 1946 el gobierno italiano le concedió un estatuto de autonomía. *Véase* ITALIA *(Mapa).*

siclo. Moneda acuñada en plata, que circulaba entre los persas y los hebreos. Darío I, al crear simultáneamente una moneda de oro –dárico– y otra de plata, contribuyó a que esta última se propagase entre los griegos del Asia Menor, que la denominaron siclo médico (de Media), y llevaba grabado un arquero persa. Entre los judíos el valor del siclo era muy diverso. También se conoció el medio siclo que era el tributo que todo israelita debía pagar al Santuario.

sicomoro. Árbol moráceo, especie de higuera llamada *loca*, que abunda en Egipto y Palestina, de hojas gruesas en forma de corazón y fruto abundante, pero de calidad inferior, llamado higo de Faraón. El *Ficus sycomorus* suele ser muy corpulento y frondoso (su tronco llega a tener, a veces, hasta 10 m de grueso) y su madera es tan dura e imputrescible que los egipcios fabricaban con ella los féretros para sus momias, además de emplearla en la construcción por lo ligera y fácil de trabajar. El jugo lechoso de sus frutos se utilizó en medicina. Este árbol es venerado, pues según la tradición cobijó a la Sagrada Familia en su huida a Egipto.

Sicre y Velez, Juan José (1898-1974). Escultor cubano que tras estudiar en La Habana logró una beca y se trasladó a Madrid, y después a Francia e Italia. Se radicó en Florencia, donde en pocos años conquistó la fama con sus obras *Martí, Estatua de mujer, Bohemio* y *Hombre sentado*, obra ésta que fue premiada por la Sociedad de Bellas Artes de Florencia. En Cuba se le otorgó un primer premio en el concurso para el *Monumento al soldado invasor.*

El moño rojo se ha convertido en el símbolo internacional en la lucha contra el sida.

CMCD, Inc.

sicu. Flauta boliviana y de las provincias argentinas de Salta y Jujuy. Consta de 5 a 12 tubos, semejante a la zampoña o siringa, con dos hileras de cañutos de carrizo. Cuanto más corto es el tubo más agudo es el sonido. El sicu emite una sola nota y por ello la escala musical está repartida entre varios. Algunos autores criollos evocan las melodías típicas de este instrumento.

sida. Acrónimo del síndrome de inmunodeficiencia adquirida. Enfermedad causada por el virus VIH, que altera gravemente el sistema inmunológico del organismo y predispone a la instauración de diversas infecciones oportunistas y al desarrollo de ciertos tipos de cáncer.

El agente causante del sida es el virus de la inmunodeficiencia humana (VIH), un virus ARN perteneciente al grupo de los retrovirus, cuyo tamaño oscila entre 80 y 100 nm de diámetro. El VIH tiene especial afinidad por las celulas del cuerpo que presentan en su superficie un tipo particular de proteina: varies del sistema inmunitario –los linfocitos T coadyuvantes, los macrófagos y los monocitos–, y otras del sistema nervioso y de las mucosas digestivas.

La infección se inicia con un periodo de incubación de una a seis semanas. Posteriormente le sigue una fase infecciosa aguda, que puede pasar inadvertida, o bien generar manifestaciones inespecíficas –fiebre, cefaleas, trastornos digestivos, inflamación de los ganglios linfáticos y erupciones cutáneas–, que cesan espontáneamente al cabo de dos o tres semanas. De 3 a 12 semanas después del contagio, el organismo comienza a fabricar anticuerpos específicos anti-VIH, que, si bien no son capaces de eliminar al virus, logran detener –al menos transitoriamente– la evolución del proceso infeccioso, dando lugar a la fase asintomática. Durante dicha fase sólo se puede poner de manifiesto la infección con la detección de anticuerpos mediante pruebas inmunológicas específicas; el sujeto infectado se denomina portador de anticuerpos anti-VIH o seropositivo para el antígeno del VIH, lo cual no indica necesariamente que sufra o vaya a sufrir el sida. En el 15 al 20 % de los casos, durante la fase asintomática aparece el denominado síndrome linfadenopático, caracterizado por la inflamación de dos o más grupos de ganglios linfáticos; dicho síndrome persiste por lo menos durante tres meses, y puede ir acompañado de síntomas inespecíficos –fatiga, leve pérdida de peso, fiebre ligera, accesos de sudoración–.

La duración de la fase asintomática es extremadamente variable: entre 20 y 35 % de los portadores de anticuerpos comienzan a experimentar manifestaciones propias del sida al cabo de unos tres años de efectuado el diagnóstico de infección por VIH, y el 50 % al cabo de cinco años, si bien es posible que la enfermedad tarde más en manifestarse, o que no se presente en toda la vida. El fin de la fase asintomática puede coincidir con la aparición de las manifestaciones características del sida, o bien con la de otras que, aunque no se consideran estrictamente propias de este trastorno, constituyen un índice de mal pronóstico, pus reflejan un notorio debilitamiento del sistema inmunodefensivo. Entre dichas manifestaciones, que haste hace poco se integraban en lo que se conocía como complejo relacionado con el sida, se incluyen diarreas profusas y persistentes, pérdida de más del 10 % del peso corporal, fiebre elevada y persistente, candidiasis oral y tuberculosis pulmonar. El síndrome propio del sida se presenta cuando aparecen manifestaciones derivadas de las graves lesiones que el propio virus produce en el tejido nervioso y en el tubo digestivo, o del progresivo e irreversible debilitamiento que provoca en las defensas del organismo por la destrucción de los linfocitos T coadyuvantes, los cuales coordinan la actividad de todo el sistema inmunitario. Las lesiones en el sistema nervioso ocasionan la denominada encefalopatía por VIH, que cursa con pérdida de facultades mentales, alteraciones de la conducta, temblores, descoordinación, pérdida de la fuerza muscular y parálisis. Entre las manifestaciones digestivas destacan diarreas intensas y persistentes, desnutrición y adelgazamiento extremo, intensa fatiga y debilidad, todo lo cual da lugar a la denominada caquexia por VIH. La inmunodepresión favorece la aparición de infecciones oportunistas, provocadas por microbios que en personas inmunológicamente sanas no darían lugar a trastornos graves. Los microorganismos involucrados pueden ser: otros virus, como el citomegalovirus, causante de lesiones intestinales o neurológicas importantes, o el herpesvirus, que provoca lesiones cutáneas o mucosas extensas y persistentes; bacterial, como el bacilo de Koch, causante de la tuberculosis, que en estos casos suele diseminarse a tejidos extrapulmonares; protozoos, como el *Pneumocystis carinii,* que con frecuencia es causa de una neumonía atípica muy grave, o el *Toxoplasma gondii*, que suele ocasionar meningoencefalitis; hongos, como la *Candida albicans*, que además de afectar la mucosa oral, provocando muguet, suele atacar el esófago; o incluso helmintos, como la lombriz intestinal, que provoca diarreas sanguinolentas y lesiones pulmonares. El deterioro de la actividad inmunitaria también favorece la aparición de tumores malignos, entre los que destaca por su frecuencia el sarcoma de *Kaposi* –que aparece en un 30 a 40 % de los casos de sida y a menudo constituye la primera manifestación del trastorno– así como ciertos linfomas.

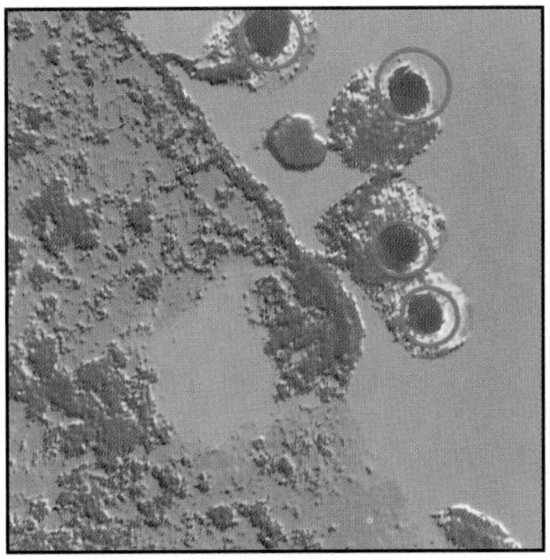

Art Today

Vista microscópica del virus del sida, alojado en el interior de glóbulos blancos.

El contagio del VIH se produce por contacto directo con sangre, semen, secreciones vaginales o leche materna de las personas infectadas. El virus también se encuentra en otras secreciones orgánicas –lágrimas, sudor y saliva–, pero en cantidad insuficiente como para que el contagio pueda producirse a través de besos o por simple contacto con dichas secreciones. Así pues, el contagio se produce básicamente por tres mecanismos: por vía sanguínea directa, mediante transfusiones de sangre o hemoderivados contaminados, o bien debido al uso de jeringuillas o agujas contaminadas; por vía sexual si el semen, las secreciones vaginales o la sangre de una persona infectada traspasan la piel o mucosas del otro individuo; y por vía materno-fetal, a través de la placenta durante el embarazo, en el momento del parto o durante la lactancia.

Las personas que portan el virus del sida, pueden llevar una vida totalmente normal.

Corel Stock Photo Library

Según datos de la OMS, desde que la enfermedad fue descrita por vez primera –en 1981– hasta 1996 se estima que la contrajeron más de ocho millones de personas en todo el mundo, y que unos 23 millones más eran portadoras del virus. El continente más afectado es África, con 70 % del total de casos.

En África la enfermedad afecta indistintamente a todos los grupos sociales. En cambio, en los países occidentales incide preferentemente en cuatro grupos de riespo: a) varones homosexuales y bisexuales, así como varones y mujeres heterosexuales que practican una vida sexual promiscua; b) adictos a drogas de administración intravenosa; c) receptores de transfusiones de sangre o productos hemoderivados, en especial los hemofílicos; y d) hijos de las personas pertenecientes a los grupos anteriores.

La infección por VIH puede determinarse mediante diversas pruebas serológicas capaces de detectar la presencia de anticuerpos específicos anti-VIH. El diagnóstico de sida se base en la confirmación de la seropositividad, la constatación de uno o más de los trastornos característicos, y la disminución de la concentración de linfocitos T coadyuvantes por debajo de un determinado nivel.

Actualmente no se dispone de ningún tratamiento capaz de erradicar al VIH del organismo. Sin embargo, se cuenta con algunos medicamentos que inhiben el proceso reproductivo del virus, retrasando el desarrollo de la enfermedad, tales como la azidotimidina o la didesoxiinosina. El tratamiento del sida comprende también el de las diversas afecciones adicionales que presentan los enfermos, y que a menudo requieren su ingreso en centros sanitarios especializados. Aproximadamente 30% de los enfermos fallecen antes de que haya transcurrido un año del diagnóstico, alrededor de otro 55% antes de que se cumplan 2 años y cerca de otro 10% antes de que pasen tres años.

Como aún no se ha podido obtener una vacuna eficaz pare prevenir la infección, la profilaxis se basa en evitar su contagio. Para ello se realiza un control sistemático de las unidades de sangre obtenidas en las donaciones, con el fin de desechar las que estén contaminadas, y se recomienda adoptar una serie de medidas higiénico-sanitarias, personales y sexuales, destinadas a evitar el contacto con sangre o secreciones contaminadas.

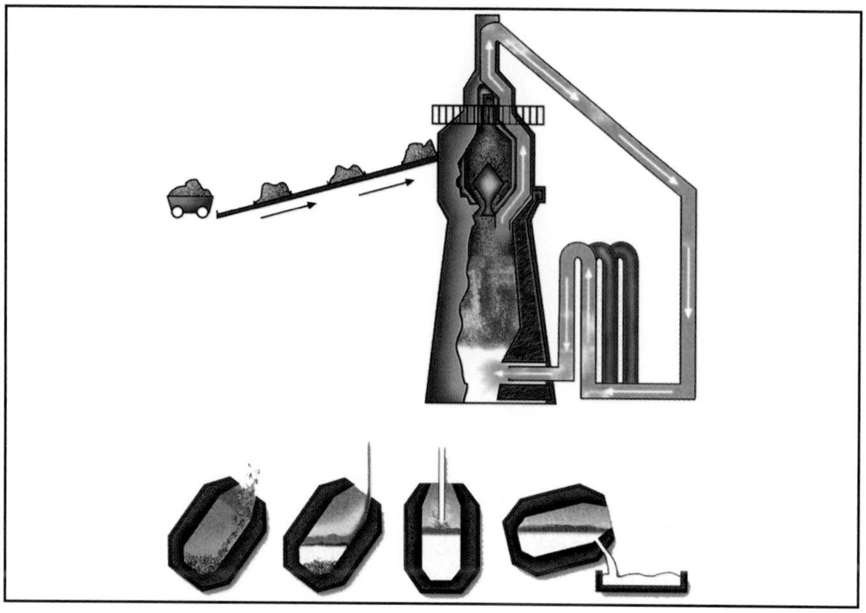

Del Ángel Diseño y Publicidad

Siderurgia. Arriba se ve el esquema de un alto horno con un alimentador de mineral a la izquierda. El mineral cae en el horno, que se mantiene sobrecalentado reinyectando en su base el aire caliente que escapa por arriba. Abajo un convertidor de Bessemer que transforma mineral de hierro en acero. El mineral se derrite formando una costra de impurezas (en color rojo), y luego el acero derretido y purificado se vacía en un molde.

siderurgia. Actividad humana capaz de extraer el hierro, separarlo de los minerales con que se encuentra en la naturaleza y trabajarlo hasta obtener las fundiciones, el acero y el hierro dulce. Los procesos utilizados en la antigüedad para la obtención del hierro eran más simples que los actuales, pero el material obtenido era también más imperfecto. Los egipcios conocieron el hierro unos 5,000 años a. C.; entre griegos y romanos eran comunes las armas y herramientas de este metal. Pero éste contenía poca cantidad de carbono, considerada hoy insuficiente. La fundición de hierro, que llega a tener mayor proporción de carbono, fue obtenido por primera vez en el siglo XIV, en una forja catalana. En seguida se descubrieron nuevos métodos para carburar el mineral. En algunos se introducía, mediante unos fuelles, fuertes corrientes de aire en los hornos; en otros se mezclaba el metal en los crisoles con carbón vegetal. El uso de este último procedimiento, junto con el perfeccionamiento de los hornos, provocó una verdadera devastación de los bosques europeos, y para evitar que se repitiera este desastre se sustituyó el carbón vegetal por coque. Pero, el gran descubrimiento siderúrgico, el que permitió el desarrollo acelerado de esta industria, fue el realizado por el inglés Henry Bessemer, en 1855. Con el método de Bessemer, el acero se obtiene directamente de la fundición o hierro colado quemando el exceso de carbono que éste contiene. Durante muchos años el centro siderúrgico más importante del mundo fue Inglaterra, hasta que en 1887 su producción fue superada por la de Estados Unidos. Los principales productores de hierro son Francia, Gran Bretaña, Italia, Alemania y los Países Bajos, Japón y Estados Unidos, Rusia, China, Australia y Brasil.

Sidney, sir Philip (1554-1586). Estadista, militar y poeta inglés, sobrino del conde de Leicester, favorito de la reina Isabel I. Se educó en Oxford y en Cambridge y viajó por Francia, Alemania e Italia. Consiguió colocar a su país al frente de la Liga de los príncipes protestantes contra el papa y España. Cuando se preparaba para hacer un viaje con sir Francis Drake a América, le ofrecieron la corona de Polonia. La reina le obligó a renunciar a uno y otra. General de caballería en la guerra de Flandes, luchó contra España y salvó al ejército inglés en Gravelinas, pero fue mortalmente herido en Zütphen y murió en Arnheim. Modelo de caballero y de escritor, y buen crítico, escribió *Arcadia* (1590), que inspiró a William Shakespeare; *La reina de mayo*, *Defensa de la poesía* (1595), *Astrofel y Estela* (1951) e hizo una traducción en verso de los *Salmos*.

sidra. Bebida obtenida por la fermentación del zumo de las manzanas. Es de color ambarino, aroma que recuerda la fragancia del fruto del cual procede, sabor agridulce y graduación ligeramente alcohólica. Se le atribuyen propiedades higiénicas, tónicas y refrescantes, sustituyendo al vino y otras bebidas de mesa. Se conocen tres clases, a saber: la destinada a ser conservada (con 5 o 9% de alcohol); la corriente (4 a 5% de alcohol), y la suave (elaborada con residuos de las primeras fermentaciones adicionadas de agua) que tiene únicamente de 2 a 3% de alcohol. Las sidras llamadas *achampañadas* contienen gas carbónico que las hace espumosas.

Siegbahn, Kai Manne (1918-). Físico sueco, hijo de Manne Karl Georg. Profesor de física en la Escuela Técnica Superior de Estocolmo (1951-1954) y en la Universidad de Uppsala (1954-1983). Destacó por sus trabajos sobre la espectroscopia de los rayos X. Premio Nobel de Física en 1981 por su contribución al desarrollo de la espectroscopia electrónica de alta resolución, con los estadounidenses Arthur L. Schawlow y Nicolaas Bloembergen.

Siegbahn, Karl Manne Georg (1886-1978). Físico sueco. Estudió en la Universidad de Lund y fue profesor de física de ese centro (1911-1923) y en la Universidad de Uppsala (1923-1937), y director del Instituto Nobel de Física (1937-1964). En 1924 recibió el Premio Nobel de Física por su contribución a la espectroscopia con rayos X. En 1916 descubrió varias series nuevas de líneas espectrales de rayos X, singulares para cada elemento, que eran interpretables en términos de la teoría atómica de Niels Bohr. En 1924, demostró la naturaleza de onda de los rayos X, refractándolos a través de prismas. Para ello, inventó nuevos aparatos de laboratorio, como las rejillas de difracción para radiación ultravioleta y rayos X.

siembra. *Véase* LABRANZA.

Siemens, Charles William (1823-1883). Ingeniero e industrial alemán, naturalizado británico en 1859. Estudió en la Universidad de Gotinga y en 1843 marchó a Inglaterra como agente comercial de su hermano Ernst Werner en aquel país. Fue miembro de la *Royal Society* (1863) y presidente de la *British Association for the Advancement of Science* (1882). En colaboración con su hermano Frederick desarrolló el principio de la recuperación del calor del combustible en los hornos (1856) y su utilización pare la fundición del acero en los hornos de solera (1861). Diseñó el *Faraday* (1874), un buque destinado para el tendido de cable submarino a través del Atlántico, y colaboró en la construcción del ferrocarril de Portrush, en Irlanda (1883). Inventó un batómetro y un contador de agua de gran precisión.

Siemens, Ernest Werner von (1816-1892). Ingeniero e industrial alemán. Estudió en la escuela de artillería e ingeniería del ejército prusiano y frecuentó el círculo de Heinrich Gustav Magnus en la Universidad de Berlín. Mejoró el telégrafo indicador de Ch. Wheatstone y desarrolló su propio sistema telegráfico (1845). En 1847, junto con Georg Halske, fundó la *Telegraphenbauanstalt von Siemens und Halske* para la fabricación y desarrollo del telégrafo. Construyó líneas telegráficas en varios países del mundo, principalmente en Alemania, Rusia y Gran Bretaña, y fue su mayor realización el tendido de la línea que enlazaba Londres con la India, completada en 1870. En 1867 enunció ante la Academia de Ciencias de Berlín el principio de la dinamo, principio simultáneamente descubierto por otros cientfficos, si bien Siemens fue el único en prever sus posibilidades prácticas. Disenó un galvanómetro universal y propuso el uso de la unidad Siemens de resistencia eléctrica. Colaboró en la creación del *Physikalische-Technische Reichsanstalt* (1887). Autor de *Lebenserinnerungen (Memorias autobiográficas)*, 1892.

Efecto Siemens. Calentamiento del dieléctrico de un condensador intercalado en un circuito de corriente alterna, debido a una corriente andmala de conducción por no ser el dieléctrico perfecto.

Corel Stock Photo Library

Vista panorámica de la ciudad de Siena, Italia.

siempreviva. Planta crasulácea perenne, de hojas carnosas, jugosas y sentadas, de forma lanceolada, que se dispone en rosetas radiales. Cuando llega la época de la floración, en la parte central de la roseta crece un tallo o bohordo, cubierto de hojas escamosas alternas en cuyo ápice nacen las flores agrupadas en cima. Cada una de estas flores tiene más de cinco sépalos con igual número de pétalos carnosos, amarillentos o blancos. Prospera en terrenos muy secos, bastándole una mínima porción de tierra, en un tejado, muro o sobre una roca, para que pueda desarrollarse. Soporta sequías intensas durante largo tiempo, volviendo a la lozanía en cuanto las condiciones son favorables. Sus hojas están provistas de pelos glandulares y almacenan un jugo de sabor ácido que se emplea en medicina casera para la preparación de ungüentos emolientes.

Cúpula de la catedral de Siena, Italia.

Corel Stock Photo Library

Siena. Ciudad italiana, capital de la provincia de su nombre en la Toscana. Está situada en una altura entre los valles del Arbia y del Elsa, a cuyos pies corren los ríos Tressa y Riluogo. Tiene 56,959 habitantes (1995), es sede arzobispal, con universidad fundada en 1203. Es de las más celebradas ciudades italianas por sus monumentos, como la catedral, palacio Público, Colegio Tolomei y el religioso de Duomo, que encierra magníficas obras de arte. Su archivo es de los más ricos de Italia. Fue uno de los principales centros culturales y artísticos de Italia, durante la Edad Media y el Renacimiento. Fabrica sedas, muebles, sombreros de paja, papel, etcétera. Fundada por los etruscos, se llamó bajo los romanos *Sena Iulia.* Fue rival de Florencia hasta 1555, en que pasó a poder de Cosme de Médicis, y a depender de Florencia.

Sienkiewicz, Henryk (1846-1916). Escritor polaco. Tras abandonar sus estudios por razones económicas, se inició en el periodismo, defendiendo, a través de sus colaboraciones, las ideas positivistas. Viajó posteriormente por Europa y Estados Unidos, denunciando en sus primeros relatos la opresión ejercida sobre las minorías en dicho país, así como la difícil situación de los inmigrantes polacos. Conocido internacionalmente por su novela sobre la Roma antigua y los primeros años de cristiandad: *Quo vadis?* (1894-1896). La his-

Puerta de la iglesia de San Juan en Siena, Italia.

Corel Stock Photo Library

toria de su patria le inspira la trilogía de coloridas novelas históricas sobre las guerras de Polonia en el siglo XVII, compuesta por *A sangre y fuego* (1884), *El diluvio* (1886) y *El señor Wolodyjowski* (1888). En las novelas *Sin dogma* (1889-1890) y *La familia Polaniceki* (1893-1894) Sienkiewicz pone en la picota a la nobleza polaca por su actitud abúlica y escéptica. Fue el primer polaco en ganar el Premio Nobel de Literatura, en 1905.

sierra. Herramienta compuesta de una lámina de acero flexible, dentada en uno de sus bordes, y sostenida por un mango o armadura y que sirve para dividir madera y otros cuerpos duros. Según la mitología, este instrumento fue inventado por Talux, a quien se le ocurrió seccionar un pedazo de madera con un maxilar de serpiente o por Perdix que, con el mismo objeto utilizó la espina dorsal de un pescado. Las sierras son de formas diversas, según se las destine para cortar maderas, piedras o metales.

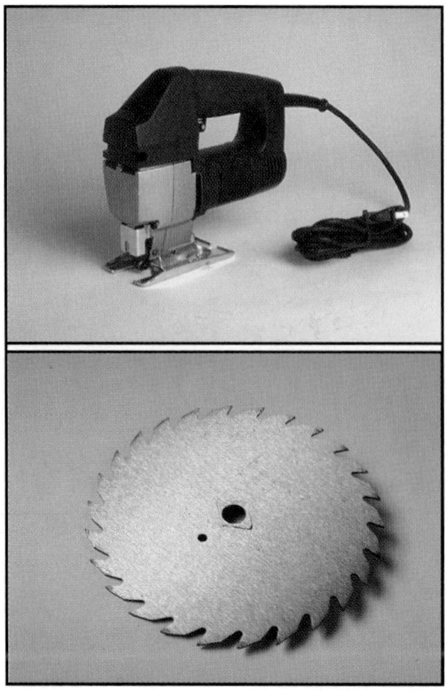

Corel Stock Photo Library

Arriba: sierra eléctrica para carpintería; abajo hoja metálica de una sierra.

Sierra. Región geográfica y estadística de Ecuador comprendida entre las cordilleras Occidental y Central de los Andes. Abarca 26% de la superficie del país y 47.3% de la población que se asienta mayoritariamente en las hoyas interandinas. Agricultura y ganadería. La capital económica es Quito.

Sierra, Justo (1848-1912). Educador, político y escritor mexicano. Nació en Campeche. Estudió en la ciudad de México, donde se graduó de abogado (1871). Ejerció diversos cargos públicos, entre ellos los de diputado al Congreso y magistrado de la Suprema Corte. Cultivó varias disciplinas intelectuales y escribió poesías, obras de teatro, crítica literaria, ensayos, etcétera. Fue uno de los más grandes y brillantes oradores de México. Su activa y fecunda labor en el campo de la educación ha sido de influencia decisiva en la cultura de México. Desempeñó la cátedra de Historia General en la Escuela Nacional Preparatoria. A sus esfuerzos se debió la creación del Ministerio de Instrucción Pública (1905-1911), del que fue ministro. Luchó incansablemente porque se restableciera la Universidad Nacional Autónoma de México, lo que logró en 1910, dando así, vida a un moderno conjunto de facultades e institutos de investigación, que integraron las nuevas actividades universitarias. Fue promotor de la difusión de la enseñanza, por la que luchó, incansablemente, con la palabra, la pluma y sus activas gestiones al frente del ministerio de Instrucción Pública. Escribió obras importantes sobre pedagogía, sociología e historia, entre ellas, *México: Su evolución social,* y *Juárez, su obra y su tiempo.* Las obras completas de Justo Sierra, que comprenden 15 volúmenes, fueron editadas por la Universidad Nacional Autónoma de México. Nombrado ministro plenipotenciario de su patria en Madrid, falleció en esta ciudad, en 1912. Justo Sierra dejó una estela luminosa en el progreso cultural de México.

Sierra Leona. Estado de África occidental. Limita al norte y al este con Guinea y al sur y al sureste con Liberia. Tiene 71,740 km^2 y 4.617,000 habitantes (1996), en su mayoría de diversos grupos étnicos: mende (34.6%), temne (34.7%), limba (8.4%), entre otros, que practican principalmente las creencias tradicionales (51%) y, en su menor proporción, la religión musulmana (39%) y la católica (8%). El litoral mide 350 km de extensión y en él están la Península de Sierra Leona y la isla de Sherbro. El clima es uno de los peores de África debido a las tierras anegadizas y pantanosas que se extienden a la orilla derecha del río Sierra Leona. La producción consiste en aceite de palma, arroz, mandioca, patata, maní, tomate, maderas, cueros, café, cacao, cromo, mineral de hierro, bauxita, titanio, diamantes y oro. Está dividida en tres provincias subdivididas en distritos, y la capital es Freetown, con 669,000 habitantes (1996). Otras ciudades principales son Koido-Nueva Sembehun (80,000 h.), Bo (39,000 h.), Kenema (31,000 h.) y Makeni (26,000 h.).

El poblamiento es bastante denso en los sectores costeros y es mucho menos compacto hacia el interior. La lengua oficial es el inglés, aunque también se hablan lenguas sudanesas. Miembro de la Commonwealth.

La ganadería está relativamente desarrollada; destacan las cabañas vacuna, caprina, ovina y porcina, de las cuales se obtiene carne y leche. Tiene importancia la explotación maderera (hay 2.040.000 ha de bosques, 28.4% del territorio), que en su mayor parte se destina a combustible. Pesca en la costa septentrional.

El principal recurso minero son los diamantes(minasen Keno, Kenema, Bo y Tongo). Hay yacimientos de mineral de hierro, bauxite, platino, cromita y rutilo. Cuenta con algunas industrias dedicadas a la elaboración de productos agrícolas (aceites) y forestales, y con una refinería de petróleo, en Kissy, cerca de la capital. La potencia eléctrica instalada es de 126,000 kW, en su mayor parte de origen térmico.

En cuanto a los transportes; cuenta con una línea férrea de 84 km para el transporte de minerales y una red de carreteras con 6,890 km (2,300 km asfaltados). Las vías navegables internas suman unos 800 km. Los principales puertos son Freetown, Port Loko y Pepel (mineralero). En Lungi (Freetown) hay un aeropuerto internacional. La moneda es el leone emitido por el Bank of Sierra Leone. Operan además cuatro bancos comerciales dos de ellos de capital extranjero, y tres bancos de desarrollo. Sierra Leona es miembro de la Comunidad Económica de Estados del África Occidental (CEDEAO), de los grandes organismos económicos internacionales (FMI, Banco Mundial y OMC) y se encuentra asociado a la CE a través de la convención de Lomé.

Educación. Desde el siglo XVII la educación estaba en manos de los misioneros, y hasta el siglo XIX el gobierno metropolitano no se hizo cargo de aquélla por lo que respecta a su administración y financiamiento. A partir de la Segunda Guerra Mundial los planes de enseñanza experimentaron una considerable intensificación. Tras la independencia, el gobierno central prosiguió la tarea administrativa, pero dejando amplio margen de acción a las autoridades locales, la Iglesia y las misiones. No existe todavía ley de obligatoriedad de la enseñanza; las escuelas están subvencionadas por el gobierno, que controla, además, los programas escolares y el nombramiento de maestros.

Historia. La costa de Sierra Leona fue descubierta y reconocida por primera vez por el navegante portugués Pedro de Cintra en 1462, quien dio el nombre de Serra Leôa a la montaña que dominaba la vasta bahía –un conjunto de estuarios– convertida a continuación en el centro de la colonia de Sierra Leona.

Los pueblos de Sierra Leona ignoraban la escritura y no poseían una tradición oral antigua, por lo que se tienen pocas noticias de su historia precolonial. Los testimonios portugueses constatan mientras tanto la existencia, desde finales del siglo XV, de los pueblos bullom y timne en su hábitat actual. Los mende habrían llegado a Sierra Leona, procedentes del oeste, entre 1600 y 1725. La trata de esclavos tuvo en esta región una importancia limitada: portugueses, holandeses e ingleses se establecieron sucesivamente en la bahía de Sierra Leona, pero el comercio nunca fue practicado mas que por comerciantes independientes y no por compañías nacionales privilegiadas.

La rivalidad entre los comerciantes entrañó la piratería y constantes guerras entre las tribus y reinos costeros.

Un jefe temne se convirtió al catolicismo en 1605 y fue bautizado por los portugueses con el nombre de Felipe; sin embargo, esta conversión no tuvo consecuencias, y se ignora incluso el nombre africano de dicho personaje. En 1787, el gobierno británico desembarcó en Sierra Leona 450 esclavos liberados durante la Guerra de Independencia americana, y refugiados en Londres, con 60 prostitutas blancas. Pronto se incorporaron a ellos otros esclavos liberados, refugiados en el Canadá, y luego negros *marrones* (rebeldes) evacuados de Jamaica. Este fue el origen del establecimiento de Freetown fundado por la Sierra Leone Company bajo el patronazgo de los abolicionistas británicos (Granville Sharp, Wilberforce, etcétera), compañía que recibió carta real en 1797.

Los conflictos surgidos entre los recién llegados y los temnes y las dificultades de la compañía pare administrar el establecimiento, junto con el deseo del gobierno británico de crear una base naval para la vigilancia de la trata (declarada ilegal por los británicos en 1807), condujeron a dar al establecimiento de Sierra Leona el estatuto de *colonia de la corona* (1808). La ciudad de Freetown y sus alrededores se fueron repoblando merced a otros esclavos liberados (74,000 desde 1808 hasta 1877) cuya procedencia era muy diversa. La unificación de esta población tan diferente se realizó mediante la conversión al protestantismo (anglicano o metodista) y la adopción como lengua común de un inglés deformado y mezclado con variantes africanas, el criollo o krio. Esta sociedad criolla, africana, pero britanizada, dotada de una universidad (Fourah Bay College) desde 1827, sirvió de vivero pare proveer a sodas las factorías del África occidental británica de funcionarios subalternos y burócratas (clerks).

La antigüedad de la instalación en Freetown no favoreció la expansión colonial británica en esta región. La hostilidad a la política colonial del gobierno de Gladstone dejó campo libre a la instalación y expansión de los franceses por la Guinea marítima, en Futa Djalón y Alto Níger. El hinterland tardíamente ocupado formó un *protectorado* (1896), distinto administrativamente de la *colonia*, de población criolla (640 km; alrededor de Freetown) hasta 1924. El protectorado estaba administrado por los *District commissioners* británicos, que controlaban a los jefes locales mantenidos en sus puestos; la extensión del impuesto provocó numerosas revueltas. La construcción del ferrocarril de penetración (1898-1903) y de su ramal norte (1914) favoreció la penetración de las grandes sociedades comerciales británicas de Manchester y Liverpool (las cuales fueron cayendo progresivamente, después de 1920, bajo el control del *trust anglo-holandés Unilever* mediante su filial, la *United Africa Company*); los comerciantes intermediarios criollos se vieron eliminados del circuito económico y la sociedad criolla se redujo a una seudoburguesía de pocas posibilidades. El descubrimiento en 1931 de mineral de hierro y sobre todo de diamantes (monopolio de la *Sierra Leone Selection Trust*, filial de la *De Beers*) concedió a las exportaciones mineras el primer papel en la economía. La avalancha contra el diamante obligó en 1950 a la Administración a extinguir el monopolio de explotación del que se beneficiaba la *Sierra Leone Selection Trust* y autorizó la explotación individual, pero no pudo evitar el tráfico ilegal y los desórdenes repetidos, no obstante las operaciones policiales y las intervenciones armadas.

La oposición de la *colonia*, cuya población criolla aspiraba al monopolio de los derechos políticos, y del protectorado, favoreció el mantenimiento tardío de la tutela colonial. La Constitución de 1926 ampliaba la composición del Consejo legislativo que asistía al gobernador. Algunos delegados de Sierra Leona habían participado en 1920 en la fundación del *National Congress of British West Africa*, pero este movimiento no expresaba más que las reivindicaciones de las elites europeizadas y no participaba en el más que la burguesía criolla. Esta, amenazada en sus privilegios por el aumento de los nativos del protectorado, asumió una posición de hostilidad hacia los trabajadores, sobre todo tras la gran huelga de los ferroviarios que duró seis semanas (1926). La oposición de razas (criollos contra nativos) encubría una oposición de clase, y tomó a veces la forma de oposición religiosa (frente a los criollos protestantes, los nativos, sobre todo los temne, se convirtieron masivamente al Islam). La tentativa del criollo Wallace Johnson, periodista marxista, de unir en la *Sierra Leone Youth League* (1938-1939) a criollos y nativos en un mismo movimiento nacional y progresista terminó con un fracaso. En 1947, la Constitución Stevenson dio al Consejo legislativo una mayoría africana, con 14 miembros para el protectorado y 6 para la *colonia*, lo que provocó las protestas vehementes de los criollos. No entró en vigor hasta 1951, con un estatuto de semiautonomía. Milton Margai, líder del *Sierra Leone People's Party*, SLPP (alianza de la burguesía criolla y de la jefatura mende, estrechamente asociada al *trust* británico del diamante) se convirtió en primer ministro. Una nueva Constitución instituyó en 1957 el sufragio universal y directo. Obtuvo la independencia el 27 de abril de 1961, aunque conservó el estatuto de dominio británico. El primer ministro, Albert Margai (hermano de Milton Margai y sucesor de éste a su muerte en 1964), chocó contra la creciente oposición de los temne. Las elecciones del 17 de marzo de 1967 dieron un número igual de escaños al SLPP y al *All People's Congress* (APC), de Siaka Stevens. El nombramiento de este último como primer ministro provocó un golpe de Estado militar, pero la junta militar que se estableció fue derrocada a su vez el 8 de abril de 1968 por un grupo de suboficiales, el cual restableció al primer ministro Siaka Stevens en sus funciones.

Tras sofocar un golpe militar del brigadier Bangura (marzo de 1971), Stevens estrechó las relaciones con Guinea y endureció el régimen. Fue proclamada la República (19 de abril de 1971) y Stevens accedió a la presidencia, mientras S. I. Koroma fue designado primer ministro. Favorecido por el estado de emergencia, el APC obtuvo la absoluta mayoría en las elecciones (mayo de 1973).

Un ex ministro y el ex jefe del Ejército, juzgados por traición, fueron ahorcados (julio de 1975). Tras una enmienda constitucional, Stevens fue reelegido presidente por el parlamento (1976). El APC triunfó en las elecciones de mayo de 1977 y se promulgó una nueva Constitución, ratificada por referéndum, que estableció un sistema de partido único (mayo de 1978). S. Stevens fue reelegido pare un período de siete años. Le sustituyó en la presidencia Joseph Momoh (1985). Este decretó en 1987 un plan destinado a combatir la corrupción y la especulación, pero fracasó. En 1989, fueron ejecutados seis acusados de participar en un intento de golpe de Estado en 1987. Pese a que la ciudad de Freetown fue el escenario de conversaciones para la pacificación de Liberia, los rebeldes del Frente Nacional Patriótico de Liberia (FNPL) de Charles Taylor se infiltraron en el país y protagonizaron choques con el Ejército de Sierra Leona (1990). Mediante un golpe de Estado (abril de 1992), una junta militar dirigida por el capitán Valentín Strasser depuso al presidente Momoh, se hizo con el poder y formó un Consejo Nacional Provisional de Gobierno. Tras aumentar los efectivos del ejército, Strasser lanzó nuevas operaciones contra la guerrilla del Frente Revolucionario Unificado (RUF), mandada por Foday Sankoh, pero el país quedó asfixiado por la guerra civil, pese a la ayuda militar de Nigeria y Guinea. En 1996, un golpe de Estado forzó a Strasser –que planeaba aprobar un decreto que lo perpetuara en el poder– a refugiarse en Guinea. Fue reemplazado por el general Julius Maada Bio al frente de la junta militar (enero de 1996), quien promovió la democratización. En las siguientes elecciones generales (16 y 17 de marzo de 1996) venció Ahmad Tejan Kabbah del SLPP. El nuevo gobierno democrático firmó un acuerdo de paz con la guerrilla del RUF, en Abidjan (30 de noviembre de 1996) que puso fin a seis años de guerra civil.

Forma de gobierno. La Constitución de 1991, suspendida por el régimen militar en 1992, estableció un régimen presidencialista de transición. Tras las elecciones de 1996 se creó una Asamblea Nacional de 80 miembros, que ejerce el poder Legislativo. El poder Ejecutivo corresponde al presidente, (elegido por sufragio universal), que designa un Consejo de Ministros.

siervo. En la sociedad de la Europa medieval era el individuo afecto a una heredad y que no se desligaba de ella al cambiar de dueño. Poseía ciertos derechos personales y de propiedad, pero no era hombre libre, pues le debía al amo tributos y servicios, y pertenecía a la tierra, cambiando junto con ella de señor si las tierras eran vendidas. En las primeras etapas el siervo era el instrumento del señor y le pertenecían su cuerpo y sus bienes. Decidía su matrimonio, disponía de sus hijos, lo perseguía si abandonaba la tierra y podía castigarlo hasta privarlo de la vida. Más adelante se le reconocieron algunos derechos; sus bienes solían consistir en un trozo de tierra adjunto a las del señor, parte de los campos circundantes y algunos animales.

siete durmientes de Éfeso, Los. Cuenta una antigua leyenda siria que en los comienzos de la cristiandad siete jóvenes de Éfeso refugiados en una cueva cercana a la ciudad, víctimas de la persecución a que el emperador Decio sometía a los cristianos en el siglo III, fueron descubiertos por sus perseguidores, que tapiaron la entrada de la cueva. Dos siglos después un pastor en busca de albergue, penetró en la cueva y halló a siete jóvenes extrañamente vestidos, durmiendo. Se despertaron, y uno de ellos decidió ir por alimentos y llevó consigo unas monedas del tiempo de Decio; con sorpresa vio la ciudad totalmente cambiada y se admiró de que la cruz, símbolo que aun creía prohibido, fuese adorada abiertamente. Presa aún de la confusión, se encontró detenido y dando explicaciones acerca de la procedencia de la moneda con que pagó los comestibles, los del lugar sospechaban que provenía de algún tesoro. La historia llegó a oídos del obispo y del mismo emperador Teodosio II; ambos escucharon al joven y le creyeron, y en nutrida procesión marcharon hacia donde los compañeros esperaban. Inmediatamente después de referir ante la multitud el milagro, los siete jóvenes nuevamente, y para siempre, se durmieron y en ese mismo lugar Teodosio mandó levantar una iglesia. El arte de la Edad Media reproduce con frecuencia la historia milagrosa.

siete maravillas del mundo. Nombre dado por los antiguos a las siete obras de la arquitectura y escultura universales que consideraban más maravillosas por su belleza y tamaño. Todas, excepto las Pirámides de Egipto, han desaparecido y sólo queda el recuerdo y las descripciones que de ellas hicieron los escritores de la antigüedad. Según éstos, eran:

Las pirámides de Egipto son una de las siete maravillas del mundo antiguo.

Corel Stock Photo Library

Las pirámides de Egipto. Construidas en el desierto de Gizeh, a unos 12 km de la margen izquierda del río Nilo, las pirámides ya eran viejas cuando se construyeron las otras seis maravillas del mundo.

La tradición de construir tumbas tan monumentales para los faraones comenzó con la edificación de la pirámide escalonada de Zoser (tercera dinastía). Supuestamente diseñada por Imhotep, las pirámides daban la impresión de ser colinas de piedra de 60 m de alto. El interior es casi sólido, con pasadizos y cámaras mortuorias (algunas de las cuales vacías para descorazonar a los violadores de tumbas). Los faraones que sucedieron a Imhotep copiaron y aumentaron las dimensiones de las pirámides y les añadieron recubrimiento de argamasa.

La mayor de las pirámides (nueve en total), es la Keops, de 147 m de alto, sobre una base de 230 m^2. Las pirámides de Kefrén, Micerinos y otras que se construyeron fueron menos impresionantes en sus dimensiones.

Los jardines colgantes de Babilonia. Fueron construidos por orden de Nabucodonosor en el siglo VI a. C., para restituir a Babilonia algo de su perdido esplendor después del vandálico asalto asirio. Los jardines estaban formados por una serie de amplísimas terrazas escalonadas, sostenidas por columnas y arcos de piedra, en las que se cultivaba gran parte de las especies de árboles y flores del mundo conocido entonces. En la terraza superior se almacenaba el agua que era distribuida a los demás pisos por medio de un sistema de caños. Desde lejos el aspecto que ofrecían los jardines colgantes era deslumbrador y maravillaba a quien lo contemplara, por la profusión de flores olorosas y la exuberancia de la vegetación que coronaba las terrazas.

El Mausoleo de Halicarnaso. Sepulcro que Artemisa mandó construir en 535 a. C. para su esposo Mausolo, rey de Caria, en la antigua ciudad de Halicarnaso. Se componía de una base cuadrangular sobre la que se elevaban 36 columnas de mármol blanco que sostenían una pirámide de 24 escalones coronada por una cuadriga con la estatua de Mausolo. Desde entonces se denomina mausoleo a los sepulcros monumentales y suntuosos. Hacia el siglo XIII fue derruido por un terremoto y sus piedras utilizadas a principios del siglo XV en las fortificaciones de la ciudad.

La estatua de Zeus (o Júpiter). Del templo de dicho dios en la famosa ciudad griega de Olimpia fue esculpida en 462 a. C. por Fidias, en marfil y oro. Zeus aparecía sentado en un trono hecho de los mismos materiales, con una estatuilla de la diosa de la victoria en la mano derecha y un cetro en la izquierda, y a su alrededor otras esculturas representaban a diversos héroes mitológicos. Fue, según autorizados historiadores, la más bella expresión escultórica y su reproducción sólo se ha visto en monedas halladas en el siglo XIX. Su desaparición se sospecha ocurrió en el siglo VI, debido a un terremoto. No quedó rastro alguno.

Templo de Diana en Éfeso, terminado en 323 a. C. Lo rodeaban 127 columnas de mármol de 18 m de altura y contenía las mejores obras del arte griego, entre las que se contaban estatuas de Fidias y Praxiteles, y decorados de Apeles y Parrasio. Más de 30 años demoró su construcción y hubo quien exclamó al verlo: "El templo de Diana supera por la armonía de formas y riquezas de sus ornamentos, toda otra construcción del mundo". Tal maravilla fue saqueada y destruida por los godos en el año 262.

Coloso de Rodas. Gigantesca estatua de bronce, que según la tradición se elevaba en la entrada del puerto de Rodas, y era tan grande que las embarcaciones pasaban por entre sus piernas. Representaba a Apolo y fue construido entre los años 292 y 280 a. C. por Cares de Linde, discípulo de Lisipo, con el bronce fundido de las armas que dejaron los macedonios al retirarse del sitio de Rodas. Corta fue la vida de esta colosal escultura; un terremoto la destruyó 56 años después de terminada.

Faro de Alejandría. Levantado en la isla de Faros por orden de Tolomeo II, 300 años a. C., era una gran torre de estilo babilónico de mármol blanco y 160 m de altura. Un fanal en la parte superior indicaba a los navegantes, durante la noche, hasta 400 km de distancia la entrada del puerto de Alejandría. El fuego que producía esa potente luz se alimentaba con leña recogida en el valle del Nilo. Sirvió durante 1,500 años, antes que un terremoto lo destruyera. A partir de entonces se generalizó el uso de estas torres, a las que se aplicó el nombre de faros.

siete sabios de Grecia. Nombre dado en el siglo VI a. C. a siete hombres notables por su sabiduría. Fueron legisladores y filósofos y a ellos se hace remontar los comienzos de la filosofía griega. En la literatura antigua se encuentran varias listas de nombres, pero comúnmente se consideran como los *Siete sabios* a Tales de Mileto, Solón de Atenas, Bías de Priene, Pitaco de Mitilene, Quilón de Lacedemonia, Cleóbulo de Lindos y Periandro de Corinto. Otras listas incluyen en cambio a Anacarsis de Escitia y a Epiménides de Creta.

Sieyès, Enmanuel Joseph (1748-1836). Político y publicista francés, que fue canónigo de Trequier y vicario general del obispado de Chartres. En vísperas de la Revolución Francesa, se dio a conocer por varios folletos, entre los que se destacan: *Ensayo sobre los privilegios* (1788) y *¿Qué es el tercer estado?* (1789). Elegido por el tercer estado de París como su representante en los Estados Generales, redactó el juramento que los diputados prestaron, en el Juego de Pelota de Versalles, de no separarse hasta haber dado una Constitución a Francia. Formó después parte de la Asamblea Constituyente, de la Convención, del Consejo de los Quinientos y, como presidente, del Directorio. Apoyó el golpe de estado del 18 Brumario y fue cónsul con Roger Ducos y Napoleón Bonaparte. Éste le hizo conde del imperio y Gran Cruz de la Legión de Honor.

sífilis. Es una enfermedad infectocontagiosa de transmisión sexual. Se caracteriza por la presencia en la sangre de un microbio específico denominado *Spirochaete pallida* o *Treponema pallidum* descubierto por Friedrich Schaudinn y Hoffmann en 1905; el que resulta tan peligroso una vez que penetra en el organismo, como es débil en el exterior, bastando una higiene enérgica para destruirlo. La sífilis es una enfermedad crónica, de evolución indefinida, con manifestaciones intermitentes y variadas. Sus síntomas más típicos son los chancros (especie de induraciones solitarias e indoloras que aparecen en determinadas regiones del cuerpo), y los bubones que surgen después de aquéllos y cuyo origen se debe a la infección de los ganglios linfáticos. Estos síntomas se presentan varias semanas después de haber tenido lugar el contagio, y como comúnmente se curan sin dejar rastros, el paciente no advierte muchas veces las consecuencias del mal, hasta después de meses o años. Muchas enfermedades mentales, parálisis, trastornos cerebrales, cegueras, apoplejías, etcétera, tienen en ello su causa.

Gracias a ciertos métodos de diagnóstico como las llamadas reacciones de Wassermann y Kahn, por las que puede comprobarse la presencia del germen de la sífilis en la sangre o en el líquido cefalorraquídeo y a las aportaciones de Paul Ehrlich, que descubrió en 1909 el tratamiento por las arsfenaminas, así como la aplicación de penicilina desde 1943, puede decirse que esta enfermedad ha perdido su peligrosidad siempre que se acuda a tiempo al médico, en cuanto se tenga sospecha de contagio.

sifón. Tubo curvado de ramas desiguales empleado para trasegar líquidos. El funcionamiento de este simple aparato se debe a la acción ejercida por la presión atmosférica y por la diferencia del nivel que existe entre los dos extremos del tubo. En efecto, si se introduce en el interior de un recipiente lleno de agua uno de los extremos de un tubo de caucho y luego lo doblamos hasta llevar la otra rama a un plano inferior, bastará aspirar por ésta para que el líquido circule hasta agotarse. Esta operación de aspirar se denomina cebar el sifón. Cuando los líquidos que deben trasegarse son nocivos o venenosos, los sifones van provistos de un tubo lateral o de una pequeña bomba con los que es posible cebarlos sin correr el riesgo de absorber partículas del contenido. También se denomina sifones a ciertos frascos de vidrio provistos de una válvula desde la que es posible hacer salir el líquido con sólo abrirla, gracias a que éste fue encerrado con un gas a presión.

siglo. Periodo de 100 años contados a partir de un término fijo llamado era. Para nosotros, el primer siglo se extiende del 1 de enero del año 1 de la era cristiana al 31 de diciembre del año 100, inclusive, el segundo, del 1 de enero del año 101 al 31 de diciembre del año 200, y así sucesivamente. De manera que el siglo XX, que empezó el 1 de enero de 1901, terminará el 31 de diciembre del año 2000. Otra serie de siglos establecida según el calendario Juliano, prolongado a voluntad, permite situar en el tiempo los acontecimientos que se produjeron antes de Cristo. Esta serie finaliza el año 1 de la era cristiana.

Signac, Paul (1863-1935). Pintor francés. Se inició en el arte a través de la imitación de los maestros del impresionismo, copiando algunas obras de Édouard Manet, tomando apuntes de piezas de Edgar Degas en la cuarta exposición del grupo (1873) y declarándose seguidor de Claude Monet (desde 1880). Sin embargo, a partir de su encuentro con Georges Seurat (1884) su estilo cambió, formando en 1885 el nuevo grupo de los neoimpresionistas. En 1886 participó en la octava y última exposición de los impresionistas. Paul Signac no fue el creador, pero si el que mejor expresó el significado del neoimpresionismo, tanto a través de sus obras, numerosas frente a las escasas de Georges Seurat, como de su texto *De Delacroix au Néo-impressionnisme*, publicado en 1899, donde se halla el *corpus* aprioristico del movimiento. Personalmente Signac fue un gran colorista, que no se maniató por la ciencia como Seurat, a pesar de que conocía bien la obra de Rood, Michel Chevreul y Hermann Helmholtz, adoptando la línea científica pero sin el extremo de exigencia purista de aquél. Destacó como paisajista, ejecutando numerosas acuarelas además de sus óleos, de entre los cuales cabe recordar: *El puente Louis-Philippe* (1864; colección Ludwig Neugoss, New York), *Gasómetros en Clichy* (*National Gallery of Art*, Melbourne), *Las sombrereras* (1885; colección Émile Bührle, Zurich), *Castillo de Comblat* (1887; Museo de Bellas Artes de Lieja), *Castillo de los Papas* (1912; Museo de Arte Moderno, París).

signo. Cosa que por su naturaleza (signo natural) o convencionalmente (signo artificial) evoca en el entendimiento la idea de otra. Cualquiera de los caracteres utilizados en la escritura y en la imprenta. En astronomía se da este nombre al que sirve para representar a cada una de las 12 partes en que está dividido el Zodiaco, existiendo otros para indicar la conjunción, cuadratura, oposición de dos astros y los nodos ascendentes y descendentes, para designar al Sol, la Luna y sus fases, los planetas, estrellas, cometas, etcétera. Las distintas ramas científicas utilizan señales o grafías que significan un concepto, vocablo o figura determinados. La química, la farmacia, la medicina, etcétera, se sirvieron durante siglos de signos tradicionales que constituyeron una especie de vocabulario, muchos de los cuales han sido modificados, suprimidos o reemplazados por otros; pero muchos de aquéllos subsisten en numismática, álgebra y botánica. Casi todos los alfabetos poseen signos complementarios, pertenecientes a su ortografía y prosodia, a los cuales se llama signos de puntuación. En tipografía se dispone de signos fundidos, algebraicos, astronómicos, aritméticos, botánicos, comerciales, farmacéuticos, fonéticos, matemáticos, geométricos, etcétera, y la corrección tipográfica utiliza asimismo signos convencionales que indican quitar o suprimir letras, espaciar o unir voces, etcétera. Signos que eran abreviaturas de palabras se emplearon en la paleografía medieval, uno de ellos el calderón cuyo significado equivale al punto y aparte de los impresos modernos. En los sillares de numerosas catedrales góticas aparecen grabados muchos signos utilizados por sus constructores. El comercio y la industria emplean signos que expresan ideas universales, por ejemplo, la figura de una locomotora significa el ferrocarril; el correo, figurado por una carta cerrada; la aviación, por un aeroplano: la navegación, por un barco, etcétera. Toda la música se basa en signos, 26 en total. Hay signos monetarios (de dólares, libras, pesos, francos, etcétera) y de peso. Y, finalmente, desde tiempo inmemorial los notarios suelen añadir a su firma en los documentos públicos un signo personal y característico. *Véase* SÍMBOLO.

signos de interrogación y exclamación. *Véase* PUNTUACIÓN.

Signorelli, Luca (1445-1523). Pintor italiano discípulo de Piero della Francesca. Su producción fue muy numerosa; algunos de sus cuadros principales son *La Virgen y el Niño*, que pintó para Lorenzo de Médici; la *Anunciación*, y el *Martirio de San Sebastián*. En la Capilla Sixtina, en Roma, existe un fresco que se le atribuye. En Monteoliveto pintó varios frescos sobre la vida de san Benito. En la catedral de Orvieto terminó la decoración iniciada por fray Angélico, en la capilla de la Virgen, ejecutando varios frescos con escenas del Juicio Final, que se aprecian como obras maestras de la pintura italiana. Se le considera como el precursor de Miguel Ángel.

Sigüenza y Góngora, Carlos de (1645-1700). Sacerdote, matemático, astrónomo y escritor mexicano. Fue uno de los hombres más sabios de su época y poseyó una cultura universal. Siendo muy joven, abrazó el sacerdocio y se dedicó a la enseñanza superior y al cultivo de las ciencias. Fue catedrático de matemáticas en la Universidad de México, cosmógrafo regio y miembro de la expedición científica que, en 1693, exploró el Golfo de México. Autoridad reconocida en lenguas, historia y antigüedades indígenas, reunió una de las más importantes colecciones de documentos históricos mexicanos, y contribuyó al esclarecimiento de muchos problemas difíciles de la historia de México. Escribió numerosas obras sobre gran variedad de materias literarias, científicas, sagradas, históricas y filosóficas, de las cuales pudo publicar sólo una parte. Entre las publicadas figuran *Primavera indiana*, *Paraíso occidental* y *Libra astronómica y filosófica*. De su obra histórica, que dejó manuscrita, son importantes *Historia del imperio de los chichimecas* y *Genealogía de los reyes mexicanos.*

Si-kiang (o río del oeste). El curso de agua más importante del sur de China, que junto con sus tributarios, riega una inmensa zona. Nace en la provincia de Kwangsi, y después de recorrer 2,000 km desemboca en el Mar Meridional de la China, entre Macao y Hong-Kong. Su cuenca cubre 435,000 km^2 y por él la ciudad de Cantón recibe los productos del interior.

Sikorsky, Igor Ivanovich (1889-1972). Ingeniero aeronáutico ruso, constructor de aeroplanos. Estudió en la Académia naval militar de San Petersburgo, en el Instituto Tecnológico de Kiev y en Francia. Construyó varios modelos de helicópteros en 1911 y de aviones multimotores en 1913. Durante la Primera Guerra Mundial fue director en Rusia de una fábrica de aviones y construyó numerosos aeroplanos tetramotores para el ejército ruso. En 1919, se trasladó a Estados Unidos, donde se nacionalizó, y organizó varias empresas industriales que fabricaron aeroplanos para distintas líneas de aviación. En 1940, fabricó el primer helicóptero construido en Estados Unidos, que rindió pruebas satisfactorias en cuanto a seguridad y vuelo prolongado.

Sila o Sula, Lucio Cornelio (138-78 a. C.). General y político romano. Descendiente de una familia patricia, recibió esmerada educación e inició su carrera en África como cuestor a las órdenes de Mario durante la guerra contra Yugurta. En el año 92 a. C., fue designado jefe de la guerra contra Mitrídates del Ponto, época en que comenzó la rivalidad entre él y Mario, éste era jefe del partido popular y Sila del aristocrático. Poco después tomó por asalto Roma e hizo huir a Mario a África. Sus cualidades de estratega y su genio militar se pusieron de relieve en Asia menor, donde derrotó definitivamente a Mitrídates en el año 85. Tres años después se apoderó otra vez de Roma, que había caído nuevamente en poder de los partidarios de Mario, y recibió del Senado el título de dictador perpetuo. Aumentó el número de senadores a 600, reformó la constitución de acuerdo con una nueva estructura eminentemente aristocrática, nombró gobernadores adictos a su persona en todas las provincias del imperio, quitó el poder judicial a los caballeros y lo devolvió a los senadores, arrebató a los tribunos el poder de dictar leyes y suprimió prácticamente la democracia. En el año 79 abdicó la dictadura y se retiró a una posesión de campo cerca de Nápoles, donde vivió algunos meses entre cortesanas y bufones. A su muerte le hicieron honores como no se habían hecho a nadie desde el tiempo de los reyes, se le enterró en el Campo de Marte y se grabó en su tumba el siguiente epitafio: *Ningún hombre ha hecho más bien a sus amigos ni más daño a sus enemigos.*

sílaba. Letra o letras que se pronuncian en una sola emisión de voz. Se define, también, como un sonido o sonidos articulados que constituyen un solo nucleo fónico entre dos depresiones sucesivas de la emisión de voz. La sílaba castellana puede constar de una a cinco letras (e, pi, con, tras, trans). Si en su composición entra una sola vocal se llama simple (ca) y en otro caso compuesta (pau). Abierta es la que termina en vocal (sa) y cerrada la que lo hace en consonante (pan). Por el acento se clasifican en tónicas (con acento prosódico), protónicas (que preceden a la tónica), postónica (que sigue a la tónica) y átona (sin acento prosódico). En algunas lenguas como el latín y el griego existen sílabas largas y breves, las primeras tienen dos medidas de cantidad silábica.

Sileno. Personaje mitológico griego, hijo de Pan o de Hermes, o nacido de las gotas de sangre de Cronos. Se encargó de la educación de Baco. Como todos los adeptos al culto del dios del vino, se distingue por el amor a los placeres sensuales, a la indolencia, a las danzas y al canto. Por lo común se le representa embriagado y montado en un burro.

silepsis. *Véase* FIGURAS DE LENGUAJE.

Siles Zuazo, Hernán (1914-1996). Político boliviano originario de La Paz. Fundó con Paz Estenssoro el Movimiento Nacionalista Revolucionario en 1941. Fue vicepresidente de 1952 a 1956 y presidente de 1956 a 1960. En esos años puso fin a la politica revolucionaria y pactó con Washington. Embajador en Uruguay 1960-1963 y en España 1963-1964. Vivió exiliado muchas veces en Argentina y Perú. Participó nuevamente en las elecciones de 1978, 1979 y 1980 aunque sólo fue designado presidente hasta 1982. Ante su imposibilidad de resolver la situación del país convocó otra vez a elecciones en 1985 que dieron la presidencia a Victor Paz Estenssoro.

Silesia. Región del centro de Europa que, a manera de cuña, penetra entre Polonia y Bohemia-Moravia, ocupando unos 45,000 km^2 al norte de los Montes de Bohemia y Cárpatos y a ambas orillas del Oder superior y medio y del alto Vístula. Se divide en Alta y Baja Silesia. Es una de las grandes regiones económicas de Europa y por ello su posesión ha sido objeto de continuas disputas. Poblada por eslavos slezanos, dependió primero de Polonia. Pasó después a poder de la Casa de Austria hasta que Federico II de Prusia (1741) tomó posesión de la mayor parte. Este estado de cosas subsistió hasta el fin de la Primera Guerra Mundial, época (1921) en que previo un plebiscito, se formó la Silesia polaca a expensas de la prusiana, pasando la austríaca a formar parte de Checoslovaquia. Durante la Segunda Guerra Mundial volvió a incorporarse a Alemania, pero al ser vencida ésta, Silesia volvió a ser anexada a Polonia y a Checoslovaquia. Posee grandes bosques y en sus llanuras bien cultivadas se produce trigo, remolacha, patatas, etcétera. Dispone de una vasta cuenca hullera y de importantes yacimientos de plomo, hierro, níquel, cinc, uranio. Importantes industrias metalúrgicas, textiles, químicas, del vidrio y de la alimentación acrecientan su valor económico. La capital histórica es la gran ciudad de Breslau o Wroclaw, a orillas del río Oder, que pertenece a Polonia. Katowice es capital de la baja Silesia.

sílex. Nombre genérico de algunas variedades de sílice impura, su color varía del gris claro al negro, conservando su alto punto de fusión y su resistencia a los ataques químicos. El pedernal constituye el prototipo de esta clase de compuestos naturales.

silicato. Sal del ácido silícico (H_2SiO_3). Gran número de rocas, tierras y diversos minerales están compuestos por silicatos de calcio, aluminio, magnesio y otros metales. Se considera que estos silicatos son combinaciones de sílice con el óxido del metal correspondiente. Industrialmente se preparan diversos tipos de silicatos que varían desde el silicato de sodio soluble hasta el vidrio que es, en parte, una mezcla de silicatos insolubles.

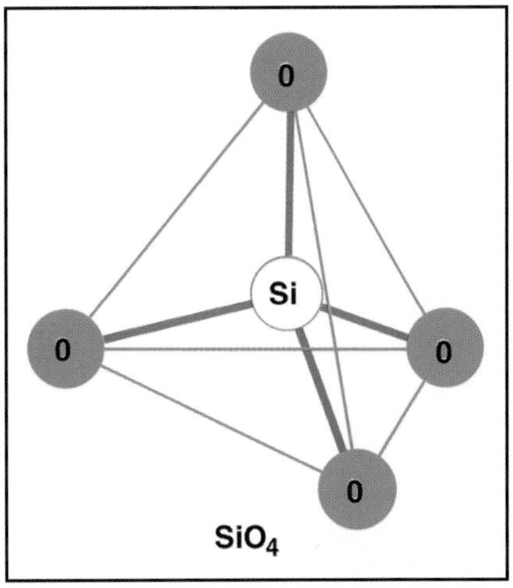

Salvat Universal

Estructura cristalina de diversos tipos de silicatos.

sílice. Compuesto natural de silicio y oxígeno (SiO_2), muy abundante en nuestro planeta en el que se encuentra en formas distintas, entre ellas en las de cuarzo, cristal de roca y ópalo. Los geólogos determinan la temperatura a que estuvieron sometidas las rocas por la forma en que encuentran la sílice. Es un sólido cuyo color varía del blanco al gris oscuro, dependiendo de sus impurezas, insoluble en todos los ácidos excepto el ácido fluorhídrico que la disuelve; las bases fuertes como la sosa y potasa forman silicatos al reaccionar con la sílice. Se funde a elevada temperatura y tiene, cuando está pura, un coeficiente de dilatación térmica extremadamente bajo. Es un componente indispensable del vidrio y de los silicatos solubles. Mezclada con carbón y tratada en hornos eléctricos, se reduce transformándose en carborundo, de una dureza muy parecida a la del diamante. En el reino vegetal y animal aparece la sílice como material morfológico que imparte resistencia mecánica a los organismos.

silicio. Elemento químico, segundo del grupo IV A (o grupo del carbono), de la tabla periódica de los elementos, pertenece al grupo de los metaloides. Descubierto en 1824 por Jöns Jacob Berzelius. Después del oxígeno es el elemento más abundante en la tierra. No existe en estado de libertad, sus compuestos naturales son abundantes y siempre oxigenados. Su símbolo químico es *Si* y su peso atómico 28.06. Se funde a 1,420 °C y hierve a 2,600 °C. Muchas piedras preciosas como la amatista, el ágata y el ópalo, contienen óxido de silicio. El carburo de silicio es un excelente abrasivo sintético. El silicio es la base de una importante familia de compuestos químicos llamada *silicones*, cuyo proceso de constitución es semejante a la química del carbono, pero sustituyendo este elemento por silicio.

Aplicaciones. El silicio se utiliza en gran cantidad para la fabricación de semiconductores de amplia utilización en la moderna electrónica: transistores, células solares, rectificadores, etcétera. También como agente reductor El silicio forma parte de cierto número de aleaciones importantes: ferrosilicio (con hierro), bronces de silicio (con cobre y estaño), silicomanganeso (con Mn y C), con cobre. Los aceros al silicio tienen resistencia a la corrosión y alta permeabilidad magnética. Sus compuestos poseen numerosas aplicaciones: el carburo de silicio es empleado como abrasivo por su dureza, ya sea en forma de muelas, sinterizado o sobre un soporte de papel. Además, posee buenas propiedades como refractario; en estado de gran pureza tiene aplicación en el campo de los semiconductores y en la tecnología de rayos láser.

La sílice y los silicatos, en sus distintas formas, son ampliamente utilizados por el hombre. La arena y arenisca usadas en la construcción contienen sílice; el cemento contiene silicatos; las arcillas, algunas usadas como material refractario, son silicatos. Formas puras de sílice (cuarzo) son utilizadas para recipientes, crisoles y otros utensilios industriales resistentes a los ácidos, por su transparencia a los rayos ultravioleta se utiliza cuarzo para la construcción de lámparas, cubetas y otros objetos que deban ser atravesados por dicho tipo de radiación. Todos los tipos de vidrio, tanto normales como irrompibles, contienen un elevado porcentaje de sílice. El silicagel es ampliamente utilizado como agente desecante regenerable. Las zeolitas, de empleo generalizado en columnas intercambiadoras de tones, son silicatos con redes tridimensionales abiertas. Los haluros de silicio son importantes para la obtención de silicio de alta pureza. A partir de los halosilanos se preparan las silicones, con gran variedad de propiedades como cauchos artificiales, aislantes, grasas, lubricantes, útiles para motores y maquinas que deban trabajar a temperaturas extremas y resistentes a los agentes químicos.

silicosis. Enfermedad de los pulmones producida por inhalación de polvo de sílice al respirar. Los obreros que trabajan en ciertas minas, así como los picapedreros, areneros, canteros y alfareros, son los más castigados por esta dolencia. Al cabo de algún tiempo se producen en los pulmones alteraciones bronquíticas, por inhalar partículas de sílice, lesiones que predisponen a la tuberculosis. Los trabajadores atacados de silicosis se quejan de tos y fatiga. En

Corel Stock Photo Library

Silla de montar marroquí.

el primer periodo, las únicas alteraciones son las descubiertas por los rayos X. El curso de la enfermedad es grave, a no ser que el enfermo abandone su profesión. La silicosis puede complicarse además con trastornos cardiacos y cáncer de pulmón. La mejor medida será prevenir la inspiración del polvo usando máscaras y respiradores especiales, y el empleo de ventiladores para sanear el ambiente. El enfermo deberá ser tratado por un médico tisiólogo y cambiar de profesión. La silicosis pertenece a un grupo de enfermedades llamado neumoconiosis, entre las que se cuentan la antracosis, que afecta a los trabajadores en las industrias del carbón, la asbestosis, a los del asbesto, etcétera. Los enfermos incapacitados para el trabajo, a causa de neumoconiosis, reciben indemnizaciones especiales en muchos países, por ser consideradas como enfermedad profesional.

silla de montar. Aparejo con estribos que se dispone en el dorso del caballo y sobre el que se sostiene el jinete. La usaron los romanos, pero no sus soldados a quienes bastaba una manta de lana con tal objeto; en el siglo X se construyeron de madera, cubriéndose con telas vistosas, y en el XIII se forraron de pergamino. Se conocen muchos tipos de ellas, tales como las caceras, para caballos ligeros; las militares, propias del ejército; las de rúa, empleadas para el paseo; las de jineta, llevadas a España por los musulmanes; la mexicana, que tiene alta la cabezada delantera; la inglesa, livianísima y que se usa para carreras, etcétera. Las piezas principales consisten en dos arzones (anterior y posterior) unidos por una pieza de cuero que se adapta al lomo del caballo, y que en su cara interior lleva unas almohadillas rellenas de crin o pelote; un faldón protector sobre el que el jinete apoya las piernas y lleva sujetas las correas de los estribos; y una cincha que pasa por debajo del vientre del animal, une sus extremos con una hebilla y fija la silla sobre el lomo. A base de estos elementos, la mayoría de los países ha creado estilos propios de silla de montar. *Véase* HIPISMO.

silla y sillón. Asiento individual sostenido generalmente por cuatro patas, de las cuales las posteriores se prolongan por encima del asiento sirviendo para sujetar el respaldo. Las cuatro patas están unidas entre sí por diversos travesaños que le dan solidez y sirven de armazón al asiento y respaldo. Éstos se suelen hacer de madera, paja trenzada, cuero o también de tapicería, con almohadillados y resortes que los hacen más cómodos.

Cuando las sillas son amplias y las patas anteriores sobrepasan el asiento, teniendo un travesaño lateral para apoyar los brazos, lo que aumenta su comodidad, reciben el

De izq. a der: sillón de caoba tapizado con tela, armazón de una silla de madera y sillón forrado con piel.

Corel Stock Photo Library

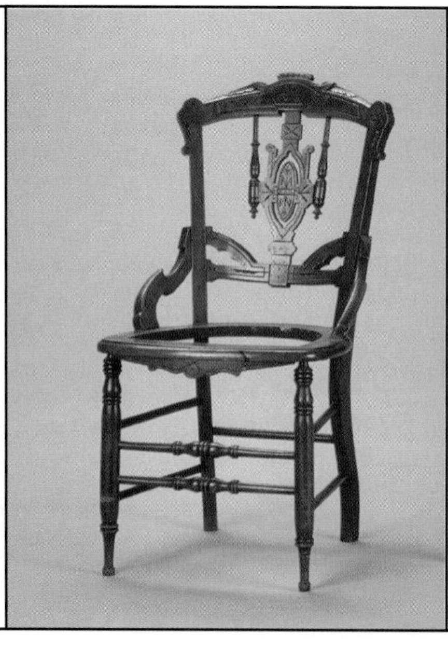

nombre de sillones. Al igual que las sillas, los hay de múltiples formas y estilos y muy frecuentemente tapizados con cuero o con los más variados géneros

Sillanpää, Frans Eemil (1888-1964). Escritor finlandés. En su obra narrativa, inspirada en su propia experiencia de la vida campesina, se entremezclan un sostenido Realismo y cierta actitud mística ante la naturaleza. Obras maestras de la prosa finlandesa son la novela social *Santa miseria* (1919), una descripción de la guerra civil transcurrida de 1917 a 1918, y el relato lírico *Silja o un destino breve* (1931). Otras producciones que merecen citarse son *Sol de vida* (1916), *Hombres en la noche estival* (1934), *Esplendor y miseria de la vida* (1945). Publicó también varios libros de memorias. En 1939 recibió el Premio Nobel de Literatura.

silo. Depósito especial, generalmente cilíndrico, en el que se almacenan granos, semillas o forrajes. El ensilado es el proceso de preservación del contenido de los silos, eliminando la mayor cantidad de aire posible por el amontonamiento y la compresión de los granos, y evitando, gracias a la impermeabilidad de las paredes y al hermético cierre del depósito, toda fermentación para que dicho contenido se conserve fresco. Es una práctica muy antigua. Plinio, naturalista romano del siglo I, habla ya de un sistema de almacenar granos en hoyos o fosas especiales, a las que llama *sirus*, palabra de la cual proviene la actual *silo*. Estos graneros subterráneos guardaban los cereales acumulados en épocas de abundancia o los ocultaban del enemigo en tiempos de guerra, y tan antiguo método aún es utilizado por muchos campesinos. El sistema actual de ensilaje es más o menos reciente, pues fue hasta 1871 cuando se construyó en Maryland (Estados Unidos), el primer silo moderno de América.

Los silos pueden ser cilíndricos, con base circular, y prismáticos, con base rectangular o cuadrada, y por excepción hexagonal u octogonal. Unos y otros pueden ser aislados o en grupos, completamente elevados sobre el suelo o total o parcialmente enterrados. Se construyen de cemento armado, de una sola pieza, o de prismas o elementos de hormigón armado, de alfarería, con armadura interior o exterior, o bien de mampostería ordinaria o de ladrillos, bloques de hormigón o sillería. Pueden ser también de hierro, madera y estructuras mixtas, hierro y fibrocemento. La forma cilíndrica es la más apta para resistir la presión interior y, por tanto, requiere el mínimo espesor y menor empleo de hierro.

Del lugar de procedencia, el grano puede ser transportado a los silos en vagones, que se descargan en tolvas, recipientes en forma de embudo, que lo conducen por mecanismos transportadores hasta balanzas automáticas, donde es pesado y depositado en máquinas elevadoras. Estas máquinas transportan los granos a otras encargadas de limpiarlos y airearlos, para ser trasladados, por fin, mediante un sistema de vagonetas y tubos movibles, hasta los compartimientos donde son almacenados. Los cereales que llegan por barco son almacenados en silos construidos en los muelles y se descargan por medio de dispositivos neumáticos de succión. El silo es un medio excelente para conservar el grano o el forraje con todas sus cualidades nutritivas y su sabor natural. *Véase* CEREALES.

silogismo. Argumento que consta de tres proposiciones; la última de ellas o conclusión se deduce de las dos primeras, o premisas. Las premisas son mayor o menor, según que la proposición tenga un sentido más o menos universal. En el silogismo "Todos los hombres son mortales; Aristóteles es hombre, luego Aristóteles es mortal", la premisa mayor es la primera. Las distintas formas que adopta el silogismo, según la cantidad y cualidad de las premisas componentes, se llaman *modos*; de la combinación de éstos se obtienen 64 formas silogísticas, pero sólo 19 son válidas.

silueta. Dibujo sacado siguiendo los contornos de la sombra de un objeto. Su nombre proviene de Esteban de Silhouette, ministro de Hacienda de Luis XV de Francia (1759), quien recomendó a la nobleza de su época que restringiese el lujo, y fue tomado a burla. Se ridiculizó su consejo poniendo en uso vestidos sin adornos ni pliegues, espadas de madera, pantalones sin bolsillos, joyas falsas, etcétera. Hasta los retratos sirvieron para ridiculizarlo, y se les dio el nombre de *silhouettes*, a los dibujos así obtenidos del perfil de una persona, por ser la forma más barata en que se podía lograr un retrato.

silúrico. *Véase* GEOLOGÍA.

siluro. Pez de agua dulce que vive en Europa central y oriental. De cuerpo alargado, tiene hasta 4 m de longitud y suele pesar más de 150 kg. Es de color verde oscuro y abunda en las aguas del Danubio. Su nombre científico es *Silurus glanis*.

Silva, António José da. *Véase* ALEIJADINHO, EL.

Silva, José Asunción (1865-1896). Poeta colombiano, considerado como precursor del modernismo que con Rubén Darío y Guillermo Valencia alcanzó su máxima altura. Sus principales obras están recogidas en *El libro de versos*; se destacan en él poesías como *Crisálidas, Bajando el Magdalena, Vejeces, Los maderos de San Juan* y *Al pie de la estatua*, pero su obra suprema es *Nocturno III*. Viajó por Europa y recogió sus impresiones en una novela autobiográfica *De sobremesa* (1887-1896). Su *Nocturno* y sus *Poesías*, publicadas éstas después de su muerte y ampliadas con nuevos hallazgos más tarde, demuestran que Silva es uno de los poetas líricos mejor dotados y uno de los artífices del verso en nuestro idioma. Juan Ramón Jiménez, otro alto poeta de nuestra lengua, dice que el *Nocturno* es "música hablada, suma de amor, sueño, espíritu, magia, sensualidad y melancolía humana y divina". El poeta bogotano resucitó viejos metros; su poesía es refinada, exquisita, sentimental y lujosamente rítmica. Con otros nombres de la lírica de América y de España, Silva es uno de los creadores del Modernismo, escuela que tuvo después en Darío al pontífice máximo. La poesía de Silva es clara, diáfana de pensamiento y armónica. En general, todos sus versos tienen una música exquisita y penetrante.

Silva, Medardo Ángel (1899-1919). Poeta ecuatoriano. Dentro del movimiento modernista, se adscribe a las tendencias innovadoras iniciadas hacia 1915 por revistas como *Letras y Renacimiento*. Los poemas que publicó bajo el título de *El árbol del bien y del mal* (1917) y las poesías escogidas y editadas póstumamente por Gonzalo Zaldumbide (1926) revelan influjos de Paul Verlaine de Jean Moréas.

Silva, Víctor Domingo (1882-1960). Poeta, dramaturgo, novelista y periodista chileno, distinguido con el Premio Nacional de Literatura de su país, en 1954, por su brillante labor. Su primer libro de poesías (*Hacia allá*, 1906), señaló su espíritu revolucionario, que culminó con su poema *La nueva Marsellesa*, ampliamente traducido. Autor de *Historia de Valparaíso* y una completísima *Antología chilena*.

Silva Valdés, Fernán (1887-1975). Poeta y cuentista uruguayo. En su juventud fue discípulo de Rubén Darío y Leopoldo Lugones, pero al alcanzar la madurez se convirtió en creador del nativismo, tendencia de raíz folclórica. Perteneció a la Academia Uruguaya de Letras y goza de gran popularidad en el Río de la Plata. Entre sus obras: *Poemas nativos, Romances chúcaros, Poesías y leyendas para niños, Cuentos y leyendas del Río de la Plata* y, entre otras, la pieza teatral *Santos Vega*.

Silvano. Dios latino que suele ser identificado con el griego Pan. Era una deidad rústica que custodiaba los campos y los bosques. Los artistas lo representaban como un anciano con una corona de ramas de pino en la cabeza, una rama de ciprés en una mano y una podadera en la otra.

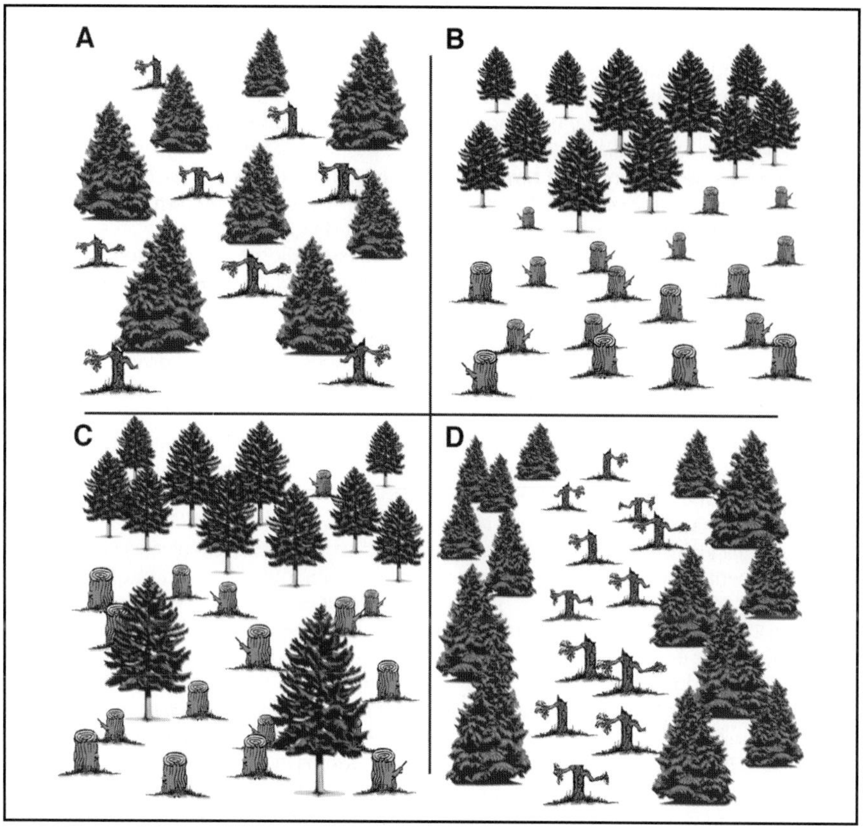

Del Ángel Diseño y Publicidad

La tala seleccionada (A) que deja pequeñas aperturas en los bosques, se utiliza para especies tolerantes a la sombra como el sauce. La tala amplia (B) corta todos los árboles y siembra posteriormente con especies intolerantes a la sombra como los crezos negros. En la tala amplia de árboles de semillas (C) se dejan algunos árboles de semillas recién plantados para una reforestación. La tala en líneas (D) corta árboles en fases, y se utiliza para los pinos blancos y otras especies que requieren una forma específica para su crecimiento.

silvicultura. Ciencia que trata del cultivo, fomento y cuidado de los bosques, selvas y maníes. Comprende un conjunto de conocimientos tanto de técnicas forestales como de la aplicación de las medidas y leyes promulgadas para el aprovechamiento y conservación de los bosques. Sus previsiones se encaminan a mantener reservas de suficientes cantidades de madera, leña y otros productos forestales para evitar su escasez. Se ocupa del repoblamiento de los ejemplares talados; la plantación de nuevas especies útiles; la adopción de medidas de seguridad contra los incendios y la adquisición de elementos para combatirlos, y la protección de los árboles contra las enfermedades y los parásitos. Es de buena administración forestal desarraigar los troncos de los árboles ya secos para procurar a las demás plantas mayor espacio y luz o repoblar el lugar vacante.

Simancas, archivo de. La más importante colección española de documentos históricos. Está instalada en un soberbio castillo medieval, que antes había sido prisión del Estado, sobre la margen derecha del río Pisuerga, en el municipio de Simancas, provincia de Valladolid. Desde 1539 empezó a recibir papeles que se consideraron dignos de ser guardados; su instalación fue formalizada por Carlos V, quien encargó a Alonso Berruguete las obras necesarias a tal objeto. Contiene 28 secciones, con un total de 33 millones de documentos; buena parte de los relativos a Hispanoamérica han sido trasladados al Archivo de Indias, de Sevilla.

Simbiosis. Talos heterómeros de líquenes con las células (en verde) del alga simbonte.

Salvat Universal

simaruba. Planta arbórea de la zona tropical americana, que alcanza gran corpulencia. Tiene corteza amarga y elástica, hojas oblongas de color verde reluciente, con el ápice redondeado y flores pequeñas, blanquecinas o verdosas, rojizas por el borde interno, agrupadas en panojas terminales. Los cocimientos de su corteza se emplean como febrífugos y para combatir las mordeduras de las serpientes. En Cuba se le conoce con el nombre de *palo blanco.*

Simbad *el marino*. Personaje de las narraciones de *Las mil y una noches.* Allí aparece escuchando desde un lugar oculto las quejas de pobreza de un humilde trabajador de los muelles. Para demostrarle que sus quejas no son justas, lo lleva a su palacio y le relata sus siete extraordinarios viajes alrededor del mundo, en que estuvo a punto de perder la vida; su visita al valle de los diamantes y su encuentro con el anciano del mar. El trabajador admite que su vida modesta y tranquila vale más que todo aquello. Las fantásticas aventuras de *Simbad el Marino* constituyen una obra maestra en su género.

simbiosis. Asociación que realizan dos seres orgánicos distintos, de la cual ambos sacan provecho. Es muy frecuente, tanto entre animales como entre vegetales. Los líquenes no son sino la unión de un alga y un hongo. El alga encuentra en el hongo el ambiente húmedo que le es propicio y protección, devolviéndole a cambio los alimentos que el hongo no es capaz de elaborar por falta de clorofila. Una de las más notables asociaciones simbióticas entre animales es la que une a ciertos cangrejos, los paguros, con ciertas actinias. Pese a sus pinzas, este crustáceo carece de toda protección en el abdomen y por eso busca la concha de algún molusco donde alberga su cuerpo. El paguro siempre arrastra su casa consigo. Frecuentemente se instala sobre la concha una actinia, la *Adamsia palliata,* que obtiene la protección del paguro y, a su vez, sirve de cebo para atraer las víctimas de su compañero. Cuando el paguro cambia de concha la actinia se instala sobre la nueva casa.

La higuera es otro ejemplo entre plantas y animales. Como sólo puede ser polinizada por una especie de insectos, la planta asegura su proximidad alimentando sus larvas.

simbolismo. Representación de cosas, creencias, conceptos o sucesos, mediante símbolos. En arte y literatura el Simbolismo constituyó una escuela que, a partir de 1880, tuvo gran auge en Francia y Bélgica, y que encarnó una reacción contra el Realismo y en poesía contra las teorías y prácticas parnasianas, que consideraban el arte como representación de ideas netamente determinadas, y de formas y colores, que procuraban encerrar en estrofas frías e impecables. El Simbolismo, por el contrario, exalta lo misterioso y lo metafísico, el ensueño místico y el encanto de la música; remeda ritmos y sonidos para expresar con ellos sentimientos y emociones que escapan al análisis y al mundo exterior. Figuras sobresalientes de esta escuela fueron Georges Rodenbach, Arthur Rimbaud, Jean Moréas, Paul Verlaine, Shéphane Mallarmé y Maurice Maeterlinck.

símbolo. Figura o divisa con la que se representa un concepto moral o intelectual, por alguna semejanza o correspondencia que el entendimiento percibe entre el concepto y la imagen. Los símbolos pueden ser directos o indirectos, según que lo representado en ellos sea la misma cosa aludida o algo que la menciona, indica o designa. En la historia de los primeros tiempos del cristianismo abundan los símbolos. Posteriormente la Iglesia dio a algunos de ellos mucha importancia por ejemplo: al símbolo eucarístico, la figura del cordero; al áncora, símbolo de la esperanza en una vida futura; a las lenguas de fuego, la elocuencia apostólica; a la paloma, el Espíritu Santo; a la Cruz, símbolo de sufrimiento y la redención, etcétera. Las divinidades grecolatinas del paganismo también eran simbólicas. Atenea o Minerva, diosa de la sabiduría; Afrodita, diosa de la belleza y el amor; Baco, dios del vino, la vegetación exuberante, etcétera. En el brahmanismo las encarnaciones de Visnú en pez, tortuga, gigante o enano, son otros tantos símbolos de ideas. Siva simboliza la vida o la muerte, el día o la noche, según aparezca acompañado de un toro, una gacela y una flor de loto, o de un tigre ceñido de serpientes y echando fuego por la boca. La afición del hombre a los símbolos es remotísima, la flor de lis con que los monarcas franceses blasonaron sus escudos antes de que se instaurase la dinastía borbónica, se encuentra en los desenterrados palacios de Asiria y significa poder, fuerza, vitalidad. El águila fue para los romanos el símbolo de la autoridad suprema y con ella ornaban sus insignias: Julio César la llevaba de oro; la de Carlomagno era de dos cabezas; Napoleón I y Napoleón III la emplearon también como enseña. El gallo, símbolo del valor vigilante, fue el de los primeros habitantes de las Galias. El búho fue el símbolo de los antiguos emperadores de Tartaria. Las abejas fueron el símbolo de la obediencia, de la castidad, del trabajo y del orden. La serpiente simboliza la prudencia y fue el emblema de los duques de Milán, así como el de los antiguos reyes de Inglaterra fue un dragón. La media luna otomana es un símbolo que tiene su origen en el capitulo 64 del Corán, donde se lee que el mismo Mahoma juntó con sus manos los pedazos de la Luna, que se habla partido al caer. La química se vale también de símbolos –una o más letras convenidas– para designar en forma abreviada los elementos químicos o cuerpos simples, a partir de sus nombres latinos. Así, el símbolo del mercurio es Hg, porque el nombre latino correspondiente es *Hydrargyrus*; el del aluminio, Al, procedente de *Alumen*; el del oro, Au, de *Aurum*; el del hierro, Fe, de *Ferrum;* el símbolo del carbono es una C; el del fósforo, una *P*; del oxiígeno, una O; el del wolframio o tungsteno, una W; el del yodo, una I; el del azufre, una S; el de la plata, Ag; el del radio, Ra; el del sodio, Na, siempre conforme a la etimología latina. Hay instituciones que poseen símbolos universalmente reconocidos como el compás, la escuadra y el triángulo de la masonería, que eran instrumentos de trabajo simbólicos de los antiguos francmasones. El símbolo del derecho romano son las fasces y el hacha de los lictores; el de la justicia, la imagen de una mujer con los ojos vendados, en una mano la espada y en la otra una balanza, tal cual la inmortalizó Rafael en uno de los frescos del Vaticano. Las conocidas figuras del Tío Sam y de John Bull simbolizan a Estados Unidos e Inglaterra, respectivamente; las banderas son los símbolos de las naciones; una calavera sobre dos fémures cruzados es el símbolo del peligro de muerte; el del coraje es un león; el de la paz, la paloma con un ramo de olivo en el pico; el de la guerra, el casco del dios Marte. Hasta la buena suerte tiene sus símbolos: una herradura, un trébol de cuatro hojas o la pata de un conejo. *Véanse* ALFABETO; BANDERA; ELEMENTO QUÍMICO; ESCUDO; HERÁLDICA; INSIGNIA; SEÑALES; SÍMBOLOS MATEMÁTICOS.

símbolos matemáticos. Signos utilizados por las diversas ramas de la ciencia matemática para indicar valores, relaciones u operaciones.

+	más
-	menos
=	igual
≠	desigual
×	multiplicado por
.	multiplicado por
:	dividido por
÷	dividido por
>	mayor
<	menor
≥	igual o mayor
≤	igual o menor
≡	idéntico a
≈	valor aproximado
!	factorial
!!	semifactorial
∫	integral
d	diferencial
Δ	diferencia, incremento
∞	infinito
::	como, iguala a
≅	aproximadamente igual a
→	tiende a, se aproxima a
≃	equivale a
∝	es proporcional a
∴	por lo tanto
ø	diámetro
∑	suma total
°	grado
’	minuto
”	segundo
⊥	perpendicular a
<	ángulo
||	paralelo a
%	por ciento
‰	por millar

Los signos de adición y sustracción fueron inventados por J. Widmann, quien los utilizó por vez primera en su tratado de aritmética comercial, 1489.

El signo de igualdad fue introducido por Robert Recorde, en 1540.

Guillermo Oughtred indicó la multiplicación por medio de la cruz de San Andrés en 1631, y Thomas Harriot empleó un punto (.). Hoy se utilizan indistintamente, aunque de preferencia el × cuando los factores son numéricos y el (.) cuando son literales; pero en este último caso se suele suprimir, de acuerdo con René Descartes.

El punto lo usan también algunos países americanos para separar la parte entera de la decimal, pero los europeos usan una coma.

Al antes citado Harriot se debe también el signo de la división :, así como los de mayor que > y menor que <. Los que indican la ambigüedad de igualdad y desigualdad ≥ y ≤ son de Pierre Bouguer. Gottfried Wilhem Leibniz adoptó el signo : para indicar la división, que Isaac Newton transformó en ÷ , empleado hoy exclusivamente en los países de habla inglesa.

El uso de los paréntesis ( ) y corchetes [ ] para indicar que deben efectuarse las operaciones indicadas dentro de ellos, fue introducido por Albert Girad, el *!* para la factorial por Krampf y el *!!* para la semifactorial por John Wallis.

El simbolismo de la potenciación lo inició Raffaele Bombelli, 1572, pero la notación actual es de René Descartes.

La raíz se indico primeramente por medio de una *r*, de donde se derivó el signo actual de √ al que Chuquet agregó el vínculo superior para indicar que dicho signo afecta a todo lo que se escribe debajo.

La identidad la representó Carl Friedrich Gauss por las tres barritas horizontales ≡ que se usan hoy.

El signo de integración ∫ es una *S* estilizada, inicial de la palabra latina *summa*, con la que Leibniz indicaba que la suma no es finita, sino infinita. En el primer caso se suele emplear la letra latina sigma mayúscula Σ.

La letra griega delta Δ se emplea para representar diferencias, e invertida se llama *nabla* por tener forma parecida al instrumento musical asirio así llamado. Algunos autores la llaman *atled* (*delta* al revés). Se emplea en cálculo vectorial y se debe a sir William Hamilton, 1866.

La letra griega *pi*, π, para representar la razón de la circunferencia al diámetro la empleó Leonhard Euler, así como también la latina *e* para la base de los logaritmos neperianos.

El signo de infinito es ∞ y no se sabe quién fue el primero que lo usó.

Georg Cantor, 1873, utilizó la *C* gótica alemana para representar el continuo y la *aleph* hebrea para los conjuntos infinitos numerables.

Simenon, Georges (1903-1989). Novelista belga en lengua francesa cuyo verdadero nombre es Georges Sim. En sus obras del género policiaco, ha creado un personaje singular, el inspector Maigret, dotado de una sobrehumana capacidad de deducción. De sus obras cabe citar *L'homme qui regardait passer les trains* (1938), *La neige était sale* (1958), *Le train* (1961), *Les anneaux de Bicêtre* (1963). En 1973, después de haber publicado *Maigret et Monsieur Charles* (1972), abandonó la novela policiaca. Entre los libros de memorias figuran *Quand j'tais vieux* (1972), *Lettre à ma mère* (1974), y *Mémoires intimes* (1981).

Simeón Estilita *el Viejo*, san (390-459). Anacoreta nacido en Cilicia (Asia menor), que desde muy joven se entregó a la vida solitaria y austera. Los últimos 22 años de su existencia los pasó en lo alto de una columna (*stylos* en griego, de donde le viene el sobrenombre), lugar en el que se refugió para no tener contacto con los hombres. La leyenda le atribuye los hechos más extraordinarios. La Iglesia celebra su fiesta el 25 de enero.

simetría. Proporción adecuada de las partes de un todo entre sí y respecto al todo mismo. Armonía de posición de las partes o puntos similares unos respecto de otros, y con referencia a un punto, línea o cuerpo determinado. En geometría se dice que dos puntos son simétricos en relación con otro punto, cuando éste divide en dos partes iguales la recta que une a los dos primeros. La figura simétrica de una recta es otra recta; la de un plano es otro plano; la de una circunferencia es otra circunferencia igual a ella; un círculo es simétrico respecto de otro cualquiera si tienen sus diámetros iguales; la esfera es simétrica respecto del plano de cualquiera de sus círculos máximos, etcétera. Ciertas propiedades de las figuras simétricas se demuestran considerando la simetría en relación a un punto, y otras con respecto con un plano. También se llama simetría a la extraordinaria analogía que existe entre los diversos órganos y entre las distintas regiones del cuerpo humano, aun cuando se ha demostrado que no es perfecta. *Véase* GEOMETRÍA.

Ejes de simetría cristalina.

Salvat Universal

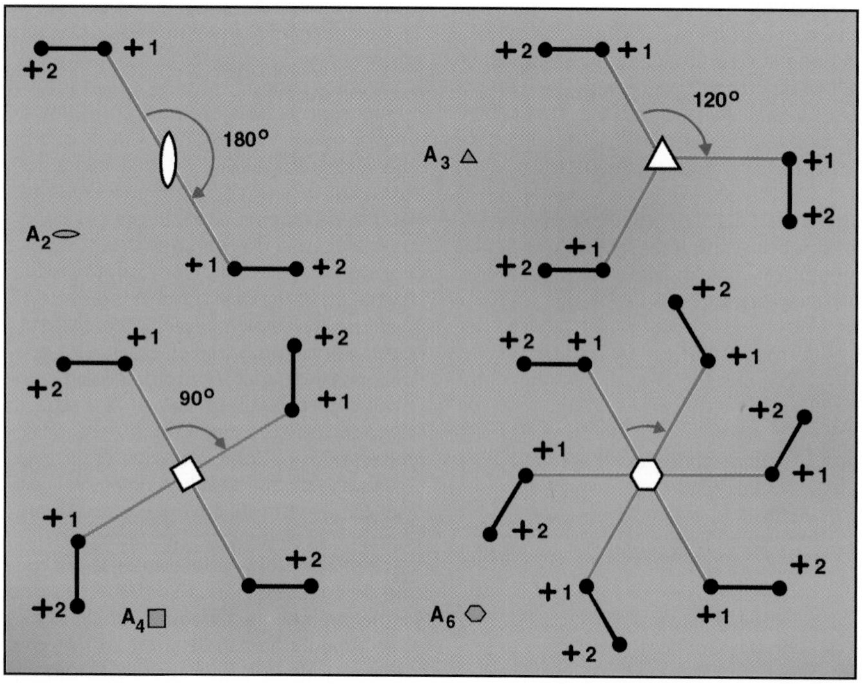

símil. Se llama así en retórica a la comparación o imagen. Cuando se suprime el nexo lógico de *como* o *parecido a* y se funde la realidad con el reflejo imaginario, llegamos a la metáfora.

El uso del símil es muy frecuente en la literatura y son famosos los homéricos, que van desde un simple rasgo (*Apolo desciende como la noche*) hasta un cuadro completo. Veamos cómo un poeta arabigoandaluz, imitado luego por Góngora, pasa sin sentir del símil a la metáfora: "Las luces de las candelas brillan como luceros, y sus reflejos en el río parecen lanzas hundidas en la corriente... Se persiguen los barcos llevados por los pies de los remos".

Simmel, Geora (1858-1918). Sociólogo, filósofo y ensayista alemán. Es el principal expositor de la sociología formalista, de orientación neokantiana. Desarrolló también una metafísica de la vida humana. Entre sus obras figuran: *Introducción a las ciencias morales*, *Los problemas de la filosofía de la historia* y *Sociología*. Ensayista fecundo, dejó obras breves de notable penetración: *Cultura femenina*, *Filosofía de la coquetería*, y otras.

Simms, William Gilmore (1806-1870). Poeta y novelista estadounidense. Ya había editado varios volúmenes de versos cuando en 1833 publicó su novela *Martín Faber*, una dramática narración que obtuvo tanto éxito que lo animó a perseverar en el género. Algunas de sus obras son producto exclusivo de su fantasía, pero la mayor parte de sus novelas tienen fundamento histórico como *El Yemassee* y *El guerrillero*, y están plenas de aventuras y dinamismo. También escribió notables biografías como *Vida del capitán John Smith*, *Vida de Bagardo* y una historia de la Carolina del Sur.

Simon, Claude (1913-). Escritor francés. Su experimentalismo narrativo se inscribe en la tendencia del "nouveau roman". En sus inicios utilizó procedimientos característicos de William Faulkner (como cronologías dislocadas, frases largas), adquiriendo más tarde una personalidad propia. Entre sus obras destacan *La corde raide* (1948); *Le vent* (1957); *L'herbe* (1958); *La route des Flandres* (1960); *Le palace* (1962); *Les géorgiques* (1981); *L'incitation* (1987), y *L'acacia* (1989). Premio Nobel de Literatura en 1985.

Simon, Herbert Alexander (1916-). Economista estadounidense. Profesor en la Universidad Carnegie-Mellon de Pittsburgh desde 1949, ha dedicado su vida a la investigación social y la enseñanza. Entre 1968 y 1972 fue miembro del Comité Consultivo de Ciencia del presidente de Estados Unidos. Es considerado uno de los más destacados teóricos de la ciencia de la administración y su obra es un modelo del trabajo interdisciplinario basado en el positivismo lógico, ya que en ella se combinan aspectos económicos con sociológicos, psicológicos y filosóficos. El fundamento de su teoría es el *principio de racionalidad limitada*, según el cual el sujeto económico se enfrenta a un conjunto de alternativas que conoce sólo parcialmente en busca de un cierto nivel de satisfacción (no el máximo). Entre sus obras destacan *Administrative Behavior* (*El comportamiento administrativo*, 1947); *Organizations* (*Teoría de la organización*, 1958), con J. G. March; *Human Problem Solving* (*Solución al problema humano*, 1972), con A. Newell; *Models of Discovery* (*Modelos de descubrimiento*, 1977); *Models of Thought* (*Modelos de pensamiento*, 1979); *Models of Bounded Rationality* (*Modelos de racionalidad limitada*, 1982); *Scientific Discovery* (*Descubrimiento científico*, 1986) y *Economics, bounded rationality and the cognitive revolution* (*Economía, racionalidad limitada y la revolución del conocimiento*, 1992). *Doctor honoris causa* por varias universidades (Yale, Chicago, Lund y Erasmus, entre otras), en 1978 fue galardonado con el Premio Nobel de Economía.

Simón, san. *Véase* APÓSTOLES.

Simónides de Amorgos (Siglo VII a. C.). Poeta griego dotado de gran ingenio y gracia expresiva, a quien se considera como el iniciador de la sátira filosófica y moral. Imitó a Arquíloco, su contemporáneo, en sus versos yámbicos, metro en el que compuso su poema histórico sobre la isla de Samos, su patria; los 24 versos que se conservan "sobre la miserable condición humana", y los 118 de su poema satírico *Espejo de las mujeres*, en el que describe 10 tipos de mujer a los que atribuye una genealogía animal.

Simónides de Ceos (556-467 a. C.). Poeta griego tan célebre y glorioso en su época que llegó a ser preferido a Píndaro y Esquilo y venerado como un dios. Muy joven se dedicó a la enseñanza de la poesía y la música y se trasladó a Atenas. Ganó 56 bueyes y otros tantos trípodes en concursos literarios, pero de sus composiciones sólo quedan algunos fragmentos de los himnos, habiéndose perdido los *epinicios* a los vencedores de los juegos de Olimpia, Corinto y Delfos. Celebró las victorias de Maratón, Salamina y Platea con magníficas poesías y es el autor de la inscripción dedicada a Leónidas y a los espartanos muertos en las Termópilas. Compuso elogios, cantos, himnos, canciones, elegías, epigramas e inscripciones. Se ha dicho de él que "llegó a lo sublime cuando el asunto lo exigía". La tradición le atribuye invenciones y hechos extraordinarios.

Corel Stock Photo Library

Interior de una sinagoga en Jerusalén, Israel.

Simplón. Paso de los Alpes Peninos situado a 2,010 m de altitud, en el cantón de Valais, en Suiza, entre los macizos del Fletschhorn y del monte Leone. Facilita las comunicaciones entre el cantón suizo de Valais y el Piamonte (Italia). Es utilizado por una magnífica carretera de 60 km que enlaza Briga (Suiza) con Domossola (Italia). Al noreste del paso, bajo el monte Leone cruza el famoso túnel ferroviario del Simplón, el más largo del mundo (19,825 m), que va de Briga a Isella (Italia).

Simpson, sir James Young (1811-1870). Médico tocólogo y ginecólogo escocés. Ejerció en Edimburgo una cátedra de su especialidad cuando sólo tenía 24 años. En 1846 introdujo por primera vez la anestesia en obstetricia. Perfeccionó otros procedimientos quirúrgicos.

simulación. Situación producida cuando se altera o desvirtúa la causa, la índole o el objeto real de un acto o contrato. Jurídicamente, y según los casos, la simulación da lugar a la anulación de los contratos (en el de matrimonio, por ejemplo, cuando se finge una personalidad que no se posee), o a un delito (usurpación de títulos y atribuciones). También es delito cuando se pretende eludir con ella alguna obligación legal, falseando el estado físico del sujeto (lesiones inexistentes, para ser indemnizado por un accidente de trabajo) o psíquico (locura, para eximirse de la responsabilidad penal). Gracias a los avances de la ciencia, los actos de simulación pueden ser descubiertos con mayor facilidad; sin embargo, por razones de humanidad y de ética procesal, las leyes rechazan aquellos procedimientos violentos (tortura) o que anulan la voluntad o la conciencia del individuo, tales como la administración de ciertas drogas (pentotal) o el empleo de prácticas hipnóticas y sugestivas para descubrir la simulación.

simún. *Véase* VIENTO.

sinagoga. Casa en que se reúnen los judíos a orar y a oír la doctrina de Moisés. Parece que su creación se debe a los judíos cautivos en Babilonia. Antiguamente era el segundo centro religioso y estaba destinado principalmente a la enseñanza de la Ley; el lugar destinado a la oración era el Templo. La sinagoga debía estar orientada mirando al este. El teba, cofre donde se guardan los rollos en que está escrita la Ley y los demás libros sagrados, es el principal objeto de los que hay en ella. En frente de éste se eleva el almenor o cátedra, donde el hazan lee las oraciones. Antes de ser abierta al servicio se consagran con ciertas ceremonias; si no es por razones muy graves no puede ser derribada y ni el solar ni los materiales procedentes del derribo pueden ser cedidos o vendidos. Cada sinagoga tiene su rabí (maestro), al que corresponde la mayor jerarquía. Las reuniones se

Corel Stock Photo Library

Beduino frente a un monasterio del Sinaí.

celebran en la mañana y en la tarde del sábado. Ejerció mucha mayor influencia práctica que el templo en la vida religiosa del antiguo Israel, pues mientras que aquél constituía el centro único del ritualismo mosaísta, en ésta se impartían la enseñanza y la formación de la conciencia religiosa. *Véase* JUDAISMO.

Sinaí. Península triangular, situada entre África y Asia y perteneciente a Egipto. Limita al norte con el Mediterráneo, al noreste con Palestina, al sureste con el Golfo de Akaba, al sur con el Mar Rojo, al suroeste con el Golfo de Suez y al oeste con Egipto. Tiene 400 km de longitud y 210 de anchura máxima. Debe su nombre al macizo del Sinaí, del que forma parte el monte Santa Catelina (Yébel Katerina), con 2,605 m, la máxima altura de esta península. La naturaleza es árida e inhóspita y el clima es generalmente cálido. Se cultivan cereales y hay pastos para ovejas y cabras. En el subsuelo se han descubierto depósitos de manganeso. En el monte Sinaí, situado en el sur de la península, recibió Moisés las Tablas de la Ley de manos de Dios, según lo refiere el Antiguo Testamento, durante el paso de los hebreos por el desierto de Egipto a Palestina.

Playa turística en Mazatlán, Sinaloa.

Corel Stock Photo Library

Sinaloa. Estado del oeste de México. Tiene 58,092 km^2 y 2.204,054 habitantes. Limita con los estados de Sonora, Chihuahua, Durango, Nayarit y el Golfo de California. Sus principales centros de población son Culiacán, capital del estado (304,826 h.), Mazatlán (249,988 h.), Los Mochis (122,530), y Escuinapa, Guasave, Rosario, Navolato, Costa Rica, Guamúchil y El Dorado.

El litoral lo constituyen llanuras costaneras, bordeadas en algunos sectores con islas, penínsulas y bahías, algunas muy extensas, como las de Agiabampo, Topolobampo y Navachiste, al norte, y el gran puerto de Mazatlán, al sur. Hacia el interior el terreno se eleva gradualmente, formando serranías, hasta unirse con la gran Sierra Madre Occidental. Hay numerosos ríos, entre los que se destacan el del Fuerte, Sinaloa, Humaya, San Lorenzo, Piaxtla y Presidio, que desaguan en el Golfo de California. Se distinguen dos regiones climáticas: la marítima occidental de las llanuras costaneras, con clima cálido, y la oriental montañosa, templada en las alturas medias y fría en la cresta de las cordilleras.

Sinaloa abarca parte de una de las regiones de México más ricas en minerales, por lo que existen muchos yacimientos mineros, explotándose principalmente oro, plata, cobre, hierro, cinc y plomo, y entre los distritos mineros más activos se encuentran los de Concordia, Cosalá, San Ignacio, Guadalupe de los Reyes, San Lorenzo y varios. Grandes presas y obras de riego favorecen la fertilidad natural del suelo.

Se cultiva algodón, caña de azúcar, maíz, trigo y otros cereales, frijol y muchas otras legumbres, hortalizas diversas, naranjas, bananas y gran variedad de otras frutas, henequén, tabaco, maní, etcétera. La ganadería es importante y se cría gran cantidad de ganado vacuno, de cerda y lanar. Es notable la riqueza forestal y se extraen maderas tintóreas y de ebanistería. La pesca es abundante y excelente en el golfo y constituye un factor claramente apreciable en la economía del estado.

Hay ingenios azucareros y fábricas de hilados y tejidos de algodón, de alcoholes, cerveza, tabaco, muebles, curtidurías, cerámica, empresas empacadoras y conserveras de pescado, etcétera. Los centros comerciales más importantes son Culiacán, la capital, centro agrícola e industrial, con importantes talleres metalúrgicos, y Mazatlán, el puerto mexicano más importante del Pacífico.

Sinaloa está unida al resto de la nación por el ferrocarril del Pacífico, que atraviesa el estado de norte a sur, con varios ramales y conexiones; por la gran carretera Internacional o Panamericana, que también atraviesa el estado, y numerosos caminos carreteros; y por servicios regulares aéreos con la capital de la nación y otras ciudades. Las comunicaciones marítimas se efectúan, principalmente, por los puertos de Mazatlán, Topolobampo y Altata.

Historia. Se considera que entre los habitantes primitivos figuraron los toltecas y chichimecas y después los mexicas o aztecas, y entre la población actual se encuentran sinaloas, mexicas, tarahumaras y otros. Durante la dominación española, Sinaloa formó parte de las provincias internas de occidente y después (1786) de la intendencia de Arizpe, Sonora y Sinaloa. En 1824, ya alcanzada la independencia de México, constituyó con Sonora el estado de occidente y después, en 1830, se efectuó la división y se crearon los dos estados de Sinaloa y Sonora.

Sinatra, Frank (1917-1998). Cantante popular y actor estadounidense. A partir de 1940 alcanzó extraordinaria fama entre la juventud de Estados Unidos y se vendieron millones de discos con sus canciones. En 1953 obtuvo el premio de la Academia Cinematográfica de Hollywood por su interpretación en la película *De aquí a la eternidad.* Hasta 1960 había conseguido cinco discos de oro, pero sus mejores éxitos los alcanzó con sus versiones de *Strangers in the night* (1966) y *My way* (1971). En 1993 y 1994 aparecieron dos grabaciones a dúo por Sinatra y famosos intérpretes como Liza Minelli, Charles Aznavour, Aretha Franklin, Barbra Streisand, Julio Iglesias, Gloria Estefan y Carly Simon, entre otros. Murió en 1998.

Sinclair, Upton (1878-1968). Escritor y político estadounidense, nacido en Baltimore. Estudió en la Universidad de Columbia, y aun antes de salir de ella se convirtió en uno de los más agudos críticos de la civilización industrial de su país. Después de actuar como miembro en una comisión investigadora de los mataderos de Chicago, escribió en 1906 su famoso libro *La jungla.* Éste provocó tal conmoción, que impelió al presidente Theodore Roosevelt a efectuar una indagación en los frigoríficos e imponer algunas de las mejoras señaladas por el autor. La popularidad obtenida en 1934 con el plan EPIC (siglas de *End Poverty In California*, o sea, *No más pobreza en California*), estuvo a punto de convertirlo en gobernante de ese estado. Luchó tenazmente para eliminar las fallas del sistema capitalista. En 1943, *Los dientes del dragón*, una de las novelas componentes de la serie *Lanny Bud*, obtuvo el Premio Pulitzer. Su extensa obra aunque no sobresale por su mérito literario, sí lo hace por el humano alegato que toda ella encierra. Deben citarse: *La metrópolis* (1908), *El paso de ganso, Petróleo* (1927), *El fin del mundo* (1940), *Entre dos mundos* (1941), *Ancha es la puerta* (1943) y *Misión presidencial* (1947).

sinclinal. *Véase* GEOLOGÍA.

síncopa. *Véase* FIGURAS DE LENGUAJE.

sincronismo. Primer movimiento estadounidense de pintura no figurativa. El sincronismo fue iniciado en París, en 1912, por dos jóvenes pintores estadounidenses, Morgan Russel (1886-1953) y Stanton MacDonald-Wright, los dos con gran influencia de la teoría y la práctica de Paul Cézzane y Henri Matisse. Como movimiento unificado duró poco tiempo y, para 1920, había desaparecido completamente. El término significa *con color* y fue inventado por Russel para diferenciar este estilo del de los orfistas franceses, que aunque semejantes en apariencia, se desarrollaron de manera independiente. La premisa básica del sincronismo es la primacía del color como modulador de la forma. Sus partidarios también exploraron las correlaciones emocionales de los cambios cromáticos.

sincrotrón. Aparato del grupo de aceleradores sincrónicos que imparte a electrones e iones positivos (protones) la energía necesaria para que puedan actuar sobre los núcleos atómicos. El sincrotrón combina el campo eléctrico de alta frecuencia del ciclotrón con el campo electromagnético del betatrón. Los sincrotrones son de dos clases, una para acelerar electrones, y otra para acelerar protones. El sincrotrón acelerador de electrones, con un electroimán de 35 ton, trabaja en forma similar al betatrón, hasta que los electrones alcanzan una energía de dos millones de electrón-voltios, que equivale a 98% de la velocidad de la luz. A partir de ese punto entran en funciones el oscilador de radiofrecuencia y otros mecanismos, que aumentan la velocidad de los electrones hasta alcanzar la de la luz. En Estados Unidos existen varios sincrotrones de esta clase del orden de 300 millones a 1,000 millones de electrón-voltios. El sincrotrón acelerador de protones necesita energía superior a 1,000 millones de electrón-voltios debido a la masa mayor de los protones. El sincrotrón (cosmotrón) del laboratorio nacional de Brookhaven, en Long Island (New York), tiene un electroimán de 2,000 ton, una órbita de 22 m y desarrolla 3,000 millones de electrón-voltios; el de la Universidad de California, en Berkeley, (bevatrón) tiene un electroimán de 10,000 ton, órbita de 30 m y 6,500 millones de electrón-voltios. *Véanse* ÁTOMO; CICLOTRÓN.

sindicalismo y sindicato. El sindicalismo es el sistema de organización obrera por medio del sindicato. En su sentido más amplio, el sindicato es una asociación formada para la defensa de intereses comunes a todos sus asociados. Pero, en su acepción más generalizada, el vocablo sindicato se emplea para designar especialmente a las asociaciones obreras organizadas en defensa de sus intereses económicos y mejora en sus condiciones de trabajo.

La acción conjunta de los sindicatos obreros a favor de sus asociados constituye el sindicalismo lo que, en la práctica, trasciende el área de las relaciones entre obreros y patronos y se extiende a esferas

El sindicalismo industrial sigue teniendo una gran importancia en todo el mundo.

Corel Stock Photo Library

Corel Stock Photo Library

En algunos países existen sindicatos de trabajadores del campo.

sociales y políticas. Por lo tanto el sindicalismo influye, aunque en distintos grados, sobre la legislación social y obrera y la orientación política de cada nación. En su concepto actual, puede considerarse que el sindicalismo tiene su origen en la segunda mitad del siglo XIX. Se distinguen en él dos tendencias principales: la extremista o revolucionaria, y la moderada o evolucionista.

El sindicalismo extremista. Tiene puntos de contacto con doctrinas socialistas, comunistas y anarquistas, en las que se apoyan sus diversas tendencias. En su forma extrema, el sindicalismo europeo, de orientación francesa, considera injusto el sistema de salarios, afirma que existe antagonismo entre el capital y el trabajo y propugna la lucha de clases y la abolición de la propiedad privada de los instrumentos de producción, que deberán pasar a poder de los sindicatos y éstos, a su vez, ejercerán una acción conjunta por medio de las bolsas de trabajo.

La fuerza del sindicalismo extremista reside en la organización de los obreros en sindicatos y en el enlace de éstos en uniones, federaciones y congresos nacionales e internacionales. Sus armas de lucha son la huelga, el sabotaje, el boicot y todas las perturbaciones que puedan ejercerse sobre la producción hasta que circunstancias propicias aconsejen la huelga revolucionaria que permita a los dirigentes sindicales apoderarse de los medios de producción y cambiar la estructura económica de la sociedad. Esta clase de sindicalismo se originó principalmente en Francia y se extendió a otros países. Su expositor más radical fue Georges Sorel, y la tendencia de extrema violencia fue designada con el nombre de anarcosindicalismo.

En su etapa de organización internacional, el sindicalismo revolucionario tiene estrecha relación con los movimientos que se designan con el nombre de *Internacional*, a los que está ligado. El primero de ellos fue la Asociación Internacional de Trabajadores, conocida generalmente con el nombre de Primera Internacional. Fue fundada por Carlos Marx y Federico Engels en 1864. Tuvo una vida turbulenta y las continuas disensiones entre los socialistas partidarios de Marx y los anarquistas, partidarios de Mihail Aleksandrovic Bakunin, culminaron en su disolución a partir de 1876.

La segunda Internacional se fundó en París, en 1889, para restablecer la solidaridad internacional de las clases obreras. Creyó poder impedir la Primera Guerra Mundial; pero al no lograrlo, recibió un rudo golpe y quedó casi agonizante. Después de la guerra, fue revivida en el Congreso de Hamburgo (1923). Las organizaciones laboristas británicas ejercieron en la segunda Internacional una acción moderadora, y los elementos comunistas fueron excluidos de ella.

La tercera Internacional (comunista) o Comintern, se fundó en 1919, al comprender los elementos comunistas, ya desde ese año, que no podrían dominar en la Segunda Internacional y transformarla en un instrumento comunista para fomentar la revolución mundial. La tercera Internacional dominada por el gobierno de la Unión Soviética, fue disuelta por el mismo en 1943, durante la Segunda Guerra Mundial, como una supuesta demostración de amistad hacia sus aliados occidentales. Pero, en 1947, al sobrevenir la tirantez de relaciones con sus antiguos aliados, la Unión Soviética propició la creación del Cominform, lo que equivalía a la fundación de una nueva Internacional comunista.

El sindicalismo moderado. Como indica su nombre, este tipo de sindicalismo tiende a conseguir, progresivamente, por medios conciliadores, mejores condiciones de trabajo para el obrero, y prefiere el arbitraje, el convenio y la conciliación, a la violencia y a la huelga, a la que se apela en último recurso. La legislación obrera en la mayor parte de los países, autoriza la existencia de sindicatos que se constituyen para que los obreros obtengan condiciones equitativas en materia de salarios, duración de jornada y métodos de trabajo, y provee organismos de conciliación y arbitraje para estudiar y resolver en justicia los problemas y diferencias que puedan surgir entre obreros y patronos.

De gran importancia en el sindicalismo moderado o evolucionista, son las organizaciones sindicales de los grandes países de alta industrialización como Estados Unidos y Gran Bretaña. En Estados Unidos las dos organizaciones principales son la Federación Americana del Trabajo *(American Federation of Labor)*, fundada en 1886, y el Congreso de Organización Industrial *(Congress of Industrial Organization)*, que tienen millones de afiliados. Estas dos organizaciones obreras estadounidenses se unieron en diciembre de 1955.

En Gran Bretaña, los sindicatos obreros *(trade-unions)* integran la Federación General de Sindicatos *(General Federation of Trade Unions)*. Como fuerza política, el laborismo británico creó en 1900 el Comité de Representación Obrera, que seis años más tarde habría de dar origen al Partido Laborista. En sus inicios, el laborismo fue una federación de sindicatos para establecer un grupo laborista en el Parlamento, que cooperara con cualquier partido político que propugnase la promulgación de leyes favorables a los intereses obreros.

En la escala internacional, a partir de 1903 se inició un movimiento de tendencia evolucionista y moderada para agrupar las federaciones nacionales de sindicatos de cada país en una organización internacional y surgió el Secretariado Internacional de Sindicatos que, en 1909, cambió ese nombre por el de Federación Internacional de Sindicatos, entre cuyos principales afiliados se contaban el Congreso de Sindicatos Británicos y la Federación Americana del Trabajo (de Estados Unidos).

Al finalizar la Segunda Guerra Mundial, se creyó posible la convivencia obrera con la Unión Soviética, para unificar las corrientes obreras de todo el mundo, y se creó la Federación Mundial de Sindicatos, que reunía en una sola organización internacional los de las naciones occidentales y los de la Unión Soviética y de los países bajo su órbita de influencia. Pronto se hizo patente la imposibilidad de colaborar con las organizaciones representantes de los sindicatos soviéticos, y surgió en 1949 la Confederación Internacional de Sindicatos Libres, de la que fueron miembros fundadores las grandes organizaciones sindicales británicas, estadounidenses y holandesas, que se separaron de la Federación Mundial dominada por los soviéticos.

De importancia excepcional para el progreso del sindicalismo moderado ha sido la Organización Internacional del Trabajo, creada en 1919, a la terminación de la Primera Guerra Mundial, al ser aprobada su constitución como parte del Tratado de Versalles. Sus propósitos son los de fomentar la justicia social y mejorar por medio de la actuación internacional las condiciones de trabajo y de vida. Ha realizado desde su creación una admirable labor en beneficio de las clases obreras. Formó parte de la Sociedad de las Naciones, como organismo especializado, y con el mismo carácter figura en la Organización de las Naciones Unidas. Está integrada por más de 70 naciones cada una de las cuales envía a la Organización una delegación compuesta por dos delegados gubernamentales, uno patronal y otro obrero.

síndico. Persona que tiene la misión de fiscalizar las liquidaciones de cuentas o los repartos de bienes determinados. Los síndicos representan a la comunidad de personas que tienen interés en una empresa comercial cualquiera, que desean cerciorarse del estado del negocio o evitar ocultaciones y fraudes. En las quiebras y concursos de acreedores, los síndicos actúan en representación de los acreedores, y tienen a su cargo la liquidación del activo y el pasivo del deudor.

síndrome. Conjunto de síntomas que el médico observa en un paciente y que sirven para diagnosticar la enfermedad que lo aqueja y establecer el tratamiento adecuado.

sinécdoque. *Véase* FIGURAS DE LENGUAJE.

sinergia. Acción de dos o más componentes que al unirse o complementarse refuerzan su poder. En los organismos vivos existe sinergia en el funcionamiento conjunto de su esqueleto, músculos, órganos y tejidos. En los medicamentos se busca el beneficio sinérgico, por ejemplo el yodo al mezclarse con el alcohol y formar tintura de yodo gana en propiedades curativas. Lo mismo sucede cuando se unen la penicilina y la estreptomicina.

sinfonía. Es una amplia composición musical para orquesta, escrita en forma de sonata. Generalmente consta de cuatro tiempos o movimientos: primero un allegro; segundo un adagio, largo y andante, tercero un minué o scherzo, y cuarto vivo o rondó. La sinfonía apareció a mediados del siglo XVIII, siendo Franz Joseph Haydn el primero que la introdujo en su forma actual. Las ideas de este músico inspiraron a Wolfgang Amedeus Mozart ciertos perfeccionamientos que influyeron, a su vez, en el propio Haydn, hasta llegar a Ludwing van Beethoven, con quien, en realidad, la sinfonía alcanza su pleno desarrollo, y una estructura que ha permanecido casi invariable hasta nuestros días, en que algunos compositores se apartan a veces de la forma clásica para dejarse guiar por su fantasía. Muchas son las sinfonías que tienen fama universal, y entre las más notables y que se ejecutan constantemente en los conciertos, están la de Haydn, llamada del *Reloj*, la *Júpiter* de Mozart, la *Pastoral*, y la *Coral* de Beethoven, la *Renana* de Schumann, entre las clásicas, y entre las modernas la del *Nuevo Mundo* de Antonín Dvorak, y la *Patética* de Piotr Ilich Tchaikovsky.

Corel Stock Photo Library

Desfile del año nuevo en Singapur.

Singapur. Estado asiático. Está formado por una isla situada al sur de la Península de Malasia. La capital es la ciudad del mismo nombre. Separada del continente asiático por el Estrecho de Johore, la isla tiene 641 km^2 y se halla poblada por 3.045,000 habitantes (1996), en su mayoría chinos (77.5%); malayos (14.2%), indios y paquistanies (7.1%) y otros (1.2%). La isla es montañosa y de clima tropical. Las lluvias son copiosas durante todo el año y el ambiente es muy húmedo. La pluviosidad anual oscila alrededor de los 2,400 mm registrándose las máximas precipitaciones en los meses de noviembre a enero. La temperatura media anual es de unos 26 °C. Es de notar, asimismo, la escasa amplitud térmica entre el mes mas frío (enero) y el mes mas cálido (junio), que alcanza, apenas, los 2 °C. La vegetación comprende retazos desiguales de selva densa y abundantes manglares, estos últimos concentrados a lo largo de la costa. En el sureste se hallan el puerto y la ciudad de Singapur, cuya situación en la ruta marítima entre Europa, Extremo Oriente y Australia le ha valido una gran expansión urbana y comercial. Su puerto se ha convertido, además, en notable redistribuidor de mercancías.

Fachada del templo de Siva en Singapur.

Corel Stock Photo Library

El punto más elevado se alcanza en el Bukit Timah (174 m sobre el nivel del mar).

Se habla mayormente el chino (con 12 dialectos), el malayo y el tamil; estos tres idiomas, junto con el inglés, son las lenguas oficiales. Sus principales religiones son las budistas, taoistas y seguidores de creencias tradicionales (53.9%), musulmanes (15.4%) y cristianos (12.6%).

Geografía económica. La mayor parte del territorio de Singapur está ocupado por ciudades, depósitos e industrias; 4.5% lo constituyen bosques, de los que se obtiene sobre todo caucho, y sólo 1.1% se aprovecha para la agricultura (cría de cerdos y aves, producción de frutas, hortalizas y flores) La pesca tiene cierta importancia.

La principal industria es la del refino de petró1eo, seguida de la de construcción y reparación naval, la textil y la electrónica. Además están representados numerosos sectores: caucho, pinturas, construcción, alimentación (aceites, conservas, bebidas), tabaco. Es importante la fundición de mineral de estaño procedente de Malasia. La potencia eléctrica instalada es de 3.550,000 kW.

Singapur es uno de los principales centros financieros del mundo y la sede del mercado asiático del dó1ar. El sector financiero representa, por si solo, más de una cuarta parte del PNB y cerca de 11% del empleo total. A mediados de los años noventa contaba con 128 bancos comerciales, 115 extranjeros y 13 locales. De estos últimos destacan el *Development Bank Singapore* (DBS Bank), banco creado en 1968 por el gobierno y privatizado en 60% posteriormente, y tres bancos creados por la población de origen chino en la primera mitad del siglo XX, el *Oversea-Chinese Banking Corporation* (OCBC), el *United Overseas Bank* y el *Overseas Union Bank*. Cuenta con una activa bolsa de valores y un importante mercado de futuros. La moneda nacional es el *dólar singapurense* emitido por la Monetary Authority Singapore, organismo que regula la política monetaria en coordinación con el Ministerio de Finanzas.

La ciudad. La ciudad de Singapur, capital del Estado, es uno de los grandes puertos del mundo. Es la escala obligada de todos los buques que navegan hacia el Extremo Oriente desde Europa. El nombre de la urbe proviene de la palabra sánscrita *Singhapura*, que significa *ciudad del león*. Las culturas de Oriente y Occidente se mezclan de modo curioso en esta ciudad, construida frente a un magnífico puerto natural. El centro comercial se halla alrededor de la Plaza Raffles; allí se acumulan teatros, hoteles, edificios gubernativos, museos y escuelas de estilo europeo junto a mezquitas musulmanas y templos budistas. El puerto es libre; cualquier buque puede atracar, cargar y descargar sin tener que pagar derechos aduaneros. En la

Corel Stock Photo Library

Festival Thaipusam en Singapur.

ciudad se halla una de las mayores plantas refinadoras de estaño del mundo. Una gran parte del caucho natural que se produce en el globo pasa por sus muelles.

Historia. Es muy probable que Singapur fuese un próspero centro comercial durante la Edad Media. Destruido por los javaneses en 1365, permaneció durante muchos siglos en el olvido. En 1819 llegó al lugar sir Stamford Raffles, agente de la Compañía Británica de las Indias Orientales, quien advirtió la importancia estratégica y económica del lugar, ganó la amistad del sultán de Johore y adquirió la isla, que en 1826 pasó a formar, junto con Penang y Malaca, los Establecimientos de los Estrechos; la ciudad, elegida como capital de la nueva colonia, recibió millares de inmigrantes chinos. Después de la Primera Guerra Mundial los ingleses convirtieron a Singapur en el *Gibraltar del Oriente*: instalaron gigantescas baterías costeras, colocaron redes antisubmarinas en los estrechos y transportaron desde Gran Bretaña un dique flotante para reparar sus acorazados. Pero, la defensa aérea de la plaza era pobre y durante la Segunda Guerra Mundial, atacada por los japoneses en 1941, no tardó en sucumbir. Reconquistada en 1945, fue convertida en colonia de la Corona. En junio de 1959, Singapur se erigió en estado autónomo, con sus relaciones exteriores a cargo de Gran Bretaña. En 1963 entró a formar parte de la Federación de Malasia de la que se separó en 1965.

Mujer en el festival cultural de Singapur.

Corel Stock Photo Library

Forma de gobierno. Ciudad Estado, república independiente miembro de la Commonwealth. Su Constitución data de 1959 y fue revisada en 1965 introduciendo la república como forma de Estado. El poder legislativo corresponde al parlamento de 87 diputados, de los que 81 son elegidos por sufragio universal cada cinco años; los seis restantes son, desde 1990, personajes sin filiación política designados por el gobierno y renovados cada dos anos. La jefatura del Estado la ejerce el presidente, que hasta 1991 era elegido por el parlamento y desde entonces lo es por sufragio universal para un mandato de seis años. No obstante, los candidatos a presidente han de tener la aprobación previa de un comité electoral pare concurrir a las elecciones. El gabinete, encabezado por un primer ministro, ejerce el poder ejecutivo. La justicia depende de la Alta Corte.

Tras reformar el sistema de elección de presidente en 1991, Wee Kim Wee vio ampliado su mandato hasta las elecciones presidenciales de agosto de 1993 (primeras realizadas por sufragio universal), en las que Ong Teng Cheong obtuvo la presidencia. En 1996, después de un período de continuos éxitos económicos, Singapur pasó a ser considerado por la Organización para la Cooperación y el Desarrollo Económico (OCDE) como integrante del mundo desarrollado. El Partido de Acción Popular (PAP) renovó su mayoría en el Parlamento en las elecciones de enero de 1997, y Goh continuó en el cargo. *Véase* MALASIA.

Singer, Isaac Bashevis. (1904-1991). El más conocido y, posiblemente, el último de los grandes novelistas y autores de cuentos en idioma yiddish. Polaco de nacimiento, emigró a Estados Unidos en 1935 y en 1978 recibió el Premio Nobel de

Literatura. Empezó su carrera en New York como periodista del *Jewish Daily Forward*, donde gran parte de sus obras de ficción fueron publicadas originalmente. El propio Singer supervisaba la traducción de sus obras del yiddish al inglés.

La famosa trilogía de Singer, *The Family Moskat* (1950), *The Manor* (1967) y *The Estate* (1970) es una épica familiar que sigue la pista de la historia de los judíos de Polonia, desde los levantamientos antizaristas de 1863, hasta la Segunda Guerra Mundial. Su hermano mayor, el escritor Joshua Singer (1893-1944), escribió un relato épico familiar muy famoso también, *The Brothers Ashkenazi* (1936). Gran parte de la fuerza de la obra de Singer radica en su capacidad para recrear el mundo, aparentemente atemporal, de los judíos de Europa oriental; un mundo encantado que sigue vivo para muchos lectores exclusivamente a través de sus obras. Cuentista nato, por lo general alcanzaba su mejor nivel en sus cuentos, que fueron publicados otra vez en *Colección de cuentos* (1982). Escribió muchos libros infantiles. Sus trabajos autobiográficos han sido publicados bajo el título *Love and Exile* (1984). Su novela *Enemies: A Love Story* (1987) fue llevada al cine en 1989. Ganador del Premio Nobel de Literatura en 1978.

Singer, Isaac Merritt (1811-1875). Inventor e industrial estadounidense, que debe su renombre al hecho de haber perfeccionado la máquina de coser e industrializado su fabricación. Observando en 1850 una máquina de coser poco práctica concibió la idea de mejorarla y construyó un modelo perfeccionado que patentó en 1851. Este triunfo le ocasionó serios pleitos, sobre todo con el inventor de la aludida máquina, Eliah Howe. Singer organizó la compañía *I. M. Singer and Company* y mejoró de tal manera su máquina que consiguió popularizarla en el mundo entero.

Singerman, Berta (1903-1987). Actriz y recitadora argentina. Nacida en la ciudad rusa de Mosyi, llegó a América siendo niña, y estudió en el Conservatorio de Buenos Aires. Logró convertirse en la recitadora más famosa de habla castellana; desde las páginas arcaicas del Arcipreste de Hita hasta lo mejor de la poesía moderna, innumerables han sido los poemas que ha difundido su voz, de insuperable riqueza cromática. Viajera infatigable, recorrió las principales ciudades del mundo y utilizó la radio como vehículo artístico. En Hollywood filmó la película *No más que una mujer* y en Buenos Aires otras dos: *Rumba* y *Cenizas al viento*.

Sinkiang. Provincia autónoma del noroeste de China que se extiende desde Kansú hasta el Pamir y antes fue conocida con el nombre de Turquestán Chino. Limita con Kazajstán, Afganistá, Pakistán, el Tíbet y Mongolia Exterior. Tiene una superficie de 1.600,000 km^2 y alrededor de 15.155,778 habitantes (1995). El territorio es una altiplanicie cuya altura media supera los 1,500 m. Se halla rodeada por los montes de Tianshan y Karakorum y parte del vasto desierto de Gobi, lo que durante siglos la ha aislado del mundo exterior. La capital es Urumchi (Tihwa) y los principales productos son agrícolas y ganaderos. En Urumchi hay talleres de reparación de automóviles, una planta siderúrgica que produce hierro y acero, industrias textiles, de cemento y químicas, así como plantas termoeléctricas e hidroeléctricas, y en Hami se encuentra una planta siderúrgica.

Historia. Desde el siglo I a. C. estuvo vinculada a los emperadores chinos, que perdieron el control sobre el Sinkiang o Turquestán Oriental a raíz de las ofensivas de los hunos (s. II). Durante la Alta Edad Media, la región fue colonizada por pueblos uigures. Sus monarcas fueron vasallos y aliados fieles de la dinastía china de los Tang. No obstante, tras la derrota de los chinos a manos de los árabes en la batalla de Talas (751), los uigures se islamizaron con rapidez y el control de la ruta de la seda paste a los musulmanes. El imperio uigur desapareció con la irrupción de los kirguises (840); una parte de ellos se refugió en China, pero el grueso del pueblo permaneció en Sinkiang, donde formó un nuevo reino uigur, absorbido posteriormente por los mongoles. Perteneció después al imperio de los calmucos dzungaros (s. XV), que dieron nombre a la zona norte de la región (Dzungaria). Esta fue escenario de las luchas entre los torgots y los choros. Estos últimos, asentados definitivamente en la región, fundaron un imperio en el siglo XVII. Posteriormente los chinos se apoderaron del país y exterminaron a una parte de la población. En 1865 estalló una revuelta, pero China consiguió recuperar las sierras ocupadas por los rebeldes, aunque tuvo que ceder a Rusia el valle del Ili (1881). En 1884 se convirtió en provincia china. A partir de 1912, después del colapso de la dinastía manchó, Sinkiang fue gobernado por jefes militares sometidos muchas veces a la influencia rusa. Al tener lugar la invasión japonesa (1937) los nacionalistas chinos llegaron a un acuerdo con la URSS pare evitar que Sinkiang cayera en manos de los invasores. En 1942 el gobernador militar de la región vinculó de nuevo al gobierno de China su territorio el cual fue ocupado por el Ejército Popular de Liberación en 1950. En 1955 el Gobierno de China creó la Región autónoma uigur de Sinkiang.

sinsonte. Pájaro de la familia de los túrdidos, que vive en los bosques de México, el sur de Estados Unidos y en América Central y las Antillas. En México se le llama *cenzontle*, vocablo de origen azteca que significa *multitud de voces*. Tiene el pico largo y un poco curvo; las alas redondeadas, con plumas gris oscuras, que en las puntas se vuelven blancas; la cabeza parda y el dorso y la larga cola grises, que se cambian a blanquecinas en el vientre. Canta de manera inigualable, más agradable y melódicamente que el ruiseñor, siendo capaz de imitar el canto de otros muchos pájaros y la mayoría de los ruidos y silbidos del hombre, por lo que se le conoce con el nombre de pájaro burlón, en gran parte de América. Puede adaptar su garganta a cualquier nota y su poder imitativo y perfección en el canto se acrecienta con la educación en cautividad, que soporta bien. Se alimenta de insectos, bayas, plátanos y gusanos. Anida en los árboles próximos a las casas y a las granjas, y llega a tener dos y hasta tres crías por año.

sintaxis. Segunda de las cuatro partes en que se divide la gramática. Enseña a coordinar y unir las palabras para formar oraciones. La finalidad que se propone es la de que las ideas o pensamientos sean expresados apropiadamente con arreglo a una ordenación racional. Cada idioma tiene su construcción propia que debe ser respetada para no incurrir en faltas que atenten contra su elegancia y provoquen confusiones. La sintaxis trata del régimen y de la concordancia que debe existir entre los vocablos y del lugar que deben ocupar los elementos de la oración. La sintaxis se divide en regular y figurada, debido a que la construcción idiomática no obedece en todos los casos, con absoluto rigor, a los preceptos de la sintaxis regular. Las reglas a que debe sujetarse el empleo de las llamadas figuras de construcción y las licencias poéticas, corresponden a la sintaxis figurada. La poesía, donde la ordenación de los vocablos suele hallarse supeditada a las exigencias de la métrica y de la rima, ofrece a menudo ejemplos muy bellos de esas figuras y licencias.

síntesis. Composición de un todo por la reunión de sus partes. Suma y compendio de una materia o cosa. En filosofía el término se refiere a la operación mental que consiste en la acumulación de datos diversos, que llevan a un resultado de tipo intelectual, por ejemplo, una definición de la idea de una cosa.

Para la química es, en sentido estricto, la obtención de un compuesto químico a partir de sus elementos. El término síntesis se usa muy corrientemente en un sentido más amplio para denominar la obtención de un compuesto en el laboratorio a partir de otros, por lo general, más sencillos.

La palabra síntesis también designa el proceso biológico en el que, a partir de moléculas simples, se producen conjuntos y materias más complejas, como sucede con la síntesis de proteínas durante el proceso de duplicación genética.

sintoísmo. Religión nacional de Japón. Su nombre (sintō) quiere decir *camino de los dioses*. Es muy notable en el sintoísmo la influencia del budismo (religión hindú) y el confucianismo (religión china). Según las antiguas tradiciones hay un millón y medio de dioses sintoístas, que representan a toda clase de objetos, sucesos y personas (aire, fuego, montañas, tempestades, ríos, antepasados, etcétera). Entre los más importantes figura Jimmu Tenno, el fundador de la dinastía imperial. Los dioses se hallan dotados de pasiones, sentimientos y apetitos semejantes a los de todos los seres mortales; muchos habitan en la regiones celestes, pero otros descienden a la Tierra y hasta engendran sucesores. Se calcula que hay más de 137,000 templos sintoístas esparcidos por todo el territorio japonés.

sintonía. Igualdad entre los periodos de dos circuitos oscilantes (los de una estación radioemisora y un receptor, por ejemplo). A semejanza de lo que ocurre con la resonancia acústica, donde para que un diapasón que vibra haga sonar otro es preciso que ambos posean el mismo tono, en radiotelegrafía se requiere que la frecuencia eléctrica del receptor sea análoga a la del emisor para que así pueda recibir las ondas. La sintonía se logra merced a condensadores variables cuyas placas, al girar y separarse más o menos, modifican la capacidad del circuito hasta lograr el acorde deseado. Un botón apropiado, acoplado al eje del condensador, permite separar sus láminas; en ciertos aparatos, la sintonía se efectúa automáticamente, por medio también de botones que se presionan.

Corel Stock Photo Library

Para captar la señal de radio, se necesita una buena sintonía.

sionismo. Movimiento para establecer y mantener un Estado judío en Palestina. Su nombre proviene de la palabra *Sión*, que designa una colina de la ciudad de Jerusalén, sobre la cual se alzó el palacio del rey David y en la que Salomón construyó su templo. Por extensión se le aplicó el nombre de Sión a toda la Tierra Santa, con sus innumerables recuerdos y monumentos.

El pueblo de Israel vivió desde remotos tiempos en un pequeño sector de la costa oriental del Mediterráneo. Conquistado por babilonios y romanos, sufrió varios periodos de opresión. Sesenta y ocho años después del nacimiento de Cristo, sus pobladores debieron abandonar la tierra de los patriarcas y de los profetas, y dispersarse por todo el mundo occidental. En la prosperidad y en los sufrimientos, los judíos conservaron intacta su religión y el patrimonio de su antigua cultura; muchos de ellos iban aún más lejos y soñaban con restaurar su antigua patria, dándole la forma de un Estado moderno.

Hacia finales del siglo XIX, mientras el antisemitismo hacía estragos en numerosos países, esta aspiración se concretó con el nacimiento del sionismo moderno. El doctor Theodor Herzl, judío vienés, se convirtió en el gran propulsor de la idea. En un importante congreso reunido en Basilea (Suiza), en 1897, fijó los objetivos del movimiento: crear un Estado judío en Palestina y reunir en él a los hebreos del mundo entero. Su libro *El Estado judío* (1896), había sido recibido con general beneplácito. Pero, los obstáculos no tardaron en acumularse: los turcos, que a la sazón dominaban Palestina, se opusieron al proyecto. Hasta 1914 sólo habían llegado a la Tierra Santa unos 50,000 judíos, en su mayoría víctimas de las persecuciones desencadenadas en Europa Central.

Hombre sionista.

Corel Stock Photo Library

En 1901 el gobierno inglés ofreció al sionismo algunas tierras del África oriental, para que fuesen colonizadas; las opiniones se dividieron entre los miembros del movimiento, y Herzl, amargado por sinsabores y calumnias, murió poco después. En 1917 el gobierno inglés emitió la famosa *declaración Balfour*, cuya propuesta principal ("establecer en Palestina un hogar nacional para el pueblo judío") colmaba las aspiraciones del sionismo. Concluida la Primera Guerra Mundial, la Sociedad de las Naciones estableció un mandato sobre Palestina, que fue adjudicado a Gran Bretaña; de inmediato el gobierno inglés formó un comité consultivo en el que figuraban Chaim Weizmann y otros jefes sionistas, quienes comenzaron a colonizar algunas regiones del país. La ciudad de Tel Aviv surgió como un testimonio del esfuerzo creador. La Universidad Hebrea de Jerusalén, fundada en 1925, comenzó lentamente a recrear la milenaria cultura de Israel. El idioma hebreo fue enseñado de nuevo en las escuelas. Las colonias rurales, ayudadas por los judíos de Estados Unidos, de Argentina y de Europa, fueron transformando la tierra yerma. Huyendo de la persecución desencadenada por el nazismo, millares de judíos buscaron asilo en Palestina. Concluida la Segunda Guerra Mundial, en 1945 ya había 600,000 colonos hebreos en Tierra Santa y muchos otros aguardaban el momento del ingreso. Pero, los ingleses y los estados árabes del Cercano Oriente se opusieron por todos los medios a la entrada de inmigrantes ilegales. Egipto, Siria, Líbano, Iraq, Transjordania, Arabia Saudita y Yemen fundaron la poderosa Liga Árabe para oponerse al desarrollo de lo que juzgaban un cáncer en el centro del mundo musulmán.

La tensión llegó a hacerse insoportable. A finales de 1947 la Asamblea General de las Naciones Unidas aprobó la partición de Palestina en dos estados, judío el uno y árabe el otro. Varios meses más tarde, Gran Bretaña abandonó su mandato en Palestina y el movimiento sionista proclamó el nacimiento del Estado de Israel. De inmediato estalló una guerra sangrienta entre el flamante país y las naciones de la Liga Árabe. Durante nueve meses –desde junio de 1948 hasta febrero de 1949– la sangre de árabes y judíos enrojeció el desierto. El conde Folke Bernardotte, enviado por las Naciones Unidas para que mediara en el conflicto, fue asesinado por un grupo de extremistas judíos. Su sucesor, Ralph Bunche, abogado estadounidense, tuvo éxito en su misión. Así concluyó la guerra, en la que el sionismo llevó siempre la mejor parte. Sus jefes –Moshe Sharrett, Chaim Weizmann y David Ben Gurión– se dedicaron entonces a proseguir la tarea de consolidar la nueva nacionalidad israelí.

Véanse HEBREOS; ISRAEL; JUDAÍSMO.